Wieser/Stolz • Europäische Verfassungen

Europäische Verfassungen

von

DDr. Dr. h.c. Bernd Wieser
Universitätsprofessor in Graz

und

Dr. Armin Stolz
Assistenzprofessor in Graz

Wien 2021

facultas

Gedruckt mit freundlicher Unterstützung von:

Bibliografische Information der Deutschen Nationalbibliothek

Die Deutsche Nationalbibliothek verzeichnet diese Publikation in der Deutschen
Nationalbibliografie; detaillierte bibliografische Daten sind im Internet über
http://dnb.d-nb.de abrufbar.

Alle Angaben in diesem Fachbuch erfolgen trotz sorgfältiger Bearbeitung ohne
Gewähr, eine Haftung der Herausgeber oder des Verlages ist ausgeschlossen.

Vorwort

Es wird im deutschen Sprachraum auf akademischem Boden oftmals gesagt, dass wir in einer Epoche der Verfassungsvergleichung leben. Nähere Betrachtung zeigt freilich für Österreich wie für Deutschland und die Schweiz, dass die Beschäftigung mit fremden Verfassungen eine lange, sogar Jahrhunderte zurückreichende Tradition hat. Grundvoraussetzung einer solchen Beschäftigung war und ist stets die Verfügbarkeit ausländischer Verfassungstexte. In diesem Zusammenhang taucht freilich unweigerlich sogleich die Sprachenproblematik auf. Man kann sich zwar mit etwas Aufwand in gedruckter Form und heute natürlich viel einfacher und schneller über das Internet etwa die ukrainische, die finnische, die ungarische oder die litauische Verfassung im Originaltext besorgen. Auch wenn der eine oder andere Verfassungsvergleicher eine dieser „exotischen" Sprachen beherrschen mag, so wird er doch bei einem breiteren Verfassungsvergleich schnell an die Grenzen seiner Sprachenkenntnisse stoßen.

Aus diesem Grund gibt es – auch das schon eine weit über ein Jahrhundert zurückreichende Tradition – Textausgaben ausländischer Verfassungen in deutscher Sprache (vgl etwa das monumentale dreibändige Werk von *Pölitz*, Die europäischen Verfassungen seit dem Jahre 1789 bis auf die neueste Zeit: mit geschichtlichen Erläuterungen und Einleitungen, 2. Aufl, Leipzig 1832–1833). In jüngerer Zeit ist diese Tradition allerdings etwas zum Erliegen gekommen. So kennen die Herausgeber keine aktuelle Textausgabe mit mehr als einem Dutzend Verfassungen in deutscher Sprache. Mit der Verfügbarkeit von übersetzten Verfassungstexten im Internet scheinen sich solche Textausgaben für die Verlage nicht mehr wirklich zu rechnen. Abgesehen vom Komfort einer gebundenen Ausgabe enttäuscht der scheinbar bequeme Rückgriff auf das Internet allerdings in nicht wenigen Fällen. Zahlreiche dort auffindbare Übersetzungen sind von überschaubarer Qualität und zumeist auch nicht auf neuestem Stand.

Die vorliegende Textausgabe möchte daher einen handlichen und allen wissenschaftlichen Standards genügenden Arbeitsbehelf zur Verfügung stellen. Sie speist sich aus einer viertelhundertjährigen Erfahrung der Herausgeber in der Abhaltung von verfassungsvergleichenden Lehrveranstaltungen und der Betreuung verfassungsvergleichender wissenschaftlicher Arbeiten an der Universität Graz. Die ursprüngliche Idee, die Verfassungen aller europäischen Staaten in deutscher Übersetzung in einem Band zusammenzufassen, musste aus Kostengründen verworfen werden; ein solches Werk wäre für eine auch für Studierende leistbare Studienausgabe schlicht viel zu teuer geworden.

Es musste also eine Auswahl getroffen werden. Hierbei war es klar, dass die Verfassungen der großen westeuropäischen Staaten jedenfalls in den Band aufzunehmen waren: Deutschland, Frankreich, Italien, aber auch Spanien. Die weitere Selektion sollte eine gewissen Repräsentativität darstellen, wobei zum einen versucht wurde, möglichst alle Verfassungen im und geographisch rund um den deutschen Sprachraum zu erfassen. Zum anderen spiegelt die Auswahl „Grazer" Traditionen der Verfassungsvergleichung wider, die mit dem Schlagwort „Schwerpunkt im europäischen Osten" wiedergegeben werden können. So waren etwa Russland und die Ukraine von Anfang an als „Fixstarter" gedacht; Rumänien und Kroatien erklären sich ebenso daraus, dass diese Länder häufig in den Grazer Seminaren behandelt werden, was auch für die Türkei gilt. Insgesamt sind 20 Verfassungen in diesem Band vereint.

In vielen Fällen konnte auf offizielle bzw offiziöse Verfassungsübersetzungen zurückgegriffen werden, die freilich von uns redigiert und gegebenenfalls aktualisiert worden sind. Andere Verfassungsübersetzungen wurden uns freundlicherweise von anderen Autoren zur Verfügung gestellt, wofür hier ein herzlicher Dank ausgesprochen sei. In redaktioneller Hinsicht war es uns wichtig, dass dem Leser bzw der Leserin ein rascher Zugang zu den Verfassungstexten geboten wird. So finden sich nach der Inhaltsübersicht Inhaltsverzeichnisse, die ein schnelleres Navigieren durch die Verfassung bzw Auffinden der gesuchten Verfassungsvorschrift ermöglichen sollen. So die Verfassungsvorschriften nicht ohnehin eine amtliche Überschrift aufweisen (in runden Klammern), wurde ihnen eine nichtamtliche Überschrift (in eckigen Klammern) hinzugefügt.

Dank sagen wollen wir der Steiermärkischen Landesregierung für den namhaften Druckkostenzuschuss, der es ermöglicht, das Werk zu einem hoffentlich auch für Studierende erschwinglichen Preis anzubieten. Dank gebührt ferner dem Facultas-Verlag, insbesondere *Peter Wittmann* und *Carina Glitzner*, für die Aufnahme des Werkes in das Verlagsprogramm und die gute Zusammenarbeit. Einen besonderen Dank aussprechen wollen wir freilich *Maximilian Zankel*, der mit großem und kundigem Engagement die redaktionelle Betreuung des Werkes besorgt hat.

Graz, im September 2021

Bernd Wieser
Armin Stolz

Inhaltsübersicht

Inhaltsverzeichnis

Verfassung von Polen 354

Inhaltsverzeichnis

Charta der Grundrechte und -freiheiten 626

Verfassung der Türkei 635

Verfassung von Belgien[*]

Vom 7. Februar 1831, zuletzt geändert durch die Revision vom 17. März 2021 (Belgisches Staatsblatt vom 30. März 2021)

Titel I
DAS FÖDERALE BELGIEN, SEINE ZUSAMMENSETZUNG UND SEIN STAATSGEBIET

Artikel 1 [Föderalstaat]
Belgien ist ein Föderalstaat, der sich aus den Gemeinschaften und den Regionen zusammensetzt.

Artikel 2 [Gemeinschaften]
Belgien umfaßt drei Gemeinschaften: die Deutschsprachige Gemeinschaft, die Flämische Gemeinschaft und die Französische Gemeinschaft.

Artikel 3 [Regionen]
Belgien umfaßt drei Regionen: die Wallonische Region, die Flämische Region und die Brüsseler Region.

Artikel 4 [Sprachgebiete]
(1) Belgien umfaßt vier Sprachgebiete: das deutsche Sprachgebiet, das französische Sprachgebiet, das niederländische Sprachgebiet und das zweisprachige Gebiet Brüssel-Hauptstadt.

(2) Jede Gemeinde des Königreichs gehört einem dieser Sprachgebiete an.

(3) Die Grenzen der vier Sprachgebiete können nur durch ein mit Stimmenmehrheit in jeder Sprachgruppe einer jeden Kammer angenommenes Gesetz abgeändert oder berichtigt werden, vorausgesetzt, daß die Mehrheit der Mitglieder jeder Gruppe versammelt ist, und insofern die Gesamtzahl der Jastimmen aus beiden Sprachgruppen zwei Drittel der abgegebenen Stimmen erreicht.

Artikel 5 [Provinzen]
(1) Die Wallonische Region umfaßt die Provinzen Hennegau, Lüttich, Luxemburg, Namur und Wallonisch-Brabant. Die Flämische Region umfaßt die Provinzen Antwerpen, Flämisch-Brabant, Limburg, Ostflandern und Westflandern.

(2) Ein Gesetz kann bestimmte Gebiete, deren Grenzen es festlegt, der Einteilung in Provinzen entziehen, sie der föderalen ausführenden Gewalt unmittelbar unterstellen und ihnen einen eigenen Status zuerkennen. Dieses Gesetz muß mit der in Artikel 4 letzter Absatz bestimmten Mehrheit angenommen werden.

Artikel 6 [Unterteilung der Provinzen]
Die Unterteilungen der Provinzen können nur durch Gesetz festgelegt werden.

Artikel 7 [Grenzen]
Die Grenzen des Staates, der Provinzen und der Gemeinden können nur aufgrund eines Gesetzes abgeändert oder berichtigt werden.

Titel Ibis
ALLGEMEINE POLITISCHE ZIELSETZUNGEN DES FÖDERALEN BELGIENS, DER GEMEINSCHAFTEN UND DER REGIONEN

Artikel 7bis
Der Föderalstaat, die Gemeinschaften und die Regionen verfolgen bei der Ausübung ihrer jeweiligen Befugnisse die Ziele einer nachhaltigen Entwicklung in deren sozialen, wirtschaftlichen und umweltbezogenen Aspekten unter Berücksichtigung der Solidarität zwischen den Generationen.

---

[*] Übersetzt vom belgischen Senat (Belgian Senate), abrufbar unter: https://www.senate.be/deutsch/const_de.html, überarbeitet durch *Maximilian Zankel*, Institut für Öffentliches Recht und Politikwissenschaft, Karl-Franzens-Universität Graz.

Titel II
DIE BELGIER UND IHRE RECHTE

Artikel 8 [Staatsbürgerschaft und Stimmrecht]

(1) Erwerb, Fortbestand und Verlust der belgischen Staatsangehörigkeit werden durch das Zivilgesetz geregelt.

(2) Die Verfassung und die sonstigen Gesetze über die politischen Rechte bestimmen, welche Voraussetzungen neben der belgischen Staatsangehörigkeit für die Ausübung dieser Rechte zu erfüllen sind.

(3) In Abweichung von Absatz 2 kann das Gesetz das Stimmrecht der Bürger der Europäischen Union, die nicht die belgische Staatsangehörigkeit haben, gemäß den internationalen und überstaatlichen Verpflichtungen Belgiens regeln.

(4) Das im vorangehenden Absatz erwähnte Stimmrecht kann durch das Gesetz unter den Bedingungen und gemäß den Modalitäten, die es festlegt, auf die in Belgien wohnhaften Personen ausgedehnt werden, die nicht Staatsangehörige eines Mitgliedstaates der Europäischen Union sind.

Artikel 9 [Einbürgerung]

Die Einbürgerung wird von der föderalen gesetzgebenden Gewalt verliehen.

Artikel 10 [Gleichheit]

(1) Es gibt im Staat keine Unterscheidung nach Ständen.

(2) Die Belgier sind vor dem Gesetz gleich; nur sie können zur Bekleidung der zivilen und militärischen Ämter zugelassen werden, vorbehaltlich der Ausnahmen, die für Sonderfälle durch ein Gesetz festgelegt werden können.

(3) Die Gleichheit von Frauen und Männern ist gewährleistet.

Artikel 11 [Gleichheit von Mann und Frau]

Der Genuß der den Belgiern zuerkannten Rechte und Freiheiten muß ohne Diskriminierung gesichert werden. Zu diesem Zweck gewährleisten das Gesetz und das Dekret insbesondere die Rechte und Freiheiten der ideologischen und philosophischen Minderheiten.

Artikel 11bis [Gleiche Ausübung von Rechten und Freiheiten]

(1) Das Gesetz, das Dekret oder die in Artikel 134 erwähnte Regel gewährleistet Frauen und Männern die gleiche Ausübung ihrer Rechte und Freiheiten und fördert insbesondere ihren gleichen Zugang zu durch Wahl vergebenen Mandaten und öffentlichen Mandaten.

(2) Dem Ministerrat und den Gemeinschafts- und Regionalregierungen gehören Personen verschiedenen Geschlechts an.

(3) Das Gesetz, das Dekret oder die in Artikel 134 erwähnte Regel organisiert die Anwesenheit von Personen verschiedenen Geschlechts in den ständigen Ausschüssen der Provinzialräte, den Bürgermeister- und Schöffenkollegien, den Sozialhilferäten, den ständigen Präsidien der öffentlichen Sozialhilfezentren und in den ausführenden Organen jeglicher anderen interprovinzialen, suprakommunalen, interkommunalen oder intrakommunalen territorialen Organe.

(4) Der vorhergehende Absatz ist nicht anwendbar, wenn das Gesetz, das Dekret oder die in Artikel 134 erwähnte Regel die Direktwahl der Mitglieder der ständigen Ausschüsse der Provinzialräte, der Schöffen, der Mitglieder der Sozialhilferäte, der Mitglieder der ständigen Präsidien der öffentlichen Sozialhilfezentren oder der Mitglieder der ausführenden Organe jeglicher anderen interprovinzialen, suprakommunalen, interkommunalen oder intrakommunalen territorialen Organe organisiert.

Artikel 12 [Freiheit der Person]

(1) Die Freiheit der Person ist gewährleistet.

(2) Niemand darf verfolgt werden, es sei denn in den durch Gesetz bestimmten Fällen und in der dort vorgeschriebenen Form.

(3) Außer bei Entdeckung auf frischer Tat darf jemand nur festgenommen werden aufgrund einer mit Gründen versehenen rich-

terlichen Anordnung, die spätestens binnen achtundvierzig Stunden ab der Freiheitsentziehung zugestellt werden muss und nur eine Untersuchungsinhaftierung zur Folge haben darf.

Artikel 13 [Gesetzlicher Richter]

Niemand darf gegen seinen Willen seinem gesetzlichen Richter entzogen werden.

Artikel 14 [Gesetzliche Grundlage von Strafen]

Eine Strafe darf nur aufgrund des Gesetzes eingeführt oder angewandt werden.

Artikel 14bis [Todesstrafe]

Die Todesstrafe ist abgeschafft.

Artikel 15 [Unverletzlichkeit der Wohnung]

Die Wohnung ist unverletzlich; eine Hausdurchsuchung darf nur in den durch Gesetz bestimmten Fällen und in der dort vorgeschriebenen Form vorgenommen werden.

Artikel 16 [Eigentumsfreiheit]

Niemandem darf sein Eigentum entzogen werden, es sei denn zum Nutzen der Allgemeinheit, in den Fällen und in der Weise, die das Gesetz bestimmt, und gegen gerechte und vorherige Entschädigung.

Artikel 17 [Vermögenskonfiskation]

Die Strafe der Vermögenskonfiskation darf nicht eingeführt werden.

Artikel 18 [Bürgerlicher Tod]

Der bürgerliche Tod ist abgeschafft; er darf nicht wieder eingeführt werden.

Artikel 19 [Freiheit der Kulte]

Die Freiheit der Kulte, ihre öffentliche Ausübung sowie die Freiheit, zu allem seine Ansichten kundzutun, werden gewährleistet, unbeschadet der Ahndung der bei der Ausübung dieser Freiheiten begangenen Delikte.

Artikel 20 [Freie Ausübung]

Niemand darf gezwungen werden, in irgendeiner Weise an Handlungen und Feierlichkeiten eines Kultes teilzunehmen oder dessen Ruhetage einzuhalten.

Artikel 21 [Staatlicher Eingriff]

(1) Der Staat hat nicht das Recht, in die Ernennung oder Einsetzung der Diener irgendeines Kultes einzugreifen oder ihnen zu verbieten, mit ihrer Obrigkeit zu korrespondieren und deren Akte zu veröffentlichen, unbeschadet, in letztgenanntem Fall, der gewöhnlichen Verantwortlichkeit im Bereich der Presse und der Veröffentlichungen.

(2) Die zivile Eheschließung muß stets der Einsegnung der Ehe vorangehen, vorbehaltlich der erforderlichenfalls durch Gesetz festzulegenden Ausnahmen.

Artikel 22 [Achtung des Privat- und Familienlebens]

(1) Jeder hat ein Recht auf Achtung vor seinem Privat- und Familienleben, außer in den Fällen und unter den Bedingungen, die durch Gesetz festgelegt sind.

(2) Das Gesetz, das Dekret oder die in Artikel 134 erwähnte Regel gewährleistet den Schutz dieses Rechtes.

Artikel 22bis [Kinderrechte]

(1) Jedes Kind hat ein Recht auf Achtung vor seiner moralischen, körperlichen, geistigen und sexuellen Unversehrtheit.

(2) Jedes Kind hat das Recht, sich in allen Angelegenheiten, die es betreffen, zu äußern; seiner Meinung wird unter Berücksichtigung seines Alters und seines Unterscheidungsvermögens Rechnung getragen.

(3) Jedes Kind hat das Recht auf Maßnahmen und Dienste, die seine Entwicklung fördern.

(4) Das Wohl des Kindes ist in allen Entscheidungen, die es betreffen, vorrangig zu berücksichtigen.

(5) Das Gesetz, das Dekret oder die in Artikel 134 erwähnte Regel gewährleistet diese Rechte des Kindes.

Artikel 22ter [Menschen mit einer Behinderung]

(1) Jeder Mensch mit einer Behinderung hat das Recht auf vollständige Inklusion in die Gesellschaft einschließlich des Rechts auf angemessene Vorkehrungen.

(2) Das Gesetz, das Dekret oder die in Artikel 134 erwähnte Regel gewährleistet den Schutz dieses Rechtes.

Artikel 23 [Menschenwürdiges Leben]

(1) Jeder hat das Recht, ein menschenwürdiges Leben zu führen.

(2) Zu diesem Zweck gewährleistet das Gesetz, das Dekret oder die in Artikel 134 erwähnte Regel unter Berücksichtigung der entsprechenden Verpflichtungen die wirtschaftlichen, sozialen und kulturellen Rechte und bestimmt die Bedingungen für ihre Ausübung.

(3) Diese Rechte umfassen insbesondere:

1. das Recht auf Arbeit und auf freie Wahl der Berufstätigkeit im Rahmen einer allgemeinen Beschäftigungspolitik, die unter anderem darauf ausgerichtet ist, einen Beschäftigungsstand zu gewährleisten, der so stabil und hoch wie möglich ist, das Recht auf gerechte Arbeitsbedingungen und gerechte Entlohnung sowie das Recht auf Information, Konsultation und kollektive Verhandlungen;

2. das Recht auf soziale Sicherheit, auf Gesundheitsschutz und auf sozialen, medizinischen und rechtlichen Beistand;

3. das Recht auf eine angemessene Wohnung;

4. das Recht auf den Schutz einer gesunden Umwelt;

5. das Recht auf kulturelle und soziale Entfaltung;

6. das Recht auf Familienleistungen.

Artikel 24 [Freiheit des Unterrichtswesens]

§ 1 – (1) Das Unterrichtswesen ist frei; jede präventive Maßnahme ist verboten; die Ahndung der Delikte wird nur durch Gesetz oder Dekret geregelt.

(2) Die Gemeinschaft gewährleistet die Wahlfreiheit der Eltern.

(3) Die Gemeinschaft organisiert ein Unterrichtswesen, das neutral ist. Die Neutralität beinhaltet insbesondere die Achtung der philosophischen, ideologischen oder religiösen Auffassungen der Eltern und Schüler.

(4) Die von den öffentlichen Behörden organisierten Schulen bieten bis zum Ende der Schulpflicht die Wahl zwischen dem Unterricht in einer der anerkannten Religionen und demjenigen in nichtkonfessioneller Sittenlehre.

§ 2 – Wenn eine Gemeinschaft als Organisationsträger einem oder mehreren autonomen Organen Befugnisse übertragen will, kann dies nur durch ein mit Zweidrittelmehrheit der abgegebenen Stimmen angenommenes Dekret erfolgen.

§ 3 – (1) Jeder hat ein Recht auf Unterricht unter Berücksichtigung der Grundfreiheiten und Grundrechte. Der Zugang zum Unterricht ist unentgeltlich bis zum Ende der Schulpflicht.

(2) Alle schulpflichtigen Schüler haben zu Lasten der Gemeinschaft ein Recht auf eine moralische oder religiöse Erziehung.

§ 4 – Alle Schüler oder Studenten, Eltern, Personalmitglieder und Unterrichtsanstalten sind vor dem Gesetz oder dem Dekret gleich. Das Gesetz und das Dekret berücksichtigen die objektiven Unterschiede, insbesondere die jedem Organisationsträger eigenen Merkmale, die eine angepaßte Behandlung rechtfertigen.

§ 5 – Die Organisation, die Anerkennung oder die Bezuschussung des Unterrichtswesens durch die Gemeinschaft wird durch Gesetz oder Dekret geregelt.

Artikel 25 [Pressefreiheit]

(1) Die Presse ist frei; die Zensur darf nie eingeführt werden; von den Autoren, Verlegern oder Druckern darf keine Sicherheitsleistung verlangt werden.

(2) Wenn der Autor bekannt ist und seinen Wohnsitz in Belgien hat, darf der Verleger, Drucker oder Verteiler nicht verfolgt werden.

Artikel 26 [Versammlungsfreiheit]

(1) Die Belgier haben das Recht, sich friedlich und ohne Waffen zu versammeln, unter Beachtung der Gesetze, die die Ausübung dieses Rechts regeln können, ohne diese indessen einer vorherigen Genehmigung zu unterwerfen.

(2) Diese Bestimmung ist nicht auf Versammlungen unter freiem Himmel anwendbar, die gänzlich den Polizeigesetzen unterworfen bleiben.

Artikel 27 [Vereinsfreiheit]

Die Belgier haben das Recht, Vereinigungen zu bilden; dieses Recht darf keiner präventiven Maßnahme unterworfen werden.

Artikel 28 [Petitionsfreiheit]

(1) Jeder hat das Recht, Petitionen, die von einer oder mehreren Personen unterzeichnet sind, an die öffentlichen Behörden zu richten.

(2) Nur die konstituierten Behörden haben das Recht, Petitionen unter einem Gesamtnamen einzureichen.

Artikel 29 [Briefgeheimnis]

(1) Das Briefgeheimnis ist unverletzlich.

(2) Das Gesetz bestimmt, welche Bediensteten für die Verletzung des Geheimnisses der der Post anvertrauten Briefe verantwortlich sind.

Artikel 30 [Freiheit der Sprache]

Der Gebrauch der in Belgien gesprochenen Sprachen ist frei; er darf nur durch Gesetz und allein für Handlungen der öffentlichen Gewalt und für Gerichtsangelegenheiten geregelt werden.

Artikel 31 [Verfolgung von Beamten]

Es bedarf keiner vorherigen Genehmigung, um Beamte wegen ihrer Amtshandlungen zu verfolgen, vorbehaltlich der die Minister und die Mitglieder der Gemeinschafts- und Regionalregierungen betreffenden Bestimmungen.

Artikel 32 [Einsichtnahme]

Jeder hat das Recht, jegliches Verwaltungsdokument einzusehen und eine Abschrift davon zu bekommen, außer in den Fällen und unter den Bedingungen, die durch Gesetz, Dekret oder die in Artikel 134 erwähnte Regel festgelegt sind.

Titel III
DIE GEWALTEN

Artikel 33 [Gewalten]

(1) Alle Gewalten gehen von der Nation aus.

(2) Sie werden in der durch die Verfassung bestimmten Weise ausgeübt.

Artikel 34 [Übertragung von Gewalten]

Die Ausübung bestimmter Gewalten kann völkerrechtlichen Einrichtungen durch einen Vertrag oder ein Gesetz übertragen werden.

Artikel 35 [Verfassungsmäßige Zuständigkeit]

(1) Die Föderalbehörde ist für nichts anderes zuständig als für die Angelegenheiten, die die Verfassung und die aufgrund der Verfassung selbst ergangenen Gesetze ihr ausdrücklich zuweisen.

(2) Die Gemeinschaften oder die Regionen, jede für ihren Bereich, sind gemäß den durch Gesetz festgelegten Bedingungen und Modalitäten für die anderen Angelegenheiten zuständig. Dieses Gesetz muß mit der in Artikel 4 letzter Absatz bestimmten Mehrheit angenommen werden.

Artikel 36 [Föderale gesetzgebende Gewalt]

Die föderale gesetzgebende Gewalt wird vom König, von der Abgeordnetenkammer und vom Senat gemeinsam ausgeübt.

Artikel 37 [König]

Die föderale ausführende Gewalt, so wie sie durch die Verfassung geregelt wird, liegt beim König.

Artikel 38 [Befugnisse der Gemeinschaft]

Jede Gemeinschaft hat die Befugnisse, die ihr die Verfassung oder die aufgrund der Verfassung ergangenen Gesetze zuerkennen.

Artikel 39 [Zuständigkeit regionaler Organe]

Das Gesetz überträgt den regionalen Organen, die es schafft und die sich aus gewählten Vertretern zusammensetzen, die Zuständigkeit, innerhalb des von ihm bestimmten Bereichs und gemäß der von ihm bestimmten Weise die von ihm bezeichneten Angelegenheiten zu regeln unter Ausschluß derjenigen, die in den Artikeln 30 und 127 bis 129 erwähnt sind. Dieses Gesetz muß mit der in Artikel 4 letzter Absatz bestimmten Mehrheit angenommen werden.

Artikel 39bis [Volksbefragung]

(1) Mit Ausnahme der Angelegenheiten mit Bezug auf die Finanzen oder den Haushalt oder der Angelegenheiten, die mit Zweidrittelmehrheit der abgegebenen Stimmen geregelt werden, kann über die Angelegenheiten, die ausschließlich den regionalen Organen übertragen sind, in der betreffenden Region eine Volksbefragung abgehalten werden.

(2) Die in Artikel 134 erwähnte Regel regelt die Modalitäten und die Organisation der Volksbefragung und wird mit Zweidrittelmehrheit der abgegebenen Stimmen angenommen, vorausgesetzt, die Mehrheit der Mitglieder des betreffenden Parlaments ist anwesend. Ein Gesetz, das mit der in Artikel 4 letzter Absatz bestimmten Mehrheit angenommen wird, sieht zusätzliche Mehrheitsbedingungen für das Parlament der Region Brüssel-Hauptstadt vor.

Artikel 39ter [Inkrafttreten der Wahlordnung]

Das Gesetz, das Dekret oder die in Artikel 134 erwähnte Regel, das beziehungsweise die die Wahlen für die Abgeordnetenkammer oder ein Gemeinschafts- oder Regionalparlament regelt und weniger als ein Jahr vor dem vorgesehenen Datum des Endes der Legislaturperiode ausgefertigt wird, tritt frühestens ein Jahr nach Ausfertigung in Kraft.

Artikel 40 [Rechtsprechende Gewalt]

(1) Die rechtsprechende Gewalt wird von den Gerichtshöfen und Gerichten ausgeübt.

(2) Die Entscheide und Urteile werden im Namen des Königs vollstreckt.

Artikel 41 [Intrakommunale territoriale Organe]

(1) Die ausschließlich kommunalen oder provinzialen Belange werden von den Gemeinde- oder Provinzialräten gemäß den durch die Verfassung festgelegten Grundsätzen geregelt. In Ausführung eines Gesetzes, das mit der in Artikel 4 letzter Absatz bestimmten Mehrheit angenommen wird, kann die in Artikel 134 erwähnte Regel die provinzialen Einrichtungen jedoch abschaffen. In diesem Fall kann die in Artikel 134 erwähnte Regel sie durch suprakommunale Körperschaften ersetzen, deren Räte gemäß den durch die Verfassung festgelegten Grundsätzen ausschließlich suprakommunale Belange regeln. Die in Artikel 134 erwähnte Regel muss mit Zweidrittelmehrheit der abgegebenen Stimmen angenommen werden, vorausgesetzt, die Mehrheit der Mitglieder des betreffenden Parlaments ist anwesend.

(2) Die in Artikel 134 erwähnte Regel bestimmt die Befugnisse, die Regeln für die Arbeitsweise und den Modus der Wahl intrakommunaler territorialer Organe, die Angelegenheiten kommunalen Interesses regeln können.

(3) Diese intrakommunalen territorialen Organe werden auf Initiative des Gemeinderates in Gemeinden mit mehr als 100.000 Einwohnern geschaffen. Ihre Mitglieder werden direkt gewählt. In Ausführung eines mit der in Artikel 4 letzter Absatz bestimmten Mehrheit angenommenen Gesetzes regelt das Dekret oder die in Artikel 134 erwähnte Regel die anderen Bedingungen und den Modus für die Schaffung solcher intrakommunaler territorialer Organe.

(4) Dieses Dekret und diese in Artikel

134 erwähnte Regel werden mit Zweidrittelmehrheit der abgegebenen Stimmen angenommen, vorausgesetzt, die Mehrheit der Mitglieder des betreffenden Parlaments ist anwesend.

(5) Über Angelegenheiten kommunalen, suprakommunalen oder provinzialen Interesses kann in der betreffenden Gemeinde, suprakommunalen Körperschaft oder Provinz eine Volksbefragung abgehalten werden. Die in Artikel 134 erwähnte Regel regelt die Modalitäten und die Organisation der Volksbefragung.

Kapitel I
Die föderalen Kammern

Artikel 42 [Mitglieder der Kammern]
Die Mitglieder der beiden Kammern vertreten die Nation und nicht allein diejenigen, von denen sie gewählt worden sind.

Artikel 43 [Aufteilung auf Sprachgruppen]
§ 1 – Für die in der Verfassung bestimmten Fälle werden die gewählten Mitglieder der Abgeordnetenkammer in der durch Gesetz festgelegten Weise in eine französische und eine niederländische Sprachgruppe aufgeteilt.

§ 2 – (1) Für die in der Verfassung bestimmten Fälle werden die Senatoren, mit Ausnahme des vom Parlament der Deutschsprachigen Gemeinschaft bestimmten Senators, in eine französische und eine niederländische Sprachgruppe aufgeteilt.

(2) Die in Artikel 67 § 1 Nr. 2 bis 4 und 7 erwähnten Senatoren bilden die französische Sprachgruppe des Senats. Die in Artikel 67 § 1 Nr. 1 und 6 erwähnten Senatoren bilden die niederländische Sprachgruppe des Senats.

Artikel 44 [Zusammentreten der Kammern]
(1) Die Kammern treten von Rechts wegen jedes Jahr am zweiten Dienstag im Oktober zusammen, insofern sie nicht schon zu einem früheren Zeitpunkt vom König einberufen worden sind.

(2) Die Sitzungsperiode der Kammern muß jedes Jahr mindestens vierzig Tage dauern. Der Senat ist ein nichtständiges Organ.

(3) Die Sitzungsperiode wird vom König geschlossen.

(4) Der König hat das Recht, die Kammern zu einer außerordentlichen Sitzungsperiode einzuberufen.

Artikel 45 [Vertagung der Kammern]
Der König kann die Kammern vertagen. Die Vertagung darf jedoch ohne Zustimmung der Kammern weder die Frist von einem Monat übersteigen noch während derselben Sitzungsperiode erneut erfolgen.

Artikel 46 [Auflösung]
(1) Der König hat nur dann das Recht, die Abgeordnetenkammer aufzulösen, wenn sie mit absoluter Mehrheit ihrer Mitglieder:

1. entweder einen Vertrauensantrag der Föderalregierung ablehnt und dem König nicht binnen drei Tagen nach Ablehnung des Antrags einen Nachfolger für den Premierminister zur Ernennung vorschlägt

2. oder einen Mißtrauensantrag gegen die Föderalregierung annimmt und dem König nicht gleichzeitig einen Nachfolger für den Premierminister zur Ernennung vorschlägt.

(2) Über Vertrauens- und Mißtrauensanträge kann erst achtundvierzig Stunden nach Einbringung des Antrags abgestimmt werden.

(3) Außerdem kann der König im Falle des Rücktritts der Föderalregierung die Abgeordnetenkammer auflösen, nachdem er deren mit absoluter Mehrheit ihrer Mitglieder ausgesprochene Zustimmung erhalten hat.

(4) Der Auflösungsbeschluss enthält die Einberufung der Wähler binnen vierzig Tagen und die der Abgeordnetenkammer binnen zwei Monaten.

(5) Im Falle einer Auflösung beider Kammern gemäß Artikel 195 werden die Kammern binnen drei Monaten einberufen.

(6) Im Falle einer vorzeitigen Auflösung darf die Dauer der neuen föderalen Legislaturperiode nicht über den Tag der ersten Wahlen für das Europäische Parlament, die dieser Auflösung folgen, hinausgehen.

Artikel 47 [Öffentlichkeit]

(1) Die Sitzungen der Kammern sind öffentlich.

(2) Jede Kammer schließt jedoch auf Antrag ihres Präsidenten oder von zehn ihrer Mitglieder die Öffentlichkeit aus.

(3) Anschließend entscheidet sie mit absoluter Mehrheit, ob die Sitzung zur Behandlung desselben Gegenstandes öffentlich fortgeführt werden soll.

Artikel 48 [Streitigkeiten]

Jede Kammer prüft die Mandate ihrer Mitglieder und entscheidet über die diesbezüglich auftretenden Streitigkeiten.

Artikel 49 [Unvereinbarkeit]

Niemand darf gleichzeitig Mitglied beider Kammern sein.

Artikel 50 [Mitglieder der Kammern]

Ein Mitglied einer der beiden Kammern, das vom König zum Minister ernannt wird und diese Ernennung annimmt, hört auf zu tagen und nimmt sein Mandat wieder auf, wenn seinem Amt als Minister vom König ein Ende gesetzt worden ist. Das Gesetz sieht die Modalitäten seiner Ersetzung in der betreffenden Kammer vor.

Artikel 51 [Verlust des Mandats durch besoldetes Amt]

Das Mitglied einer der beiden Kammern, das von der Föderalregierung in ein anderes besoldetes Amt als das eines Ministers ernannt wird und dieses annimmt, verliert unmittelbar seinen Sitz und kann diesen nur aufgrund einer Neuwahl wiedererlangen.

Artikel 52 [Präsident der Kammern]

Für jede Sitzungsperiode ernennt jede Kammer ihren Präsidenten und ihre Vizepräsidenten und stellt ihr Präsidium zusammen.

Artikel 53 [Stimmenmehrheit]

(1) Jeder Beschluß wird mit absoluter Stimmenmehrheit gefaßt, vorbehaltlich dessen, was durch die Geschäftsordnung der Kammern in Bezug auf Wahlen und Wahlvorschläge bestimmt wird.

(2) Bei Stimmengleichheit ist der behandelte Vorschlag abgelehnt.

(3) Keine der beiden Kammern ist beschlußfähig, wenn nicht die Mehrheit ihrer Mitglieder anwesend ist.

Artikel 54 [Vetomotion]

(1) Außer bei Haushaltsplänen sowie bei Gesetzen, die eine besondere Mehrheit erfordern, kann eine von mindestens drei Vierteln der Mitglieder einer der Sprachgruppen unterzeichnete sowie nach Hinterlegung des Berichts und vor der Schlußabstimmung in öffentlicher Sitzung eingereichte mit Gründen versehene Motion erklären, daß die von ihr bezeichneten Bestimmungen eines Gesetzentwurfes oder Gesetzesvorschlages die Beziehungen zwischen den Gemeinschaften ernstlich gefährden können.

(2) In diesem Fall wird das parlamentarische Verfahren ausgesetzt und die Motion an den Ministerrat verwiesen, der binnen dreißig Tagen seine mit Gründen versehene Stellungnahme dazu abgibt und die betreffende Kammer auffordert, entweder über diese Stellungnahme oder über den gegebenenfalls mit einem Revisionsantrag versehenen Entwurf oder Vorschlag zu befinden.

(3) Dieses Verfahren darf von den Mitgliedern einer Sprachgruppe nur einmal in Bezug auf denselben Gesetzentwurf oder Gesetzesvorschlag angewandt werden.

Artikel 55 [Modalität der Abstimmung]

Die Abstimmungen erfolgen durch Sitzenbleiben und Aufstehen oder namentlich; über die Gesetze als Ganzes wird immer namentlich abgestimmt. Wahlen und Wahlvorschläge erfolgen in geheimer Abstimmung.

Artikel 56 [Untersuchungsrecht]

(1) Die Abgeordnetenkammer hat das Untersuchungsrecht.

(2) Der Senat kann auf Antrag von fünfzehn seiner Mitglieder, der Abgeordnetenkammer, eines Gemeinschafts- oder Regionalparlaments oder des Königs mit absoluter

Mehrheit der abgegebenen Stimmen – mit mindestens einem Drittel der abgegebenen Stimmen in jeder Sprachgruppe – beschließen, dass eine Frage, die ebenfalls Folgen für die Befugnisse der Gemeinschaften oder der Regionen hat, in einem Informationsbericht behandelt wird. Der Bericht wird mit absoluter Mehrheit der abgegebenen Stimmen – mit mindestens einem Drittel der abgegebenen Stimmen in jeder Sprachgruppe – gebilligt.

Artikel 57 [Petitionen]

(1) Es ist verboten, den Kammern Petitionen persönlich zu unterbreiten.

(2) Die Abgeordnetenkammer hat das Recht, die an sie gerichteten Petitionen an die Minister zu verweisen. Die Minister sind verpflichtet, zu deren Inhalt Erläuterungen zu geben, sooft die Kammer dies verlangt.

Artikel 58 [Immunität der Mitglieder der Kammern]

Ein Mitglied einer der beiden Kammern darf nicht anläßlich einer in Ausübung seines Amtes erfolgten Meinungsäußerung oder Stimmabgabe verfolgt oder Gegenstand irgendeiner Ermittlung werden.

Artikel 59 [Immunität bei Entdeckung auf frischer Tat]

(1) Außer bei Entdeckung auf frischer Tat darf ein Mitglied einer der beiden Kammern während der Sitzungsperiode in Strafsachen nur mit Genehmigung der Kammer, der es angehört, an einen Gerichtshof oder ein Gericht verwiesen, unmittelbar dorthin geladen oder festgenommen werden.

(2) Außer bei Entdeckung auf frischer Tat dürfen Zwangsmaßnahmen gegen ein Mitglied einer der beiden Kammern, für die das Eingreifen eines Richters erforderlich ist, während der Sitzungsperiode in Strafsachen nur vom ersten Präsidenten des Appellationshofes auf Antrag des zuständigen Richters angeordnet werden. Dieser Beschluß wird dem Präsidenten der betreffenden Kammer mitgeteilt.

(3) Eine Hausdurchsuchung oder Beschlagnahme aufgrund des vorangehenden

Absatzes darf nur im Beisein des Präsidenten der betreffenden Kammer oder eines von ihm bestimmten Mitglieds erfolgen.

(4) Während der Sitzungsperiode dürfen nur die Mitglieder der Staatsanwaltschaft und die zuständigen Bediensteten gegen ein Mitglied einer der beiden Kammern in Strafsachen Verfolgungen einleiten.

(5) In jedem Stadium der Untersuchung kann das betroffene Mitglied der einen oder anderen Kammer während der Sitzungsperiode in Strafsachen bei der Kammer, der es angehört, die Aussetzung der Verfolgung beantragen. Diese Kammer hat darüber mit Zweidrittelmehrheit der abgegebenen Stimmen zu entscheiden.

(6) Die Haft eines Mitglieds einer der beiden Kammern oder seine Verfolgung vor einem Gerichtshof oder Gericht wird während der Sitzungsperiode ausgesetzt, wenn die Kammer, der das Mitglied angehört, dies verlangt.

Artikel 60 [Geschäftsordnung]

Jede Kammer bestimmt in ihrer Geschäftsordnung die Weise, in der sie ihre Befugnisse ausübt.

Abschnitt I
Die Abgeordnetenkammer

Artikel 61 [Wahl der Abgeordnetenkammer]

(1) Die Mitglieder der Abgeordnetenkammer werden unmittelbar von den Bürgern gewählt, die das achtzehnte Lebensjahr vollendet haben und sich nicht in einem der durch Gesetz bestimmten Ausschließungsfälle befinden.

(2) Jeder Wähler hat ein Recht auf nur eine Stimme.

Artikel 62 [Ablauf der Wahl]

(1) Die Zusammenstellung der Wahlkollegien wird durch Gesetz geregelt.

(2) Die Wahlen erfolgen nach dem durch Gesetz festgelegten System der verhältnismäßigen Vertretung.

(3) Die Stimmabgabe ist obligatorisch und

geheim. Sie findet in der Gemeinde statt, vorbehaltlich der durch Gesetz festzulegenden Ausnahmen.

Artikel 63 [Zusammensetzung der Abgeordnetenkammer]

§ 1 – Die Abgeordnetenkammer zählt hundertfünfzig Mitglieder.

§ 2 – (1) Die Anzahl der Sitze eines jeden Wahlkreises entspricht dem Ergebnis der Teilung der Bevölkerungszahl des Wahlkreises durch den föderalen Divisor, der sich aus der Teilung der Bevölkerungszahl des Königreiches durch hundertfünfzig ergibt.

(2) Die verbleibenden Sitze entfallen auf die Wahlkreise mit dem größten noch nicht vertretenen Bevölkerungsüberschuß.

§ 3 – (1) Die Aufteilung der Mitglieder der Abgeordnetenkammer nach Wahlkreisen wird vom König im Verhältnis zur Bevölkerungszahl bestimmt.

(2) Die Bevölkerungszahl jedes Wahlkreises wird alle zehn Jahre durch eine Volkszählung oder durch jegliches andere durch Gesetz definierte Mittel festgelegt. Der König veröffentlicht die Ergebnisse innerhalb einer Frist von sechs Monaten.

(3) Binnen drei Monaten nach dieser Veröffentlichung bestimmt der König die Anzahl Sitze, die auf jeden Wahlkreis entfallen.

(4) Die neue Aufteilung wird ab den nächstfolgenden allgemeinen Wahlen angewandt.

§ 4 – (1) Das Gesetz bestimmt die Wahlkreise; es bestimmt ebenfalls die Bedingungen, denen die Wahlberechtigung unterliegt, sowie den Verlauf der Wahlverrichtungen.

(2) Um die rechtmäßigen Interessen der Niederländischsprachigen und der Französischsprachigen in der ehemaligen Provinz Brabant zu gewährleisten, sieht das Gesetz jedoch Sondermodalitäten vor.

(3) Die Regeln, die diese Sondermodalitäten festlegen, können nur durch ein Gesetz, das mit der in Artikel 4 letzter Absatz bestimmten Mehrheit angenommen wird, abgeändert werden.

Artikel 64 [Passives Wahlrecht]

(1) Wählbar ist, wer

1. Belgier ist,

2. die zivilen und politischen Rechte besitzt,

3. das achtzehnte Lebensjahr vollendet hat und

4. seinen Wohnsitz in Belgien hat.

(2) Es darf keine andere Wählbarkeitsbedingung auferlegt werden.

Artikel 65 [Amtszeit]

(1) Die Mitglieder der Abgeordnetenkammer werden auf fünf Jahre gewählt.

(2) Die Kammer wird alle fünf Jahre vollständig erneuert.

(3) Die Wahlen für die Kammer finden am selben Tag wie die Wahlen für das Europäische Parlament statt.

Artikel 66 [Entschädigung]

(1) Jedes Mitglied der Abgeordnetenkammer bezieht eine jährliche Entschädigung von zwölftausend Franken.

(2) Innerhalb der Staatsgrenzen haben die Mitglieder der Abgeordnetenkammer ein Recht auf freie Fahrt auf allen von den öffentlichen Behörden betriebenen oder konzessionierten Verkehrsverbindungen.

(3) Dem Präsidenten der Abgeordnetenkammer kann eine jährliche Entschädigung zuerkannt werden, die auf die zur Deckung der Ausgaben dieser Versammlung bestimmte Dotation angerechnet wird.

(4) Die Kammer bestimmt den Betrag, der von der Entschädigung einbehalten werden darf als Beitrag zugunsten der Renten- oder Pensionskassen, deren Errichtung sie für angebracht hält.

Abschnitt II
Der Senat

Artikel 67 [Zusammensetzung des Senats]

§ 1 – Der Senat setzt sich aus sechzig Senatoren zusammen:

1. Neunundzwanzig Senatoren werden vom Flämischen Parlament aus seiner Mitte oder aus der Mitte der niederländischen

Sprachgruppe des Parlaments der Region Brüssel-Hauptstadt bestimmt.

2. Zehn Senatoren werden vom Parlament der Französischen Gemeinschaft aus seiner Mitte bestimmt.

3. Acht Senatoren werden vom Parlament der Wallonischen Region aus seiner Mitte bestimmt.

4. Zwei Senatoren werden von der französischen Sprachgruppe des Parlaments der Region Brüssel-Hauptstadt aus ihrer Mitte bestimmt.

5. Ein Senator wird vom Parlament der Deutschsprachigen Gemeinschaft aus seiner Mitte bestimmt.

6. Sechs Senatoren werden von den unter Nr. 1 erwähnten Senatoren bestimmt.

7. Vier Senatoren werden von den unter den Nummern 2 bis 4 erwähnten Senatoren bestimmt.

§ 2 – (1) Mindestens einer der in § 1 Nr. 1 erwähnten Senatoren hat am Tag seiner Wahl seinen Wohnsitz im zweisprachigen Gebiet Brüssel-Hauptstadt.

(2) Drei der in § 1 Nr. 2 erwähnten Senatoren sind Mitglieder der französischen Sprachgruppe des Parlaments der Region Brüssel-Hauptstadt. In Abweichung von § 1 Nr. 2 braucht einer dieser drei Senatoren nicht Mitglied des Parlaments der Französischen Gemeinschaft zu sein.

§ 3 – Nicht mehr als zwei Drittel der Senatoren sind desselben Geschlechts.

§ 4 – Wenn eine in Artikel 68 § 2 erwähnte Liste nicht durch Senatoren vertreten ist, die in § 1 Nr. 1 beziehungsweise § 1 Nr. 2, 3 oder 4 erwähnt sind, kann die Bestimmung der in § 1 Nr. 6 oder § 1 Nr. 7 erwähnten Senatoren durch die auf der vorerwähnten Liste gewählten Abgeordneten erfolgen.

Artikel 68 [Verteilung]

§ 1 – (1) Die in Artikel 67 § 1 Nr. 1 vorgesehenen Senatssitze werden nach dem durch Gesetz festgelegten System der verhältnismäßigen Vertretung auf der Grundlage der Addition – gemäß den durch Gesetz vorgesehenen Modalitäten – der Wahlziffern, die die Listen bei den Wahlen zum Flämischen Parlament in den verschiedenen Wahlkreisen erzielt haben, auf die Listen verteilt.

(2) Die Listen, deren Wahlziffern aufgrund von Absatz 1 addiert werden, dürfen an der Verteilung der in Artikel 67 § 1 Nr. 1 vorgesehenen Senatssitze nur teilnehmen, wenn sie mindestens einen Sitz im Flämischen Parlament erhalten haben.

(3) Die in Artikel 67 § 1 Nr. 2 bis 4 vorgesehenen Senatssitze werden nach dem durch Gesetz festgelegten System der verhältnismäßigen Vertretung auf der Grundlage der Addition – gemäß den durch Gesetz vorgesehenen Modalitäten – der Wahlziffern, die die Listen bei den Wahlen zum Parlament der Wallonischen Region in den verschiedenen Wahlkreisen erzielt haben, und der Wahlziffern, die die Listen der französischen Sprachgruppe bei den Wahlen zum Parlament der Region Brüssel-Hauptstadt erzielt haben, auf die Listen verteilt.

(4) Die Listen, deren Wahlziffern aufgrund von Absatz 3 addiert werden, dürfen an der Verteilung der in Artikel 67 § 1 Nr. 2 bis 4 vorgesehenen Senatssitze nur teilnehmen, wenn sie mindestens einen Sitz im Parlament der Französischen Gemeinschaft, im Wallonischen Parlament beziehungsweise in der französischen Sprachgruppe des Parlaments der Region Brüssel-Hauptstadt erhalten haben.

(5) Das Gesetz regelt die Bestimmung der in Artikel 67 § 1 Nr. 1 bis 4 erwähnten Senatoren, mit Ausnahme der Modalitäten, die durch ein Gesetz, das mit der in Artikel 4 letzter Absatz bestimmten Mehrheit angenommen wird, bestimmt und von den Gemeinschaftsparlamenten, jedes für seinen Bereich, durch Dekret geregelt werden. Dieses Dekret muss mit Zweidrittelmehrheit der abgegebenen Stimmen angenommen werden, vorausgesetzt, die Mehrheit der Mitglieder des betreffenden Parlaments ist anwesend.

(6) Der in Artikel 67 § 1 Nr. 5 erwähnte Senator wird vom Parlament der Deutschsprachigen Gemeinschaft mit absoluter Mehrheit der abgegebenen Stimmen bestimmt.

§ 2 – (1) Die in Artikel 67 § 1 Nr. 6 und

7 vorgesehenen Senatssitze werden nach dem durch Gesetz festgelegten System der verhältnismäßigen Vertretung auf der Grundlage der Addition – gemäß den durch Gesetz vorgesehenen Modalitäten – der Wahlziffern, die die Listen bei den Wahlen zur Abgeordnetenkammer erzielt haben, auf die Listen verteilt. Dieses System ist das in Artikel 63 § 2 verwendete System. Durch ein mit der in Artikel 4 letzter Absatz bestimmten Mehrheit angenommenes Gesetz werden die territorialen Bereiche bestimmt, deren Stimmen für die Verteilung der Sitze der in Artikel 67 § 1 Nr. 6 und 7 erwähnten Senatoren der niederländischen beziehungsweise französischen Sprachgruppe des Senats berücksichtigt werden.

(2) Eine Liste kann nur für die Sitzverteilung einer einzigen Sprachgruppe berücksichtigt werden.

(3) Das Gesetz regelt die Bestimmung der in Artikel 67 § 1 Nr. 6 und 7 erwähnten Senatoren.

Artikel 69 [Passives Wahlrecht zum Senat]

Zum Senator kann bestimmt werden, wer
1. Belgier ist,
2. die zivilen und politischen Rechte besitzt,
3. das achtzehnte Lebensjahr vollendet hat und
4. seinen Wohnsitz in Belgien hat.

Artikel 70 [Beginn der Amtszeit]

(1) Das Mandat der in Artikel 67 § 1 Nr. 1 bis 5 erwähnten Senatoren beginnt am Tag ihrer Eidesleistung im Senat und endet, nach der vollständigen Erneuerung des Parlaments, das sie bestimmt hat, am Tag der Eröffnung der ersten Sitzungsperiode dieses Parlaments.

(2) Das Mandat der in Artikel 67 § 1 Nr. 6 und 7 erwähnten Senatoren beginnt am Tag ihrer Eidesleistung im Senat und endet am Tag der Eröffnung der ersten Sitzungsperiode der Abgeordnetenkammer nach ihrer vollständigen Erneuerung.

Artikel 71 [Entschädigung der Senatoren]

(1) Die Senatoren beziehen kein Gehalt.

(2) Sie haben jedoch das Recht, für ihre Unkosten entschädigt zu werden.

(3) Die Entschädigung der in Artikel 67 § 1 Nr. 1 bis 4 erwähnten Senatoren wird von dem Gemeinschafts- oder Regionalparlament, das sie bestimmt, festgelegt. Die Entschädigung geht zu Lasten dieses Parlaments.

(4) Die Entschädigung des in Artikel 67 § 1 Nr. 5 erwähnten Senators entspricht der Entschädigung der in Artikel 67 § 1 Nr. 3 erwähnten Senatoren und geht zu Lasten des Parlaments der Deutschsprachigen Gemeinschaft.

(5) Die Entschädigung der in Artikel 67 § 1 Nr. 6 und 7 erwähnten Senatoren geht zu Lasten der Dotation des Senats.

(6) Innerhalb der Staatsgrenzen haben die Senatoren ein Recht auf freie Fahrt auf allen von den öffentlichen Behörden betriebenen oder konzessionierten Verkehrsverbindungen.

Artikel 72 [aufgehoben]

Artikel 73 [Versammlung außerhalb der Sitzungsperiode]

Jede Versammlung des Senats, die außerhalb der Sitzungsperiode der Abgeordnetenkammer stattfände, ist von Rechts wegen ungültig.

Kapitel II
Die föderale gesetzgebende Gewalt

Artikel 74 [Zuständigkeit föderale gesetzgebende Gewalt]

In Abweichung von Artikel 36 wird die föderale gesetzgebende Gewalt für Angelegenheiten, die nicht in den Artikeln 77 und 78 erwähnt sind, vom König und von der Abgeordnetenkammer gemeinsam ausgeübt.

Artikel 75 [Initiativrecht]

(1) Jeder Zweig der föderalen gesetzgebenden Gewalt hat das Initiativrecht. Das

Initiativrecht des Senats ist jedoch auf die in Artikel 77 erwähnten Angelegenheiten beschränkt.

(2) Die den Kammern auf Initiative des Königs vorgelegten Gesetzentwürfe werden für die in Artikel 78 erwähnten Angelegenheiten in der Abgeordnetenkammer eingebracht und danach dem Senat übermittelt.

Artikel 76 [Verfahren]

(1) Ein Gesetzentwurf kann von einer Kammer erst angenommen werden, nachdem über jeden einzelnen Artikel abgestimmt worden ist.

(2) Die Kammern haben das Recht, die Artikel und die eingebrachten Revisionsanträge zu ändern und aufzuteilen.

(3) Die Geschäftsordnung der Abgeordnetenkammer sieht ein Verfahren für eine zweite Lesung vor.

Artikel 77 [Zuständigkeit der Kammern]

(1) Die Abgeordnetenkammer und der Senat sind gleichermaßen zuständig für:

1. die Erklärung zur Revision der Verfassung und die Revision und Koordinierung der Verfassung,

2. Angelegenheiten, die aufgrund der Verfassung von beiden gesetzgebenden Kammern zu regeln sind,

3. Gesetze, die mit der in Artikel 4 letzter Absatz bestimmten Mehrheit anzunehmen sind,

4. Gesetze über die Einrichtungen der Deutschsprachigen Gemeinschaft und deren Finanzierung,

5. Gesetze über die Finanzierung der politischen Parteien und die Kontrolle der Wahlausgaben,

6. Gesetze über die Organisation des Senats und die Rechtsstellung des Senators.

(2) Ein mit der in Artikel 4 letzter Absatz bestimmten Mehrheit angenommenes Gesetz kann andere Angelegenheiten angeben, für die die Abgeordnetenkammer und der Senat gleichermaßen zuständig sind.

Artikel 78 [Übermittlung an den Senat]

§ 1 – (1) Vorbehaltlich des Artikels 77 wird der von der Abgeordnetenkammer angenommene Gesetzentwurf in folgenden Angelegenheiten dem Senat übermittelt:

1. Gesetze zur Ausführung der mit der in Artikel 4 letzter Absatz bestimmten Mehrheit anzunehmenden Gesetze,

2. in den Artikeln 5, 39, 115, 117, 118, 121, 123, 127 bis 129, 131, 135 bis 137, 141 bis 143, 163, 165, 166, 167 § 1 Absatz 3, 169, 170 § 2 Absatz 2, § 3 Absatz 2 und 3 und § 4 Absatz 2, 175 und 177 erwähnte Gesetze und in Ausführung dieser Gesetze und Artikel ergangene Gesetze, mit Ausnahme der Rechtsvorschriften zur Organisation der automatisierten Wahl,

3. gemäß Artikel 169 angenommene Gesetze zur Gewährleistung der Einhaltung der internationalen und überstaatlichen Verpflichtungen,

4. Gesetze über den Staatsrat und die föderalen Verwaltungsgerichtsbarkeiten.

(2) Ein mit der in Artikel 4 letzter Absatz bestimmten Mehrheit angenommenes Gesetz kann andere Angelegenheiten angeben, die der Senat gemäß dem in vorliegendem Artikel erwähnten Verfahren untersuchen kann.

§ 2 – (1) Der Senat untersucht den Gesetzentwurf auf Antrag der Mehrheit seiner Mitglieder mit mindestens einem Drittel der Mitglieder jeder Sprachgruppe. Dieser Antrag ist binnen fünfzehn Tagen nach Empfang des Gesetzentwurfs zu stellen.

(2) Der Senat kann innerhalb einer Frist von höchstens dreißig Tagen:

– beschließen, dass es keinen Grund gibt, den Gesetzentwurf abzuändern,

– den Gesetzentwurf annehmen, nachdem er ihn abgeändert hat.

(3) Hat der Senat innerhalb der vorgeschriebenen Frist keinen Beschluss gefasst oder der Abgeordnetenkammer seinen Beschluss mitgeteilt, den Gesetzentwurf nicht abzuändern, übermittelt die Abgeordnetenkammer den Entwurf dem König.

(4) Ist der Entwurf abgeändert worden, übermittelt der Senat ihn der Abgeordne-

tenkammer, die einen definitiven Beschluss fasst, indem sie den Gesetzentwurf entweder annimmt oder abändert.

Artikel 79 [aufgehoben]

Artikel 80 [aufgehoben]

Artikel 81 [aufgehoben]

Artikel 82 [Konzertierungsausschuss]
(1) Ein paritätisch aus Mitgliedern der Abgeordnetenkammer und des Senats zusammengesetzter parlamentarischer Konzertierungsausschuß regelt die zwischen beiden Kammern auftretenden Zuständigkeitskonflikte und kann in gegenseitigem Einvernehmen jederzeit die in Artikel 78 vorgesehene Untersuchungsfrist verlängern.

(2) Wird nicht innerhalb der zwei Bestandteile des Ausschusses eine Mehrheit erzielt, beschließt dieser mit Zweidrittelmehrheit seiner Mitglieder.

(3) Ein Gesetz bestimmt die Zusammensetzung und die Arbeitsweise des Ausschusses sowie die Weise, wie die in Artikel 78 erwähnten Fristen zu berechnen sind.

Artikel 83 [Angabe]
Jeder Gesetzesvorschlag und jeder Gesetzentwurf gibt an, ob es sich um eine in Artikel 74, in Artikel 77 oder in Artikel 78 erwähnte Angelegenheit handelt.

Artikel 84 [Interpretation]
Die authentische Interpretation der Gesetze ist allein Sache des Gesetzes.

Kapitel III
Der König und die Föderalregierung

Abschnitt I
Der König

Artikel 85 [Verfassungsmäßige Gewalt]
(1) Die verfassungsmäßige Gewalt des Königs geht durch Erbfolge in gerader Linie über auf die leibliche und legitime Nachkommenschaft S.M. Leopold, Georg, Chris-

tian, Friedrich von Sachsen-Coburg, und zwar nach dem Recht der Erstgeburt.

(2) Der in Absatz 1 erwähnte Nachkomme, der ohne Einverständnis des Königs oder derjenigen heiratet, die bei Fehlen des Königs dessen Gewalt in den von der Verfassung vorgesehenen Fällen ausüben, verwirkt seine Rechte auf die Krone.

(3) Er kann jedoch vom König oder von denjenigen, die bei Fehlen des Königs dessen Gewalt in den von der Verfassung vorgesehenen Fällen ausüben, wieder in seine Rechte eingesetzt werden, doch nur mit der Zustimmung beider Kammern.

Artikel 86 [Thronfolge]
(1) In Ermangelung einer Nachkommenschaft S.M. Leopold, Georg, Christian, Friedrich von Sachsen-Coburg kann der König seinen Nachfolger ernennen, insofern die Kammern ihre Zustimmung in der in Artikel 87 vorgeschriebenen Weise erteilen.

(2) Wenn kein Nachfolger ernannt worden ist, wird der Thron vakant.

Artikel 87 [Oberhaupt eines anderen Staates]
(1) Der König darf nur mit der Zustimmung der beiden Kammern gleichzeitig Oberhaupt eines anderen Staates sein.

(2) Keine der beiden Kammern kann hierüber beraten, wenn nicht mindestens zwei Drittel ihrer Mitglieder anwesend sind, und der Beschluß ist nur dann angenommen, wenn er mindestens zwei Drittel der abgegebenen Stimmen erhalten hat.

Artikel 88 [Unverletzlichkeit]
Die Person des Königs ist unverletzlich; seine Minister sind verantwortlich.

Artikel 89 [Zivilliste]
Das Gesetz legt die Zivilliste für die Dauer der Herrschaft jedes Königs fest.

Artikel 90 [Tod des Königs]
(1) Beim Tod des Königs treten die Kammern ohne Einberufung spätestens am zehnten Tag nach seinem Tod zusammen. Wenn

die Kammern vorher aufgelöst worden sind und im Auflösungsbeschluß die Einberufung für einen späteren Zeitpunkt als diesen zehnten Tag erfolgt ist, nehmen die alten Kammern ihre Funktionen wieder auf bis zum Zusammentritt derer, die sie ersetzen sollen.

(2) Ab dem Tod des Königs bis zur Eidesleistung des Thronfolgers oder des Regenten wird die verfassungsmäßige Gewalt des Königs im Namen des belgischen Volkes von den im Rat versammelten Ministern und unter ihrer Verantwortung ausgeübt.

Artikel 91 [Volljährigkeit und Eid]

(1) Der König ist mit vollendetem achtzehnten Lebensjahr volljährig.

(2) Der König besteigt erst den Thron, nachdem er vor den vereinigten Kammern feierlich folgenden Eid geleistet hat:

„Ich schwöre, die Verfassung und die Gesetze des belgischen Volkes zu beachten, die Unabhängigkeit des Landes zu erhalten und die Unversehrtheit des Staatsgebietes zu wahren."

Artikel 92 [Vormundschaft]

Wenn beim Tod des Königs sein Nachfolger minderjährig ist, vereinigen sich beide Kammern zu einer einzigen Versammlung, um für die Regentschaft und die Vormundschaft zu sorgen.

Artikel 93 [Unmöglichkeit]

Befindet sich der König in der Unmöglichkeit zu herrschen, so berufen die Minister unverzüglich die Kammern ein, nachdem sie diese Unmöglichkeit haben feststellen lassen. Die vereinigten Kammern sorgen für die Vormundschaft und die Regentschaft.

Artikel 94 [Alleinige Regentschaft]

(1) Die Regentschaft darf nur einer einzelnen Person übertragen werden.

(2) Der Regent nimmt seine Funktionen erst auf, nachdem er den in Artikel 91 vorgeschriebenen Eid geleistet hat.

Artikel 95 [Vakanz des Thrones]

Ist der Thron vakant, so sorgen die gemeinsam beratenden Kammern vorläufig für die Regentschaft bis zum Zusammentritt der gänzlich erneuerten Kammern; dieser Zusammentritt erfolgt spätestens binnen zwei Monaten. Die gemeinsam beratenden neuen Kammern sorgen endgültig für die Besetzung des Thrones.

Abschnitt II
Die Föderalregierung

Artikel 96 [Ministerernennung und -entlassung]

(1) Der König ernennt und entläßt seine Minister.

(2) Die Föderalregierung bietet dem König ihren Rücktritt an, wenn die Abgeordnetenkammer mit absoluter Mehrheit ihrer Mitglieder einen Mißtrauensantrag annimmt, mit dem dem König ein Nachfolger für den Premierminister zur Ernennung vorgeschlagen wird, oder binnen drei Tagen nach Ablehnung eines Vertrauensantrags dem König einen Nachfolger für den Premierminister zur Ernennung vorschlägt. Der König ernennt den vorgeschlagenen Nachfolger zum Premierminister; dieser tritt sein Amt bei der Eidesleistung der neuen Föderalregierung an.

Artikel 97 [Voraussetzungen]

Nur Belgier dürfen Minister sein.

Artikel 98 [Königliche Familie]

Kein Mitglied der königlichen Familie darf Minister sein.

Artikel 99 [Mitgliederzahl]

(1) Der Ministerrat zählt höchstens fünfzehn Mitglieder.

(2) Den Premierminister eventuell ausgenommen, zählt der Ministerrat ebenso viele niederländischsprachige wie französischsprachige Minister.

Artikel 100 [Anwesenheit in Kammern]

(1) Die Minister haben Zutritt zu jeder Kammer, und auf ihren Antrag hin muß ihnen das Wort erteilt werden.

(2) Die Abgeordnetenkammer kann die Anwesenheit der Minister verlangen. Der Senat kann ihre Anwesenheit im Rahmen der in den Artikeln 77 oder 78 erwähnten Angelegenheiten verlangen. Für andere Angelegenheiten kann er um ihre Anwesenheit bitten.

Artikel 101 [Verantwortlichkeit der Minister]

(1) Die Minister sind der Abgeordnetenkammer gegenüber verantwortlich.

(2) Ein Minister darf nicht anläßlich einer in der Ausübung seines Amtes erfolgten Meinungsäußerung verfolgt oder Gegenstand irgendeiner Ermittlung werden.

Artikel 102 [Befehl des Königs]

In keinem Fall kann ein mündlicher oder schriftlicher Befehl des Königs einen Minister von seiner Verantwortung befreien.

Artikel 103 [Appellationshof]

(1) Über Minister wird für Straftaten, die sie in der Ausübung ihres Amtes begangen haben sollten, ausschließlich durch den Appellationshof gerichtet. Dies gilt auch für Straftaten, die Minister außerhalb der Ausübung ihres Amtes begangen haben sollten und für die während der Zeit der Ausübung ihres Amtes über sie gerichtet wird. Gegebenenfalls kommen die Artikel 59 und 120 nicht zur Anwendung.

(2) Das Gesetz bestimmt, auf welche Weise gegen sie vorgegangen wird, sowohl bei der Verfolgung als auch, wenn über sie gerichtet wird.

(3) Das Gesetz bestimmt den zuständigen Appellationshof, der in Generalversammlung tagt, und gibt ihre Zusammensetzung an. Gegen die Entscheide des Appellationshofes kann eine Beschwerde eingereicht werden beim Kassationshof in vereinigten Kammern, der nicht über die Sache selbst erkennt.

(4) Nur die Staatsanwaltschaft beim zuständigen Appellationshof kann die Verfolgung in Strafsachen gegen einen Minister einleiten und führen.

(5) Alle Anträge auf Regelung des Verfahrens, jede direkte Ladung vor den Appellationshof und, außer bei Entdeckung auf frischer Tat, jede Festnahme bedürfen der Genehmigung der Abgeordnetenkammer.

(6) Das Gesetz bestimmt das Verfahren, das einzuhalten ist, wenn die Artikel 103 und 125 beide anwendbar sind.

(7) Ein gemäß Absatz 1 verurteilter Minister kann nur auf Ersuchen der Abgeordnetenkammer begnadigt werden.

(8) Das Gesetz bestimmt, in welchen Fällen und nach welchen Regeln die geschädigten Parteien eine Zivilklage erheben können.

Artikel 104 [Föderale Staatssekretäre]

(1) Der König ernennt und entläßt die föderalen Staatssekretäre.

(2) Sie sind Mitglieder der Föderalregierung. Sie gehören dem Ministerrat nicht an. Sie sind einem Minister beigeordnet.

(3) Der König bestimmt ihre Zuständigkeit und die Grenzen, innerhalb derer sie das Recht auf Gegenzeichnung erhalten können.

(4) Die Verfassungsbestimmungen, die die Minister betreffen, sind mit Ausnahme der Artikel 90 Absatz 2, 93 und 99 auf die föderalen Staatssekretäre entsprechend anwendbar.

Abschnitt III
Die Befugnisse

Artikel 105 [Gewalt des Königs]

Der König hat keine andere Gewalt als die, die ihm die Verfassung und die aufgrund der Verfassung selbst ergangenen besonderen Gesetze ausdrücklich übertragen.

Artikel 106 [Gegenzeichnung des Ministers]

Ein Akt des Königs kann nur wirksam werden, wenn er von einem Minister gegengezeichnet ist, der schon allein dadurch die Verantwortung dafür übernimmt.

Artikel 107 [Ernennung]

(1) Der König verleiht die Dienstgrade in der Armee.

(2) Er ernennt die Beamten der allgemei-

nen Verwaltung und der auswärtigen Beziehungen, vorbehaltlich der durch die Gesetze festgelegten Ausnahmen.

(3) Er ernennt andere Beamte nur aufgrund einer ausdrücklichen Gesetzesbestimmung.

Artikel 108 [Verordnungen und Erlasse]

Der König erläßt die zur Ausführung der Gesetze notwendigen Verordnungen und Erlasse, ohne jemals die Gesetze selbst aussetzen noch von ihrer Ausführung entbinden zu dürfen.

Artikel 109 [Sanktion und Ausfertigung]

Der König sanktioniert die Gesetze und fertigt sie aus.

Artikel 110 [Amnestie]

Der König hat das Recht, die von den Richtern verhängten Strafen zu erlassen oder zu ermäßigen, vorbehaltlich der die Minister und die Mitglieder der Gemeinschafts- und Regionalregierungen betreffenden Bestimmungen.

Artikel 111 [Begnadigung]

Der König kann einen vom Kassationshof verurteilten Minister oder ein vom Kassationshof verurteiltes Mitglied einer Gemeinschafts- oder Regionalregierung nur auf Ersuchen der Abgeordnetenkammer beziehungsweise des betroffenen Parlaments begnadigen.

Artikel 112 [Münzrecht]

Der König übt das Münzrecht aus nach Maßgabe des Gesetzes.

Artikel 113 [Adelstitel]

Der König hat das Recht, Adelstitel zu verleihen, ohne jemals irgendein Privileg daran binden zu dürfen.

Artikel 114 [Verleihung von Orden]

Der König verleiht die militärischen Orden unter Beachtung der diesbezüglichen gesetzlichen Bestimmungen.

Kapitel IV
Die Gemeinschaften und die Regionen

Abschnitt I
Die Organe

Unterabschnitt I
Die Gemeinschafts- und Regionalparlamente

Artikel 115 [Parlamente der Gemeinschaften]

§ 1 – (1) Es gibt ein Parlament der Flämischen Gemeinschaft, Flämisches Parlament genannt, und ein Parlament der Französischen Gemeinschaft, deren Zusammensetzung und Arbeitsweise durch ein mit der in Artikel 4 letzter Absatz bestimmten Mehrheit angenommenes Gesetz bestimmt werden.

(2) Es gibt ein Parlament der Deutschsprachigen Gemeinschaft, dessen Zusammensetzung und Arbeitsweise durch Gesetz bestimmt werden.

§ 2 – Unbeschadet des Artikels 137 umfassen die in Artikel 39 erwähnten regionalen Organe für jede Region ein Parlament.

Artikel 116 [Gemeinschafts- und Regionalparlamente]

§ 1 – Die Gemeinschafts- und Regionalparlamente setzen sich aus gewählten Vertretern zusammen.

§ 2 – (1) Jedes Gemeinschaftsparlament setzt sich aus Mitgliedern zusammen, die direkt zu Mitgliedern des betreffenden Gemeinschaftsparlaments oder zu Mitgliedern eines Regionalparlaments gewählt werden.

(2) Außer bei Anwendung von Artikel 137 setzt sich jedes Regionalparlament aus Mitgliedern zusammen, die direkt zu Mitgliedern des betreffenden Regionalparlaments oder zu Mitgliedern eines Gemeinschaftsparlamente gewählt werden.

Artikel 117 [Wahl für die Gemeinschafts- und Regionalparlamente]

(1) Die Mitglieder der Gemeinschafts- und Regionalparlamente werden auf fünf

Jahre gewählt. Die Gemeinschafts- und Regionalparlamente werden alle fünf Jahre vollständig erneuert.

(2) Die Wahlen für die Gemeinschafts- und Regionalparlamente finden am selben Tag statt und fallen mit den Wahlen für das Europäische Parlament zusammen.

(3) In Ausführung eines in Artikel 118 § 2 Absatz 4 erwähnten Gesetzes kann ein Dekret oder eine in Artikel 134 erwähnte Regel, das beziehungsweise die gemäß Artikel 118 § 2 Absatz 4 angenommen wird, von den Absätzen 1 und 2 abweichen.

Artikel 118 [Wahl, Zusammensetzung und Arbeitsweise]

§ 1 – Das Gesetz regelt die in Artikel 116 § 2 erwähnten Wahlen sowie die Zusammensetzung und die Arbeitsweise der Gemeinschafts- und Regionalparlamente. Außer für das Parlament der Deutschsprachigen Gemeinschaft wird dieses Gesetz mit der in Artikel 4 letzter Absatz bestimmten Mehrheit angenommen.

§ 2 – (1) Ein mit der in Artikel 4 letzter Absatz bestimmten Mehrheit angenommenes Gesetz bestimmt die Angelegenheiten in Bezug auf die Wahl, die Zusammensetzung und die Arbeitsweise des Parlaments der Region Brüssel-Hauptstadt, des Parlaments der Flämischen Gemeinschaft, des Parlaments der Französischen Gemeinschaft und des Parlaments der Wallonischen Region, die von den Parlamenten, jedes für seinen Bereich, je nach Fall durch Dekret oder durch eine in Artikel 134 erwähnte Regel geregelt werden. Dieses Dekret und diese in Artikel 134 erwähnte Regel werden mit Zweidrittelmehrheit der abgegebenen Stimmen angenommen, vorausgesetzt, die Mehrheit der Mitglieder des betreffenden Parlaments ist anwesend.

(2) Das in Absatz 1 erwähnte Gesetz sieht zusätzliche Mehrheitsbedingungen vor, was das Parlament der Region Brüssel-Hauptstadt betrifft.

(3) Ein Gesetz bestimmt die Angelegenheiten in Bezug auf die Wahl, die Zusammensetzung und die Arbeitsweise des Parla-

ments der Deutschsprachigen Gemeinschaft, die von diesem Parlament durch Dekret geregelt werden. Dieses Dekret wird mit Zweidrittelmehrheit der abgegebenen Stimmen angenommen, vorausgesetzt, die Mehrheit der Mitglieder des Parlaments ist anwesend.

(4) Das je nach Fall in Absatz 1 beziehungsweise Absatz 3 erwähnte Gesetz kann den Gemeinschafts- und Regionalparlamenten die Befugnis anvertrauen, jedes für seinen Bereich und je nach Fall durch Dekret oder durch eine in Artikel 134 erwähnte Regel, die Dauer ihrer Sitzungsperiode und das Datum der Wahl ihres Parlaments zu regeln. Dieses Dekret und diese in Artikel 134 erwähnte Regel werden mit den in den Absätzen 1 bis 3 vorgesehenen Mehrheiten angenommen.

Artikel 118bis [Freie Fahrt]

Innerhalb der Staatsgrenzen haben die Mitglieder der Parlamente der in den Artikeln 2 und 3 erwähnten Gemeinschaften und Regionen ein Recht auf freie Fahrt auf allen von den öffentlichen Behörden betriebenen oder konzessionierten Verkehrsverbindungen.

Artikel 119 [Unvereinbarkeit]

Das Mandat eines Mitglieds eines Gemeinschafts- oder Regionalparlaments ist unvereinbar mit dem Mandat eines Mitglieds der Abgeordnetenkammer. Außerdem ist es unvereinbar mit dem in Artikel 67 § 1 Nr. 6 und 7 erwähnten Mandat eines Senators.

Artikel 120 [Immunität der Mitglieder]

Jedes Mitglied eines Gemeinschafts- oder Regionalparlaments kommt in den Genuß der in den Artikeln 58 und 59 vorgesehenen Immunitäten.

Unterabschnitt II
Die Gemeinschafts- und Regionalregierungen

Artikel 121 [Regierungen der Gemeinschaften]

§ 1 – (1) Es gibt eine Regierung der Flämischen Gemeinschaft und eine Regierung der Französischen Gemeinschaft, deren Zusammensetzung und Arbeitsweise durch ein mit der in Artikel 4 letzter Absatz bestimmten Mehrheit angenommenes Gesetz bestimmt werden.

(2) Es gibt eine Regierung der Deutschsprachigen Gemeinschaft, deren Zusammensetzung und Arbeitsweise durch Gesetz bestimmt werden.

§ 2 – Unbeschadet des Artikels 137 umfassen die in Artikel 39 erwähnten regionalen Organe für jede Region eine Regierung.

Artikel 122 [Wahl der Mitglieder der Gemeinschafts- und Regionalregierung]

Die Mitglieder jeder Gemeinschafts- oder Regionalregierung werden von ihrem Parlament gewählt.

Artikel 123 [Zusammensetzung und Arbeitsweise]

§ 1 – Das Gesetz regelt die Zusammensetzung und die Arbeitsweise der Gemeinschafts- und Regionalregierungen. Außer für die Regierung der Deutschsprachigen Gemeinschaft wird dieses Gesetz mit der in Artikel 4 letzter Absatz bestimmten Mehrheit angenommen.

§ 2 – (1) Ein mit der in Artikel 4 letzter Absatz bestimmten Mehrheit angenommenes Gesetz bestimmt die Angelegenheiten in Bezug auf die Zusammensetzung und Arbeitsweise der Regierung der Region Brüssel-Hauptstadt, der Regierung der Flämischen Gemeinschaft, der Regierung der Französischen Gemeinschaft und der Regierung der Wallonischen Region, die von den Parlamenten, jedes für seinen Bereich, je nach Fall durch Dekret oder durch eine in Artikel 134 erwähnte Regel geregelt werden. Dieses Dekret und diese in Artikel 134 erwähnte Regel werden mit Zweidrittelmehrheit der abgegebenen Stimmen angenommen, vorausgesetzt, die Mehrheit der Mitglieder des betreffenden Parlaments ist anwesend.

(2) Das in Absatz 1 erwähnte Gesetz sieht zusätzliche Mehrheitsbedingungen vor, was

das Parlament der Region Brüssel-Hauptstadt betrifft.

(3) Ein Gesetz bestimmt die Angelegenheiten in Bezug auf die Zusammensetzung und Arbeitsweise der Regierung der Deutschsprachigen Gemeinschaft, die von ihrem Parlament durch Dekret geregelt werden. Dieses Dekret wird mit Zweidrittelmehrheit der abgegebenen Stimmen angenommen, vorausgesetzt, die Mehrheit der Mitglieder des Parlaments ist anwesend.

Artikel 124 [Immunität der Mitglieder der Gemeinschafts- und Regionalregierung]

Ein Mitglied einer Gemeinschafts- oder Regionalregierung darf nicht anläßlich einer in Ausübung seines Amtes erfolgten Meinungsäußerung oder Stimmabgabe verfolgt oder Gegenstand irgendeiner Ermittlung werden.

Artikel 125 [Appellationshof]

(1) Über Mitglieder einer Gemeinschafts- oder Regionalregierung wird für Straftaten, die sie in der Ausübung ihres Amtes begangen haben sollten, ausschließlich durch den Appellationshof gerichtet. Dies gilt auch für Straftaten, die Mitglieder einer Gemeinschafts- oder Regionalregierung außerhalb der Ausübung ihres Amtes begangen haben sollten und für die während der Zeit der Ausübung ihres Amtes über sie gerichtet wird. Gegebenenfalls kommen die Artikel 120 und 59 nicht zur Anwendung.

(2) Das Gesetz bestimmt, auf welche Weise gegen sie vorgegangen wird, sowohl bei der Verfolgung als auch, wenn über sie gerichtet wird.

(3) Das Gesetz bestimmt den zuständigen Appellationshof, der in Generalversammlung tagt, und gibt ihre Zusammensetzung an. Gegen die Entscheide des Appellationshofes kann eine Beschwerde eingereicht werden beim Kassationshof in vereinigten Kammern, der nicht über die Sache selbst erkennt.

(4) Nur die Staatsanwaltschaft beim zuständigen Appellationshof kann die Verfol-

gung in Strafsachen gegen ein Mitglied einer Gemeinschafts- oder Regionalregierung einleiten und führen.

(5) Alle Anträge auf Regelung des Verfahrens, jede direkte Ladung vor den Appellationshof und, außer bei Entdeckung auf frischer Tat, jede Festnahme bedürfen der Genehmigung des Gemeinschafts- oder Regionalparlaments, jedes für seinen Bereich.

(6) Das Gesetz bestimmt das Verfahren, das einzuhalten ist, wenn die Artikel 103 und 125 beide anwendbar sind und wenn es zu einer doppelten Anwendung von Artikel 125 kommt.

(7) Ein gemäß Absatz 1 verurteiltes Mitglied einer Gemeinschafts- oder Regionalregierung kann nur auf Ersuchen des betreffenden Gemeinschafts- oder Regionalparlaments begnadigt werden.

(8) Das Gesetz bestimmt, in welchen Fällen und nach welchen Regeln die geschädigten Parteien eine Zivilklage erheben können.

(9) Die in vorliegendem Artikel erwähnten Gesetze müssen mit der in Artikel 4 letzter Absatz bestimmten Mehrheit angenommen werden.

Artikel 126 [Regionale Staatssekretäre]

Die Verfassungsbestimmungen über die Mitglieder der Gemeinschafts- und Regionalregierungen sowie die in Artikel 125 letzter Absatz erwähnten Ausführungsgesetze finden Anwendung auf die regionalen Staatssekretäre.

Abschnitt II
Die Befugnisse

Unterabschnitt I
Die Gemeinschaftsbefugnisse

Artikel 127 [Zuständigkeiten der Parlamente der Gemeinschaften]

§ 1 – (1) Die Parlamente der Französischen und der Flämischen Gemeinschaft regeln durch Dekret, jedes für seinen Bereich:
1. die kulturellen Angelegenheiten;

2. das Unterrichtswesen mit Ausnahme
a) der Festlegung von Beginn und Ende der Schulpflicht;
b) der Mindestbedingungen für die Ausstellung der Diplome;
c) der Pensionsregelungen;
3. die Zusammenarbeit zwischen den Gemeinschaften sowie die internationale Zusammenarbeit, einschließlich des Abschlusses von Verträgen, in den unter den Nummern 1 und 2 erwähnten Angelegenheiten.

(2) Ein Gesetz, das mit der in Artikel 4 letzter Absatz bestimmten Mehrheit angenommen wird, legt die unter Nummer 1 erwähnten kulturellen Angelegenheiten, die unter Nummer 3 erwähnten Formen der Zusammenarbeit sowie die näheren Regeln für den unter Nummer 3 erwähnten Abschluß von Verträgen fest.

§ 2 – Diese Dekrete haben jeweils Gesetzeskraft im französischen Sprachgebiet beziehungsweise im niederländischen Sprachgebiet sowie in Bezug auf die im zweisprachigen Gebiet Brüssel-Hauptstadt errichteten Einrichtungen, die aufgrund ihrer Tätigkeiten als ausschließlich zu der einen oder der anderen Gemeinschaft gehörend zu betrachten sind.

Artikel 128 [Zuständigkeit Grenzüberschreitende Zusammenarbeit]

§ 1 – (1) Die Parlamente der Französischen und der Flämischen Gemeinschaft regeln durch Dekret, jedes für seinen Bereich, die personenbezogenen Angelegenheiten sowie in diesen Angelegenheiten die Zusammenarbeit zwischen den Gemeinschaften und die internationale Zusammenarbeit, einschließlich des Abschlusses von Verträgen.

(2) Ein Gesetz, das mit der in Artikel 4 letzter Absatz bestimmten Mehrheit angenommen wird, legt diese personenbezogenen Angelegenheiten sowie die Formen der Zusammenarbeit und die näheren Regeln für den Abschluß von Verträgen fest.

§ 2 – Diese Dekrete haben jeweils Gesetzeskraft im französischen Sprachgebiet beziehungsweise im niederländischen Sprachgebiet sowie, außer wenn ein Gesetz, das mit der in Artikel 4 letzter Absatz bestimmten Mehrheit angenommen wird, etwas anderes festlegt, in Bezug auf die im zweisprachigen Gebiet Brüssel-Hauptstadt errichteten Einrichtungen, die aufgrund ihrer Organisation als ausschließlich zu der einen oder der anderen Gemeinschaft gehörend zu betrachten sind.

Artikel 129 [Zuständigkeit Gebrauch der Sprache]

§ 1 – Die Parlamente der Französischen und der Flämischen Gemeinschaft regeln, jedes für seinen Bereich, durch Dekret und unter Ausschluß des föderalen Gesetzgebers den Gebrauch der Sprachen für:

1. die Verwaltungsangelegenheiten;

2. den Unterricht in den von den öffentlichen Behörden geschaffenen, bezuschußten oder anerkannten Einrichtungen;

3. die sozialen Beziehungen zwischen den Arbeitgebern und ihrem Personal sowie die durch Gesetz und Verordnungen vorgeschriebenen Handlungen und Dokumente der Unternehmen.

§ 2 – Diese Dekrete haben jeweils Gesetzeskraft im französischen Sprachgebiet beziehungsweise im niederländischen Sprachgebiet, ausgenommen in Bezug auf:

– die an ein anderes Sprachgebiet grenzenden Gemeinden oder Gemeindegruppen, wo das Gesetz den Gebrauch einer anderen Sprache als der des Gebietes, in dem sie gelegen sind, vorschreibt oder zuläßt. Für diese Gemeinden können die Bestimmungen über den Gebrauch der Sprachen für die in § 1 erwähnten Angelegenheiten nur durch ein Gesetz, das mit der in Artikel 4 letzter Absatz bestimmten Mehrheit angenommen wird, abgeändert werden;

– die Dienststellen, deren Tätigkeit über das Sprachgebiet, in dem sie errichtet sind, hinausgeht;

– die durch das Gesetz bezeichneten föderalen und internationalen Einrichtungen, deren Tätigkeit mehr als eine Gemeinschaft betrifft.

Artikel 130 [Zuständigkeit Parlament der Deutschsprachigen Gemeinschaft]

§ 1 – (1) Das Parlament der Deutschsprachigen Gemeinschaft regelt durch Dekret:

1. die kulturellen Angelegenheiten;

2. die personenbezogenen Angelegenheiten;

3. das Unterrichtswesen in den in Artikel 127 § 1 Absatz 1 Nummer 2 bestimmten Grenzen;

4. die Zusammenarbeit zwischen den Gemeinschaften sowie die internationale Zusammenarbeit, einschließlich des Abschlusses von Verträgen, in den unter den Nummern 1, 2 und 3 erwähnten Angelegenheiten.

5. den Gebrauch der Sprachen für den Unterricht in den von den öffentlichen Behörden geschaffenen, bezuschußten oder anerkannten Einrichtungen.

(2) Das Gesetz legt die unter den Nummern 1 und 2 erwähnten kulturellen und personenbezogenen Angelegenheiten fest sowie die unter Nummer 4 erwähnten Formen der Zusammenarbeit und die Art und Weise, wie die Verträge abgeschlossen werden.

§ 2 – Diese Dekrete haben Gesetzeskraft im deutschen Sprachgebiet.

Artikel 131 [Diskriminierungsvorbeugung]

Das Gesetz legt die Regeln fest, um jeglicher Diskriminierung aus ideologischen und philosophischen Gründen vorzubeugen.

Artikel 132 [Initiativrecht]

Die Gemeinschaftsregierung und die Mitglieder des Gemeinschaftsparlaments haben das Initiativrecht.

Artikel 133 [Interpretation der Dekrete]

Die authentische Interpretation der Dekrete ist allein Sache des Dekretes.

Unterabschnitt II
Die Regionalbefugnisse

Artikel 134 [Rechtskraft der Regeln]

(1) Die in Ausführung von Artikel 39 ergangenen Gesetze bestimmen die Rechts-

kraft der Regeln, die die von ihnen geschaffenen Organe in den Angelegenheiten erlassen, die sie bezeichnen.

(2) Sie können diesen Organen die Zuständigkeit zuerkennen, Dekrete mit Gesetzeskraft innerhalb des von ihnen bestimmten Bereichs und gemäß der von ihnen bestimmten Weise zu erlassen.

Unterabschnitt III
Sonderbestimmungen

Artikel 135 [Sonderbestimmung für das Gebiet Brüssel]

Ein Gesetz, das mit der in Artikel 4 letzter Absatz bestimmten Mehrheit angenommen wird, bezeichnet die Behörden, die für das zweisprachige Gebiet Brüssel-Hauptstadt die Befugnisse ausüben, die in den in Artikel 128 § 1 erwähnten Angelegenheiten den Gemeinschaften nicht übertragen worden sind.

Artikel 135bis [Übertragung von Befugnissen]

Durch ein Gesetz, das mit der in Artikel 4 letzter Absatz bestimmten Mehrheit angenommen wird, können für das zweisprachige Gebiet Brüssel-Hauptstadt der Region Brüssel-Hauptstadt Befugnisse anvertraut werden, die in den in Artikel 127 § 1 Absatz 1 Nr. 1 und – was diese Angelegenheiten betrifft – Nr. 3 erwähnten Angelegenheiten den Gemeinschaften nicht übertragen worden sind.

Artikel 136 [Zuständigkeit für Gemeinschaftsangelegenheiten]

(1) Es gibt Sprachgruppen des Parlaments der Region Brüssel-Hauptstadt und Kollegien, die zuständig sind für die Gemeinschaftsangelegenheiten; ihre Zusammensetzung, ihre Arbeitsweise, ihre Befugnisse und, unbeschadet des Artikels 175, ihre Finanzierung werden durch ein Gesetz geregelt, das mit der in Artikel 4 letzter Absatz bestimmten Mehrheit angenommen wird.

(2) Die Kollegien bilden zusammen das Vereinigte Kollegium, das zwischen den zwei Gemeinschaften als Konzertierungs- und Koordinierungsorgan fungiert.

Artikel 137 [Ausübung von Befugnissen]

Im Hinblick auf die Anwendung des Artikels 39 können das Parlament der Französischen Gemeinschaft und das Parlament der Flämischen Gemeinschaft sowie deren Regierungen die Befugnisse der Wallonischen Region beziehungsweise der Flämischen Region gemäß den durch Gesetz festgelegten Bedingungen und Modalitäten ausüben. Dieses Gesetz muß mit der in Artikel 4 letzter Absatz bestimmten Mehrheit angenommen werden.

Artikel 138 [Übertragung der Befugnisse zur Ausübung der Befugnisse der Französischen Gemeinschaft]

(1) Das Parlament der Französischen Gemeinschaft einerseits und das Parlament der Wallonischen Region und die französische Sprachgruppe des Parlaments der Region Brüssel-Hauptstadt andererseits können in gegenseitigem Einvernehmen und jeweils durch Dekret beschließen, daß das Parlament und die Regierung der Wallonischen Region im französischen Sprachgebiet und die französische Sprachgruppe des Parlaments der Region Brüssel-Hauptstadt und ihr Kollegium im zweisprachigen Gebiet Brüssel-Hauptstadt ganz oder teilweise Befugnisse der Französischen Gemeinschaft ausüben.

(2) Diese Dekrete werden mit Zweidrittelmehrheit der im Parlament der Französischen Gemeinschaft abgegebenen Stimmen und mit absoluter Mehrheit der im Parlament der Wallonischen Region und in der französischen Sprachgruppe des Rates der Region Brüssel-Hauptstadt abgegebenen Stimmen angenommen, vorausgesetzt, die Mehrheit der Mitglieder des betreffenden Parlaments beziehungsweise der betreffenden Sprachgruppe ist anwesend. Sie können die Finanzierung der von ihnen angegebenen Befugnisse sowie die Übertragung des Personals, der Güter, Rechte und Pflichten, die damit verbunden sind, regeln.

(3) Diese Befugnisse werden je nach Fall mittels Dekreten, Erlassen oder Verordnungen ausgeübt.

Artikel 139 [Ausübung der Befugnisse der Wallonischen Region]

(1) Auf Vorschlag ihrer jeweiligen Regierung können das Parlament der Deutschsprachigen Gemeinschaft und das Parlament der Wallonischen Region in gegenseitigem Einvernehmen und jedes durch Dekret beschließen, daß das Parlament und die Regierung der Deutschsprachigen Gemeinschaft im deutschen Sprachgebiet Befugnisse der Wallonischen Region ganz oder teilweise ausüben.

(2) Diese Befugnisse werden je nach Fall im Wege von Dekreten, Erlassen oder Verordnungen ausgeübt.

Artikel 140 [Weitere Befugnisse der Deutschsprachigen Gemeinschaft]

(1) Das Parlament und die Regierung der Deutschsprachigen Gemeinschaft üben im Wege von Erlassen und Verordnungen jegliche andere Befugnis aus, die ihnen das Gesetz überträgt.

(2) Artikel 159 ist auf diese Erlasse und Verordnungen entsprechend anwendbar.

Kapitel V
Der Verfassungsgerichtshof, die Vorbeugung und Beilegung von Konflikten

Abschnitt I
Die Vorbeugung von Zuständigkeitskonflikten

Artikel 141 [Vorbeugung von Zuständigkeitskonflikten]

Das Gesetz gestaltet das Verfahren, um Konflikten vorzubeugen zwischen dem Gesetz, dem Dekret und den in Artikel 134 erwähnten Regeln, zwischen den Dekreten sowie zwischen den in Artikel 134 erwähnten Regeln.

Abschnitt II
Der Verfassungsgerichtshof

Artikel 142 [Verfassungsgerichtshof]

(1) Es gibt für ganz Belgien einen Verfassungsgerichtshof, dessen Zusammensetzung, Zuständigkeit und Arbeitsweise durch Gesetz bestimmt werden.

(2) Dieser Verfassungsgerichtshof befindet im Wege eines Entscheids über:

1. die in Artikel 141 erwähnten Konflikte;
2. die Verletzung der Artikel 10, 11 und 24 durch ein Gesetz, ein Dekret oder eine in Artikel 134 erwähnte Regel;
3. die Verletzung der Verfassungsartikel, die das Gesetz bestimmt, durch ein Gesetz, ein Dekret oder eine in Artikel 134 erwähnte Regel.

(3) Der Verfassungsgerichtshof kann angerufen werden von jeder durch Gesetz bezeichneten Behörde, von jedem, der ein Interesse nachweist, oder, zwecks Vorabentscheidung, von jedem Rechtsprechungsorgan.

(4) Der Verfassungsgerichtshof befindet unter Bedingungen und gemäß Modalitäten, die das Gesetz festlegt, im Wege einer Entscheidung über jede in Artikel 39bis erwähnte Volksbefragung vor deren Organisation.

(5) Das Gesetz kann in Fällen, unter Bedingungen und gemäß Modalitäten, die es bestimmt, dem Verfassungsgerichtshof die Zuständigkeit übertragen, im Wege eines Entscheids über Beschwerden zu befinden, die gegen die von gesetzgebenden Versammlungen oder ihren Organen gefaßten Beschlüsse über die Kontrolle der Wahlausgaben für die Wahlen der Abgeordnetenkammer eingelegt werden.

(6) Die in Absatz 1, Absatz 2 unter Nr. 3 und in den Absätzen 3 bis 5 erwähnten Gesetze werden mit der in Artikel 4 letzter Absatz bestimmten Mehrheit angenommen.

Abschnitt III
Die Vorbeugung und Beilegung von Interessenkonflikten

Artikel 143 [Vorbeugung und Beilegung von Interessenkonflikten]

§ 1 – Der Föderalstaat, die Gemeinschaften, die Regionen und die Gemeinsame Gemeinschaftskommission respektieren bei der Ausübung ihrer jeweiligen Befugnisse die föderale Loyalität, um Interessenkonflikte zu vermeiden.

§ 2 – Der Senat befindet unter Bedingungen und gemäß Modalitäten, die ein mit der in Artikel 4 letzter Absatz bestimmten Mehrheit angenommenes Gesetz festlegt, im Wege eines mit Gründen versehenen Gutachtens über Interessenkonflikte zwischen den Versammlungen, die die gesetzgebende Gewalt im Wege von Gesetzen, Dekreten oder in Artikel 134 erwähnten Regeln ausüben.

§ 3 – Ein mit der in Artikel 4 letzter Absatz bestimmten Mehrheit angenommenes Gesetz gestaltet das Verfahren, um den Interessenkonflikten zwischen der Föderalregierung, den Gemeinschafts- und Regionalregierungen und dem Vereinigten Kollegium der Gemeinsamen Gemeinschaftskommission vorzubeugen und sie beizulegen.

§ 4 – Die in den Paragraphen 2 und 3 vorgesehenen Verfahren sind nicht anwendbar auf die Gesetze, Erlasse, Regelungen, Akte und Beschlüsse des Föderalstaats über die Besteuerungsgrundlage, die Steuersätze, die Steuerbefreiungen oder jegliche anderen Bestandteile, die bei der Berechnung der Steuer der natürlichen Personen berücksichtigt werden.

Kapitel VI
Die rechtsprechende Gewalt

Artikel 144 [Zuständigkeit der Gerichte]
(1) Streitfälle über bürgerliche Rechte gehören ausschließlich zum Zuständigkeitsbereich der Gerichte.

(2) Das Gesetz kann jedoch gemäß den von ihm bestimmten Modalitäten den Staatsrat oder die föderalen Verwaltungsgerichtsbarkeiten ermächtigen, über die bürgerrechtlichen Auswirkungen ihrer Entscheidungen zu befinden.

Artikel 145 [Streitfälle politischer Rechte]
Streitfälle über politische Rechte gehören zum Zuständigkeitsbereich der Gerichte, vorbehaltlich der durch Gesetz festgelegten Ausnahmen.

Artikel 146 [Einsetzung durch Gesetz]
Ein Gericht und ein Organ der streitigen Gerichtsbarkeit dürfen nur aufgrund eines Gesetzes eingesetzt werden. Es dürfen keine außerordentlichen Kommissionen oder Gerichte geschaffen werden, unter welcher Bezeichnung es auch sei.

Artikel 147 [Kassationshof]
(1) Es gibt für ganz Belgien einen Kassationshof.

(2) Dieser Gerichtshof erkennt nicht über die Sache selbst.

Artikel 148 [Öffentlichkeit]
(1) Die Sitzungen der Gerichte sind öffentlich, es sei denn, daß diese Öffentlichkeit die Ordnung oder die Sittlichkeit gefährdet; dies wird vom Gericht durch ein Urteil festgestellt.

(2) Bei politischen Delikten und Pressedelikten kann der Ausschluß der Öffentlichkeit nur bei Einstimmigkeit verkündet werden.

Artikel 149 [Begründung]
Jedes Urteil wird mit Gründen versehen. Es wird gemäß den durch Gesetz festgelegten Modalitäten bekannt gemacht. In Strafsachen wird sein Tenor in öffentlicher Sitzung verkündet.

Artikel 150 [Geschworenenkollegium]
Das Geschworenenkollegium wird für alle Kriminalsachen sowie für politische Delikte und Pressedelikte eingesetzt, außer für Pressedelikte, denen Rassismus oder Xenophobie zugrunde liegt.

Artikel 151 [Unabhängigkeit]
§ 1 – (1) Die Richter sind unabhängig in der Ausübung ihrer Rechtsprechungsbefugnisse.

(2) Die Staatsanwaltschaft ist unabhängig in der Durchführung individueller Ermittlungen und Verfolgungen, unbeschadet des Rechts des zuständigen Ministers, Verfolgungen anzuordnen und zwingende Richtlinien für die Kriminalpolitik, einschließlich

im Bereich der Ermittlungs- und Verfolgungspolitik, festzulegen.

(3) Über den in Absatz 1 erwähnten Minister verfügen die Regierungen der Gemeinschaften und Regionen, jede für ihren Bereich, darüber hinaus über das Recht, in Angelegenheiten, die in ihre Zuständigkeit fallen, Verfolgungen anzuordnen. Ein Gesetz, das mit der in Artikel 4 letzter Absatz bestimmten Mehrheit angenommen wird, legt die Modalitäten für die Ausübung dieses Rechts fest.

(4) Ein Gesetz, das mit der in Artikel 4 letzter Absatz bestimmten Mehrheit angenommen wird, sieht die Beteiligung der Gemeinschaften und Regionen – in Angelegenheiten, die in ihre Zuständigkeit fallen, – an der Ausarbeitung der in Absatz 1 erwähnten Richtlinien und an der Planung der Sicherheitspolitik sowie – in denselben Angelegenheiten – die Teilnahme ihrer Vertreter an den Versammlungen des Kollegiums der Generalprokuratoren vor.

§ 2 – (1) Es gibt für ganz Belgien einen Hohen Justizrat. Der Hohe Justizrat respektiert bei der Ausübung seiner Befugnisse die in § 1 erwähnte Unabhängigkeit.

(2) Der Hohe Justizrat setzt sich aus einem französischsprachigen und einem niederländischsprachigen Kollegium zusammen. Jedes Kollegium umfaßt eine gleiche Anzahl Mitglieder und ist paritätisch zusammengesetzt einerseits aus Richtern und Mitgliedern der Staatsanwaltschaft, die unter den Bedingungen und in der Weise, die das Gesetz festlegt, unmittelbar von ihresgleichen gewählt werden, und andererseits aus anderen Mitgliedern, die vom Senat mit Zweidrittelmehrheit der abgegebenen Stimmen unter den Bedingungen, die das Gesetz festlegt, ernannt werden.

(3) Es gibt in jedem Kollegium eine Ernennungs- und Bestimmungskommission und eine Begutachtungs- und Untersuchungskommission, die gemäß der Bestimmung des vorhergehenden Absatzes paritätisch zusammengesetzt sind.

(4) Das Gesetz gibt an, wie der Hohe Justizrat, seine Kollegien und deren Kommissionen zusammengesetzt sind und unter welchen Bedingungen und wie sie ihre Befugnisse ausüben.

§ 3 – (1) Der Hohe Justizrat übt seine Befugnisse in folgenden Angelegenheiten aus:

1. Vorschlag von Kandidaten für eine Ernennung zum Richter, so wie in § 4 Absatz 1 erwähnt, oder zum Mitglied der Staatsanwaltschaft;

2. Vorschlag von Kandidaten für eine Bestimmung für die in § 5 Absatz 1 erwähnten Ämter und für das Amt des Korpschefs bei der Staatsanwaltschaft;

3. Zugang zum Amt eines Richters oder eines Mitglieds der Staatsanwaltschaft;

4. Ausbildung der Richter und der Mitglieder der Staatsanwaltschaft;

5. Erstellung von Standardprofilen für die unter Nummer 2 erwähnten Bestimmungen;

6. Abgabe von Gutachten und Vorschlägen im Bereich der allgemeinen Arbeitsweise und Organisation des gerichtlichen Standes;

7. allgemeine Überwachung und Förderung der Benutzung von internen Kontrollmitteln;

8. unter Ausschluß jeglicher disziplinarischen und strafrechtlichen Befugnisse:

– Entgegennahme und Bearbeitung von Klagen in Bezug auf die Arbeitsweise des gerichtlichen Standes;

– Einleitung einer Untersuchung über die Arbeitsweise des gerichtlichen Standes.

(2) Unter den Bedingungen und in der Weise, die das Gesetz festlegt, werden die unter den Nummern 1 bis 4 erwähnten Befugnisse der zuständigen Ernennungs- und Bestimmungskommission und die unter den Nummern 5 bis 8 erwähnten Befugnisse der zuständigen Begutachtungs- und Untersuchungskommission zugeteilt. Das Gesetz bestimmt, in welchen Fällen und wie die Ernennungs- und Bestimmungskommissionen einerseits und die Begutachtungs- und Untersuchungskommissionen andererseits ihre Befugnisse gemeinsam ausüben.

(3) Ein mit der in Artikel 4 letzter Absatz bestimmten Mehrheit anzunehmendes Gesetz legt die anderen Befugnisse dieses Rates fest.

§ 4 – (1) Die Friedensrichter, die Richter an den Gerichten, die Gerichtsräte an den Gerichtshöfen und am Kassationshof werden unter den Bedingungen und in der Weise, die das Gesetz festlegt, vom König ernannt.

(2) Diese Ernennung erfolgt auf einen mit Gründen versehenen Vorschlag der zuständigen Ernennungs- und Bestimmungskommission mit einer Zweidrittelmehrheit gemäß den Modalitäten, die das Gesetz festlegt, und nach Beurteilung von Sachkunde und Eignung. Dieser Vorschlag kann nur in der vom Gesetz festgelegten Weise und mittels Begründung abgelehnt werden.

(3) Bei einer Ernennung zum Gerichtsrat an einem Gerichtshof und am Kassationshof gibt die Generalversammlung des betreffenden Hofes vor dem im vorhergehenden Absatz erwähnten Vorschlag in der Weise, die das Gesetz festlegt, eine mit Gründen versehene Stellungnahme ab.

§ 5 – (1) Der erste Präsident des Kassationshofes, die ersten Präsidenten der Gerichtshöfe und die Präsidenten der Gerichte werden vom König unter den Bedingungen und in der Weise, die das Gesetz festlegt, für diese Ämter bestimmt.

(2) Diese Bestimmung erfolgt auf einen mit Gründen versehenen Vorschlag der zuständigen Ernennungs- und Bestimmungskommission mit einer Zweidrittelmehrheit gemäß den Modalitäten, die das Gesetz festlegt, und nach Beurteilung von Sachkunde und Eignung. Dieser Vorschlag kann nur in der vom Gesetz festgelegten Weise und mittels Begründung abgelehnt werden.

(3) Bei einer Bestimmung für das Amt als erster Präsident des Kassationshofes oder als erster Präsident eines Gerichtshofes gibt die Generalversammlung des betreffenden Hofes vor dem im vorhergehenden Absatz erwähnten Vorschlag in der Weise, die das Gesetz festlegt, eine mit Gründen versehene Stellungnahme ab.

(4) Der Präsident und die Abteilungspräsidenten des Kassationshofes, die Kammerpräsidenten der Gerichtshöfe und die Vizepräsidenten der Gerichte werden von den Höfen und den Gerichten aus deren Mitte unter den Bedingungen und in der Weise, die das Gesetz festlegt, für diese Ämter bestimmt.

(5) Unbeschadet der Bestimmungen von Artikel 152 legt das Gesetz die Dauer der Bestimmungen für diese Ämter fest.

§ 6 – In der vom Gesetz festgelegten Weise werden die Richter, die Inhaber der in § 5 Absatz 4 erwähnten Ämter und die Mitglieder der Staatsanwaltschaft einer Bewertung unterworfen.

Artikel 152 [Amtszeit]

(1) Die Richter werden auf Lebenszeit ernannt. Sie werden in dem durch Gesetz bestimmten Alter in den Ruhestand versetzt und beziehen die durch Gesetz vorgesehene Pension.

(2) Ein Richter darf nur durch ein Urteil suspendiert oder seines Amtes enthoben werden.

(3) Die Versetzung eines Richters darf nur durch eine neue Ernennung und mit seinem Einverständnis erfolgen.

Artikel 153 [Ernennung und Entlassung]

Der König ernennt und entläßt die Mitglieder der Staatsanwaltschaft bei den Gerichtshöfen und Gerichten.

Artikel 154 [Gehälter]

Die Gehälter der Mitglieder des gerichtlichen Standes werden durch Gesetz festgelegt.

Artikel 155 [Annahme von Ämtern, Unvereinbarkeit der Richter]

Ein Richter darf keine besoldeten Ämter von einer Regierung annehmen, es sei denn, daß er diese unentgeltlich ausübt und vorbehaltlich der durch Gesetz bestimmten Unvereinbarkeitsfälle.

Artikel 156 [Appellationshöfe]

Es gibt in Belgien fünf Appellationshöfe:
1. den von Brüssel, dessen Bereich die Provinzen Flämisch-Brabant und Wallonisch-Brabant und das zweisprachige Gebiet Brüssel-Hauptstadt umfaßt;

2. den von Gent, dessen Bereich die Provinzen Ostflandern und Westflandern umfaßt;

3. den von Antwerpen, dessen Bereich die Provinzen Antwerpen und Limburg umfaßt;

4. den von Lüttich, dessen Bereich die Provinzen Lüttich, Namur und Luxemburg umfaßt;

5. den von Mons, dessen Bereich die Provinz Hennegau umfaßt.

Artikel 157 [Weitere Gerichte]

(1) Es gibt Militärgerichte, wenn der in Artikel 167, § 1 Absatz 2 erwähnte Kriegszustand festgestellt worden ist. Das Gesetz regelt die Organisation der Militärgerichte, ihre Zuständigkeit, die Rechte und Pflichten der Mitglieder dieser Gerichte und die Dauer ihres Amtes.

(2) Es gibt Handelsgerichte an den durch Gesetz bezeichneten Orten. Das Gesetz regelt ihre Organisation, ihre Zuständigkeit, die Weise der Ernennung sowie die Dauer des Amtes ihrer Mitglieder.

(3) Das Gesetz regelt auch die Organisation der Arbeitsgerichte, ihre Zuständigkeit, die Weise der Ernennung sowie die Dauer des Amtes ihrer Mitglieder.

(4) Es gibt Strafvollstreckungsgerichte an den durch Gesetz bestimmten Orten. Das Gesetz regelt ihre Organisation, ihre Zuständigkeit, die Weise der Ernennung ihrer Mitglieder und die Dauer ihres Amtes.

Artikel 157bis [Reform des Sprachgebrauchs]

Die wesentlichen Bestandteile der Reform in Bezug auf den Sprachengebrauch in Gerichtsangelegenheiten im Gerichtsbezirk Brüssel und die damit verbundenen Aspekte in Bezug auf Staatsanwaltschaft, Richterschaft und Bereich können nur durch ein Gesetz, das mit der in Artikel 4 letzter Absatz bestimmten Mehrheit angenommen wird, abgeändert werden.

Artikel 158 [Kompetenzkonflikte]

Der Kassationshof befindet über Kompetenzkonflikte in der durch Gesetz geregelten Weise.

Artikel 159 [Anwendung von Erlassen und Verordnungen]

Die Gerichtshöfe und Gerichte wenden die allgemeinen, provinzialen und örtlichen Erlasse und Verordnungen nur an, insoweit sie mit den Gesetzen in Übereinstimmung stehen.

Kapitel VII
Der Staatsrat und die Verwaltungsgerichtsbarkeiten

Artikel 160 [Staatsrat]

(1) Es gibt für ganz Belgien einen Staatsrat, dessen Zusammensetzung, Zuständigkeit und Arbeitsweise durch Gesetz bestimmt werden. Das Gesetz kann dem König jedoch die Macht übertragen, das Verfahren zu regeln gemäß den Grundsätzen, die es festlegt.

(2) Der Staatsrat befindet als Verwaltungsgerichtsbarkeit im Wege eines Entscheids und gibt in den durch Gesetz bestimmten Fällen Gutachten ab.

(3) Die am selben Tag wie dieser Absatz in Kraft tretenden Regeln über die Generalversammlung der Verwaltungsstreitsachenabteilung des Staatsrates können nur durch ein Gesetz, das mit der in Artikel 4 letzter Absatz bestimmten Mehrheit angenommen wird, abgeändert werden.

Artikel 161 [Verwaltungsgerichtsbarkeit]

Eine Verwaltungsgerichtsbarkeit kann nur aufgrund eines Gesetzes eingesetzt werden.

Kapitel VIII
Die provinzialen und kommunalen Einrichtungen

Artikel 162 [Provinziale und kommunale Einrichtungen]

(1) Die provinzialen und kommunalen Einrichtungen werden durch Gesetz geregelt.

(2) Das Gesetz gewährleistet die Anwendung der folgenden Grundsätze:

1. die Direktwahl der Mitglieder der Provinzial- und Gemeinderäte;

2. die Zuständigkeit der Provinzial- und Gemeinderäte für alles, was von provinzialem und kommunalem Interesse ist, unbeschadet der Billigung ihrer Handlungen in den Fällen und in der Weise, die das Gesetz bestimmt;

3. die Dezentralisierung von Befugnissen auf provinziale und kommunale Einrichtungen;

4. die Öffentlichkeit der Sitzungen der Provinzial- und Gemeinderäte innerhalb der durch Gesetz festgelegten Grenzen;

5. die Öffentlichkeit der Haushaltspläne und der Rechnungen;

6. das Eingreifen der Aufsichtsbehörde oder der föderalen gesetzgebenden Gewalt, um zu verhindern, daß gegen das Gesetz verstoßen oder das Gemeinwohl geschädigt wird.

(3) Die suprakommunalen Körperschaften werden durch die in Artikel 134 erwähnte Regel geregelt. Diese Regel gewährleistet die Anwendung der in Absatz 2 erwähnten Grundsätze. Die in Artikel 134 erwähnte Regel kann andere Grundsätze, die sie für wesentlich erachtet, festlegen, mit oder ohne Zweidrittelmehrheit der abgegebenen Stimmen, vorausgesetzt, die Mehrheit der Mitglieder des betreffenden Parlaments ist anwesend. Die Artikel 159 und 190 finden Anwendung auf Erlasse und Verordnungen der suprakommunalen Körperschaften.

(4) In Ausführung eines Gesetzes, das mit der in Artikel 4 letzter Absatz bestimmten Mehrheit angenommen wird, regelt das Dekret oder die in Artikel 134 erwähnte Regel, unter welchen Bedingungen und wie mehrere Provinzen, mehrere suprakommunale Körperschaften oder mehrere Gemeinden sich verständigen oder vereinigen dürfen. Jedoch darf es mehreren Provinzialräten, mehreren suprakommunalen Körperschaften oder mehreren Gemeinderäten nicht erlaubt werden, gemeinsam zu beraten.

Artikel 163 [Ausübung in Brüssel]

(1) Die Befugnisse, die in der Wallonischen und in der Flämischen Region von gewählten provinzialen Organen ausgeübt werden, werden im zweisprachigen Gebiet Brüssel-Hauptstadt ausgeübt von der Französischen und der Flämischen Gemeinschaft und von der Gemeinsamen Gemeinschaftskommission, jede für die Angelegenheiten, für die sie aufgrund der Artikel 127 und 128 zuständig ist, und von der Region Brüssel-Hauptstadt, was die anderen Angelegenheiten betrifft.

(2) Ein Gesetz, das mit der in Artikel 4 letzter Absatz bestimmten Mehrheit angenommen wird, regelt jedoch die Modalitäten, gemäß denen die Region Brüssel-Hauptstadt oder jede andere Einrichtung, deren Mitglieder von ihr bestimmt werden, die in Absatz 1 erwähnten Befugnisse ausübt, die nicht zu den in Artikel 39 erwähnten Angelegenheiten gehören. Ein mit derselben Mehrheit angenommenes Gesetz regelt die Übertragung aller oder eines Teils der in Absatz 1 erwähnten Befugnisse, die zu den in den Artikeln 127 und 128 erwähnten Angelegenheiten gehören, auf die in Artikel 136 vorgesehenen Einrichtungen.

Artikel 164 [Zuständigkeit der Gemeindebehörden]

Die Abfassung der Personenstandsurkunden und die Führung der Register fallen ausschließlich in die Zuständigkeit der Gemeindebehörden.

Artikel 165 [Agglomerationen und Gemeindeförderungen]

§ 1 – (1) Das Gesetz schafft Agglomerationen und Gemeindeföderationen. Es bestimmt ihre Organisation und Zuständigkeit und gewährleistet dabei die Anwendung der in Artikel 162 genannten Grundsätze.

(2) Jede Agglomeration und jede Föderation hat einen Rat und ein Exekutivkollegium.

(3) Der Vorsitzende des Exekutivkollegiums wird vom Rat aus dessen Mitte gewählt; seine Wahl wird vom König ratifiziert; das Gesetz regelt seine Rechtsstellung.

(4) Die Artikel 159 und 190 sind auf die Erlasse und Verordnungen der Agglomerationen und der Gemeindeföderationen entsprechend anwendbar.

(5) Die Grenzen der Agglomerationen und der Gemeindeföderationen können nur aufgrund eines Gesetzes abgeändert oder berichtigt werden.

§ 2 – Das Gesetz schafft das Organ, in dem jede Agglomeration und die nächstgelegenen Gemeindeföderationen sich unter den Bedingungen und in der Weise, die durch dieses Gesetz bestimmt werden, für die Untersuchung gemeinsamer Probleme technischer Art absprechen, die in ihre jeweilige Zuständigkeit fallen.

§ 3 – Mehrere Gemeindeföderationen dürfen sich unter den Bedingungen und in der Weise, die durch Gesetz bestimmt werden, untereinander oder mit einer oder mehreren Agglomerationen verständigen oder zusammenschließen, um in ihre Zuständigkeit fallende Angelegenheiten gemeinsam zu regeln und zu verwalten. Ihren Räten ist es nicht erlaubt, gemeinsam zu beraten.

Artikel 166 [Agglomeration mit der Hauptstadt]

§ 1 – Artikel 165 findet Anwendung auf die Agglomeration, der die Hauptstadt des Königreichs angehört, vorbehaltlich nachstehender Bestimmungen.

§ 2 – Die Befugnisse der Agglomeration, der die Hauptstadt des Königreichs angehört, werden von den aufgrund von Artikel 39 geschaffenen Organen der Region Brüssel-Hauptstadt ausgeübt gemäß einem Gesetz, das mit der in Artikel 4 letzter Absatz bestimmten Mehrheit angenommen wird.

§ 3 – Die in Artikel 136 erwähnten Organe:

1. haben jedes für seine Gemeinschaft dieselben Befugnisse wie die anderen Organisationsträger in kulturellen, Unterrichts- und personenbezogenen Angelegenheiten;

2. üben jedes für seine Gemeinschaft die Befugnisse aus, die ihnen von den Parlamenten der Französischen und der Flämischen Gemeinschaft übertragen werden;

3. regeln zusammen die unter Nummer 1 erwähnten Angelegenheiten, die von gemeinsamem Interesse sind.

Titel IV
DIE INTERNATIONALEN BEZIEHUNGEN

Artikel 167 [Zuständigkeit des Königs]

§ 1 – (1) Der König leitet die internationalen Beziehungen, unbeschadet der Zuständigkeit der Gemeinschaften und Regionen, die internationale Zusammenarbeit einschließlich des Abschlusses von Verträgen in den Angelegenheiten zu regeln, für die sie durch die Verfassung oder aufgrund der Verfassung zuständig sind.

(2) Der König befehligt die Streitkräfte und stellt den Kriegszustand sowie das Ende der Kampfhandlungen fest. Der König setzt die Kammern davon in Kenntnis, sobald das Interesse und die Sicherheit des Staates es erlauben, und fügt die angemessenen Mitteilungen hinzu.

(3) Eine Gebietsabtretung, ein Gebietsaustausch und eine Gebietserweiterung dürfen nur aufgrund eines Gesetzes erfolgen.

§ 2 – Der König schließt die Verträge ab, mit Ausnahme derjenigen, die sich auf die in § 3 erwähnten Angelegenheiten beziehen. Diese Verträge werden erst wirksam, nachdem sie die Zustimmung der Abgeordnetenkammer erhalten haben.

§ 3 – Die in Artikel 121 erwähnten Gemeinschafts- und Regionalregierungen schließen, jede für ihren Bereich, die Verträge ab in den Angelegenheiten, für die ihr Parlament zuständig ist. Diese Verträge werden erst wirksam, nachdem sie die Zustimmung des Parlaments erhalten haben.

§ 4 – Ein Gesetz, das mit der in Artikel 4 letzter Absatz bestimmten Mehrheit angenommen wird, legt die Modalitäten fest für den Abschluß der in § 3 erwähnten Verträge und der Verträge, die sich nicht ausschließlich auf Angelegenheiten beziehen, für die die Gemeinschaften oder Regionen durch die oder aufgrund der Verfassung zuständig sind.

§ 5 – (1) Der König kann die vor dem 18. Mai 1993 abgeschlossenen Verträge, die sich auf die in § 3 erwähnten Angelegenheiten beziehen, in gegenseitigem Einvernehmen mit den betroffenen Gemeinschafts- und Regionalregierungen aufkündigen.

(2) Der König kündigt diese Verträge auf, wenn die betroffen Gemeinschafts- und Regionalregierungen ihn darum ersuchen. Ein Gesetz, das mit der in Artikel 4 letzter Absatz vorgesehenen Mehrheit angenommen wird, regelt das Verfahren im Falle fehlenden Einvernehmens zwischen den betroffenen Gemeinschafts- und Regionalregierungen.

Artikel 168 [Information der Kammern über Revision der Verträge]

Ab Eröffnung der Verhandlungen im Hinblick auf jede Revision der Verträge zur Gründung der Europäischen Gemeinschaften und der Verträge und Akte, durch die diese Verträge abgeändert oder ergänzt werden, werden die Kammern darüber informiert. Sie werden vom Vertragsentwurf in Kenntnis gesetzt, bevor er unterzeichnet wird.

Artikel 168bis [Wahl des Europäischen Parlaments]

(1) Für die Wahlen des Europäischen Parlaments sieht das Gesetz Sondermodalitäten vor, um die rechtmäßigen Interessen der Niederländischsprachigen und der Französischsprachigen in der ehemaligen Provinz Brabant zu gewährleisten.

(2) Die Regeln, die diese Sondermodalitäten festlegen, können nur durch ein Gesetz, das mit der in Artikel 4 letzter Absatz bestimmten Mehrheit angenommen wird, abgeändert werden.

Artikel 169 [Eintrittsrecht für Organe]

Um die Einhaltung der internationalen oder überstaatlichen Verpflichtungen zu gewährleisten, können die in den Artikeln 36 und 37 erwähnten Gewalten unter Einhaltung der durch Gesetz festgelegten Bedingungen zeitweilig an die Stelle der in den Artikeln 115 und 121 erwähnten Organe

treten. Dieses Gesetz muß mit der in Artikel 4 letzter Absatz bestimmten Mehrheit angenommen werden.

Titel V
DIE FINANZEN

Artikel 170 [Einführung von Steuern]

§ 1 – Eine Steuer zugunsten des Staates darf nur durch ein Gesetz eingeführt werden.

§ 2 – (1) Eine Steuer zugunsten der Gemeinschaft oder der Region darf nur durch ein Dekret oder durch eine in Artikel 134 erwähnte Regel eingeführt werden.

(2) Hinsichtlich der in Absatz 1 erwähnten Besteuerungen bestimmt das Gesetz die Ausnahmen, deren Notwendigkeit erwiesen ist.

§ 3 – (1) Eine Last oder Besteuerung darf von der Provinz oder der suprakommunalen Körperschaft nur durch einen Beschluß ihres Rates eingeführt werden.

(2) Hinsichtlich der in Absatz 1 erwähnten Besteuerungen bestimmt das Gesetz die Ausnahmen, deren Notwendigkeit erwiesen ist.

(3) Das Gesetz kann die in Absatz 1 erwähnten Besteuerungen ganz oder teilweise abschaffen.

§ 4 – (1) Eine Last oder Besteuerung darf von der Agglomeration, der Gemeindeföderation und der Gemeinde nur durch einen Beschluß ihres Rates eingeführt werden.

(2) Hinsichtlich der in Absatz 1 erwähnten Besteuerungen bestimmt das Gesetz die Ausnahmen, deren Notwendigkeit erwiesen ist.

Artikel 171 [Verabschiedung von Steuern]

(1) Die Steuern zugunsten des Staates, der Gemeinschaft und der Region werden jährlich verabschiedet.

(2) Die Regeln, die sie einführen, sind nur ein Jahr in Kraft, wenn sie nicht erneuert werden.

Artikel 172 [Verbot von Privilegien]

(1) In Steuerangelegenheiten dürfen keine Privilegien eingeführt werden.

(2) Eine Steuerbefreiung oder Steuerermäßigung darf nur durch ein Gesetz eingeführt werden.

Artikel 173 [Begünstigter der Steuern]
Außer für die Provinzen, die Entwässerungsgenossenschaften und die Bewässerungsgenossenschaften und außer in den Fällen, die durch Gesetz, Dekret und die in Artikel 134 erwähnten Regeln ausdrücklich ausgenommen werden, darf den Bürgern eine Abgabe nur als Steuer zugunsten des Staates, der Gemeinschaft, der Region, der Agglomeration, der Gemeindeföderation oder der Gemeinde auferlegt werden.

Artikel 174 [Rechnungsgesetz und Haushaltsplan]
(1) Jedes Jahr erläßt die Abgeordnetenkammer das Rechnungsgesetz und verabschiedet den Haushaltsplan. Die Abgeordnetenkammer und der Senat legen jedoch jedes Jahr für ihren jeweiligen Bereich die Dotation für ihre Arbeit fest.
(2) Alle Einnahmen und Ausgaben des Staates sind im Haushaltsplan und in den Rechnungen aufzuführen.

Artikel 175 [Finanzierungssystem für die Französische und Flämische Gemeinschaft]
(1) Ein Gesetz, das mit der in Artikel 4 letzter Absatz bestimmten Mehrheit angenommen wird, legt das Finanzierungssystem für die Französische und die Flämische Gemeinschaft fest.
(2) Die Parlamente der Französischen und der Flämischen Gemeinschaft regeln durch Dekret, jedes für seinen Bereich, den Verwendungszweck ihrer Einnahmen.

Artikel 176 [Finanzierungssystem für die Deutschsprachige Gemeinschaft]
(1) Ein Gesetz legt das Finanzierungssystem für die Deutschsprachige Gemeinschaft fest.
(2) Das Parlament der Deutschsprachigen Gemeinschaft regelt den Verwendungszweck der Einnahmen durch Dekret.

Artikel 177 [Finanzierungssystem für die Regionen]
(1) Ein Gesetz, das mit der in Artikel 4 letzter Absatz bestimmten Mehrheit angenommen wird, legt das Finanzierungssystem für die Regionen fest.
(2) Die Regionalparlamente bestimmen, jedes für seinen Bereich, den Verwendungszweck ihrer Einnahmen durch die in Artikel 134 erwähnten Regeln.

Artikel 178 [Übertragung Brüssel finanzieller Mittel]
Unter den Bedingungen und nach den Modalitäten, die das mit der in Artikel 4 letzter Absatz bestimmten Mehrheit angenommene Gesetz festlegt, überträgt das Parlament der Region Brüssel-Hauptstadt der Gemeinsamen Gemeinschaftskommission und der Französischen und der Flämischen Gemeinschaftskommission finanzielle Mittel durch die in Artikel 134 erwähnte Regel.

Artikel 179 [Gesetzliche Grundlage]
Eine Pension oder eine Zuwendung zu Lasten der Staatskasse darf nur aufgrund eines Gesetzes gewährt werden.

Artikel 180 [Rechnungshof]
(1) Die Mitglieder des Rechnungshofes werden von der Abgeordnetenkammer für die durch Gesetz bestimmte Dauer ernannt.
(2) Der Rechnungshof ist beauftragt mit der Prüfung und dem Ausgleich der Rechnungen der allgemeinen Verwaltung und aller, die der Staatskasse gegenüber rechenschaftspflichtig sind. Er wacht darüber, daß kein Ausgabenposten des Haushaltsplans überschritten wird und daß keine Übertragung stattfindet. Der Rechnungshof übt auch eine allgemeine Kontrolle über die Verrichtungen bezüglich der Festlegung und Beitreibung der dem Staat zukommenden Forderungen aus, Steuereinnahmen einbegriffen. Er schließt die Rechnungen der verschiedenen Verwaltungen des Staates ab und ist damit beauftragt, zu diesem Zweck alle erforderlichen Auskünfte und Rechnungsbelege zu sammeln. Die Gesamtrechnung des Staates

wird der Abgeordnetenkammer mit den Bemerkungen des Rechnungshofes vorgelegt.

(3) Die Organisation des Rechnungshofes wird durch das Gesetz geregelt.

(4) Das Gesetz kann dem Rechnungshof die Kontrolle der Haushaltspläne und der Buchführung der Gemeinschaften und Regionen sowie der von ihnen abhängenden Einrichtungen öffentlichen Interesses übertragen. Es kann ebenfalls gestatten, dass das Dekret oder die in Artikel 134 erwähnte Regel diese Kontrolle regeln. Außer für die Deutschsprachige Gemeinschaft wird dieses Gesetz mit der in Artikel 4 letzter Absatz bestimmten Mehrheit angenommen.

(5) Dem Rechnungshof können durch Gesetz, Dekret oder die in Artikel 134 erwähnte Regel zusätzliche Aufgaben übertragen werden. Auf gleich lautende Stellungnahme des Rechnungshofes legt das Dekret oder die in Artikel 134 erwähnte Regel die Vergütung fest, die der Rechnungshof für die Ausführung dieser Aufgaben erhält. Für eine Aufgabe, die der Rechnungshof vor dem Datum des Inkrafttretens des vorliegenden Absatzes für eine Gemeinschaft oder Region ausübt, ist keine Vergütung zu entrichten.

Artikel 181 [Gehälter und Pensionen]

§ 1 – Die Gehälter und Pensionen der Diener der Kulte gehen zu Lasten des Staates; die dazu erforderlichen Beträge werden jährlich in den Haushaltsplan eingesetzt.

§ 2 – Die Gehälter und Pensionen der Vertreter der durch Gesetz anerkannten Organisationen, die moralischen Beistand aufgrund einer nichtkonfessionellen Weltanschauung bieten, gehen zu Lasten des Staates; die dazu erforderlichen Beträge werden jährlich in den Haushaltsplan eingesetzt.

Titel VI
DIE BEWAFFNETE MACHT

Artikel 182 [Regelung durch Gesetz]

Das Gesetz bestimmt, wie die Armee rekrutiert wird. Es regelt ebenfalls die Beförderung, die Rechte und die Pflichten der Militärpersonen.

Artikel 183 [Armeekontingent]

Das Armeekontingent wird jährlich verabschiedet. Das Gesetz, das dieses Kontingent festlegt, ist nur ein Jahr in Kraft, wenn es nicht erneuert wird.

Artikel 184 [Organisation und Zuständigkeit des Polizeidienstes]

Die Organisation und die Zuständigkeit des auf zwei Ebenen strukturierten integrierten Polizeidienstes werden durch Gesetz geregelt. Die wesentlichen Elemente des Statuts der Mitglieder des Personals des auf zwei Ebenen strukturierten integrierten Polizeidienstes werden durch Gesetz geregelt.

Artikel 185 [Ausländische Truppen]

Eine ausländische Truppe darf nur aufgrund eines Gesetzes in den Dienst des Staates gestellt werden, sich auf dem Staatsgebiet aufhalten oder es durchqueren.

Artikel 186 [Entziehung von Dienstgraden]

Den Militärpersonen dürfen ihre Dienstgrade, Auszeichnungen und Pensionen nur in der durch Gesetz bestimmten Weise entzogen werden.

Titel VII
ALLGEMEINE BESTIMMUNGEN

Artikel 187 [Aussetzung der Verfassung]

Die Verfassung darf weder ganz noch teilweise ausgesetzt werden.

Artikel 188 [Wirksamkeit der Verfassung]

Ab dem Tag, an dem die Verfassung wirksam wird, sind alle zu ihr im Widerspruch stehenden Gesetze, Dekrete, Erlasse, Verordnungen und anderen Akte aufgehoben.

Artikel 189 [Sprachen]

Der Text der Verfassung ist in Deutsch, in Französisch und in Niederländisch festgelegt.

Artikel 190 [Veröffentlichung]

Gesetze sowie Erlasse und Verordnungen im Bereich der allgemeinen, provinzialen oder kommunalen Verwaltung werden erst verbindlich, nachdem sie in der durch Gesetz bestimmten Form veröffentlicht worden sind.

Artikel 191 [Schutz von Ausländern]

Jeder Ausländer, der sich auf dem Staatsgebiet Belgiens befindet, genießt den Personen und Gütern gewährten Schutz, vorbehaltlich der durch Gesetz festgelegten Ausnahmen.

Artikel 192 [Eid]

Ein Eid darf nur aufgrund des Gesetzes auferlegt werden. Das Gesetz legt die Eidesformel fest.

Artikel 193 [Farben und Wappen]

Die Belgische Nation wählt die Farben Rot, Gelb und Schwarz und als Wappen des Königreichs den Belgischen Löwen mit dem Spruch: EINIGKEIT MACHT STARK.

Artikel 194 [Hauptstadt]

Die Stadt Brüssel ist die Hauptstadt Belgiens und Sitz der Föderalregierung.

Titel VIII
DIE REVISION DER VERFASSUNG

Artikel 195 [Erklärung der Revision]

(1) Die föderale gesetzgebende Gewalt hat das Recht zu erklären, daß eine von ihr bezeichnete Verfassungsbestimmung einer Revision bedarf.

(2) Nach dieser Erklärung sind beide Kammern von Rechts wegen aufgelöst.

(3) Zwei neue Kammern werden gemäß Artikel 46 einberufen.

(4) Diese Kammern beschließen im Einvernehmen mit dem König über die zur Revision anstehenden Punkte.

(5) In diesem Fall dürfen die Kammern nur beraten, wenn mindestens zwei Drittel der Mitglieder jeder Kammer anwesend sind; eine Änderung ist nur dann angenommen, wenn sie mindestens zwei Drittel der Stimmen erhalten hat.

Artikel 196 [Kriegszeiten und andere Hinderung]

In Kriegszeiten oder wenn die Kammern daran gehindert sind, sich frei auf dem föderalen Staatsgebiet zu versammeln, darf keine Revision der Verfassung eingeleitet oder fortgeführt werden.

Artikel 197 [Revisionsverbot]

Während einer Regentschaft darf an der Verfassung in Bezug auf die verfassungsmäßige Gewalt des Königs und die Artikel 85 bis 88, 91 bis 95, 106 und 197 der Verfassung keine Revision vorgenommen werden.

Artikel 198 [Änderung der Nummerierung]

(1) Im Einvernehmen mit dem König können die verfassunggebenden Kammern die Nummerierung der Artikel und der Unterteilungen der Artikel der Verfassung sowie die Unterteilungen der Verfassung in Titel, Kapitel und Abschnitte anpassen, die Terminologie der nicht zur Revision anstehenden Bestimmungen abändern, um sie mit der Terminologie der neuen Bestimmungen in Einklang zu bringen, und die Übereinstimmung des deutschen, des französischen und des niederländischen Textes der Verfassung gewährleisten.

(2) In diesem Fall dürfen die Kammern nur beraten, wenn mindestens zwei Drittel der Mitglieder jeder Kammer anwesend sind; die Änderungen sind nur dann angenommen, wenn die Gesamtheit der Revisionen mindestens zwei Drittel der abgegebenen Stimmen erhalten hat.

Titel IX
INKRAFTTRETEN UND
ÜBERGANGSBESTIMMUNGEN

I. – Die Bestimmungen von Artikel 85 werden zum ersten Mal Anwendung finden auf die Nachkommenschaft S.K.H. Prinz Albert, Felix, Humbert, Theodor, Christian, Eugen, Maria, Prinz von Lüttich, Prinz von Belgien, wobei als vereinbart gilt, daß davon auszugehen ist, daß die Heirat I.K.H. Prinzessin Astrid, Josephine, Charlotte, Fabrizia, Elisabeth, Paola, Maria, Prinzessin von Belgien, mit Lorenz, Erzherzog von österreich-Este die in Artikel 85 Absatz 2 erwähnte Zustimmung erhalten hat.

Bis zu diesem Zeitpunkt kommen folgende Bestimmungen weiterhin zur Anwendung:

Die verfassungsmäßige Gewalt des Königs geht durch Erbfolge in gerader Linie über auf die leibliche und legitime Nachkommenschaft S.M. Leopold, Georg, Christian, Friedrich von Sachsen-Coburg, und zwar in männlicher Linie, nach dem Recht der Erstgeburt und unter immerwährendem Ausschluß der Frauen und ihrer Nachkommenschaft.

Der Prinz, der ohne Einverständnis des Königs oder derjenigen heiratet, die bei Fehlen des Königs dessen Gewalt in den von der Verfassung vorgesehenen Fällen ausüben, verwirkt seine Rechte auf die Krone.

Er kann jedoch vom König oder von denjenigen, die bei Fehlen des Königs dessen Gewalt in den von der Verfassung vorgesehenen Fällen ausüben, wieder in seine Rechte eingesetzt werden, doch nur mit der Zustimmung beider Kammern.

II. – (wurde am 6. Dezember 2005 aufgehoben)

III. – Artikel 125 findet Anwendung auf Handlungen, die nach dem 8. Mai 1993 begangen werden.

IV. – (wurde am 6. Dezember 2005 aufgehoben)

V. – (wurde am 6. Dezember 2005 aufgehoben).

VI. – (wurde am 6. Dezember 2005 aufgehoben)

§ 2 – (wurde am 6. Dezember 2005 aufgehoben)

§ 3 – Personalmitglieder und Vermögen der Provinz Brabant werden aufgeteilt unter die Provinz Flämisch-Brabant, die Provinz Wallonisch-Brabant, die Region Brüssel-Hauptstadt, die in den Artikeln 135 und 136 erwähnten Behörden und Einrichtungen sowie die Föderalbehörde, gemäß Modalitäten, die durch ein Gesetz festgelegt werden, das mit der in Artikel 4 letzter Absatz bestimmten Mehrheit angenommen wird.

Nach der nächsten Erneuerung der Provinzialräte und bis zum Zeitpunkt der Aufteilung von Personal und Vermögen wird das gemeinschaftlich gebliebene Personal und Vermögen gemeinsam von der Provinz Flämisch-Brabant, der Provinz Wallonisch-Brabant und den zuständigen Behörden des zweisprachigen Gebiets Brüssel-Hauptstadt verwaltet.

§ 4 – (wurde am 6. Dezember 2005 aufgehoben)

§ 5 – (wurde am 6. Dezember 2005 aufgehoben)

Grundgesetz für die Bundesrepublik Deutschland[*]

Vom 23. Mai 1949 (BGBl. S. 1), zuletzt geändert am 29.9.2020 (BGBl. I S. 2048)

Eingangsformel

Der Parlamentarische Rat hat am 23. Mai 1949 in Bonn am Rhein in öffentlicher Sitzung festgestellt, daß das am 8. Mai des Jahres 1949 vom Parlamentarischen Rat beschlossene Grundgesetz für die Bundesrepublik Deutschland in der Woche vom 16. bis 22. Mai 1949 durch die Volksvertretungen von mehr als Zweidritteln der beteiligten deutschen Länder angenommen worden ist.

Auf Grund dieser Feststellung hat der Parlamentarische Rat, vertreten durch seine Präsidenten, das Grundgesetz ausgefertigt und verkündet.

Das Grundgesetz wird hiermit gemäß Artikel 145 Abs. 3 im Bundesgesetzblatt veröffentlicht:

PRÄAMBEL

Im Bewußtsein seiner Verantwortung vor Gott und den Menschen,

von dem Willen beseelt, als gleichberechtigtes Glied in einem vereinten Europa dem Frieden der Welt zu dienen, hat sich das Deutsche Volk kraft seiner verfassungsgebenden Gewalt dieses Grundgesetz gegeben.

Die Deutschen in den Ländern Baden-Württemberg, Bayern, Berlin, Brandenburg, Bremen, Hamburg, Hessen, Mecklenburg-Vorpommern, Niedersachsen, Nordrhein-Westfalen, Rheinland-Pfalz, Saarland, Sachsen, Sachsen-Anhalt, Schleswig-Holstein und Thüringen haben in freier Selbstbestimmung die Einheit und Freiheit Deutschlands vollendet. Damit gilt dieses Grundgesetz für das gesamte Deutsche Volk.

I.
DIE GRUNDRECHTE

Artikel 1 [Schutz der Menschenwürde, Menschenrechte, Grundrechtsbindung]

(1) Die Würde des Menschen ist unantastbar. Sie zu achten und zu schützen ist Verpflichtung aller staatlichen Gewalt.

(2) Das Deutsche Volk bekennt sich darum zu unverletzlichen und unveräußerlichen Menschenrechten als Grundlage jeder menschlichen Gemeinschaft, des Friedens und der Gerechtigkeit in der Welt.

(3) Die nachfolgenden Grundrechte binden Gesetzgebung, vollziehende Gewalt und Rechtsprechung als unmittelbar geltendes Recht.

Artikel 2 [Freie Entfaltung der Persönlichkeit, Recht auf Leben, körperliche Unversehrtheit, Freiheit der Person]

(1) Jeder hat das Recht auf die freie Entfaltung seiner Persönlichkeit, soweit er nicht die Rechte anderer verletzt und nicht gegen die verfassungsmäßige Ordnung oder das Sittengesetz verstößt.

(2) Jeder hat das Recht auf Leben und körperliche Unversehrtheit. Die Freiheit der Person ist unverletzlich. In diese Rechte darf nur auf Grund eines Gesetzes eingegriffen werden.

Artikel 3 [Gleichheit vor dem Gesetz]

(1) Alle Menschen sind vor dem Gesetz gleich.

(2) Männer und Frauen sind gleichberechtigt. Der Staat fördert die tatsächliche Durchsetzung der Gleichberechtigung von Frauen und Männern und wirkt auf die Beseitigung bestehender Nachteile hin.

---

[*] Entsprechend der Version des Bundesministeriums der Justiz und für Verbraucherschutz, abrufbar unter: http://www.gesetze-im-internet.de/gg/GG.pdf.

(3) Niemand darf wegen seines Geschlechtes, seiner Abstammung, seiner Rasse, seiner Sprache, seiner Heimat und Herkunft, seines Glaubens, seiner religiösen oder politischen Anschauungen benachteiligt oder bevorzugt werden. Niemand darf wegen seiner Behinderung benachteiligt werden.

Artikel 4 [Glaubens-, Gewissens- und Bekenntnisfreiheit, Kriegsdienstverweigerung]

(1) Die Freiheit des Glaubens, des Gewissens und die Freiheit des religiösen und weltanschaulichen Bekenntnisses sind unverletzlich.

(2) Die ungestörte Religionsausübung wird gewährleistet.

(3) Niemand darf gegen sein Gewissen zum Kriegsdienst mit der Waffe gezwungen werden. Das Nähere regelt ein Bundesgesetz.

Artikel 5 [Recht der freien Meinungsäußerung, Medienfreiheit, Kunst- und Wissenschaftsfreiheit]

(1) Jeder hat das Recht, seine Meinung in Wort, Schrift und Bild frei zu äußern und zu verbreiten und sich aus allgemein zugänglichen Quellen ungehindert zu unterrichten. Die Pressefreiheit und die Freiheit der Berichterstattung durch Rundfunk und Film werden gewährleistet. Eine Zensur findet nicht statt.

(2) Diese Rechte finden ihre Schranken in den Vorschriften der allgemeinen Gesetze, den gesetzlichen Bestimmungen zum Schutze der Jugend und in dem Recht der persönlichen Ehre.

(3) Kunst und Wissenschaft, Forschung und Lehre sind frei. Die Freiheit der Lehre entbindet nicht von der Treue zur Verfassung.

Artikel 6 [Ehe, Familie, uneheliche Kinder]

(1) Ehe und Familie stehen unter dem besonderen Schutze der staatlichen Ordnung.

(2) Pflege und Erziehung der Kinder sind das natürliche Recht der Eltern und die zuvörderst ihnen obliegende Pflicht. Über ihre Betätigung wacht die staatliche Gemeinschaft.

(3) Gegen den Willen der Erziehungsberechtigten dürfen Kinder nur auf Grund eines Gesetzes von der Familie getrennt werden, wenn die Erziehungsberechtigten versagen oder wenn die Kinder aus anderen Gründen zu verwahrlosen drohen.

(4) Jede Mutter hat Anspruch auf den Schutz und die Fürsorge der Gemeinschaft.

(5) Den unehelichen Kindern sind durch die Gesetzgebung die gleichen Bedingungen für ihre leibliche und seelische Entwicklung und ihre Stellung in der Gesellschaft zu schaffen wie den ehelichen Kindern.

Artikel 7 [Schulwesen]

(1) Das gesamte Schulwesen steht unter der Aufsicht des Staates.

(2) Die Erziehungsberechtigten haben das Recht, über die Teilnahme des Kindes am Religionsunterricht zu bestimmen.

(3) Der Religionsunterricht ist in den öffentlichen Schulen mit Ausnahme der bekenntnisfreien Schulen ordentliches Lehrfach. Unbeschadet des staatlichen Aufsichtsrechtes wird der Religionsunterricht in Übereinstimmung mit den Grundsätzen der Religionsgemeinschaften erteilt. Kein Lehrer darf gegen seinen Willen verpflichtet werden, Religionsunterricht zu erteilen.

(4) Das Recht zur Errichtung von privaten Schulen wird gewährleistet. Private Schulen als Ersatz für öffentliche Schulen bedürfen der Genehmigung des Staates und unterstehen den Landesgesetzen. Die Genehmigung ist zu erteilen, wenn die privaten Schulen in ihren Lehrzielen und Einrichtungen sowie in der wissenschaftlichen Ausbildung ihrer Lehrkräfte nicht hinter den öffentlichen Schulen zurückstehen und eine Sonderung der Schüler nach den Besitzverhältnissen der Eltern nicht gefördert wird. Die Genehmigung ist zu versagen, wenn die wirtschaftliche und rechtliche Stellung der Lehrkräfte nicht genügend gesichert ist.

(5) Eine private Volksschule ist nur zuzulassen, wenn die Unterrichtsverwaltung ein besonderes pädagogisches Interesse

anerkennt oder, auf Antrag von Erziehungsberechtigten, wenn sie als Gemeinschaftsschule, als Bekenntnis- oder Weltanschauungsschule errichtet werden soll und eine öffentliche Volksschule dieser Art in der Gemeinde nicht besteht.

(6) Vorschulen bleiben aufgehoben.

Artikel 8 [Versammlungsfreiheit]

(1) Alle Deutschen haben das Recht, sich ohne Anmeldung oder Erlaubnis friedlich und ohne Waffen zu versammeln.

(2) Für Versammlungen unter freiem Himmel kann dieses Recht durch Gesetz oder auf Grund eines Gesetzes beschränkt werden.

Artikel 9 [Vereinigungsfreiheit]

(1) Alle Deutschen haben das Recht, Vereine und Gesellschaften zu bilden.

(2) Vereinigungen, deren Zwecke oder deren Tätigkeit den Strafgesetzen zuwiderlaufen oder die sich gegen die verfassungsmäßige Ordnung oder gegen den Gedanken der Völkerverständigung richten, sind verboten.

(3) Das Recht, zur Wahrung und Förderung der Arbeits- und Wirtschaftsbedingungen Vereinigungen zu bilden, ist für jedermann und für alle Berufe gewährleistet. Abreden, die dieses Recht einschränken oder zu behindern suchen, sind nichtig, hierauf gerichtete Maßnahmen sind rechtswidrig. Maßnahmen nach den Artikeln 12a, 35 Abs. 2 und 3, Artikel 87a Abs. 4 und Artikel 91 dürfen sich nicht gegen Arbeitskämpfe richten, die zur Wahrung und Förderung der Arbeits- und Wirtschaftsbedingungen von Vereinigungen im Sinne des Satzes 1 geführt werden.

Artikel 10 [Brief-, Post- und Fernmeldegeheimnis]

(1) Das Briefgeheimnis sowie das Post- und Fernmeldegeheimnis sind unverletzlich.

(2) Beschränkungen dürfen nur auf Grund eines Gesetzes angeordnet werden. Dient die Beschränkung dem Schutze der freiheitlichen demokratischen Grundordnung oder des Bestandes oder der Sicherung des Bundes oder eines Landes, so kann das Gesetz bestimmen, daß sie dem Betroffenen nicht

mitgeteilt wird und daß an die Stelle des Rechtsweges die Nachprüfung durch von der Volksvertretung bestellte Organe und Hilfsorgane tritt.

Artikel 11 [Freizügigkeit]

(1) Alle Deutschen genießen Freizügigkeit im ganzen Bundesgebiet.

(2) Dieses Recht darf nur durch Gesetz oder auf Grund eines Gesetzes und nur für die Fälle eingeschränkt werden, in denen eine ausreichende Lebensgrundlage nicht vorhanden ist und der Allgemeinheit daraus besondere Lasten entstehen würden oder in denen es zur Abwehr einer drohenden Gefahr für den Bestand oder die freiheitliche demokratische Grundordnung des Bundes oder eines Landes, zur Bekämpfung von Seuchengefahr, Naturkatastrophen oder besonders schweren Unglücksfällen, zum Schutze der Jugend vor Verwahrlosung oder um strafbaren Handlungen vorzubeugen, erforderlich ist.

Artikel 12 [Berufsfreiheit]

(1) Alle Deutschen haben das Recht, Beruf, Arbeitsplatz und Ausbildungsstätte frei zu wählen. Die Berufsausübung kann durch Gesetz oder auf Grund eines Gesetzes geregelt werden.

(2) Niemand darf zu einer bestimmten Arbeit gezwungen werden, außer im Rahmen einer herkömmlichen allgemeinen, für alle gleichen öffentlichen Dienstleistungspflicht.

(3) Zwangsarbeit ist nur bei einer gerichtlich angeordneten Freiheitsentziehung zulässig.

Artikel 12a [Dienstverpflichtungen]

(1) Männer können vom vollendeten achtzehnten Lebensjahr an zum Dienst in den Streitkräften, im Bundesgrenzschutz oder in einem Zivilschutzverband verpflichtet werden

(2) Wer aus Gewissensgründen den Kriegsdienst mit der Waffe verweigert, kann zu einem Ersatzdienst verpflichtet werden. Die Dauer des Ersatzdienstes darf die Dauer des Wehrdienstes nicht übersteigen. Das Nähere

regelt ein Gesetz, das die Freiheit der Gewissensentscheidung nicht beeinträchtigen darf und auch eine Möglichkeit des Ersatzdienstes vorsehen muß, die in keinem Zusammenhang mit den Verbänden der Streitkräfte und des Bundesgrenzschutzes steht.

(3) Wehrpflichtige, die nicht zu einem Dienst nach Absatz 1 oder 2 herangezogen sind, können im Verteidigungsfalle durch Gesetz oder auf Grund eines Gesetzes zu zivilen Dienstleistungen für Zwecke der Verteidigung einschließlich des Schutzes der Zivilbevölkerung in Arbeitsverhältnisse verpflichtet werden; Verpflichtungen in öffentlich-rechtliche Dienstverhältnisse sind nur zur Wahrnehmung polizeilicher Aufgaben oder solcher hoheitlichen Aufgaben der öffentlichen Verwaltung, die nur in einem öffentlich-rechtlichen Dienstverhältnis erfüllt werden können, zulässig. Arbeitsverhältnisse nach Satz 1 können bei den Streitkräften, im Bereich ihrer Versorgung sowie bei der öffentlichen Verwaltung begründet werden; Verpflichtungen in Arbeitsverhältnisse im Bereiche der Versorgung der Zivilbevölkerung sind nur zulässig, um ihren lebensnotwendigen Bedarf zu decken oder ihren Schutz sicherzustellen.

(4) Kann im Verteidigungsfalle der Bedarf an zivilen Dienstleistungen im zivilen Sanitäts- und Heilwesen sowie in der ortsfesten militärischen Lazarettorganisation nicht auf freiwilliger Grundlage gedeckt werden, so können Frauen vom vollendeten achtzehnten bis zum vollendeten fünfundfünfzigsten Lebensjahr durch Gesetz oder auf Grund eines Gesetzes zu derartigen Dienstleistungen herangezogen werden. Sie dürfen auf keinen Fall zum Dienst mit der Waffe verpflichtet werden.

(5) Für die Zeit vor dem Verteidigungsfalle können Verpflichtungen nach Absatz 3 nur nach Maßgabe des Artikels 80a Abs. 1 begründet werden. Zur Vorbereitung auf Dienstleistungen nach Absatz 3, für die besondere Kenntnisse oder Fertigkeiten erforderlich sind, kann durch Gesetz oder auf Grund eines Gesetzes die Teilnahme an Ausbildungsveranstaltungen zur Pflicht gemacht werden. Satz 1 findet insoweit keine Anwendung.

(6) Kann im Verteidigungsfalle der Bedarf an Arbeitskräften für die in Absatz 3 Satz 2 genannten Bereiche auf freiwilliger Grundlage nicht gedeckt werden, so kann zur Sicherung dieses Bedarfs die Freiheit der Deutschen, die Ausübung eines Berufs oder den Arbeitsplatz aufzugeben, durch Gesetz oder auf Grund eines Gesetzes eingeschränkt werden. Vor Eintritt des Verteidigungsfalles gilt Absatz 5 Satz 1 entsprechend.

Artikel 13 [Unverletzlichkeit der Wohnung]

(1) Die Wohnung ist unverletzlich.

(2) Durchsuchungen dürfen nur durch den Richter, bei Gefahr im Verzuge auch durch die in den Gesetzen vorgesehenen anderen Organe angeordnet und nur in der dort vorgeschriebenen Form durchgeführt werden.

(3) Begründen bestimmte Tatsachen den Verdacht, daß jemand eine durch Gesetz einzeln bestimmte besonders schwere Straftat begangen hat, so dürfen zur Verfolgung der Tat auf Grund richterlicher Anordnung technische Mittel zur akustischen Überwachung von Wohnungen, in denen der Beschuldigte sich vermutlich aufhält, eingesetzt werden, wenn die Erforschung des Sachverhalts auf andere Weise unverhältnismäßig erschwert oder aussichtslos wäre. Die Maßnahme ist zu befristen. Die Anordnung erfolgt durch einen mit drei Richtern besetzten Spruchkörper. Bei Gefahr im Verzuge kann sie auch durch einen einzelnen Richter getroffen werden.

(4) Zur Abwehr dringender Gefahren für die öffentliche Sicherheit, insbesondere einer gemeinen Gefahr oder einer Lebensgefahr, dürfen technische Mittel zur Überwachung von Wohnungen nur auf Grund richterlicher Anordnung eingesetzt werden. Bei Gefahr im Verzuge kann die Maßnahme auch durch eine andere gesetzlich bestimmte Stelle angeordnet werden; eine richterliche Entscheidung ist unverzüglich nachzuholen.

(5) Sind technische Mittel ausschließlich zum Schutze der bei einem Einsatz in Wohnungen tätigen Personen vorgesehen,

kann die Maßnahme durch eine gesetzlich bestimmte Stelle angeordnet werden. Eine anderweitige Verwertung der hierbei erlangten Erkenntnisse ist nur zum Zwecke der Strafverfolgung oder der Gefahrenabwehr und nur zulässig, wenn zuvor die Rechtmäßigkeit der Maßnahme richterlich festgestellt ist; bei Gefahr im Verzuge ist die richterliche Entscheidung unverzüglich nachzuholen.

(6) Die Bundesregierung unterrichtet den Bundestag jährlich über den nach Absatz 3 sowie über den im Zuständigkeitsbereich des Bundes nach Absatz 4 und, soweit richterlich überprüfungsbedürftig, nach Absatz 5 erfolgten Einsatz technischer Mittel. Ein vom Bundestag gewähltes Gremium übt auf der Grundlage dieses Berichts die parlamentarische Kontrolle aus. Die Länder gewährleisten eine gleichwertige parlamentarische Kontrolle.

(7) Eingriffe und Beschränkungen dürfen im übrigen nur zur Abwehr einer gemeinen Gefahr oder einer Lebensgefahr für einzelne Personen, auf Grund eines Gesetzes auch zur Verhütung dringender Gefahren für die öffentliche Sicherheit und Ordnung, insbesondere zur Behebung der Raumnot, zur Bekämpfung von Seuchengefahr oder zum Schutze gefährdeter Jugendlicher vorgenommen werden.

Artikel 14 [Eigentum, Erbrecht und Enteignung]

(1) Das Eigentum und das Erbrecht werden gewährleistet. Inhalt und Schranken werden durch die Gesetze bestimmt.

(2) Eigentum verpflichtet. Sein Gebrauch soll zugleich dem Wohle der Allgemeinheit dienen.

(3) Eine Enteignung ist nur zum Wohle der Allgemeinheit zulässig. Sie darf nur durch Gesetz oder auf Grund eines Gesetzes erfolgen, das Art und Ausmaß der Entschädigung regelt. Die Entschädigung ist unter gerechter Abwägung der Interessen der Allgemeinheit und der Beteiligten zu bestimmen. Wegen der Höhe der Entschädigung steht im Streitfalle der Rechtsweg vor den ordentlichen Gerichten offen.

Artikel 15 [Sozialisierung, Überführung in Gemeineigentum]

Grund und Boden, Naturschätze und Produktionsmittel können zum Zwecke der Vergesellschaftung durch ein Gesetz, das Art und Ausmaß der Entschädigung regelt, in Gemeineigentum oder in andere Formen der Gemeinwirtschaft überführt werden. Für die Entschädigung gilt Artikel 14 Abs. 3 Satz 3 und 4 entsprechend.

Artikel 16 [Ausbürgerung, Auslieferung]

(1) Die deutsche Staatsangehörigkeit darf nicht entzogen werden. Der Verlust der Staatsangehörigkeit darf nur auf Grund eines Gesetzes und gegen den Willen des Betroffenen nur dann eintreten, wenn der Betroffene dadurch nicht staatenlos wird.

(2) Kein Deutscher darf an das Ausland ausgeliefert werden. Durch Gesetz kann eine abweichende Regelung für Auslieferungen an einen Mitgliedstaat der Europäischen Union oder an einen internationalen Gerichtshof getroffen werden, soweit rechtsstaatliche Grundsätze gewahrt sind.

Artikel 16a [Asylrecht]

(1) Politisch Verfolgte genießen Asylrecht.

(2) Auf Absatz 1 kann sich nicht berufen, wer aus einem Mitgliedstaat der Europäischen Gemeinschaften oder aus einem anderen Drittstaat einreist, in dem die Anwendung des Abkommens über die Rechtsstellung der Flüchtlinge und der Konvention zum Schutze der Menschenrechte und Grundfreiheiten sichergestellt ist. Die Staaten außerhalb der Europäischen Gemeinschaften, auf die die Voraussetzungen des Satzes 1 zutreffen, werden durch Gesetz, das der Zustimmung des Bundesrates bedarf, bestimmt. In den Fällen des Satzes 1 können aufenthaltsbeendende Maßnahmen unabhängig von einem hiergegen eingelegten Rechtsbehelf vollzogen werden.

(3) Durch Gesetz, das der Zustimmung des Bundesrates bedarf, können Staaten bestimmt werden, bei denen auf Grund der Rechtslage, der Rechtsanwendung und der

allgemeinen politischen Verhältnisse gewährleistet erscheint, daß dort weder politische Verfolgung noch unmenschliche oder erniedrigende Bestrafung oder Behandlung stattfindet. Es wird vermutet, daß ein Ausländer aus einem solchen Staat nicht verfolgt wird, solange er nicht Tatsachen vorträgt, die die Annahme begründen, daß er entgegen dieser Vermutung politisch verfolgt wird.

(4) Die Vollziehung aufenthaltsbeendender Maßnahmen wird in den Fällen des Absatzes 3 und in anderen Fällen, die offensichtlich unbegründet sind oder als offensichtlich unbegründet gelten, durch das Gericht nur ausgesetzt, wenn ernstliche Zweifel an der Rechtmäßigkeit der Maßnahme bestehen; der Prüfungsumfang kann eingeschränkt werden und verspätetes Vorbringen unberücksichtigt bleiben. Das Nähere ist durch Gesetz zu bestimmen.

(5) Die Absätze 1 bis 4 stehen völkerrechtlichen Verträgen von Mitgliedstaaten der Europäischen Gemeinschaften untereinander und mit dritten Staaten nicht entgegen, die unter Beachtung der Verpflichtungen aus dem Abkommen über die Rechtsstellung der Flüchtlinge und der Konvention zum Schutze der Menschenrechte und Grundfreiheiten, deren Anwendung in den Vertragsstaaten sichergestellt sein muß, Zuständigkeitsregelungen für die Prüfung von Asylbegehren einschließlich der gegenseitigen Anerkennung von Asylentscheidungen treffen.

Artikel 17 [Petitionsrecht]

Jedermann hat das Recht, sich einzeln oder in Gemeinschaft mit anderen schriftlich mit Bitten oder Beschwerden an die zuständigen Stellen und an die Volksvertretung zu wenden.

Artikel 17a [Grundrechtseinschränkungen bei Wehr- und Ersatzdienst]

(1) Gesetze über Wehrdienst und Ersatzdienst können bestimmen, daß für die Angehörigen der Streitkräfte und des Ersatzdienstes während der Zeit des Wehr- oder Ersatzdienstes das Grundrecht, seine Meinung in Wort, Schrift und Bild frei zu äu-

ßern und zu verbreiten (Artikel 5 Abs. 1 Satz 1 erster Halbsatz), das Grundrecht der Versammlungsfreiheit (Artikel 8) und das Petitionsrecht (Artikel 17), soweit es das Recht gewährt, Bitten oder Beschwerden in Gemeinschaft mit anderen vorzubringen, eingeschränkt werden.

(2) Gesetze, die der Verteidigung einschließlich des Schutzes der Zivilbevölkerung dienen, können bestimmen, daß die Grundrechte der Freizügigkeit (Artikel 11) und der Unverletzlichkeit der Wohnung (Artikel 13) eingeschränkt werden.

Artikel 18 [Verwirkung von Grundrechten]

Wer die Freiheit der Meinungsäußerung, insbesondere die Pressefreiheit (Artikel 5 Abs. 1), die Lehrfreiheit (Artikel 5 Abs. 3), die Versammlungsfreiheit (Artikel 8), die Vereinigungsfreiheit (Artikel 9), das Brief-, Post- und Fernmeldegeheimnis (Artikel 10), das Eigentum (Artikel 14) oder das Asylrecht (Artikel 16a) zum Kampfe gegen die freiheitliche demokratische Grundordnung mißbraucht, verwirkt diese Grundrechte. Die Verwirkung und ihr Ausmaß werden durch das Bundesverfassungsgericht ausgesprochen.

Artikel 19 [Einschränkung von Grundrechten; Grundrechtsträger; Rechtsschutz]

(1) Soweit nach diesem Grundgesetz ein Grundrecht durch Gesetz oder auf Grund eines Gesetzes eingeschränkt werden kann, muß das Gesetz allgemein und nicht nur für den Einzelfall gelten. Außerdem muß das Gesetz das Grundrecht unter Angabe des Artikels nennen.

(2) In keinem Falle darf ein Grundrecht in seinem Wesensgehalt angetastet werden.

(3) Die Grundrechte gelten auch für inländische juristische Personen, soweit sie ihrem Wesen nach auf diese anwendbar sind.

(4) Wird jemand durch die öffentliche Gewalt in seinen Rechten verletzt, so steht ihm der Rechtsweg offen. Soweit eine andere Zuständigkeit nicht begründet ist, ist der

ordentliche Rechtsweg gegeben. Artikel 10 Abs. 2 Satz 2 bleibt unberührt.

II.
DER BUND UND DIE LÄNDER

Artikel 20 [Bundesstaatliche Verfassung; Widerstandsrecht]

(1) Die Bundesrepublik Deutschland ist ein demokratischer und sozialer Bundesstaat.

(2) Alle Staatsgewalt geht vom Volke aus. Sie wird vom Volke in Wahlen und Abstimmungen und durch besondere Organe der Gesetzgebung, der vollziehenden Gewalt und der Rechtsprechung ausgeübt.

(3) Die Gesetzgebung ist an die verfassungsmäßige Ordnung, die vollziehende Gewalt und die Rechtsprechung sind an Gesetz und Recht gebunden.

(4) Gegen jeden, der es unternimmt, diese Ordnung zu beseitigen, haben alle Deutschen das Recht zum Widerstand, wenn andere Abhilfe nicht möglich ist.

Artikel 20a [Schutz der natürlichen Lebensgrundlagen]

Der Staat schützt auch in Verantwortung für die künftigen Generationen die natürlichen Lebensgrundlagen und die Tiere im Rahmen der verfassungsmäßigen Ordnung durch die Gesetzgebung und nach Maßgabe von Gesetz und Recht durch die vollziehende Gewalt und die Rechtsprechung.

Artikel 21 [Parteien]

(1) Die Parteien wirken bei der politischen Willensbildung des Volkes mit. Ihre Gründung ist frei. Ihre innere Ordnung muß demokratischen Grundsätzen entsprechen. Sie müssen über die Herkunft und Verwendung ihrer Mittel sowie über ihr Vermögen öffentlich Rechenschaft geben.

(2) Parteien, die nach ihren Zielen oder nach dem Verhalten ihrer Anhänger darauf ausgehen, die freiheitliche demokratische Grundordnung zu beeinträchtigen oder zu beseitigen oder den Bestand der Bundesrepublik Deutschland zu gefährden, sind verfassungswidrig.

(3) Parteien, die nach ihren Zielen oder dem Verhalten ihrer Anhänger darauf ausgerichtet sind, die freiheitliche demokratische Grundordnung zu beeinträchtigen oder zu beseitigen oder den Bestand der Bundesrepublik Deutschland zu gefährden, sind von staatlicher Finanzierung ausgeschlossen. Wird der Ausschluss festgestellt, so entfällt auch eine steuerliche Begünstigung dieser Parteien und von Zuwendungen an diese Parteien.

(4) Über die Frage der Verfassungswidrigkeit nach Absatz 2 sowie über den Ausschluss von staatlicher Finanzierung nach Absatz 3 entscheidet das Bundesverfassungsgericht.

(5) Das Nähere regeln Bundesgesetze.

Artikel 22 [Bundeshauptstadt, Bundesflagge]

(1) Die Hauptstadt der Bundesrepublik Deutschland ist Berlin. Die Repräsentation des Gesamtstaates in der Hauptstadt ist Aufgabe des Bundes. Das Nähere wird durch Bundesgesetz geregelt.

(2) Die Bundesflagge ist schwarz-rot-gold.

Artikel 23 [Verwirklichung der Europäischen Union; Beteiligung des Bundesrates, der Bundesregierung]

(1) Zur Verwirklichung eines vereinten Europas wirkt die Bundesrepublik Deutschland bei der Entwicklung der Europäischen Union mit, die demokratischen, rechtsstaatlichen, sozialen und föderativen Grundsätzen und dem Grundsatz der Subsidiarität verpflichtet ist und einen diesem Grundgesetz im wesentlichen vergleichbaren Grundrechtsschutz gewährleistet. Der Bund kann hierzu durch Gesetz mit Zustimmung des Bundesrates Hoheitsrechte übertragen. Für die Begründung der Europäischen Union sowie für Änderungen ihrer vertraglichen Grundlagen und vergleichbare Regelungen, durch die dieses Grundgesetz seinem Inhalt nach geändert oder ergänzt wird oder solche Änderungen oder Ergänzungen ermöglicht werden, gilt Artikel 79 Abs. 2 und 3.

(1a) Der Bundestag und der Bundesrat haben das Recht, wegen Verstoßes eines Gesetzgebungsakts der Europäischen Union gegen das Subsidiaritätsprinzip vor dem Gerichtshof der Europäischen Union Klage zu erheben. Der Bundestag ist hierzu auf Antrag eines Viertels seiner Mitglieder verpflichtet. Durch Gesetz, das der Zustimmung des Bundesrates bedarf, können für die Wahrnehmung der Rechte, die dem Bundestag und dem Bundesrat in den vertraglichen Grundlagen der Europäischen Union eingeräumt sind, Ausnahmen von Artikel 42 Abs. 2 Satz 1 und Artikel 52 Abs. 3 Satz 1 zugelassen werden.

(2) In Angelegenheiten der Europäischen Union wirken der Bundestag und durch den Bundesrat die Länder mit. Die Bundesregierung hat den Bundestag und den Bundesrat umfassend und zum frühestmöglichen Zeitpunkt zu unterrichten.

(3) Die Bundesregierung gibt dem Bundestag Gelegenheit zur Stellungnahme vor ihrer Mitwirkung an Rechtsetzungsakten der Europäischen Union. Die Bundesregierung berücksichtigt die Stellungnahmen des Bundestages bei den Verhandlungen. Das Nähere regelt ein Gesetz.

(4) Der Bundesrat ist an der Willensbildung des Bundes zu beteiligen, soweit er an einer entsprechenden innerstaatlichen Maßnahme mitzuwirken hätte oder soweit die Länder innerstaatlich zuständig wären.

(5) Soweit in einem Bereich ausschließlicher Zuständigkeiten des Bundes Interessen der Länder berührt sind oder soweit im übrigen der Bund das Recht zur Gesetzgebung hat, berücksichtigt die Bundesregierung die Stellungnahme des Bundesrates. Wenn im Schwerpunkt Gesetzgebungsbefugnisse der Länder, die Einrichtung ihrer Behörden oder ihre Verwaltungsverfahren betroffen sind, ist bei der Willensbildung des Bundes insoweit die Auffassung des Bundesrates maßgeblich zu berücksichtigen; dabei ist die gesamtstaatliche Verantwortung des Bundes zu wahren. In Angelegenheiten, die zu Ausgabenerhöhungen oder Einnahmeminderungen für den Bund führen können, ist die Zustimmung der Bundesregierung erforderlich.

(6) Wenn im Schwerpunkt ausschließliche Gesetzgebungsbefugnisse der Länder auf den Gebieten der schulischen Bildung, der Kultur oder des Rundfunks betroffen sind, wird die Wahrnehmung der Rechte, die der Bundesrepublik Deutschland als Mitgliedstaat der Europäischen Union zustehen, vom Bund auf einen vom Bundesrat benannten Vertreter der Länder übertragen. Die Wahrnehmung der Rechte erfolgt unter Beteiligung und in Abstimmung mit der Bundesregierung; dabei ist die gesamtstaatliche Verantwortung des Bundes zu wahren.

(7) Das Nähere zu den Absätzen 4 bis 6 regelt ein Gesetz, das der Zustimmung des Bundesrates bedarf.

Artikel 24 [Kollektives Sicherheitssystem]

(1) Der Bund kann durch Gesetz Hoheitsrechte auf zwischenstaatliche Einrichtungen übertragen.

(1a) Soweit die Länder für die Ausübung der staatlichen Befugnisse und die Erfüllung der staatlichen Aufgaben zuständig sind, können sie mit Zustimmung der Bundesregierung Hoheitsrechte auf grenznachbarschaftliche Einrichtungen übertragen.

(2) Der Bund kann sich zur Wahrung des Friedens einem System gegenseitiger kollektiver Sicherheit einordnen; er wird hierbei in die Beschränkungen seiner Hoheitsrechte einwilligen, die eine friedliche und dauerhafte Ordnung in Europa und zwischen den Völkern der Welt herbeiführen und sichern.

(3) Zur Regelung zwischenstaatlicher Streitigkeiten wird der Bund Vereinbarungen über eine allgemeine, umfassende, obligatorische, internationale Schiedsgerichtsbarkeit beitreten.

Artikel 25 [Allgemeines Völkerrecht als Bestandteil des Bundesrechts]

Die allgemeinen Regeln des Völkerrechtes sind Bestandteil des Bundesrechtes. Sie gehen den Gesetzen vor und erzeugen Rechte und Pflichten unmittelbar für die Bewohner des Bundesgebietes.

Artikel 26 [Verbot des Angriffskrieges]

(1) Handlungen, die geeignet sind und in der Absicht vorgenommen werden, das friedliche Zusammenleben der Völker zu stören, insbesondere die Führung eines Angriffskrieges vorzubereiten, sind verfassungswidrig. Sie sind unter Strafe zu stellen.

(2) Zur Kriegführung bestimmte Waffen dürfen nur mit Genehmigung der Bundesregierung hergestellt, befördert und in Verkehr gebracht werden. Das Nähere regelt ein Bundesgesetz.

Artikel 27 [Handelsflotte]

Alle deutschen Kauffahrteischiffe bilden eine einheitliche Handelsflotte.

Artikel 28 [Verfassung der Länder]

(1) Die verfassungsmäßige Ordnung in den Ländern muß den Grundsätzen des republikanischen, demokratischen und sozialen Rechtsstaates im Sinne dieses Grundgesetzes entsprechen. In den Ländern, Kreisen und Gemeinden muß das Volk eine Vertretung haben, die aus allgemeinen, unmittelbaren, freien, gleichen und geheimen Wahlen hervorgegangen ist. Bei Wahlen in Kreisen und Gemeinden sind auch Personen, die die Staatsangehörigkeit eines Mitgliedstaates der Europäischen Gemeinschaft besitzen, nach Maßgabe von Recht der Europäischen Gemeinschaft wahlberechtigt und wählbar. In Gemeinden kann an die Stelle einer gewählten Körperschaft die Gemeindeversammlung treten.

(2) Den Gemeinden muß das Recht gewährleistet sein, alle Angelegenheiten der örtlichen Gemeinschaft im Rahmen der Gesetze in eigener Verantwortung zu regeln. Auch die Gemeindeverbände haben im Rahmen ihres gesetzlichen Aufgabenbereiches nach Maßgabe der Gesetze das Recht der Selbstverwaltung. Die Gewährleistung der Selbstverwaltung umfaßt auch die Grundlagen der finanziellen Eigenverantwortung; zu diesen Grundlagen gehört eine den Gemeinden mit Hebesatzrecht zustehende wirtschaftskraftbezogene Steuerquelle.

(3) Der Bund gewährleistet, daß die verfassungsmäßige Ordnung der Länder den Grundrechten und den Bestimmungen der Absätze 1 und 2 entspricht.

Artikel 29 [Neugliederung des Bundesgebietes]

(1) Das Bundesgebiet kann neu gegliedert werden, um zu gewährleisten, daß die Länder nach Größe und Leistungsfähigkeit die ihnen obliegenden Aufgaben wirksam erfüllen können. Dabei sind die landsmannschaftliche Verbundenheit, die geschichtlichen und kulturellen Zusammenhänge, die wirtschaftliche Zweckmäßigkeit sowie die Erfordernisse der Raumordnung und der Landesplanung zu berücksichtigen.

(2) Maßnahmen zur Neugliederung des Bundesgebietes ergehen durch Bundesgesetz, das der Bestätigung durch Volksentscheid bedarf. Die betroffenen Länder sind zu hören.

(3) Der Volksentscheid findet in den Ländern statt, aus deren Gebieten oder Gebietsteilen ein neues oder neu umgrenztes Land gebildet werden soll (betroffene Länder). Abzustimmen ist über die Frage, ob die betroffenen Länder wie bisher bestehenbleiben sollen oder ob das neue oder neu umgrenzte Land gebildet werden soll. Der Volksentscheid für die Bildung eines neuen oder neu umgrenzten Landes kommt zustande, wenn in dessen künftigem Gebiet und insgesamt in den Gebieten oder Gebietsteilen eines betroffenen Landes, deren Landeszugehörigkeit im gleichen Sinne geändert werden soll, jeweils eine Mehrheit der Änderung zustimmt. Er kommt nicht zustande, wenn im Gebiet eines der betroffenen Länder eine Mehrheit die Änderung ablehnt; die Ablehnung ist jedoch unbeachtlich, wenn in einem Gebietsteil, dessen Zugehörigkeit zu dem betroffenen Land geändert werden soll, eine Mehrheit von zwei Dritteln der Änderung zustimmt, es sei denn, daß im Gesamtgebiet des betroffenen Landes eine Mehrheit von zwei Dritteln die Änderung ablehnt.

(4) Wird in einem zusammenhängenden, abgegrenzten Siedlungs- und Wirtschafts-

raum, dessen Teile in mehreren Ländern liegen und der mindestens eine Million Einwohner hat, von einem Zehntel der in ihm zum Bundestag Wahlberechtigten durch Volksbegehren gefordert, daß für diesen Raum eine einheitliche Landeszugehörigkeit herbeigeführt werde, so ist durch Bundesgesetz innerhalb von zwei Jahren entweder zu bestimmen, ob die Landeszugehörigkeit gemäß Absatz 2 geändert wird, oder daß in den betroffenen Ländern eine Volksbefragung stattfindet.

(5) Die Volksbefragung ist darauf gerichtet festzustellen, ob eine in dem Gesetz vorzuschlagende Änderung der Landeszugehörigkeit Zustimmung findet. Das Gesetz kann verschiedene, jedoch nicht mehr als zwei Vorschläge der Volksbefragung vorlegen. Stimmt eine Mehrheit einer vorgeschlagenen Änderung der Landeszugehörigkeit zu, so ist durch Bundesgesetz innerhalb von zwei Jahren zu bestimmen, ob die Landeszugehörigkeit gemäß Absatz 2 geändert wird. Findet ein der Volksbefragung vorgelegter Vorschlag eine den Maßgaben des Absatzes 3 Satz 3 und 4 entsprechende Zustimmung, so ist innerhalb von zwei Jahren nach der Durchführung der Volksbefragung ein Bundesgesetz zur Bildung des vorgeschlagenen Landes zu erlassen, das der Bestätigung durch Volksentscheid nicht mehr bedarf.

(6) Mehrheit im Volksentscheid und in der Volksbefragung ist die Mehrheit der abgegebenen Stimmen, wenn sie mindestens ein Viertel der zum Bundestag Wahlberechtigten umfaßt. Im übrigen wird das Nähere über Volksentscheid, Volksbegehren und Volksbefragung durch ein Bundesgesetz geregelt; dieses kann auch vorsehen, daß Volksbegehren innerhalb eines Zeitraumes von fünf Jahren nicht wiederholt werden können.

(7) Sonstige Änderungen des Gebietsbestandes der Länder können durch Staatsverträge der beteiligten Länder oder durch Bundesgesetz mit Zustimmung des Bundesrates erfolgen, wenn das Gebiet, dessen Landeszugehörigkeit geändert werden soll, nicht mehr als 50.000 Einwohner hat. Das Nähere regelt ein Bundesgesetz, das der Zustim-

mung des Bundesrates und der Mehrheit der Mitglieder des Bundestages bedarf. Es muß die Anhörung der betroffenen Gemeinden und Kreise vorsehen.

(8) Die Länder können eine Neugliederung für das jeweils von ihnen umfaßte Gebiet oder für Teilgebiete abweichend von den Vorschriften der Absätze 2 bis 7 durch Staatsvertrag regeln. Die betroffenen Gemeinden und Kreise sind zu hören. Der Staatsvertrag bedarf der Bestätigung durch Volksentscheid in jedem beteiligten Land. Betrifft der Staatsvertrag Teilgebiete der Länder, kann die Bestätigung auf Volksentscheide in diesen Teilgebieten beschränkt werden; Satz 5 zweiter Halbsatz findet keine Anwendung. Bei einem Volksentscheid entscheidet die Mehrheit der abgegebenen Stimmen, wenn sie mindestens ein Viertel der zum Bundestag Wahlberechtigten umfaßt; das Nähere regelt ein Bundesgesetz. Der Staatsvertrag bedarf der Zustimmung des Bundestages.

Artikel 30 [Funktionen der Länder]
Die Ausübung der staatlichen Befugnisse und die Erfüllung der staatlichen Aufgaben ist Sache der Länder, soweit dieses Grundgesetz keine andere Regelung trifft oder zuläßt.

Artikel 31 [Vorrang des Bundesrechts]
Bundesrecht bricht Landesrecht.

Artikel 32 [Auswärtige Beziehungen]
(1) Die Pflege der Beziehungen zu auswärtigen Staaten ist Sache des Bundes.

(2) Vor dem Abschlusse eines Vertrages, der die besonderen Verhältnisse eines Landes berührt, ist das Land rechtzeitig zu hören.

(3) Soweit die Länder für die Gesetzgebung zuständig sind, können sie mit Zustimmung der Bundesregierung mit auswärtigen Staaten Verträge abschließen.

Artikel 33 [Staatsbürgerliche Rechte]
(1) Jeder Deutsche hat in jedem Lande die gleichen staatsbürgerlichen Rechte und Pflichten.

(2) Jeder Deutsche hat nach seiner Eignung, Befähigung und fachlichen Leistung

gleichen Zugang zu jedem öffentlichen Amte.

(3) Der Genuß bürgerlicher und staatsbürgerlicher Rechte, die Zulassung zu öffentlichen Ämtern sowie die im öffentlichen Dienste erworbenen Rechte sind unabhängig von dem religiösen Bekenntnis. Niemandem darf aus seiner Zugehörigkeit oder Nichtzugehörigkeit zu einem Bekenntnisse oder einer Weltanschauung ein Nachteil erwachsen.

(4) Die Ausübung hoheitsrechtlicher Befugnisse ist als ständige Aufgabe in der Regel Angehörigen des öffentlichen Dienstes zu übertragen, die in einem öffentlich-rechtlichen Dienst- und Treueverhältnis stehen.

(5) Das Recht des öffentlichen Dienstes ist unter Berücksichtigung der hergebrachten Grundsätze des Berufsbeamtentums zu regeln und fortzuentwickeln.

Artikel 34 [Haftung bei Amtspflichtverletzung]

Verletzt jemand in Ausübung eines ihm anvertrauten öffentlichen Amtes die ihm einem Dritten gegenüber obliegende Amtspflicht, so trifft die Verantwortlichkeit grundsätzlich den Staat oder die Körperschaft, in deren Dienst er steht. Bei Vorsatz oder grober Fahrlässigkeit bleibt der Rückgriff vorbehalten. Für den Anspruch auf Schadensersatz und für den Rückgriff darf der ordentliche Rechtsweg nicht ausgeschlossen werden.

Artikel 35 [Rechts- und Amtshilfe]

(1) Alle Behörden des Bundes und der Länder leisten sich gegenseitig Rechts- und Amtshilfe.

(2) Zur Aufrechterhaltung oder Wiederherstellung der öffentlichen Sicherheit oder Ordnung kann ein Land in Fällen von besonderer Bedeutung Kräfte und Einrichtungen des Bundesgrenzschutzes zur Unterstützung seiner Polizei anfordern, wenn die Polizei ohne diese Unterstützung eine Aufgabe nicht oder nur unter erheblichen Schwierigkeiten erfüllen könnte. Zur Hilfe bei einer Naturkatastrophe oder bei einem besonders schweren Unglücksfall kann ein Land Polizeikräfte anderer Länder, Kräfte und Einrichtungen an-

derer Verwaltungen sowie des Bundesgrenzschutzes und der Streitkräfte anfordern.

(3) Gefährdet die Naturkatastrophe oder der Unglücksfall das Gebiet mehr als eines Landes, so kann die Bundesregierung, soweit es zur wirksamen Bekämpfung erforderlich ist, den Landesregierungen die Weisung erteilen, Polizeikräfte anderen Ländern zur Verfügung zu stellen, sowie Einheiten des Bundesgrenzschutzes und der Streitkräfte zur Unterstützung der Polizeikräfte einsetzen. Maßnahmen der Bundesregierung nach Satz 1 sind jederzeit auf Verlangen des Bundesrates, im übrigen unverzüglich nach Beseitigung der Gefahr aufzuheben.

Artikel 36 [Beamte der Bundesbehörden]

(1) Bei den obersten Bundesbehörden sind Beamte aus allen Ländern in angemessenem Verhältnis zu verwenden. Die bei den übrigen Bundesbehörden beschäftigten Personen sollen in der Regel aus dem Lande genommen werden, in dem sie tätig sind.

(2) Die Wehrgesetze haben auch die Gliederung des Bundes in Länder und ihre besonderen landsmannschaftlichen Verhältnisse zu berücksichtigen.

Artikel 37 [Bundeszwang]

(1) Wenn ein Land die ihm nach dem Grundgesetze oder einem anderen Bundesgesetze obliegenden Bundespflichten nicht erfüllt, kann die Bundesregierung mit Zustimmung des Bundesrates die notwendigen Maßnahmen treffen, um das Land im Wege des Bundeszwanges zur Erfüllung seiner Pflichten anzuhalten.

(2) Zur Durchführung des Bundeszwanges hat die Bundesregierung oder ihr Beauftragter das Weisungsrecht gegenüber allen Ländern und ihren Behörden.

III.
DER BUNDESTAG

Artikel 38 [Wahl]

(1) Die Abgeordneten des Deutschen Bundestages werden in allgemeiner, unmittelba-

rer, freier, gleicher und geheimer Wahl gewählt. Sie sind Vertreter des ganzen Volkes, an Aufträge und Weisungen nicht gebunden und nur ihrem Gewissen unterworfen.

(2) Wahlberechtigt ist, wer das achtzehnte Lebensjahr vollendet hat; wählbar ist, wer das Alter erreicht hat, mit dem die Volljährigkeit eintritt.

(3) Das Nähere bestimmt ein Bundesgesetz.

Artikel 39 [Zusammentritt und Wahlperiode]

(1) Der Bundestag wird vorbehaltlich der nachfolgenden Bestimmungen auf vier Jahre gewählt. Seine Wahlperiode endet mit dem Zusammentritt eines neuen Bundestages. Die Neuwahl findet frühestens sechsundvierzig, spätestens achtundvierzig Monate nach Beginn der Wahlperiode statt. Im Falle einer Auflösung des Bundestages findet die Neuwahl innerhalb von sechzig Tagen statt.

(2) Der Bundestag tritt spätestens am dreißigsten Tage nach der Wahl zusammen.

(3) Der Bundestag bestimmt den Schluß und den Wiederbeginn seiner Sitzungen. Der Präsident des Bundestages kann ihn früher einberufen. Er ist hierzu verpflichtet, wenn ein Drittel der Mitglieder, der Bundespräsident oder der Bundeskanzler es verlangen.

Artikel 40 [Präsident; Geschäftsordnung]

(1) Der Bundestag wählt seinen Präsidenten, dessen Stellvertreter und die Schriftführer. Er gibt sich eine Geschäftsordnung.

(2) Der Präsident übt das Hausrecht und die Polizeigewalt im Gebäude des Bundestages aus. Ohne seine Genehmigung darf in den Räumen des Bundestages keine Durchsuchung oder Beschlagnahme stattfinden.

Artikel 41 [Wahlprüfung]

(1) Die Wahlprüfung ist Sache des Bundestages. Er entscheidet auch, ob ein Abgeordneter des Bundestages die Mitgliedschaft verloren hat.

(2) Gegen die Entscheidung des Bundesta-

ges ist die Beschwerde an das Bundesverfassungsgericht zulässig.

(3) Das Nähere regelt ein Bundesgesetz.

Artikel 42 [Öffentlichkeit der Sitzungen; Mehrheitsprinzip]

(1) Der Bundestag verhandelt öffentlich. Auf Antrag eines Zehntels seiner Mitglieder oder auf Antrag der Bundesregierung kann mit Zweidrittelmehrheit die Öffentlichkeit ausgeschlossen werden. Über den Antrag wird in nichtöffentlicher Sitzung entschieden.

(2) Zu einem Beschlusse des Bundestages ist die Mehrheit der abgegebenen Stimmen erforderlich, soweit dieses Grundgesetz nichts anderes bestimmt. Für die vom Bundestage vorzunehmenden Wahlen kann die Geschäftsordnung Ausnahmen zulassen.

(3) Wahrheitsgetreue Berichte über die öffentlichen Sitzungen des Bundestages und seiner Ausschüsse bleiben von jeder Verantwortlichkeit frei.

Artikel 43 [Anwesenheit der Bundesregierung]

(1) Der Bundestag und seine Ausschüsse können die Anwesenheit jedes Mitgliedes der Bundesregierung verlangen.

(2) Die Mitglieder des Bundesrates und der Bundesregierung sowie ihre Beauftragten haben zu allen Sitzungen des Bundestages und seiner Ausschüsse Zutritt. Sie müssen jederzeit gehört werden.

Artikel 44 [Untersuchungsausschüsse]

(1) Der Bundestag hat das Recht und auf Antrag eines Viertels seiner Mitglieder die Pflicht, einen Untersuchungsausschuß einzusetzen, der in öffentlicher Verhandlung die erforderlichen Beweise erhebt. Die Öffentlichkeit kann ausgeschlossen werden.

(2) Auf Beweiserhebungen finden die Vorschriften über den Strafprozeß sinngemäß Anwendung. Das Brief-, Post- und Fernmeldegeheimnis bleibt unberührt.

(3) Gerichte und Verwaltungsbehörden sind zur Rechts- und Amtshilfe verpflichtet.

(4) Die Beschlüsse der Untersuchungs-

ausschüsse sind der richterlichen Erörterung entzogen. In der Würdigung und Beurteilung des der Untersuchung zugrunde liegenden Sachverhaltes sind die Gerichte frei.

Artikel 45 [Ausschuss für die Angelegenheiten der Europäischen Union]

Der Bundestag bestellt einen Ausschuß für die Angelegenheiten der Europäischen Union. Er kann ihn ermächtigen, die Rechte des Bundestages gemäß Artikel 23 gegenüber der Bundesregierung wahrzunehmen. Er kann ihn auch ermächtigen, die Rechte wahrzunehmen, die dem Bundestag in den vertraglichen Grundlagen der Europäischen Union eingeräumt sind.

Artikel 45a [Ausschüsse für auswärtige Angelegenheiten und für Verteidigung]

(1) Der Bundestag bestellt einen Ausschuß für auswärtige Angelegenheiten und einen Ausschuß für Verteidigung.

(2) Der Ausschuß für Verteidigung hat auch die Rechte eines Untersuchungsausschusses. Auf Antrag eines Viertels seiner Mitglieder hat er die Pflicht, eine Angelegenheit zum Gegenstand seiner Untersuchung zu machen.

(3) Artikel 44 Abs. 1 findet auf dem Gebiet der Verteidigung keine Anwendung.

Artikel 45b [Wehrbeauftragter des Bundestages]

Zum Schutz der Grundrechte und als Hilfsorgan des Bundestages bei der Ausübung der parlamentarischen Kontrolle wird ein Wehrbeauftragter des Bundestages berufen. Das Nähere regelt ein Bundesgesetz.

Artikel 45c [Petitionsausschuss des Bundestages]

(1) Der Bundestag bestellt einen Petitionsausschuß, dem die Behandlung der nach Artikel 17 an den Bundestag gerichteten Bitten und Beschwerden obliegt.

(2) Die Befugnisse des Ausschusses zur Überprüfung von Beschwerden regelt ein Bundesgesetz.

Artikel 45d (Parlamentarisches Kontrollgremium)

(1) Der Bundestag bestellt ein Gremium zur Kontrolle der nachrichtendienstlichen Tätigkeit des Bundes.

(2) Das Nähere regelt ein Bundesgesetz.

Artikel 46 [Indemnität und Immunität der Abgeordneten]

(1) Ein Abgeordneter darf zu keiner Zeit wegen seiner Abstimmung oder wegen einer Äußerung, die er im Bundestage oder in einem seiner Ausschüsse getan hat, gerichtlich oder dienstlich verfolgt oder sonst außerhalb des Bundestages zur Verantwortung gezogen werden. Dies gilt nicht für verleumderische Beleidigungen.

(2) Wegen einer mit Strafe bedrohten Handlung darf ein Abgeordneter nur mit Genehmigung des Bundestages zur Verantwortung gezogen oder verhaftet werden, es sei denn, daß er bei Begehung der Tat oder im Laufe des folgenden Tages festgenommen wird.

(3) Die Genehmigung des Bundestages ist ferner bei jeder anderen Beschränkung der persönlichen Freiheit eines Abgeordneten oder zur Einleitung eines Verfahrens gegen einen Abgeordneten gemäß Artikel 18 erforderlich.

(4) Jedes Strafverfahren und jedes Verfahren gemäß Artikel 18 gegen einen Abgeordneten, jede Haft und jede sonstige Beschränkung seiner persönlichen Freiheit sind auf Verlangen des Bundestages auszusetzen.

Artikel 47 [Zeugnisverweigerungsrecht der Abgeordneten]

Die Abgeordneten sind berechtigt, über Personen, die ihnen in ihrer Eigenschaft als Abgeordnete oder denen sie in dieser Eigenschaft Tatsachen anvertraut haben, sowie über diese Tatsachen selbst das Zeugnis zu verweigern. Soweit dieses Zeugnisverweigerungsrecht reicht, ist die Beschlagnahme von Schriftstücken unzulässig.

Artikel 48 [Ansprüche der Abgeordneten]

(1) Wer sich um einen Sitz im Bundestage bewirbt, hat Anspruch auf den zur Vorbereitung seiner Wahl erforderlichen Urlaub.

(2) Niemand darf gehindert werden, das Amt eines Abgeordneten zu übernehmen und auszuüben. Eine Kündigung oder Entlassung aus diesem Grunde ist unzulässig.

(3) Die Abgeordneten haben Anspruch auf eine angemessene, ihre Unabhängigkeit sichernde Entschädigung. Sie haben das Recht der freien Benutzung aller staatlichen Verkehrsmittel. Das Nähere regelt ein Bundesgesetz.

Artikel 49 *[aufgehoben]*

IV.
DER BUNDESRAT

Artikel 50 [Aufgabe]
Durch den Bundesrat wirken die Länder bei der Gesetzgebung und Verwaltung des Bundes und in Angelegenheiten der Europäischen Union mit.

Artikel 51 [Zusammensetzung]
(1) Der Bundesrat besteht aus Mitgliedern der Regierungen der Länder, die sie bestellen und abberufen. Sie können durch andere Mitglieder ihrer Regierungen vertreten werden.

(2) Jedes Land hat mindestens drei Stimmen, Länder mit mehr als zwei Millionen Einwohnern haben vier, Länder mit mehr als sechs Millionen Einwohnern fünf, Länder mit mehr als sieben Millionen Einwohnern sechs Stimmen.

(3) Jedes Land kann so viele Mitglieder entsenden, wie es Stimmen hat. Die Stimmen eines Landes können nur einheitlich und nur durch anwesende Mitglieder oder deren Vertreter abgegeben werden.

Artikel 52 [Präsident; Beschlussfassung; Bildung einer Europakammer]
(1) Der Bundesrat wählt seinen Präsidenten auf ein Jahr.

(2) Der Präsident beruft den Bundesrat ein. Er hat ihn einzuberufen, wenn die Vertreter von mindestens zwei Ländern oder die Bundesregierung es verlangen.

(3) Der Bundesrat faßt seine Beschlüsse mit mindestens der Mehrheit seiner Stimmen. Er gibt sich eine Geschäftsordnung. Er verhandelt öffentlich. Die Öffentlichkeit kann ausgeschlossen werden.

(3a) Für Angelegenheiten der Europäischen Union kann der Bundesrat eine Europakammer bilden, deren Beschlüsse als Beschlüsse des Bundesrates gelten; die Anzahl der einheitlich abzugebenden Stimmen der Länder bestimmt sich nach Artikel 51 Abs. 2.

(4) Den Ausschüssen des Bundesrates können andere Mitglieder oder Beauftragte der Regierungen der Länder angehören.

Artikel 53 [Teilnahme der Bundesregierung]
Die Mitglieder der Bundesregierung haben das Recht und auf Verlangen die Pflicht, an den Verhandlungen des Bundesrates und seiner Ausschüsse teilzunehmen. Sie müssen jederzeit gehört werden. Der Bundesrat ist von der Bundesregierung über die Führung der Geschäfte auf dem laufenden zu halten.

IVa.
GEMEINSAMER AUSSCHUSS

Artikel 53a [Gemeinsamer Ausschuß]
(1) Der Gemeinsame Ausschuß besteht zu zwei Dritteln aus Abgeordneten des Bundestages, zu einem Drittel aus Mitgliedern des Bundesrates. Die Abgeordneten werden vom Bundestage entsprechend dem Stärkeverhältnis der Fraktionen bestimmt; sie dürfen nicht der Bundesregierung angehören. Jedes Land wird durch ein von ihm bestelltes Mitglied des Bundesrates vertreten; diese Mitglieder sind nicht an Weisungen gebunden. Die Bildung des Gemeinsamen Ausschusses und sein Verfahren werden durch eine Geschäftsordnung geregelt, die vom Bundestage zu beschließen ist und der Zustimmung des Bundesrates bedarf.

(2) Die Bundesregierung hat den Gemeinsamen Ausschuß über ihre Planungen für den Verteidigungsfall zu unterrichten. Die Rechte des Bundestages und seiner Ausschüsse nach Artikel 43 Abs. 1 bleiben unberührt.

V.
DER BUNDESPRÄSIDENT

Artikel 54 [Wahl durch die Bundesversammlung]

(1) Der Bundespräsident wird ohne Aussprache von der Bundesversammlung gewählt. Wählbar ist jeder Deutsche, der das Wahlrecht zum Bundestage besitzt und das vierzigste Lebensjahr vollendet hat.

(2) Das Amt des Bundespräsidenten dauert fünf Jahre. Anschließende Wiederwahl ist nur einmal zulässig.

(3) Die Bundesversammlung besteht aus den Mitgliedern des Bundestages und einer gleichen Anzahl von Mitgliedern, die von den Volksvertretungen der Länder nach den Grundsätzen der Verhältniswahl gewählt werden.

(4) Die Bundesversammlung tritt spätestens dreißig Tage vor Ablauf der Amtszeit des Bundespräsidenten, bei vorzeitiger Beendigung spätestens dreißig Tage nach diesem Zeitpunkt zusammen. Sie wird von dem Präsidenten des Bundestages einberufen.

(5) Nach Ablauf der Wahlperiode beginnt die Frist des Absatzes 4 Satz 1 mit dem ersten Zusammentritt des Bundestages.

(6) Gewählt ist, wer die Stimmen der Mehrheit der Mitglieder der Bundesversammlung erhält. Wird diese Mehrheit in zwei Wahlgängen von keinem Bewerber erreicht, so ist gewählt, wer in einem weiteren Wahlgang die meisten Stimmen auf sich vereinigt.

(7) Das Nähere regelt ein Bundesgesetz.

Artikel 55 [Berufs- und Gewerbeverbot]

(1) Der Bundespräsident darf weder der Regierung noch einer gesetzgebenden Körperschaft des Bundes oder eines Landes angehören.

(2) Der Bundespräsident darf kein anderes besoldetes Amt, kein Gewerbe und keinen Beruf ausüben und weder der Leitung noch dem Aufsichtsrate eines auf Erwerb gerichteten Unternehmens angehören.

Artikel 56 [Amtseid]

Der Bundespräsident leistet bei seinem Amtsantritt vor den versammelten Mitgliedern des Bundestages und des Bundesrates folgenden Eid:

„Ich schwöre, daß ich meine Kraft dem Wohle des deutschen Volkes widmen, seinen Nutzen mehren, Schaden von ihm wenden, das Grundgesetz und die Gesetze des Bundes wahren und verteidigen, meine Pflichten gewissenhaft erfüllen und Gerechtigkeit gegen jedermann üben werde. So wahr mir Gott helfe."

Der Eid kann auch ohne religiöse Beteuerung geleistet werden.

Artikel 57 [Vertretung]

Die Befugnisse des Bundespräsidenten werden im Falle seiner Verhinderung oder bei vorzeitiger Erledigung des Amtes durch den Präsidenten des Bundesrates wahrgenommen.

Artikel 58 [Gegenzeichnung]

Anordnungen und Verfügungen des Bundespräsidenten bedürfen zu ihrer Gültigkeit der Gegenzeichnung durch den Bundeskanzler oder durch den zuständigen Bundesminister. Dies gilt nicht für die Ernennung und Entlassung des Bundeskanzlers, die Auflösung des Bundestages gemäß Artikel 63 und das Ersuchen gemäß Artikel 69 Abs. 3.

Artikel 59 [Völkerrechtliche Vertretungsmacht]

(1) Der Bundespräsident vertritt den Bund völkerrechtlich. Er schließt im Namen des Bundes die Verträge mit auswärtigen Staaten. Er beglaubigt und empfängt die Gesandten.

(2) Verträge, welche die politischen Beziehungen des Bundes regeln oder sich auf Gegenstände der Bundesgesetzgebung be-

ziehen, bedürfen der Zustimmung oder der Mitwirkung der jeweils für die Bundesgesetzgebung zuständigen Körperschaften in der Form eines Bundesgesetzes. Für Verwaltungsabkommen gelten die Vorschriften über die Bundesverwaltung entsprechend.

Artikel 59a [aufgehoben]

Artikel 60 [Ernennung der Bundesbeamten und Soldaten]

(1) Der Bundespräsident ernennt und entläßt die Bundesrichter, die Bundesbeamten, die Offiziere und Unteroffiziere, soweit gesetzlich nichts anderes bestimmt ist.

(2) Er übt im Einzelfalle für den Bund das Begnadigungsrecht aus.

(3) Er kann diese Befugnisse auf andere Behörden übertragen.

(4) Die Absätze 2 bis 4 des Artikels 46 finden auf den Bundespräsidenten entsprechende Anwendung.

Artikel 61 [Anklage vor dem Bundesverfassungsgericht]

(1) Der Bundestag oder der Bundesrat können den Bundespräsidenten wegen vorsätzlicher Verletzung des Grundgesetzes oder eines anderen Bundesgesetzes vor dem Bundesverfassungsgericht anklagen. Der Antrag auf Erhebung der Anklage muß von mindestens einem Viertel der Mitglieder des Bundestages oder einem Viertel der Stimmen des Bundesrates gestellt werden. Der Beschluß auf Erhebung der Anklage bedarf der Mehrheit von zwei Dritteln der Mitglieder des Bundestages oder von zwei Dritteln der Stimmen des Bundesrates. Die Anklage wird von einem Beauftragten der anklagenden Körperschaft vertreten.

(2) Stellt das Bundesverfassungsgericht fest, daß der Bundespräsident einer vorsätzlichen Verletzung des Grundgesetzes oder eines anderen Bundesgesetzes schuldig ist, so kann es ihn des Amtes für verlustig erklären. Durch einstweilige Anordnung kann es nach der Erhebung der Anklage bestimmen, daß er an der Ausübung seines Amtes verhindert ist.

VI.
DIE BUNDESREGIERUNG

Artikel 62 [Zusammensetzung]

Die Bundesregierung besteht aus dem Bundeskanzler und aus den Bundesministern.

Artikel 63 [Wahl des Bundeskanzlers]

(1) Der Bundeskanzler wird auf Vorschlag des Bundespräsidenten vom Bundestage ohne Aussprache gewählt.

(2) Gewählt ist, wer die Stimmen der Mehrheit der Mitglieder des Bundestages auf sich vereinigt. Der Gewählte ist vom Bundespräsidenten zu ernennen.

(3) Wird der Vorgeschlagene nicht gewählt, so kann der Bundestag binnen vierzehn Tagen nach dem Wahlgange mit mehr als der Hälfte seiner Mitglieder einen Bundeskanzler wählen.

(4) Kommt eine Wahl innerhalb dieser Frist nicht zustande, so findet unverzüglich ein neuer Wahlgang statt, in dem gewählt ist, wer die meisten Stimmen erhält. Vereinigt der Gewählte die Stimmen der Mehrheit der Mitglieder des Bundestages auf sich, so muß der Bundespräsident ihn binnen sieben Tagen nach der Wahl ernennen. Erreicht der Gewählte diese Mehrheit nicht, so hat der Bundespräsident binnen sieben Tagen entweder ihn zu ernennen oder den Bundestag aufzulösen.

Artikel 64 [Ernennung der Bundesminister]

(1) Die Bundesminister werden auf Vorschlag des Bundeskanzlers vom Bundespräsidenten ernannt und entlassen.

(2) Der Bundeskanzler und die Bundesminister leisten bei der Amtsübernahme vor dem Bundestage den in Artikel 56 vorgesehenen Eid.

Artikel 65 [Verantwortung]

Der Bundeskanzler bestimmt die Richtlinien der Politik und trägt dafür die Verantwortung. Innerhalb dieser Richtlinien leitet jeder Bundesminister seinen Geschäftsbereich selbständig und unter eigener Verant-wortung. Über Meinungsverschiedenheiten zwischen den Bundesministern entscheidet die Bundesregierung.

Der Bundeskanzler leitet ihre Geschäf-te nach einer von der Bundesregierung be-schlossenen und vom Bundespräsidenten genehmigten Geschäftsordnung.

Artikel 65a [Befehls- und Kommando-gewalt über die Streitkräfte]

(1) Der Bundesminister für Verteidigung hat die Befehls- und Kommandogewalt über die Streitkräfte.

(2) (weggefallen)

Artikel 66 [Berufs- und Gewerbever-bot]

Der Bundeskanzler und die Bundesminis-ter dürfen kein anderes besoldetes Amt, kein Gewerbe und keinen Beruf ausüben und weder der Leitung noch ohne Zustimmung des Bundestages dem Aufsichtsrate eines auf Erwerb gerichteten Unternehmens angehö-ren.

Artikel 67 [Misstrauensvotum]

(1) Der Bundestag kann dem Bundeskanz-ler das Mißtrauen nur dadurch aussprechen, daß er mit der Mehrheit seiner Mitglieder einen Nachfolger wählt und den Bundes-präsidenten ersucht, den Bundeskanzler zu entlassen. Der Bundespräsident muß dem Ersuchen entsprechen und den Gewählten ernennen.

(2) Zwischen dem Antrage und der Wahl müssen achtundvierzig Stunden liegen.

Artikel 68 [Auflösung des Bundestages]

(1) Findet ein Antrag des Bundeskanzlers, ihm das Vertrauen auszusprechen, nicht die Zustimmung der Mehrheit der Mitglieder des Bundestages, so kann der Bundesprä-sident auf Vorschlag des Bundeskanzlers binnen einundzwanzig Tagen den Bundestag auflösen. Das Recht zur Auflösung erlischt, sobald der Bundestag mit der Mehrheit sei-ner Mitglieder einen anderen Bundeskanzler wählt.

(2) Zwischen dem Antrage und der Ab-stimmung müssen achtundvierzig Stunden liegen.

Artikel 69 [Stellvertreter des Bundes-kanzlers]

(1) Der Bundeskanzler ernennt einen Bun-desminister zu seinem Stellvertreter.

(2) Das Amt des Bundeskanzlers oder ei-nes Bundesministers endigt in jedem Falle mit dem Zusammentritt eines neuen Bundes-tages, das Amt eines Bundesministers auch mit jeder anderen Erledigung des Amtes des Bundeskanzlers.

(3) Auf Ersuchen des Bundespräsidenten ist der Bundeskanzler, auf Ersuchen des Bundeskanzlers oder des Bundespräsiden-ten ein Bundesminister verpflichtet, die Ge-schäfte bis zur Ernennung seines Nachfol-gers weiterzuführen.

VII.
DIE GESETZGEBUNG DES BUNDES

Artikel 70 [Gesetzgebung des Bundes und der Länder]

(1) Die Länder haben das Recht der Ge-setzgebung, soweit dieses Grundgesetz nicht dem Bunde Gesetzgebungsbefugnisse ver-leiht.

(2) Die Abgrenzung der Zuständigkeit zwischen Bund und Ländern bemißt sich nach den Vorschriften dieses Grundgesetzes über die ausschließliche und die konkurrie-rende Gesetzgebung.

Artikel 71 [Ausschließliche Gesetzge-bung]

Im Bereiche der ausschließlichen Gesetz-gebung des Bundes haben die Länder die Befugnis zur Gesetzgebung nur, wenn und soweit sie hierzu in einem Bundesgesetze ausdrücklich ermächtigt werden.

Artikel 72 [Konkurrierende Gesetzge-bung]

(1) Im Bereich der konkurrierenden Ge-setzgebung haben die Länder die Befugnis zur Gesetzgebung, solange und soweit der

Bund von seiner Gesetzgebungszuständigkeit nicht durch Gesetz Gebrauch gemacht hat.

(2) Auf den Gebieten des Artikels 74 Abs. 1 Nr. 4, 7, 11, 13, 15, 19a, 20, 22, 25 und 26 hat der Bund das Gesetzgebungsrecht, wenn und soweit die Herstellung gleichwertiger Lebensverhältnisse im Bundesgebiet oder die Wahrung der Rechts- oder Wirtschaftseinheit im gesamtstaatlichen Interesse eine bundesgesetzliche Regelung erforderlich macht.

(3) Hat der Bund von seiner Gesetzgebungszuständigkeit Gebrauch gemacht, können die Länder durch Gesetz hiervon abweichende Regelungen treffen über:

1. das Jagdwesen (ohne das Recht der Jagdscheine);

2. den Naturschutz und die Landschaftspflege (ohne die allgemeinen Grundsätze des Naturschutzes, das Recht des Artenschutzes oder des Meeresnaturschutzes);

3. die Bodenverteilung;

4. die Raumordnung;

5. den Wasserhaushalt (ohne stoff- oder anlagenbezogene Regelungen);

6. die Hochschulzulassung und die Hochschulabschlüsse;

7. die Grundsteuer.

Bundesgesetze auf diesen Gebieten treten frühestens sechs Monate nach ihrer Verkündung in Kraft, soweit nicht mit Zustimmung des Bundesrates anderes bestimmt ist. Auf den Gebieten des Satzes 1 geht im Verhältnis von Bundes- und Landesrecht das jeweils spätere Gesetz vor.

(4) Durch Bundesgesetz kann bestimmt werden, daß eine bundesgesetzliche Regelung, für die eine Erforderlichkeit im Sinne des Absatzes 2 nicht mehr besteht, durch Landesrecht ersetzt werden kann.

Artikel 73 [Gegenstände der ausschließlichen Gesetzgebung]

(1) Der Bund hat die ausschließliche Gesetzgebung über:

1. die auswärtigen Angelegenheiten sowie die Verteidigung einschließlich des Schutzes der Zivilbevölkerung;

2. die Staatsangehörigkeit im Bunde;

3. die Freizügigkeit, das Paßwesen, das Melde- und Ausweiswesen, die Ein- und Auswanderung und die Auslieferung;

4. das Währungs-, Geld- und Münzwesen, Maße und Gewichte sowie die Zeitbestimmung;

5. die Einheit des Zoll- und Handelsgebietes, die Handels- und Schiffahrtsverträge, die Freizügigkeit des Warenverkehrs und den Waren- und Zahlungsverkehr mit dem Auslande einschließlich des Zoll- und Grenzschutzes;

5a. den Schutz deutschen Kulturgutes gegen Abwanderung ins Ausland;

6. den Luftverkehr;

6a. den Verkehr von Eisenbahnen, die ganz oder mehrheitlich im Eigentum des Bundes stehen (Eisenbahnen des Bundes), den Bau, die Unterhaltung und das Betreiben von Schienenwegen der Eisenbahnen des Bundes sowie die Erhebung von Entgelten für die Benutzung dieser Schienenwege;

7. das Postwesen und die Telekommunikation;

8. die Rechtsverhältnisse der im Dienste des Bundes und der bundesunmittelbaren Körperschaften des öffentlichen Rechtes stehenden Personen;

9. den gewerblichen Rechtsschutz, das Urheberrecht und das Verlagsrecht;

9a. die Abwehr von Gefahren des internationalen Terrorismus durch das Bundeskriminalpolizeiamt in Fällen, in denen eine länderübergreifende Gefahr vorliegt, die Zuständigkeit einer Landespolizeibehörde nicht erkennbar ist oder die oberste Landesbehörde um eine Übernahme ersucht;

10. die Zusammenarbeit des Bundes und der Länder

a) in der Kriminalpolizei,

b) zum Schutze der freiheitlichen demokratischen Grundordnung, des Bestandes und der Sicherheit des Bundes oder eines Landes (Verfassungsschutz) und

c) zum Schutze gegen Bestrebungen im Bundesgebiet, die durch Anwendung von Gewalt oder darauf gerichtete Vorbereitungshandlungen auswärtige Belange der Bundesrepublik Deutschland gefährden,

sowie die Einrichtung eines Bundeskriminalpolizeiamtes und die internationale Verbrechensbekämpfung;

11. die Statistik für Bundeszwecke;

12. das Waffen- und das Sprengstoffrecht;

13. die Versorgung der Kriegsbeschädigten und Kriegshinterbliebenen und die Fürsorge für die ehemaligen Kriegsgefangenen;

14. die Erzeugung und Nutzung der Kernenergie zu friedlichen Zwecken, die Errichtung und den Betrieb von Anlagen, die diesen Zwecken dienen, den Schutz gegen Gefahren, die bei Freiwerden von Kernenergie oder durch ionisierende Strahlen entstehen, und die Beseitigung radioaktiver Stoffe.

(2) Gesetze nach Absatz 1 Nr. 9a bedürfen der Zustimmung des Bundesrates.

Artikel 74 [Gegenstände der konkurrierenden Gesetzgebung]

(1) Die konkurrierende Gesetzgebung erstreckt sich auf folgende Gebiete:

1. das bürgerliche Recht, das Strafrecht, die Gerichtsverfassung, das gerichtliche Verfahren (ohne das Recht des Untersuchungshaftvollzugs), die Rechtsanwaltschaft, das Notariat und die Rechtsberatung;

2. das Personenstandswesen;

3. das Vereinsrecht;

4. das Aufenthalts- und Niederlassungsrecht der Ausländer;

5. (weggefallen)

6. die Angelegenheiten der Flüchtlinge und Vertriebenen;

7. die öffentliche Fürsorge (ohne das Heimrecht);

8. (weggefallen)

9. die Kriegsschäden und die Wiedergutmachung;

10. die Kriegsgräber und Gräber anderer Opfer des Krieges und Opfer von Gewaltherrschaft;

11. das Recht der Wirtschaft (Bergbau, Industrie, Energiewirtschaft, Handwerk, Gewerbe, Handel, Bank- und Börsenwesen, privatrechtliches Versicherungswesen) ohne das Recht des Ladenschlusses, der Gaststätten, der Spielhallen, der Schaustellung von Personen, der Messen, der Ausstellungen und der Märkte;

12. das Arbeitsrecht einschließlich der Betriebsverfassung, des Arbeitsschutzes und der Arbeitsvermittlung sowie die Sozialversicherung einschließlich der Arbeitslosenversicherung;

13. die Regelung der Ausbildungsbeihilfen und die Förderung der wissenschaftlichen Forschung;

14. das Recht der Enteignung, soweit sie auf den Sachgebieten der Artikel 73 und 74 in Betracht kommt;

15. die Überführung von Grund und Boden, von Naturschätzen und Produktionsmitteln in Gemeineigentum oder in andere Formen der Gemeinwirtschaft;

16. die Verhütung des Mißbrauchs wirtschaftlicher Machtstellung;

17. die Förderung der land- und forstwirtschaftlichen Erzeugung (ohne das Recht der Flurbereinigung), die Sicherung der Ernährung, die Ein- und Ausfuhr land- und forstwirtschaftlicher Erzeugnisse, die Hochsee- und Küstenfischerei und den Küstenschutz;

18. den städtebaulichen Grundstücksverkehr, das Bodenrecht (ohne das Recht der Erschließungsbeiträge) und das Wohngeldrecht, das Altschuldenhilferecht, das Wohnungsbauprämienrecht, das Bergarbeiterwohnungsbaurecht und das Bergmannssiedlungsrecht;

19. Maßnahmen gegen gemeingefährliche oder übertragbare Krankheiten bei Menschen und Tieren, Zulassung zu ärztlichen und anderen Heilberufen und zum Heilgewerbe, sowie das Recht des Apothekenwesens, der Arzneien, der Medizinprodukte, der Heilmittel, der Betäubungsmittel und der Gifte;

19a. die wirtschaftliche Sicherung der Krankenhäuser und die Regelung der Krankenhauspflegesätze;

20. das Recht der Lebensmittel einschließlich der ihrer Gewinnung dienenden Tiere, das Recht der Genussmittel, Bedarfsgegenstände und Futtermittel sowie den Schutz beim Verkehr mit land- und forstwirtschaftlichem Saat- und Pflanzgut, den Schutz der

Pflanzen gegen Krankheiten und Schädlinge sowie den Tierschutz;

21. die Hochsee- und Küstenschiffahrt sowie die Seezeichen, die Binnenschiffahrt, den Wetterdienst, die Seewasserstraßen und die dem allgemeinen Verkehr dienenden Binnenwasserstraßen;

22. den Straßenverkehr, das Kraftfahrwesen, den Bau und die Unterhaltung von Landstraßen für den Fernverkehr sowie die Erhebung und Verteilung von Gebühren oder Entgelten für die Benutzung öffentlicher Straßen mit Fahrzeugen;

23. die Schienenbahnen, die nicht Eisenbahnen des Bundes sind, mit Ausnahme der Bergbahnen;

24. die Abfallwirtschaft, die Luftreinhaltung und die Lärmbekämpfung (ohne Schutz vor verhaltensbezogenem Lärm);

25. die Staatshaftung;

26. die medizinisch unterstützte Erzeugung menschlichen Lebens, die Untersuchung und die künstliche Veränderung von Erbinformationen sowie Regelungen zur Transplantation von Organen, Geweben und Zellen;

27. die Statusrechte und -pflichten der Beamten der Länder, Gemeinden und anderen Körperschaften des öffentlichen Rechts sowie der Richter in den Ländern mit Ausnahme der Laufbahnen, Besoldung und Versorgung;

28. das Jagdwesen;

29. den Naturschutz und die Landschaftspflege;

30. die Bodenverteilung;

31. die Raumordnung;

32. den Wasserhaushalt;

33. die Hochschulzulassung und die Hochschulabschlüsse.

(2) Gesetze nach Absatz 1 Nr. 25 und 27 bedürfen der Zustimmung des Bundesrates.

Artikel 74a *[aufgehoben]*

Artikel 75 *[aufgehoben]*

Artikel 76 [Gesetzesvorlagen]
(1) Gesetzesvorlagen werden beim Bundestage durch die Bundesregierung, aus der Mitte des Bundestages oder durch den Bundesrat eingebracht.

(2) Vorlagen der Bundesregierung sind zunächst dem Bundesrat zuzuleiten. Der Bundesrat ist berechtigt, innerhalb von sechs Wochen zu diesen Vorlagen Stellung zu nehmen. Verlangt er aus wichtigem Grunde, insbesondere mit Rücksicht auf den Umfang einer Vorlage, eine Fristverlängerung, so beträgt die Frist neun Wochen. Die Bundesregierung kann eine Vorlage, die sie bei der Zuleitung an den Bundesrat ausnahmsweise als besonders eilbedürftig bezeichnet hat, nach drei Wochen oder, wenn der Bundesrat ein Verlangen nach Satz 3 geäußert hat, nach sechs Wochen dem Bundestag zuleiten, auch wenn die Stellungnahme des Bundesrates noch nicht bei ihr eingegangen ist; sie hat die Stellungnahme des Bundesrates unverzüglich nach Eingang dem Bundestag nachzureichen. Bei Vorlagen zur Änderung dieses Grundgesetzes und zur Übertragung von Hoheitsrechten nach Artikel 23 oder Artikel 24 beträgt die Frist zur Stellungnahme neun Wochen; Satz 4 findet keine Anwendung.

(3) Vorlagen des Bundesrates sind dem Bundestag durch die Bundesregierung innerhalb von sechs Wochen zuzuleiten. Sie soll hierbei ihre Auffassung darlegen. Verlangt sie aus wichtigem Grunde, insbesondere mit Rücksicht auf den Umfang einer Vorlage, eine Fristverlängerung, so beträgt die Frist neun Wochen. Wenn der Bundesrat eine Vorlage ausnahmsweise als besonders eilbedürftig bezeichnet hat, beträgt die Frist drei Wochen oder, wenn die Bundesregierung ein Verlangen nach Satz 3 geäußert hat, sechs Wochen. Bei Vorlagen zur Änderung dieses Grundgesetzes und zur Übertragung von Hoheitsrechten nach Artikel 23 oder Artikel 24 beträgt die Frist neun Wochen; Satz 4 findet keine Anwendung. Der Bundestag hat über die Vorlagen in angemessener Frist zu beraten und Beschluß zu fassen.

Artikel 77 [Verfahren bei Gesetzesbeschlüssen]
(1) Die Bundesgesetze werden vom Bundestage beschlossen. Sie sind nach ihrer

Annahme durch den Präsidenten des Bundestages unverzüglich dem Bundesrate zuzuleiten.

(2) Der Bundesrat kann binnen drei Wochen nach Eingang des Gesetzesbeschlusses verlangen, daß ein aus Mitgliedern des Bundestages und des Bundesrates für die gemeinsame Beratung von Vorlagen gebildeter Ausschuß einberufen wird. Die Zusammensetzung und das Verfahren dieses Ausschusses regelt eine Geschäftsordnung, die vom Bundestag beschlossen wird und der Zustimmung des Bundesrates bedarf. Die in diesen Ausschuß entsandten Mitglieder des Bundesrates sind nicht an Weisungen gebunden. Ist zu einem Gesetze die Zustimmung des Bundesrates erforderlich, so können auch der Bundestag und die Bundesregierung die Einberufung verlangen. Schlägt der Ausschuß eine Änderung des Gesetzesbeschlusses vor, so hat der Bundestag erneut Beschluß zu fassen.

(2a) Soweit zu einem Gesetz die Zustimmung des Bundesrates erforderlich ist, hat der Bundesrat, wenn ein Verlangen nach Absatz 2 Satz 1 nicht gestellt oder das Vermittlungsverfahren ohne einen Vorschlag zur Änderung des Gesetzesbeschlusses beendet ist, in angemessener Frist über die Zustimmung Beschluß zu fassen.

(3) Soweit zu einem Gesetze die Zustimmung des Bundesrates nicht erforderlich ist, kann der Bundesrat, wenn das Verfahren nach Absatz 2 beendigt ist, gegen ein vom Bundestage beschlossenes Gesetz binnen zwei Wochen Einspruch einlegen. Die Einspruchsfrist beginnt im Falle des Absatzes 2 letzter Satz mit dem Eingange des vom Bundestage erneut gefaßten Beschlusses, in allen anderen Fällen mit dem Eingange der Mitteilung des Vorsitzenden des in Absatz 2 vorgesehenen Ausschusses, daß das Verfahren vor dem Ausschusse abgeschlossen ist.

(4) Wird der Einspruch mit der Mehrheit der Stimmen des Bundesrates beschlossen, so kann er durch Beschluß der Mehrheit der Mitglieder des Bundestages zurückgewiesen werden. Hat der Bundesrat den Einspruch mit einer Mehrheit von mindestens zwei Dritteln seiner Stimmen beschlossen, so bedarf die Zurückweisung durch den Bundestag einer Mehrheit von zwei Dritteln, mindestens der Mehrheit der Mitglieder des Bundestages.

Artikel 78 [Zustandekommen von Bundesgesetzen]

Ein vom Bundestage beschlossenes Gesetz kommt zustande, wenn der Bundesrat zustimmt, den Antrag gemäß Artikel 77 Abs. 2 nicht stellt, innerhalb der Frist des Artikels 77 Abs. 3 keinen Einspruch einlegt oder ihn zurücknimmt oder wenn der Einspruch vom Bundestage überstimmt wird.

Artikel 79 [Änderungen des Grundgesetzes]

(1) Das Grundgesetz kann nur durch ein Gesetz geändert werden, das den Wortlaut des Grundgesetzes ausdrücklich ändert oder ergänzt. Bei völkerrechtlichen Verträgen, die eine Friedensregelung, die Vorbereitung einer Friedensregelung oder den Abbau einer besatzungsrechtlichen Ordnung zum Gegenstand haben oder der Verteidigung der Bundesrepublik zu dienen bestimmt sind, genügt zur Klarstellung, daß die Bestimmungen des Grundgesetzes dem Abschluß und dem Inkraftsetzen der Verträge nicht entgegenstehen, eine Ergänzung des Wortlautes des Grundgesetzes, die sich auf diese Klarstellung beschränkt.

(2) Ein solches Gesetz bedarf der Zustimmung von zwei Dritteln der Mitglieder des Bundestages und zwei Dritteln der Stimmen des Bundesrates.

(3) Eine Änderung dieses Grundgesetzes, durch welche die Gliederung des Bundes in Länder, die grundsätzliche Mitwirkung der Länder bei der Gesetzgebung oder die in den Artikeln 1 und 20 niedergelegten Grundsätze berührt werden, ist unzulässig.

Artikel 80 [Erlass von Rechtsverordnungen]

(1) Durch Gesetz können die Bundesregierung, ein Bundesminister oder die Lan-

desregierungen ermächtigt werden, Rechtsverordnungen zu erlassen. Dabei müssen Inhalt, Zweck und Ausmaß der erteilten Ermächtigung im Gesetze bestimmt werden. Die Rechtsgrundlage ist in der Verordnung anzugeben. Ist durch Gesetz vorgesehen, daß eine Ermächtigung weiter übertragen werden kann, so bedarf es zur Übertragung der Ermächtigung einer Rechtsverordnung.

(2) Der Zustimmung des Bundesrates bedürfen, vorbehaltlich anderweitiger bundesgesetzlicher Regelung, Rechtsverordnungen der Bundesregierung oder eines Bundesministers über Grundsätze und Gebühren für die Benutzung der Einrichtungen des Postwesens und der Telekommunikation, über die Grundsätze der Erhebung des Entgelts für die Benutzung der Einrichtungen der Eisenbahnen des Bundes, über den Bau und Betrieb der Eisenbahnen, sowie Rechtsverordnungen auf Grund von Bundesgesetzen, die der Zustimmung des Bundesrates bedürfen oder die von den Ländern im Auftrage des Bundes oder als eigene Angelegenheit ausgeführt werden.

(3) Der Bundesrat kann der Bundesregierung Vorlagen für den Erlaß von Rechtsverordnungen zuleiten, die seiner Zustimmung bedürfen.

(4) Soweit durch Bundesgesetz oder auf Grund von Bundesgesetzen Landesregierungen ermächtigt werden, Rechtsverordnungen zu erlassen, sind die Länder zu einer Regelung auch durch Gesetz befugt.

Artikel 80a [Spannungsfall]

(1) Ist in diesem Grundgesetz oder in einem Bundesgesetz über die Verteidigung einschließlich des Schutzes der Zivilbevölkerung bestimmt, daß Rechtsvorschriften nur nach Maßgabe dieses Artikels angewandt werden dürfen, so ist die Anwendung außer im Verteidigungsfalle nur zulässig, wenn der Bundestag den Eintritt des Spannungsfalles festgestellt oder wenn er der Anwendung besonders zugestimmt hat. Die Feststellung des Spannungsfalles und die besondere Zustimmung in den Fällen des Artikels 12a Abs. 5 Satz 1 und Abs. 6 Satz 2

bedürfen einer Mehrheit von zwei Dritteln der abgegebenen Stimmen.

(2) Maßnahmen auf Grund von Rechtsvorschriften nach Absatz 1 sind aufzuheben, wenn der Bundestag es verlangt.

(3) Abweichend von Absatz 1 ist die Anwendung solcher Rechtsvorschriften auch auf der Grundlage und nach Maßgabe eines Beschlusses zulässig, der von einem internationalen Organ im Rahmen eines Bündnisvertrages mit Zustimmung der Bundesregierung gefaßt wird. Maßnahmen nach diesem Absatz sind aufzuheben, wenn der Bundestag es mit der Mehrheit seiner Mitglieder verlangt.

Artikel 81 [Gesetzgebungsnotstand]

(1) Wird im Falle des Artikels 68 der Bundestag nicht aufgelöst, so kann der Bundespräsident auf Antrag der Bundesregierung mit Zustimmung des Bundesrates für eine Gesetzesvorlage den Gesetzgebungsnotstand erklären, wenn der Bundestag sie ablehnt, obwohl die Bundesregierung sie als dringlich bezeichnet hat. Das gleiche gilt, wenn eine Gesetzesvorlage abgelehnt worden ist, obwohl der Bundeskanzler mit ihr den Antrag des Artikels 68 verbunden hatte.

(2) Lehnt der Bundestag die Gesetzesvorlage nach Erklärung des Gesetzgebungsnotstandes erneut ab oder nimmt er sie in einer für die Bundesregierung als unannehmbar bezeichneten Fassung an, so gilt das Gesetz als zustande gekommen, soweit der Bundesrat ihm zustimmt. Das gleiche gilt, wenn die Vorlage vom Bundestage nicht innerhalb von vier Wochen nach der erneuten Einbringung verabschiedet wird.

(3) Während der Amtszeit eines Bundeskanzlers kann auch jede andere vom Bundestage abgelehnte Gesetzesvorlage innerhalb einer Frist von sechs Monaten nach der ersten Erklärung des Gesetzgebungsnotstandes gemäß Absatz 1 und 2 verabschiedet werden. Nach Ablauf der Frist ist während der Amtszeit des gleichen Bundeskanzlers eine weitere Erklärung des Gesetzgebungsnotstandes unzulässig.

(4) Das Grundgesetz darf durch ein Gesetz, das nach Absatz 2 zustande kommt, weder geändert, noch ganz oder teilweise außer Kraft oder außer Anwendung gesetzt werden.

Artikel 82 [Verkündung und Inkrafttreten der Gesetze]

(1) Die nach den Vorschriften dieses Grundgesetzes zustande gekommenen Gesetze werden vom Bundespräsidenten nach Gegenzeichnung ausgefertigt und im Bundesgesetzblatte verkündet. Rechtsverordnungen werden von der Stelle, die sie erläßt, ausgefertigt und vorbehaltlich anderweitiger gesetzlicher Regelung im Bundesgesetzblatte verkündet.

(2) Jedes Gesetz und jede Rechtsverordnung soll den Tag des Inkrafttretens bestimmen. Fehlt eine solche Bestimmung, so treten sie mit dem vierzehnten Tage nach Ablauf des Tages in Kraft, an dem das Bundesgesetzblatt ausgegeben worden ist.

VIII.
DIE AUSFÜHRUNG DER BUNDESGESETZE UND DIE BUNDESVERWALTUNG

Artikel 83 [Grundsatz der Landeseigenverwaltung]

Die Länder führen die Bundesgesetze als eigene Angelegenheit aus, soweit dieses Grundgesetz nichts anderes bestimmt oder zuläßt.

Artikel 84 [Landeseigenverwaltung und Bundesaufsicht]

(1) Führen die Länder die Bundesgesetze als eigene Angelegenheit aus, so regeln sie die Einrichtung der Behörden und das Verwaltungsverfahren. Wenn Bundesgesetze etwas anderes bestimmen, können die Länder davon abweichende Regelungen treffen. Hat ein Land eine abweichende Regelung nach Satz 2 getroffen, treten in diesem Land hierauf bezogene spätere bundesgesetzliche Regelungen der Einrichtung der Behörden und des Verwaltungsverfahrens frühestens sechs

Monate nach ihrer Verkündung in Kraft, soweit nicht mit Zustimmung des Bundesrates anderes bestimmt ist. Artikel 72 Abs. 3 Satz 3 gilt entsprechend. In Ausnahmefällen kann der Bund wegen eines besonderen Bedürfnisses nach bundeseinheitlicher Regelung das Verwaltungsverfahren ohne Abweichungsmöglichkeit für die Länder regeln. Diese Gesetze bedürfen der Zustimmung des Bundesrates. Durch Bundesgesetz dürfen Gemeinden und Gemeindeverbänden Aufgaben nicht übertragen werden.

(2) Die Bundesregierung kann mit Zustimmung des Bundesrates allgemeine Verwaltungsvorschriften erlassen.

(3) Die Bundesregierung übt die Aufsicht darüber aus, daß die Länder die Bundesgesetze dem geltenden Rechte gemäß ausführen. Die Bundesregierung kann zu diesem Zwecke Beauftragte zu den obersten Landesbehörden entsenden, mit deren Zustimmung und, falls diese Zustimmung versagt wird, mit Zustimmung des Bundesrates auch zu den nachgeordneten Behörden.

(4) Werden Mängel, die die Bundesregierung bei der Ausführung der Bundesgesetze in den Ländern festgestellt hat, nicht beseitigt, so beschließt auf Antrag der Bundesregierung oder des Landes der Bundesrat, ob das Land das Recht verletzt hat. Gegen den Beschluß des Bundesrates kann das Bundesverfassungsgericht angerufen werden.

(5) Der Bundesregierung kann durch Bundesgesetz, das der Zustimmung des Bundesrates bedarf, zur Ausführung von Bundesgesetzen die Befugnis verliehen werden, für besondere Fälle Einzelweisungen zu erteilen. Sie sind, außer wenn die Bundesregierung den Fall für dringlich erachtet, an die obersten Landesbehörden zu richten.

Artikel 85 [Landesverwaltung im Bundesauftrag]

(1) Führen die Länder die Bundesgesetze im Auftrage des Bundes aus, so bleibt die Einrichtung der Behörden Angelegenheit der Länder, soweit nicht Bundesgesetze mit Zustimmung des Bundesrates etwas anderes bestimmen. Durch Bundesgesetz dürfen Ge-

meinden und Gemeindeverbänden Aufgaben nicht übertragen werden.

(2) Die Bundesregierung kann mit Zustimmung des Bundesrates allgemeine Verwaltungsvorschriften erlassen. Sie kann die einheitliche Ausbildung der Beamten und Angestellten regeln. Die Leiter der Mittelbehörden sind mit ihrem Einvernehmen zu bestellen.

(3) Die Landesbehörden unterstehen den Weisungen der zuständigen obersten Bundesbehörden. Die Weisungen sind, außer wenn die Bundesregierung es für dringlich erachtet, an die obersten Landesbehörden zu richten. Der Vollzug der Weisung ist durch die obersten Landesbehörden sicherzustellen.

(4) Die Bundesaufsicht erstreckt sich auf Gesetzmäßigkeit und Zweckmäßigkeit der Ausführung. Die Bundesregierung kann zu diesem Zwecke Bericht und Vorlage der Akten verlangen und Beauftragte zu allen Behörden entsenden.

Artikel 86 [Bundesverwaltung]

Führt der Bund die Gesetze durch bundeseigene Verwaltung oder durch bundesunmittelbare Körperschaften oder Anstalten des öffentlichen Rechtes aus, so erläßt die Bundesregierung, soweit nicht das Gesetz Besonderes vorschreibt, die allgemeinen Verwaltungsvorschriften. Sie regelt, soweit das Gesetz nichts anderes bestimmt, die Einrichtung der Behörden.

Artikel 87 [Gegenstände der Bundesverwaltung]

(1) In bundeseigener Verwaltung mit eigenem Verwaltungsunterbau werden geführt der Auswärtige Dienst, die Bundesfinanzverwaltung und nach Maßgabe des Artikels 89 die Verwaltung der Bundeswasserstraßen und der Schiffahrt. Durch Bundesgesetz können Bundesgrenzschutzbehörden, Zentralstellen für das polizeiliche Auskunfts- und Nachrichtenwesen, für die Kriminalpolizei und zur Sammlung von Unterlagen für Zwecke des Verfassungsschutzes und des Schutzes gegen Bestrebungen im Bundesge-

biet, die durch Anwendung von Gewalt oder darauf gerichtete Vorbereitungshandlungen auswärtige Belange der Bundesrepublik Deutschland gefährden, eingerichtet werden.

(2) Als bundesunmittelbare Körperschaften des öffentlichen Rechtes werden diejenigen sozialen Versicherungsträger geführt, deren Zuständigkeitsbereich sich über das Gebiet eines Landes hinaus erstreckt. Soziale Versicherungsträger, deren Zuständigkeitsbereich sich über das Gebiet eines Landes, aber nicht über mehr als drei Länder hinaus erstreckt, werden abweichend von Satz 1 als landesunmittelbare Körperschaften des öffentlichen Rechtes geführt, wenn das aufsichtsführende Land durch die beteiligten Länder bestimmt ist.

(3) Außerdem können für Angelegenheiten, für die dem Bunde die Gesetzgebung zusteht, selbständige Bundesoberbehörden und neue bundesunmittelbare Körperschaften und Anstalten des öffentlichen Rechtes durch Bundesgesetz errichtet werden. Erwachsen dem Bunde auf Gebieten, für die ihm die Gesetzgebung zusteht, neue Aufgaben, so können bei dringendem Bedarf bundeseigene Mittel- und Unterbehörden mit Zustimmung des Bundesrates und der Mehrheit der Mitglieder des Bundestages errichtet werden.

Artikel 87a [Streitkräfte]

(1) Der Bund stellt Streitkräfte zur Verteidigung auf. Ihre zahlenmäßige Stärke und die Grundzüge ihrer Organisation müssen sich aus dem Haushaltsplan ergeben.

(2) Außer zur Verteidigung dürfen die Streitkräfte nur eingesetzt werden, soweit dieses Grundgesetz es ausdrücklich zuläßt.

(3) Die Streitkräfte haben im Verteidigungsfalle und im Spannungsfalle die Befugnis, zivile Objekte zu schützen und Aufgaben der Verkehrsregelung wahrzunehmen, soweit dies zur Erfüllung ihres Verteidigungsauftrages erforderlich ist. Außerdem kann den Streitkräften im Verteidigungsfalle und im Spannungsfalle der Schutz ziviler Objekte auch zur Unterstützung polizeilicher Maßnahmen übertragen werden; die Streit-

kräfte wirken dabei mit den zuständigen Behörden zusammen.

(4) Zur Abwehr einer drohenden Gefahr für den Bestand oder die freiheitliche demokratische Grundordnung des Bundes oder eines Landes kann die Bundesregierung, wenn die Voraussetzungen des Artikels 91 Abs. 2 vorliegen und die Polizeikräfte sowie der Bundesgrenzschutz nicht ausreichen, Streitkräfte zur Unterstützung der Polizei und des Bundesgrenzschutzes beim Schutze von zivilen Objekten und bei der Bekämpfung organisierter und militärisch bewaffneter Aufständischer einsetzen. Der Einsatz von Streitkräften ist einzustellen, wenn der Bundestag oder der Bundesrat es verlangen.

Artikel 87b [Bundeswehrverwaltung]

(1) Die Bundeswehrverwaltung wird in bundeseigener Verwaltung mit eigenem Verwaltungsunterbau geführt. Sie dient den Aufgaben des Personalwesens und der unmittelbaren Deckung des Sachbedarfs der Streitkräfte. Aufgaben der Beschädigtenversorgung und des Bauwesens können der Bundeswehrverwaltung nur durch Bundesgesetz, das der Zustimmung des Bundesrates bedarf, übertragen werden. Der Zustimmung des Bundesrates bedürfen ferner Gesetze, soweit sie die Bundeswehrverwaltung zu Eingriffen in Rechte Dritter ermächtigen; das gilt nicht für Gesetze auf dem Gebiete des Personalwesens.

(2) Im übrigen können Bundesgesetze, die der Verteidigung einschließlich des Wehrersatzwesens und des Schutzes der Zivilbevölkerung dienen, mit Zustimmung des Bundesrates bestimmen, daß sie ganz oder teilweise in bundeseigener Verwaltung mit eigenem Verwaltungsunterbau oder von den Ländern im Auftrage des Bundes ausgeführt werden. Werden solche Gesetze von den Ländern im Auftrage des Bundes ausgeführt, so können sie mit Zustimmung des Bundesrates bestimmen, daß die der Bundesregierung und den zuständigen obersten Bundesbehörden auf Grund des Artikels 85 zustehenden Befugnisse ganz oder teilweise Bundesoberbehörden übertragen werden; dabei kann bestimmt werden, daß diese Behörden beim Erlaß allgemeiner Verwaltungsvorschriften gemäß Artikel 85 Abs. 2 Satz 1 nicht der Zustimmung des Bundesrates bedürfen.

Artikel 87c [Bestimmungen über Erzeugung und Nutzung der Kernenergie]

Gesetze, die auf Grund des Artikels 73 Abs. 1 Nr. 14 ergehen, können mit Zustimmung des Bundesrates bestimmen, daß sie von den Ländern im Auftrage des Bundes ausgeführt werden.

Artikel 87d [Luftverkehrsverwaltung]

(1) Die Luftverkehrsverwaltung wird in Bundesverwaltung geführt. Aufgaben der Flugsicherung können auch durch ausländische Flugsicherungsorganisationen wahrgenommen werden, die nach Recht der Europäischen Gemeinschaft zugelassen sind. Das Nähere regelt ein Bundesgesetz.

(2) Durch Bundesgesetz, das der Zustimmung des Bundesrates bedarf, können Aufgaben der Luftverkehrsverwaltung den Ländern als Auftragsverwaltung übertragen werden.

Artikel 87e [Eisenbahnen des Bundes]

(1) Die Eisenbahnverkehrsverwaltung für Eisenbahnen des Bundes wird in bundeseigener Verwaltung geführt. Durch Bundesgesetz können Aufgaben der Eisenbahnverkehrsverwaltung den Ländern als eigene Angelegenheit übertragen werden.

(2) Der Bund nimmt die über den Bereich der Eisenbahnen des Bundes hinausgehenden Aufgaben der Eisenbahnverkehrsverwaltung wahr, die ihm durch Bundesgesetz übertragen werden.

(3) Eisenbahnen des Bundes werden als Wirtschaftsunternehmen in privat-rechtlicher Form geführt. Diese stehen im Eigentum des Bundes, soweit die Tätigkeit des Wirtschaftsunternehmens den Bau, die Unterhaltung und das Betreiben von Schienenwegen umfaßt. Die Veräußerung von Anteilen des Bundes an den Unternehmen nach Satz 2 erfolgt auf Grund eines Gesetzes; die Mehrheit der Anteile an diesen Unternehmen

verbleibt beim Bund. Das Nähere wird durch Bundesgesetz geregelt.

(4) Der Bund gewährleistet, daß dem Wohl der Allgemeinheit, insbesondere den Verkehrsbedürfnissen, beim Ausbau und Erhalt des Schienennetzes der Eisenbahnen des Bundes sowie bei deren Verkehrsangeboten auf diesem Schienennetz, soweit diese nicht den Schienenpersonennahverkehr betreffen, Rechnung getragen wird. Das Nähere wird durch Bundesgesetz geregelt.

(5) Gesetze auf Grund der Absätze 1 bis 4 bedürfen der Zustimmung des Bundesrates. Der Zustimmung des Bundesrates bedürfen ferner Gesetze, die die Auflösung, die Verschmelzung und die Aufspaltung von Eisenbahnunternehmen des Bundes, die Übertragung von Schienenwegen der Eisenbahnen des Bundes an Dritte sowie die Stillegung von Schienenwegen der Eisenbahnen des Bundes regeln oder Auswirkungen auf den Schienenpersonennahverkehr haben.

Artikel 87f [Post und Telekommunikation]

(1) Nach Maßgabe eines Bundesgesetzes, das der Zustimmung des Bundesrates bedarf, gewährleistet der Bund im Bereich des Postwesens und der Telekommunikation flächendeckend angemessene und ausreichende Dienstleistungen.

(2) Dienstleistungen im Sinne des Absatzes 1 werden als privatwirtschaftliche Tätigkeiten durch die aus dem Sondervermögen Deutsche Bundespost hervorgegangenen Unternehmen und durch andere private Anbieter erbracht. Hoheitsaufgaben im Bereich des Postwesens und der Telekommunikation werden in bundeseigener Verwaltung ausgeführt.

(3) Unbeschadet des Absatzes 2 Satz 2 führt der Bund in der Rechtsform einer bundesunmittelbaren Anstalt des öffentlichen Rechts einzelne Aufgaben in bezug auf die aus dem Sondervermögen Deutsche Bundespost hervorgegangenen Unternehmen nach Maßgabe eines Bundesgesetzes aus.

Artikel 88 [Bundesbank]

Der Bund errichtet eine Währungs- und Notenbank als Bundesbank. Ihre Aufgaben und Befugnisse können im Rahmen der Europäischen Union der Europäischen Zentralbank übertragen werden, die unabhängig ist und dem vorrangigen Ziel der Sicherung der Preisstabilität verpflichtet.

Artikel 89 [Bundeswasserstraßen]

(1) Der Bund ist Eigentümer der bisherigen Reichswasserstraßen.

(2) Der Bund verwaltet die Bundeswasserstraßen durch eigene Behörden. Er nimmt die über den Bereich eines Landes hinausgehenden staatlichen Aufgaben der Binnenschiffahrt und die Aufgaben der Seeschiffahrt wahr, die ihm durch Gesetz übertragen werden. Er kann die Verwaltung von Bundeswasserstraßen, soweit sie im Gebiete eines Landes liegen, diesem Lande auf Antrag als Auftragsverwaltung übertragen. Berührt eine Wasserstraße das Gebiet mehrerer Länder, so kann der Bund das Land beauftragen, für das die beteiligten Länder es beantragen.

(3) Bei der Verwaltung, dem Ausbau und dem Neubau von Wasserstraßen sind die Bedürfnisse der Landeskultur und der Wasserwirtschaft im Einvernehmen mit den Ländern zu wahren.

Artikel 90 [Bundesautobahnen und Bundesstraßen]

(1) Der Bund bleibt Eigentümer der Bundesautobahnen und sonstigen Bundesstraßen des Fernverkehrs. Das Eigentum ist unveräußerlich.

(2) Die Verwaltung der Bundesautobahnen wird in Bundesverwaltung geführt. Der Bund kann sich zur Erledigung seiner Aufgaben einer Gesellschaft privaten Rechts bedienen. Diese Gesellschaft steht im unveräußerlichen Eigentum des Bundes. Eine unmittelbare oder mittelbare Beteiligung Dritter an der Gesellschaft und deren Tochtergesellschaften ist ausgeschlossen. Eine Beteiligung Privater im Rahmen von Öffentlich-Privaten Partnerschaften ist ausgeschlossen für Streckennetze, die das gesamte

Bundesautobahnnetz oder das gesamte Netz sonstiger Bundesfernstraßen in einem Land oder wesentliche Teile davon umfassen. Das Nähere regelt ein Bundesgesetz.

(3) Die Länder oder die nach Landesrecht zuständigen Selbstverwaltungskörperschaften verwalten die sonstigen Bundesstraßen des Fernverkehrs im Auftrage des Bundes.

(4) Auf Antrag eines Landes kann der Bund die sonstigen Bundesstraßen des Fernverkehrs, soweit sie im Gebiet dieses Landes liegen, in Bundesverwaltung übernehmen.

Artikel 91 [Abwehr von Gefahren für den Bestand des Bundes]

(1) Zur Abwehr einer drohenden Gefahr für den Bestand oder die freiheitliche demokratische Grundordnung des Bundes oder eines Landes kann ein Land Polizeikräfte anderer Länder sowie Kräfte und Einrichtungen anderer Verwaltungen und des Bundesgrenzschutzes anfordern.

(2) Ist das Land, in dem die Gefahr droht, nicht selbst zur Bekämpfung der Gefahr bereit oder in der Lage, so kann die Bundesregierung die Polizei in diesem Lande und die Polizeikräfte anderer Länder ihren Weisungen unterstellen sowie Einheiten des Bundesgrenzschutzes einsetzen. Die Anordnung ist nach Beseitigung der Gefahr, im übrigen jederzeit auf Verlangen des Bundesrates aufzuheben. Erstreckt sich die Gefahr auf das Gebiet mehr als eines Landes, so kann die Bundesregierung, soweit es zur wirksamen Bekämpfung erforderlich ist, den Landesregierungen Weisungen erteilen; Satz 1 und Satz 2 bleiben unberührt.

VIIIa.
GEMEINSCHAFTSAUFGABEN, VERWALTUNGSZUSAMMEN-ARBEIT

Artikel 91a [Mitwirkungsbereiche des Bundes bei Länderaufgaben]

(1) Der Bund wirkt auf folgenden Gebieten bei der Erfüllung von Aufgaben der Länder mit, wenn diese Aufgaben für die Gesamtheit bedeutsam sind und die Mitwir-

kung des Bundes zur Verbesserung der Lebensverhältnisse erforderlich ist (Gemeinschaftsaufgaben):

1. Verbesserung der regionalen Wirtschaftsstruktur,

2. Verbesserung der Agrarstruktur und des Küstenschutzes.

(2) Durch Bundesgesetz mit Zustimmung des Bundesrates werden die Gemeinschaftsaufgaben sowie Einzelheiten der Koordinierung näher bestimmt.

(3) Der Bund trägt in den Fällen des Absatzes 1 Nr. 1 die Hälfte der Ausgaben in jedem Land. In den Fällen des Absatzes 1 Nr. 2 trägt der Bund mindestens die Hälfte; die Beteiligung ist für alle Länder einheitlich festzusetzen. Das Nähere regelt das Gesetz. Die Bereitstellung der Mittel bleibt der Feststellung in den Haushaltsplänen des Bundes und der Länder vorbehalten.

Artikel 91b [Bildungsplanung und Forschungsförderung]

(1) Bund und Länder können auf Grund von Vereinbarungen in Fällen überregionaler Bedeutung bei der Förderung von Wissenschaft, Forschung und Lehre zusammenwirken. Vereinbarungen, die im Schwerpunkt Hochschulen betreffen, bedürfen der Zustimmung aller Länder. Dies gilt nicht für Vereinbarungen über Forschungsbauten einschließlich Großgeräten.

(2) Bund und Länder können auf Grund von Vereinbarungen zur Feststellung der Leistungsfähigkeit des Bildungswesens im internationalen Vergleich und bei diesbezüglichen Berichten und Empfehlungen zusammenwirken.

(3) Die Kostentragung wird in der Vereinbarung geregelt.

Artikel 91c [Informationstechnische Systeme]

(1) Bund und Länder können bei der Planung, der Errichtung und dem Betrieb der für ihre Aufgabenerfüllung benötigten informationstechnischen Systeme zusammenwirken.

(2) Bund und Länder können auf Grund von Vereinbarungen die für die Kommuni-

kation zwischen ihren informationstechnischen Systemen notwendigen Standards und Sicherheitsanforderungen festlegen. Vereinbarungen über die Grundlagen der Zusammenarbeit nach Satz 1 können für einzelne nach Inhalt und Ausmaß bestimmte Aufgaben vorsehen, dass nähere Regelungen bei Zustimmung einer in der Vereinbarung zu bestimmenden qualifizierten Mehrheit für Bund und Länder in Kraft treten. Sie bedürfen der Zustimmung des Bundestages und der Volksvertretungen der beteiligten Länder; das Recht zur Kündigung dieser Vereinbarungen kann nicht ausgeschlossen werden. Die Vereinbarungen regeln auch die Kostentragung.

(3) Die Länder können darüber hinaus den gemeinschaftlichen Betrieb informationstechnischer Systeme sowie die Errichtung von dazu bestimmten Einrichtungen vereinbaren.

(4) Der Bund errichtet zur Verbindung der informationstechnischen Netze des Bundes und der Länder ein Verbindungsnetz. Das Nähere zur Errichtung und zum Betrieb des Verbindungsnetzes regelt ein Bundesgesetz mit Zustimmung des Bundesrates.

(5) Der übergreifende informationstechnische Zugang zu den Verwaltungsleistungen von Bund und Ländern wird durch Bundesgesetz mit Zustimmung des Bundesrates geregelt.

Artikel 91d [Leistungsvergleich]

Bund und Länder können zur Feststellung und Förderung der Leistungsfähigkeit ihrer Verwaltungen Vergleichsstudien durchführen und die Ergebnisse veröffentlichen.

Artikel 91e [Zusammenwirken hinsichtlich der Grundsicherung für Arbeitsuchende]

(1) Bei der Ausführung von Bundesgesetzen auf dem Gebiet der Grundsicherung für Arbeitsuchende wirken Bund und Länder oder die nach Landesrecht zuständigen Gemeinden und Gemeindeverbände in der Regel in gemeinsamen Einrichtungen zusammen.

(2) Der Bund kann zulassen, dass eine begrenzte Anzahl von Gemeinden und Gemeindeverbänden auf ihren Antrag und mit Zustimmung der obersten Landesbehörde die Aufgaben nach Absatz 1 allein wahrnimmt. Die notwendigen Ausgaben einschließlich der Verwaltungsausgaben trägt der Bund, soweit die Aufgaben bei einer Ausführung von Gesetzen nach Absatz 1 vom Bund wahrzunehmen sind.

(3) Das Nähere regelt ein Bundesgesetz, das der Zustimmung des Bundesrates bedarf.

IX.
DIE RECHTSPRECHUNG

Artikel 92 [Gerichtsorganisation]

Die rechtsprechende Gewalt ist den Richtern anvertraut; sie wird durch das Bundesverfassungsgericht, durch die in diesem Grundgesetze vorgesehenen Bundesgerichte und durch die Gerichte der Länder ausgeübt.

Artikel 93 [Bundesverfassungsgericht, Zuständigkeit]

(1) Das Bundesverfassungsgericht entscheidet:

1. über die Auslegung dieses Grundgesetzes aus Anlaß von Streitigkeiten über den Umfang der Rechte und Pflichten eines obersten Bundesorgans oder anderer Beteiligter, die durch dieses Grundgesetz oder in der Geschäftsordnung eines obersten Bundesorgans mit eigenen Rechten ausgestattet sind;

2. bei Meinungsverschiedenheiten oder Zweifeln über die förmliche und sachliche Vereinbarkeit von Bundesrecht oder Landesrecht mit diesem Grundgesetze oder die Vereinbarkeit von Landesrecht mit sonstigem Bundesrechte auf Antrag der Bundesregierung, einer Landesregierung oder eines Viertels der Mitglieder des Bundestages;

2a. bei Meinungsverschiedenheiten, ob ein Gesetz den Voraussetzungen des Artikels 72 Abs. 2 entspricht, auf Antrag des Bundesrates, einer Landesregierung oder der Volksvertretung eines Landes;

3. bei Meinungsverschiedenheiten über Rechte und Pflichten des Bundes und der Länder, insbesondere bei der Ausführung

von Bundesrecht durch die Länder und bei der Ausübung der Bundesaufsicht;

4. in anderen öffentlich-rechtlichen Streitigkeiten zwischen dem Bunde und den Ländern, zwischen verschiedenen Ländern oder innerhalb eines Landes, soweit nicht ein anderer Rechtsweg gegeben ist;

4a. über Verfassungsbeschwerden, die von jedermann mit der Behauptung erhoben werden können, durch die öffentliche Gewalt in einem seiner Grundrechte oder in einem seiner in Artikel 20 Abs. 4, 33, 38, 101, 103 und 104 enthaltenen Rechte verletzt zu sein;

4b. über Verfassungsbeschwerden von Gemeinden und Gemeindeverbänden wegen Verletzung des Rechts auf Selbstverwaltung nach Artikel 28 durch ein Gesetz, bei Landesgesetzen jedoch nur, soweit nicht Beschwerde beim Landesverfassungsgericht erhoben werden kann;

4c. über Beschwerden von Vereinigungen gegen ihre Nichtanerkennung als Partei für die Wahl zum Bundestag;

5. in den übrigen in diesem Grundgesetze vorgesehenen Fällen.

(2) Das Bundesverfassungsgericht entscheidet außerdem auf Antrag des Bundesrates, einer Landesregierung oder der Volksvertretung eines Landes, ob im Falle des Artikels 72 Abs. 4 die Erforderlichkeit für eine bundesgesetzliche Regelung nach Artikel 72 Abs. 2 nicht mehr besteht oder Bundesrecht in den Fällen des Artikels 125a Abs. 2 Satz 1 nicht mehr erlassen werden könnte. Die Feststellung, dass die Erforderlichkeit entfallen ist oder Bundesrecht nicht mehr erlassen werden könnte, ersetzt ein Bundesgesetz nach Artikel 72 Abs. 4 oder nach Artikel 125a Abs. 2 Satz 2. Der Antrag nach Satz 1 ist nur zulässig, wenn eine Gesetzesvorlage nach Artikel 72 Abs. 4 oder nach Artikel 125a Abs. 2 Satz 2 im Bundestag abgelehnt oder über sie nicht innerhalb eines Jahres beraten und Beschluss gefasst oder wenn eine entsprechende Gesetzesvorlage im Bundesrat abgelehnt worden ist.

(3) Das Bundesverfassungsgericht wird ferner in den ihm sonst durch Bundesgesetz zugewiesenen Fällen tätig.

Artikel 94 [Bundesverfassungsgericht, Zusammensetzung]

(1) Das Bundesverfassungsgericht besteht aus Bundesrichtern und anderen Mitgliedern. Die Mitglieder des Bundesverfassungsgerichtes werden je zur Hälfte vom Bundestage und vom Bundesrate gewählt. Sie dürfen weder dem Bundestage, dem Bundesrate, der Bundesregierung noch entsprechenden Organen eines Landes angehören.

(2) Ein Bundesgesetz regelt seine Verfassung und das Verfahren und bestimmt, in welchen Fällen seine Entscheidungen Gesetzeskraft haben. Es kann für Verfassungsbeschwerden die vorherige Erschöpfung des Rechtsweges zur Voraussetzung machen und ein besonderes Annahmeverfahren vorsehen.

Artikel 95 [Oberste Gerichtshöfe des Bundes]

(1) Für die Gebiete der ordentlichen, der Verwaltungs-, der Finanz-, der Arbeits- und der Sozialgerichtsbarkeit errichtet der Bund als oberste Gerichtshöfe den Bundesgerichtshof, das Bundesverwaltungsgericht, den Bundesfinanzhof, das Bundesarbeitsgericht und das Bundessozialgericht.

(2) Über die Berufung der Richter dieser Gerichte entscheidet der für das jeweilige Sachgebiet zuständige Bundesminister gemeinsam mit einem Richterwahlausschuß, der aus den für das jeweilige Sachgebiet zuständigen Ministern der Länder und einer gleichen Anzahl von Mitgliedern besteht, die vom Bundestage gewählt werden.

(3) Zur Wahrung der Einheitlichkeit der Rechtsprechung ist ein Gemeinsamer Senat der in Absatz 1 genannten Gerichte zu bilden. Das Nähere regelt ein Bundesgesetz.

Artikel 96 [Bundesgerichte]

(1) Der Bund kann für Angelegenheiten des gewerblichen Rechtsschutzes ein Bundesgericht errichten.

(2) Der Bund kann Wehrstrafgerichte für die Streitkräfte als Bundesgerichte errichten. Sie können die Strafgerichtsbarkeit nur im Verteidigungsfalle sowie über Angehörige

der Streitkräfte ausüben, die in das Ausland entsandt oder an Bord von Kriegsschiffen eingeschifft sind. Das Nähere regelt ein Bundesgesetz. Diese Gerichte gehören zum Geschäftsbereich des Bundesjustizministers. Ihre hauptamtlichen Richter müssen die Befähigung zum Richteramt haben.

(3) Oberster Gerichtshof für die in Absatz 1 und 2 genannten Gerichte ist der Bundesgerichtshof.

(4) Der Bund kann für Personen, die zu ihm in einem öffentlich-rechtlichen Dienstverhältnis stehen, Bundesgerichte zur Entscheidung in Disziplinarverfahren und Beschwerdeverfahren errichten.

(5) Für Strafverfahren auf den folgenden Gebieten kann ein Bundesgesetz mit Zustimmung des Bundesrates vorsehen, dass Gerichte der Länder Gerichtsbarkeit des Bundes ausüben:

1. Völkermord;

2. völkerstrafrechtliche Verbrechen gegen die Menschlichkeit;

3. Kriegsverbrechen;

4. andere Handlungen, die geeignet sind und in der Absicht vorgenommen werden, das friedliche Zusammenleben der Völker zu stören (Artikel 26 Abs. 1);

5. Staatsschutz.

Artikel 97 [Unabhängigkeit der Richter]

(1) Die Richter sind unabhängig und nur dem Gesetze unterworfen.

(2) Die hauptamtlich und planmäßig endgültig angestellten Richter können wider ihren Willen nur kraft richterlicher Entscheidung und nur aus Gründen und unter den Formen, welche die Gesetze bestimmen, vor Ablauf ihrer Amtszeit entlassen oder dauernd oder zeitweise ihres Amtes enthoben oder an eine andere Stelle oder in den Ruhestand versetzt werden. Die Gesetzgebung kann Altersgrenzen festsetzen, bei deren Erreichung auf Lebenszeit angestellte Richter in den Ruhestand treten. Bei Veränderung der Einrichtung der Gerichte oder ihrer Bezirke können Richter an ein anderes Gericht versetzt oder aus dem Amte entfernt werden,

jedoch nur unter Belassung des vollen Gehaltes.

Artikel 98 [Rechtsstellung der Richter]

(1) Die Rechtsstellung der Bundesrichter ist durch besonderes Bundesgesetz zu regeln.

(2) Wenn ein Bundesrichter im Amte oder außerhalb des Amtes gegen die Grundsätze des Grundgesetzes oder gegen die verfassungsmäßige Ordnung eines Landes verstößt, so kann das Bundesverfassungsgericht mit Zweidrittelmehrheit auf Antrag des Bundestages anordnen, daß der Richter in ein anderes Amt oder in den Ruhestand zu versetzen ist. Im Falle eines vorsätzlichen Verstoßes kann auf Entlassung erkannt werden.

(3) Die Rechtsstellung der Richter in den Ländern ist durch besondere Landesgesetze zu regeln, soweit Artikel 74 Abs. 1 Nr. 27 nichts anderes bestimmt.

(4) Die Länder können bestimmen, daß über die Anstellung der Richter in den Ländern der Landesjustizminister gemeinsam mit einem Richterwahlausschuß entscheidet.

(5) Die Länder können für Landesrichter eine Absatz 2 entsprechende Regelung treffen. Geltendes Landesverfassungsrecht bleibt unberührt. Die Entscheidung über eine Richteranklage steht dem Bundesverfassungsgericht zu.

Artikel 99 [Verfassungsstreit innerhalb eines Landes]

Dem Bundesverfassungsgerichte kann durch Landesgesetz die Entscheidung von Verfassungsstreitigkeiten innerhalb eines Landes, den in Artikel 95 Abs. 1 genannten obersten Gerichtshöfen für den letzten Rechtszug die Entscheidung in solchen Sachen zugewiesen werden, bei denen es sich um die Anwendung von Landesrecht handelt.

Artikel 100 [Verfassungswidrigkeit von Gesetzen]

(1) Hält ein Gericht ein Gesetz, auf dessen Gültigkeit es bei der Entscheidung ankommt, für verfassungswidrig, so ist das Verfahren auszusetzen und, wenn es sich um die Ver-

letzung der Verfassung eines Landes handelt, die Entscheidung des für Verfassungsstreitigkeiten zuständigen Gerichtes des Landes, wenn es sich um die Verletzung dieses Grundgesetzes handelt, die Entscheidung des Bundesverfassungsgerichtes einzuholen. Dies gilt auch, wenn es sich um die Verletzung dieses Grundgesetzes durch Landesrecht oder um die Unvereinbarkeit eines Landesgesetzes mit einem Bundesgesetze handelt.

(2) Ist in einem Rechtsstreite zweifelhaft, ob eine Regel des Völkerrechtes Bestandteil des Bundesrechtes ist und ob sie unmittelbar Rechte und Pflichten für den Einzelnen erzeugt (Artikel 25), so hat das Gericht die Entscheidung des Bundesverfassungsgerichtes einzuholen.

(3) Will das Verfassungsgericht eines Landes bei der Auslegung des Grundgesetzes von einer Entscheidung des Bundesverfassungsgerichtes oder des Verfassungsgerichtes eines anderen Landes abweichen, so hat das Verfassungsgericht die Entscheidung des Bundesverfassungsgerichtes einzuholen.

Artikel 101 [Ausnahmegerichte]

(1) Ausnahmegerichte sind unzulässig. Niemand darf seinem gesetzlichen Richter entzogen werden.

(2) Gerichte für besondere Sachgebiete können nur durch Gesetz errichtet werden.

Artikel 102 [Abschaffung der Todesstrafe]

Die Todesstrafe ist abgeschafft.

Artikel 103 [Grundrechte vor Gericht]

(1) Vor Gericht hat jedermann Anspruch auf rechtliches Gehör.

(2) Eine Tat kann nur bestraft werden, wenn die Strafbarkeit gesetzlich bestimmt war, bevor die Tat begangen wurde.

(3) Niemand darf wegen derselben Tat auf Grund der allgemeinen Strafgesetze mehrmals bestraft werden.

Artikel 104 [Rechtsgarantien bei Freiheitsentziehung]

(1) Die Freiheit der Person kann nur auf Grund eines förmlichen Gesetzes und nur unter Beachtung der darin vorgeschriebenen Formen beschränkt werden. Festgehaltene Personen dürfen weder seelisch noch körperlich mißhandelt werden.

(2) Über die Zulässigkeit und Fortdauer einer Freiheitsentziehung hat nur der Richter zu entscheiden. Bei jeder nicht auf richterlicher Anordnung beruhenden Freiheitsentziehung ist unverzüglich eine richterliche Entscheidung herbeizuführen. Die Polizei darf aus eigener Machtvollkommenheit niemanden länger als bis zum Ende des Tages nach dem Ergreifen in eigenem Gewahrsam halten. Das Nähere ist gesetzlich zu regeln.

(3) Jeder wegen des Verdachtes einer strafbaren Handlung vorläufig Festgenommene ist spätestens am Tage nach der Festnahme dem Richter vorzuführen, der ihm die Gründe der Festnahme mitzuteilen, ihn zu vernehmen und ihm Gelegenheit zu Einwendungen zu geben hat. Der Richter hat unverzüglich entweder einen mit Gründen versehenen schriftlichen Haftbefehl zu erlassen oder die Freilassung anzuordnen.

(4) Von jeder richterlichen Entscheidung über die Anordnung oder Fortdauer einer Freiheitsentziehung ist unverzüglich ein Angehöriger des Festgehaltenen oder eine Person seines Vertrauens zu benachrichtigen.

X.
DAS FINANZWESEN

Artikel 104a [Ausgabenverteilung; Lastenverteilung]

(1) Der Bund und die Länder tragen gesondert die Ausgaben, die sich aus der Wahrnehmung ihrer Aufgaben ergeben, soweit dieses Grundgesetz nichts anderes bestimmt.

(2) Handeln die Länder im Auftrage des Bundes, trägt der Bund die sich daraus ergebenden Ausgaben.

(3) Bundesgesetze, die Geldleistungen gewähren und von den Ländern ausgeführt werden, können bestimmen, daß die Geldleistungen ganz oder zum Teil vom Bund getragen werden. Bestimmt das Gesetz, daß der Bund die Hälfte der Ausgaben oder mehr

trägt, wird es im Auftrage des Bundes durchgeführt. Bei der Gewährung von Leistungen für Unterkunft und Heizung auf dem Gebiet der Grundsicherung für Arbeitsuchende wird das Gesetz im Auftrage des Bundes ausgeführt, wenn der Bund drei Viertel der Ausgaben oder mehr trägt.

(4) Bundesgesetze, die Pflichten der Länder zur Erbringung von Geldleistungen, geldwerten Sachleistungen oder vergleichbaren Dienstleistungen gegenüber Dritten begründen und von den Ländern als eigene Angelegenheit oder nach Absatz 3 Satz 2 im Auftrag des Bundes ausgeführt werden, bedürfen der Zustimmung des Bundesrates, wenn daraus entstehende Ausgaben von den Ländern zu tragen sind.

(5) Der Bund und die Länder tragen die bei ihren Behörden entstehenden Verwaltungsausgaben und haften im Verhältnis zueinander für eine ordnungsmäßige Verwaltung. Das Nähere bestimmt ein Bundesgesetz, das der Zustimmung des Bundesrates bedarf.

(6) Bund und Länder tragen nach der innerstaatlichen Zuständigkeits- und Aufgabenverteilung die Lasten einer Verletzung von supranationalen oder völkerrechtlichen Verpflichtungen Deutschlands. In Fällen länderübergreifender Finanzkorrekturen der Europäischen Union tragen Bund und Länder diese Lasten im Verhältnis 15 zu 85. Die Ländergesamtheit trägt in diesen Fällen solidarisch 35 vom Hundert der Gesamtlasten entsprechend einem allgemeinen Schlüssel; 50 vom Hundert der Gesamtlasten tragen die Länder, die die Lasten verursacht haben, anteilig entsprechend der Höhe der erhaltenen Mittel. Das Nähere regelt ein Bundesgesetz, das der Zustimmung des Bundesrates bedarf.

Artikel 104b [Finanzhilfen für bedeutsame Investitionen der Länder]

(1) Der Bund kann, soweit dieses Grundgesetz ihm Gesetzgebungsbefugnisse verleiht, den Ländern Finanzhilfen für besonders bedeutsame Investitionen der Länder und der Gemeinden (Gemeindeverbände) gewähren, die

1. zur Abwehr einer Störung des gesamtwirtschaftlichen Gleichgewichts oder
2. zum Ausgleich unterschiedlicher Wirtschaftskraft im Bundesgebiet oder
3. zur Förderung des wirtschaftlichen Wachstums

erforderlich sind. Abweichend von Satz 1 kann der Bund im Falle von Naturkatastrophen oder außergewöhnlichen Notsituationen, die sich der Kontrolle des Staates entziehen und die staatliche Finanzlage erheblich beeinträchtigen, auch ohne Gesetzgebungsbefugnisse Finanzhilfen gewähren.

(2) Das Nähere, insbesondere die Arten der zu fördernden Investitionen, wird durch Bundesgesetz, das der Zustimmung des Bundesrates bedarf, oder auf Grund des Bundeshaushaltsgesetzes durch Verwaltungsvereinbarung geregelt. Das Bundesgesetz oder die Verwaltungsvereinbarung kann Bestimmungen über die Ausgestaltung der jeweiligen Länderprogramme zur Verwendung der Finanzhilfen vorsehen. Die Festlegung der Kriterien für die Ausgestaltung der Länderprogramme erfolgt im Einvernehmen mit den betroffenen Ländern. Zur Gewährleistung der zweckentsprechenden Mittelverwendung kann die Bundesregierung Bericht und Vorlage der Akten verlangen und Erhebungen bei allen Behörden durchführen. Die Mittel des Bundes werden zusätzlich zu eigenen Mitteln der Länder bereitgestellt. Sie sind befristet zu gewähren und hinsichtlich ihrer Verwendung in regelmäßigen Zeitabständen zu überprüfen. Die Finanzhilfen sind im Zeitablauf mit fallenden Jahresbeträgen zu gestalten.

(3) Bundestag, Bundesregierung und Bundesrat sind auf Verlangen über die Durchführung der Maßnahmen und die erzielten Verbesserungen zu unterrichten.

Artikel 104c [Finanzhilfen für bedeutsame Investitionen der Länder im Bereich der kommunalen Bildungsinfrastruktur]

Der Bund kann den Ländern Finanzhilfen für gesamtstaatlich bedeutsame Investitionen sowie besondere, mit diesen unmittelbar verbundene, befristete Ausgaben der Länder und Gemeinden (Gemeindeverbände) zur

Steigerung der Leistungsfähigkeit der kommunalen Bildungsinfrastruktur gewähren. Artikel 104b Absatz 2 Satz 1 bis 3, 5, 6 und Absatz 3 gilt entsprechend. Zur Gewährleistung der zweckentsprechenden Mittelverwendung kann die Bundesregierung Berichte und anlassbezogen die Vorlage von Akten verlangen.

Artikel 104d [Finanzhilfen für bedeutsame Investitionen der Länder im Bereich des sozialen Wohnungsbaus]

Der Bund kann den Ländern Finanzhilfen für gesamtstaatlich bedeutsame Investitionen der Länder und Gemeinden (Gemeindeverbände) im Bereich des sozialen Wohnungsbaus gewähren. Artikel 104b Absatz 2 Satz 1 bis 5 sowie Absatz 3 gilt entsprechend.

Artikel 105 [Gesetzgebungsrecht]

(1) Der Bund hat die ausschließliche Gesetzgebung über die Zölle und Finanzmonopole.

(2) Der Bund hat die konkurrierende Gesetzgebung über die Grundsteuer. Er hat die konkurrierende Gesetzgebung über die übrigen Steuern, wenn ihm das Aufkommen dieser Steuern ganz oder zum Teil zusteht oder die Voraussetzungen des Artikels 72 Abs. 2 vorliegen.

(2a) Die Länder haben die Befugnis zur Gesetzgebung über die örtlichen Verbrauch- und Aufwandsteuern, solange und soweit sie nicht bundesgesetzlich geregelten Steuern gleichartig sind. Sie haben die Befugnis zur Bestimmung des Steuersatzes bei der Grunderwerbsteuer.

(3) Bundesgesetze über Steuern, deren Aufkommen den Ländern oder den Gemeinden (Gemeindeverbänden) ganz oder zum Teil zufließt, bedürfen der Zustimmung des Bundesrates.

Artikel 106 [Verteilung des Steueraufkommens und des Ertrages der Finanzmonopole]

(1) Der Ertrag der Finanzmonopole und das Aufkommen der folgenden Steuern stehen dem Bund zu:

1. die Zölle,
2. die Verbrauchsteuern, soweit sie nicht nach Absatz 2 den Ländern, nach Absatz 3 Bund und Ländern gemeinsam oder nach Absatz 6 den Gemeinden zustehen,
3. die Straßengüterverkehrsteuer, die Kraftfahrzeugsteuer und sonstige auf motorisierte Verkehrsmittel bezogene Verkehrsteuern,
4. die Kapitalverkehrsteuern, die Versicherungsteuer und die Wechselsteuer,
5. die einmaligen Vermögensabgaben und die zur Durchführung des Lastenausgleichs erhobenen Ausgleichsabgaben,
6. die Ergänzungsabgabe zur Einkommensteuer und zur Körperschaftsteuer,
7. Abgaben im Rahmen der Europäischen Gemeinschaften.

(2) Das Aufkommen der folgenden Steuern steht den Ländern zu:

1. die Vermögensteuer,
2. die Erbschaftsteuer,
3. die Verkehrsteuern, soweit sie nicht nach Absatz 1 dem Bund oder nach Absatz 3 Bund und Ländern gemeinsam zustehen,
4. die Biersteuer,
5. die Abgabe von Spielbanken.

(3) Das Aufkommen der Einkommensteuer, der Körperschaftsteuer und der Umsatzsteuer steht dem Bund und den Ländern gemeinsam zu (Gemeinschaftsteuern), soweit das Aufkommen der Einkommensteuer nicht nach Absatz 5 und das Aufkommen der Umsatzsteuer nicht nach Absatz 5a den Gemeinden zugewiesen wird. Am Aufkommen der Einkommensteuer und der Körperschaftsteuer sind der Bund und die Länder je zur Hälfte beteiligt. Die Anteile von Bund und Ländern an der Umsatzsteuer werden durch Bundesgesetz, das der Zustimmung des Bundesrates bedarf, festgesetzt. Bei der Festsetzung ist von folgenden Grundsätzen auszugehen:

1. Im Rahmen der laufenden Einnahmen haben der Bund und die Länder gleichmäßig Anspruch auf Deckung ihrer notwendigen Ausgaben. Dabei ist der Umfang der Ausgaben unter Berücksichtigung einer mehrjährigen Finanzplanung zu ermitteln.
2. Die Deckungsbedürfnisse des Bundes und der Länder sind so aufeinander abzu-

stimmen, daß ein billiger Ausgleich erzielt, eine Überbelastung der Steuerpflichtigen vermieden und die Einheitlichkeit der Lebensverhältnisse im Bundesgebiet gewahrt wird.

Zusätzlich werden in die Festsetzung der Anteile von Bund und Ländern an der Umsatzsteuer Steuermindereinnahmen einbezogen, die den Ländern ab 1. Januar 1996 aus der Berücksichtigung von Kindern im Einkommensteuerrecht entstehen. Das Nähere bestimmt das Bundesgesetz nach Satz 3.

(4) Die Anteile von Bund und Ländern an der Umsatzsteuer sind neu festzusetzen, wenn sich das Verhältnis zwischen den Einnahmen und Ausgaben des Bundes und der Länder wesentlich anders entwickelt; Steuermindereinnahmen, die nach Absatz 3 Satz 5 in die Festsetzung der Umsatzsteueranteile zusätzlich einbezogen werden, bleiben hierbei unberücksichtigt. Werden den Ländern durch Bundesgesetz zusätzliche Ausgaben auferlegt oder Einnahmen entzogen, so kann die Mehrbelastung durch Bundesgesetz, das der Zustimmung des Bundesrates bedarf, auch mit Finanzzuweisungen des Bundes ausgeglichen werden, wenn sie auf einen kurzen Zeitraum begrenzt ist. In dem Gesetz sind die Grundsätze für die Bemessung dieser Finanzzuweisungen und für ihre Verteilung auf die Länder zu bestimmen.

(5) Die Gemeinden erhalten einen Anteil an dem Aufkommen der Einkommensteuer, der von den Ländern an ihre Gemeinden auf der Grundlage der Einkommensteuerleistungen ihrer Einwohner weiterzuleiten ist. Das Nähere bestimmt ein Bundesgesetz, das der Zustimmung des Bundesrates bedarf. Es kann bestimmen, daß die Gemeinden Hebesätze für den Gemeindeanteil festsetzen.

(5a) Die Gemeinden erhalten ab dem 1. Januar 1998 einen Anteil an dem Aufkommen der Umsatzsteuer. Er wird von den Ländern auf der Grundlage eines orts- und wirtschaftsbezogenen Schlüssels an ihre Gemeinden weitergeleitet. Das Nähere wird durch Bundesgesetz, das der Zustimmung des Bundesrates bedarf, bestimmt.

(6) Das Aufkommen der Grundsteuer und Gewerbesteuer steht den Gemeinden, das Aufkommen der örtlichen Verbrauch- und Aufwandsteuern steht den Gemeinden oder nach Maßgabe der Landesgesetzgebung den Gemeindeverbänden zu. Den Gemeinden ist das Recht einzuräumen, die Hebesätze der Grundsteuer und Gewerbesteuer im Rahmen der Gesetze festzusetzen. Bestehen in einem Land keine Gemeinden, so steht das Aufkommen der Grundsteuer und Gewerbesteuer sowie der örtlichen Verbrauch- und Aufwandsteuern dem Land zu. Bund und Länder können durch eine Umlage an dem Aufkommen der Gewerbesteuer beteiligt werden. Das Nähere über die Umlage bestimmt ein Bundesgesetz, das der Zustimmung des Bundesrates bedarf. Nach Maßgabe der Landesgesetzgebung können die Grundsteuer und Gewerbesteuer sowie der Gemeindeanteil vom Aufkommen der Einkommensteuer und der Umsatzsteuer als Bemessungsgrundlagen für Umlagen zugrunde gelegt werden.

(7) Von dem Länderanteil am Gesamtaufkommen der Gemeinschaftssteuern fließt den Gemeinden und Gemeindeverbänden insgesamt ein von der Landesgesetzgebung zu bestimmender Hundertsatz zu. Im übrigen bestimmt die Landesgesetzgebung, ob und inwieweit das Aufkommen der Landessteuern den Gemeinden (Gemeindeverbänden) zufließt.

(8) Veranlaßt der Bund in einzelnen Ländern oder Gemeinden (Gemeindeverbänden) besondere Einrichtungen, die diesen Ländern oder Gemeinden (Gemeindeverbänden) unmittelbar Mehrausgaben oder Mindereinnahmen (Sonderbelastungen) verursachen, gewährt der Bund den erforderlichen Ausgleich, wenn und soweit den Ländern oder Gemeinden (Gemeindeverbänden) nicht zugemutet werden kann, die Sonderbelastungen zu tragen. Entschädigungsleistungen Dritter und finanzielle Vorteile, die diesen Ländern oder Gemeinden (Gemeindeverbänden) als Folge der Einrichtungen erwachsen, werden bei dem Ausgleich berücksichtigt.

(9) Als Einnahmen und Ausgaben der Länder im Sinne dieses Artikels gelten auch

die Einnahmen und Ausgaben der Gemeinden (Gemeindeverbände).

Artikel 106a [Bundeszuschuss für öffentlichen Personennahverkehr]

Den Ländern steht ab 1. Januar 1996 für den öffentlichen Personennahverkehr ein Betrag aus dem Steueraufkommen des Bundes zu. Das Nähere regelt ein Bundesgesetz, das der Zustimmung des Bundesrates bedarf. Der Betrag nach Satz 1 bleibt bei der Bemessung der Finanzkraft nach Artikel 107 Abs. 2 unberücksichtigt.

Artikel 106b [Länderanteil an der Kraftfahrzeugsteuer]

Den Ländern steht ab dem 1. Juli 2009 infolge der Übertragung der Kraftfahrzeugsteuer auf den Bund ein Betrag aus dem Steueraufkommen des Bundes zu. Das Nähere regelt ein Bundesgesetz, das der Zustimmung des Bundesrates bedarf.

Artikel 107 [Finanzausgleich; Ergänzungszuweisungen]

(1) Das Aufkommen der Landessteuern und der Länderanteil am Aufkommen der Einkommensteuer und der Körperschaftsteuer stehen den einzelnen Ländern insoweit zu, als die Steuern von den Finanzbehörden in ihrem Gebiet vereinnahmt werden (örtliches Aufkommen). Durch Bundesgesetz, das der Zustimmung des Bundesrates bedarf, sind für die Körperschaftsteuer und die Lohnsteuer nähere Bestimmungen über die Abgrenzung sowie über Art und Umfang der Zerlegung des örtlichen Aufkommens zu treffen. Das Gesetz kann auch Bestimmungen über die Abgrenzung und Zerlegung des örtlichen Aufkommens anderer Steuern treffen. Der Länderanteil am Aufkommen der Umsatzsteuer steht den einzelnen Ländern, vorbehaltlich der Regelungen nach Absatz 2, nach Maßgabe ihrer Einwohnerzahl zu.

(2) Durch Bundesgesetz, das der Zustimmung des Bundesrates bedarf, ist sicherzustellen, dass die unterschiedliche Finanzkraft der Länder angemessen ausgeglichen wird; hierbei sind die Finanzkraft und der Finanzbedarf der Gemeinden (Gemeindeverbände) zu berücksichtigen. Zu diesem Zweck sind in dem Gesetz Zuschläge zu und Abschläge von der jeweiligen Finanzkraft bei der Verteilung der Länderanteile am Aufkommen der Umsatzsteuer zu regeln. Die Voraussetzungen für die Gewährung von Zuschlägen und für die Erhebung von Abschlägen sowie die Maßstäbe für die Höhe dieser Zuschläge und Abschläge sind in dem Gesetz zu bestimmen. Für Zwecke der Bemessung der Finanzkraft kann die bergrechtliche Förderabgabe mit nur einem Teil ihres Aufkommens berücksichtigt werden. Das Gesetz kann auch bestimmen, dass der Bund aus seinen Mitteln leistungsschwachen Ländern Zuweisungen zur ergänzenden Deckung ihres allgemeinen Finanzbedarfs (Ergänzungszuweisungen) gewährt. Zuweisungen können unabhängig von den Maßstäben nach den Sätzen 1 bis 3 auch solchen leistungsschwachen Ländern gewährt werden, deren Gemeinden (Gemeindeverbände) eine besonders geringe Steuerkraft aufweisen (Gemeindesteuerkraftzuweisungen), sowie außerdem solchen leistungsschwachen Ländern, deren Anteile an den Fördermitteln nach Artikel 91b ihre Einwohneranteile unterschreiten.

Artikel 108 [Finanzverwaltung]

(1) Zölle, Finanzmonopole, die bundesgesetzlich geregelten Verbrauchsteuern einschließlich der Einfuhrumsatzsteuer, die Kraftfahrzeugsteuer und sonstige auf motorisierte Verkehrsmittel bezogene Verkehrsteuern ab dem 1. Juli 2009 sowie die Abgaben im Rahmen der Europäischen Gemeinschaften werden durch Bundesfinanzbehörden verwaltet. Der Aufbau dieser Behörden wird durch Bundesgesetz geregelt. Soweit Mittelbehörden eingerichtet sind, werden deren Leiter im Benehmen mit den Landesregierungen bestellt.

(2) Die übrigen Steuern werden durch Landesfinanzbehörden verwaltet. Der Aufbau dieser Behörden und die einheitliche Ausbildung der Beamten können durch Bundesgesetz mit Zustimmung des Bundesrates

geregelt werden. Soweit Mittelbehörden eingerichtet sind, werden deren Leiter im Einvernehmen mit der Bundesregierung bestellt.

(3) Verwalten die Landesfinanzbehörden Steuern, die ganz oder zum Teil dem Bund zufließen, so werden sie im Auftrage des Bundes tätig. Artikel 85 Abs. 3 und 4 gilt mit der Maßgabe, daß an die Stelle der Bundesregierung der Bundesminister der Finanzen tritt.

(4) Durch Bundesgesetz, das der Zustimmung des Bundesrates bedarf, kann bei der Verwaltung von Steuern ein Zusammenwirken von Bundes- und Landesfinanzbehörden sowie für Steuern, die unter Absatz 1 fallen, die Verwaltung durch Landesfinanzbehörden und für andere Steuern die Verwaltung durch Bundesfinanzbehörden vorgesehen werden, wenn und soweit dadurch der Vollzug der Steuergesetze erheblich verbessert oder erleichtert wird. Für die den Gemeinden (Gemeindeverbänden) allein zufließenden Steuern kann die den Landesfinanzbehörden zustehende Verwaltung durch die Länder ganz oder zum Teil den Gemeinden (Gemeindeverbänden) übertragen werden. Das Bundesgesetz nach Satz 1 kann für ein Zusammenwirken von Bund und Ländern bestimmen, dass bei Zustimmung einer im Gesetz genannten Mehrheit Regelungen für den Vollzug von Steuergesetzen für alle Länder verbindlich werden.

(4a) Durch Bundesgesetz, das der Zustimmung des Bundesrates bedarf, können bei der Verwaltung von Steuern, die unter Absatz 2 fallen, ein Zusammenwirken von Landesfinanzbehörden und eine länderübergreifende Übertragung von Zuständigkeiten auf Landesfinanzbehörden eines oder mehrerer Länder im Einvernehmen mit den betroffenen Ländern vorgesehen werden, wenn und soweit dadurch der Vollzug der Steuergesetze erheblich verbessert oder erleichtert wird. Die Kostentragung kann durch Bundesgesetz geregelt werden.

(5) Das von den Bundesfinanzbehörden anzuwendende Verfahren wird durch Bundesgesetz geregelt. Das von den Landesfinanzbehörden und in den Fällen des Absatzes 4 Satz 2 von den Gemeinden (Gemeindeverbänden) anzuwendende Verfahren kann durch Bundesgesetz mit Zustimmung des Bundesrates geregelt werden.

(6) Die Finanzgerichtsbarkeit wird durch Bundesgesetz einheitlich geregelt.

(7) Die Bundesregierung kann allgemeine Verwaltungsvorschriften erlassen, und zwar mit Zustimmung des Bundesrates, soweit die Verwaltung den Landesfinanzbehörden oder Gemeinden (Gemeindeverbänden) obliegt.

Artikel 109 [Haushaltswirtschaft in Bund und Ländern]

(1) Bund und Länder sind in ihrer Haushaltswirtschaft selbständig und voneinander unabhängig.

(2) Bund und Länder erfüllen gemeinsam die Verpflichtungen der Bundesrepublik Deutschland aus Rechtsakten der Europäischen Gemeinschaft auf Grund des Artikels 104 des Vertrags zur Gründung der Europäischen Gemeinschaft zur Einhaltung der Haushaltsdisziplin und tragen in diesem Rahmen den Erfordernissen des gesamtwirtschaftlichen Gleichgewichts Rechnung.

(3) Die Haushalte von Bund und Ländern sind grundsätzlich ohne Einnahmen aus Krediten auszugleichen. Bund und Länder können Regelungen zur im Auf- und Abschwung symmetrischen Berücksichtigung der Auswirkungen einer von der Normallage abweichenden konjunkturellen Entwicklung sowie eine Ausnahmeregelung für Naturkatastrophen oder außergewöhnliche Notsituationen, die sich der Kontrolle des Staates entziehen und die staatliche Finanzlage erheblich beeinträchtigen, vorsehen. Für die Ausnahmeregelung ist eine entsprechende Tilgungsregelung vorzusehen. Die nähere Ausgestaltung regelt für den Haushalt des Bundes Artikel 115 mit der Maßgabe, dass Satz 1 entsprochen ist, wenn die Einnahmen aus Krediten 0,35 vom Hundert im Verhältnis zum nominalen Bruttoinlandsprodukt nicht überschreiten. Die nähere Ausgestaltung für die Haushalte der Länder regeln diese im Rahmen ihrer verfassungsrechtlichen Kompetenzen mit der Maßgabe, dass

Satz 1 nur dann entsprochen ist, wenn keine Einnahmen aus Krediten zugelassen werden.

(4) Durch Bundesgesetz, das der Zustimmung des Bundesrates bedarf, können für Bund und Länder gemeinsam geltende Grundsätze für das Haushaltsrecht, für eine konjunkturgerechte Haushaltswirtschaft und für eine mehrjährige Finanzplanung aufgestellt werden.

(5) Sanktionsmaßnahmen der Europäischen Gemeinschaft im Zusammenhang mit den Bestimmungen in Artikel 104 des Vertrags zur Gründung der Europäischen Gemeinschaft zur Einhaltung der Haushaltsdisziplin tragen Bund und Länder im Verhältnis 65 zu 35. Die Ländergesamtheit trägt solidarisch 35 vom Hundert der auf die Länder entfallenden Lasten entsprechend ihrer Einwohnerzahl; 65 vom Hundert der auf die Länder entfallenden Lasten tragen die Länder entsprechend ihrem Verursachungsbeitrag. Das Nähere regelt ein Bundesgesetz, das der Zustimmung des Bundesrates bedarf.

Artikel 109a [Haushaltsnotlagen]

(1) Zur Vermeidung von Haushaltsnotlagen regelt ein Bundesgesetz, das der Zustimmung des Bundesrates bedarf,

1. die fortlaufende Überwachung der Haushaltswirtschaft von Bund und Ländern durch ein gemeinsames Gremium (Stabilitätsrat),

2. die Voraussetzungen und das Verfahren zur Feststellung einer drohenden Haushaltsnotlage,

3. die Grundsätze zur Aufstellung und Durchführung von Sanierungsprogrammen zur Vermeidung von Haushaltsnotlagen.

(2) Dem Stabilitätsrat obliegt ab dem Jahr 2020 die Überwachung der Einhaltung der Vorgaben des Artikels 109 Absatz 3 durch Bund und Länder. Die Überwachung orientiert sich an den Vorgaben und Verfahren aus Rechtsakten auf Grund des Vertrages über die Arbeitsweise der Europäischen Union zur Einhaltung der Haushaltsdisziplin.

(3) Die Beschlüsse des Stabilitätsrats und die zugrunde liegenden Beratungsunterlagen sind zu veröffentlichen.

Artikel 110 [Haushaltsplan des Bundes]

(1) Alle Einnahmen und Ausgaben des Bundes sind in den Haushaltsplan einzustellen; bei Bundesbetrieben und bei Sondervermögen brauchen nur die Zuführungen oder die Ablieferungen eingestellt zu werden. Der Haushaltsplan ist in Einnahme und Ausgabe auszugleichen.

(2) Der Haushaltsplan wird für ein oder mehrere Rechnungsjahre, nach Jahren getrennt, vor Beginn des ersten Rechnungsjahres durch das Haushaltsgesetz festgestellt. Für Teile des Haushaltsplanes kann vorgesehen werden, daß sie für unterschiedliche Zeiträume, nach Rechnungsjahren getrennt, gelten.

(3) Die Gesetzesvorlage nach Absatz 2 Satz 1 sowie Vorlagen zur Änderung des Haushaltsgesetzes und des Haushaltsplanes werden gleichzeitig mit der Zuleitung an den Bundesrat beim Bundestage eingebracht; der Bundesrat ist berechtigt, innerhalb von sechs Wochen, bei Änderungsvorlagen innerhalb von drei Wochen, zu den Vorlagen Stellung zu nehmen.

(4) In das Haushaltsgesetz dürfen nur Vorschriften aufgenommen werden, die sich auf die Einnahmen und die Ausgaben des Bundes und auf den Zeitraum beziehen, für den das Haushaltsgesetz beschlossen wird. Das Haushaltsgesetz kann vorschreiben, daß die Vorschriften erst mit der Verkündung des nächsten Haushaltsgesetzes oder bei Ermächtigung nach Artikel 115 zu einem späteren Zeitpunkt außer Kraft treten.

Artikel 111 [Ausgaben vor Etatgenehmigung]

(1) Ist bis zum Schluß eines Rechnungsjahres der Haushaltsplan für das folgende Jahr nicht durch Gesetz festgestellt, so ist bis zu seinem Inkrafttreten die Bundesregierung ermächtigt, alle Ausgaben zu leisten, die nötig sind,

a) um gesetzlich bestehende Einrichtungen zu erhalten und gesetzlich beschlossene Maßnahmen durchzuführen,

b) um die rechtlich begründeten Verpflichtungen des Bundes zu erfüllen,

c) um Bauten, Beschaffungen und sonstige Leistungen fortzusetzen oder Beihilfen für diese Zwecke weiter zu gewähren, sofern durch den Haushaltsplan eines Vorjahres bereits Beträge bewilligt worden sind.

(2) Soweit nicht auf besonderem Gesetze beruhende Einnahmen aus Steuern, Abgaben und sonstigen Quellen oder die Betriebsmittelrücklage die Ausgaben unter Absatz 1 decken, darf die Bundesregierung die zur Aufrechterhaltung der Wirtschaftsführung erforderlichen Mittel bis zur Höhe eines Viertels der Endsumme des abgelaufenen Haushaltsplanes im Wege des Kredits flüssig machen.

Artikel 112 [Überplanmäßige und außerplanmäßige Ausgaben]

Überplanmäßige und außerplanmäßige Ausgaben bedürfen der Zustimmung des Bundesministers der Finanzen. Sie darf nur im Falle eines unvorhergesehenen und unabweisbaren Bedürfnisses erteilt werden. Näheres kann durch Bundesgesetz bestimmt werden.

Artikel 113 [Ausgabenerhöhungen; Einnahmeminderungen]

(1) Gesetze, welche die von der Bundesregierung vorgeschlagenen Ausgaben des Haushaltsplanes erhöhen oder neue Ausgaben in sich schließen oder für die Zukunft mit sich bringen, bedürfen der Zustimmung der Bundesregierung. Das gleiche gilt für Gesetze, die Einnahmeminderungen in sich schließen oder für die Zukunft mit sich bringen. Die Bundesregierung kann verlangen, daß der Bundestag die Beschlußfassung über solche Gesetze aussetzt. In diesem Fall hat die Bundesregierung innerhalb von sechs Wochen dem Bundestage eine Stellungnahme zuzuleiten.

(2) Die Bundesregierung kann innerhalb von vier Wochen, nachdem der Bundestag das Gesetz beschlossen hat, verlangen, daß der Bundestag erneut Beschluß faßt.

(3) Ist das Gesetz nach Artikel 78 zustande gekommen, kann die Bundesregierung ihre Zustimmung nur innerhalb von sechs Wochen und nur dann versagen, wenn sie vorher das Verfahren nach Absatz 1 Satz 3 und 4 oder nach Absatz 2 eingeleitet hat. Nach Ablauf dieser Frist gilt die Zustimmung als erteilt.

Artikel 114 [Rechnungslegung; Bundesrechnungshof]

(1) Der Bundesminister der Finanzen hat dem Bundestage und dem Bundesrate über alle Einnahmen und Ausgaben sowie über das Vermögen und die Schulden im Laufe des nächsten Rechnungsjahres zur Entlastung der Bundesregierung Rechnung zu legen.

(2) Der Bundesrechnungshof, dessen Mitglieder richterliche Unabhängigkeit besitzen, prüft die Rechnung sowie die Wirtschaftlichkeit und Ordnungsmäßigkeit der Haushalts- und Wirtschaftsführung des Bundes. Zum Zweck der Prüfung nach Satz 1 kann der Bundesrechnungshof auch bei Stellen außerhalb der Bundesverwaltung Erhebungen vornehmen; dies gilt auch in den Fällen, in denen der Bund den Ländern zweckgebundene Finanzierungsmittel zur Erfüllung von Länderaufgaben zuweist. Er hat außer der Bundesregierung unmittelbar dem Bundestage und dem Bundesrate jährlich zu berichten. Im übrigen werden die Befugnisse des Bundesrechnungshofes durch Bundesgesetz geregelt.

Artikel 115 [Kreditbeschaffung]

(1) Die Aufnahme von Krediten sowie die Übernahme von Bürgschaften, Garantien oder sonstigen Gewährleistungen, die zu Ausgaben in künftigen Rechnungsjahren führen können, bedürfen einer der Höhe nach bestimmten oder bestimmbaren Ermächtigung durch Bundesgesetz.

(2) Einnahmen und Ausgaben sind grundsätzlich ohne Einnahmen aus Krediten auszugleichen. Diesem Grundsatz ist entsprochen, wenn die Einnahmen aus Krediten 0,35 vom Hundert im Verhältnis zum nominalen Bruttoinlandsprodukt nicht überschreiten. Zusätzlich sind bei einer von der Normallage abweichenden konjunkturellen Entwicklung

die Auswirkungen auf den Haushalt im Auf- und Abschwung symmetrisch zu berücksichtigen. Abweichungen der tatsächlichen Kreditaufnahme von der nach den Sätzen 1 bis 3 zulässigen Kreditobergrenze werden auf einem Kontrollkonto erfasst; Belastungen, die den Schwellenwert von 1,5 vom Hundert im Verhältnis zum nominalen Bruttoinlandsprodukt überschreiten, sind konjunkturgerecht zurückzuführen. Näheres, insbesondere die Bereinigung der Einnahmen und Ausgaben um finanzielle Transaktionen und das Verfahren zur Berechnung der Obergrenze der jährlichen Nettokreditaufnahme unter Berücksichtigung der konjunkturellen Entwicklung auf der Grundlage eines Konjunkturbereinigungsverfahrens sowie die Kontrolle und den Ausgleich von Abweichungen der tatsächlichen Kreditaufnahme von der Regelgrenze, regelt ein Bundesgesetz. Im Falle von Naturkatastrophen oder außergewöhnlichen Notsituationen, die sich der Kontrolle des Staates entziehen und die staatliche Finanzlage erheblich beeinträchtigen, können diese Kreditobergrenzen auf Grund eines Beschlusses der Mehrheit der Mitglieder des Bundestages überschritten werden. Der Beschluss ist mit einem Tilgungsplan zu verbinden. Die Rückführung der nach Satz 6 aufgenommenen Kredite hat binnen eines angemessenen Zeitraumes zu erfolgen.

Xa.
VERTEIDIGUNGSFALL

Artikel 115a [Feststellung des Verteidigungsfalles]

(1) Die Feststellung, daß das Bundesgebiet mit Waffengewalt angegriffen wird oder ein solcher Angriff unmittelbar droht (Verteidigungsfall), trifft der Bundestag mit Zustimmung des Bundesrates. Die Feststellung erfolgt auf Antrag der Bundesregierung und bedarf einer Mehrheit von zwei Dritteln der abgegebenen Stimmen, mindestens der Mehrheit der Mitglieder des Bundestages.

(2) Erfordert die Lage unabweisbar ein sofortiges Handeln und stehen einem rechtzeitigen Zusammentritt des Bundestages un- überwindliche Hindernisse entgegen oder ist er nicht beschlußfähig, so trifft der Gemeinsame Ausschuß diese Feststellung mit einer Mehrheit von zwei Dritteln der abgegebenen Stimmen, mindestens der Mehrheit seiner Mitglieder.

(3) Die Feststellung wird vom Bundespräsidenten gemäß Artikel 82 im Bundesgesetzblatte verkündet. Ist dies nicht rechtzeitig möglich, so erfolgt die Verkündung in anderer Weise; sie ist im Bundesgesetzblatte nachzuholen, sobald die Umstände es zulassen.

(4) Wird das Bundesgebiet mit Waffengewalt angegriffen und sind die zuständigen Bundesorgane außerstande, sofort die Feststellung nach Absatz 1 Satz 1 zu treffen, so gilt diese Feststellung als getroffen und als zu dem Zeitpunkt verkündet, in dem der Angriff begonnen hat. Der Bundespräsident gibt diesen Zeitpunkt bekannt, sobald die Umstände es zulassen.

(5) Ist die Feststellung des Verteidigungsfalles verkündet und wird das Bundesgebiet mit Waffengewalt angegriffen, so kann der Bundespräsident völkerrechtliche Erklärungen über das Bestehen des Verteidigungsfalles mit Zustimmung des Bundestages abgeben. Unter den Voraussetzungen des Absatzes 2 tritt an die Stelle des Bundestages der Gemeinsame Ausschuß.

Artikel 115b [Übergang der Befehls- und Kommandogewalt]

Mit der Verkündung des Verteidigungsfalles geht die Befehls- und Kommandogewalt über die Streitkräfte auf den Bundeskanzler über.

Artikel 115c [Erweiterte Bundesgesetzgebungskompetenz]

(1) Der Bund hat für den Verteidigungsfall das Recht der konkurrierenden Gesetzgebung auch auf den Sachgebieten, die zur Gesetzgebungszuständigkeit der Länder gehören. Diese Gesetze bedürfen der Zustimmung des Bundesrates.

(2) Soweit es die Verhältnisse während des Verteidigungsfalles erfordern, kann durch Bundesgesetz für den Verteidigungsfall

1. bei Enteignungen abweichend von Artikel 14 Abs. 3 Satz 2 die Entschädigung vorläufig geregelt werden,

2. für Freiheitsentziehungen eine von Artikel 104 Abs. 2 Satz 3 und Abs. 3 Satz 1 abweichende Frist, höchstens jedoch eine solche von vier Tagen, für den Fall festgesetzt werden, daß ein Richter nicht innerhalb der für Normalzeiten geltenden Frist tätig werden konnte.

(3) Soweit es zur Abwehr eines gegenwärtigen oder unmittelbar drohenden Angriffs erforderlich ist, kann für den Verteidigungsfall durch Bundesgesetz mit Zustimmung des Bundesrates die Verwaltung und das Finanzwesen des Bundes und der Länder abweichend von den Abschnitten VIII, VIIIa und X geregelt werden, wobei die Lebensfähigkeit der Länder, Gemeinden und Gemeindeverbände, insbesondere auch in finanzieller Hinsicht, zu wahren ist.

(4) Bundesgesetze nach den Absätzen 1 und 2 Nr. 1 dürfen zur Vorbereitung ihres Vollzuges schon vor Eintritt des Verteidigungsfalles angewandt werden.

Artikel 115d [Vereinfachtes Bundesgesetzgebungsverfahren]

(1) Für die Gesetzgebung des Bundes gilt im Verteidigungsfalle abweichend von Artikel 76 Abs. 2, Artikel 77 Abs. 1 Satz 2 und Abs. 2 bis 4, Artikel 78 und Artikel 82 Abs. 1 die Regelung der Absätze 2 und 3.

(2) Gesetzesvorlagen der Bundesregierung, die sie als dringlich bezeichnet, sind gleichzeitig mit der Einbringung beim Bundestage dem Bundesrate zuzuleiten. Bundestag und Bundesrat beraten diese Vorlagen unverzüglich gemeinsam. Soweit zu einem Gesetze die Zustimmung des Bundesrates erforderlich ist, bedarf es zum Zustandekommen des Gesetzes der Zustimmung der Mehrheit seiner Stimmen. Das Nähere regelt eine Geschäftsordnung, die vom Bundestage beschlossen wird und der Zustimmung des Bundesrates bedarf.

(3) Für die Verkündung der Gesetze gilt Artikel 115a Abs. 3 Satz 2 entsprechend.

Artikel 115e [Aufgaben des Gemeinsamen Ausschusses]

(1) Stellt der Gemeinsame Ausschuß im Verteidigungsfalle mit einer Mehrheit von zwei Dritteln der abgegebenen Stimmen, mindestens mit der Mehrheit seiner Mitglieder fest, daß dem rechtzeitigen Zusammentritt des Bundestages unüberwindliche Hindernisse entgegenstehen oder daß dieser nicht beschlußfähig ist, so hat der Gemeinsame Ausschuß die Stellung von Bundestag und Bundesrat und nimmt deren Rechte einheitlich wahr.

(2) Durch ein Gesetz des Gemeinsamen Ausschusses darf das Grundgesetz weder geändert noch ganz oder teilweise außer Kraft oder außer Anwendung gesetzt werden. Zum Erlaß von Gesetzen nach Artikel 23 Abs. 1 Satz 2, Artikel 24 Abs. 1 oder Artikel 29 ist der Gemeinsame Ausschuß nicht befugt.

Artikel 115f [Erweiterte Befugnisse der Bundesregierung]

(1) Die Bundesregierung kann im Verteidigungsfalle, soweit es die Verhältnisse erfordern,

1. den Bundesgrenzschutz im gesamten Bundesgebiete einsetzen;

2. außer der Bundesverwaltung auch den Landesregierungen und, wenn sie es für dringlich erachtet, den Landesbehörden Weisungen erteilen und diese Befugnis auf von ihr zu bestimmende Mitglieder der Landesregierungen übertragen.

(2) Bundestag, Bundesrat und der Gemeinsame Ausschuß sind unverzüglich von den nach Absatz 1 getroffenen Maßnahmen zu unterrichten.

Artikel 115g [Stellung des Bundesverfassungsgerichts]

Die verfassungsmäßige Stellung und die Erfüllung der verfassungsmäßigen Aufgaben des Bundesverfassungsgerichtes und seiner Richter dürfen nicht beeinträchtigt werden. Das Gesetz über das Bundesverfassungsgericht darf durch ein Gesetz des Gemeinsamen Ausschusses nur insoweit geändert werden, als dies auch nach Auffassung des

Bundesverfassungsgerichtes zur Aufrechterhaltung der Funktionsfähigkeit des Gerichtes erforderlich ist. Bis zum Erlaß eines solchen Gesetzes kann das Bundesverfassungsgericht die zur Erhaltung der Arbeitsfähigkeit des Gerichtes erforderlichen Maßnahmen treffen. Beschlüsse nach Satz 2 und Satz 3 faßt das Bundesverfassungsgericht mit der Mehrheit der anwesenden Richter.

Artikel 115h [Wahlperioden und Amtszeiten]

(1) Während des Verteidigungsfalles ablaufende Wahlperioden des Bundestages oder der Volksvertretungen der Länder enden sechs Monate nach Beendigung des Verteidigungsfalles. Die im Verteidigungsfalle ablaufende Amtszeit des Bundespräsidenten sowie bei vorzeitiger Erledigung seines Amtes die Wahrnehmung seiner Befugnisse durch den Präsidenten des Bundesrates enden neun Monate nach Beendigung des Verteidigungsfalles. Die im Verteidigungsfalle ablaufende Amtszeit eines Mitgliedes des Bundesverfassungsgerichtes endet sechs Monate nach Beendigung des Verteidigungsfalles.

(2) Wird eine Neuwahl des Bundeskanzlers durch den Gemeinsamen Ausschuß erforderlich, so wählt dieser einen neuen Bundeskanzler mit der Mehrheit seiner Mitglieder; der Bundespräsident macht dem Gemeinsamen Ausschuß einen Vorschlag. Der Gemeinsame Ausschuß kann dem Bundeskanzler das Mißtrauen nur dadurch aussprechen, daß er mit der Mehrheit von zwei Dritteln seiner Mitglieder einen Nachfolger wählt.

(3) Für die Dauer des Verteidigungsfalles ist die Auflösung des Bundestages ausgeschlossen.

Artikel 115i [Erweiterte Befugnisse der Landesregierungen]

(1) Sind die zuständigen Bundesorgane außerstande, die notwendigen Maßnahmen zur Abwehr der Gefahr zu treffen, und erfordert die Lage unabweisbar ein sofortiges selbständiges Handeln in einzelnen Teilen des Bundesgebietes, so sind die Landesregierungen oder die von ihnen bestimmten Behörden oder Beauftragten befugt, für ihren Zuständigkeitsbereich Maßnahmen im Sinne des Artikels 115f Abs. 1 zu treffen.

(2) Maßnahmen nach Absatz 1 können durch die Bundesregierung, im Verhältnis zu Landesbehörden und nachgeordneten Bundesbehörden auch durch die Ministerpräsidenten der Länder, jederzeit aufgehoben werden.

Artikel 115k [Geltung von Gesetzen und Rechtsverordnungen des Verteidigungsfalls]

(1) Für die Dauer ihrer Anwendbarkeit setzen Gesetze nach den Artikeln 115c, 115e und 115g und Rechtsverordnungen, die auf Grund solcher Gesetze ergehen, entgegenstehendes Recht außer Anwendung. Dies gilt nicht gegenüber früherem Recht, das auf Grund der Artikel 115c, 115e und 115g erlassen worden ist.

(2) Gesetze, die der Gemeinsame Ausschuß beschlossen hat, und Rechtsverordnungen, die auf Grund solcher Gesetze ergangen sind, treten spätestens sechs Monate nach Beendigung des Verteidigungsfalles außer Kraft.

(3) Gesetze, die von den Artikeln 91a, 91b, 104a, 106 und 107 abweichende Regelungen enthalten, gelten längstens bis zum Ende des zweiten Rechnungsjahres, das auf die Beendigung des Verteidigungsfalles folgt. Sie können nach Beendigung des Verteidigungsfalles durch Bundesgesetz mit Zustimmung des Bundesrates geändert werden, um zu der Regelung gemäß den Abschnitten VIIIa und X überzuleiten.

Artikel 115l [Aufhebung von Maßnahmen und Beendigung des Verteidigungsfalls]

(1) Der Bundestag kann jederzeit mit Zustimmung des Bundesrates Gesetze des Gemeinsamen Ausschusses aufheben. Der Bundesrat kann verlangen, daß der Bundestag hierüber beschließt. Sonstige zur Abwehr der Gefahr getroffene Maßnahmen des Ge-

meinsamen Ausschusses oder der Bundesregierung sind aufzuheben, wenn der Bundestag und der Bundesrat es beschließen.

(2) Der Bundestag kann mit Zustimmung des Bundesrates jederzeit durch einen vom Bundespräsidenten zu verkündenden Beschluß den Verteidigungsfall für beendet erklären. Der Bundesrat kann verlangen, daß der Bundestag hierüber beschließt. Der Verteidigungsfall ist unverzüglich für beendet zu erklären, wenn die Voraussetzungen für seine Feststellung nicht mehr gegeben sind.

(3) Über den Friedensschluß wird durch Bundesgesetz entschieden.

XI.
ÜBERGANGS- UND SCHLUSSBESTIMMUNGEN

Artikel 116 [Begriff des „Deutschen"; nationalsozialistische Ausbürgerung]

(1) Deutscher im Sinne dieses Grundgesetzes ist vorbehaltlich anderweitiger gesetzlicher Regelung, wer die deutsche Staatsangehörigkeit besitzt oder als Flüchtling oder Vertriebener deutscher Volkszugehörigkeit oder als dessen Ehegatte oder Abkömmling in dem Gebiete des Deutschen Reiches nach dem Stande vom 31. Dezember 1937 Aufnahme gefunden hat.

(2) Frühere deutsche Staatsangehörige, denen zwischen dem 30. Januar 1933 und dem 8. Mai 1945 die Staatsangehörigkeit aus politischen, rassischen oder religiösen Gründen entzogen worden ist, und ihre Abkömmlinge sind auf Antrag wieder einzubürgern. Sie gelten als nicht ausgebürgert, sofern sie nach dem 8. Mai 1945 ihren Wohnsitz in Deutschland genommen haben und nicht einen entgegengesetzten Willen zum Ausdruck gebracht haben.

Artikel 117 [Übergangsregelung zu Artikel 3 Abs. 2 und Artikel 11]

(1) Das dem Artikel 3 Abs. 2 entgegenstehende Recht bleibt bis zu seiner Anpassung an diese Bestimmung des Grundgesetzes in Kraft, jedoch nicht länger als bis zum 31. März 1953.

(2) Gesetze, die das Recht der Freizügigkeit mit Rücksicht auf die gegenwärtige Raumnot einschränken, bleiben bis zu ihrer Aufhebung durch Bundesgesetz in Kraft.

Artikel 118 [Neugliederung der badischen und württembergischen Länder]

Die Neugliederung in dem die Länder Baden, Württemberg-Baden und Württemberg-Hohenzollern umfassenden Gebiete kann abweichend von den Vorschriften des Artikels 29 durch Vereinbarung der beteiligten Länder erfolgen. Kommt eine Vereinbarung nicht zustande, so wird die Neugliederung durch Bundesgesetz geregelt, das eine Volksbefragung vorsehen muß.

Artikel 118a [Neugliederung Berlins und Brandenburgs]

Die Neugliederung in dem die Länder Berlin und Brandenburg umfassenden Gebiet kann abweichend von den Vorschriften des Artikels 29 unter Beteiligung ihrer Wahlberechtigten durch Vereinbarung beider Länder erfolgen.

Artikel 119 [Flüchtlinge und Vertriebene]

In Angelegenheiten der Flüchtlinge und Vertriebenen, insbesondere zu ihrer Verteilung auf die Länder, kann bis zu einer bundesgesetzlichen Regelung die Bundesregierung mit Zustimmung des Bundesrates Verordnungen mit Gesetzeskraft erlassen. Für besondere Fälle kann dabei die Bundesregierung ermächtigt werden, Einzelweisungen zu erteilen. Die Weisungen sind außer bei Gefahr im Verzuge an die obersten Landesbehörden zu richten.

Artikel 120 [Kriegsfolge- und Sozialversicherungslasten; Ertragshoheit]

(1) Der Bund trägt die Aufwendungen für Besatzungskosten und die sonstigen inneren und äußeren Kriegsfolgelasten nach näherer Bestimmung von Bundesgesetzen. Soweit diese Kriegsfolgelasten bis zum 1. Oktober 1969 durch Bundesgesetze geregelt worden sind, tragen Bund und Länder im Verhältnis

zueinander die Aufwendungen nach Maßgabe dieser Bundesgesetze. Soweit Aufwendungen für Kriegsfolgelasten, die in Bundesgesetzen weder geregelt worden sind noch geregelt werden, bis zum 1. Oktober 1965 von den Ländern, Gemeinden (Gemeindeverbänden) oder sonstigen Aufgabenträgern, die Aufgaben von Ländern oder Gemeinden erfüllen, erbracht worden sind, ist der Bund zur Übernahme von Aufwendungen dieser Art auch nach diesem Zeitpunkt nicht verpflichtet. Der Bund trägt die Zuschüsse zu den Lasten der Sozialversicherung mit Einschluß der Arbeitslosenversicherung und der Arbeitslosenhilfe. Die durch diesen Absatz geregelte Verteilung der Kriegsfolgelasten auf Bund und Länder läßt die gesetzliche Regelung von Entschädigungsansprüchen für Kriegsfolgen unberührt.

(2) Die Einnahmen gehen auf den Bund zu demselben Zeitpunkte über, an dem der Bund die Ausgaben übernimmt.

Artikel 120a [Lastenausgleich]

(1) Die Gesetze, die der Durchführung des Lastenausgleichs dienen, können mit Zustimmung des Bundesrates bestimmen, daß sie auf dem Gebiete der Ausgleichsleistungen teils durch den Bund, teils im Auftrage des Bundes durch die Länder ausgeführt werden und daß die der Bundesregierung und den zuständigen obersten Bundesbehörden auf Grund des Artikels 85 insoweit zustehenden Befugnisse ganz oder teilweise dem Bundesausgleichsamt übertragen werden. Das Bundesausgleichsamt bedarf bei Ausübung dieser Befugnisse nicht der Zustimmung des Bundesrates; seine Weisungen sind, abgesehen von den Fällen der Dringlichkeit, an die obersten Landesbehörden (Landesausgleichsämter) zu richten.

(2) Artikel 87 Abs. 3 Satz 2 bleibt unberührt.

Artikel 121 [Begriff der Mehrheit]

Mehrheit der Mitglieder des Bundestages und der Bundesversammlung im Sinne dieses Grundgesetzes ist die Mehrheit ihrer gesetzlichen Mitgliederzahl.

Artikel 122 [Bisherige Gesetzgebungskompetenzen]

(1) Vom Zusammentritt des Bundestages an werden die Gesetze ausschließlich von den in diesem Grundgesetze anerkannten gesetzgebenden Gewalten beschlossen.

(2) Gesetzgebende und bei der Gesetzgebung beratend mitwirkende Körperschaften, deren Zuständigkeit nach Absatz 1 endet, sind mit diesem Zeitpunkt aufgelöst.

Artikel 123 [Fortgeltung des alten Rechts]

(1) Recht aus der Zeit vor dem Zusammentritt des Bundestages gilt fort, soweit es dem Grundgesetze nicht widerspricht.

(2) Die vom Deutschen Reich abgeschlossenen Staatsverträge, die sich auf Gegenstände beziehen, für die nach diesem Grundgesetze die Landesgesetzgebung zuständig ist, bleiben, wenn sie nach allgemeinen Rechtsgrundsätzen gültig sind und fortgelten, unter Vorbehalt aller Rechte und Einwendungen der Beteiligten in Kraft, bis neue Staatsverträge durch die nach diesem Grundgesetze zuständigen Stellen abgeschlossen werden oder ihre Beendigung auf Grund der in ihnen enthaltenen Bestimmungen anderweitig erfolgt.

Artikel 124 [Altes Recht auf dem Gebiet der ausschließlichen Gesetzgebung]

Recht, das Gegenstände der ausschließlichen Gesetzgebung des Bundes betrifft, wird innerhalb seines Geltungsbereiches Bundesrecht.

Artikel 125 [Altes Recht auf dem Gebiet der konkurrierenden Gesetzgebung]

Recht, das Gegenstände der konkurrierenden Gesetzgebung des Bundes betrifft, wird innerhalb seines Geltungsbereiches Bundesrecht,

1. soweit es innerhalb einer oder mehrerer Besatzungszonen einheitlich gilt,

2. soweit es sich um Recht handelt, durch das nach dem 8. Mai 1945 früheres Reichsrecht abgeändert worden ist.

Artikel 125a [Fortgeltung von Bundesrecht; Ersetzung durch Landesrecht]

(1) Recht, das als Bundesrecht erlassen worden ist, aber wegen der Änderung des Artikels 74 Abs. 1, der Einfügung des Artikels 84 Abs. 1 Satz 7, des Artikels 85 Abs. 1 Satz 2 oder des Artikels 105 Abs. 2a Satz 2 oder wegen der Aufhebung der Artikel 74a, 75 oder 98 Abs. 3 Satz 2 nicht mehr als Bundesrecht erlassen werden könnte, gilt als Bundesrecht fort. Es kann durch Landesrecht ersetzt werden.

(2) Recht, das auf Grund des Artikels 72 Abs. 2 in der bis zum 15. November 1994 geltenden Fassung erlassen worden ist, aber wegen Änderung des Artikels 72 Abs. 2 nicht mehr als Bundesrecht erlassen werden könnte, gilt als Bundesrecht fort. Durch Bundesgesetz kann bestimmt werden, dass es durch Landesrecht ersetzt werden kann.

(3) Recht, das als Landesrecht erlassen worden ist, aber wegen Änderung des Artikels 73 nicht mehr als Landesrecht erlassen werden könnte, gilt als Landesrecht fort. Es kann durch Bundesrecht ersetzt werden.

Artikel 125b [Fortgeltung von Bundesrecht; abweichende Regelungen durch die Länder]

(1) Recht, das auf Grund des Artikels 75 in der bis zum 1. September 2006 geltenden Fassung erlassen worden ist und das auch nach diesem Zeitpunkt als Bundesrecht erlassen werden könnte, gilt als Bundesrecht fort. Befugnisse und Verpflichtungen der Länder zur Gesetzgebung bleiben insoweit bestehen. Auf den in Artikel 72 Abs. 3 Satz 1 genannten Gebieten können die Länder von diesem Recht abweichende Regelungen treffen, auf den Gebieten des Artikels 72 Abs. 3 Satz 1 Nr. 2, 5 und 6 jedoch erst, wenn und soweit der Bund ab dem 1. September 2006 von seiner Gesetzgebungszuständigkeit Gebrauch gemacht hat, in den Fällen der Nummern 2 und 5 spätestens ab dem 1. Januar 2010, im Falle der Nummer 6 spätestens ab dem 1. August 2008.

(2) Von bundesgesetzlichen Regelungen, die auf Grund des Artikels 84 Abs. 1 in der vor dem 1. September 2006 geltenden Fassung erlassen worden sind, können die Länder abweichende Regelungen treffen, von Regelungen des Verwaltungsverfahrens bis zum 31. Dezember 2008 aber nur dann, wenn ab dem 1. September 2006 in dem jeweiligen Bundesgesetz Regelungen des Verwaltungsverfahrens geändert worden sind.

(3) Auf dem Gebiet des Artikels 72 Absatz 3 Satz 1 Nummer 7 darf abweichendes Landesrecht der Erhebung der Grundsteuer frühestens für Zeiträume ab dem 1. Januar 2025 zugrunde gelegt werden.

Artikel 125c [Fortgeltung von Bundesrecht auf dem Gebiet der Gemeindeverkehrsfinanzierung und der sozialen Wohnraumförderung]

(1) Recht, das auf Grund des Artikels 91a Abs. 2 in Verbindung mit Abs. 1 Nr. 1 in der bis zum 1. September 2006 geltenden Fassung erlassen worden ist, gilt bis zum 31. Dezember 2006 fort.

(2) Die nach Artikel 104a Abs. 4 in der bis zum 1. September 2006 geltenden Fassung in den Bereichen der Gemeindeverkehrsfinanzierung und der sozialen Wohnraumförderung geschaffenen Regelungen gelten bis zum 31. Dezember 2006 fort. Die im Bereich der Gemeindeverkehrsfinanzierung für die besonderen Programme nach § 6 Absatz 1 des Gemeindeverkehrsfinanzierungsgesetzes sowie die mit dem Gesetz über Finanzhilfen des Bundes nach Artikel 104a Absatz 4 des Grundgesetzes an die Länder Bremen, Hamburg, Mecklenburg-Vorpommern, Niedersachsen sowie Schleswig-Holstein für Seehäfen vom 20. Dezember 2001 nach Artikel 104a Absatz 4 in der bis zum 1. September 2006 geltenden Fassung geschaffenen Regelungen gelten bis zu ihrer Aufhebung fort. Eine Änderung des Gemeindeverkehrsfinanzierungsgesetzes durch Bundesgesetz ist zulässig. Die sonstigen nach Artikel 104a Absatz 4 in der bis zum 1. September 2006 geltenden Fassung geschaffenen Regelungen gelten bis zum 31. Dezember 2019 fort, soweit nicht ein früherer Zeitpunkt für das Außerkrafttreten bestimmt ist oder wird.

Artikel 104b Absatz 2 Satz 4 gilt entsprechend.

(3) Artikel 104b Absatz 2 Satz 5 ist erstmals auf nach dem 31. Dezember 2019 in Kraft getretene Regelungen anzuwenden.

Artikel 126 [Streit über das Fortgelten des alten Rechts]

Meinungsverschiedenheiten über das Fortgelten von Recht als Bundesrecht entscheidet das Bundesverfassungsgericht.

Artikel 127 [Recht des Vereinigten Wirtschaftsgebietes]

Die Bundesregierung kann mit Zustimmung der Regierungen der beteiligten Länder Recht der Verwaltung des Vereinigten Wirtschaftsgebietes, soweit es nach Artikel 124 oder 125 als Bundesrecht fortgilt, innerhalb eines Jahres nach Verkündung dieses Grundgesetzes in den Ländern Baden, Groß-Berlin, Rheinland-Pfalz und Württemberg-Hohenzollern in Kraft setzen.

Artikel 128 [Fortbestehen von Weisungsrechten]

Soweit fortgeltendes Recht Weisungsrechte im Sinne des Artikels 84 Abs. 5 vorsieht, bleiben sie bis zu einer anderweitigen gesetzlichen Regelung bestehen.

Artikel 129 [Fortgeltung von Ermächtigungen zu Rechtsverordnungen]

(1) Soweit in Rechtsvorschriften, die als Bundesrecht fortgelten, eine Ermächtigung zum Erlasse von Rechtsverordnungen oder allgemeinen Verwaltungsvorschriften sowie zur Vornahme von Verwaltungsakten enthalten ist, geht sie auf die nunmehr sachlich zuständigen Stellen über. In Zweifelsfällen entscheidet die Bundesregierung im Einvernehmen mit dem Bundesrate; die Entscheidung ist zu veröffentlichen.

(2) Soweit in Rechtsvorschriften, die als Landesrecht fortgelten, eine solche Ermächtigung enthalten ist, wird sie von den nach Landesrecht zuständigen Stellen ausgeübt.

(3) Soweit Rechtsvorschriften im Sinne der Absätze 1 und 2 zu ihrer Änderung oder Ergänzung oder zum Erlaß von Rechtsvorschriften an Stelle von Gesetzen ermächtigen, sind diese Ermächtigungen erloschen.

(4) Die Vorschriften der Absätze 1 und 2 gelten entsprechend, soweit in Rechtsvorschriften auf nicht mehr geltende Vorschriften oder nicht mehr bestehende Einrichtungen verwiesen ist.

Artikel 130 [Überleitung von Verwaltungs- und Rechtspflegeeinrichtungen]

(1) Verwaltungsorgane und sonstige der öffentlichen Verwaltung oder Rechtspflege dienende Einrichtungen, die nicht auf Landesrecht oder Staatsverträgen zwischen Ländern beruhen, sowie die Betriebsvereinigung der südwestdeutschen Eisenbahnen und der Verwaltungsrat für das Post- und Fernmeldewesen für das französische Besatzungsgebiet unterstehen der Bundesregierung. Diese regelt mit Zustimmung des Bundesrates die Überführung, Auflösung oder Abwicklung.

(2) Oberster Disziplinarvorgesetzter der Angehörigen dieser Verwaltungen und Einrichtungen ist der zuständige Bundesminister.

(3) Nicht landesunmittelbare und nicht auf Staatsverträgen zwischen den Ländern beruhende Körperschaften und Anstalten des öffentlichen Rechtes unterstehen der Aufsicht der zuständigen obersten Bundesbehörde.

Artikel 131 [Frühere Angehörige des Öffentlichen Dienstes]

Die Rechtsverhältnisse von Personen einschließlich der Flüchtlinge und Vertriebenen, die am 8. Mai 1945 im öffentlichen Dienste standen, aus anderen als beamten- oder tarifrechtlichen Gründen ausgeschieden sind und bisher nicht oder nicht ihrer früheren Stellung entsprechend verwendet werden, sind durch Bundesgesetz zu regeln. Entsprechendes gilt für Personen einschließlich der Flüchtlinge und Vertriebenen, die am 8. Mai 1945 versorgungsberechtigt waren und aus anderen als beamten- oder tarifrechtlichen Gründen keine oder keine entsprechende Versorgung mehr erhalten. Bis zum Inkrafttreten des Bundesgesetzes können vorbehaltlich anderweitiger landesrechtlicher Regelung Rechtsansprüche nicht geltend gemacht werden.

Artikel 132 [Ausschluss aus dem Öffentlichen Dienst]

(1) Beamte und Richter, die im Zeitpunkte des Inkrafttretens dieses Grundgesetzes auf Lebenszeit angestellt sind, können binnen sechs Monaten nach dem ersten Zusammentritt des Bundestages in den Ruhestand oder Wartestand oder in ein Amt mit niedrigerem Diensteinkommen versetzt werden, wenn ihnen die persönliche oder fachliche Eignung für ihr Amt fehlt. Auf Angestellte, die in einem unkündbaren Dienstverhältnis stehen, findet diese Vorschrift entsprechende Anwendung. Bei Angestellten, deren Dienstverhältnis kündbar ist, können über die tarifmäßige Regelung hinausgehende Kündigungsfristen innerhalb der gleichen Frist aufgehoben werden.

(2) Diese Bestimmung findet keine Anwendung auf Angehörige des öffentlichen Dienstes, die von den Vorschriften über die „Befreiung von Nationalsozialismus und Militarismus" nicht betroffen oder die anerkannte Verfolgte des Nationalsozialismus sind, sofern nicht ein wichtiger Grund in ihrer Person vorliegt.

(3) Den Betroffenen steht der Rechtsweg gemäß Artikel 19 Abs. 4 offen.

(4) Das Nähere bestimmt eine Verordnung der Bundesregierung, die der Zustimmung des Bundesrates bedarf.

Artikel 133 [Rechtsnachfolge, Vereinigtes Wirtschaftsgebiet]

Der Bund tritt in die Rechte und Pflichten der Verwaltung des Vereinigten Wirtschaftsgebietes ein.

Artikel 134 [Rechtsnachfolge in das Reichsvermögen]

(1) Das Vermögen des Reiches wird grundsätzlich Bundesvermögen.

(2) Soweit es nach seiner ursprünglichen Zweckbestimmung überwiegend für Verwaltungsaufgaben bestimmt war, die nach diesem Grundgesetze nicht Verwaltungsaufgaben des Bundes sind, ist es unentgeltlich auf die nunmehr zuständigen Aufgabenträger und, soweit es nach seiner gegenwärtigen, nicht nur vorübergehenden Benutzung Verwaltungsaufgaben dient, die nach diesem Grundgesetze nunmehr von den Ländern zu erfüllen sind, auf die Länder zu übertragen. Der Bund kann auch sonstiges Vermögen den Ländern übertragen.

(3) Vermögen, das dem Reich von den Ländern und Gemeinden (Gemeindeverbänden) unentgeltlich zur Verfügung gestellt wurde, wird wiederum Vermögen der Länder und Gemeinden (Gemeindeverbände), soweit es nicht der Bund für eigene Verwaltungsaufgaben benötigt.

(4) Das Nähere regelt ein Bundesgesetz, das der Zustimmung des Bundesrates bedarf.

Artikel 135 [Vermögen bei Änderung des Gebietsstandes]

(1) Hat sich nach dem 8. Mai 1945 bis zum Inkrafttreten dieses Grundgesetzes die Landeszugehörigkeit eines Gebietes geändert, so steht in diesem Gebiete das Vermögen des Landes, dem das Gebiet angehört hat, dem Lande zu, dem es jetzt angehört.

(2) Das Vermögen nicht mehr bestehender Länder und nicht mehr bestehender anderer Körperschaften und Anstalten des öffentlichen Rechtes geht, soweit es nach seiner ursprünglichen Zweckbestimmung überwiegend für Verwaltungsaufgaben bestimmt war, oder nach seiner gegenwärtigen, nicht nur vorübergehenden Benutzung überwiegend Verwaltungsaufgaben dient, auf das Land oder die Körperschaft oder Anstalt des öffentlichen Rechtes über, die nunmehr diese Aufgaben erfüllen.

(3) Grundvermögen nicht mehr bestehender Länder geht einschließlich des Zubehörs, soweit es nicht bereits zu Vermögen im Sinne des Absatzes 1 gehört, auf das Land über, in dessen Gebiet es belegen ist.

(4) Sofern ein überwiegendes Interesse des Bundes oder das besondere Interesse eines Gebietes es erfordert, kann durch Bundesgesetz eine von den Absätzen 1 bis 3 abweichende Regelung getroffen werden.

(5) Im übrigen wird die Rechtsnachfolge und die Auseinandersetzung, soweit sie nicht bis zum 1. Januar 1952 durch Vereinbarung zwischen den beteiligten Ländern oder Körperschaften oder Anstalten des öffentlichen Rechtes erfolgt, durch Bundesgesetz geregelt, das der Zustimmung des Bundesrates bedarf.

(6) Beteiligungen des ehemaligen Landes Preußen an Unternehmen des privaten Rechtes gehen auf den Bund über. Das Nähere regelt ein Bundesgesetz, das auch Abweichendes bestimmen kann.

(7) Soweit über Vermögen, das einem Lande oder einer Körperschaft oder Anstalt des öffentlichen Rechtes nach den Absätzen 1 bis 3 zufallen würde, von dem danach Berechtigten durch ein Landesgesetz, auf Grund eines Landesgesetzes oder in anderer Weise bei Inkrafttreten des Grundgesetzes verfügt worden war, gilt der Vermögensübergang als vor der Verfügung erfolgt.

Artikel 135a [Verbindlichkeiten des Reichs und anderer Körperschaften]

(1) Durch die in Artikel 134 Abs. 4 und Artikel 135 Abs. 5 vorbehaltene Gesetzgebung des Bundes kann auch bestimmt werden, daß nicht oder nicht in voller Höhe zu erfüllen sind

1. Verbindlichkeiten des Reiches sowie Verbindlichkeiten des ehemaligen Landes Preußen und sonstiger nicht mehr bestehender Körperschaften und Anstalten des öffentlichen Rechts,

2. Verbindlichkeiten des Bundes oder anderer Körperschaften und Anstalten des öffentlichen Rechts, welche mit dem Übergang von Vermögenswerten nach Artikel 89, 90, 134 und 135 im Zusammenhang stehen, und Verbindlichkeiten dieser Rechtsträger, die auf Maßnahmen der in Nummer 1 bezeichneten Rechtsträger beruhen,

3. Verbindlichkeiten der Länder und Gemeinden (Gemeindeverbände), die aus Maßnahmen entstanden sind, welche diese Rechtsträger vor dem 1. August 1945 zur Durchführung von Anordnungen der Besatzungsmächte oder zur Beseitigung eines

kriegsbedingten Notstandes im Rahmen dem Reich obliegender oder vom Reich übertragener Verwaltungsaufgaben getroffen haben.

(2) Absatz 1 findet entsprechende Anwendung auf Verbindlichkeiten der Deutschen Demokratischen Republik oder ihrer Rechtsträger sowie auf Verbindlichkeiten des Bundes oder anderer Körperschaften und Anstalten des öffentlichen Rechts, die mit dem Übergang von Vermögenswerten der Deutschen Demokratischen Republik auf Bund, Länder und Gemeinden im Zusammenhang stehen, und auf Verbindlichkeiten, die auf Maßnahmen der Deutschen Demokratischen Republik oder ihrer Rechtsträger beruhen.

Artikel 136 [Erster Zusammentritt des Bundesrates]

(1) Der Bundesrat tritt erstmalig am Tage des ersten Zusammentrittes des Bundestages zusammen.

(2) Bis zur Wahl des ersten Bundespräsidenten werden dessen Befugnisse von dem Präsidenten des Bundesrates ausgeübt. Das Recht der Auflösung des Bundestages steht ihm nicht zu.

Artikel 137 [Wählbarkeit von Angehörigen des Öffentlichen Dienstes]

(1) Die Wählbarkeit von Beamten, Angestellten des öffentlichen Dienstes, Berufssoldaten, freiwilligen Soldaten auf Zeit und Richtern im Bund, in den Ländern und den Gemeinden kann gesetzlich beschränkt werden.

(2) Für die Wahl des ersten Bundestages, der ersten Bundesversammlung und des ersten Bundespräsidenten der Bundesrepublik gilt das vom Parlamentarischen Rat zu beschließende Wahlgesetz.

(3) Die dem Bundesverfassungsgerichte gemäß Artikel 41 Abs. 2 zustehende Befugnis wird bis zu seiner Errichtung von dem Deutschen Obergericht für das Vereinigte Wirtschaftsgebiet wahrgenommen, das nach Maßgabe seiner Verfahrensordnung entscheidet.

Artikel 138 [Süddeutsches Notariat]

Änderungen der Einrichtungen des jetzt bestehenden Notariats in den Ländern Baden, Bayern, Württemberg-Baden und Württemberg-Hohenzollern bedürfen der Zustimmung der Regierungen dieser Länder.

Artikel 139 [Entnazifizierungsvorschriften]

Die zur „Befreiung des deutschen Volkes vom Nationalsozialismus und Militarismus" erlassenen Rechtsvorschriften werden von den Bestimmungen dieses Grundgesetzes nicht berührt.

Artikel 140 [Übernahme von Glaubensbestimmungen der Weimarer Reichsverfassung]

Die Bestimmungen der Artikel 136, 137, 138, 139 und 141 der deutschen Verfassung vom 11. August 1919 sind Bestandteil dieses Grundgesetzes.

Artikel 141 [Religionsunterricht]

Artikel 7 Abs. 3 Satz 1 findet keine Anwendung in einem Lande, in dem am 1. Januar 1949 eine andere landesrechtliche Regelung bestand.

Artikel 142 [Grundrechte in Landesverfassungen]

Ungeachtet der Vorschrift des Artikels 31 bleiben Bestimmungen der Landesverfassungen auch insoweit in Kraft, als sie in Übereinstimmung mit den Artikeln 1 bis 18 dieses Grundgesetzes Grundrechte gewährleisten.

Artikel 142a *[aufgehoben]*

Artikel 143 [Sondervorschriften für neue Bundesländer und Ost-Berlin]

(1) Recht in dem in Artikel 3 des Einigungsvertrags genannten Gebiet kann längstens bis zum 31. Dezember 1992 von Bestimmungen dieses Grundgesetzes abweichen, soweit und solange infolge der unterschiedlichen Verhältnisse die völlige Anpassung an die grundgesetzliche Ordnung noch nicht erreicht werden kann. Abweichungen dürfen nicht gegen Artikel 19 Abs. 2 verstoßen und müssen mit den in Artikel 79 Abs. 3 genannten Grundsätzen vereinbar sein.

(2) Abweichungen von den Abschnitten II, VIII, VIIIa, IX, X und XI sind längstens bis zum 31. Dezember 1995 zulässig.

(3) Unabhängig von Absatz 1 und 2 haben Artikel 41 des Einigungsvertrags und Regelungen zu seiner Durchführung auch insoweit Bestand, als sie vorsehen, daß Eingriffe in das Eigentum auf dem in Artikel 3 dieses Vertrags genannten Gebiet nicht mehr rückgängig gemacht werden.

Artikel 143a [Übergangsvorschriften für Bundeseisenbahnen]

(1) Der Bund hat die ausschließliche Gesetzgebung über alle Angelegenheiten, die sich aus der Umwandlung der in bundeseigener Verwaltung geführten Bundeseisenbahnen in Wirtschaftsunternehmen ergeben. Artikel 87e Abs. 5 findet entsprechende Anwendung. Beamte der Bundeseisenbahnen können durch Gesetz unter Wahrung ihrer Rechtsstellung und der Verantwortung des Dienstherrn einer privat-rechtlich organisierten Eisenbahn des Bundes zur Dienstleistung zugewiesen werden.

(2) Gesetze nach Absatz 1 führt der Bund aus.

(3) Die Erfüllung der Aufgaben im Bereich des Schienenpersonennahverkehrs der bisherigen Bundeseisenbahnen ist bis zum 31. Dezember 1995 Sache des Bundes. Dies gilt auch für die entsprechenden Aufgaben der Eisenbahnverkehrsverwaltung. Das Nähere wird durch Bundesgesetz geregelt, das der Zustimmung des Bundesrates bedarf.

Artikel 143b [Umwandlung der Deutschen Bundespost]

(1) Das Sondervermögen Deutsche Bundespost wird nach Maßgabe eines Bundesgesetzes in Unternehmen privater Rechtsform umgewandelt. Der Bund hat die ausschließliche Gesetzgebung über alle sich hieraus ergebenden Angelegenheiten.

(2) Die vor der Umwandlung bestehenden

ausschließlichen Rechte des Bundes können durch Bundesgesetz für eine Übergangszeit den aus der Deutschen Bundespost POST-DIENST und der Deutschen Bundespost TELEKOM hervorgegangenen Unternehmen verliehen werden. Die Kapitalmehrheit am Nachfolgeunternehmen der Deutschen Bundespost POSTDIENST darf der Bund frühestens fünf Jahre nach Inkrafttreten des Gesetzes aufgeben. Dazu bedarf es eines Bundesgesetzes mit Zustimmung des Bundesrates.

(3) Die bei der Deutschen Bundespost tätigen Bundesbeamten werden unter Wahrung ihrer Rechtsstellung und der Verantwortung des Dienstherrn bei den privaten Unternehmen beschäftigt. Die Unternehmen üben Dienstherrenbefugnisse aus. Das Nähere bestimmt ein Bundesgesetz.

Artikel 143c [Übergangsvorschriften wegen Wegfalls der Finanzhilfen durch den Bund]

(1) Den Ländern stehen ab dem 1. Januar 2007 bis zum 31. Dezember 2019 für den durch die Abschaffung der Gemeinschaftsaufgaben Ausbau und Neubau von Hochschulen einschließlich Hochschulkliniken und Bildungsplanung sowie für den durch die Abschaffung der Finanzhilfen zur Verbesserung der Verkehrsverhältnisse der Gemeinden und zur sozialen Wohnraumförderung bedingten Wegfall der Finanzierungsanteile des Bundes jährlich Beträge aus dem Haushalt des Bundes zu. Bis zum 31. Dezember 2013 werden diese Beträge aus dem Durchschnitt der Finanzierungsanteile des Bundes im Referenzzeitraum 2000 bis 2008 ermittelt.

(2) Die Beträge nach Absatz 1 werden auf die Länder bis zum 31. Dezember 2013 wie folgt verteilt:

1. als jährliche Festbeträge, deren Höhe sich nach dem Durchschnittsanteil eines jeden Landes im Zeitraum 2000 bis 2003 errechnet;

2. jeweils zweckgebunden an den Aufgabenbereich der bisherigen Mischfinanzierungen.

(3) Bund und Länder überprüfen bis Ende 2013, in welcher Höhe die den Ländern nach Absatz 1 zugewiesenen Finanzierungsmittel zur Aufgabenerfüllung der Länder noch angemessen und erforderlich sind. Ab dem 1. Januar 2014 entfällt die nach Absatz 2 Nr. 2 vorgesehene Zweckbindung der nach Absatz 1 zugewiesenen Finanzierungsmittel; die investive Zweckbindung des Mittelvolumens bleibt bestehen. Die Vereinbarungen aus dem Solidarpakt II bleiben unberührt.

(4) Das Nähere regelt ein Bundesgesetz, das der Zustimmung des Bundesrates bedarf.

Artikel 143d [Übergangsvorschriften im Rahmen der Konsolidierungshilfen]

(1) Artikel 109 und 115 in der bis zum 31. Juli 2009 geltenden Fassung sind letztmals auf das Haushaltsjahr 2010 anzuwenden. Artikel 109 und 115 in der ab dem 1. August 2009 geltenden Fassung sind erstmals für das Haushaltsjahr 2011 anzuwenden; am 31. Dezember 2010 bestehende Kreditermächtigungen für bereits eingerichtete Sondervermögen bleiben unberührt. Die Länder dürfen im Zeitraum vom 1. Januar 2011 bis zum 31. Dezember 2019 nach Maßgabe der geltenden landesrechtlichen Regelungen von den Vorgaben des Artikels 109 Absatz 3 abweichen. Die Haushalte der Länder sind so aufzustellen, dass im Haushaltsjahr 2020 die Vorgabe aus Artikel 109 Absatz 3 Satz 5 erfüllt wird. Der Bund kann im Zeitraum vom 1. Januar 2011 bis zum 31. Dezember 2015 von der Vorgabe des Artikels 115 Absatz 2 Satz 2 abweichen. Mit dem Abbau des bestehenden Defizits soll im Haushaltsjahr 2011 begonnen werden. Die jährlichen Haushalte sind so aufzustellen, dass im Haushaltsjahr 2016 die Vorgabe aus Artikel 115 Absatz 2 Satz 2 erfüllt wird; das Nähere regelt ein Bundesgesetz.

(2) Als Hilfe zur Einhaltung der Vorgaben des Artikels 109 Absatz 3 ab dem 1. Januar 2020 können den Ländern Berlin, Bremen, Saarland, Sachsen-Anhalt und Schleswig-Holstein für den Zeitraum 2011 bis 2019 Konsolidierungshilfen aus dem Haushalt des Bundes in Höhe von insgesamt 800 Millionen

Euro jährlich gewährt werden. Davon entfallen auf Bremen 300 Millionen Euro, auf das Saarland 260 Millionen Euro und auf Berlin, Sachsen-Anhalt und Schleswig-Holstein jeweils 80 Millionen Euro. Die Hilfen werden auf der Grundlage einer Verwaltungsvereinbarung nach Maßgabe eines Bundesgesetzes mit Zustimmung des Bundesrates geleistet. Die Gewährung der Hilfen setzt einen vollständigen Abbau der Finanzierungsdefizite bis zum Jahresende 2020 voraus. Das Nähere, insbesondere die jährlichen Abbauschritte der Finanzierungsdefizite, die Überwachung des Abbaus der Finanzierungsdefizite durch den Stabilitätsrat sowie die Konsequenzen im Falle der Nichteinhaltung der Abbauschritte, wird durch Bundesgesetz mit Zustimmung des Bundesrates und durch Verwaltungsvereinbarung geregelt. Die gleichzeitige Gewährung der Konsolidierungshilfen und Sanierungshilfen auf Grund einer extremen Haushaltsnotlage ist ausgeschlossen.

(3) Die sich aus der Gewährung der Konsolidierungshilfen ergebende Finanzierungslast wird hälftig von Bund und Ländern, von letzteren aus ihrem Umsatzsteueranteil, getragen. Das Nähere wird durch Bundesgesetz mit Zustimmung des Bundesrates geregelt.

(4) Als Hilfe zur künftig eigenständigen Einhaltung der Vorgaben des Artikels 109 Absatz 3 können den Ländern Bremen und Saarland ab dem 1. Januar 2020 Sanierungshilfen in Höhe von jährlich insgesamt 800 Millionen Euro aus dem Haushalt des Bundes gewährt werden. Die Länder ergreifen hierzu Maßnahmen zum Abbau der übermäßigen Verschuldung sowie zur Stärkung der Wirtschafts- und Finanzkraft. Das Nähere regelt ein Bundesgesetz, das der Zustimmung des Bundesrates bedarf. Die gleichzeitige Gewährung der Sanierungshilfen und Sanierungshilfen auf Grund einer extremen Haushaltsnotlage ist ausgeschlossen.

Artikel 143e [Übergangsvorschrift wegen Umwandlung der Auftragsverwaltung für die Bundesautobahnen und Bundesstraßen in Bundesverwaltung]

(1) Die Bundesautobahnen werden abweichend von Artikel 90 Absatz 2 längstens bis zum 31. Dezember 2020 in Auftragsverwaltung durch die Länder oder die nach Landesrecht zuständigen Selbstverwaltungskörperschaften geführt. Der Bund regelt die Umwandlung der Auftragsverwaltung in Bundesverwaltung nach Artikel 90 Absatz 2 und 4 durch Bundesgesetz mit Zustimmung des Bundesrates.

(2) Auf Antrag eines Landes, der bis zum 31. Dezember 2018 zu stellen ist, übernimmt der Bund abweichend von Artikel 90 Absatz 4 die sonstigen Bundesstraßen des Fernverkehrs, soweit sie im Gebiet dieses Landes liegen, mit Wirkung zum 1. Januar 2021 in Bundesverwaltung.

(3) Durch Bundesgesetz mit Zustimmung des Bundesrates kann geregelt werden, dass ein Land auf Antrag die Aufgabe der Planfeststellung und Plangenehmigung für den Bau und für die Änderung von Bundesautobahnen und von sonstigen Bundesstraßen des Fernverkehrs, die der Bund nach Artikel 90 Absatz 4 oder Artikel 143e Absatz 2 in Bundesverwaltung übernommen hat, im Auftrage des Bundes übernimmt und unter welchen Voraussetzungen eine Rückübertragung erfolgen kann.

Artikel 143f [Bedingtes Außerkrafttreten des Artikel 143d GG, des FAG und sonstiger aufgrund von Artikel 107 Abs. 2 GG erlassener Gesetze]

Artikel 143d, das Gesetz über den Finanzausgleich zwischen Bund und Ländern sowie sonstige auf der Grundlage von Artikel 107 Absatz 2 in seiner ab dem 1. Januar 2020 geltenden Fassung erlassene Gesetze treten außer Kraft, wenn nach dem 31. Dezember 2030 die Bundesregierung, der Bundestag oder gemeinsam mindestens drei Länder Verhandlungen über eine Neuordnung der bundesstaatlichen Finanzbeziehungen verlangt haben und mit Ablauf von fünf Jahren nach Notifikation des Verhandlungsverlangens der Bundesregierung, des Bundestages oder der Länder beim Bundespräsidenten keine gesetzliche Neuordnung der bundesstaatlichen Finanzbeziehungen in Kraft getreten ist. Der Tag des Außerkrafttretens ist im Bundesgesetzblatt bekannt zu geben.

Artikel 143g [Anwendung des Artikel 107]

Für die Regelung der Steuerertragsverteilung, des Länderfinanzausgleichs und der Bundesergänzungszuweisungen bis zum 31. Dezember 2019 ist Artikel 107 in seiner bis zum Inkrafttreten des Gesetzes zur Änderung des Grundgesetzes vom 13. Juli 2017 geltenden Fassung weiter anzuwenden.

Artikel 144 [Ratifizierung des Grundgesetzes]

(1) Dieses Grundgesetz bedarf der Annahme durch die Volksvertretungen in zwei Dritteln der deutschen Länder, in denen es zunächst gelten soll.

(2) Soweit die Anwendung dieses Grundgesetzes in einem der in Artikel 23 aufgeführten Länder oder in einem Teile eines dieser Länder Beschränkungen unterliegt, hat das Land oder der Teil des Landes das Recht, gemäß Artikel 38 Vertreter in den Bundestag und gemäß Artikel 50 Vertreter in den Bundesrat zu entsenden.

Artikel 145 [Inkrafttreten des Grundgesetzes]

(1) Der Parlamentarische Rat stellt in öffentlicher Sitzung unter Mitwirkung der Abgeordneten Groß-Berlins die Annahme dieses Grundgesetzes fest, fertigt es aus und verkündet es.

(2) Dieses Grundgesetz tritt mit Ablauf des Tages der Verkündung in Kraft.

(3) Es ist im Bundesgesetzblatte zu veröffentlichen.

Artikel 146 [Geltungsdauer des Grundgesetzes]

Dieses Grundgesetz, das nach Vollendung der Einheit und Freiheit Deutschlands für das gesamte deutsche Volk gilt, verliert seine Gültigkeit an dem Tage, an dem eine Verfassung in Kraft tritt, die von dem deutschen Volke in freier Entscheidung beschlossen worden ist.

Anhang: Gemäß Artikel 140 GG weitergeltende Artikel der Weimarer Reichsverfassung

Artikel 136 WRV [Religionsunabhängigkeit von Rechten und Pflichten]

(1) Die bürgerlichen und staatsbürgerlichen Rechte und Pflichten werden durch die Ausübung der Religionsfreiheit weder bedingt noch beschränkt.

(2) Der Genuß bürgerlicher und staatsbürgerlicher Rechte sowie die Zulassung zu öffentlichen Ämtern sind unabhängig von dem religiösen Bekenntnis.

(3) Niemand ist verpflichtet, seine religiöse Überzeugung zu offenbaren. Die Behörden haben nur soweit das Recht, nach der Zugehörigkeit zu einer Religionsgesellschaft zu fragen, als davon Rechte und Pflichten abhängen oder eine gesetzlich angeordnete statistische Erhebung dies erfordert.

(4) Niemand darf zu einer kirchlichen Handlung oder Feierlichkeit oder zur Teilnahme an religiösen Übungen oder zur Benutzung einer religiösen Eidesform gezwungen werden.

Artikel 137 WRV [Religionsgesellschaften]

(1) Es besteht keine Staatskirche.

(2) Die Freiheit der Vereinigung zu Religionsgesellschaften wird gewährleistet. Der Zusammenschluß von Religionsgesellschaften innerhalb des Reichsgebiets unterliegt keinen Beschränkungen.

(3) Jede Religionsgesellschaft ordnet und verwaltet ihre Angelegenheiten selbständig innerhalb der Schranken des für alle geltenden Gesetzes. Sie verleiht ihre Ämter ohne Mitwirkung des Staates oder der bürgerlichen Gemeinde.

(4) Religionsgesellschaften erwerben die Rechtsfähigkeit nach den allgemeinen Vorschriften des bürgerlichen Rechtes.

(5) Die Religionsgesellschaften bleiben Körperschaften des öffentlichen Rechtes, soweit sie solche bisher waren. Anderen Religionsgesellschaften sind auf ihren Antrag gleiche Rechte zu gewähren, wenn sie durch

ihre Verfassung und die Zahl ihrer Mitglieder die Gewähr der Dauer bieten. Schließen sich mehrere derartige öffentlich-rechtliche Religionsgesellschaften zu einem Verbande zusammen, so ist auch dieser Verband eine öffentlich-rechtliche Körperschaft.

(6) Die Religionsgesellschaften, welche Körperschaften des öffentlichen Rechtes sind, sind berechtigt, auf Grund der bürgerlichen Steuerlisten nach Maßgabe der landesrechtlichen Bestimmungen Steuern zu erheben.

(7) Den Religionsgesellschaften werden die Vereinigungen gleichgestellt, die sich die gemeinschaftliche Pflege einer Weltanschauung zur Aufgabe machen.

(8) Soweit die Durchführung dieser Bestimmungen eine weitere Regelung erfordert, liegt diese der Landesgesetzgebung ob.

Artikel 138 WRV [Staatsleistungen; Kirchengut]

(1) Die auf Gesetz, Vertrag oder besonderen Rechtstiteln beruhenden Staatsleistungen an die Religionsgesellschaften werden durch die Landesgesetzgebung abgelöst. Die Grundsätze hierfür stellt das Reich auf.

(2) Das Eigentum und andere Rechte der Religionsgesellschaften und religiösen Vereine an ihren für Kultus-, Unterrichts- und Wohltätigkeitszwecke bestimmten Anstalten, Stiftungen und sonstigen Vermögen werden gewährleistet.

Artikel 139 WRV [Sonn- und Feiertagsruhe]

Der Sonntag und die staatlich anerkannten Feiertage bleiben als Tage der Arbeitsruhe und der seelischen Erhebung gesetzlich geschützt.

Artikel 141 WRV [Religiöse Handlungen in öffentlichen Anstalten]

Soweit das Bedürfnis nach Gottesdienst und Seelsorge im Heer, in Krankenhäusern, Strafanstalten oder sonstigen öffentlichen Anstalten besteht, sind die Religionsgesellschaften zur Vornahme religiöser Handlungen zuzulassen, wobei jeder Zwang fernzuhalten ist.

Grundgesetz von Finnland*

Erlassen am 11. Juni 1999 in Helsinki (suomen säädöskokoelma 1999/731), zuletzt geändert am 8. Oktober 2018 (suomen säädöskokoelma 2018/817)

Nach dem Beschluß des Parlaments, der in der durch § 67 der Parlamentsordnung festgelegten Weise gefaßt worden ist, wird vorgeschrieben:

Kapitel 1 – GRUNDLAGEN DER STAATSORDNUNG

Artikel 1 (Verfassung)

(1) Finnland ist eine souveräne Republik.

(2) Die Verfassung Finnlands ist in diesem Grundgesetz bestätigt worden. Die Verfassung sichert die Unverletzlichkeit der Menschenwürde und die Freiheit und Rechte des Individuums und fördert die Gerechtigkeit in der Gesellschaft.

(3) Finnland beteiligt sich an der internationalen Zusammenarbeit zur Sicherung des Friedens und der Menschenrechte sowie zur Weiterentwicklung der Gesellschaft. Finnland ist Mitglied der Europäischen Union.

Artikel 2 (Demokratie und Rechtsstaatsprinzip)

(1) Die Staatsgewalt in Finnland gehört dem Volk, das durch das zum Reichstag versammelte Parlament vertreten wird.

(2) Die Demokratie umfaßt das Recht des Individuums, an der Entwicklung der Gesellschaft und seiner Lebensumgebung teilzunehmen und auf diese einzuwirken.

(3) Die Ausübung der öffentlichen Gewalt soll auf dem Gesetz beruhen. In aller öffentlichen Tätigkeit ist das Gesetz genauestens zu befolgen.

Artikel 3 (Teilung der Staatsaufgaben und Parlamentarismus)

(1) Die gesetzgebende Gewalt wird vom Parlament ausgeübt, das auch über den Staatshaushalt entscheidet.

(2) Die Regierungsgewalt wird von dem Präsidenten der Republik und dem Staatsrat ausgeübt, dessen Mitglieder das Vertrauen des Parlaments genießen müssen.

(3) Die rechtsprechende Gewalt wird von den unabhängigen Gerichten, als höchste Instanzen dem Obersten Gerichtshof und dem Obersten Verwaltungsgerichtshof, ausgeübt.

Artikel 4 (Staatsgebiet)

Das Staatsgebiet Finnlands ist unteilbar. Die Staatsgrenzen können nicht ohne Zustimmung des Parlaments verändert werden.

Artikel 5 (Finnische Staatsangehörigkeit)

(1) Die finnische Staatsangehörigkeit erhält man aufgrund der Geburt und der Staatsangehörigkeit der Eltern so, wie es durch Gesetz näher vorgeschrieben wird. Die Staatsangehörigkeit kann bei Vorliegen der durch Gesetz festgelegten Voraussetzungen auch durch Mitteilung oder auf Antrag verliehen werden.

(2) Aus der finnischen Staatsangehörigkeit kann nur entlassen oder dieser beraubt werden, wenn die durch Gesetz vorgeschriebenen Gründe vorliegen und unter der Voraussetzung, daß die Person die Staatsangehörigkeit eines anderen Staates hat oder bekommt.

---

* Entsprechend der inoffiziellen Übersetzung des finnischen Justizministeriums in der Fassung von 1999 (abrufbar unter: https://www.finlex.fi/en/laki/kaannokset/1999/de19990731.pdf) unter Einarbeitung der Änderungen aus den Jahren 2007, 2011 und 2018 und der sprachlichen Überarbeitung durch *Armin Stolz* und *Maximilian Zankel*, beide Institut für Öffentliches Recht und Politikwissenschaft, Karl-Franzens-Universität Graz.

Kapitel 2 – GRUNDRECHTE

Artikel 6 (Gleichheit)

(1) Jedermann ist vor dem Gesetz gleich.

(2) Niemand darf ohne annehmbaren Grund wegen seines Geschlechtes, seines Alters, seiner Abstammung, seiner Sprache, seiner Religion, seiner Überzeugung, seiner Weltanschauung, seines Gesundheitszustandes, seiner Behinderung oder eines anderen mit seiner Person in Verbindung stehenden Grundes diskriminiert werden.

(3) Die Kinder sind gleichberechtigt als Individuen zu behandeln und sie sollen auf die Angelegenheiten, die sie betreffen, entsprechend ihrer Entwicklung einwirken dürfen.

(4) Die Gleichberechtigung der Geschlechter wird in gesellschaftlicher Tätigkeit und im Arbeitsleben, insbesondere bei der Festlegung der Löhne und Gehälter und anderer Bedingungen eines Dienstverhältnisses so gefördert, wie es durch Gesetz näher geregelt wird.

Artikel 7 (Das Recht auf Leben sowie persönliche Freiheit und Unversehrtheit)

(1) Jedermann hat das Recht auf Leben und persönliche Freiheit, Unversehrtheit und Sicherheit.

(2) Niemand darf zum Tode verurteilt, gefoltert oder im übrigen in einer die Menschenwürde verletzenden Weise behandelt werden.

(3) In die persönliche Unversehrtheit darf nicht eingegriffen und niemandem die Freiheit willkürlich oder ohne einen durch Gesetz festgesetzten Grund beraubt werden. Eine Strafe, die einen Freiheitsentzug beinhaltet, wird von einem Gericht verhängt. Die Gesetzmäßigkeit eines sonstigen Freiheitsentzugs kann einem Gericht zur Überprüfung vorgelegt werden. Die Rechte desjenigen, dem seine Freiheit entzogen worden ist, werden durch Gesetz geschützt.

Artikel 8 (Strafrechtliches Legalitätsprinzip)

Niemand darf aufgrund einer Tat, die zum Tatzeitpunkt im Gesetz nicht als strafbar vorgeschrieben war, eines Verbrechens für schuldig gesprochen und zu Strafe verurteilt werden. Für ein Verbrechen darf keine härtere Strafe verhängt werden, als sie zum Tatzeitpunkt durch Gesetz vorgeschrieben war.

Artikel 9 (Bewegungsfreiheit)

(1) Jedem finnischen Staatsangehörigen und jedem sich rechtmäßig in Finnland aufhaltenden Ausländer steht es frei, sich in ganz Finnland zu bewegen und seinen Wohnort zu wählen.

(2) Jeder hat das Recht, das Land zu verlassen. Unerläßliche Einschränkungen dieses Rechts können durch Gesetz festgelegt werden, um die Durchführung eines Gerichtsverfahrens oder den Strafvollzug oder die Erfüllung der Landesverteidigungspflicht zu sichern.

(3) Ein finnischer Staatsangehöriger darf nicht gehindert, nach Finnland einzureisen, des Landes verwiesen oder gegen seinen Willen an ein anderes Land ausgeliefert oder in ein anderes Land verbracht werden. In einem Gesetz kann jedoch festgelegt werden, dass ein finnischer Staatsangehöriger aufgrund einer Straftat, zum Zweck eines Gerichtsverfahrens oder der Vollstreckung einer Entscheidung über das Sorgerecht oder die Fürsorge über ein Kind an ein Land ausgeliefert oder in ein anderes Land, in welchem seine oder ihre Menschenrechte sowie der Schutz der Rechte garantiert ist, verbracht werden kann.

(4) Das Recht eines Ausländers auf Einreise nach Finnland und Aufenthalt im Lande wird durch Gesetz geregelt. Ein Ausländer darf nicht des Landes verwiesen, ausgeliefert oder zurückgeschickt werden, wenn er dadurch von Todesstrafe, Folter oder einer anderen die Menschenwürde verletzenden Behandlung bedroht wird.

Artikel 10 (Schutz des Privatlebens)

(1) Das Privatleben, die Ehre und der Hausfrieden eines jeden sind geschützt. Der Schutz der persönlichen Daten wird durch Gesetz näher geregelt.

(2) Das Brief- und Fernmeldegeheimnis

und das Geheimnis einer sonstigen vertraulichen Botschaft sind unverletzlich.

(3) Durch Gesetz können unerläßliche Eingriffe in den Hausfrieden zur Sicherung der Grundrechte und -freiheiten oder zur Aufklärung von Verbrechen festgelegt werden.

(4) Durch Gesetz können außerdem unerlässliche Einschränkungen des Geheimnisses der Botschaft bei der Untersuchung von Verbrechen, die die Sicherheit des Einzelnen oder der Gesellschaft oder den Hausfrieden gefährden, bei einem Gerichtsprozeß und einer Sicherheitsüberprüfung, während des Freiheitsentzugs sowie zur Erlangung von Informationen über militärische oder sonstige Tätigkeiten, die eine ernsthafte Bedrohung der nationalen Sicherheit darstellen, festgelegt werden.

Artikel 11 (Religions- und Gewissensfreiheit)

(1) Jedermann hat das Recht auf Religions- und Gewissensfreiheit.

(2) Die Religions- und Gewissensfreiheit beinhaltet das Recht, sich zu einer Religion zu bekennen und sie auszuüben, das Recht, eine Überzeugung zu äußern und das Recht, einer religiösen Gemeinschaft anzugehören oder nicht anzugehören. Niemand ist verpflichtet, sich gegen sein Gewissen an der Ausübung einer Religion zu beteiligen.

Artikel 12 (Redefreiheit und Öffentlichkeit)

(1) Jedermann hat Redefreiheit. Die Redefreiheit schließt das Recht ein, ohne Behinderung, Informationen, Meinungen und andere Botschaften auszudrücken, zu veröffentlichen und zu empfangen. Nähere Vorschriften über die Ausübung der Redefreiheit werden durch Gesetz erlassen. Durch Gesetz können unerläßliche Einschränkungen von Bildprogrammen aus Gründen des Kinderschutzes festgelegt werden.

(2) Dokumente und andere Aufnahmen in Besitz von Behörden sind öffentlich, sofern deren Öffentlichkeit aus unerlässlichen Gründen nicht durch Gesetz besonders beschränkt worden ist. Jedermann hat das Recht des Zugangs zu öffentlichen Dokumenten und Aufnahmen.

Artikel 13 (Versammlungs- und Vereinigungsfreiheit)

(1) Jedermann hat das Recht, ohne eine Erlaubnis einzuholen, Versammlungen und Demonstrationen zu organisieren oder daran teilzunehmen.

(2) Jedermann hat das Recht der Vereinigungsfreiheit. Die Vereinigungsfreiheit schließt das Recht ein, ohne Genehmigung einen Verein zu gründen, einem Verein anzugehören oder nicht anzugehören und sich an der Tätigkeit eines Vereins zu beteiligen. Ebenfalls sind die gewerkschaftliche Vereinigungsfreiheit und die Freiheit, sich zur Wahrung anderer Interessen zu organisieren, gesichert.

(3) Nähere Vorschriften zur Ausübung der Versammlungs- und Vereinigungsfreiheit werden durch Gesetz erlassen.

Artikel 14 (Wahl- und Beteiligungsrechte)

(1) Jeder finnische Staatsangehörige hat mit Vollendung des achtzehnten Lebensjahres das Recht, an staatlichen Wahlen und Volksbefragungen teilzunehmen. Zur Wählbarkeit bei staatlichen Wahlen gilt, was hierzu in diesem Grundgesetz besonders vorgeschrieben wird.

(2) Jeder finnische Staatsangehörige und jeder andere Unionsbürger mit Aufenthalt in Finnland, der das achtzehnte Lebensjahr vollendet hat, hat das Recht zur Wahl des Europäischen Parlaments, wie dies durch Gesetz geregelt wird.

(3) Jeder finnische Staatsangehörige und jeder ständig in Finnland lebende Ausländer hat das Recht, mit Vollendung des achtzehnten Lebensjahres an kommunalen Wahlen und Volksbefragungen so teilzunehmen, wie es durch Gesetz geregelt wird. Das Recht auf sonstige Beteiligung an der kommunalen Verwaltung wird durch Gesetz geregelt.

(4) Es ist Aufgabe der öffentlichen Gewalt, die Möglichkeiten des Einzelnen zu fördern, sich an gesellschaftlicher Tätigkeit

zu beteiligen und auf die Entscheidungen einzuwirken, die ihn selbst betreffen.

Artikel 15 (Schutz des Eigentums)

(1) Das Eigentum eines jeden ist geschützt.

(2) Die Zwangsenteignung für öffentliche Zwecke gegen volle Entschädigung wird durch Gesetz geregelt.

Artikel 16 (Kulturelle Rechte)

(1) Jeder hat das Recht auf unentgeltlichen Grundunterricht. Die Schulpflicht wird durch Gesetz geregelt.

(2) Die öffentliche Gewalt hat so, wie es durch Gesetz näher geregelt wird, für jeden die gleiche Möglichkeit sicherzustellen, entsprechend seinen Fähigkeiten und besonderen Bedürfnissen auch anderen Unterricht als den Grundunterricht zu erhalten und sich weiterzuentwickeln, ohne daran durch Mittellosigkeit gehindert zu werden.

(3) Die Freiheit der Wissenschaft, der Kunst und der akademischen Lehre ist gesichert.

Artikel 17 (Recht auf eigene Sprache und Kultur)

(1) Die Nationalsprachen Finnlands sind Finnisch und Schwedisch.

(2) Das Recht eines jeden, sich vor Gericht und bei einer anderen Behörde in eigener Sache seiner eigenen Sprache, entweder der finnischen oder der schwedischen zu bedienen sowie offizielle Dokumente in dieser Sprache zu erhalten, wird durch Gesetz gesichert. Die öffentliche Gewalt hat für die kulturellen und gesellschaftlichen Bedürfnisse der finnisch- und schwedischsprachigen Bevölkerung des Landes nach denselben Grundsätzen zu sorgen.

(3) Die Sami als Ureinwohnervolk sowie die Roma und andere Gruppen haben das Recht, ihre Sprache und Kultur zu pflegen und weiterzuentwickeln. Das Recht der Sami auf Gebrauch der samischen Sprache bei Behörden wird durch Gesetz geregelt. Die Rechte der Nutzer der Gebärdensprache sowie die Rechte jener, die aufgrund einer Behinderung auf Dolmetsch- und Übersetzungshilfe angewiesen sind, werden durch Gesetz gesichert.

Artikel 18 (Recht auf Arbeit und Gewerbefreiheit)

(1) Jedermann hat das Recht, sein Einkommen durch eine Arbeit, einen Beruf oder ein Gewerbe seiner Wahl gesetzlich zu erwerben. Die öffentliche Gewalt hat für den Schutz der Arbeitskraft Sorge zu tragen.

(2) Die öffentliche Gewalt hat die Beschäftigung zu fördern und soll danach streben, für jeden das Recht auf Arbeit zu sichern. Das Recht auf eine beschäftigungsfördernde Ausbildung wird durch Gesetz geregelt.

(3) Niemand darf ohne gesetzliche Grundlage aus seiner Arbeit entlassen werden.

Artikel 19 (Recht auf soziale Sicherheit)

(1) Derjenige, der nicht in der Lage ist, sich den für ein menschenwürdiges Leben erforderlichen Unterhalt zu verdienen, hat das Recht auf die notwendige Unterstützung und Fürsorge.

(2) Durch Gesetz wird jedermann das Recht auf eine gesicherte Grundunterstützung im Falle von Arbeitslosigkeit, Krankheit, Arbeitsunfähigkeit und im Alter sowie bei der Geburt eines Kindes oder dem Verlust eines Versorgers zugesichert.

(3) Die öffentliche Gewalt hat für jeden so, wie es durch Gesetz näher geregelt wird, ausreichende Sozial- und Gesundheitsdienste sicherzustellen und die Gesundheit der Bevölkerung zu fördern. Die öffentliche Gewalt hat auch die Familien und andere für die Fürsorge der Kinder Verantwortlichen zu unterstützen, das Wohlbefinden und die persönliche Entwicklung der Kinder sicherzustellen.

(4) Es ist Aufgabe der öffentlichen Gewalt, das Recht eines jeden auf eine Wohnung zu fördern und das selbstständige Verwirklichen einer Wohnung zu unterstützen.

Artikel 20 (Verantwortung für die Umwelt)

(1) Die Verantwortung für die Natur und ihre Vielfalt, die Umwelt und das kulturelle Erbe wird von allen getragen.

(2) Die öffentliche Gewalt hat danach zu streben, für jeden das Recht auf eine gesunde Umwelt und die Möglichkeit, seine Lebensumgebung betreffende Entscheidungen mitzugestalten, zu sichern.

Artikel 21 (Rechtsschutz)

(1) Jedermann hat das Recht auf eine sachgemäße Verhandlung seiner Angelegenheit ohne unbegründete Verzögerung vor einem nach dem Gesetz zuständigen Gericht oder bei einer anderen Behörde sowie das Recht auf Verhandlung eines Beschlusses über seine Rechte und Pflichten vor einem Gericht oder einem anderen unabhängigen Organ der Rechtspflege.

(2) Die Öffentlichkeit der Verhandlung sowie das Recht, angehört zu werden, eine begründete Entscheidung zu bekommen und Rechtsmittel einzulegen sowie die sonstigen Garantien eines gerechten Prozesses und einer guten Verwaltung werden durch Gesetz gesichert.

Artikel 22 (Sicherung der Grundrechte)

Die öffentliche Gewalt hat die Verwirklichung der Grundrechte und der Menschenrechte zu sichern.

Artikel 23 (Grundrechte und -freiheiten unter Ausnahmezustand)

(1) Derartige vorläufige Ausnahmen von den Grundrechten und -freiheiten, die mit den internationalen Menschenrechtsverpflichtungen Finnlands vereinbar sind und die im Falle eines bewaffneten Angriffs auf Finnland oder im Falle sonstiger, in einem Gesetz vorgesehener Notsituation, die eine ernsthafte Bedrohung für die Nation darstellen, für notwendig erachtet werden, können durch ein Gesetz oder eine Verordnung des Staatsrates vorgesehen werden, die aufgrund einer in einem Gesetz aus einem besonderen Grund erteilten Ermächtigung erlassen und mit einem präzise abgrenzbaren Anwendungsbereich versehen wird. Die Gründe für vorläufige Ausnahmen werden jedoch durch ein Gesetz festgelegt.

(2) Verordnungen des Staatsrates über vorläufige Ausnahmen sind dem Parlament unverzüglich zur Prüfung vorzulegen. Das Parlament entscheidet über die Gültigkeit der Verordnung.

Kapitel 3 – PARLAMENT UND ABGEORDNETE

Artikel 24 (Zusammensetzung und Wahlperiode des Parlaments)

(1) Das Parlament besteht aus einer Kammer. Ihr gehören zweihundert Abgeordnete an, die für jeweils vier Jahre gewählt werden.

(2) Die Mandatsperiode des Parlaments beginnt, sobald das Ergebnis der Parlamentswahl bestätigt worden ist, und dauert an, bis die nächste Parlamentswahl vorgenommen worden ist.

Artikel 25 (Durchführung der Parlamentswahl)

(1) Die Abgeordneten werden unmittelbar und geheim nach dem Verhältniswahlrecht gewählt. Jeder Wahlberechtigte hat bei der Wahl das gleiche Stimmrecht.

(2) Für die Parlamentswahl wird das Land nach der Anzahl finnischer Staatsangehöriger in mindestens zwölf und höchstens achtzehn Wahlkreise eingeteilt. Die Provinz Åland bildet darüber hinaus ihren eigenen Wahlkreis für die Wahl eines Abgeordneten.

(3) Das Recht zur Aufstellung von Kandidaten für die Parlamentswahl haben die registrierten Parteien sowie eine durch Gesetz festgelegte Zahl von Wahlberechtigten.

(4) Der Zeitpunkt der Parlamentswahl, die Aufstellung der Kandidaten, die Durchführung der Wahl und die Wahlkreise werden durch Gesetz näher geregelt.

Artikel 26 (Anordnung einer vorzeitigen Parlamentswahl)

(1) Der Präsident der Republik kann auf begründeten Vorschlag des Ministerpräsidenten und nach Anhörung der Parlamentsfraktionen sowie wenn das Parlament versammelt ist die Durchführung einer vorzeitigen Parlamentswahl verfügen. Das Parlament

beschließt danach, wann es vor der Durchführung der Wahl seine Arbeit beendet.

(2) Nach einer vorzeitigen Parlamentswahl tritt das Parlament am ersten Tage desjenigen Kalendermonats zum Reichstag zusammen, der als nächster neunzig Tage nach der Anordnung der Wahl beginnt, sofern das Parlament keinen früheren Zeitpunkt zum Zusammentreten festgelegt hat.

Artikel 27 (Wählbarkeit und Befähigung für die Abgeordnetentätigkeit)

(1) Bei der Parlamentswahl ist jeder Wahlberechtigte wählbar, der nicht unmündig ist.

(2) Zum Abgeordneten kann jedoch nicht ein Militärbeamter gewählt werden.

(3) Abgeordnete dürfen nicht der Justizkanzler beim Staatsrat, der Justizbeauftragte des Parlaments, ein Mitglied des Obersten Gerichtshofes oder des Obersten Verwaltungsgerichtshofes und der Generalstaatsanwalt sein. Wird ein Abgeordneter zum Präsidenten der Republik gewählt oder in einen der obengenannten Dienste berufen oder gewählt, so erlischt sein Mandat an dem Tage, an dem er gewählt oder ernannt worden ist. Das Mandat erlischt auch dann, wenn ein Abgeordneter seine Wählbarkeit verliert.

Artikel 28 (Unterbrechung des Abgeordnetenmandats sowie Befreiung und Entziehung davon)

(1) Die Ausübung des Abgeordnetenmandats wird für die Zeit unterbrochen, in der der Abgeordnete Mitglied des Europäischen Parlaments ist. Das Mandat wird währenddessen von seinem Stellvertreter ausgeübt. Die Ausübung des Abgeordnetenmandats wird auch für die Zeit der Ableistung des Wehrdienstes unterbrochen.

(2) Das Parlament kann dem Abgeordneten auf dessen Gesuch die Befreiung von der Ausübung seines Abgeordnetenmandats gewähren, wenn es der Ansicht ist, daß für die Befreiung ein annehmbarer Grund vorliegt.

(3) Wenn der Abgeordnete in wesentlicher Weise und wiederholt die Ausübung seines Mandats vernachlässigt, kann das Parlament ihm nach Einholung einer Stellungnahme des Grundgesetzausschusses sein Mandat ganz oder zeitlich befristet durch einen Beschluß entziehen, dem mindestens zwei Drittel der abgegebenen Stimmen zugestimmt haben.

(4) Wird ein zum Abgeordneten Gewählter durch ein vollstreckbares Urteil wegen einer vorsätzlichen Straftat zu einer Gefängnisstrafe oder wegen eines auf eine Wahl bezogenen Verbrechens zu einer Strafe verurteilt, kann das Parlament prüfen, ob ihm gestattet wird, als Abgeordneter weiter zu dienen. Wenn die Straftat zeigt, daß der Verurteilte des für sein Abgeordnetenmandat vorausgesetzten Vertrauens und der für sein Abgeordnetenmandat vorausgesetzten Achtung nicht würdig ist, kann das Parlament nach Einholung einer Stellungnahme des Grundgesetzausschusses sein Abgeordnetenmandat durch einen Beschluß, dem mindestens zwei Drittel der abgegebenen Stimmen zugestimmt haben, für erloschen erklären.

Artikel 29 (Unabhängigkeit des Abgeordneten)

Ein Abgeordneter ist bei der Ausübung seines Mandats verpflichtet, Recht und Wahrheit zu achten. Er ist dabei verpflichtet, das Grundgesetz einzuhalten und ist nicht durch andere Weisungen gebunden.

Artikel 30 (Immunität des Abgeordneten)

(1) Ein Abgeordneter darf nicht an der Ausübung seines Mandats gehindert werden.

(2) Ein Abgeordneter darf wegen im Parlament geäußerter Ansichten oder wegen seines Verhaltens bei der Behandlung einer Angelegenheit nicht unter Anklage gestellt oder seiner Freiheit beraubt werden, sofern das Parlament dies nicht durch einen Beschluß bewilligt hat, dem mindestens fünf Sechstel der abgegebenen Stimmen zugestimmt haben.

(3) Von der Festnahme und Verhaftung eines Abgeordneten soll der Parlamentspräsident sofort in Kenntnis gesetzt werden. Ein Abgeordneter darf nicht ohne Zustimmung

des Parlaments vor dem Beginn des Gerichtsverfahrens festgenommen oder verhaftet werden, sofern er nicht aus schwerwiegenden Gründen einer Straftat verdächtigt wird, für die die vorgeschriebene mildeste Strafe mindestens sechs Monate Gefängnis beträgt.

Artikel 31 (Redefreiheit und Auftreten des Abgeordneten)

(1) Ein Abgeordneter hat im Parlament das Recht, frei über alle zur Debatte anstehenden Angelegenheiten und deren Behandlung zu sprechen.

(2) Ein Abgeordneter hat würdevoll und ohne Kränkung anderer aufzutreten. Wenn ein Abgeordneter hiergegen verstößt, kann der Parlamentspräsident dies abmahnen oder dem Abgeordneten die Weiterführung der Rede untersagen. Das Parlament kann einen wiederholt die Ordnung störenden Abgeordneten verwarnen oder ihn für höchstens zwei Wochen von den Parlamentssitzungen ausschließen.

Artikel 32 (Befangenheit eines Abgeordneten)

Ein Abgeordneter ist befangen, sich an der Vorbereitung und Beschlußfassung in einer Angelegenheit zu beteiligen, die ihn persönlich betrifft. Er darf jedoch an der Debatte über die Angelegenheit in der Plenarsitzung teilnehmen. In einem Ausschuß darf ein Abgeordneter auch nicht an der Behandlung einer Angelegenheit teilnehmen, die die Prüfung seiner Amtshandlungen betrifft.

Kapitel 4 – TÄTIGKEIT DES PARLAMENTS

Artikel 33 (Reichstag)

(1) Das Parlament tritt jährlich zum Reichstag an einem vom Parlament beschlossenen Datum zusammen, wonach der Präsident der Republik den Reichstag für eröffnet erklärt.

(2) Ein Reichstag dauert bis zum Zusammentreten des nächsten Reichstags an. Der letzte Reichstag einer Wahlperiode dauert jedoch an, bis das Parlament beschließt, seine

Arbeit zu beenden. Der Präsident der Republik erklärt danach die Arbeit des Parlaments für diese Wahlperiode für beendet. Der Parlamentspräsident hat jedoch das Recht, bei Bedarf den Reichstag vor der Durchführung einer neuen Wahl wieder einzuberufen.

Artikel 34 (Parlamentspräsident und Präsidialkonferenz)

(1) Das Parlament wählt aus seiner Mitte für den jeweiligen Reichstag den Parlamentspräsidenten und zwei Vizepräsidenten.

(2) Die Wahl des Parlamentspräsidenten und der Vizepräsidenten erfolgt in geheimer Abstimmung. In der Wahl gilt derjenige Abgeordnete als gewählt, der mehr als die Hälfte der abgegebenen Stimmen auf sich vereinigt. Erhält kein Abgeordneter in den ersten zwei Abstimmungen die erforderliche Mehrheit der abgegebenen Stimmen, gilt in der dritten Abstimmung derjenige Abgeordnete als gewählt, der die meisten Stimmen erhält.

(3) Der Parlamentspräsident, die Vizepräsidenten sowie die Vorsitzenden der Ausschüsse bilden die Präsidialkonferenz. Die Präsidialkonferenz erteilt Anweisungen für die Organisation der Arbeit des Parlaments und beschließt, wie es in diesem Grundgesetz oder in der Geschäftsordnung des Parlaments besonders bestimmt wird, die bei der Behandlung der Angelegenheiten im Reichstag einzuhaltenden Verfahren. Die Präsidialkonferenz kann im Parlament eine Initiative für die Verabschiedung oder die Änderung eines Gesetzes über die Beamten des Parlaments und die Geschäftsordnung des Parlaments einbringen sowie Vorschläge zu anderen die Tätigkeit des Parlaments betreffenden Vorschriften unterbreiten.

Artikel 35 (Parlamentsausschüsse)

(1) Das Parlament setzt für die Dauer einer Wahlperiode den Großen Ausschuß, den Grundgesetzausschuß, den Ausschuß für auswärtige Angelegenheiten, den Finanzausschuß, den Prüfungsausschuss und die in der Geschäftsordnung des Parlaments vorgeschriebenen anderen ständigen Ausschüsse ein. Das Parlament kann zudem einen außer-

ordentlichen Ausschuß für die Vorbereitung oder Untersuchung einer bestimmten Angelegenheit einsetzen.

(2) Der Große Ausschuß hat fünfundzwanzig Mitglieder. Der Grundgesetzausschuß, der Ausschuß für auswärtige Angelegenheiten und der Finanzausschuß haben mindestens siebzehn Mitglieder. Die anderen ständigen Ausschüsse haben mindestens elf Mitglieder. Die Ausschüsse haben außerdem eine erforderliche Anzahl stellvertretender Mitglieder.

(3) Ein Ausschuß ist beschlußfähig, wenn mindestens zwei Drittel seiner Mitglieder anwesend sind, sofern nicht für eine Angelegenheit eine größere Mitgliederzahl besonders vorgeschrieben worden ist.

Artikel 36 (Vom Parlament gewählte sonstige Organe und Vertreter)

(1) Das Parlament wählt die Bevollmächtigten zur Aufsicht über die Verwaltung und die Tätigkeit der Sozialversicherungsanstalt so, wie es durch Gesetz näher vorgeschrieben wird.

(2) Das Parlament wählt die anderen erforderlichen Organe so, wie es durch dieses Grundgesetz, ein anderes Gesetz oder die Geschäftsordnung des Parlaments vorgeschrieben wird.

(3) Die Wahl von Vertretern des Parlaments in ein auf einem internationalen Abkommen beruhendes Organ oder in ein sonstiges internationales Organ wird durch Gesetz oder die Geschäftsordnung des Parlaments geregelt.

Artikel 37 (Wahl der Organe des Parlaments)

(1) Die Ausschüsse und die anderen Organe des Parlaments werden bei dem ersten Reichstag der Wahlperiode für die ganze Wahlperiode gewählt, sofern in diesem Grundgesetz, der Geschäftsordnung des Parlaments oder der vom Parlament gebilligten Geschäftsordnung des Organs nichts anderes vorgeschrieben wird. Das Parlament kann jedoch im Laufe der Wahlperiode auf Vorschlag der Präsidialkonferenz beschließen, ein Organ neu einzusetzen.

(2) Das Parlament führt die Wahl der Ausschüsse und der sonstigen Organe durch. Wenn das Parlament in der Wahl nicht einstimmig ist, wird die Wahl nach dem Verhältniswahlrecht durchgeführt.

Artikel 38 (Justizbeauftragter des Parlaments)

(1) Das Parlament wählt für eine Periode von vier Jahren einen Justizbeauftragten und zwei stellvertretende Justizbeauftragte, die sich durch außerordentliche Rechtskunde auszeichnen müssen. Ein stellvertretender Justizbeauftragter kann eine Vertretung haben, was im Detail durch ein Gesetz zu regeln ist. Für die stellvertretenden Justizbeauftragten und die Vertretung der stellvertretenden Justizbeauftragten gilt sofern anwendbar, was über die Tätigkeit des Justizbeauftragten vorgeschrieben wird.

(2) Das Parlament kann bei Vorliegen eines besonders schwerwiegenden Grundes nach Einholung einer Stellungnahme des Grundgesetzausschusses den Justizbeauftragten während seiner Amtsperiode von seiner Aufgabe durch einen Beschluß entbinden, dem mindestens zwei Drittel der abgegebenen Stimmen zugestimmt haben müssen.

Artikel 39 (Anhängigmachen einer Angelegenheit im Parlament)

(1) Eine Angelegenheit wird im Parlament durch eine Regierungsvorlage oder auf Initiative eines Abgeordneten oder auf eine andere in diesem Grundgesetz oder der Geschäftsordnung des Parlaments festgelegte Weise anhängig gemacht.

(2) Ein Abgeordneter hat das Recht auf Einbringung:

1. einer Gesetzesinitiative, die einen Vorschlag zur Verabschiedung eines Gesetzes enthält,

2. einer Haushaltsplaninitiative, die einen Vorschlag für einen in den Staatshaushaltsplan oder in einen Nachtragshaushaltsplan aufzunehmenden Betrag oder einen anderen Beschluß enthält und

3. einer Maßnahmeninitiative, die einen Vorschlag zur Vorbereitung eines Gesetzes oder zur Vornahme einer anderen Maßnahme enthält.

Artikel 40 (Vorbereitung einer Angelegenheit)

Die Regierungsvorlagen, die Initiativen der Abgeordneten, die dem Parlament vorgelegten Berichte sowie die anderen Angelegenheiten, die in diesem Grundgesetz oder der Geschäftsordnung des Parlaments so vorgeschrieben werden, sollen vorbereitend in einem Ausschuß vor deren abschließender Behandlung in der Plenarsitzung beraten werden.

Artikel 41 (Behandlung einer Angelegenheit in der Plenarsitzung)

(1) Ein Gesetzesentwurf sowie ein Vorschlag für die Geschäftsordnung des Parlaments werden in der Plenarsitzung in zwei Lesungen aufgenommen. Ein ausgesetzter Gesetzesentwurf oder ein nicht bestätigtes Gesetz wird jedoch in der Plenarsitzung in einer Lesung behandelt. Andere Angelegenheiten werden in der Plenarsitzung in einer einzigen Lesung behandelt.

(2) Die Beschlüsse in der Plenarsitzung werden mit der Mehrheit der abgegebenen Stimmen gefaßt, sofern in diesem Grundgesetz nicht anderes besonders vorgeschrieben wird. Bei Stimmengleichheit entscheidet das Los, außer wenn für die Annahme eines Vorschlags eine qualifizierte Mehrheit erforderlich ist. Das Abstimmungsverfahren wird durch die Geschäftsordnung des Parlaments näher geregelt.

Artikel 42 (Aufgaben des Parlamentspräsidenten in der Plenarsitzung)

(1) Der Parlamentspräsident beruft die Plenarsitzungen ein, trägt dort die Angelegenheiten vor und leitet die Debatten und wacht darüber, daß bei der Beratung der Angelegenheiten in der Plenarsitzung das Grundgesetz eingehalten wird.

(2) Der Parlamentspräsident darf sich nicht weigern, eine Angelegenheit zur Beratung oder einen Vorschlag zur Abstimmung vorzulegen, wenn er nicht befindet, daß dadurch gegen das Grundgesetz, ein anderes Gesetz oder einen bereits vom Parlament gefaßten Beschluß verstoßen wird. Der Präsident hat in diesem Falle die Gründe für seine Verweigerung anzugeben. Billigt das Parlament das Verfahren des Parlamentspräsidenten nicht, wird die Angelegenheit an den Grundgesetzausschuß verwiesen, der unverzüglich entscheiden soll, ob der Präsident richtig gehandelt hat.

(3) Der Präsident beteiligt sich in der Plenarsitzung nicht an der Debatte oder der Abstimmung.

Artikel 43 (Interpellation)

(1) Mindestens zwanzig Abgeordnete können eine Interpellation an den Staatsrat oder einen Minister zu einer in deren Geschäftsbereich gehörenden Angelegenheit richten. Die Interpellation soll fünfzehn Tage nach dem Tag, an dem sie dem Staatsrat zur Kenntnis gebracht worden ist, in der Plenarsitzung des Parlaments beantwortet werden.

(2) Nach Behandlung der Interpellation wird eine Abstimmung über das dem Staatsrat oder dem Minister erwiesene Vertrauen durchgeführt, wenn während der Debatte der Vorschlag eingebracht worden ist, dem Staatsrat oder dem Minister das Misstrauen auszusprechen.

Artikel 44 (Erklärung und Bericht des Staatsrates)

(1) Der Staatsrat kann dem Parlament eine Erklärung oder einen Bericht in einer die staatliche Verwaltung oder die internationalen Beziehungen betreffenden Angelegenheit abgeben.

(2) Nach Behandlung einer Erklärung wird eine Abstimmung über das dem Staatsrat oder dem Minister erwiesene Vertrauen durchgeführt, wenn während der Debatte der Vorschlag eingebracht worden ist, dem Staatsrat oder dem Minister das Misstrauen auszusprechen. Bei der Beratung eines Berichts kann keine Entscheidung über das

dem Staatsrat oder einem seiner Mitglieder erwiesene Vertrauen getroffen werden.

Artikel 45 (Fragen, Mitteilungen und Debatten)

(1) Ein Abgeordneter hat das Recht, an einen Minister Fragen zu Angelegenheiten seines Zuständigkeitsbereiches zu richten. Das Verfahren für diese Fragen und ihre Beantwortung wird durch die Geschäftsordnung des Parlaments vorgeschrieben.

(2) Der Ministerpräsident oder ein von ihm bestimmter Minister kann dem Parlament in einer aktuellen Angelegenheit eine Mitteilung abgeben.

(3) In der Plenarsitzung kann eine Debatte zu einer aktuellen Angelegenheit so durchgeführt werden, wie es durch die Geschäftsordnung des Parlaments näher geregelt wird.

(4) Das Parlament fällt in den von diesem Artikel betroffenen Angelegenheiten keinen Beschluß. Bei ihrer Beratung kann von dem, was in Artikel 31 Abs. 1 über die Redebeiträge vorgeschrieben wird, abgewichen werden.

Artikel 46 (Dem Parlament vorzulegende Berichte)

(1) Der Staatsrat hat dem Parlament jährlich einen Bericht über seine Tätigkeit und über die Maßnahmen, die er aufgrund der Beschlüsse des Parlaments getroffen hat, sowie über die Verwaltung der Staatsfinanzen und die Einhaltung des Haushaltsplans vorzulegen.

(2) Dem Parlament werden weitere Berichte so vorgelegt, wie es durch dieses Grundgesetz, ein anderes Gesetz oder die Geschäftsordnung des Parlaments festgelegt wird.

Artikel 47 (Informationsrecht des Parlaments)

(1) Das Parlament hat das Recht, von dem Staatsrat die für die Beratung der Angelegenheiten erforderlichen Informationen zu bekommen. Der zuständige Minister hat dafür zu sorgen, daß ein Ausschuß oder ein anderes Parlamentsorgan unverzüglich die benötigten, im Besitz einer Behörde befindlichen Dokumente und sonstigen Informationen erhält.

(2) Ein Ausschuß hat das Recht, von dem Staatsrat oder dem zuständigen Ministerium eine Klärung über eine Angelegenheit seines Zuständigkeitsbereiches zu bekommen. Der Ausschuß kann aufgrund dieser Klärung dem Staatsrat oder dem Ministerium ein Gutachten in dieser Angelegenheit abgeben.

(3) Ein Abgeordneter hat das Recht, von einer Behörde die Informationen, die sich in Besitz dieser Behörde befinden und die für die Ausübung des Abgeordnetenmandats erforderlich sind, zu bekommen, soweit diese Informationen nicht der Geheimhaltungspflicht unterliegen und die in der Vorbereitung befindliche Haushaltsvorlage nicht betreffen.

(4) Für das Recht des Parlaments, Informationen in internationalen Angelegenheiten zu bekommen, gilt ferner, was in diesem Grundgesetz darüber an anderer Stelle vorgeschrieben wird.

Artikel 48 (Anwesenheitsrecht des Ministers sowie des Justizbeauftragten und des Justizkanzlers)

(1) Ein Minister hat das Recht auf Anwesenheit und Beteiligung an der Debatte in der Plenarsitzung, auch wenn er kein Parlamentsmitglied ist. Ein Minister kann kein Mitglied in einem Parlamentsausschuß sein. Bei der Ausübung der Amtsgeschäfte des Präsidenten der Republik nach Artikel 59 kann ein Minister sich nicht an der Parlamentsarbeit beteiligen.

(2) Der Justizbeauftragte des Parlaments und der Justizkanzler beim Staatsrat können anwesend sein und sich an der Debatte in der Plenarsitzung beteiligen, wenn ihre eigenen Berichte oder eine sonstige auf ihre eigene Initiative anhängig gewordene Angelegenheit beraten werden.

Artikel 49 (Kontinuität der Beratung von Angelegenheiten)

Die Beratung der bei einem Reichstag nicht abgeschlossenen Angelegenheiten wird bei dem nächsten Reichstag fortgeführt, sofern keine Parlamentswahl dazwischen durchgeführt worden ist. Wenn erforderlich, kann die Behandlung einer im Parlament anhängigen internationalen Angelegenheit im Reichstag nach der Parlamentswahl fortgesetzt werden.

Artikel 50 (Öffentlichkeit der Parlamenttätigkeit)

(1) Die Plenarsitzungen des Parlaments sind öffentlich, sofern das Parlament nicht für eine bestimmte Angelegenheit aus besonders schwerwiegenden Gründen anderes bestimmt. Das Parlament veröffentlicht die Reichstagsdokumente so, wie es durch die Geschäftsordnung des Parlaments näher geregelt wird.

(2) Die Ausschußsitzungen sind nicht öffentlich. Ein Ausschuß kann jedoch seine Sitzung in den Teilen für öffentlich erklären, in denen er Informationen zur Behandlung einer Angelegenheit einholt. Die Protokolle des Ausschusses und die sonstigen damit in Verbindung stehenden Dokumente sind öffentlich, sofern nicht in der Geschäftsordnung des Parlaments aus zwingenden Gründen anderes vorgeschrieben wird oder der Ausschuß in einer Angelegenheit anders entscheidet.

(3) Die Ausschußmitglieder haben die Verschwiegenheit zu bewahren, die eine Angelegenheit nach der Ansicht des Ausschusses aus zwingendem Grund besonders erfordert. Bei der Beratung von internationalen Beziehungen Finnlands oder Angelegenheiten der Europäischen Union haben die Ausschußmitglieder jedoch die Verschwiegenheit zu bewahren, die nach der Ansicht des Ausschusses für auswärtige Angelegenheiten oder des Großen Ausschusses nach Anhörung des Staatsrates der dem Charakter der Angelegenheit nach erforderlich ist.

Artikel 51 (Bei der Parlamentsarbeit zu gebrauchende Sprachen)

(1) Bei der Parlamentsarbeit wird die finnische oder die schwedische Sprache verwendet.

(2) Die Regierung und die anderen Behörden sollen die für das Anhängigmachen einer Angelegenheit im Parlament benötigten Dokumente in finnischer und schwedischer Sprache vorlegen. Die Antworten und Schreiben des Parlaments, die Berichte und Gutachten der Ausschüsse sowie die schriftlichen Vorschläge der Präsidialkonferenz sollen ebenfalls in finnischer und schwedischer Sprache niedergelegt werden.

Artikel 52 (Geschäftsordnung des Parlaments sowie Dienstvorschriften und innere Anordnungen)

(1) In der Geschäftsordnung des Parlaments werden genauere Bestimmungen zu dem bei den Reichstagen einzuhaltenden Verfahren sowie den Parlamentsorganen und der Parlamentsarbeit erlassen. Die Geschäftsordnung wird in der Plenarsitzung nach dem für die Beratung eines Gesetzesentwurfes vorgeschriebenen Verfahren angenommen und im Finnischen Gesetzblatt veröffentlicht.

(2) Das Parlament kann Dienstvorschriften für die interne Verwaltung des Parlaments, die vom Parlament durchzuführenden Wahlen und die anderen Einzelheiten der Parlamentsarbeit erlassen. Weiterhin kann das Parlament für die von ihm gewählten Organe innere Anordnungen billigen.

Artikel 53 (Volksbefragung und Bürgerinitiative)

(1) Die Durchführung einer konsultativen Volksbefragung wird durch ein Gesetz bestimmt, in dem der Zeitpunkt der Befragung und die den Wählern vorzulegenden Alternativen geregelt werden sollen.

(2) Das bei den Volksbefragungen einzuhaltende Verfahren wird durch Gesetz vorgeschrieben.

(3) Mindestens fünfzigtausend wahlberechtigte finnische Staatsangehörige haben das Recht dem Parlament eine Initiative zum Erlass eines Gesetzes zu unterbreiten, wie es im Gesetz geregelt ist.

Kapitel 5 – PRÄSIDENT DER REPUBLIK UND STAATSRAT

Artikel 54 (Wahl des Präsidenten der Republik)

(1) Der Präsident der Republik wird in direkter Wahl aus dem Kreise der gebürtigen finnischen Staatsangehörigen für eine Amtsperiode von sechs Jahren gewählt. Dieselbe Person kann höchstens für zwei aufeinander folgende Amtsperioden zum Präsidenten gewählt werden.

(2) Zum Präsidenten wird der Kandidat gewählt, der bei der Wahl mehr als die Hälfte der abgegebenen Stimmen erhält. Wenn kein Kandidat die Mehrheit der abgegebenen Stimmen erhalten hat, erfolgt eine neue Wahl zwischen den zwei Kandidaten, die die meisten Stimmen erhalten haben. Zum Präsidenten wird dann der Kandidat gewählt, der bei der neuen Wahl die höhere Stimmenzahl erhalten hat. Ist nur ein Kandidat aufgestellt worden, wird er ohne Wahl zum Präsidenten ernannt.

(3) Das Recht zur Aufstellung eines Kandidaten für die Wahl zum Präsidenten haben eine registrierte Partei, von deren Kandidatenliste bei der zuletzt durchgeführten Parlamentswahl mindestens ein Abgeordneter gewählt wurde, sowie zwanzigtausend Stimmberechtigte. Der Zeitpunkt der Wahl und das bei der Wahl des Präsidenten einzuhaltende Verfahren werden durch Gesetz näher geregelt.

Artikel 55 (Amtsperiode des Präsidenten)

(1) Der Präsident der Republik tritt sein Amt am ersten Tag des auf die Wahl folgenden Monats an.

(2) Die Amtsperiode des Präsidenten endet, wenn der bei der nächsten Wahl gewählte Präsident sein Amt antritt.

(3) Wenn der Präsident verstirbt oder der Staatsrat ihn für die Ausübung des Amts des Präsidenten für dauerhaft verhindert erklärt, ist so rasch wie möglich ein neuer Präsident zu wählen.

Artikel 56 (Feierliches Gelöbnis des Präsidenten)

Bei der Aufnahme seines Amts legt der Präsident der Republik vor dem Parlament das folgende feierliche Gelöbnis ab:

„Ich, _____, der ich vom finnischen Volk zum Präsidenten der Republik Finnland erwählt worden bin, versichere, daß ich in Ausübung meines Amtes als Präsident der Republik aufrichtig und treu das Grundgesetz und die Gesetze der Republik befolgen und das Wohl des finnischen Volkes nach allen Kräften fördern werde."

Artikel 57 (Aufgaben des Präsidenten)

Der Präsident der Republik nimmt die für ihn durch dieses Grundgesetz oder ein anderes Gesetz besonders vorgeschriebenen Aufgaben wahr.

Artikel 58 (Beschlußfassung des Präsidenten)

(1) Der Präsident der Republik faßt seine Beschlüsse im Staatsrat auf dessen Lösungsvorschlag.

(2) Wenn der Präsident der Republik nicht in Übereinstimmung mit dem Lösungsvorschlag des Staatsrates in einer Angelegenheit entscheidet, wird die Angelegenheit zur Vorbereitung an den Staatsrat zurückverwiesen. In einem solchen Fall kann der Staatsrat, wenn es sich nicht um Fragen der Bestätigung eines Gesetzes oder der Ernennung zu einem Amt oder einer Position handelt, dem Parlament einen entsprechenden Bericht vorlegen. Danach wird die Angelegenheit gemäß dem Standpunkt des Parlaments auf der Grundlage des Berichts entschieden, wenn die Regierung einen entsprechenden Vorschlag unterbreitet.

(3) Der Präsident entscheidet abweichend von Absatz 1 ohne einen Lösungsvorschlag des Staatsrates:

1. über die Ernennung des Staatsrates und eines seiner Mitglieder sowie über die Abberufung des Staatsrates und eines seiner Mitglieder;

2. über die Anordnung vorzeitiger Parlamentswahlen;

3. über Begnadigungen sowie andere durch Gesetz besonders vorgeschriebene Angelegenheiten, die eine Privatperson betreffen oder die aufgrund ihres Inhalts nicht die Beratung einer Plenarsitzung des Staatsrates voraussetzen sowie

4. über die im Selbstverwaltungsgesetz der Provinz Åland vorgesehenen, nicht den Haushalt der Provinz betreffenden Angelegenheiten.

(4) Der zuständige Minister trägt die Angelegenheit dem Präsidenten zur Entscheidung vor. Eine Veränderung der Zusammensetzung des Staatsrates, die den ganzen Staatsrat betrifft, wird jedoch von dem zuständigen Vortragenden des Staatsrates vorgetragen.

(5) Der Präsident der Republik entscheidet in militärischen Befehlsangelegenheiten unter Mitwirkung eines Ministers so, wie es durch Gesetz näher geregelt wird. Bei militärischen Ernennungen und in Angelegenheiten, die das Präsidialamt betreffen, entscheidet der Präsident so, wie es durch Gesetz vorgeschrieben wird.

(6) Entscheidungen über die Teilnahme Finnlands an der militärischen Krisenbewältigung werden nach spezieller Maßgabe eines Gesetzes getroffen.

Artikel 59 (Verhinderung des Präsidenten)

Wenn der Präsident der Republik verhindert ist, werden seine Aufgaben von dem Ministerpräsidenten und, wenn auch dieser verhindert ist, von dem den Ministerpräsidenten vertretenden Minister wahrgenommen.

Artikel 60 (Staatsrat)

(1) Dem Staatsrat gehören der Ministerpräsident und eine erforderliche Anzahl anderer Minister an. Die Minister sollen als ehrlich und fähig geltende finnische Staatsangehörige sein.

(2) Die Minister sind dem Parlament für ihre Amtshandlungen verantwortlich. Jeder Minister, der an der Beratung einer Angelegenheit im Staatsrat teilgenommen hat, ist für den Beschluß verantwortlich, wenn er

nicht seine abweichende Meinung zu Protokoll gegeben hat.

Artikel 61 (Bildung des Staatsrates)

(1) Das Parlament wählt den Ministerpräsidenten, den der Präsident der Republik für diese Aufgabe ernennt. Die anderen Minister ernennt der Präsident nach dem Vorschlag des zum Ministerpräsidenten gewählten.

(2) Vor der Wahl des Ministerpräsidenten beraten die Parlamentsfraktionen über das Regierungsprogramm und die Zusammensetzung des Staatsrates. Aufgrund der Ergebnisse dieser Beratungen und nach Anhörung des Parlamentspräsidenten und der Parlamentsfraktionen teilt der Präsident der Republik dem Parlament den Ministerpräsidentenkandidaten mit. Der Kandidat wird zum Ministerpräsidenten gewählt, wenn bei offener Abstimmung im Parlament mehr als die Hälfte der abgegebenen Stimmen seiner Wahl zugestimmt haben.

(3) Erhält der Kandidat nicht die erforderliche Mehrheit, wird nach dem gleichen Verfahren ein neuer Ministerpräsidentenkandidat aufgestellt. Erhält auch der neue Kandidat nicht mehr als die Hälfte der abgegebenen Stimmen, wird im Parlament die Wahl des Ministerpräsidenten als offene Abstimmung durchgeführt. Gewählt wird dann die Person, die die meisten Stimmen erhalten hat.

(4) Bei der Ernennung des Staatsrates und einer bedeutenden Veränderung seiner Zusammensetzung soll das Parlament versammelt sein.

Artikel 62 (Erklärung über das Regierungsprogramm)

Der Staatsrat hat unverzüglich dem Parlament sein Programm in Form einer Erklärung vorzulegen. In gleicher Weise ist bei einer bedeutenden Veränderung der Zusammensetzung des Staatsrates zu verfahren.

Artikel 63 (Abhängigkeiten eines Ministers)

(1) Ein Mitglied des Staatsrates darf während seiner Zeit als Minister nicht ein

öffentliches Amt oder eine andere Aufgabe ausüben, welche die Wahrnehmung der Aufgaben eines Ministers behindern oder das Vertrauen in seine Tätigkeit als Mitglied des Staatsrates gefährden kann.

(2) Ein Minister hat unverzüglich nach seiner Ernennung dem Parlament eine Erklärung über seine Gewerbetätigkeit, seine Anteile an Unternehmen und andere bedeutende Vermögenswerte sowie seine nicht zu den Amtsgeschäften eines Ministers zählenden Aufgaben und seine sonstigen Abhängigkeiten abzugeben, die bei der Beurteilung seiner Tätigkeit als Mitglied des Staatsrates von Bedeutung sein können.

Artikel 64 (Rücktritt des Staatsrates und eines Ministers)

(1) Der Präsident der Republik entläßt den Staatsrat oder einen Minister auf Gesuch. Einen Minister kann der Präsident auch auf Initiative des Ministerpräsidenten entlassen.

(2) Der Präsident hat auch ohne Gesuch den Staatsrat oder einen Minister zu entlassen, wenn dieser das Vertrauen des Parlaments nicht mehr genießt.

(3) Wenn ein Minister zum Präsidenten der Republik oder zum Parlamentspräsidenten gewählt wird, gilt er von dem Tage an, an dem er gewählt worden ist, als aus seinem Amt ausgeschieden.

Artikel 65 (Aufgaben des Staatsrates)

(1) Dem Staatsrat obliegen die in diesem Grundgesetz besonders vorgeschriebenen Aufgaben sowie diejenigen anderen Regierungs- und Verwaltungsangelegenheiten, die der Entscheidungsgewalt des Staatsrates oder eines Ministeriums zugewiesen sind oder die nicht der Entscheidungsgewalt des Präsidenten der Republik oder einer anderen Behörde zugewiesen sind.

(2) Der Staatsrat führt die Beschlüsse des Präsidenten aus.

Artikel 66 (Aufgaben des Ministerpräsidenten)

(1) Der Ministerpräsident leitet die Tätigkeit des Staatsrates und sorgt für die Abstimmung der Vorbereitung und Beratung der dem Staatsrat obliegenden Angelegenheiten. Der Ministerpräsident leitet die Beratung der Angelegenheiten in der Plenarsitzung des Staatsrates.

(2) Der Ministerpräsident vertritt Finnland im Europäischen Rat. Wenn der Staatsrat nicht anderes entscheidet, vertritt der Ministerpräsident Finnland auch in anderen Angelegenheiten der Europäischen Union, die die Teilnahme höchster staatlicher Vertreter erfordern.

(3) Im Verhinderungsfall des Ministerpräsidenten werden seine Aufgaben von dem zum Stellvertreter des Ministerpräsidenten bestellten Minister und, bei Verhinderung auch von diesem, vom dienstältesten Minister wahrgenommen.

Artikel 67 (Beschlußfassung des Staatsrates)

(1) Die dem Staatsrat obliegenden Angelegenheiten werden in der Plenarsitzung des Staatsrates oder in dem zuständigen Ministerium entschieden. In der Plenarsitzung werden weitreichende und Angelegenheiten von grundsätzlicher Bedeutung sowie die anderen Angelegenheiten entschieden, deren Bedeutung dies verlangt. Die Grundlagen der Zuweisung der Beschlußkompetenz des Staatsrates werden durch Gesetz näher festgelegt.

(2) Die in dem Staatsrat zu beratenden Angelegenheiten sind in dem zuständigen Ministerium vorzubereiten. Der Staatsrat kann Ministerausschüsse für die Vorbereitung der Angelegenheiten haben.

(3) Die Plenarsitzung des Staatsrates ist mit fünf Mitgliedern beschlußfähig.

Artikel 68 (Ministerien)

(1) Der Staatsrat hat eine erforderliche Anzahl von Ministerien. Jedes Ministerium ist in seinem Zuständigkeitsbereich für die Vorbereitung der dem Staatsrat obliegenden Angelegenheiten und für die sachgemäße Tätigkeit der Verwaltung verantwortlich.

(2) Ein Ministerium wird von einem Minister geleitet.

(3) Die maximale Zahl der Ministerien und die allgemeinen Grundlagen ihrer Schaffung werden durch Gesetz geregelt. Vorschriften über die Zuständigkeitsbereiche der Ministerien und ihre Aufgabenverteilung sowie die sonstige Organisation des Staatsrates werden durch Gesetz oder Verordnung des Staatsrates erlassen.

Artikel 69 (Justizkanzler beim Staatsrat)

(1) In Verbindung mit dem Staatsrat gibt es einen Justizkanzler und einen stellvertretenden Justizkanzler, die vom Präsidenten der Republik ernannt werden und die sich durch außerordentliche Rechtskunde auszeichnen sollen. Der Präsident bestellt außerdem für den stellvertretenden Justizkanzler für eine Frist von höchstens fünf Jahren einen Stellvertreter, der im Verhinderungsfall des stellvertretenden Justizkanzlers dessen Aufgaben wahrnimmt.

(2) Für den stellvertretenden Justizkanzler und dessen Stellvertreter gilt sofern anwendbar, was über den Justizkanzler vorgeschrieben wird.

Kapitel 6 – GESETZGEBUNG

Artikel 70 (Gesetzesinitiative)

Das Verfahren zur Verabschiedung eines Gesetzes wird im Parlament durch eine Regierungsvorlage oder eine Gesetzesinitiative eines Abgeordneten eingeleitet, die eingebracht werden kann, wenn das Parlament versammelt ist.

Artikel 71 (Ergänzung und Rücknahme einer Regierungsvorlage)

Eine Regierungsvorlage kann ergänzt werden, indem eine neue ergänzende Vorlage eingereicht wird oder sie kann zurückgezogen werden. Eine ergänzende Vorlage kann nicht mehr eingereicht werden, nachdem der für die Vorbereitung der Angelegenheit zuständige Ausschuß seinen Bericht abgegeben hat.

Artikel 72 (Beratung eines Gesetzentwurfs im Parlament)

(1) Ein Gesetzentwurf wird nach Abgabe eines Berichts durch den für die Vorbereitung der Angelegenheit zuständigen Ausschuß in der Plenarsitzung des Parlaments in zwei Lesungen beraten.

(2) In der ersten Lesung des Gesetzentwurfs wird der Bericht des Ausschusses vorgetragen und eine Debatte darüber geführt sowie der Inhalt des Gesetzentwurfs festgelegt. In der zweiten Lesung, die frühestens am dritten Tage nach dem Abschluß der ersten Lesung stattfindet, wird über die Annahme oder Ablehnung des Gesetzentwurfs entschieden.

(3) Der Gesetzentwurf kann während der ersten Lesung dem Großen Ausschuß zur Beratung überwiesen werden.

(4) Die Beratung eines Gesetzentwurfs wird durch die Geschäftsordnung des Parlaments näher geregelt.

Artikel 73 (Verfahren zur Verabschiedung des Grundgesetzes)

(1) Ein Vorschlag zur Verabschiedung, Änderung oder Aufhebung des Grundgesetzes oder die Vornahme einer beschränkten Ausnahme vom Grundgesetz ist in der zweiten Lesung mit Stimmenmehrheit zum Aussetzen bis zu dem ersten Reichstag nach einer Parlamentswahl zu billigen. Der Vorschlag soll dann nach Abgabe eines Berichts durch einen Ausschuß inhaltlich unverändert in der Plenarsitzung in einer Lesung durch einen Beschluß angenommen werden, dem mindestens zwei Drittel der abgegebenen Stimmen zugestimmt haben.

(2) Der Vorschlag kann jedoch durch einen Beschluß, dem mindestens fünf Sechstel der abgegebenen Stimmen zugestimmt haben, für dringlich erklärt werden. Der Vorschlag wird dann nicht ausgesetzt und er kann mit mindestens zwei Dritteln der abgegebenen Stimmen angenommen werden.

Artikel 74 (Überwachung der Verfassungsmäßigkeit)

Aufgabe des Grundgesetzausschusses des

Parlaments ist es, ein Gutachten über die Verfassungsmäßigkeit der ihm zur Beratung überwiesenen Gesetzentwürfe und anderen Angelegenheiten sowie über ihr Verhältnis zu internationalen Menschenrechtsverträgen abzugeben.

Artikel 75 (Sondergesetze für Åland)

(1) Für das Verfahren zur Verabschiedung des Selbstverwaltungsgesetzes und des Bodenerwerbsgesetzes von Åland gilt, was hierzu durch die erwähnten Gesetze besonders vorgeschrieben wird.

(2) Für das Recht des Provinziallandtages von Åland auf Einbringung von Initiativen sowie für die Verabschiedung der Provinzialgesetze von Åland gilt, was hierzu im Selbstverwaltungsgesetz vorgeschrieben wird.

Artikel 76 (Kirchengesetz)

(1) Im Kirchengesetz werden die Organisation und Verwaltung der evangelisch-lutherischen Kirche geregelt.

(2) Für das Verfahren zur Verabschiedung des Kirchengesetzes und das Initiativrecht bezüglich des Kirchengesetzes gilt, was hierzu in dem genannten Gesetz besonders vorgeschrieben wird.

Artikel 77 (Bestätigung eines Gesetzes)

(1) Ein vom Parlament verabschiedetes Gesetz ist dem Präsidenten der Republik zur Bestätigung vorzulegen. Der Präsident hat über die Bestätigung des Gesetzes innerhalb von drei Monaten zu entscheiden, nachdem das Gesetz zur Bestätigung vorgelegt worden ist. Der Präsident kann über das Gesetz ein Gutachten des Obersten Gerichtshofes oder des Obersten Verwaltungsgerichtshofes einholen.

(2) Bestätigt der Präsident ein Gesetz nicht, wird es zur Beratung an das Parlament zurückverwiesen. Wenn das Parlament das Gesetz inhaltlich unverändert erneut annimmt, tritt es ohne Bestätigung in Kraft. Das Gesetz gilt als hinfällig, wenn das Parlament es nicht erneut angenommen hat.

Artikel 78 (Behandlung eines nicht bestätigten Gesetzes)

Ein Gesetz wird unverzüglich im Parlament erneut beraten, wenn der Präsident der Republik es nicht innerhalb des festgelegten Zeitraums bestätigt hat. Das Gesetz ist nach Abgabe eines Berichts durch einen Ausschuß inhaltlich unverändert in der Plenarsitzung des Parlaments in einer Lesung mit Stimmenmehrheit anzunehmen oder abzulehnen.

Artikel 79 (Veröffentlichung und Inkrafttreten eines Gesetzes)

(1) Wenn ein Gesetz nach dem zur Verabschiedung des Grundgesetzes vorgeschriebenen Verfahren verabschiedet worden ist, wird darauf im Gesetz hingewiesen

(2) Ein Gesetz, das bestätigt worden ist oder ohne Bestätigung in Kraft tritt, soll vom Präsidenten der Republik unterzeichnet und vom zuständigen Minister beglaubigt werden. Der Staatsrat hat das Gesetz danach unverzüglich im Finnischen Gesetzblatt zu veröffentlichen.

(3) Aus dem Gesetz soll ersichtlich sein, wann es in Kraft tritt. Aus besonderem Grund kann in dem Gesetz vorgeschrieben werden, daß der Zeitpunkt seines Inkrafttretens durch Verordnung bestimmt wird. Ist das Gesetz nicht spätestens zu dem vorgeschriebenen Zeitpunkt des Inkrafttretens veröffentlicht worden, so tritt es am Tage der Veröffentlichung in Kraft.

(4) Die Gesetze werden in finnischer und schwedischer Sprache verabschiedet und veröffentlicht.

Artikel 80 (Verordnungserlaß und Übertragung der gesetzgebenden Gewalt)

(1) Der Präsident der Republik, der Staatsrat und ein Ministerium können Verordnungen aufgrund der in diesem Grundgesetz oder einem anderen Gesetz festgelegten Ermächtigung erlassen. Durch Gesetz sollen jedoch die Grundlagen der Rechte und Pflichten des Einzelnen sowie die Angelegenheiten geregelt werden, die nach dem Grundgesetz in den Gesetzesbereich fallen. Falls ein besonderer Verordnungsgeber nicht

bestimmt worden ist, wird die Verordnung von dem Staatsrat erlassen.

(2) Auch eine andere Behörde kann durch Gesetz ermächtigt werden, Rechtsvorschriften in bestimmten Angelegenheiten zu erlassen, wenn es hierfür mit dem Regelungsgegenstand in Verbindung stehende besondere Gründe gibt und die sachliche Bedeutung der Regelung nicht voraussetzt, daß die Angelegenheit durch Gesetz oder Verordnung geregelt wird. Der Anwendungsbereich einer derartigen Ermächtigung ist genau zu begrenzen.

(3) Die allgemeinen Vorschriften für die Veröffentlichung und das Inkrafttreten von Verordnungen und anderen Rechtsregeln werden durch Gesetz erlassen.

Kapitel 7 – STAATSHAUSHALT

Artikel 81 (Staatssteuern und Gebühren)

(1) Die Staatssteuern werden durch ein Gesetz geregelt, das die Vorschriften über die Grundlagen der Steuerpflicht und der Höhe der Steuern sowie den Rechtsschutz des Steuerpflichtigen enthält.

(2) Die allgemeinen Grundlagen der Gebührenpflicht und der Höhe der zu entrichtenden Gebühren für die Amtshandlungen, Dienstleistungen und der sonstigen Tätigkeit der staatlichen Behörden werden durch Gesetz festgelegt.

Artikel 82 (Kreditaufnahme durch den Staat und staatliche Sicherheiten)

(1) Die Kreditaufnahme durch den Staat soll auf der Zustimmung des Parlaments beruhen, aus der der Höchstbetrag einer neuen Kreditaufnahme oder der Staatsschuld zu entnehmen ist.

(2) Staatliche Bürgschaften und Garantien können mit Zustimmung des Parlaments gewährt werden.

Artikel 83 (Staatshaushaltsplan)

(1) Das Parlament verabschiedet für jedes Haushaltsjahr den Staatshaushaltsplan, der im Finnischen Gesetzblatt veröffentlicht wird.

(2) Die Regierungsvorlage für den Staatshaushaltsplan und die damit in Verbindung stehenden sonstigen Regierungsvorlagen werden rechtzeitig vor Beginn des Haushaltsjahres dem Parlament zur Beratung vorgelegt. Für die Ergänzung und Rücknahme der Vorlage für den Haushaltsplan gilt, was in Artikel 71 vorgeschrieben wird.

(3) Ein Abgeordneter kann aufgrund der Vorlage des Haushaltsplans mit einer Haushaltsplaninitiative einen Vorschlag für einen in den Staatshaushaltsplan aufzunehmenden Betrag oder sonstigen Beschluß unterbreiten.

(4) Der Staatshaushaltsplan wird nach der Abgabe eines Berichts durch den Finanzausschuß des Parlaments in der Plenarsitzung in einer Lesung angenommen. In der Geschäftsordnung des Parlaments wird die Beratung des Haushaltsplans im Parlament näher geregelt.

(5) Verzögert sich die Veröffentlichung des Staatshaushaltsplans über den Beginn des neuen Haushaltsjahres hinaus, wird die Regierungsvorlage vorläufig als Staatshaushaltsplan in der durch das Parlament beschlossenen Weise befolgt.

Artikel 84 (Inhalt des Haushaltsplans)

(1) In den Staatshaushaltsplan werden die Voranschläge der jährlichen Einnahmen und die Beträge für die jährlichen Ausgaben sowie die Verwendungszwecke der Beträge und die sonstigen Begründungen des Haushaltsplans aufgenommen. Durch Gesetz kann vorgeschrieben werden, daß in den Haushaltsplan für bestimmte, unmittelbar miteinander verbundene Einnahmen und Ausgaben die Einnahmenvoranschläge oder die Beträge, die ihrer Differenz entsprechen, aufgenommen werden können.

(2) Die in den Haushaltsplan aufgenommenen Voranschläge der Einnahmen müssen die darin aufgenommenen Beträge decken. Bei der Deckung der Beträge kann der Überschuß oder das Defizit in dem Rechnungsabschluß der Staatsfinanzen so berücksichtigt werden, wie es durch Gesetz geregelt wird.

(3) Die den miteinander in Verbindung stehenden Einnahmen und Ausgaben ent-

sprechenden Einnahmenvoranschläge und Beträge können in den Haushaltsplan für mehrere Jahre so aufgenommen werden, wie es durch Gesetz geregelt wird.

(4) Die allgemeinen Grundlagen der Tätigkeit und des Haushalts der staatlichen Betriebe werden durch Gesetz festgelegt. Die Voranschläge der Einnahmen und die Beträge, die die staatlichen Betriebe betreffen, werden in den Haushaltsplan nur für den Teil aufgenommen, wie es durch Gesetz vorgeschrieben wird. Das Parlament billigt im Zusammenhang mit der Beratung des Haushaltplans die wichtigsten Dienstleistungsziele und die sonstigen Tätigkeitsziele der staatlichen Betriebe.

Artikel 85 (Beträge des Haushaltsplans)

(1) Die Beträge werden in den Staatshaushaltsplan als feste Beträge, geschätzte Beträge und übertragbare Beträge aufgenommen. Ein geschätzter Betrag kann überschritten und ein übertragbarer Betrag von einem Haushaltsjahr auf ein anderes so übertragen werden, wie es durch Gesetz vorgeschrieben wird. Ein fester Betrag und ein übertragbarer Betrag dürfen nicht überschritten werden und ein fester Betrag darf nicht von einem Haushaltsjahr auf das nächste übertragen werden, sofern dies nicht durch Gesetz gestattet worden ist.

(2) Ein Betrag darf nicht aus einem Posten des Haushaltsplans in einen anderen übertragen werden, sofern dies nicht im Haushaltsplan gestattet worden ist. Durch Gesetz kann jedoch die Übertragung eines Betrages in einen Posten gestattet werden, mit dem sein Verwendungszweck eng zusammenhängt.

(3) Im Haushaltsplan kann eine dem Umfang und dem Verwendungszweck nach eingeschränkte Ermächtigung erteilt werden, im Haushaltsjahr Ausgabenverbindlichkeiten einzugehen, für die die erforderlichen Beträge in die Haushaltspläne der folgenden Jahre aufgenommen werden.

Artikel 86 (Nachtragshaushaltsplan)

(1) Dem Parlament wird eine Regierungsvorlage für einen Nachtragshaushaltsplan vorgelegt, wenn es für eine Änderung des Haushaltsplans begründeten Bedarf gibt.

(2) Ein Abgeordneter kann eine Haushaltplaninitiative zur Änderung des Haushaltsplans vorlegen, die direkt mit dem Nachtragshaushaltsplan verbunden ist.

Artikel 87 (Außerhalb des Haushaltsplans stehende Fonds)

Durch Gesetz kann vorgeschrieben werden, daß ein Fonds außerhalb des Haushaltsplans steht, wenn die Wahrnehmung einer ständigen Aufgabe des Staates dies unabdingbar erfordert. Für die Billigung eines Gesetzesentwurfes zur Schaffung eines außerhalb des Haushaltsplans stehenden Fonds oder zur wesentlichen Erweiterung eines solchen Fonds oder seines Verwendungszwecks ist im Parlament eine Mehrheit von mindestens zwei Dritteln der abgegebenen Stimmen erforderlich.

Artikel 88 (Einklagbare Forderung einer Privatperson gegen den Staat)

Jeder hat unabhängig vom Haushaltsplan das Recht darauf, vom Staat zu erhalten, was ihm rechtlich zusteht.

Artikel 89 (Billigung der Bedingungen des staatlichen Dienstverhältnisses)

Der zuständige Parlamentsausschuß billigt im Namen des Parlaments Verträge über die Bedingungen des Dienstverhältnisses des im Staatsdienst stehenden Personals, sofern hierfür die Zustimmung des Parlaments erforderlich ist.

Artikel 90 (Aufsicht und Prüfung des Staatshaushalts)

(1) Das Parlament überwacht die staatliche Haushaltsführung und die Einhaltung des Haushaltsplans. Für diese Aufgabe hat das Parlament einen Prüfungsausschuss. Der Prüfungsausschuss erstattet dem Parlament über alle wesentlichen aufsichtsbehördlichen Feststellungen Bericht.

(2) Für die Prüfung der staatlichen Haushaltsführung und der Einhaltung des Staatshaushaltsplans gibt es in Verbindung mit

dem Parlament ein unabhängiges Staatliches Revisionsamt. Die Stellung und Aufgaben des Revisionsamts werden durch Gesetz näher geregelt.

(3) Der Prüfungsausschuss und das Staatliche Revisionsamt haben das Recht von öffentlichen Einrichtungen und anderen Einheiten, die unter ihrer Kontrolle stehen, alle notwendigen Informationen, die für die Erfüllung ihrer Pflichten notwendig sind, zu erhalten.

Artikel 91 (Bank von Finnland)

(1) Die Bank von Finnland steht unter der Garantie und Aufsicht des Parlaments so, wie es durch Gesetz geregelt wird. Das Parlament wählt die Bankbevollmächtigten für die Aufsicht über die Tätigkeit der Bank von Finnland.

(2) Der zuständige Parlamentsausschuß und die Bankbevollmächtigten haben das Recht, die für die Überwachung der Bank von Finnland benötigten Informationen zu erhalten.

Artikel 92 (Staatseigentum)

(1) Durch Gesetz werden die Zuständigkeit und das Verfahren bei der Ausübung des Teilhaberrechts des Staates an den Gesellschaften geregelt, die durch den Staat kontrolliert werden. Ebenso wird durch Gesetz geregelt, wann für den Erwerb der Kontrollgewalt an einer Gesellschaft durch den Staat oder für die Abtretung der Kontrollgewalt die Zustimmung des Parlaments erforderlich ist.

(2) Das unbewegliche Vermögen des Staates kann nur mit Zustimmung des Parlaments oder so, wie es durch Gesetz vorgeschrieben wird, abgetreten werden.

Kapitel 8 – INTERNATIONALE BEZIEHUNGEN

Artikel 93 (Zuständigkeit in internationalen Angelegenheiten)

(1) Die Außenpolitik Finnlands wird von dem Präsidenten der Republik im Zusammenwirken mit dem Staatsrat geleitet. Das Parlament billigt jedoch die internationalen Verpflichtungen und deren Kündigung und entscheidet über das Inkraftsetzen internationaler Verpflichtungen wenn dieses Grundgesetz es vorschreibt. Über Krieg und Frieden entscheidet der Präsident mit Zustimmung des Parlaments.

(2) Der Staatsrat ist für die nationale Vorbereitung der in der Europäischen Union zu fassenden Beschlüsse zuständig und entscheidet über die hiermit in Verbindung stehenden Maßnahmen Finnlands, sofern der Beschluß die Zustimmung des Parlaments nicht erfordert. Das Parlament beteiligt sich an der nationalen Vorbereitung der in der Europäischen Union zu fassenden Beschlüsse so, wie es durch dieses Grundgesetz vorgeschrieben wird.

(3) Für die Mitteilung außenpolitisch bedeutender Stellungnahmen an andere Staaten und internationale Organisationen ist der für die internationalen Beziehungen zuständige Minister verantwortlich.

Artikel 94 (Billigung der internationalen Verpflichtungen und ihrer Kündigung)

(1) Das Parlament billigt die Staatsverträge und die anderen internationalen Verpflichtungen, die in den Bereich der Gesetzgebung fallende Bestimmungen enthalten oder im übrigen von erheblicher Bedeutung sind oder nach dem Grundgesetz aus einem anderen Grund die Zustimmung des Parlaments erfordern. Die Billigung des Parlaments ist auch für die Kündigung einer solchen Verpflichtung erforderlich.

(2) Die Billigung einer internationalen Verpflichtung oder deren Kündigung wird mit Stimmenmehrheit beschlossen. Wenn der Vorschlag zur Billigung der Verpflichtung das Grundgesetz oder eine Veränderung des Staatsgebiets betrifft, oder im Fall der Übertragung von Kompetenzen an die Europäische Union, eine internationale Organisation oder eine andere völkerrechtliche Körperschaft, was in Hinblick auf Finnlands Souveränität beachtlich ist, ist er jedoch mit einem Beschluß zu genehmigen, dem min-

destens zwei Drittel der abgegebenen Stimmen zugestimmt haben.

(3) Eine internationale Verpflichtung darf nicht die demokratischen Grundlagen der Verfassung gefährden.

Artikel 95 (Inkraftsetzung internationaler Verpflichtungen)

(1) Die dem Bereich der Gesetzgebung unterfallenden Bestimmungen eines Staatsvertrags oder einer anderen internationalen Verpflichtung werden durch Gesetz in Kraft gesetzt. Andernfalls werden die internationalen Verpflichtungen durch Verordnung in Kraft gesetzt.

(2) Eine Gesetzesvorlage zur Inkraftsetzung einer internationalen Verpflichtung wird nach dem für die Verabschiedung eines gewöhnlichen Gesetzes geltenden Verfahren behandelt. Wenn der Vorschlag jedoch das Grundgesetz, eine Veränderung des Staatsgebiets betrifft oder im Fall der Übertragung von Kompetenzen an die Europäische Union, eine internationale Organisation oder eine andere völkerrechtliche Körperschaft, was in Hinblick auf Finnlands Souveränität beachtlich ist, ist er vom Parlament, ohne ihn auszusetzen, mit einem Beschluß zu genehmigen, dem mindestens zwei Drittel der abgegebenen Stimmen zugestimmt haben.

(3) In einem Gesetz über die Inkraftsetzung einer internationalen Verpflichtung kann vorgeschrieben werden, daß ihre Inkraftsetzung durch Verordnung geregelt wird. Die allgemeinen Vorschriften zur Veröffentlichung von Staatsverträgen und anderen internationalen Verpflichtungen werden durch Gesetz erlassen.

Artikel 96 (Beteiligung des Parlaments an der nationalen Vorbereitung von Angelegenheiten der Europäischen Union)

(1) Das Parlament berät Vorlagen für Rechtsakte, Verträge und andere Maßnahmen, die innerhalb der Europäischen Union entschieden werden und die sonst nach dem Grundgesetz der Zuständigkeit des Parlaments zugehören würden.

(2) Der Staatsrat hat mit einem Schreiben die in Absatz 1 genannte Vorlage an das Parlament unverzüglich, nachdem er Kenntnis davon erhalten hat, zur Festlegung des Standpunkts des Parlaments weiterzuleiten. Die Vorlage wird im Großen Ausschuß und im allgemeinen in einem oder mehreren anderen Ausschüssen beraten, die dem Grossen Ausschuß ein Gutachten abgeben. Eine die Außen- und Sicherheitspolitik betreffende Vorlage wird jedoch im Ausschuß für auswärtige Angelegenheiten beraten. Der Große Ausschuß oder der Ausschuß für auswärtige Angelegenheiten kann bei Bedarf dem Staatsrat ein Gutachten über die Vorlage abgeben. Die Präsidialkonferenz kann eine Debatte über eine solche Angelegenheit auch in der Plenarsitzung beschließen, bei der das Parlament jedoch keinen Beschluß in der Angelegenheit faßt.

(3) Der Staatsrat hat die zuständigen Ausschüsse über die Behandlung der Angelegenheit in der Europäischen Union zu informieren. Dem Großen Ausschuß oder dem Ausschuß für auswärtige Angelegenheiten ist auch der Standpunkt des Staatsrates in der Angelegenheit mitzuteilen.

Artikel 97 (Informationsrecht des Parlaments in internationalen Angelegenheiten)

(1) Der Ausschuß für auswärtige Angelegenheiten des Parlaments soll auf Gesuch und bei Bedarf von dem Staatsrat Aufklärung über außen- und sicherheitspolitische Angelegenheiten erhalten. Der Große Ausschuß des Parlaments soll gleicherweise Aufklärung über die Vorbereitung anderer Angelegenheiten in der Europäischen Union erhalten. Die Präsidialkonferenz kann eine Debatte über die Aufklärung in der Plenarsitzung beschließen, bei der das Parlament jedoch keinen Beschluß in der Angelegenheit faßt.

(2) Der Ministerpräsident soll dem Parlament oder einem seiner Ausschüsse Informationen über die in einer Tagung des Europäischen Rates zu beratenden Angelegenheiten im Voraus sowie unverzüglich nach der Tagung mitteilen. In gleicher Weise

ist bei der Vorbereitung von Änderungen der Grundverträge der Europäischen Union zu verfahren.

(3) Der zuständige Ausschuß des Parlaments kann dem Staatsrat aufgrund der obengenannten Aufklärungen oder Informationen ein Gutachten abgeben.

Kapitel 9 – RECHTSPRECHUNG

Artikel 98 (Gerichte)

(1) Allgemeine Gerichte sind der Oberste Gerichtshof, die Appellationsgerichte und die Amtsgerichte.

(2) Allgemeine Verwaltungsgerichte sind der Oberste Verwaltungsgerichtshof und die regionalen Verwaltungsgerichte.

(3) Vorschriften über Sondergerichte, die die rechtsprechende Gewalt in besonders bestimmten Zuständigkeitsbereichen ausüben, werden durch Gesetz erlassen.

(4) Die Einrichtung von einstweiligen Gerichten ist verboten.

Artikel 99 (Aufgaben der obersten Gerichtshöfe)

(1) Die höchste rechtsprechende Gewalt in Zivil- und Strafsachen wird von dem Obersten Gerichtshof und in Verwaltungssachen von dem Obersten Verwaltungsgerichtshof ausgeübt.

(2) Die obersten Gerichtshöfe überwachen die Rechtsprechung in ihrem eigenen Zuständigkeitsbereich. Sie können dem Staatsrat Vorschläge zur Einleitung einer Gesetzgebungsmaßnahme machen.

Artikel 100 (Zusammensetzung der obersten Gerichtshöfe)

(1) Der Oberste Gerichtshof und der Oberste Verwaltungsgerichtshof haben einen Präsidenten und eine erforderliche Anzahl anderer Mitglieder.

(2) Die obersten Gerichtshöfe sind mit fünf Mitgliedern urteilsfähig, sofern keine andere Mitgliederzahl besonders durch Gesetz vorgeschrieben wird.

Artikel 101 (Staatsgerichtshof)

(1) Der Staatsgerichtshof ist zuständig für eine Anklage, die gegen ein Mitglied oder den Justizkanzler des Staatsrates, den Justizbeauftragten des Parlaments oder ein Mitglied des Obersten Gerichtshofes oder des Obersten Verwaltungsgerichtshofes wegen gesetzwidrigen Vorgehens im Amt erhoben wird. Der Staatsgerichtshof verhandelt auch eine Anklage nach Artikel 113.

(2) Dem Staatsgerichtshof gehören der Präsident des Obersten Gerichtshofes als Vorsitzender und der Präsident des Obersten Verwaltungsgerichtshofes und die drei dienstältesten Präsidenten der Appellationsgerichte sowie fünf vom Parlament gewählte Mitglieder an, deren Amtsperiode vier Jahre beträgt.

(3) Die Zusammensetzung des Staatsgerichtshofes, seine urteilsfähige Mitgliederzahl und seine Tätigkeit werden durch Gesetz näher geregelt.

Artikel 102 (Ernennung von Richtern)

Der Präsident der Republik ernennt die ständigen Richter nach einem durch Gesetz festgelegten Verfahren. Die Ernennung anderer Richter wird durch Gesetz geregelt.

Artikel 103 (Das Recht der Richter, in ihrem Amt zu verbleiben)

(1) Ein Richter kann nicht in anderer Weise für seines Amtes enthoben erklärt werden als durch ein Gerichtsurteil. Er darf auch nicht ohne seine Einwilligung in ein anderes Amt versetzt werden, es sei denn, dass die Versetzung auf eine Reorganisation des Gerichtswesens zurückzuführen ist.

(2) Durch Gesetz wird die Pflicht des Richters geregelt, bei Erreichung eines bestimmten Alters oder bei Verlust seiner Arbeitsfähigkeit von seinem Amt zurückzutreten.

(3) Die Grundlagen des Dienstverhältnisses der Richter im übrigen werden durch Gesetz näher geregelt.

Artikel 104 (Staatsanwälte)

Die Staatsanwaltschaft wird vom obersten Staatsanwalt, dem Generalstaatsanwalt, den der Präsident der Republik ernennt, geleitet. Die Staatsanwaltschaft wird durch Gesetz näher geregelt.

Artikel 105 (Begnadigung)

(1) Der Präsident der Republik kann im Einzelfall nach Einholung eines Gutachtens vom Obersten Gerichtshof eine durch Gericht auferlegte Strafe oder eine andere strafrechtliche Folge ganz oder teilweise durch Begnadigung erlassen.

(2) Die allgemeine Amnestie ist durch Gesetz zu regeln.

Kapitel 10 – GESETZMÄSSIGKEITS-AUFSICHT

Artikel 106 (Vorrang des Grundgesetzes)

Stünde in einer durch Gericht zu verhandelnden Sache die Anwendung einer Gesetzesvorschrift im offensichtlichen Widerspruch zum Grundgesetz, hat das Gericht der Vorschrift des Grundgesetzes Vorrang einzuräumen.

Artikel 107 (Anwendungsbeschränkung von Bestimmungen unterhalb des Gesetzesranges)

Steht die Vorschrift einer Verordnung oder einer anderen Bestimmung unterhalb des Gesetzesranges im Widerspruch zum Grundgesetz oder einem anderen Gesetz, darf sie von dem Gericht oder einer anderen Behörde nicht angewandt werden.

Artikel 108 (Aufgaben des Justizkanzlers beim Staatsrat)

(1) Aufgabe des Justizkanzlers ist die Überwachung der Gesetzmäßigkeit der Amtshandlungen des Staatsrates und des Präsidenten der Republik. Der Justizkanzler hat auch darüber zu wachen, daß die Gerichte und die anderen Behörden sowie die Beamten, die Bediensteten öffentlich-rechtlicher Körperschaften und auch andere bei der Wahrnehmung einer öffentlichen Aufgabe die Gesetze einhalten und ihre Pflicht erfüllen. Bei der Wahrnehmung seiner Aufgabe wacht der Justizkanzler über die Verwirklichung der Grundrechte und der Menschenrechte.

(2) Der Justizkanzler hat dem Präsidenten der Republik, dem Staatsrat und den Ministerien auf Gesuch Auskünfte und Gutachten in rechtlichen Fragen zu erteilen.

(3) Der Justizkanzler legt jedes Jahr dem Parlament und dem Staatsrat einen Bericht über seine Amtshandlungen sowie über seine Beobachtungen in Bezug auf die Einhaltung der Gesetze vor.

Artikel 109 (Aufgaben des Justizbeauftragten des Parlaments)

(1) Der Justizbeauftragte hat darüber zu wachen, daß die Gerichte und die anderen Behörden sowie die Beamten, die Bediensteten öffentlich-rechtlicher Körperschaften und auch andere bei der Wahrnehmung einer öffentlichen Aufgabe die Gesetze einhalten und ihre Pflicht erfüllen. Bei der Wahrnehmung seiner Aufgabe wacht der Justizbeauftragte über die Verwirklichung der Grundrechte und der Menschenrechte.

(2) Der Justizbeauftragte erstattet jedes Jahr dem Parlament einen Bericht über seine Amtstätigkeit sowie über den Stand der Rechtspflege und die von ihm in der Gesetzgebung beobachteten Mängel.

Artikel 110 (Strafverfolgungsrecht und Aufgabenverteilung des Justizkanzlers und des Justizbeauftragten)

(1) Über die Erhebung einer Anklage gegen einen Richter wegen gesetzwidrigen Verfahrens in einer Amtshandlung entscheidet der Justizkanzler oder der Justizbeauftragte. Diese können auch in einer anderen in den Bereich ihrer Gesetzmäßigkeitsaufsicht gehörenden Sache die Anklage führen oder die Erhebung einer Anklage anordnen.

(2) Die Aufgabenverteilung zwischen Justizkanzler und Justizbeauftragten kann durch Gesetz geregelt werden, ohne jedoch die Zuständigkeit des einen oder des anderen in der Gesetzmäßigkeitsaufsicht zu beschränken.

Artikel 111 (Informationsrecht des Justizkanzlers und des Justizbeauftragten)

(1) Der Justizkanzler und der Justizbeauftragte haben das Recht, von den Behörden und anderen eine öffentliche Aufgabe wahrnehmenden die für ihre Gesetzmäßigkeitsaufsicht erforderlichen Informationen zu erhalten.

(2) Der Justizkanzler hat den Sitzungen des Staatsrates und dem Vortrag von Angelegenheiten gegenüber dem Präsidenten der Republik im Staatsrat beizuwohnen. Der Justizbeauftragte hat das Recht, diesen Sitzungen und Vorträgen beizuwohnen.

Artikel 112 (Gesetzmäßigkeitsaufsicht über die Amtshandlungen des Staatsrates und des Präsidenten der Republik)

(1) Wenn der Justizkanzler feststellt, daß die Gesetzmäßigkeit eines Beschlusses oder einer Maßnahme des Staatsrates oder eines Ministers oder des Präsidenten der Republik Anlaß zu Beanstandung gibt, hat er seine Beanstandung mit Begründungen vorzutragen. Wenn sie unberücksichtigt bleibt, hat der Justizkanzler den Eintrag seiner Stellungnahme ins Protokoll des Staatsrates zu veranlassen und nötigenfalls weitere Maßnahmen zu ergreifen. Auch der Justizbeauftragte hat ein entsprechendes Recht auf Beanstandung und Ergreifung weiterer Maßnahmen.

(2) Wenn ein Beschluß des Präsidenten gesetzwidrig ist, hat der Staatsrat nach Erhalt eines Gutachtens von dem Justizkanzler mitzuteilen, daß der Beschluß nicht vollstreckt werden kann, sowie dem Präsidenten die Änderung oder Rücknahme des Beschlusses vorzuschlagen.

Artikel 113 (Strafrechtliche Verantwortung des Präsidenten der Republik)

Falls der Justizkanzler, der Justizbeauftragte oder der Staatsrat befindet, daß sich der Präsident der Republik des Landesverrats, des Hochverrats oder eines Verbrechens gegen die Menschlichkeit schuldig gemacht hat, ist dies dem Parlament anzuzeigen. Wenn sich das Parlament dann mit drei Vierteln der abgegebenen Stimmen für die Erhebung einer Anklage entscheidet, hat der Generalstaatsanwalt die Anklage beim Staatsgerichtshof zu führen und der Präsident hat sich für diesen Zeitraum der Amtsführung zu enthalten. In anderen Fällen darf eine Anklage wegen der Amtsführung des Präsidenten der Republik nicht erhoben werden.

Artikel 114 (Erhebung und Verhandlung einer Anklage gegen einen Minister)

(1) Eine Anklage gegen ein Mitglied des Staatsrates wegen gesetzwidrigen Verfahrens in einer Amtshandlung wird vor dem Staatsgerichtshof so verhandelt, wie es durch Gesetz näher geregelt wird.

(2) Über die Erhebung einer Anklage entscheidet das Parlament nach Einholung einer Stellungnahme des Grundgesetzausschusses über die Gesetzwidrigkeit des Verfahrens des Mitgliedes des Staatsrates. Das Parlament hat dem Mitglied des Staatsrates vor dem Beschluß über die Erhebung einer Anklage Gelegenheit zu einer Erklärung einzuräumen. Bei der Behandlung der Angelegenheit soll der Ausschuß vollzählig sein.

(3) Die Anklage gegen ein Mitglied des Staatsrates wird von dem Generalstaatsanwalt geführt.

Artikel 115 (Anhängigmachen einer Sache der Ministerverantwortlichkeit)

(1) Die Untersuchung der Gesetzmäßigkeit einer Amtshandlung eines Mitglieds des Staatsrates im Grundgesetzausschuß kann anhängig gemacht werden:

1. durch eine Mitteilung des Justizkanzlers oder des Justizbeauftragten an den Grundgesetzausschuß;

2. durch eine von mindestens zehn Abgeordneten unterschriebene Beanstandung; sowie

3. durch einen von einem anderen Parlamentsausschuß an den Grundgesetzausschuß gerichteten Untersuchungsantrag.

(2) Der Grundgesetzausschuß kann auch auf eigene Initiative die Gesetzmäßigkeit einer Amtshandlung eines Mitglieds des Staatsrates untersuchen.

Artikel 116 (Voraussetzungen für die Erhebung einer Anklage gegen einen Minister)

Die Erhebung einer Anklage gegen ein Mitglied des Staatsrates kann beschlossen werden, wenn dieses vorsätzlich oder aus grober Fahrlässigkeit wesentlich seine zu den Aufgaben eines Ministers gehörenden Pflichten verletzt hat oder im übrigen in seiner Amtshandlung eindeutig gesetzwidrig gehandelt hat.

Artikel 117 (Rechtliche Verantwortung des Justizkanzlers und des Justizbeauftragten)

Für die Untersuchung der Gesetzmäßigkeit der Amtshandlungen des Justizkanzlers und des Justizbeauftragten, die Erhebung einer Anklage gegen sie aufgrund gesetzwidrigen Verfahrens in einer Amtshandlung sowie die Verhandlung einer solchen Anklage gilt, was in Artikel 114 und Artikel 115 über Mitglieder des Staatsrates vorgeschrieben wird.

Artikel 118 (Verantwortung für Amtshandlungen)

(1) Ein Beamter ist für die Gesetzmäßigkeit seiner Amtshandlungen verantwortlich. Er ist auch verantwortlich für Beschlüsse eines kollegialen Organs, denen er als Mitglied des Organs zugestimmt hat.

(2) Ein Vortragender ist verantwortlich für das, was auf seinen Vortrag hin beschlossen worden ist, wenn er seine abweichende Meinung über den Beschluß nicht zu Protokoll gegeben hat.

(3) Jeder, der infolge einer gesetzwidrigen Maßnahme oder Unterlassung eines Beamten oder einer sonstigen eine öffentliche Aufgabe wahrnehmenden Person eine Rechtsverletzung oder einen Schaden erlitten hat, ist berechtigt, die Bestrafung der betreffenden Person sowie die Zahlung von Schadenersatz durch die öffentlich-rechtliche Körperschaft oder den Beamten oder durch einen sonstigen eine öffentliche Aufgabe wahrnehmenden so zu verlangen, wie es durch Gesetz näher geregelt wird. Das hier genannte Anklagerecht besteht jedoch nicht, wenn die Anklage nach dem Grundgesetz vor dem Staatsgerichtshof verhandelt werden soll.

Kapitel 11 – ORGANISATION DER VERWALTUNG UND SELBSTVERWALTUNG

Artikel 119 (Staatsverwaltung)

(1) Der staatlichen Zentralverwaltung können außer dem Staatsrat und den Ministerien Behörden, Einrichtungen und andere Organe angehören. Der Staat kann außerdem über regionale und lokale Behörden verfügen. Die dem Parlament untergeordnete Verwaltung wird durch Gesetz näher geregelt.

(2) Die allgemeinen Grundlagen der Organe der Staatsverwaltung sind durch Gesetz festzulegen, sofern zu ihren Aufgaben die Ausübung öffentlicher Gewalt gehört. Die Grundlagen der regionalen und lokalen Verwaltung des Staates werden ebenfalls durch Gesetz geregelt. Die Einheiten der Staatsverwaltung können im übrigen durch Verordnung geregelt werden.

Artikel 120 (Sonderstellung von Åland)

Der Provinz Åland obliegt die Selbstverwaltung so, wie es durch das Selbstverwaltungsgesetz für Åland besonders geregelt wird.

Artikel 121 (Kommunale und sonstige regionale Selbstverwaltung)

(1) Finnland ist in Gemeinden unterteilt, deren Verwaltung auf der Selbstverwaltung durch ihre Einwohner zu beruhen hat.

(2) Die allgemeinen Grundlagen der Gemeindeverwaltung und die den Gemeinden zu übertragenden Aufgaben werden durch Gesetz geregelt.

(3) Die Gemeinden haben das Besteuerungsrecht. Durch Gesetz werden die Grundlagen der Steuerpflicht und der Festsetzung der Steuern sowie der Rechtsschutz der Steuerpflichtigen geregelt.

(4) Die Selbstverwaltung von Verwaltungsgebieten, die größer als Gemeinden sind, wird durch Gesetz geregelt.

(5) Die Sami haben in ihrer Heimatregion eine ihre Sprache und Kultur betreffende Selbstverwaltung so, wie es durch Gesetz geregelt wird.

Artikel 122 (Administrative Einteilungen)

(1) Bei der Organisation der Verwaltung sind zusammenpassende Gebietseinteilungen anzustreben, in denen die Möglichkeiten der finnisch- und der schwedischsprachigen Bevölkerung gesichert werden, Dienstleistungen in ihrer eigenen Sprache auf gleicher Grundlage zu erhalten.

(2) Die Grundlagen der Gemeindeeinteilung werden gesetzlich geregelt.

Artikel 123 (Universitäten und sonstige Bildungseinrichtungen)

(1) Die Universitäten haben eine Selbstverwaltung so, wie es durch Gesetz geregelt wird.

(2) Die Grundlagen des von dem Staat und den Gemeinden angeordneten sonstigen Unterrichts sowie das Recht, entsprechenden Unterricht in privaten Lehranstalten anzuordnen, werden durch Gesetz geregelt.

Artikel 124 (Übertragung von Verwaltungsaufgaben an andere als Behörden)

Öffentliche Verwaltungsaufgaben können anderen als Behörden nur durch Gesetz oder kraft Gesetzes übertragen werden, wenn dies zur zweckmäßigen Ausführung der Aufgabe erforderlich ist und die Grundrechte, den Rechtsschutz oder die sonstigen Erfordernisse einer guten Verwaltung nicht gefährdet. Aufgaben, die erhebliche Anwendung öffentlicher Gewalt voraussetzen, können jedoch nur Behörden zugewiesen werden.

Artikel 125 (Kompetenzerfordernisse und Ernennungsgrundlagen der Ämter)

(1) Durch Gesetz kann vorgeschrieben werden, daß zu bestimmten öffentlichen Ämtern oder Aufgaben nur finnische Staatsangehörige ernannt werden können.

(2) Die allgemeinen Ernennungsgrundlagen der öffentlichen Ämter sind Können, Fähigkeit und erprobte staatsbürgerliche Tüchtigkeit.

Artikel 126 (Ernennung zu den Staatsämtern)

(1) Der Staatsrat ernennt die Staatsbeamten, es sein denn, die Ernennung ist das Vorrecht des Präsidenten der Republik, eines Ministeriums oder einer anderen Behörde.

(2) Der Präsident ernennt den Staatssekretär des Amts des Präsidenten der Republik und die Leiter der diplomatischen Missionen im Ausland.

Kapitel 12 – LANDESVERTEIDIGUNG

Artikel 127 (Landesverteidigungspflicht)

(1) Jeder finnische Staatsangehörige ist verpflichtet, an der Verteidigung des Vaterlandes teilzunehmen oder so dazu beizutragen, wie es durch Gesetz geregelt wird.

(2) Das Recht auf Befreiung von der Teilnahme an der militärischen Landesverteidigung aus Überzeugungsgründen wird durch Gesetz geregelt.

Artikel 128 (Oberbefehl über die Verteidigungskräfte)

(1) Der Präsident der Republik ist Oberbefehlshaber der Verteidigungskräfte Finnlands. Der Präsident kann auf Vorschlag des Staatsrates den Oberbefehl, im Falle eines Ausnahmezustandes, einem anderen finnischen Staatsangehörigen übertragen.

(2) Der Präsident ernennt die Offiziere.

Artikel 129 (Mobilmachung)

Der Präsident der Republik entscheidet auf Vorschlag des Staatsrates über die Mobilmachung der Verteidigungskräfte. Wenn das Parlament zu jenem Zeitpunkt nicht versammelt ist, ist es sofort einzuberufen.

Kapitel 13 – SCHLUSS-BESTIMMUNGEN

Artikel 130 (Inkrafttreten)

(1) Dieses Grundgesetz tritt am 1. März 2000 in Kraft.

(2) Die zur Inkraftsetzung des Grundgesetzes erforderlichen Bestimmungen werden durch ein besonderes Gesetz erlassen.

Artikel 131 (Aufzuhebende Grundgesetze)

Durch dieses Grundgesetz werden einschließlich ihrer späteren Änderungen aufgehoben:

1. die am 17. Juli 1919 erlassene Regierungsform Finnlands;

2. die am 13. Januar 1928 erlassene Parlamentsordnung;

3. das am 25. November 1922 erlassene Gesetz über den Staatsgerichtshof (273/1922) sowie

4. das am 25. November 1922 erlassene Gesetz über das Recht des Parlaments, die Gesetzmäßigkeit der Amtshandlungen der Mitglieder des Staatsrates und des Justizkanzlers sowie des Justizbeauftragten des Parlaments zu prüfen (274/1922).

Verfassung von Frankreich[*]

Vom 4. Oktober 1958, zuletzt geändert am 23. Juli 2008 durch das Verfassungsgesetz Nr. 2008-724 (Journal officiel de la République française n° 0171)

PRÄAMBEL

Das französische Volk verkündet feierlich seine Verbundenheit mit den Menschenrechten und den Grundsätzen der nationalen Souveränität, wie sie in der Erklärung von 1789 niedergelegt wurden, welche durch die Präambel der Verfassung von 1946 bestätigt und ergänzt wurde, sowie mit den in der Umweltcharta von 2004 festgelegten Rechten und Pflichten.

Kraft dieser Grundsätze und des Selbstbestimmungsrechts der Völker bietet die Republik den überseeischen Gebieten, die den Willen zum Beitritt bekunden, neue, auf das gemeinsame Ideal von Freiheit, Gleichheit und Brüderlichkeit gegründete und im Hinblick auf ihre demokratische Entwicklung geschaffene Institutionen an.

Artikel 1 [Grundsätze]

(1) Frankreich ist eine unteilbare, laizistische, demokratische und soziale Republik. Sie gewährleistet die Gleichheit aller Bürger vor dem Gesetz ohne Unterschied der Herkunft, Rasse oder Religion. Sie achtet jeden Glauben. Sie ist dezentral organisiert.

(2) Das Gesetz fördert den gleichen Zugang von Frauen und Männern zu den Wahlmandaten und -ämtern sowie zu den Führungspositionen im beruflichen und sozialen Bereich.

Titel I
DIE SOUVERÄNITÄT

Artikel 2 [Sprache, Emblem und Hymne]

(1) Die Sprache der Republik ist Französisch.

(2) Das Nationalemblem ist die blau-weiß-rote Trikolore.

(3) Die Nationalhymne ist die La Marseillaise.

(4) Der Wahlspruch der Republik lautet: «Freiheit, Gleichheit, Brüderlichkeit».

(5) Ihr Grundsatz lautet: Regierung des Volkes durch das Volk und für das Volk.

Artikel 3 [Nationale Souveränität]

(1) Die nationale Souveränität liegt beim Volke, das sie durch seine Vertreter und durch Volksentscheid ausübt.

(2) Weder ein Teil des Volkes noch eine Einzelperson kann ihre Ausübung für sich in Anspruch nehmen.

(3) Das Wahlrecht kann unmittelbar oder mittelbar unter den in der Verfassung vorgesehenen Bedingungen erfolgen. Es ist immer allgemein, gleich und geheim.

(4) Wahlberechtigt sind nach Maßgabe des Gesetzes alle volljährigen französischen Staatsangehörigen beiderlei Geschlechts, die im Besitz ihrer bürgerlichen und staatsbürgerlichen Rechte sind.

Artikel 4 [Politische Parteien und Gruppierungen]

(1) Die politischen Parteien und Gruppierungen wirken bei den Wahlentscheidungen mit. Ihre Bildung und die Ausübung ihrer Tätigkeit sind frei. Sie haben die Grundsätze der nationalen Souveränität und der Demokratie zu achten.

(2) Sie tragen unter den gesetzlich festgelegten Bedingungen zur Verwirklichung des im zweiten Absatz von Artikel 13 enthaltenen Grundsatzes bei.

---

[*] Übersetzt vom französischen Verfassungsrat (Conseil Constitutionnel), abrufbar unter: https://www.conseil-constitutionnel.fr/sites/default/files/as/root/bank_mm/allemand/constitution_allemand_juillet2008.pdf, überarbeitet durch *Armin Stolz* und *Maximilian Zankel*, beide Institut für Öffentliches Recht und Politikwissenschaft, Karl-Franzens-Universität Graz.

(3) Das Gesetz garantiert die pluralistische Meinungsäußerung und die ausgewogene Mitwirkung der Parteien und politischen Gruppierungen am demokratischen Leben der Nation.

Titel II
DER PRÄSIDENT DER REPUBLIK

Artikel 5 [Präsident]

(1) Der Präsident der Republik wacht über die Einhaltung der Verfassung. Er gewährleistet durch seine Vermittlung die ordnungsgemäße Tätigkeit der öffentlichen Gewalten sowie die Kontinuität des Staates.

(2) Er ist der Garant der nationalen Unabhängigkeit, der Integrität des Staatsgebietes und der Einhaltung der Verträge.

Artikel 6 [Wahlgrundsätze]

(1) Der Präsident der Republik wird in allgemeiner und unmittelbarer Wahl für die Dauer von fünf Jahren gewählt.

(2) Keiner kann mehr als zwei Mandate in Folge ausüben.

(3) Die Durchführungsbestimmungen regelt ein Organgesetz.

Artikel 7 [Wahl des Präsidenten]

(1) Der Präsident der Republik wird mit der absoluten Mehrheit der abgegebenen Stimmen gewählt. Wird diese im ersten Wahlgang nicht erreicht, so wird am vierzehnten darauffolgenden Tage ein zweiter Wahlgang durchgeführt. Für diesen dürfen sich nur die zwei Kandidaten zur Wahl stellen, die, gegebenenfalls nach dem Rücktritt von Kandidaten, welche mehr Stimmen auf sich vereinigen konnten, im ersten Wahlgang die meisten Stimmen erhalten haben.

(2) Der Wahltermin wird von der Regierung festgesetzt.

(3) Die Wahl des neuen Präsidenten findet spätestens zwanzig Tage und frühestens fünfunddreißig Tage vor Ablauf der Amtszeit des amtierenden Präsidenten statt.

(4) Im Falle der Vakanz des Amtes des Präsidenten der Republik, ganz gleich aus welchem Grunde, oder im Falle der Verhin-

derung, die auf Antrag der Regierung der Verfassungsrat mit der absoluten Mehrheit seiner Mitglieder feststellt, werden die Befugnisse des Präsidenten der Republik, ausgenommen diejenigen nach Artikel 11 und 12, vorübergehend vom Präsidenten des Senats und, falls auch dieser an der Ausübung dieses Amtes gehindert ist, von der Regierung wahrgenommen.

(5) Im Falle der Vakanz des Amtes des Präsidenten oder wenn der Verfassungsrat die Verhinderung für endgültig erklärt hat, findet die Wahl des neuen Präsidenten, ausgenommen im Falle höherer Gewalt, welche vom Verfassungsrat festgestellt wird, frühestens zwanzig Tage und spätestens fünfunddreißig Tage nach Eintritt der Vakanz oder der Erklärung der endgültigen Verhinderung statt.

(6) Wenn innerhalb von sieben Tagen vor Ablauf der Frist für die Einreichung der Kandidaturen eine Person, die weniger als dreißig Tage vor diesem Zeitpunkt öffentlich ihre Entscheidung für eine Kandidatur erklärt hatte, verstirbt oder verhindert ist, kann der Verfassungsrat die Verschiebung der Wahl beschließen.

(7) Wenn einer der Kandidaten vor dem ersten Wahlgang verstirbt oder verhindert ist, erklärt der Verfassungsrat die Verschiebung der Wahl.

(8) Im Falle des Ablebens oder der Verhinderung eines der beiden Kandidaten, die im ersten Wahlgang, noch vor eventuellen Rücktritten, die meisten Stimmen auf sich vereinigen konnten, erklärt der Verfassungsrat, dass der gesamte Wahlvorgang zu wiederholen ist; das Gleiche gilt bei Ableben oder Verhinderung eines der beiden für den zweiten Wahlgang verbliebenen Kandidaten.

(9) In allen Fällen wird der Verfassungsrat unter den in Artikel 61 Absatz 2 vorgesehenen Bedingungen oder nach Maßgabe der Bestimmungen über die Einreichung einer Kandidatur in dem in Artikel 6 vorgesehenen Organgesetz befasst.

(10) Der Verfassungsrat kann die in den Absätzen 3 und 5 vorgesehenen Fristen verlängern. Die Wahl darf jedoch nicht später

als fünfunddreißig Tage nach der Entscheidung des Verfassungsrates stattfinden. Wird die Wahl durch Anwendung dieses Absatzes auf einen Zeitpunkt nach Ablauf der Amtszeit des amtierenden Präsidenten verschoben, so bleibt dieser bis zur Proklamierung seines Nachfolgers im Amt.

(11) Weder die Artikel 49 und 50 noch der Artikel 89 der Verfassung dürfen während der Vakanz des Amtes des Präsidenten der Republik oder innerhalb des Zeitraums zwischen der Erklärung der endgültigen Verhinderung des Präsidenten der Republik und der Wahl seines Nachfolgers angewandt werden.

Artikel 8 [Ernennung]

(1) Der Präsident der Republik ernennt den Premierminister. Er entlässt ihn aus seinem Amt, wenn dieser den Rücktritt der Regierung erklärt.

(2) Auf Vorschlag des Premierministers ernennt und entlässt er die übrigen Mitglieder der Regierung.

Artikel 9 [Vorsitz]

Der Präsident der Republik führt den Vorsitz im Ministerrat.

Artikel 10 [Verkündung von Gesetzen]

(1) Der Präsident der Republik verkündet die Gesetze binnen fünfzehn Tagen nach der Übermittlung des endgültig beschlossenen Gesetzes an die Regierung.

(2) Er kann vor Ablauf dieser Frist vom Parlament eine neue Beratung des Gesetzes oder einzelner Artikel desselben verlangen. Diese neue Beratung darf nicht verweigert werden.

Artikel 11 [Volksentscheid]

(1) Der Präsident der Republik kann – auf Vorschlag der Regierung während der Sitzungsperioden oder auf gemeinsamen Vorschlag beider Kammern, welche im Journal officiel veröffentlicht werden – jeden Gesetzesentwurf zum Volksentscheid bringen, der die Organisation der öffentlichen Gewalten sowie Reformen der Wirtschafts-, Sozial- oder Umweltpolitik der Nation und der dazu beitragenden öffentlichen Dienste betrifft oder auf die Ermächtigung zur Ratifikation eines Vertrages abzielt, welcher, ohne gegen die Verfassung zu verstoßen, Auswirkungen auf das Funktionieren der Institutionen hätte.

(2) Wird der Volksentscheid auf Vorschlag der Regierung durchgeführt, gibt diese vor jeder Kammer eine Erklärung ab, der sich eine Aussprache anschließt.

(3) Ein Volksentscheid zu einem im ersten Absatz genannten Thema kann auf Initiative eines Fünftels der Mitglieder des Parlaments, die von einem Zehntel der in den Wählerlisten eingetragenen Wähler unterstützt werden, anberaumt werden. Diese Initiative wird in Form eines Gesetzesvorschlags ergriffen und kann nicht die Aufhebung einer seit weniger als einem Jahr verkündeten Rechtsbestimmung zum Gegenstand haben.

(4) Die Bedingungen für seine Einbringung und diejenigen, unter denen der Verfassungsrat die Einhaltung der im vorstehenden Absatz aufgeführten Bestimmungen zu kontrollieren hat, regelt ein Organgesetz.

(5) Wird der Gesetzesvorschlag von den beiden Kammern nicht binnen der im Organgesetz festgesetzten Frist geprüft, bringt der Präsident der Republik ihn zum Volksentscheid.

(6) Nimmt das französische Volk den Gesetzesvorschlag nicht an, kann vor Ablauf von zwei Jahren ab dem Datum des Volksentscheids kein neuer Vorschlag für die Abhaltung eines Volksentscheids zum gleichen Thema eingebracht werden.

(7) Führt der Volksentscheid zur Annahme des Gesetzesentwurfs oder Gesetzesvorschlags, so verkündet der Präsident der Republik das Gesetz binnen fünfzehn Tagen nach der Verkündigung der Ergebnisse der Befragung.

Artikel 12 [Auflösung der Nationalversammlung]

(1) Der Präsident der Republik kann nach Beratung mit dem Premierminister und den Präsidenten der Kammern die Nationalversammlung für aufgelöst erklären.

(2) Die allgemeinen Wahlen finden frü-

hestens zwanzig und spätestens vierzig Tage nach der Auflösung statt.

(3) Die Nationalversammlung tritt von Rechts wegen am zweiten Donnerstag nach ihrer Wahl zusammen. Fällt dieses Zusammentreten nicht in den für die ordentliche Sitzungsperiode vorgesehenen Zeitraum, so wird von Rechts wegen eine Sitzungsperiode für die Dauer von fünfzehn Tagen eröffnet.

(4) Keine neue Auflösung darf in dem auf diese Wahl folgenden Jahr vorgenommen werden.

Artikel 13 [Ernennungen]

(1) Der Präsident der Republik unterzeichnet die im Ministerrat beschlossenen gesetzesvertretenden Verordnungen und Dekrete.

(2) Er nimmt die Ernennung zu den zivilen und militärischen Staatsämtern vor.

(3) Die Conseillers d'État, der Großkanzler der Ehrenlegion, die Botschafter und außerordentlichen Gesandten, die Haupträte am Rechnungshof, die Präfekten, die Vertreter des Staates in den unter Artikel 74 fallenden überseeischen Körperschaften und in Neukaledonien, die Offiziere im Generalsrang, die Rektoren der Akademien und die Direktoren der Zentralverwaltungen werden im Ministerrat ernannt.

(4) Ein Organgesetz bestimmt die weiteren Ämter, deren Besetzung im Ministerrat beschlossen wird, ebenso die Bedingungen, unter denen das Ernennungsrecht des Präsidenten der Republik von diesem übertragen werden kann, um in seinem Namen ausgeübt zu werden.

(5) Ein Organgesetz bestimmt die anderen, im dritten Absatz nicht genannten Ämter oder Funktionen, bei denen aufgrund ihrer Bedeutung für die Wahrung der Rechte und Freiheiten oder des wirtschaftlichen und sozialen Lebens der Nation das Ernennungsrecht des Präsidenten der Republik nach öffentlicher Stellungnahme des zuständigen ständigen Ausschusses einer jeden Kammer ausgeübt wird. Der Präsident der Republik kann keine Ernennung vornehmen, wenn die Addition der Nein-Stimmen eines jeden Ausschusses mindestens drei Fünfteln der von beiden Ausschüssen abgegebenen Stimmen entspricht. Die ständigen Ausschüsse, die für die jeweiligen Ämter und Funktionen zuständig sind, werden per Gesetz bestimmt.

Artikel 14 [Beglaubigungen]

Der Präsident der Republik beglaubigt die Botschafter und die außerordentlichen Gesandten bei den ausländischen Mächten; die ausländischen Botschafter und außerordentlichen Gesandten werden bei ihm beglaubigt.

Artikel 15 [Oberbefehlshaber]

Der Präsident der Republik ist Oberbefehlshaber der Streitkräfte. Er führt den Vorsitz in den obersten Räten und Komitees der nationalen Verteidigung.

Artikel 16 [Außerordentliche Vollmachten]

(1) Wenn die Institutionen der Republik, die Unabhängigkeit der Nation, die Integrität ihres Staatsgebietes oder die Erfüllung ihrer internationalen Verpflichtungen schwer und unmittelbar bedroht sind und wenn gleichzeitig die ordnungsgemäße Ausübung der verfassungsmäßigen öffentlichen Gewalten unterbrochen ist, ergreift der Präsident der Republik nach offizieller Beratung mit dem Premierminister, den Präsidenten der Kammern sowie dem Verfassungsrat die unter diesen Umständen erforderlichen Maßnahmen.

(2) Er gibt sie der Nation durch eine Erklärung bekannt.

(3) Diese Maßnahmen müssen von dem Willen getragen sein, den verfassungsmäßigen öffentlichen Gewalten innerhalb kürzester Frist die Mittel zu sichern, die sie zur Erfüllung ihrer Aufgaben benötigen. Der Verfassungsrat ist hierzu anzuhören.

(4) Das Parlament tritt unmittelbar von Rechts wegen zusammen.

(5) Die Nationalversammlung darf während der Ausübung der außerordentlichen Vollmachten nicht aufgelöst werden.

(6) Dreißig Tage nach Beginn der Ausübung der außerordentlichen Vollmachten

kann der Verfassungsrat vom Präsidenten der Nationalversammlung, vom Präsidenten des Senats, von sechzig Abgeordneten oder sechzig Senatoren befasst werden, damit er prüft, ob die im ersten Absatz aufgeführten Bedingungen weiterhin erfüllt sind. Er hat dann innerhalb kürzester Frist durch eine öffentliche Stellungnahme eine Entscheidung zu treffen. Er nimmt diese Prüfung von Rechts wegen vor und trifft unter den gleichen Bedingungen sechzig Tage nach Beginn der Ausübung der außerordentlichen Vollmachten und nach Ablauf dieser Frist zu jeder Zeit seine Entscheidung.

Artikel 17 [Begnadigung]

Der Präsident der Republik übt das Begnadigungsrecht im Einzelfalle aus.

Artikel 18 [Verkehr mit Kammern]

(1) Der Präsident der Republik verkehrt mit den beiden Kammern des Parlaments durch Mitteilungen, die er verlesen lässt und über die keine Verhandlung stattfindet.

(2) Er kann vor dem Parlament, das zu diesem Zweck als Kongress zusammentritt, sprechen. Auf seine Erklärung kann in seiner Abwesenheit eine Verhandlung ohne Abstimmung folgen.

(3) Außerhalb der Sitzungsperioden treten die parlamentarischen Kammern eigens zu diesem Zweck zusammen.

Artikel 19 [Gegenzeichnung durch Minister]

Die Verfügungen des Präsidenten der Republik werden mit Ausnahme derjenigen nach Artikel 8 Absatz 1 sowie den Artikeln 11, 12, 16, 18, 54, 56 und 61 vom Premierminister und gegebenenfalls von den verantwortlichen Ministern gegengezeichnet.

Titel III
DIE REGIERUNG

Artikel 20 [Regierung]

(1) Die Regierung bestimmt und leitet die Politik der Nation.

(2) Sie verfügt über die Verwaltung und die Streitkräfte.

(3) Sie ist gegenüber dem Parlament unter den in den Artikeln 49 und 50 festgesetzten Bedingungen und nach den dort festgelegten Verfahren verantwortlich.

Artikel 21 [Premierminister]

(1) Der Premierminister leitet die Amtsgeschäfte der Regierung. Er ist für die nationale Verteidigung verantwortlich. Er gewährleistet die Ausführung der Gesetze. Vorbehaltlich der Bestimmungen in Artikel 13 übt er das Verordnungsrecht aus und nimmt die Ernennung zu den zivilen und militärischen Ämtern vor.

(2) Er kann bestimmte Befugnisse den Ministern übertragen.

(3) Gegebenenfalls führt er stellvertretend für den Präsidenten der Republik den Vorsitz in den in Artikel 15 genannten Räten und Komitees.

(4) Ausnahmsweise kann er stellvertretend für ihn eine Ministerratssitzung leiten, soweit hierzu ein ausdrücklicher Auftrag und eine bestimmte Tagesordnung vorliegen.

Artikel 22 [Gegenzeichnung]

Die Verfügungen des Premierministers werden gegebenenfalls von den mit ihrer Ausführung betrauten Ministern gegengezeichnet.

Artikel 23 [Unvereinbarkeit]

(1) Das Amt eines Regierungsmitglieds ist unvereinbar mit der Ausübung eines parlamentarischen Mandats, einer Tätigkeit in Berufsverbänden auf nationaler Ebene und eines öffentlichen Amtes oder jeder beruflichen Tätigkeit.

(2) Ein Organgesetz regelt die Bedingungen, unter denen die Inhaber solcher Mandate, Tätigkeiten oder Ämter ersetzt werden.

(3) Die Mitglieder des Parlaments werden gemäß den Bestimmungen des Artikels 25 ersetzt.

Titel IV
DAS PARLAMENT

Artikel 24 [Parlament]

(1) Das Parlament beschließt die Gesetze. Es kontrolliert die Amtsgeschäfte der Regierung. Es bewertet die Politik der öffentlichen Hand.

(2) Das Parlament besteht aus der Nationalversammlung und dem Senat.

(3) Die Abgeordneten der Nationalversammlung, deren Zahl höchstens fünfhundertsiebenundsiebzig betragen kann, werden in unmittelbarer Wahl gewählt.

(4) Der Senat, dessen Mitgliederzahl höchstens dreihundertachtundvierzig betragen kann, wird in mittelbarer Wahl gewählt. Er gewährleistet die Vertretung der Gebietskörperschaften der Republik.

(5) Die außerhalb Frankreichs ansässigen Franzosen werden in der Nationalversammlung und im Senat vertreten.

Artikel 25 [Regelungen durch Organgesetz]

(1) Ein Organgesetz bestimmt die Amtsdauer jeder Kammer, die Zahl ihrer Mitglieder, deren Vergütung, die Wählbarkeitsbedingungen, die Regelung der Unwählbarkeit sowie der Inkompatibilitäten.

(2) Dieses legt ferner die Bedingungen für die Wahl der Personen fest, die berufen sind, im Falle einer Vakanz von Sitzen die betreffenden Abgeordneten oder Senatoren bis zur vollständigen oder teilweisen Neuwahl der jeweiligen Kammer zu ersetzen bzw. sie vorübergehend zu ersetzen, wenn sie ein Regierungsamt übernehmen.

(3) Eine unabhängige Kommission, deren Zusammensetzung sowie Organisation und Funktionsweise per Gesetz geregelt werden, hat eine öffentliche Stellungnahme zu den Textentwürfen und Gesetzesvorschlägen betreffend die Festlegung der Wahlkreise für die Wahl der Abgeordneten oder die Änderung der Sitzverteilung von Abgeordneten oder Senatoren abzugeben.

Artikel 26 [Immunität]

(1) Kein Mitglied des Parlaments darf wegen der in Ausübung seines Mandates geäußerten Meinungen oder vorgenommenen Abstimmungen verfolgt, ausgeforscht, verhaftet, in Haft gehalten oder abgeurteilt werden.

(2) Kein Mitglied des Parlaments darf ohne die Genehmigung des Präsidiums der Kammer, der es angehört, wegen eines Verbrechens oder eines Vergehens verhaftet oder anderweitig seiner Freiheit beraubt oder in seiner Freiheit eingeschränkt werden. Diese Genehmigung ist nicht erforderlich im Falle eines Verbrechens oder Vergehens auf frischer Tat oder bei endgültiger Verurteilung.

(3) Die Inhaftierung, die freiheitsberaubenden oder -einschränkenden Maßnahmen oder die Verfolgung eines Mitglieds des Parlaments werden für die Dauer der Sitzungsperiode ausgesetzt, wenn die Kammer, der es angehört, dies verlangt.

(4) Die betreffende Kammer tritt unmittelbar von Rechts wegen zu zusätzlichen Sitzungen zusammen, um gegebenenfalls die Anwendung des obigen Absatzes zu ermöglichen.

Artikel 27 [Stimmrecht]

(1) Jedes imperative Mandat ist nichtig.

(2) Das Stimmrecht der Parlamentsmitglieder ist persönlich auszuüben.

(3) Das Organgesetz kann ausnahmsweise die Übertragung des Stimmrechts gestatten. In diesem Falle darf niemandem mehr als ein Mandat übertragen werden.

Artikel 28 [Zusammentreten]

(1) Das Parlament tritt unmittelbar von Rechts wegen zu einer ordentlichen Sitzungsperiode zusammen, die am ersten Werktag im Oktober beginnt und am letzten Werktag im Juni endet.

(2) Die Zahl der Sitzungstage, die jede Kammer im Laufe der ordentlichen Sitzungsperiode abhalten kann, darf einhundertzwanzig nicht überschreiten. Die Sitzungswochen werden von jeder Kammer festgelegt.

(3) Die Abhaltung zusätzlicher Sitzungs-

tage kann vom Premierminister, nach Beratung mit dem Präsidenten der betreffenden Kammer, oder von der Mehrheit der Mitglieder jeder Kammer beschlossen werden.

(4) Die Sitzungstage und Sitzungszeiten werden durch die Geschäftsordnung jeder Kammer festgelegt.

Artikel 29 [Außerordentliche Sitzungsperiode]

(1) Das Parlament tritt auf Verlangen des Premierministers oder der Mehrheit der Mitglieder der Nationalversammlung zu einer außerordentlichen Sitzungsperiode mit feststehender Tagesordnung zusammen.

(2) Findet eine außerordentliche Sitzungsperiode auf Verlangen der Mitglieder der Nationalversammlung statt, so ergeht das Schlussdekret unmittelbar nach Erschöpfung der Tagesordnung, für die das Parlament einberufen wurde, spätestens jedoch zwölf Tage nach seinem Zusammentreten.

(3) Nur der Premierminister kann vor Ablauf des Monats, der auf das Schlussdekret folgt, eine neue Sitzungsperiode verlangen.

Artikel 30 [Eröffnung und Schluss]

Ausgenommen in den Fällen, in denen das Parlament unmittelbar von Rechts wegen zusammentritt, werden die außerordentlichen Sitzungsperioden durch Dekret des Präsidenten der Republik eröffnet und geschlossen.

Artikel 31 [Zutritt der Regierung]

(1) Die Regierungsmitglieder haben Zutritt zu beiden Kammern. Sie sind auf ihr Verlangen anzuhören.

(2) Sie können sich von Regierungsreferenten begleiten lassen.

Artikel 32 [Präsidenten der Kammern]

Der Präsident der Nationalversammlung wird für die Dauer der Legislaturperiode gewählt. Der Präsident des Senats wird nach jeder Teilerneuerung gewählt.

Artikel 33 [Öffentlichkeit]

(1) Die Sitzungen beider Kammern sind öffentlich. Der volle Wortlaut der Verhandlungen wird im Journal officiel veröffentlicht.

(2) Jede Kammer kann auf Verlangen des Premierministers oder eines Zehntels ihrer Mitglieder in geheimer Sitzung tagen.

Titel V
DIE BEZIEHUNGEN ZWISCHEN PARLAMENT UND REGIERUNG

Artikel 34 [Regelungen durch Gesetz]

(1) Durch Gesetz werden geregelt:

– die staatsbürgerlichen Rechte und die den Staatsbürgern zur Ausübung ihrer Grundrechte gewährten grundlegenden Garantien; die Freiheit, die Pluralität und die Unabhängigkeit der Medien; die den Staatsbürgern durch die Erfordernisse der nationalen Verteidigung auferlegten Verpflichtungen hinsichtlich ihrer Person und ihres Vermögens;

– die Staatsangehörigkeit, der Personenstand, die Rechtsfähigkeit, das eheliche Güterrecht sowie das Erb- und Schenkungsrecht;

– die Festlegung der Verbrechen und Vergehen sowie die darauf stehenden Strafen, das Strafverfahrensrecht, die Amnestie, die Schaffung neuer Kategorien von Gerichtsbarkeiten und die Rechtsstellung der Richter und Staatsanwälte;

– die Steuerbemessungsgrundlagen, die Steuersätze und das Erhebungsverfahren für Steuern und Abgaben aller Art; die Regelung der Geldemission.

Durch Gesetz werden ferner geregelt:

– das Wahlsystem der beiden Kammern des Parlaments, der lokalen Versammlungen und der Gremien, welche die außerhalb Frankreichs ansässigen Franzosen vertreten, sowie die Bedingungen für die Ausübung von Wahlmandaten und -ämtern der Mitglieder der beratenden Versammlungen der Gebietskörperschaften;

– die Schaffung neuer Arten von öffentlichen Einrichtungen;

– die den zivilen und militärischen Staatsbeamten gewährten grundlegenden Garantien;

– die Verstaatlichung von Unternehmen und die Überführung von Eigentum öffentlicher Unternehmen in Privateigentum.

Durch Gesetz werden die Grundsätze geregelt für:

– die allgemeine Organisation der nationalen Verteidigung;

– die Selbstverwaltung der Gebietskörperschaften, ihre Zuständigkeiten und ihre Einnahmequellen;

– das Unterrichtswesen;

– die Erhaltung der Umwelt;

– das Eigentumsrecht, das Sachenrecht sowie das zivil- und handelsrechtliche Schuldrecht;

– das Arbeitsrecht, das Recht der Gewerkschaften und der sozialen Sicherheit.

(2) Die Haushaltsgesetze bestimmen die Einnahmen und Ausgaben des Staates gemäß einem Organgesetz und den darin festgelegten Bedingungen und Vorbehalten.

(3) Die Gesetze zur Finanzierung der sozialen Sicherheit bestimmen die allgemeinen Bedingungen ihrer finanziellen Ausgeglichenheit. Unter Berücksichtigung der zu erwartenden Einnahmen bestimmen sie die Ausgabenzwecke gemäß einem Organgesetz und den darin festgelegten Bedingungen und Vorbehalten.

(4) Programmgesetze bestimmen die Ziele der Tätigkeit des Staates.

(5) Die mehrjährigen Leitlinien für die öffentlichen Finanzen werden durch Programmgesetze festgesetzt. Sie tragen zur Erreichung des Ziels bei, die Konten der öffentlichen Verwaltungen auszugleichen.

(6) Die Bestimmungen dieses Artikels können durch ein Organgesetz näher geregelt und ergänzt werden.

Artikel 34-1 [Entschließungen]

(1) Die Kammern können Entschließungen gemäß den im Organgesetz festgelegten Bedingungen verabschieden.

(2) Entschließungsanträge, durch deren Annahme oder Ablehnung nach Ansicht der Regierung ihr das Misstrauen ausgesprochen wird oder die Weisungen an sie enthalten, sind nicht zulässig und können nicht auf die Tagesordnung gesetzt werden.

Artikel 35 [Kriegserklärung und Einsätze]

(1) Die Kriegserklärung bedarf der Zustimmung des Parlaments.

(2) Die Regierung unterrichtet das Parlament über ihren Beschluss, Streitkräfte im Ausland einzusetzen, spätestens drei Tage nach Beginn des Einsatzes. Sie hat die verfolgten Ziele darzulegen. Der Unterrichtung kann sich eine Verhandlung ohne Abstimmung anschließen.

(3) Dauert ein solcher Einsatz länger als vier Monate, hat die Regierung die Zustimmung des Parlaments zu einer Verlängerung einzuholen. Sie kann die Nationalversammlung ersuchen, in letzter Instanz zu entscheiden.

(4) Läuft die Frist von vier Monaten außerhalb der Sitzungsperiode des Parlaments ab, fasst dieses seinen Beschluss bei Eröffnung der darauffolgenden Sitzungsperiode.

Artikel 36 [Belagerungszustand]

(1) Der Belagerungszustand wird im Ministerrat verordnet.

(2) Zu seiner Verlängerung über zwölf Tage hinaus kann nur das Parlament ermächtigen.

Artikel 37 [Verordnung und Dekret]

(1) Die Bereiche, die nicht in die Gesetzgebung fallen, werden auf dem Verordnungsweg geregelt.

(2) Texte in Gesetzesform, die für diese Bereiche erlassen wurden, können nach Anhörung des Staatsrates durch Dekrete geändert werden. Diejenigen dieser Texte, die nach Inkrafttreten dieser Verfassung ergehen sollten, können nur dann durch Dekret geändert werden, wenn der Verfassungsrat erklärt hat, dass sie gemäß dem vorangehenden Absatz Verordnungscharakter haben.

Artikel 37-1 [Versuchscharakter]

Für einen bestimmten Zweck und eine begrenzte Dauer können die Gesetze und

Verordnungen Bestimmungen mit Versuchscharakter enthalten.

Artikel 38 [Gesetzesvertretende Verordnungen]

(1) Die Regierung kann zur Durchführung ihres Programms das Parlament um die Ermächtigung ersuchen, während eines begrenzten Zeitraumes durch gesetzesvertretende Verordnungen Maßnahmen zu treffen, die normalerweise dem Bereich der Gesetzgebung unterliegen.

(2) Die gesetzesvertretenden Verordnungen werden im Ministerrat nach Anhörung des Staatsrates beschlossen. Sie treten mit ihrer Veröffentlichung in Kraft, werden jedoch hinfällig, wenn der Entwurf des Ratifizierungsgesetzes im Parlament nicht vor dem durch das Ermächtigungsgesetz festgelegten Zeitpunkt eingebracht wurde. Sie können nur ausdrücklich ratifiziert werden.

(3) Nach Ablauf der in Absatz 1 genannten Frist können gesetzesvertretende Verordnungen für die Bereiche, die durch die Gesetzgebung geregelt werden, nur noch durch Gesetz geändert werden.

Artikel 39 [Gesetzesinitiative und Gesetzesentwürfe]

(1) Die Gesetzesinitiative steht sowohl dem Premierminister als auch den Mitgliedern des Parlaments gleichberechtigt zu.

(2) Die Gesetzesentwürfe werden nach Anhörung des Staatsrates im Ministerrat beraten und bei einer der beiden Kammern eingebracht. Die Entwürfe von Haushaltsgesetzen und von Gesetzen zur Finanzierung der sozialen Sicherheit werden zuerst der Nationalversammlung vorgelegt. Unbeschadet des letzten Absatzes von Artikel 44 werden die Gesetzesentwürfe, die hauptsächlich die Organisation der Gebietskörperschaften zum Gegenstand haben, zuerst dem Senat vorgelegt.

(3) Die Bedingungen für die Einbringung von Gesetzesentwürfen in der Nationalversammlung oder im Senat sind durch ein Organgesetz geregelt.

(4) Die Gesetzesentwürfe können nicht auf die Tagesordnung gesetzt werden, wenn die Konferenz der Präsidenten der zuerst befassten Kammer feststellt, dass die durch das Organgesetz festgelegten Bestimmungen nicht eingehalten wurden. Sind die Konferenz der Präsidenten und die Regierung unterschiedlicher Meinung, kann der Präsident der betroffenen Kammer oder der Premierminister den Verfassungsrat damit befassen, der dann binnen acht Tagen hierüber zu befinden hat.

(5) Unter den gesetzlich vorgesehenen Bedingungen kann der Präsident einer der beiden Kammern dem Staatsrat einen von einem Mitglied dieser Kammer eingebrachten Gesetzesvorschlag vor seiner Beratung im Ausschuss zur Stellungnahme vorlegen, es sei denn, dieses Mitglied lehnt dies ab.

Artikel 40 [Unzulässigkeit im Bereich öffentlicher Einnahmen]

Gesetzesvorschläge und Änderungsanträge von Mitgliedern des Parlaments sind unzulässig, wenn ihre Annahme eine Verringerung der öffentlichen Einnahmen oder die Begründung oder Erhöhung öffentlicher Ausgaben zur Folge hätte.

Artikel 41 [Unzulässigkeit bei Unzuständigkeit]

(1) Stellt sich im Laufe des Gesetzgebungsverfahrens heraus, dass ein Gesetzesvorschlag oder ein Änderungsantrag nicht in den Bereich der Gesetzgebung fällt oder einer gemäß Artikel 38 erteilten Ermächtigung entgegensteht, so kann die Regierung oder der Präsident der befassten Kammer seine Unzulässigkeit einwenden.

(2) Sind die Regierung und der Präsident der betreffenden Kammer uneinig, so entscheidet auf Verlangen einer der beiden Parteien der Verfassungsrat binnen acht Tagen.

Artikel 42 [Beratung]

(1) Die Beratung der Gesetzesentwürfe und der Gesetzesvorschläge findet im Plenum über die vom gemäß Artikel 43 befassten Ausschuss vorgelegte Fassung oder

andernfalls über die Fassung, mit der die Kammer befasst wurde, statt.

(2) Die Beratung im Plenum der Entwürfe von Verfassungsänderungen, der Entwürfe von Haushaltsgesetzen und der Entwürfe von Gesetzen zur Finanzierung der sozialen Sicherheit findet in erster Lesung vor der zuerst befassten Kammer, jedoch über die von der Regierung eingebrachte Fassung und bei den anderen Lesungen über die von der anderen Kammer übermittelte Fassung statt.

(3) Die Beratung im Plenum eines Gesetzesentwurfs oder eines Gesetzesvorschlags kann vor der zuerst befassten Kammer in erster Lesung erst nach Ablauf einer Frist von sechs Wochen ab seiner Einbringung stattfinden. Vor der zweiten befassten Kammer kann sie erst nach Ablauf einer Frist von vier Wochen ab seiner Übermittlung stattfinden.

(4) Der vorstehende Absatz kommt nicht zur Anwendung, wenn das beschleunigte Verfahren unter den in Artikel 45 vorgesehenen Bedingungen eingeleitet worden ist. Zur Anwendung kommt es auch nicht bei Entwürfen von Haushaltsgesetzen, Entwürfen von Gesetzen zur Finanzierung der sozialen Sicherheit und Entwürfen betreffend Krisensituationen.

Artikel 43 [Prüfung durch Ausschuss]

(1) Die Gesetzesentwürfe und Gesetzesvorschläge werden zur Prüfung an einen ständigen Ausschüsse, deren Anzahl in jeder Kammer auf acht begrenzt ist, überwiesen.

(2) Auf Ersuchen der Regierung oder der damit befassten Kammer werden die Gesetzesentwürfe oder Gesetzesvorschläge zur Prüfung an einen zu diesem Zweck eigens eingesetzten Ausschuss überwiesen.

Artikel 44 [Änderungsanträge]

(1) Die Mitglieder des Parlaments und die Regierung sind berechtigt, Änderungsanträge einzubringen. Dieses Recht wird im Plenum oder im Ausschuss gemäß den in der Geschäftsordnung der beiden Kammern festgesetzten Bedingungen und in dem durch das Organgesetz vorgegebenen Rahmen wahrgenommen.

(2) Nach Eröffnung der Verhandlung kann sich die Regierung der Prüfung jedes Änderungsantrags widersetzen, der nicht zuvor dem Ausschuss vorgelegen ist.

(3) Auf Verlangen der Regierung entscheidet die befasste Kammer in nur einer Abstimmung über die gesamte zur Beratung stehende Fassung oder Teile davon, wobei sie nur die von der Regierung vorgeschlagenen oder angenommenen Änderungsanträge berücksichtigt.

Artikel 45 [Lesungen]

(1) Jeder Gesetzesentwurf oder Gesetzesvorschlag wird nacheinander in beiden Kammern des Parlaments mit dem Ziel beraten, zur Annahme einer übereinstimmenden Fassung zu gelangen. Unbeschadet der Anwendung der Artikel 40 und 41 ist jeder Änderungsantrag in erster Lesung zulässig, wenn er einen selbst indirekten Bezug zu dem eingebrachten oder übermittelten Text hat.

(2) Kann ein Gesetzesentwurf oder Gesetzesvorschlag wegen Uneinigkeit zwischen den beiden Kammern nach zwei Lesungen in jeder Kammer nicht angenommen werden, oder hat die Regierung nach einer einzigen Lesung in jeder Kammer die Einleitung des beschleunigten Verfahrens beschlossen, ohne dass die Konferenzen der Präsidenten sich dem gemeinsam widersetzt haben, so kann der Premierminister oder können bei einem Gesetzesvorschlag die Präsidenten der beiden Kammern zusammen einen paritätisch besetzten Ausschuss einberufen, der eine Fassung der noch strittigen Bestimmungen vorzuschlagen hat.

(3) Die von dem paritätisch besetzten Ausschuss ausgearbeitete Fassung kann den beiden Kammern von der Regierung zur Annahme vorgelegt werden. Änderungsanträge sind nur mit Genehmigung der Regierung zulässig.

(4) Gelangt der paritätisch besetzte Ausschuss nicht zur Annahme einer gemeinsamen Fassung oder wird diese Fassung nicht gemäß den im vorangehenden Absatz genannten Bedingungen angenommen, so kann die Regierung nach einer erneuten Lesung in

der Nationalversammlung und im Senat die Nationalversammlung um eine endgültige Beschlussfassung ersuchen. In diesem Falle kann die Nationalversammlung entweder die von dem paritätisch besetzten Ausschuss ausgearbeitete Fassung oder die von ihr zuletzt verabschiedete Fassung wieder aufnehmen, welche gegebenenfalls durch einen oder mehrere vom Senat angenommene Änderungsanträge abgeändert ist.

Artikel 46 [Organgesetze]

(1) Gesetze, denen die Verfassung den Charakter von Organgesetzen verleiht, werden unter folgenden Bedingungen beschlossen und geändert.

(2) Der Gesetzesentwurf oder Gesetzesvorschlag kann in erster Lesung den Kammern erst nach Ablauf der im dritten Absatz von Artikel 42 festgesetzten Frist zur Beratung oder Abstimmung vorgelegt werden. Wenn das beschleunigte Verfahren unter den in Artikel 45 festgelegten Bedingungen eingeleitet worden ist, kann der Gesetzesentwurf oder Gesetzesvorschlag der zuerst befassten Kammer jedoch nicht vor Ablauf von fünfzehn Tagen nach seiner Einbringung zur Beratung vorgelegt werden.

(3) Das Verfahren gemäß Artikel 45 ist anwendbar. Gelangen die beiden Kammern jedoch nicht zur Übereinstimmung, so kann die Textvorlage von der Nationalversammlung in letzter Lesung nur mit der absoluten Mehrheit ihrer Mitglieder angenommen werden.

(4) Die den Senat betreffenden Organgesetze müssen von beiden Kammern im gleichen Wortlaut beschlossen werden.

(5) Organgesetze können erst verkündet werden, nachdem der Verfassungsrat ihre Verfassungsmäßigkeit erklärt hat.

Artikel 47 [Haushaltsgesetz]

(1) Das Parlament beschließt die Haushaltsgesetzesentwürfe gemäß den in einem Organgesetz vorgesehenen Bedingungen.

(2) Hat die Nationalversammlung in erster Lesung innerhalb einer Frist von vierzig Tagen nach Einbringung des Gesetzesentwurfs

keinen Beschluss gefasst, so überweist ihn die Regierung dem Senat, der innerhalb einer Frist von fünfzehn Tagen einen Beschluss fassen muss. Danach wird gemäß den Bestimmungen in Artikel 45 verfahren.

(3) Hat das Parlament innerhalb einer Frist von siebzig Tagen keinen Beschluss gefasst, können die Bestimmungen des Entwurfs durch eine gesetzesvertretende Verordnung in Kraft gesetzt werden.

(4) Wurde das Haushaltsgesetz über die Einnahmen und Ausgaben eines Haushaltsjahres nicht rechtzeitig eingebracht, um vor Beginn dieses Haushaltsjahres verkündet zu werden, so fordert die Regierung in einem Dringlichkeitsverfahren vom Parlament die Ermächtigung zur Steuererhebung und bewilligt durch Dekret die Mittel für die gesetzlich festgelegten Teile des Haushalts.

(5) Die in diesem Artikel vorgesehenen Fristen werden ausgesetzt, wenn sich das Parlament nicht in der Sitzungsperiode befindet.

Artikel 47-1 [Finanzierung der sozialen Sicherheit]

(1) Das Parlament beschließt die Gesetzesentwürfe über die Finanzierung der sozialen Sicherheit gemäß den in einem Organgesetz vorgesehenen Bedingungen.

(2) Hat die Nationalversammlung in erster Lesung innerhalb einer Frist von zwanzig Tagen nach Einbringung des Gesetzesentwurfs keinen Beschluss gefasst, so überweist ihn die Regierung dem Senat, der innerhalb einer Frist von fünfzehn Tagen einen Beschluss fassen muss. Danach wird gemäß den Bestimmungen in Artikel 45 verfahren.

(3) Hat das Parlament innerhalb einer Frist von fünfzig Tagen keinen Beschluss gefasst, können die Bestimmungen des Entwurfs durch eine gesetzesvertretende Verordnung in Kraft gesetzt werden.

(4) Die in diesem Artikel vorgesehenen Fristen werden ausgesetzt, wenn sich das Parlament nicht in einer Sitzungsperiode befindet, und in den Wochen, in denen jede Kammer gemäß Artikel 28 Absatz 2 beschlossen hat, keine Sitzungen abzuhalten.

Artikel 47-2 [Unterstützung durch Rechnungshof]

(1) Der Rechnungshof unterstützt das Parlament bei der Kontrolle der Regierungsgeschäfte. Er unterstützt das Parlament und die Regierung bei der Kontrolle der Ausführung der Haushaltsgesetze und der Durchführung der Gesetze zur Finanzierung der sozialen Sicherheit sowie bei der Bewertung der Politik der öffentlichen Hand. Mit seinen öffentlichen Berichten trägt er zur Unterrichtung der Bürger bei.

(2) Die Konten der öffentlichen Verwaltungen müssen ordnungsgemäß und wahrheitsgetreu geführt werden. Sie müssen ein den tatsächlichen Verhältnissen entsprechendes Bild des Ergebnisses ihrer Verwaltung, ihrer Vermögenslage und ihrer finanziellen Situation vermitteln.

Artikel 48 [Tagesordnung]

(1) Unbeschadet der Anwendung der letzten drei Absätze des Artikels 28 legt jede Kammer ihre Tagesordnung fest.

(2) Zwei von vier Sitzungswochen sind vorrangig und in der von der Regierung festgelegten Reihenfolge der Prüfung von Texten und den Verhandlungen, deren Aufnahme in die Tagesordnung sie beantragt, vorbehalten.

(3) Zudem wird die Prüfung der Entwürfe von Haushaltsgesetzen, der Entwürfe von Gesetzen zur Finanzierung der sozialen Sicherheit sowie – vorbehaltlich der Bestimmungen des nachfolgenden Absatzes – der seit mindestens sechs Wochen von der anderen Kammer übermittelten Texte, der Texte betreffend Krisensituationen und der in Artikel 35 genannten Zustimmungsersuchen auf Antrag der Regierung vorrangig auf die Tagesordnung gesetzt.

(4) Eine von vier Sitzungswochen ist vorrangig und in der von jeder Kammer festgelegten Reihenfolge der Kontrolle der Regierungsgeschäfte und der Bewertung der Politik der öffentlichen Hand vorbehalten.

(5) Ein Sitzungstag pro Monat ist einer von jeder Kammer auf Initiative der Oppositionsfraktionen der betreffenden Kammer sowie auf Initiative der Minderheitsfraktionen festgelegten Tagesordnung vorbehalten.

(6) Mindestens eine Sitzung pro Woche, auch während der in Artikel 29 vorgesehenen außerordentlichen Sitzungsperioden, ist vorrangig den Anfragen der Mitglieder des Parlaments und den Antworten der Regierung vorbehalten.

Artikel 49 [Politische Verantwortung]

(1) Der Premierminister übernimmt nach Beratung des Ministerrates vor der Nationalversammlung die politische Verantwortung der Regierung für ihr Programm oder gegebenenfalls für eine Erklärung zur allgemeinen Politik.

(2) Die Nationalversammlung spricht der Regierung das Misstrauen durch die Annahme eines Misstrauensantrages aus. Ein solcher Antrag ist nur zulässig, wenn er von mindestens einem Zehntel der Mitglieder der Nationalversammlung unterzeichnet ist. Die Abstimmung darf erst achtundvierzig Stunden nach der Einbringung des Antrags stattfinden. Gezählt werden nur die für den Misstrauensantrag abgegebenen Stimmen; dieser kann nur mit der Mehrheit der der Nationalversammlung angehörenden Mitglieder angenommen werden. Außer in dem im folgenden Absatz vorgesehenen Fall kann ein Abgeordneter nicht mehr als drei Misstrauensanträge im Laufe ein und derselben ordentlichen Sitzungsperiode und nicht mehr als einen im Laufe ein und derselben außerordentlichen Sitzungsperiode unterzeichnen.

(3) Der Premierminister kann nach Beratung des Ministerrates vor der Nationalversammlung die politische Verantwortung der Regierung für die Abstimmung über einen Haushaltsgesetzesentwurf oder einen Gesetzesentwurf zur Finanzierung der sozialen Sicherheit übernehmen. In diesem Falle gilt dieser Entwurf als angenommen, wenn nicht innerhalb der darauffolgenden vierundzwanzig Stunden ein Misstrauensantrag eingebracht und unter den im vorangegangenen Absatz genannten Bedingungen angenommen wird. Einmal pro Sitzungsperiode kann der Premierminister auf dieses Verfahren

auch bei einem anderen Gesetzesentwurf oder Gesetzesvorschlag zurückgreifen.

(4) Der Premierminister hat das Recht, vom Senat die Zustimmung zu einer Erklärung zur allgemeinen Politik zu verlangen.

Artikel 50 [Rücktritt der Regierung]
Nimmt die Nationalversammlung einen Misstrauensantrag an oder lehnt sie das Regierungsprogramm oder eine Erklärung zur allgemeinen Politik ab, so muss der Premierminister beim Präsidenten der Republik den Rücktritt der Regierung einreichen.

Artikel 50-1 [Erklärung]
Auf eigene Initiative oder auf Antrag einer Fraktion gemäß Artikel 51-1 kann die Regierung vor einer der beiden Kammern eine Erklärung zu einem bestimmten Thema abgeben, der sich eine Aussprache anschließt und über die – wenn sie dies beschließt – abgestimmt werden kann, ohne dass ihr dadurch das Misstrauen ausgesprochen werden kann.

Artikel 51 [Aussetzung des Schlusses von Sitzungsperioden]
Der Schluss der ordentlichen Sitzungsperiode oder der außerordentlichen Sitzungsperioden wird von Rechts wegen ausgesetzt, um gegebenenfalls die Anwendung des Artikels 49 zu ermöglichen. Zu demselben Zweck sind zusätzliche Sitzungen rechtens.

Artikel 51-1 [Geschäftsordnung]
In der Geschäftsordnung einer jeden Kammer sind die Rechte der in ihr gebildeten Fraktionen festgelegt. Sie erkennt den Oppositionsfraktionen der betreffenden Kammer sowie den Minderheitsfraktionen besondere Rechte zu.

Artikel 51-2 [Untersuchungsausschüsse]
(1) Zur Wahrnehmung der im ersten Absatz von Artikel 24 festgelegten Kontroll- und Überwachungsaufgaben können in jeder Kammer Untersuchungsausschüsse eingesetzt werden, um gemäß den gesetzlichen Bestimmungen bestimmte Vorgänge aufzuklären.

(2) Ihre Organisation und Funktionsweise sind gesetzlich geregelt. Die Bedingungen für ihre Einsetzung sind in der Geschäftsordnung einer jeden Kammer festgelegt.

Titel VI
DIE INTERNATIONALEN VERTRÄGE UND ABKOMMEN

Artikel 52 [Verhandlung und Ratifikation]
(1) Der Präsident der Republik verhandelt und ratifiziert die Verträge.

(2) Er wird über alle Verhandlungen unterrichtet, die auf den Abschluss eines internationalen Abkommens, das nicht der Ratifikation unterliegt, abzielen.

Artikel 53 [Ratifizierung aufgrund eines Gesetzes]
(1) Die Ratifizierung von Friedensverträgen, Handelsverträgen, Verträgen oder Abkommen über die internationale Organisation, ferner solche, die Verpflichtungen für die Staatsfinanzen nach sich ziehen, Bestimmungen gesetzlicher Art ändern, den Personenstand betreffen oder die Abtretung, den Tausch oder Erwerb von Staatsgebieten beinhalten, oder deren Zustimmung darf nur aufgrund eines Gesetzes erfolgen.

(2) Sie werden erst mit der Ratifizierung oder Zustimmung wirksam.

(3) Keine Abtretung, kein Tausch oder Erwerb von Staatsgebieten ist gültig ohne die Einwilligung der betroffenen Bevölkerung.

Artikel 53-1 [Asyl]
(1) Die Republik kann mit den europäischen Staaten, die durch dieselben Verpflichtungen in Fragen des Asylrechts sowie des Schutzes der Menschenrechte und Grundfreiheiten gebunden sind, Abkommen schließen, die ihre jeweiligen Zuständigkeiten bei der Prüfung der bei ihnen gestellten Asylanträge festlegen.

(2) Aber selbst wenn der Antrag aufgrund dieser Abkommen nicht in ihre Zuständigkeit fällt, haben die Behörden der Republik immer das Recht, jedem Ausländer, der we-

gen seines Einsatzes für die Freiheit verfolgt wird oder aus einem anderen Grunde den Schutz Frankreichs begehrt, Asyl zu gewähren.

Artikel 53-2 [Internationaler Strafgerichtshof]
Die Republik kann die Zuständigkeit des Internationalen Strafgerichtshofes unter den Bedingungen, die in dem am 18. Juli 1998 unterzeichneten Vertrag vorgesehen sind, anerkennen.

Artikel 54 [Verfassungswidrige Klauseln]
Hat der vom Präsidenten der Republik, vom Premierminister oder vom Präsidenten einer der beiden Kammern oder von sechzig Abgeordneten oder sechzig Senatoren angerufene Verfassungsrat erklärt, dass eine internationale Verpflichtung eine verfassungswidrige Klausel enthält, so kann die Ermächtigung zu deren Ratifikation oder Zustimmung erst nach der Änderung der Verfassung erfolgen.

Artikel 55 [Rechtskraft]
Nach ordnungsgemäßer Ratifizierung oder Zustimmung erlangen Verträge oder Abkommen mit ihrer Veröffentlichung höhere Rechtskraft als Gesetze unter dem Vorbehalt, dass das Abkommen oder der Vertrag von der anderen Vertragspartei ebenfalls angewandt wird.

Titel VII
DER VERFASSUNGSRAT

Artikel 56 [Verfassungsrat]
(1) Der Verfassungsrat besteht aus neun Mitgliedern; ihre Amtszeit beträgt neun Jahre und kann nicht erneuert werden. Der Verfassungsrat wird alle drei Jahre zu je einem Drittel erneuert. Drei Mitglieder werden vom Präsidenten der Republik ernannt, drei vom Präsidenten der Nationalversammlung und drei vom Präsidenten des Senats. Das im ersten Absatz von Artikel 13 vorgesehene Verfahren kommt bei diesen Ernennungen zur Anwendung. Zu den vom Präsidenten einer jeden Kammer vorgenommenen Ernennungen hat lediglich der zuständige ständige Ausschuss der betreffenden Kammer eine Stellungnahme abzugeben.

(2) Außer den zuvor genannten neun Mitgliedern gehören dem Verfassungsrat von Rechts wegen und auf Lebenszeit die ehemaligen Präsidenten der Republik an.

(3) Der Präsident wird vom Präsidenten der Republik ernannt. Bei Stimmengleichheit gibt seine Stimme den Ausschlag.

Artikel 57 [Unvereinbarkeiten]
Das Amt eines Mitglieds des Verfassungsrates ist unvereinbar mit dem eines Ministers oder eines Mitglieds des Parlaments. Die übrigen Inkompatibilitäten regelt ein Organgesetz.

Artikel 58 [Wahlaufsicht]
(1) Der Verfassungsrat wacht über die Ordnungsmäßigkeit der Wahl des Präsidenten der Republik.

(2) Er prüft die Beschwerden und gibt das Wahlergebnis bekannt.

Artikel 59 [Entscheidung über Wahl]
Der Verfassungsrat entscheidet im Falle der Anfechtung über die Ordnungsmäßigkeit der Wahl der Abgeordneten und Senatoren.

Artikel 60 [Aufsicht über Volksentscheide]
Der Verfassungsrat wacht über die Ordnungsmäßigkeit der in den Artikeln 11 und 89 und in Titel XV vorgesehenen Volksentscheide und gibt deren Ergebnisse bekannt.

Artikel 61 [Vorlagepflicht]
(1) Die Organgesetze müssen vor ihrer Verkündung, die in Artikel 11 genannten Gesetzesvorschläge, bevor sie zum Volksentscheid gebracht werden, und die Geschäftsordnungen der parlamentarischen Kammern, bevor sie zur Anwendung gebracht werden, dem Verfassungsrat vorgelegt werden, der über ihre Verfassungsmäßigkeit befindet.

(2) Zum gleichen Zweck können Gesetze

vor ihrer Verkündung vom Präsidenten der Republik, vom Premierminister, vom Präsidenten der Nationalversammlung, vom Präsidenten des Senats oder von sechzig Abgeordneten oder sechzig Senatoren dem Verfassungsrat unterbreitet werden.

(3) In den in den beiden vorangehenden Absätzen genannten Fällen muss der Verfassungsrat binnen eines Monats entscheiden. Auf Ersuchen der Regierung wird jedoch bei Dringlichkeit diese Frist auf acht Tage verkürzt.

(4) In denselben Fällen wird durch die Anrufung des Verfassungsrates die Verkündungsfrist ausgesetzt.

Artikel 61-1 [Verfassungswidrigkeit von anzuwendenden Gesetzen]

(1) Wird bei einem anhängigen Gerichtsverfahren behauptet, eine Rechtsvorschrift verstoße gegen die von der Verfassung garantierten Rechte und Freiheiten, können der Staatsrat oder der Kassationsgerichtshof den Verfassungsrat, der innerhalb einer bestimmten Frist eine Entscheidung zu treffen hat, mit dieser Frage befassen.

(2) Ein Organgesetz regelt die Bedingungen für die Anwendung dieses Artikels.

Artikel 62 [Folgen der Verfassungswidrigkeit]

(1) Eine gemäß Artikel 61 für verfassungswidrig erklärte Bestimmung kann weder verkündet noch angewandt werden.

(2) Eine gemäß Artikel 61-1 für verfassungswidrig erklärte Bestimmung wird ab der Veröffentlichung der Entscheidung des Verfassungsrates oder zu einem in dieser Entscheidung festgesetzten späteren Zeitpunkt aufgehoben. Der Verfassungsrat bestimmt die Bedingungen und die Grenzen für eine mögliche Infragestellung der Folgen der betreffenden Bestimmung.

(3) Gegen die Entscheidungen des Verfassungsrates gibt es kein Rechtsmittel. Sie binden die öffentlichen Gewalten sowie alle Verwaltungsbehörden und Gerichte.

Artikel 63 [Organgesetz]

Ein Organgesetz regelt die Organisation und die Arbeitsweise des Verfassungsrates, das vor ihm anzuwendende Verfahren und insbesondere die Fristen, innerhalb derer er mit Anfechtungen befasst werden kann.

Titel VIII
DIE ORDENTLICHE GERICHTS-BARKEIT

Artikel 64 [Präsident der Republik]

(1) Der Präsident der Republik ist der Garant für die Unabhängigkeit der ordentlichen Gerichtsbarkeit.

(2) Er wird vom Obersten Rat des Richterstandes und der Staatsanwaltschaft unterstützt.

(3) Ein Organgesetz regelt die Rechtsstellung der Richter und Staatsanwälte.

(4) Die Richter sind unabsetzbar.

Artikel 65 [Oberster Rat des Richterstandes und der Staatsanwaltschaft]

(1) Der Oberste Rat des Richterstandes und der Staatsanwaltschaft besteht aus zwei Abteilungen, wovon jeweils eine für die Richter und die andere für die Staatsanwälte zuständig ist.

(2) Der für die Richter zuständigen Abteilung steht der erste Präsident des Kassationsgerichtshofes vor. Sie besteht, neben dem ersten Präsidenten, aus fünf Richtern und einem Staatsanwalt, einem vom Staatsrat benannten Conseiller d'État, einem Anwalt sowie sechs qualifizierten Persönlichkeiten, die weder dem Parlament noch den Gerichten noch der Verwaltung angehören dürfen. Der Präsident der Republik, der Präsident der Nationalversammlung und der Präsident des Senats benennen jeweils zwei qualifizierte Persönlichkeiten. Das Verfahren gemäß Artikel 13 letzter Absatz kommt bei den Ernennungen der qualifizierten Persönlichkeiten zur Anwendung. Zu den Ernennungen, die der Präsident einer jeden Kammer vornimmt, hat lediglich der zuständige ständige Ausschuss der betroffenen Kammer eine Stellungnahme abzugeben.

(3) Der für die Staatsanwälte zuständigen Abteilung steht der Generalstaatsanwalt des Kassationsgerichtshofes vor. Sie besteht, neben dem Generalstaatsanwalt, aus fünf Staatsanwälten und einem Richter sowie dem Conseiller d'État, dem Anwalt und den sechs qualifizierten Persönlichkeiten, die im zweiten Absatz genannt sind.

(4) Die für die Richter zuständige Abteilung des Obersten Rates des Richterstandes und der Staatsanwaltschaft legt Vorschläge für die Ernennung der Richter des Kassationsgerichtshofes, des ersten Präsidenten der Appellationsgerichtshöfe und der Präsidenten der Großinstanzgerichte vor. Die anderen Richter werden durch übereinstimmende Stellungnahme ernannt.

(5) Die für die Staatsanwälte zuständige Abteilung des Obersten Rates des Richterstandes und der Staatsanwaltschaft nimmt Stellung zur Ernennung der Staatsanwälte.

(6) Die für die Richter zuständige Abteilung des Obersten Rates des Richterstandes und der Staatsanwaltschaft entscheidet als Disziplinarorgan der Richter. Neben den im zweiten Absatz bezeichneten Mitgliedern umfasst sie dann auch den Richter, welcher der für die Staatsanwälte zuständigen Abteilung angehört.

(7) Die für die Staatsanwälte zuständige Abteilung des Obersten Rates des Richterstandes und der Staatsanwaltschaft nimmt Stellung zu den gegen Staatsanwälte verhängten Disziplinarmaßnahmen. Neben den im dritten Absatz bezeichneten Mitgliedern umfasst sie dann auch den Staatsanwalt, welcher der für die Richter zuständigen Abteilung angehört.

(8) Der Oberste Rat des Richterstandes und der Staatsanwaltschaft tritt im Plenum zusammen, um den vom Präsidenten der Republik gemäß Artikel 64 unterbreiteten Ersuchen um Stellungnahme nachzukommen. In der gleichen Besetzung nimmt er Stellung zu Fragen des Berufsethos der Richter und Staatsanwälte sowie zu allen Fragen betreffend die Funktionsweise der Justiz, mit denen er vom Justizminister befasst wird. Das Plenum setzt sich zusammen aus drei der im zweiten Absatz genannten Richter, drei der im dritten Absatz genannten Staatsanwälte sowie dem Conseiller d'État, dem Anwalt und den sechs qualifizierten Persönlichkeiten, die im zweiten Absatz genannt sind. Dem Plenum steht der erste Präsident des Kassationsgerichtshofes vor, der durch den Generalstaatsanwalt dieses Gerichtshofes vertreten werden kann.

(9) Außer bei Disziplinarangelegenheiten kann der Justizminister an den Sitzungen der beiden Abteilungen des Obersten Rates des Richterstandes und der Staatsanwaltschaft teilnehmen.

(10) Der Oberste Rat des Richterstandes und der Staatsanwaltschaft kann unter den in einem Organgesetz festgelegten Bedingungen von einem Rechtsunterworfenen befasst werden.

(11) Das Organgesetz regelt die Bedingungen für die Anwendung dieses Artikels.

Artikel 66 [Schutz vor willkürlicher Verhaftung]

(1) Niemand darf willkürlich in Haft gehalten werden.

(2) Die ordentliche Gerichtsbarkeit sichert als Hüterin der persönlichen Freiheit die Einhaltung dieses Grundsatzes nach den gesetzlich festgelegten Bedingungen.

Artikel 66-1 [Todesstrafe]

Niemand darf zur Todesstrafe verurteilt werden.

Titel IX
DER HOHE GERICHTSHOF

Artikel 67 [Immunität des Präsidenten]

(1) Der Präsident der Republik kann vorbehaltlich der Bestimmungen der Artikel 53-2 und 68 für die in Ausübung seines Amtes vorgenommenen Handlungen nicht zur Verantwortung gezogen werden.

(2) Während seiner Amtszeit kann er nicht aufgefordert werden, vor einem französischen Gericht oder einer französischen Verwaltungsbehörde als Zeuge auszusagen, und auch nicht Gegenstand einer Klage, einer

Untersuchung, einer Ermittlung oder einer Verfolgung sein. Jede Verjährungs- oder Präklusionsfrist wird ausgesetzt.

(3) Die Rechtssachen und Verfahren, die somit behindert werden, können nach Ablauf einer Frist von einem Monat ab Beendigung seiner Amtszeit gegen ihn wiederaufgenommen oder eingeleitet werden.

Artikel 68 [Absetzung]

(1) Der Präsident der Republik kann nur im Falle eines Verstoßes gegen seine Pflichten, der mit der Ausübung seines Amtes offensichtlich unvereinbar ist, abgesetzt werden. Die Absetzung wird vom Parlament, das als Hoher Gerichtshof zusammentritt, ausgesprochen.

(2) Der von einer der Kammern des Parlaments angenommene Vorschlag zur Einberufung des Hohen Gerichtshofes ist der anderen Kammer umgehend zu übermitteln, die dann binnen fünfzehn Tagen hierüber zu befinden hat.

(3) Dem Hohen Gerichtshof steht der Präsident der Nationalversammlung vor. Der Hohe Gerichtshof hat binnen eines Monats in geheimer Abstimmung über die Absetzung zu entscheiden. Seine Entscheidung tritt mit sofortiger Wirkung in Kraft.

(4) Die Entscheidungen gemäß diesem Artikel werden mit der Mehrheit von zwei Dritteln der Mitglieder der betreffenden Kammer bzw. des Hohen Gerichtshofes getroffen. Eine Übertragung des Stimmrechts ist untersagt. Gezählt werden nur die Stimmen, die für den Vorschlag zur Einberufung des Hohen Gerichtshofes oder die Absetzung sind.

(5) Ein Organgesetz regelt die Bedingungen für die Anwendung dieses Artikels.

Titel X
DIE STRAFRECHTLICHE VERANTWORTUNG DER MITGLIEDER DER REGIERUNG

Artikel 68-1 [Strafrechtliche Verantwortlichkeit]

(1) Die Mitglieder der Regierung sind für die in Ausübung ihres Amtes vorgenommenen Handlungen strafrechtlich verantwortlich, wenn diese nach dem zum Zeitpunkt der Begehung geltenden Recht Verbrechen oder Vergehen waren.

(2) Das Urteil fällt der Gerichtshof der Republik.

(3) Der Gerichtshof der Republik ist an die Bestimmung der Verbrechen und Vergehen sowie an die Festlegung des Strafmaßes gebunden, die sich aus dem Gesetz ergeben.

Artikel 68-2 [Gerichtshof der Republik]

(1) Der Gerichtshof der Republik besteht aus fünfzehn Richtern: zwölf Parlamentariern, die in gleicher Zahl von der Nationalversammlung und vom Senat nach jeder vollständigen oder teilweisen Neuwahl dieser Kammern aus deren Mitte gewählt werden, sowie drei Richtern des Kassationsgerichtshofs, von denen einer den Vorsitz des Gerichtshofs der Republik führt.

(2) Jeder, der behauptet, durch ein Verbrechen oder Vergehen eines Mitglieds der Regierung in Ausübung dessen Amtes geschädigt worden zu sein, kann bei einem Antragsausschuss einen Strafantrag stellen.

(3) Dieser Ausschuss ordnet entweder die Einstellung des Verfahrens oder die Weiterleitung an den Generalstaatsanwalt beim Kassationsgerichtshof zum Zwecke der Anrufung des Gerichtshofs der Republik an.

(4) Der Generalstaatsanwalt beim Kassationsgerichtshof kann den Gerichtshof der Republik auch von Amts wegen anrufen, wenn eine übereinstimmende Stellungnahme des Antragsausschusses vorliegt.

(5) Ein Organgesetz regelt die Bedingungen für die Anwendung dieses Artikels.

Artikel 68-3 [Taten vor Inkrafttreten]

Die Bestimmungen dieses Titels sind auf Taten anzuwenden, die vor seinem Inkrafttreten begangen wurden.

Titel XI
DER WIRTSCHAFTS-, SOZIAL- UND UMWELTRAT

Artikel 69 [Wirtschafts-, Sozial- und Umweltrat]

(1) Der Wirtschafts-, Sozial- und Umweltrat nimmt auf Ersuchen der Regierung Stellung zu den Entwürfen von Gesetzen, gesetzesvertretenden Verordnungen oder Dekreten sowie zu den ihm vorgelegten Gesetzesvorschlägen.

(2) Ein Mitglied des Wirtschafts-, Sozial- und Umweltrates kann von diesem beauftragt werden, vor den parlamentarischen Kammern die Stellungnahme des Rates zu den ihm vorgelegten Gesetzesentwürfen oder Gesetzesvorschlägen darzulegen.

(3) Der Wirtschafts-, Sozial- und Umweltrat kann per Petition unter den durch ein Organgesetz festgelegten Bedingungen befasst werden. Nach Prüfung der Petition teilt er der Regierung und dem Parlament mit, wie er die Petition zu behandeln gedenkt.

Artikel 70 [Anhörung]

Der Wirtschafts-, Sozial- und Umweltrat kann von der Regierung und vom Parlament zu jedem wirtschaftlichen, sozialen oder ökologischen Problem gehört werden. Die Regierung kann ihn auch bei Entwürfen von Programmgesetzen zur Festlegung der mehrjährigen Leitlinien für die öffentlichen Finanzen konsultieren. Jeder Plan oder jeder Entwurf eines Programmgesetzes wirtschaftlicher, sozialer oder ökologischer Art wird ihm zur Stellungnahme vorgelegt.

Artikel 71 [Regelung durch Organgesetz]

Die Zusammensetzung des Wirtschafts-, Sozial- und Umweltrates, dessen Mitgliederzahl höchstens zweihundertdreiunddreißig betragen kann, sowie dessen Arbeitsweise regelt ein Organgesetz.

Titel XIa
DER VERTEIDIGER DER RECHTE

Artikel 71-1 [Verteidiger der Rechte]

(1) Der Verteidiger der Rechte hat dafür zu sorgen, dass die Verwaltungen des Staates, die Gebietskörperschaften, die öffentlichen Einrichtungen sowie jede Einrichtung, die mit der Erbringung eines öffentlichen Dienstes beauftragt ist oder der durch das Organgesetz Befugnisse übertragen worden sind, die Rechte und Freiheiten einhalten.

(2) Er kann unter den durch das Organgesetz festgelegten Bedingungen von jeder Person befasst werden, die sich durch die Funktionsweise eines öffentlichen Dienstes oder einer im ersten Absatz genannten Einrichtung geschädigt fühlt. Er kann sich auch von Amts wegen mit einer Sache befassen.

(3) Im Organgesetz sind die Befugnisse und die Handlungsmöglichkeiten des Verteidigers der Rechte geregelt. Es bestimmt zudem die Bedingungen, unter denen er durch ein Kollegium bei der Wahrnehmung einiger seiner Befugnisse unterstützt werden kann.

(4) Der Verteidiger der Rechte wird vom Präsidenten der Republik für eine Dauer von sechs Jahren nach Inkrafttreten des im letzten Absatz von Artikel 13 vorgesehenen Verfahrens ernannt; eine Wiederernennung ist nicht zulässig. Dieses Amt ist mit der Wahrnehmung eines Regierungsamtes oder der Ausübung eines parlamentarischen Mandats unvereinbar. Die anderen Inkompatibilitäten werden durch das Organgesetz festgelegt.

(5) Der Verteidiger der Rechte hat dem Präsidenten der Republik und dem Parlament Bericht über seine Tätigkeit zu erstatten.

Titel XII
DIE GEBIETSKÖRPERSCHAFTEN

Artikel 72 [Gebietskörperschaften]

(1) Gebietskörperschaften der Republik sind die Gemeinden, die Departements, die Regionen, die Körperschaften mit Sonderstatus und die überseeischen Körperschaften, deren Rechtsstellung durch Artikel 74 geregelt ist. Jede andere Gebietskörperschaft

wird durch Gesetz geschaffen, gegebenenfalls anstelle einer oder mehrerer in diesem Absatz genannter Körperschaften.

(2) Die Gebietskörperschaften treffen die Entscheidungen in allen Zuständigkeitsbereichen, die auf ihrer Ebene am besten wahrgenommen werden können.

(3) Nach den gesetzlich vorgesehenen Bedingungen verwalten diese Körperschaften sich selbst durch gewählte Räte und verfügen bei der Ausübung ihrer Zuständigkeiten über eine Verordnungsbefugnis.

(4) Nach den im Organgesetz vorgesehenen Bedingungen und, außer wenn die wesentlichen Voraussetzungen für die Wahrnehmung einer Grundfreiheit oder eines verfassungsmäßig garantierten Rechts betroffen sind, können die Gebietskörperschaften oder ihre Zusammenschlüsse zu Versuchszwecken und für einen bestimmten Zweck und eine begrenzte Dauer von den in einem Gesetz oder einer Verordnung enthaltenen Bestimmungen, die die Ausübung ihrer Befugnisse regeln, abweichen, sofern dies das Gesetz bzw. die Verordnung vorsieht.

(5) Keine Gebietskörperschaft kann einer anderen vorstehen. Wenn die Wahrnehmung einer Befugnis die Mitwirkung mehrerer Gebietskörperschaften erforderlich macht, kann jedoch das Gesetz eine von ihnen oder einen ihrer Zusammenschlüsse ermächtigen, die Modalitäten ihrer gemeinsamen Aktion zu organisieren.

(6) In den Gebietskörperschaften der Republik hat der Vertreter des Staates als Vertreter eines jeden Regierungsmitglieds die nationalen Interessen zu wahren, die Verwaltungsaufsicht auszuüben und über die Einhaltung der Gesetze zu wachen.

Artikel 72-1 [Befragung]

(1) Das Gesetz legt die Bedingungen fest, unter denen die Wähler einer jeden Gebietskörperschaft durch die Wahrnehmung des Petitionsrechts beantragen können, dass eine Frage, die in den Zuständigkeitsbereich der Gebietskörperschaft fällt, in die Tagesordnung der beratenden Versammlung dieser Körperschaft aufgenommen wird.

(2) Nach den im Organgesetz vorgesehenen Bedingungen können die Beratungsentwürfe oder Entwürfe von Rechtsakten, die in die Zuständigkeit einer Gebietskörperschaft fallen, auf deren Initiative im Wege eines Volksentscheids den Wählern dieser Körperschaft zur Entscheidung unterbreitet werden.

(3) Ist die Schaffung einer Gebietskörperschaft mit Sonderstatus oder die Änderung ihrer Organisation geplant, kann die Befragung der in den betroffenen Körperschaften eingetragenen Wähler gesetzlich beschlossen werden. Auch bei Änderung der Grenzen der Gebietskörperschaften kann eine Befragung der Wähler unter den gesetzlich vorgesehenen Bedingungen vorgenommen werden.

Artikel 72-2 [Mittel der Gebietskörperschaften]

(1) Den Gebietskörperschaften werden Mittel bereitgestellt, über die sie unter den gesetzlich festgelegten Bedingungen frei verfügen können.

(2) Ihnen können die Erträge jeglicher Art von Steuern ganz oder teilweise zufließen. Das Gesetz kann sie ermächtigen, deren Bemessungsgrundlage und Satz innerhalb der in ihm bestimmten Grenzen festzulegen.

(3) Die Steuereinnahmen und sonstigen Eigenmittel der Gebietskörperschaften machen für jede Art von Körperschaft einen entscheidenden Teil ihrer Mittel aus. Das Organgesetz legt die Bedingungen fest, unter denen diese Regel zur Anwendung kommt.

(4) Bei jeder Übertragung von Zuständigkeiten zwischen dem Staat und den Gebietskörperschaften werden Mittel in Höhe derjenigen zugewiesen, die bislang für deren Wahrnehmung bereitgestellt wurden. Für jede Schaffung oder Ausweitung von Zuständigkeiten, die eine Erhöhung der Ausgaben der Gebietskörperschaften zur Folge hat, werden durch das Gesetz festgelegte Mittel bereitgestellt.

(5) Das Gesetz sieht Ausgleichsmaßnahmen vor, um die Gleichstellung der Gebietskörperschaften zu fördern.

Artikel 72-3 [Überseeische Bevölkerung]

(1) Die Republik erkennt innerhalb des französischen Volkes die überseeischen Bevölkerungen in einem gemeinsamen Ideal von Freiheit, Gleichheit und Brüderlichkeit an.

(2) Die Rechtsstellung von Guadeloupe, Französisch-Guyana, Martinique, La Réunion, Mayotte, Saint-Barthélemy, Saint-Martin, Pierre und Miquelon, der Inseln Wallis und Futuna sowie von Französisch-Polynesien wird geregelt durch Artikel 73 für die überseeischen Departements und Regionen und für die gemäß Artikel 73 letzter Absatz geschaffenen Gebietskörperschaften sowie durch Artikel 74 für die anderen Körperschaften.

(3) Die Rechtsstellung von Neukaledonien wird durch Titel XIII geregelt.

(4) Das Gesetzgebungssystem und die besondere Organisation der französischen Süd- und Antarktisgebiete und von Clipperton werden durch das Gesetz festgelegt.

Artikel 72-4 [Rechtsstellung der Körperschaften]

(1) Ohne die vorherige Zustimmung der Wähler der Körperschaft oder des Teils der betroffenen Körperschaft, die unter den im folgenden Absatz vorgesehenen Bedingungen einzuholen ist, darf die Rechtsstellung einer der in Absatz 2 von Artikel 72-3 aufgeführten Körperschaften ganz oder teilweise nicht durch eine andere der in den Artikeln 73 und 74 vorgesehenen Rechtsstellungen ersetzt werden. Zu beschließen ist eine solche Änderung der Rechtsstellung durch ein Organgesetz.

(2) Der Präsident der Republik kann auf Vorschlag der Regierung während der Sitzungsperioden oder auf gemeinsamen Vorschlag beider Kammern, welche im Journal officiel veröffentlicht werden, beschließen, die Wähler einer überseeischen Gebietskörperschaft über eine Frage, die ihre Organisation, ihre Befugnisse oder ihr Gesetzgebungssystem betrifft, abstimmen zu lassen. Wenn der Volksentscheid auf eine im vorstehenden Absatz vorgesehene Änderung der Rechtsstellung abzielt und auf Vorschlag der Regierung durchgeführt wird, gibt diese vor jeder Kammer eine Erklärung ab, der sich eine Verhandlung anschließt.

Artikel 73 [Überseeische Departements und Regionen]

(1) In den überseeischen Departements und Regionen kommen die Gesetze und Verordnungen unmittelbar von Rechts wegen zur Anwendung. Diese können zur Berücksichtigung der besonderen Merkmale und Erfordernisse dieser Körperschaften angepasst werden.

(2) Diese Anpassungen können von diesen Körperschaften in ihren jeweiligen Zuständigkeitsbereichen beschlossen werden, wenn sie hierzu je nach Fall durch ein Gesetz oder eine Verordnung ermächtigt sind.

(3) In Abweichung vom ersten Absatz können die Körperschaften, deren Rechtsstellung durch diesen Artikel geregelt ist, zwecks Berücksichtigung ihrer Besonderheiten je nach Fall durch ein Gesetz oder eine Verordnung ermächtigt werden, die für ihr Territorium geltenden Vorschriften auf einer begrenzten Anzahl von Gebieten, die in den Gesetzgebungs- oder Verordnungsbereich fallen können, selbst festzulegen.

(4) Diese Vorschriften können sich nicht auf die Staatsangehörigkeit, die bürgerlichen Rechte, die Garantie der Grundfreiheiten, den Personenstand und die Geschäftsfähigkeit, die Organisation der Justiz, das Strafrecht, die Strafverfolgung, die Außenpolitik, die Verteidigung, die öffentliche Sicherheit und öffentliche Ordnung, die Währung, das Kreditwesen und den Devisenhandel sowie das Wahlrecht beziehen. Diese Aufzählung kann durch ein Organgesetz präzisiert und vervollständigt werden.

(5) Die in den beiden vorstehenden Absätzen enthaltene Bestimmung ist auf das Departement und die Region von La Réunion nicht anwendbar.

(6) Die in den Absätzen 2 und 3 vorgesehenen Ermächtigungen werden auf Ersuchen der betroffenen Körperschaft unter den durch

ein Organgesetz festgelegten Bedingungen und Vorbehalten beschlossen. Nicht erteilt werden können sie, wenn die wesentlichen Voraussetzungen für die Wahrnehmung einer Grundfreiheit oder eines verfassungsmäßig garantierten Rechts betroffen sind.

(7) Die Gründung einer Körperschaft per Gesetz, die an die Stelle eines Departements und einer Region in Übersee tritt, oder die Einrichtung einer einzigen beratenden Versammlung für diese beiden Körperschaften darf nur mit Zustimmung der in diesen Körperschaften eingetragenen Wähler erfolgen, die gemäß den in Artikel 72-4 Absatz 2 vorgesehenen Formen einzuholen ist.

Artikel 74 [Rechtsstellung überseeischer Körperschaften]

(1) Die Rechtsstellung der unter diesen Artikel fallenden überseeischen Körperschaften trägt deren jeweiligen Eigeninteressen innerhalb der Republik Rechnung.

(2) Diese Rechtsstellung wird durch ein Organgesetz geregelt, das nach Anhörung der beratenden Versammlung beschlossen wird und in dem Folgendes festgelegt wird:
– die Bedingungen, unter denen die Gesetze und Verordnungen dort zur Anwendung kommen;
– die Befugnisse dieser Körperschaft; vorbehaltlich der von ihr bereits wahrgenommenen Befugnisse können Zuständigkeiten des Staates in den in Artikel 73 Absatz 4 aufgeführten Bereichen, die gegebenenfalls durch das Organgesetz präzisiert und vervollständigt werden, nicht übertragen werden;
– die Regeln für die Organisation und die Funktionsweise der Institutionen der Gebietskörperschaft sowie das System zur Wahl der beratenden Versammlung;
– die Bedingungen, unter denen ihre Institutionen zu Gesetzesentwürfen und Gesetzesvorschlägen sowie Entwürfen von gesetzesvertretenden Verordnungen oder Dekreten mit speziellen Bestimmungen für die Körperschaft sowie bei der Ratifikation oder Billigung der in ihren Zuständigkeitsbereichen eingegangenen internationalen Verpflichtungen angehört werden.

(3) Für die autonomen Körperschaften können im Organgesetz auch die Bedingungen festgelegt werden, unter denen:
– der Staatsrat eine spezielle rechtliche Kontrolle über bestimmte Kategorien von Rechtsakten der beratenden Versammlung ausübt, die diese bei der Wahrnehmung ihrer gesetzgeberischen Befugnisse erlässt;
– die beratende Versammlung ein verkündetes Gesetz nach Inkrafttreten des Statuts der Körperschaft abändern kann, wenn der insbesondere von den Behörden der Körperschaft befasste Verfassungsrat festgestellt hat, dass das Gesetz im Zuständigkeitsbereich dieser Körperschaft erlassen wurde;
– Maßnahmen, die aufgrund lokaler Erfordernisse gerechtfertigt sind, von der Körperschaft zugunsten ihrer Bevölkerung beim Zugang zur Beschäftigung, bei der Wahrnehmung des Niederlassungsrechts zwecks Ausübung einer Berufstätigkeit oder beim Schutz des Grundvermögens getroffen werden können;
– die Körperschaft unter Aufsicht des Staates sich an der Wahrnehmung der bei ihm verbliebenen Befugnisse unter Achtung der im gesamten Staatsgebiet für die Ausübung der Grundfreiheiten gegebenen Garantien beteiligen kann.

(4) Die anderen Modalitäten für die besondere Organisation der unter diesen Artikel fallenden Körperschaften werden durch das Gesetz nach Anhörung ihrer beratenden Versammlung festgelegt und geändert.

Artikel 74-1 [Ausweitung und Anpassung der Geltung von Gesetzen]

(1) In den in Artikel 74 aufgeführten überseeischen Körperschaften und in Neukaledonien kann die Regierung in den Bereichen, die weiterhin in die Zuständigkeit des Staates fallen, durch gesetzesvertretende Verordnungen und mit den erforderlichen Anpassungen die in Kontinentalfrankreich geltenden Bestimmungen mit Gesetzescharakter ausweiten oder diese an die besondere Organisation der betreffenden Gebietskörperschaft anpassen, sofern das Gesetz für die betreffenden Bestimmungen den Rückgriff

auf dieses Verfahren nicht ausdrücklich ausgeschlossen hat.

(2) Die gesetzesvertretenden Verordnungen werden im Ministerrat nach Anhörung der betreffenden beratenden Versammlungen und des Staatsrates beschlossen. Sie treten mit ihrer Veröffentlichung in Kraft, werden jedoch hinfällig, wenn das Parlament sie binnen achtzehn Monaten ab dieser Veröffentlichung nicht ratifiziert.

Artikel 75 [Persönliche Rechtsstellung]

Die Bürger der Republik, die nicht über die zivilrechtliche Stellung des allgemeinen Rechts verfügen, auf die sich Artikel 34 ausschließlich bezieht, behalten ihre persönliche Rechtsstellung, solange sie nicht darauf verzichtet haben.

Artikel 75-1 [Regionalsprachen]

Die Regionalsprachen sind Teil des Kulturerbes Frankreichs.

Titel XIII
ÜBERGANGSBESTIMMUNGEN BEZÜGLICH NEUKALEDONIEN

Artikel 76 [Neukaledonien]

(1) Die Bevölkerungen Neukaledoniens sind aufgerufen, vor dem 31. Dezember 1998 über die Bestimmungen des am 5. Mai 1998 in Nouméa unterzeichneten und am 27. Mai 1998 im Journal officiel der Französischen Republik veröffentlichten Abkommens abzustimmen.

(2) An der Abstimmung können sich diejenigen Personen beteiligen, die die in Artikel 2 des Gesetzes Nr. 88-1028 vom 9. November 1988 festgelegten Bedingungen erfüllen.

(3) Die zur Durchführung der Abstimmung erforderlichen Maßnahmen werden nach Anhörung des Staatsrates per Dekret im Ministerrat beschlossen.

Artikel 77 [Weiterentwicklung Neukaledoniens]

(1) Nach Billigung des Abkommens bei der in Artikel 76 vorgesehenen Volksbefragung wird durch das Organgesetz, das nach Anhörung der beratenden Versammlung Neukaledoniens erlassen wird, zur Gewährleistung der Weiterentwicklung Neukaledoniens unter Wahrung der durch dieses Abkommen vorgegebenen Orientierungen und gemäß den zu seiner Umsetzung erforderlichen Modalitäten Folgendes festgelegt:

– die Befugnisse des Staates, die endgültig den Institutionen Neukaledoniens übertragen werden, die zeitliche Staffelung und die Modalitäten dieser Übertragungen sowie die Aufteilung der sich hieraus ergebenden Ausgaben;

– die Regeln für die Organisation und die Funktionsweise der Institutionen Neukaledoniens und insbesondere die Bedingungen, unter denen bestimmte Kategorien von Rechtsakten der beratenden Versammlung Neukaledoniens vor deren Veröffentlichung der Kontrolle des Verfassungsrates unterzogen werden können;

– die Regeln bezüglich der Staatsbürgerschaft, des Wahlsystems, der Beschäftigung und der gewöhnlichen zivilen Rechtsstellung;

– die Bedingungen, unter denen die betroffenen Bevölkerungen Neukaledoniens über die Erlangung der vollen Souveränität zu befinden haben, sowie die Fristen, innerhalb derer dies erfolgen soll.

(2) Die sonstigen Maßnahmen zur Umsetzung des in Artikel 76 genannten Abkommens werden durch ein Gesetz festgelegt.

(3) Für die Festlegung der Wählerschaft, die Mitglieder der beratenden Versammlungen Neukaledoniens und der Provinzen zu wählen hat, ist das Verzeichnis, auf das sich das in Artikel 76 genannte Abkommen und die Artikel 188 und 189 des Organgesetzes Nr. 99-209 vom 19. März 1999 betreffend Neukaledonien beziehen, jenes Verzeichnis, das anlässlich der in Artikel 76 vorgesehenen Abstimmung erstellt wurde und das die Personen, die nicht zur Teilnahme befugt sind, umfasst.

Titel XIV
FRANKOPHONIE UND ASSOZIIERUNGSABKOMMEN

Artikel 87 [Solidarität und Zusammenarbeit]

Die Republik wirkt an der Solidarität und der Zusammenarbeit zwischen den französischsprachigen Staaten und Völkern mit.

Artikel 88 [Abkommen]

Die Republik kann Abkommen mit Staaten schließen, die sich zur Entwicklung ihrer Kulturen mit ihr assoziieren wollen.

Titel XV
DIE EUROPÄISCHE UNION

Artikel 88-1 [Mitwirkung]

Die Französische Republik wirkt an der Europäischen Union mit, welche aus Staaten besteht, die sich in freier Entscheidung dazu entschlossen haben, einige ihrer Befugnisse gemeinsam auszuüben gemäß dem Vertrag über die Europäische Union und dem Vertrag über die Arbeitsweise der Europäischen Union, wie diese sich aus dem am 13. Dezember 2007 in Lissabon unterzeichneten Vertrag ergeben.

Artikel 88-2 [Europäischer Haftbefehl]

Das Gesetz legt die Vorschriften betreffend den Europäischen Haftbefehl in Anwendung der Rechtsakte fest, die von den Institutionen der Europäischen Union erlassen wurden.

Artikel 88-3 [Wahlrecht bei Kommunalwahlen]

Unter dem Vorbehalt der Gegenseitigkeit und gemäß den Modalitäten des am 7. Februar 1992 unterzeichneten Vertrages über die Europäische Union kann nur Unionsbürgern mit Wohnsitz in Frankreich das aktive und passive Wahlrecht bei Kommunalwahlen gewährt werden. Diese Bürger dürfen weder das Amt eines Bürgermeisters oder Beigeordneten ausüben noch an der Benennung der Wahlmänner zum Senat und an der Wahl

der Senatoren teilnehmen. Die Bedingungen für die Anwendung dieses Artikels regelt ein von beiden Kammern im gleichen Wortlaut beschlossenes Organgesetz.

Artikel 88-4 [Vorlage]

(1) Die Regierung legt der Nationalversammlung und dem Senat die Entwürfe europäischer Rechtsakte sowie die Entwürfe oder Vorschläge anderer Akte der Europäischen Union unmittelbar nach deren Übermittlung an den Rat der Europäischen Union vor.

(2) Gemäß den in der Geschäftsordnung einer jeden Kammer festgelegten Modalitäten können europäische Entschließungen zu den im ersten Absatz genannten Entwürfen oder Vorschlägen sowie zu allen von einer Institution der Europäischen Union stammenden Dokumenten verabschiedet werden, gegebenenfalls auch außerhalb der Sitzungsperioden.

(3) In jeder parlamentarischen Kammer wird ein für europäische Angelegenheiten zuständiger Ausschuss eingesetzt.

Artikel 88-5 [Volksentscheid]

(1) Jeder Gesetzesentwurf, der zur Ratifizierung eines Vertrages über den Beitritt eines Staates zur Europäischen Union ermächtigt, wird vom Präsidenten der Republik zum Volksentscheid gebracht.

(2) Durch einen von jeder Kammer mit einer Mehrheit von drei Fünfteln der Mitglieder im gleichen Wortlaut angenommenen Antrag kann das Parlament jedoch die Annahme des Gesetzesentwurfs nach dem im dritten Absatz von Artikel 89 vorgesehenen Verfahren zulassen.

Artikel 88-6 [Stellungnahme]

(1) Die Nationalversammlung oder der Senat kann eine mit Gründen versehene Stellungnahme zur Übereinstimmung des Entwurfs eines europäischen Rechtsaktes mit dem Subsidiaritätsprinzip abgeben. Der Präsident der betreffenden Kammer richtet diese Stellungnahme an den Präsidenten des Europäischen Parlaments, den Vorsitzenden

des Rates und den Präsidenten der Europäischen Kommission. Die Regierung wird hiervon in Kenntnis gesetzt.

(2) Jede Kammer kann beim Gerichtshof der Europäischen Union ein Rechtsmittel gegen einen europäischen Rechtsakt wegen Verstoßes gegen das Subsidiaritätsprinzip einlegen. Dieses Rechtsmittel wird von der Regierung an den Gerichtshof der Europäischen Union übermittelt.

(3) Zu diesem Zweck können gemäß den in der Geschäftsordnung einer jeden Kammer festgelegten Initiativ- und Beratungsbestimmungen Entschließungen verabschiedet werden, gegebenenfalls auch außerhalb der Sitzungsperioden. Auf Antrag von sechzig Abgeordneten oder sechzig Senatoren ist das Rechtsmittel von Rechts wegen einzulegen.

Artikel 88-7 [Widersetzung durch Parlament]

Nehmen Nationalversammlung und Senat einen entsprechenden Antrag im gleichen Wortlaut an, kann sich das Parlament einer Änderung der Regeln für den Erlass von Rechtsakten der Europäischen Union in den Fällen widersetzen, die für die vereinfachte Änderung der Verträge oder der justiziellen Zusammenarbeit in Zivilsachen im Vertrag über die Europäische Union und im Vertrag über die Arbeitsweise der Europäischen Union vorgesehen sind, so wie sie sich aus dem am 13. Dezember 2007 in Lissabon unterzeichneten Vertrag ergeben.

Titel XVI
ÄNDERUNG DER VERFASSUNG

Artikel 89 [Änderung der Verfassung]

(1) Die Initiative zur Änderung der Verfassung steht sowohl dem Präsidenten der Republik auf Vorschlag des Premierministers als auch den Mitgliedern des Parlaments gleichberechtigt zu.

(2) Der Änderungsentwurf oder -vorschlag muss innerhalb der im dritten Absatz von Artikel 42 festgelegten Frist geprüft und von beiden Kammern im gleichen Wortlaut verabschiedet werden. Nach Zustimmung durch einen Volksentscheid tritt die Verfassungsänderung in Kraft.

(3) Der Änderungsentwurf wird jedoch nicht zum Volksentscheid gebracht, wenn der Präsident der Republik beschließt, ihn dem als Kongress einberufenen Parlament vorzulegen. In diesem Falle gilt der Änderungsentwurf nur dann als angenommen, wenn er eine Mehrheit von drei Fünfteln der abgegebenen Stimmen erhält. Das Präsidium des Kongresses ist das Präsidium der Nationalversammlung.

(4) Ein Verfahren zur Änderung der Verfassung darf nicht eingeleitet oder fortgesetzt werden, wenn die Integrität des Staatsgebietes gefährdet wird.

(5) Die republikanische Regierungsform kann nicht Gegenstand einer Verfassungsänderung sein.

Titel XVII [aufgehoben]

Präambel der Verfassung von 1946[*]

Am Tage nach dem Siege, den die freien Völker über die Regierungen davongetragen haben, die versucht hatten, die menschliche Persönlichkeit zu unterjochen und herabzuwürdigen, verkündet das französische Volk von neuem, dass jeder Mensch ohne Unterschied der Rasse, der Religion oder des Glaubens unveräußerliche und heilige Rechte besitzt. Es bestätigt feierlich erneut die Rechte und Freiheiten des Menschen und Bürgers, die durch die Erklärung der Menschenrechte von 1789 verankert worden sind, und die wesentlichen Grundsätze, die durch die Gesetze der Republik anerkannt sind.

Es verkündet außerdem als unserer Zeit besonders nötig die nachstehenden politischen, wirtschaftlichen und sozialen Grundsätze:

Das Gesetz sichert der Frau in allen Bereichen die gleichen Rechte wie dem Manne zu.

Jedermann, der auf Grund seiner Tätigkeit für die Freiheit verfolgt wird, hat in den Gebieten der Republik Asylrecht.

Jeder hat die Pflicht zu arbeiten, und das Recht, eine Anstellung zu erhalten. Niemand darf in seiner Arbeit oder seiner Tätigkeit auf Grund seiner Abstammung, seiner Überzeugung oder seines Glaubens geschädigt werden.

Jedermann kann seine Rechte und seine Interessen durch gewerkschaftliche Tätigkeit verteidigen und sich einer Gewerkschaft seiner Wahl anschließen.

Das Streikrecht wird im Rahmen der Gesetze, die es regeln, ausgeübt.

Jeder Arbeiter nimmt durch die Vermittlung seiner Vertreter an der gemeinschaftlichen Festsetzung der Arbeitsbedingungen sowie an der Verwaltung der Unternehmen teil.

Jedes Vermögen, jedes Unternehmen, dessen Bereich die Eigenschaft einer nationalen öffentlichen Dienstleistung oder eines tatsächlichen Monopols hat oder erlangt, muss Eigentum der Gemeinschaft werden.

Die Nation sichert dem Individuum und der Familie die zu ihrer Entfaltung notwendigen Bedingungen zu.

Sie sichert allen, vor allem den Kindern, den Müttern und den alten Arbeitern, den Schutz ihrer Gesundheit, materielle Sicherheit, Ruhe und Freizeit zu. Jeder Mensch, der wegen seines Alters, seines physischen oder geistigen Zustandes oder seiner wirtschaftlichen Lage arbeitsunfähig ist, hat das Recht, von der Gesamtheit angemessene Mittel für den Unterhalt zu bekommen.

Die Nation verkündet die gemeinschaftliche Verpflichtung und die Gleichheit aller Franzosen gegenüber den Belastungen, die aus nationalen Notständen herrühren. Die Nation sichert dem Kinde wie dem Erwachsenen den gleichen Zutritt zum Unterricht, zur Berufsausbildung wie zur Kultur zu. Die Organisation des öffentlichen, kostenlosen und religionsneutralen Unterrichts in allen Stufen ist eine Pflicht des Staates.

Die Französische Republik, treu ihrer Überlieferung, richtet sich nach den Regeln des Völkerrechts. Sie wird keinen Krieg aus Eroberungsabsichten unternehmen und ihre Streitkräfte niemals gegen die Freiheit irgendeines Volkes wenden.

Unter dem Vorbehalt der Gegenseitigkeit stimmt Frankreich den zur Organisation und zur Wahrung des Friedens notwendigen Begrenzungen seiner Souveränität zu.

Frankreich bildet mit den überseeischen Völkern eine Union, die ohne Unterschied der Rasse oder der Religion auf der Gleichheit der Rechte und Pflichten begründet ist.

---

[*] Übersetzt vom französischen Verfassungsrat (Conseil Constitutionnel), abrufbar unter: https://www.conseil-constitutionnel.fr/sites/default/files/2019-02/20190218Präambelvon1946.pdf, überarbeitet durch *Armin Stolz* und *Maximilian Zankel*, beide Institut für Öffentliches Recht und Politikwissenschaft, Karl-Franzens-Universität Graz.

Die Französische Union setzt sich aus Nationen und Völkern zusammen, die eine Gemeinschaft bilden und ihre Ressourcen und Anstrengungen verbinden, um ihre Zivilisationen gegenseitig zu entwickeln, ihren Wohlstand zu mehren und ihre Sicherheit zu wahren.

Treu seiner überlieferten Sendung beabsichtigt Frankreich die Völker, die es in seine Obhut genommen hat, der Freiheit, sich selbst zu verwalten und ihre eigenen Angelegenheiten demokratisch zu ordnen, zuzuführen. Indem es jedes auf Willkür gegründete Kolonialsystem ablehnt, sichert es allen den gleichen Zutritt zu öffentlichen Ämtern und die persönliche oder gemeinschaftliche Ausübung der oben verkündeten und bestätigten Rechte und Freiheiten zu.

Erklärung der Menschen- und Bürgerrechte vom 26. August 1789[*]

Da die Vertreter des französischen Volkes, als Nationalversammlung gebildet, erwogen haben, dass die Unkenntnis, das Vergessen oder die Verachtung der Menschenrechte die einzigen Ursachen des öffentlichen Unglücks und der Verderbtheit der Regierungen sind, haben sie beschlossen, die natürlichen, unveräußerlichen und heiligen Rechte der Menschen in einer feierlichen Erklärung darzulegen, damit diese Erklärung allen Mitgliedern der Gesellschaft beständig vor Augen ist und sie unablässig an ihre Rechte und Pflichten erinnert; damit die Handlungen der gesetzgebenden wie der ausübenden Gewalt in jedem Augenblick mit dem Endzweck jeder politischen Einrichtung verglichen werden können und dadurch mehr geachtet werden; damit die Ansprüche der Bürger, fortan auf einfache und unbestreitbare Grundsätze gegründet, sich immer auf die Erhaltung der Verfassung und das Allgemeinwohl richten mögen.

Infolgedessen erkennt und erklärt die Nationalversammlung in Gegenwart und unter dem Schutze des Allerhöchsten folgende Menschen- und Bürgerrechte:

Artikel 1 [Gleichheit]

Die Menschen sind und bleiben von Geburt frei und gleich an Rechten. Soziale Unterschiede dürfen nur im Gemeinwohl begründet sein.

Artikel 2 [Erhaltung der Menschenrechte]

Das Ziel jeder politischen Vereinigung ist die Erhaltung der natürlichen und unveräußerlichen Menschenrechte. Diese Rechte sind Freiheit, Eigentum, Sicherheit und Widerstand gegen Unterdrückung.

Artikel 3 [Souveränität]

Der Ursprung jeder Souveränität ruht letztlich in der Nation. Keine Körperschaften, kein Individuum können eine Gewalt ausüben, die nicht ausdrücklich von ihr ausgeht.

Artikel 4 [Freiheit]

Die Freiheit besteht darin, alles tun zu können, was einem anderen nicht schadet. So hat die Ausübung der natürlichen Rechte eines jeden Menschen nur die Grenzen, die den anderen Gliedern der Gesellschaft den Genuss der gleichen Rechte sichern. Diese Grenzen können allein durch Gesetz festgelegt werden.

Artikel 5 [Verbote und Gebote]

Nur das Gesetz hat das Recht, Handlungen, die der Gesellschaft schädlich sind, zu verbieten. Alles, was nicht durch Gesetz verboten ist, kann nicht verhindert werden, und niemand kann gezwungen werden zu tun, was es nicht befiehlt.

Artikel 6 [Mitwirkung und Gleichheit]

Das Gesetz ist der Ausdruck des allgemeinen Willens. Alle Bürger haben das Recht, persönlich oder durch ihre Vertreter an seiner Formung mitzuwirken. Es soll für alle gleich sein, mag es beschützen, mag es bestrafen. Da alle Bürger in seinen Augen gleich sind, sind sie gleicherweise zu allen Würden, Stellungen und öffentlichen Ämtern nach ihrer Fähigkeit zugelassen ohne einen anderen Unterschied als den ihrer Tugenden und ihrer Talente.

Artikel 7 [Anklage und Verhaftung]

Jeder Mensch kann nur in den durch das Gesetz bestimmten Fällen und in den For-

[*] Übersetzt vom französischen Verfassungsrat (Conseil Constitutionnel), abrufbar unter: https://www.conseil-constitutionnel.fr/sites/default/files/2019-02/20190218Erklärung_der_Menschen.pdf, überarbeitet durch *Armin Stolz* und *Maximilian Zankel*, beide Institut für Öffentliches Recht und Politikwissenschaft, Karl-Franzens-Universität Graz.

men, die es vorschreibt, angeklagt, verhaftet und gefangen gehalten werden. Diejenigen, die willkürliche Befehle betreiben, ausfertigen, ausführen oder ausführen lassen, sollen bestraft werden. Doch jeder Bürger, der auf Grund des Gesetzes vorgeladen oder ergriffen wird, muss sofort gehorchen. Er macht sich durch Widerstand strafbar.

Artikel 8 [Strafen]

Das Gesetz soll nur solche Strafen festsetzen, die offenbar unbedingt notwendig sind. Und niemand kann auf Grund eines Gesetzes bestraft werden, das nicht vor Begehung der Tat erlassen, verkündet und gesetzlich angewandt worden ist.

Artikel 9 [Unschuldsvermutung]

Da jeder Mensch so lange für unschuldig gehalten wird, bis er für schuldig erklärt worden ist, soll, wenn seine Verhaftung für unumgänglich erachtet wird, jede Härte, die nicht notwendig ist, um sich seiner Person zu versichern, durch Gesetz streng vermieden sein.

Artikel 10 [Meinungsfreiheit]

Niemand soll wegen seiner Meinungen, selbst religiöser Art, belästigt werden, solange seine Äußerung nicht die durch das Gesetz festgelegte öffentliche Ordnung stört.

Artikel 11 [Mitteilungsfreiheit]

Die freie Mitteilung der Gedanken und Meinungen ist eines der kostbarsten Menschenrechte. Jeder Bürger kann also frei reden, schreiben und drucken unter Vorbehalt der Verantwortlichkeit für den Missbrauch dieser Freiheit in den durch das Gesetz bestimmten Fällen.

Artikel 12 [Streitmacht]

Die Sicherung der Menschen und Bürgerrechte erfordert eine Streitmacht. Diese Macht ist also zum Vorteil aller eingesetzt und nicht für den besonderen Nutzen derer, denen sie anvertraut ist.

Artikel 13 [Unterhalt und Aufwendungen]

Für den Unterhalt der Streitmacht und für die Aufwendungen der Verwaltung ist eine allgemeine Abgabe unumgänglich. Sie muss gleichmäßig auf alle Bürger unter Berücksichtigung ihrer Möglichkeiten verteilt werden.

Artikel 14 [Notwendigkeit von Abgaben]

Alle Bürger haben das Recht, selbst oder durch ihre Abgeordneten die Notwendigkeit der öffentlichen Abgabe festzustellen, sie frei zu bewilligen, ihre Verwendung zu überprüfen und ihre Höhe, ihre Bemessungsgrundlage, ihre Eintreibung und Dauer zu bestimmen.

Artikel 15 [Rechenschaft]

Die Gesellschaft hat das Recht, von jedem öffentlichen Amtsträger Rechenschaft über seine Verwaltung zu fordern.

Artikel 16 [Verbürgung der Rechte und Gewaltenteilung]

Eine Gesellschaft, in der die Verbürgung der Rechte nicht gesichert und die Gewaltenteilung nicht festgelegt ist, hat keine Verfassung.

Artikel 17 [Eigentumsfreiheit]

Da das Eigentum ein unverletzliches und heiliges Recht ist, kann es niemandem genommen werden, wenn es nicht die gesetzlich festgestellte, öffentliche Notwendigkeit offensichtlich erfordert und unter der Bedingung einer gerechten und vorherigen Entschädigung.

Umweltcharta 2004[*]

Das französische Volk – in der Erwägung, dass die natürlichen Ressourcen und Gleichgewichte Voraussetzung für die Entstehung der Menschheit waren; dass die Zukunft und sogar der Fortbestand der Menschheit untrennbar mit ihrer natürlichen Umwelt verbunden sind; dass die Umwelt das gemeinsame Erbe aller Menschen darstellt; dass der Mensch zunehmend Einfluss auf die Lebensbedingungen und seine eigene Entwicklung nimmt; dass die biologische Vielfalt, die Entfaltung der Person und der Fortschritt der menschlichen Gesellschaften von bestimmten Arten des Konsums und der Produktion und von der übermäßigen Ausbeutung der natürlichen Ressourcen beeinträchtigt werden; dass die Erhaltung der Umwelt ein Anliegen wie die anderen grundlegenden Interessen der Nation darstellen muss; dass zwecks Gewährleistung einer nachhaltigen Entwicklung die Mittel, die der Befriedigung der Bedürfnisse der Gegenwart dienen, die Fähigkeit künftige Generationen und andere Völker, ihre eigenen Bedürfnisse zu decken, nicht beeinträchtigen dürfen – verkündet:

Artikel 1 [Ausgewogenheit und gesundheitliche Unbedenklichkeit]

Jeder hat das Recht, in einer ausgewogenen und für die Gesundheit unbedenklichen Umwelt zu leben.

Artikel 2 [Erhaltung und Verbesserung]

Jeder Mensch hat die Pflicht, zur Erhaltung und Verbesserung der Umwelt beizutragen.

Artikel 3 [Umweltschäden]

Jeder Mensch hat unter den gesetzlich festgelegten Bedingungen die von ihm verursachten Umweltbeeinträchtigungen zu verhindern oder deren Folgen zu begrenzen.

Artikel 4 [Beseitigung]

Jeder Mensch muss unter den gesetzlich festgelegten Bedingungen zur Beseitigung der von ihm verursachten Umweltschäden beitragen.

Artikel 5 [Vorsorgeprinzip und Schadensverhinderung]

Wenn ein Schaden, dessen Eintritt nach dem Stand der wissenschaftlichen Kenntnisse nicht mit Sicherheit vorherzusehen ist, auf schwere und irreversible Weise die Umwelt beeinträchtigen könnte, haben die Behörden in ihren jeweiligen Zuständigkeitsbereichen und nach dem Vorsorgeprinzip dafür zu sorgen, dass Verfahren zur Evaluierung der Risiken zur Anwendung kommen und angemessene einstweilige Maßnahmen ergriffen werden, um den Eintritt des Schadens zu verhindern.

Artikel 6 [Nachhaltige Entwicklung]

Die Politik der öffentlichen Hand muss eine nachhaltige Entwicklung fördern. Zu diesem Zweck hat sie Schutz und Aufwertung der Umwelt, Wirtschaftsentwicklung und sozialen Fortschritt miteinander in Einklang zu bringen.

Artikel 7 [Umweltinformationen]

Jeder Mensch hat nach den gesetzlich festgelegten Bedingungen und Grenzen das Recht auf Zugang zu den Umweltinformationen der Behörden und auf Mitwirkung an der Erarbeitung der öffentlichen Beschlüsse, die Auswirkungen auf die Umwelt haben.

---

[*] Übersetzt vom französischen Verfassungsrat (Conseil Constitutionnel), abrufbar unter: https://www.conseil-constitutionnel.fr/sites/default/files/as/root/bank_mm/allemand/constitution_allemand_juillet2008.pdf, überarbeitet durch *Armin Stolz* und *Maximilian Zankel*, beide Institut für Öffentliches Recht und Politikwissenschaft, Karl-Franzens-Universität Graz.

Artikel 8 [Bildung und Ausbildung]

Bildung und Ausbildung betreffend die Umwelt müssen zur Wahrnehmung der in dieser Charta definierten Rechte und Pflichten beitragen.

Artikel 9 [Beitrag der Forschung]

Forschung und Innovation müssen ihren Beitrag zur Erhaltung und Aufwertung der Umwelt leisten.

Artikel 10 [Charta als Richtschnur]

Diese Charta dient Frankreich als Richtschnur für seine Aktionen auf europäischer und internationaler Ebene.

Verfassung von Italien[*]

Vom 1. Jänner 1948 (Gazzetta Ufficiale vom 27. Dezember 1947, Nr. 298 – Sondernummer), zuletzt geändert durch das Verfassungsgesetz vom 19. Oktober 2020 (Gazzetta Ufficiale vom 21. Oktober 2020, Nr. 261)

GRUNDLEGENDE RECHTSSÄTZE

Artikel 1 [Demokratische Republik]
(1) Italien ist eine demokratische, auf die Arbeit gegründete Republik.

(2) Die oberste Staatsgewalt gehört dem Volke, das sie in den Formen und innerhalb der Grenzen der Verfassung ausübt.

Artikel 2 [Rechte des Menschen]
Die Republik anerkennt und gewährleistet die unverletzlichen Rechte des Menschen, sei es als Einzelperson, sei es innerhalb der gesellschaftlichen Gebilde, in denen sich seine Persönlichkeit entfaltet, und sie fordert die Erfüllung der unabdingbaren Pflichten politischer, wirtschaftlicher und sozialer Solidarität.

Artikel 3 [Gleichheit der Bürger]
(1) Alle Staatsbürger haben die gleiche gesellschaftliche Würde und sind vor dem Gesetz ohne Unterschied des Geschlechts, der Rasse, der Sprache, des Glaubens, der politischen Anschauungen, der persönlichen und sozialen Verhältnisse gleich.

(2) Es ist Aufgabe der Republik, die Hindernisse wirtschaftlicher und sozialer Art zu beseitigen, die durch eine tatsächliche Einschränkung der Freiheit und Gleichheit der Staatsbürger der vollen Entfaltung der menschlichen Person und der wirksamen Teilnahme aller Arbeiter an der politischen, wirtschaftlichen und sozialen Gestaltung des Landes im Wege stehen.

Artikel 4 [Recht auf Arbeit]
(1) Die Republik erkennt allen Staatsbürgern das Recht auf Arbeit zu und fördert die Bedingungen, durch die dieses Recht verwirklicht werden kann.

(2) Jeder Staatsbürger hat die Pflicht, nach den eigenen Möglichkeiten und nach eigener Wahl eine Arbeit oder Tätigkeit auszuüben, die zum materiellen oder geistigen Fortschritt der Gesellschaft beitragen kann.

Artikel 5 [Lokale Selbstverwaltung]
Die eine, unteilbare Republik anerkennt und fördert die lokalen Selbstverwaltungen; sie verwirklicht in den Dienstbereichen, die vom Staat abhängen, die weitgehendste Dezentralisierung der Verwaltung; sie passt die Grundsätze und Formen ihrer Gesetzgebung den Erfordernissen der Selbstverwaltung und Dezentralisierung an.

Artikel 6 [Sprachliche Minderheiten]
Die Republik schützt mit besonderen Bestimmungen die sprachlichen Minderheiten.

Artikel 7 [Unabhängigkeit von Kirche und Staat]
(1) Der Staat und die katholische Kirche sind, je im eigenen Ordnungsbereich, unabhängig und souverän.

(2) Ihre Beziehungen sind durch die Lateran-Verträge geregelt. Die Abänderungen dieser Verträge, sofern sie von beiden Parteien angenommen werden, bedürfen nicht des für die Verfassungsänderung vorgesehenen Verfahrens.

---

[*] Übersetzt vom Südtiroler Landtag, abrufbar unter: https://www.landtag-bz.org/download/Verfassung_Italien.pdf, überarbeitet durch *Armin Stolz* und *Maximilian Zankel*, beide Institut für Öffentliches Recht und Politikwissenschaft, Karl-Franzens-Universität Graz.

Artikel 8 [Freiheit religiöser Bekenntnisse]

(1) Alle religiösen Bekenntnisse sind gleichermaßen vor dem Gesetz frei.

(2) Die nichtkatholischen Konfessionen haben das Recht, ihren Aufbau nach eigenen Satzungen zu regeln, soweit sie nicht der italienischen Rechtsordnung widersprechen.

(3) Ihre Beziehungen zum Staate werden aufgrund von Übereinkommen mit den entsprechenden Vertretungen gesetzlich geregelt.

Artikel 9 [Entwicklung der Kultur]

(1) Die Republik fördert die Entwicklung der Kultur und die wissenschaftliche und technische Forschung.

(2) Sie schützt die Landschaft und das geschichtliche und künstlerische Erbe des Staates.

Artikel 10 [Völkerrecht]

(1) Die italienische Rechtsordnung passt sich den allgemein anerkannten Bestimmungen des Völkerrechts an.

(2) Die Rechtsstellung des Ausländers wird in Übereinstimmung mit den völkerrechtlichen Bestimmungen und Verträgen gesetzlich geregelt.

(3) Der Ausländer, der in seinem Lande an der tatsächlichen Ausübung der von der italienischen Verfassung gewährleisteten demokratischen Freiheiten behindert ist, genießt gemäß den gesetzlich vorgesehenen Bedingungen das Asylrecht im Gebiet der Republik.

(4) Die Auslieferung eines Ausländers wegen politischer Verbrechen ist unzulässig.

Artikel 11 [Ablehnung des Krieges]

(1) Italien lehnt den Krieg als Mittel des Angriffs auf die Freiheit anderer Völker und als Mittel zur Lösung internationaler Streitigkeiten ab; unter der Bedingung der Gleichstellung mit den übrigen Staaten stimmt es den Beschränkungen der staatlichen Oberhoheit zu, sofern sie für eine Rechtsordnung nötig sind, die den Frieden und die Gerechtigkeit unter den Völkern gewährleistet; es fördert und begünstigt die auf diesen Zweck ausgerichteten internationalen Organisationen.

Artikel 12 [Flagge]

Die Flagge der Republik ist die italienische Trikolore: grün, weiß und rot, in drei senkrechten Streifen von gleichem Ausmaß.

I. Teil
RECHTE UND PFLICHTEN DER STAATSBÜRGER

I. Titel
Bürgerliche Beziehungen

Artikel 13 [Persönliche Freiheit]

(1) Die persönliche Freiheit ist unverletzlich.

(2) Unzulässig ist jegliche Form des Gewahrsams, der Überwachung oder Durchsuchung von Personen und jede andere Einschränkung der persönlichen Freiheit, es sei denn aufgrund einer begründeten Verfügung der Gerichtsbehörde und nur in den durch das Gesetz vorgesehenen Fällen und Formen.

(3) In den vom Gesetz ausdrücklich angegebenen dringlichen und notwendigen Ausnahmefällen kann die Sicherheitsbehörde vorläufige Maßnahmen ergreifen, die innerhalb von 48 Stunden der Gerichtsbehörde mitgeteilt werden müssen, die aber als aufgehoben gelten und ohne jede Wirkung bleiben, wenn diese sie nicht innerhalb der nächsten 48 Stunden bestätigt.

(4) Jede körperliche und seelische Gewaltanwendung gegenüber Personen, die auf irgendeine Weise Freiheitsbeschränkungen unterworfen sind, wird bestraft.

(5) Das Gesetz bestimmt die Höchstdauer der Untersuchungshaft.

Artikel 14 [Unverletzlichkeit der Wohnung]

(1) Die Wohnung ist unverletzlich.

(2) Überwachungen, Durchsuchungen oder Beschlagnahmen dürfen darin nicht vorgenommen werden, außer in den gesetz-

lich vorgesehenen Fällen und Formen gemäß den zum Schutz der persönlichen Freiheit vorgesehenen Bestimmungen.

(3) Die Erhebungen und Untersuchungen aus Gründen der öffentlichen Gesundheit und der öffentlichen Sicherheit oder für wirtschaftliche und steuerliche Zwecke werden durch Sondergesetze geregelt.

Artikel 15 [Schriftverkehr]

(1) Die Freiheit und das Geheimnis des Schriftverkehrs und jeder anderen Form der Mitteilung sind unverletzlich.

(2) Ihre Einschränkung darf nur aufgrund einer begründeten Verfügung der Gerichtsbehörde unter gesetzlich bestimmten Garantien erfolgen.

Artikel 16 [Freizügigkeit]

(1) Jeder Staatsbürger kann sich frei in jedem Teil des Staatsgebietes bewegen und aufhalten, vorbehaltlich der Einschränkungen, die das Gesetz aus Gründen der Gesundheit oder Sicherheit allgemein vorschreibt. Keinerlei Beschränkungen dürfen aus politischen Gründen festgesetzt werden.

(2) Vorbehaltlich der gesetzlichen Verpflichtungen steht es jedem Staatsbürger frei, das Gebiet der Republik zu verlassen und wieder dorthin zurückzukehren.

Artikel 17 [Versammlungsfreiheit]

(1) Die Bürger haben das Recht, sich friedlich und ohne Waffen zu versammeln.

(2) Für die Versammlungen, auch wenn sie an einem der Öffentlichkeit zugänglichen Ort stattfinden, ist keine Voranmeldung erforderlich.

(3) Über Versammlungen an einem öffentlichen Ort muss eine Voranmeldung an die Behörden erstattet werden, die sie nur aus nachgewiesenen Gründen der öffentlichen Ordnung und Sicherheit verbieten können.

Artikel 18 [Vereinsfreiheit]

(1) Die Staatsbürger haben das Recht, sich frei und ohne Ermächtigung zu Zwecken zusammenzuschließen, die den einzelnen durch das Strafgesetz nicht untersagt sind.

(2) Verboten sind die Geheimverbände und jene, die auch nur mittelbar durch militärische Vereinigungen politische Ziele verfolgen.

Artikel 19 [Religionsfreiheit]

Jedermann hat das Recht, in jedweder Form, einzeln oder gemeinschaftlich, seinen religiösen Glauben frei zu bekennen, dafür zu werben und privat oder öffentlich den Kult auszuüben, vorausgesetzt, dass es sich nicht um religiöse Riten handelt, die gegen die guten Sitten verstoßen.

Artikel 20 [Freiheit von Kirche und Religion]

Der kirchliche Charakter und der religiöse oder kultische Zweck einer Vereinigung oder Einrichtung darf nicht Ursache von besonderen gesetzlichen Beschränkungen noch von besonderen steuerlichen Belastungen für ihre Errichtung, Rechtsfähigkeit und jedwede Form von Tätigkeit sein.

Artikel 21 [Meinungsfreiheit]

(1) Jedermann hat das Recht, die eigenen Gedanken durch Wort, Schrift und jedes andere Mittel der Verbreitung frei zu äußern.

(2) Die Presse darf weder einer behördlichen Ermächtigung noch einer Zensur unterworfen werden.

(3) Eine Beschlagnahme darf nur aufgrund einer begründeten Verfügung der Gerichtsbehörde im Falle von Verbrechen, hinsichtlich derer das Pressegesetz ausdrücklich dazu ermächtigt, vorgenommen werden oder im Falle von Verletzungen der Vorschriften, die das Gesetz selbst für die Ermittlung der Verantwortlichen vorschreibt.

(4) In solchen Fällen kann, wenn dafür eine absolute Dringlichkeit besteht und kein rechtzeitiges Eingreifen der Gerichtsbehörde möglich ist, die Beschlagnahme der periodischen Presse durch Beamte der Gerichtspolizei erfolgen, die sofort und keinesfalls später als in 24 Stunden der Gerichtsbehörde Anzeige erstatten müssen. Die Beschlagnahme gilt als aufgehoben und gänzlich unwirksam,

wenn diese sie nicht in den folgenden 24 Stunden bestätigt.

(5) Das Gesetz kann durch allgemeine Bestimmungen festlegen, dass die Mittel zur Finanzierung der periodischen Presse bekanntgegeben werden.

(6) Gedruckte Veröffentlichungen, Schauspiele und alle anderen Veranstaltungen, die gegen die guten Sitten verstoßen, sind verboten. Das Gesetz bestimmt geeignete Maßnahmen zur Verhütung und Unterdrückung von Verstößen.

Artikel 22 [Politische Diskriminierung]

Niemandem darf aus politischen Gründen die Rechtsfähigkeit, die Staatsbürgerschaft oder der Name entzogen werden.

Artikel 23 [Persönliche und vermögensrechtliche Leistungen]

Keine persönliche oder vermögensrechtliche Leistung darf außer durch Gesetz auferlegt werden.

Artikel 24 [Verfahrensrechte]

(1) Jedermann darf zum Schutz der eigenen Rechte und der rechtmäßigen Interessen vor einem Gericht Klage erheben.

(2) Die Verteidigung ist in jedem Stand und in jeder Stufe des Verfahrens ein unverletzliches Recht

(3) Den Mittellosen werden durch eigene Einrichtungen die Mittel zur Klage und Verteidigung bei jedem Gerichtsverfahren zugesichert.

(4) Das Gesetz bestimmt die Bedingungen und Formen für die Wiedergutmachung von Justizirrtümern.

Artikel 25 [Gesetzlicher Richter]

(1) Niemand darf seinem ordentlichen, durch Gesetz vorbestimmten Richter entzogen werden.

(2) Niemand darf bestraft werden außer kraft eines Gesetzes, das vor der Ausführung der Tat in Kraft getreten ist.

(3) Außer in den durch Gesetz vorgesehenen Fällen darf niemand einer Sicherungsmaßnahme unterworfen werden.

Artikel 26 [Auslieferung]

(1) Die Auslieferung eines Staatsbürgers kann nur dann gestattet werden, wenn sie durch zwischenstaatliche Vereinbarungen ausdrücklich vorgesehen ist.

(2) Sie kann keinesfalls wegen politischer Verbrechen zugelassen werden.

Artikel 27 [Strafen und Unschuldsvermutung]

(1) Die strafrechtliche Verantwortung ist persönlich.

(2) Der Angeklagte wird bis zur endgültigen Verurteilung nicht als schuldig betrachtet.

(3) Die Strafen dürfen nicht in einer gegen das Empfinden der Menschlichkeit verstoßenden Behandlung bestehen und sollen die Umerziehung des Verurteilten anstreben.

(4) Die Todesstrafe ist unzulässig.

Artikel 28 [Verantwortlichkeit]

Die Beamten und Angestellten des Staates und der öffentlichen Körperschaften sind gemäß den Straf-, Zivil- und Verwaltungsgesetzen unmittelbar für rechtsverletzende Handlungen verantwortlich. In diesen Fällen erstreckt sich die zivilrechtliche Verantwortung auf den Staat und die öffentlichen Körperschaften.

II. Titel
Gesellschaftliche Beziehungen

Artikel 29 [Familie und Ehe]

(1) Die Republik anerkennt die Rechte der Familie als einer natürlichen, auf die Ehe gegründeten Gemeinschaft.

(2) Die Ehe ist auf der moralischen und rechtlichen Gleichheit der Ehegatten innerhalb jener Grenzen, die durch das Gesetz zur Gewährleistung der Einheit der Familie festgelegt sind, aufgebaut.

Artikel 30 [Gleichheit ehelicher und unehelicher Kinder]

(1) Es ist Pflicht und Recht der Eltern, die Kinder, auch die außerhalb der Ehe geborenen, zu erhalten, auszubilden und zu erziehen.

(2) In den Fällen der Unfähigkeit der Eltern sorgt das Gesetz dafür, dass die Aufgaben derselben erfüllt werden.

(3) Das Gesetz gewährt den außerehelichen Kindern jeden rechtlichen und sozialen Schutz, soweit dieser mit den Rechten der Mitglieder der ehelichen Familie vereinbar ist.

(4) Das Gesetz schreibt die Bestimmungen und die Grenzen für die Ermittlung der Vaterschaft vor.

Artikel 31 [Unterstützung und Schutz]

(1) Die Republik fördert mit wirtschaftlichen Maßnahmen und anderweitigen Fürsorgen die Gründung der Familie und die Erfüllung der entsprechenden Pflichten unter besonderer Berücksichtigung der kinderreichen Familien.

(2) Sie schützt die Mutterschaft, die Kindheit und die Jugend, indem sie die zu diesem Zweck erforderlichen Einrichtungen begünstigt.

Artikel 32 [Gesundheit]

(1) Die Republik hütet die Gesundheit als Grundrecht des Einzelnen und als Interesse der Gemeinschaft und gewährleistet den Bedürftigen kostenlose Behandlung.

(2) Niemand kann zu einer bestimmten Heilbehandlung verpflichtet werden, außer durch eine gesetzliche Verfügung. Das Gesetz darf in keinem Fall die durch die Würde der menschlichen Person gezogenen Grenzen verletzen.

Artikel 33 [Kunst, Wissenschaft und Bildung]

(1) Die Kunst und die Wissenschaft sind frei, und frei ist ihre Lehre.

(2) Die Republik erlässt die allgemeinen Richtlinien über den Unterricht und errichtet staatliche Schulen aller Gattungen und Stufen.

(3) Körperschaften und Einzelpersonen haben das Recht, ohne Belastung des Staates Schulen und Erziehungsanstalten zu errichten.

(4) In der Festsetzung der Rechte und Pflichten der nichtstaatlichen Schulen, die die Gleichstellung beantragen, muss ihnen das Gesetz volle Freiheit und ihren Schülern eine Schulbehandlung zusichern, die jener der Schüler in den Staatsschulen gleichwertig ist.

(5) Für die Zulassung zu den verschiedenen Gattungen und Stufen der Schulen, für den Abschluss derselben und für die Befähigung zur Berufsausübung ist eine Staatsprüfung vorgeschrieben.

(6) Die höheren Bildungsanstalten, Hochschulen und Akademien haben das Recht, sich innerhalb der durch Staatsgesetz festgelegten Grenzen eine eigenständige Ordnung zu geben.

Artikel 34 [Schule und Unterricht]

(1) Die Schule steht jedermann offen.

(2) Der Unterricht in den Grundschulen muss acht Jahre lang erteilt werden, ist obligatorisch und unentgeltlich.

(3) Die fähigen und verdienstvollen Schüler haben, auch wenn sie mittellos sind, das Recht, die höchsten Studiengrade zu erreichen.

(4) Die Republik verwirklicht dieses Recht durch Stipendien, Familienbeihilfen und andere Fürsorgemaßnahmen, die durch Wettbewerb zugeteilt werden müssen.

III. Titel
Wirtschaftliche Beziehungen

Artikel 35 [Arbeit]

(1) Die Republik schützt die Arbeit in allen ihren Formen und Arten.

(2) Sie sorgt für die berufliche Schulung und Fortbildung der Arbeiter.

(3) Sie fördert und begünstigt zwischenstaatliche Vereinbarungen und Organisationen, die die Festigung und Regelung des Arbeitsrechts anstreben.

(4) Sie anerkennt unter Vorbehalt der durch Gesetz im Allgemeininteresse festgelegten Verpflichtungen die Freiheit der Auswanderung und schützt die italienische Arbeit im Ausland.

Artikel 36 [Lohn und Urlaub]

(1) Der Arbeiter hat Anspruch auf einen Lohn, der der Menge und der Güte seiner Arbeit angemessen und jedenfalls ausreichend sein muss, ihm und der Familie ein freies und würdiges Leben zu gewährleisten.

(2) Die Höchstdauer des Arbeitstages wird gesetzlich geregelt.

(3) Der Arbeiter hat Anspruch auf einen wöchentlichen Ruhetag und auf einen bezahlten Jahresurlaub; er kann darauf nicht verzichten.

Artikel 37 [Arbeit von Frauen und Minderjährigen]

(1) Die arbeitende Frau hat die gleichen Rechte und bei gleicher Arbeitsleistung denselben Lohn, die dem Arbeiter zustehen. Die Arbeitsbedingungen müssen die Erfüllung ihrer wesenhaften Aufgabe im Dienst der Familie gestatten und der Mutter und dem Kind einen besonderen, angemessenen Schutz gewährleisten.

(2) Das Gesetz bestimmt die unterste Altersgrenze für die entlohnte Arbeit.

(3) Die Republik schützt die Arbeit der Minderjährigen mit besonderen Vorschriften und verbürgt ihnen bei gleicher Arbeit den Anspruch auf gleichen Lohn.

Artikel 38 [Fürsorge durch Staat]

(1) Jeder arbeitsunfähige Staatsbürger, dem die zum Leben erforderlichen Mittel fehlen, hat Anspruch auf Unterhalt und Fürsorge.

(2) Die Arbeiter haben Anspruch auf Bereitstellung und Gewährleistung der ihren Lebenserfordernissen angemessenen Mittel bei Unfällen, Krankheit, Arbeitsunfähigkeit und Alter sowie bei unfreiwilliger Arbeitslosigkeit.

(3) Die Arbeitsunfähigen und Menschen mit körperlicher Behinderung haben Anspruch auf Erziehung und Berufsausbildung.

(4) Für die Erfüllung der in diesem Artikel vorgesehenen Aufgaben sorgen Organe und Anstalten, die vom Staat dafür eingerichtet oder unterstützt werden.

(5) Die private Betreuung ist frei.

Artikel 39 [Gewerkschaften]

(1) Die gewerkschaftliche Tätigkeit ist frei.

(2) Den Gewerkschaften darf keine andere Verpflichtung auferlegt werden als die Eintragung bei lokalen oder zentralen Ämtern gemäß den gesetzlichen Bestimmungen.

(3) Bedingung für die Eintragung ist, dass die Satzungen der Gewerkschaften einen inneren Aufbau auf demokratischer Grundlage festlegen.

(4) Die eingetragenen Gewerkschaften haben Rechtspersönlichkeit. Sie können, im Verhältnis ihrer eingeschriebenen Mitglieder einheitlich vertreten, Arbeitskollektivverträge abschließen, die für alle Angehörigen der Berufsgruppen, auf die sich der Vertrag bezieht, verbindliche Wirkung haben.

Artikel 40 [Streikrecht]

Das Streikrecht wird im Rahmen der Gesetze, die dasselbe regeln, ausgeübt.

Artikel 41 [Privatinitiative]

(1) Die Privatinitiative in der Wirtschaft ist frei.

(2) Sie darf sich aber nicht im Gegensatz zum Nutzen der Allgemeinheit betätigen oder in einer Weise, die die Sicherheit, Freiheit und menschliche Würde beeinträchtigt.

(3) Das Gesetz bestimmt die Wirtschaftspläne und die zweckmäßige Überwachung, damit die öffentliche und private Wirtschaftätigkeit nach dem Allgemeinwohl ausgerichtet und abgestimmt werden können.

Artikel 42 [Eigentumsfreiheit]

(1) Das Eigentum ist öffentlich oder privat. Die wirtschaftlichen Güter gehören dem Staat, Körperschaften oder Einzelpersonen.

(2) Das Privateigentum wird durch Gesetz anerkannt und gewährleistet, welches die Arten seines Erwerbs, seines Genusses und die Grenzen zu dem Zwecke regelt, seine sozialen Aufgaben sicherzustellen und es allen zugänglich zu machen.

(3) Das Privateigentum kann in den durch Gesetz vorgesehenen Fällen und gegen Ent-

schädigung aus Gründen des Allgemeinwohls enteignet werden.

(4) Das Gesetz legt die Vorschriften und Grenzen der gesetzlichen und testamentarischen Erbfolge und die Rechte des Staates am Nachlass fest.

Artikel 43 [Verstaatlichung]

Aus Gründen des Allgemeinwohls kann das Gesetz dem Staat, den öffentlichen Körperschaften oder Vereinigungen von Arbeitern oder Verbrauchern bestimmte Unternehmen oder Arten von Unternehmen im Vorhinein vorbehalten oder im Enteignungswege gegen Entschädigung übertragen, wenn diese wesentliche öffentliche Dienste oder Energiequellen oder Monopolstellungen betreffen und ihrem Wesen nach ein überwiegendes Allgemeininteresse haben.

Artikel 44 [Bewirtschaftung]

(1) Um die rationelle Bewirtschaftung des Bodens zu erreichen und um gerechte soziale Verhältnisse zu schaffen, legt das Gesetz dem privaten Grundbesitzer Pflichten und Schranken auf, setzt der Ausdehnung derselben je nach Region und landwirtschaftlichen Gebieten Grenzen, fördert und schreibt die Bodenverbesserung vor sowie die Umwandlung des Großgrundbesitzes und die Wiederherstellung der Wirtschaftseinheiten; es unterstützt den kleinen und mittleren Grundbesitz.

(2) Das Gesetz erlässt Maßnahmen zugunsten der Berggebiete.

Artikel 45 [Soziale Aufgaben des Genossenschaftswesens]

(1) Die Republik anerkennt die soziale Aufgabe des Genossenschaftswesens, sofern es nach dem Grundsatz der Gegenseitigkeit und ohne Zwecke der Privatspekulation aufgebaut ist. Das Gesetz fördert und begünstigt mit den geeigneten Mitteln seine Entfaltung und sichert durch eine zweckdienliche Aufsicht seine Eigenart und Zielsetzung.

(2) Das Gesetz trifft Vorkehrungen zum Schutz und zur Entfaltung des Handwerks.

Artikel 46 [Mitarbeit an Führung]

Zum Zwecke der wirtschaftlichen und sozialen Aufwertung der Arbeit und in Übereinstimmung mit den Erfordernissen der Produktion anerkennt die Republik das Recht der Arbeiter, an der Führung der Betriebe in den durch die Gesetze festgelegten Formen und Grenzen mitzuarbeiten.

Artikel 47 [Spartätigkeit]

(1) Die Republik fördert und schützt die Spartätigkeit in allen ihren Formen; sie regelt, lenkt und beaufsichtigt das Kreditwesen.

(2) Sie begünstigt die Nutzbarmachung des Sparkapitals des Volkes für Wohnungseigentum, für die Bildung des landwirtschaftlichen Kleinbesitzes und für die unmittelbare oder mittelbare Anlage in Aktien der Großunternehmen des Landes.

IV. Titel
Politische Beziehungen

Artikel 48 [Aktives Wahlrecht]

(1) Wähler sind alle Staatsbürger, Männer und Frauen, die volljährig sind.

(2) Die Wahl ist persönlich und gleich, frei und geheim. Ihre Ausübung ist Bürgerpflicht.

(3) Das Gesetz bestimmt die Voraussetzungen und Modalitäten für die Ausübung des Wahlrechts durch die im Ausland ansässigen Staatsbürger und gewährleistet, dass dieses Recht effektiv wahrgenommen werden kann. Zu diesem Zwecke wird ein eigener Auslandswahlkreis für die Parlamentswahlen errichtet; die Anzahl der Sitze, die diesem Wahlkreis zugewiesen werden, wird durch Verfassungsnorm bestimmt, die Kriterien für die Zuweisung werden gesetzlich festgelegt.

(4) Das Wahlrecht darf nicht beschränkt werden, außer wegen bürgerlicher Handlungsunfähigkeit oder aufgrund eines unwiderruflichen Strafurteils oder in den vom Gesetz angegebenen Fällen moralischer Unwürdigkeit.

Artikel 49 [Parteien]

Alle Staatsbürger haben das Recht, sich frei in Parteien zusammenzuschließen, um in demokratischer Form an der Ausrichtung der Staatspolitik mitzuwirken.

Artikel 50 [Eingaben an die Kammern]

Alle Bürger können Eingaben an die Kammern richten, um gesetzliche Maßnahmen zu verlangen oder um allgemeine Notwendigkeiten darzulegen.

Artikel 51 [Zugang zu öffentlichen Ämtern]

(1) Alle Staatsbürger beiderlei Geschlechts haben unter gleichen Bedingungen gemäß den vom Gesetz bestimmten Erfordernissen das Recht auf Zutritt zu den öffentlichen Ämtern und zu den durch Wahl zu besetzenden Stellen. Daher fördert die Republik die Chancengleichheit von Frauen und Männern durch spezifische Maßnahmen.

(2) Für die Zulassung zu den öffentlichen Ämtern und zu den durch Wahl zu besetzenden Stellen kann das Gesetz die Italiener, die nicht Staatsangehörige der Republik sind, den Staatsbürgern gleichstellen.

(3) Wer zur Tätigkeit in öffentlichen durch Wahl zu vergebenden Funktionen berufen wird, hat das Recht, über die zu ihrer Ausübung nötige Zeit zu verfügen und seinen Arbeitsplatz zu behalten.

Artikel 52 [Verteidigung]

(1) Die Verteidigung des Vaterlandes ist heilige Pflicht des Staatsbürgers.

(2) Der Wehrdienst ist in den durch das Gesetz festgelegten Grenzen und Formen obligatorisch. Die Leistung dieses Dienstes beeinträchtigt weder die Arbeitsstellung des Bürgers noch die Ausübung der politischen Rechte.

(3) Der Aufbau der bewaffneten Macht richtet sich nach der demokratischen Verfassung der Republik.

Artikel 53 [Beitrag zu öffentlichen Ausgaben]

(1) Jedermann ist verpflichtet, im Verhält-
nis zu seiner Steuerkraft zu den öffentlichen Ausgaben beizutragen.

(2) Das Steuersystem richtet sich nach den Grundsätzen der Progressivität.

Artikel 54 [Treue]

(1) Alle Staatsbürger haben die Pflicht, der Republik treu zu sein und ihre Verfassung und Gesetze zu beachten.

(2) Die Staatsbürger, denen öffentliche Aufgaben anvertraut sind, haben die Pflicht, sie pflichtgetreu und gewissenhaft zu erfüllen und in den durch das Gesetz bestimmten Fällen einen Eid zu leisten.

II. Teil
AUFBAU DER REPUBLIK

I. Titel
Das Parlament

I. Abschnitt
Die Kammern

Artikel 55 [Parlament]

(1) Das Parlament setzt sich aus der Abgeordnetenkammer und dem Senat der Republik zusammen.

(2) Das Parlament tritt zur gemeinsamen Sitzung der Mitglieder der beiden Kammern nur in den durch die Verfassung bestimmten Fällen zusammen.

Artikel 56 [Wahl der Abgeordnetenkammer]

(1) Die Abgeordnetenkammer wird aufgrund allgemeiner und unmittelbarer Wahl gewählt.

(2) Die Zahl der Abgeordneten beträgt 630 [*mit der auf Oktober 2020 folgenden Legislaturperiode „400"*]; 12 [*mit der auf Oktober 2020 folgenden Legislaturperiode „8"*] davon werden im Auslandswahlkreis gewählt.

(3) Als Abgeordneter kann jeder gewählt werden, der am Wahltag das 25. Lebensjahr vollendet hat.

(4) Die Verteilung der Sitze auf die Wahlkreise, abgesehen von der Anzahl der Sitze,

die dem Auslandswahlkreis zugeteilt werden, erfolgt in der Weise, dass die Einwohnerzahl der Republik, die aus der jeweils letzten allgemeinen Volkszählung hervorgeht, durch 618 [*mit der auf Oktober 2020 folgenden Legislaturperiode „392"*] dividiert wird und die Sitze im Verhältnis zur Bevölkerung jedes Wahlkreises nach vollen Quotienten und den höchsten Resten verteilt werden.

Artikel 57 [Wahl des Senats]

(1) Der Senat der Republik wird auf regionaler Basis gewählt; davon ausgenommen sind die Sitze, die dem Auslandswahlkreis zugeteilt werden.

(2) Die Anzahl der zu wählenden Senatoren beträgt 315 [*mit der auf Oktober 2020 folgenden Legislaturperiode „200"*]; sechs [*mit der auf Oktober 2020 folgenden Legislaturperiode „vier"*] davon werden im Auslandswahlkreis gewählt.

(3) Keine Region [*mit der auf Oktober 2020 folgenden Legislaturperiode „Region oder Autonome Provinz"*] darf weniger als sieben [*mit der auf Oktober 2020 folgenden Legislaturperiode „drei"*] Senatoren haben. Molise hat zwei, das Aostatal hat einen Senator.

(4) Die Verteilung der Sitze zwischen den Regionen [*mit der auf Oktober 2020 folgenden Legislaturperiode „Regionen oder Autonomen Provinzen"*], abgesehen von der Anzahl der Sitze, die dem Auslandswahlkreis zugeteilt werden, erfolgt, nach Anwendung der Bestimmungen des vorhergehenden Absatzes, im Verhältnis zur Bevölkerung der Regionen, die aus der jeweils letzten allgemeinen Volkszählung hervorgeht, nach vollen Quotienten und den höchsten Resten.

Artikel 58 [Wahl der Senatoren]

(1) Die Senatoren werden in allgemeiner und unmittelbarer Wahl von den Wählern gewählt, die das 25. Lebensjahr überschritten haben.

(2) Zu Senatoren sind die Wähler wählbar, die das 40. Lebensjahr vollendet haben.

Artikel 59 [Senator auf Lebenszeit]

(1) Wer Präsident der Republik war, wird, vorbehaltlich Verzichtes, von Rechts wegen auf Lebenszeit Senator.

(2) Der Präsident der Republik kann fünf Staatsbürger zu Senatoren auf Lebenszeit ernennen, die durch höchste Verdienste auf sozialem, wissenschaftlichem, künstlerischem und literarischem Gebiet dem Vaterland Ruhm und Ehre eingebracht haben. [*Mit der auf Oktober 2020 folgenden Legislaturperiode wird folgender Satz hinzugefügt: „Die Gesamtzahl der im Senat befindlichen Senatoren, welche vom Präsidenten der Republik ernannt werden, kann in keinem Fall höher als fünf sein."*]

Artikel 60 [Amtszeit der Kammern]

(1) Die Abgeordnetenkammer und der Senat der Republik werden für fünf Jahre gewählt.

(2) Die Amtsdauer beider Kammern kann nur durch Gesetz und nur im Kriegsfalle verlängert werden.

Artikel 61 [Wahl und Zusammentritt]

(1) Die Wahlen der neuen Kammern finden innerhalb von siebzig Tagen nach Amtsablauf der vorherigen statt. Der erste Zusammentritt findet spätestens am 20. Tage nach den Wahlen statt.

(2) Solange die neuen Kammern nicht zusammengetreten sind, gelten die Befugnisse der vorherigen als verlängert.

Artikel 62 [Zusammentreten und außerordentliches Zusammentreten]

(1) Die Kammern treten von Rechts wegen am ersten Werktag im Februar und im Oktober zusammen.

(2) Jede Kammer kann in außerordentlicher Weise auf Veranlassung ihres Präsidenten oder des Präsidenten der Republik oder eines Drittels ihrer Mitglieder einberufen werden.

(3) Wenn eine Kammer in außerordentlicher Weise zusammentritt, gilt auch die andere von Rechts wegen als einberufen.

Artikel 63 [Präsidenten der Kammern]

(1) Jede Kammer wählt unter ihren Mitgliedern den Präsidenten und das Präsidium.

(2) Wenn das Parlament zu gemeinsamer Sitzung zusammentritt, stellt die Abgeordnetenkammer den Präsidenten und das Präsidium.

Artikel 64 [Geschäftsordnung, Quoren, Beiwohnen der Regierung]

(1) Jede Kammer gibt sich mit absoluter Stimmenmehrheit ihrer Mitglieder die eigene Geschäftsordnung.

(2) Die Sitzungen sind öffentlich; jedoch kann jede Kammer für sich und das Parlament in gemeinsamer Sitzung der beiden Kammern beschließen, in geheimer Sitzung zusammenzutreten.

(3) Die Beschlüsse jeder einzelnen Kammer und des Parlaments sind ungültig, wenn nicht die Mehrheit ihrer Mitglieder anwesend ist und wenn sie nicht von der Mehrheit der Anwesenden angenommen werden, es sei denn, dass die Verfassung eine besondere Mehrheit vorschreibt.

(4) Die Mitglieder der Regierung haben, auch wenn sie den Kammern nicht angehören, das Recht und auf Antrag die Pflicht, den Sitzungen beizuwohnen.

(5) Sie müssen jedes Mal, wenn sie es verlangen, gehört werden.

Artikel 65 [Nichtwählbarkeit und Unvereinbarkeit]

(1) Das Gesetz bestimmt die Fälle der Nichtwählbarkeit und der Unvereinbarkeit mit der Stellung eines Abgeordneten oder Senators.

(2) Niemand kann gleichzeitig beiden Kammern angehören.

Artikel 66 [Prüfung durch die Kammern]

Jede Kammer befindet über die Zulassungsberechtigung ihrer Mitglieder und über die nachträglich eingetretenen Gründe der Nichtwählbarkeit und Unvereinbarkeit.

Artikel 67 [Freies Mandat]

Jedes Mitglied des Parlaments vertritt den Gesamtstaat und übt seine Tätigkeit ohne Bindung an das Wahlmandat aus.

Artikel 68 [Immunität der Mitglieder des Parlaments]

(1) Die Mitglieder des Parlaments können für die in Ausübung ihrer Amtsbefugnisse erfolgten Meinungsäußerungen und Abstimmungen nicht zur Verantwortung gezogen werden.

(2) Ein Mitglied des Parlaments darf ohne Ermächtigung der Kammer, der es angehört, keiner Leibesvisitation oder Hausdurchsuchung unterzogen werden, weder darf es verhaftet noch in anderer Weise der persönlichen Freiheit beraubt oder in Haft gehalten werden, es sei denn, dass dies zur Vollstreckung eines rechtskräftigen Strafurteils geschieht oder dass es bei Begehung einer strafbaren Tat betreten wurde, für welche die zwingende sofortige Festnahme vorgesehen ist.

(3) Ebenso ist eine Ermächtigung erforderlich, um die Parlamentsmitglieder Abhörmaßnahmen jeglicher Form betreffend ihre Gespräche oder Mitteilungen zu unterziehen und um ihren Schriftverkehr zu beschlagnahmen.

Artikel 69 [Entschädigung]

Die Mitglieder des Parlaments erhalten eine durch Gesetz festgelegte Entschädigung.

II. Abschnitt
Das Zustandekommen der Gesetze

Artikel 70 [Gesetzgebung]

Die gesetzgebende Tätigkeit wird von beiden Kammern gemeinsam ausgeübt.

Artikel 71 [Gesetzesinitiative]

(1) Die Gesetzesinitiative steht der Regierung, jedem Mitglied der Kammern und den Organen und Körperschaften zu, denen sie durch Verfassungsgesetz übertragen ist.

(2) Das Volk übt die Gesetzesinitiative mittels einer in Artikel abgefassten Gesetzesvorlage aus, die von mindestens fünfzigtausend Wählern einzureichen ist.

Artikel 72 [Verfahren, Gesetzesvorlage]

(1) Jede bei einer Kammer eingebrachte Gesetzesvorlage wird gemäß den Vorschriften ihrer Geschäftsordnung von einem Ausschuss und darauf von der Kammer selbst überprüft, die sie Artikel für Artikel und durch eine Schlussabstimmung annimmt.

(2) Die Geschäftsordnung setzt abgekürzte Verfahren für jene Gesetzesvorlagen fest, die als dringlich erklärt worden sind.

(3) Sie kann ferner bestimmen, in welchen Fällen und Formen die Überprüfung und die Annahme der Gesetzesvorlagen an Ausschüsse übertragen werden, die auch ständige Ausschüsse sein können und in der Weise zusammengesetzt sein müssen, dass sie das Verhältnis der Parlamentsfraktionen widerspiegeln. Auch in solchen Fällen wird die Gesetzesvorlage bis zum Zeitpunkt ihrer endgültigen Annahme der Kammer zugeleitet, wenn die Regierung oder ein Zehntel der Mitglieder der Kammer oder ein Fünftel des Ausschusses verlangt, dass sie von der Kammer selbst erörtert oder behandelt werden, oder aber, dass die Vorlage ihrer Genehmigung mittels bloßer Erklärungen zur Stimmabgabe unterworfen werde. Die Geschäftsordnung bestimmt die Formen der Öffentlichkeit in Bezug auf die Arbeiten der Ausschüsse.

(4) Das normale Verfahren der Überprüfung und unmittelbaren Annahme durch die Kammer wird immer bei Gesetzesvorlagen angewandt, die Verfassung, Wahlen, die Übertragung der Gesetzgebungsgewalt, die Ermächtigung zur Genehmigung internationaler Verträge und die Annahme von Haushaltsplänen sowie Schlussabrechnungen betreffen.

Artikel 73 [Verkündung]

(1) Die Gesetze werden vom Präsidenten der Republik innerhalb eines Monats nach der Annahme verkündet.

(2) Wenn die Kammern, jede mit absoluter Mehrheit ihrer Mitglieder, die Dringlichkeit eines Gesetzes erklären, so wird es innerhalb der darin festgelegten Frist verkündet.

(3) Die Gesetze werden sofort nach der Verkündung veröffentlicht und treten am fünfzehnten Tag nach ihrer Veröffentlichung in Kraft, wenn nicht die Gesetze selbst eine andere Frist bestimmen.

Artikel 74 [Botschaft des Präsidenten]

(1) Bevor der Präsident der Republik das Gesetz verkündet, kann er mit einer begründeten Botschaft an die Kammern eine neuerliche Beschlussfassung verlangen.

(2) Wenn die Kammern das Gesetz erneut annehmen, so muss es verkündet werden.

Artikel 75 [Volksbefragung]

(1) Eine Volksbefragung zwecks Abstimmung über die gänzliche oder teilweise Aufhebung eines Gesetzes oder eines Aktes mit Gesetzeskraft wird ausgeschrieben, wenn es fünfhunderttausend Wähler oder fünf Regionalräte verlangen.

(2) Unzulässig ist die Volksbefragung über Gesetze, die Steuern oder den Haushalt, die Amnestie oder den Strafnachlass sowie die Ermächtigung zur Genehmigung internationaler Verträge betreffen.

(3) Zur Teilnahme an der Volksbefragung sind alle Staatsbürger berechtigt, die zur Wahl der Abgeordnetenkammer berufen sind.

(4) Der einer Volksbefragung unterworfene Vorschlag gilt als angenommen, wenn an der Abstimmung die Mehrheit der Wahlberechtigten teilgenommen hat und die Mehrheit der gültig abgegebenen Stimmen erreicht worden ist.

(5) Das Gesetz regelt im Einzelnen das Verfahren zur Durchführung der Volksbefragung.

Artikel 76 [Übertragung der Gesetzgebung]

Die Ausübung der gesetzgebenden Tätigkeit darf nicht der Regierung übertragen werden, außer unter Festlegung von Grundsätzen und Richtlinien und nur für begrenzte Zeit und bestimmte Gegenstände.

Artikel 77 [Verordnungen und vorläufige Maßnahmen]

(1) Die Regierung darf ohne Auftrag der Kammern keine Verordnungen erlassen, die die Kraft eines ordentlichen Gesetzes haben.

(2) Wenn die Regierung in Fällen außerordentlicher Notwendigkeit und Dringlichkeit unter ihrer Verantwortung vorläufige Maßnahmen mit Gesetzeskraft trifft, so muss sie dieselben am gleichen Tag den Kammern zur Umwandlung vorlegen, die, auch wenn sie aufgelöst sind, eigens zu diesem Zwecke einberufen werden und innerhalb von fünf Tagen zusammentreten.

(3) Die Verordnungen verlieren ihre Wirksamkeit von Anfang an, wenn sie nicht innerhalb von sechzig Tagen nach ihrer Veröffentlichung in Gesetze umgewandelt werden. Die Kammern können jedoch durch Gesetz die Rechtsverhältnisse regeln, die aufgrund der nicht umgewandelten Verordnungen entstanden sind.

Artikel 78 [Kriegszustand und Vollmacht]

Die Kammern beschließen über den Kriegszustand und übertragen der Regierung die notwendigen Vollmachten.

Artikel 79 [Amnestie und Strafnachlass]

(1) Die Amnestie und der Strafnachlass werden mit einem, mit Zweidrittelmehrheit einer jeden Kammer für jeden Artikel und in der Schlussabstimmung beschlossenen Gesetz, gewährt.

(2) Das Gesetz, mit welchem die Amnestie oder der Strafnachlass gewährt werden, legt die Frist für deren Anwendung fest.

(3) Die Amnestie und der Strafnachlass können für jene Straftaten nicht gewährt werden, welche nach der Vorlage des Gesetzentwurfes begangen wurden.

Artikel 80 [Ermächtigung zur Ratifizierung]

Die Kammern ermächtigen durch Gesetz die Genehmigung der internationalen Verträge, die politischer Natur sind oder die Schiedsverfahren oder Vorschriften über die Rechtspflege vorsehen oder die Gebietsveränderungen oder finanzielle Belastungen oder Abänderungen von Gesetzen zur Folge haben.

Artikel 81 [Haushaltsgrundsätze]

(1) Der Staat gewährleistet in seinem Haushalt das Gleichgewicht zwischen Einnahmen und Ausgaben, unter Berücksichtigung negativer und positiver Konjunkturphasen.

(2) Eine Verschuldung ist nur bei außerordentlichen Ereignissen zulässig, wenn Auswirkungen der Konjunkturzyklen zu berücksichtigen sind, und nach vorheriger Ermächtigung, die die Kammern mit absoluter Mehrheit beschließen.

(3) Sämtliche Gesetze, die mit neuen oder zusätzlichen Ausgaben verbunden sind, sehen die dafür erforderlichen Mittel vor.

(4) Die Kammern genehmigen jedes Jahr mit Gesetz die von der Regierung vorgelegten Haushaltspläne und Rechnungslegungen. Die vorläufige Haushaltsgebarung darf nur durch Gesetz und für Zeiträume von insgesamt nicht über vier Monaten bewilligt werden.

(5) Der Inhalt des Haushaltsgesetzes, die grundlegenden Bestimmungen und die Kriterien, die auf die Gewährleistung eines Gleichgewichts zwischen den Einnahmen und den Ausgaben der Haushalte sowie auf die Schuldentragbarkeit aller öffentlichen Verwaltungen abzielen, werden mit Gesetz festgelegt, das von der absoluten Mehrheit der Mitglieder der einzelnen Kammern unter Berücksichtigung der mit Verfassungsgesetz festgelegten Grundsätze genehmigt wird.

Artikel 82 [Untersuchungsausschuss]

(1) Jede Kammer kann Untersuchungen über Gegenstände von öffentlichem Interesse anordnen.

(2) Zu diesem Zweck ernennt sie aus den Reihen ihrer Mitglieder einen Ausschuss, der so zusammenzusetzen ist, dass sich darin das Verhältnis der verschiedenen Fraktionen widerspiegelt. Der Untersuchungsausschuss führt die Nachforschungen und Überprüfungen mit den gleichen Befugnissen und den gleichen Beschränkungen wie die Gerichtsbehörde durch.

II. Titel
Der Präsident der Republik

Artikel 83 [Wahl des Präsidenten]
(1) Der Präsident der Republik wird vom Parlament in gemeinsamer Sitzung seiner Mitglieder gewählt.

(2) An der Wahl nehmen drei Beauftragte für jede Region teil, die vom Regionalrat in der Weise gewählt werden, dass die Vertretung der Minderheiten gewährleistet ist. Das Aostatal hat nur einen Beauftragten.

(3) Die Wahl des Präsidenten der Republik findet durch geheime Abstimmung mit Zweidrittelmehrheit der Versammlung statt. Nach dem dritten Wahlgang genügt die absolute Mehrheit.

Artikel 84 [Voraussetzungen und Bezüge]
(1) Zum Präsidenten der Republik kann jeder Staatsbürger gewählt werden, der das fünfzigste Lebensjahr vollendet hat und im Besitz der bürgerlichen und politischen Rechte ist.

(2) Die Stellung des Präsidenten der Republik ist mit jedem anderen Amt unvereinbar.

(3) Die Bezüge und die Ausstattung des Präsidenten werden durch Gesetz festgelegt.

Artikel 85 [Amtszeit]
(1) Der Präsident der Republik wird auf sieben Jahre gewählt.

(2) Dreißig Tage vor Ablauf der Amtszeit beruft der Präsident der Abgeordnetenkammer das Parlament und die Beauftragten der Regionen zu einer gemeinsamen Sitzung ein, um den neuen Präsidenten der Republik zu wählen.

(3) Wenn die Kammern aufgelöst sind oder wenn weniger als drei Monate bis zum Mandatsverfall fehlen, findet die Wahl innerhalb von fünfzehn Tagen nach dem Zusammentritt der neuen Kammern statt. In der Zwischenzeit sind die Befugnisse des amtierenden Präsidenten verlängert.

Artikel 86 [Verhinderung]
(1) Die Befugnisse des Präsidenten der Republik werden in jedem Fall, in dem er sie nicht wahrnehmen kann, vom Präsidenten des Senats ausgeübt.

(2) Im Falle dauernder Verhinderung oder bei Tod oder Rücktritt des Präsidenten der Republik setzt der Präsident der Abgeordnetenkammer innerhalb von fünfzehn Tagen die Wahl des neuen Präsidenten der Republik an, vorbehaltlich der vorgesehenen längeren Frist, wenn die Kammern aufgelöst sind oder weniger als drei Monate bis zum Mandatsverfall fehlen.

Artikel 87 [Befugnisse]
(1) Der Präsident der Republik ist das Oberhaupt des Staates und verkörpert die staatliche Einheit.

(2) Er kann Botschaften an die Kammern richten.

(3) Er schreibt die Wahlen für die neuen Kammern aus und bestimmt ihren ersten Zusammentritt.

(4) Er ermächtigt, Gesetzentwürfe, die auf die Initiative der Regierung zurückgehen, den Kammern vorzulegen.

(5) Er verkündet die Gesetze und verlautbart die Verordnungen, die Gesetzeskraft haben, und die Verordnungen.

(6) Er ordnet die Volksbefragung in den von der Verfassung vorgesehenen Fällen an.

(7) Er bestellt in den vom Gesetz bestimmten Fällen die Amtsträger des Staates.

(8) Er beglaubigt und empfängt die diplomatischen Vertreter, genehmigt nach vorheriger Ermächtigung durch die Kammern, sofern sie erforderlich ist, die internationalen Verträge.

(9) Er hat den Oberbefehl über die Streitkräfte, er führt den Vorsitz in dem gemäß

Gesetz gebildeten Obersten Verteidigungsrat und erklärt den von den Kammern beschlossenen Kriegszustand.

(10) Er führt den Vorsitz im Obersten Gerichtsrat.

(11) Er kann Begnadigungen gewähren und Strafen umwandeln.

(12) Er verleiht die Auszeichnungen der Republik.

Artikel 88 [Auflösung der Kammern]

(1) Der Präsident der Republik kann die Kammern oder eine von ihnen nach Anhörung ihrer Präsidenten auflösen.

(2) Er darf diese Befugnis in den letzten sechs Monaten seines Mandats nicht ausüben, es sei denn, sie stimmen mit den letzten sechs Monaten der Gesetzgebungsperiode zur Gänze oder zum Teil überein.

Artikel 89 [Gegenzeichnung]

(1) Kein Akt des Präsidenten der Republik ist gültig, wenn er nicht von den beantragenden Ministern gegengezeichnet ist, die dafür die Verantwortung übernehmen.

(2) Die Akte mit Gesetzeskraft und die anderen vom Gesetz bezeichneten Akte werden auch vom Präsidenten des Ministerrates gegengezeichnet.

Artikel 90 [Verantwortlichkeit und Anklage]

(1) Der Präsident der Republik ist für die in Ausübung seiner Amtsbefugnisse begangenen Handlungen nicht verantwortlich, außer bei Hochverrat oder bei Anschlag auf die Verfassung.

(2) In diesen Fällen wird er vom Parlament in gemeinsamer Sitzung mit absoluter Stimmenmehrheit seiner Mitglieder unter Anklage gestellt.

Artikel 91 [Eid des Präsidenten]

Vor Übernahme seines Amtes leistet der Präsident der Republik vor dem Parlament in gemeinsamer Sitzung einen Eid, der Republik die Treue zu halten und die Verfassung zu befolgen.

III. Titel
Die Regierung

I. Abschnitt
Der Ministerrat

Artikel 92 [Regierung]

(1) Die Regierung der Republik besteht aus dem Präsidenten des Ministerrates und den Ministern, die zusammen den Ministerrat bilden.

(2) Der Präsident der Republik bestellt den Präsidenten des Ministerrates und auf dessen Vorschlag die Minister.

Artikel 93 [Eid der Minister]

Der Präsident des Ministerrates und die Minister leisten vor der Amtsübernahme einen Eid in die Hand des Präsidenten der Republik.

Artikel 94 [Vertrauen der Kammern]

(1) Die Regierung muss das Vertrauen der beiden Kammern besitzen.

(2) Jede Kammer gewährt oder entzieht das Vertrauen mittels eines begründeten Antrags, über den durch Namensaufruf abgestimmt wird.

(3) Innerhalb von zehn Tagen nach ihrer Bildung stellt sich die Regierung den Kammern vor, um ihr Vertrauen zu erhalten.

(4) Die Ablehnung eines Vorschlags der Regierung durch eine der beiden Kammern verpflichtet sie nicht zum Rücktritt.

(5) Der Misstrauensantrag muss mindestens von einem Zehntel der Mitglieder der Kammer unterzeichnet sein und darf erst drei Tage nach der Einbringung zur Erörterung gestellt werden.

Artikel 95 [Präsident des Ministerrates und Minister]

(1) Der Präsident des Ministerrates leitet die allgemeine Politik der Regierung und ist dafür verantwortlich. Er wahrt die Einheitlichkeit der Richtung in Politik und Verwaltung, indem er die Tätigkeit der Minister fördert und gegenseitig abstimmt.

(2) Die Minister sind in ihrer Gesamtheit

für die Handlungen des Ministerrates und einzeln für die Handlungen ihres Geschäftsbereiches verantwortlich.

(3) Das Gesetz regelt den Aufbau des Präsidiums des Ministerrates und setzt die Anzahl, den Aufgabenbereich und die Geschäftsführung der Ministerien fest.

Artikel 96 [Straftaten in der Amtszeit]

Der Präsident des Ministerrates und die Minister werden wegen der in Ausübung ihrer Funktionen begangenen Straftaten, nach Ermächtigung durch den Senat der Republik oder die Abgeordnetenkammer, gemäß den Bestimmungen, welche mit Verfassungsgesetz festgelegt sind, der ordentlichen Gerichtsbarkeit unterstellt, auch wenn sie aus ihrer Funktion ausgeschieden sind.

II. Abschnitt
Die öffentliche Verwaltung

Artikel 97 [Grundsätze der öffentlichen Verwaltung]

(1) Die öffentlichen Verwaltungen gewährleisten im Einklang mit der Ordnung der Europäischen Union die Ausgeglichenheit der Haushalte und die Tragfähigkeit der öffentlichen Verschuldung.

(2) Die öffentlichen Dienststellen werden nach den gesetzlichen Bestimmungen in der Weise aufgebaut, dass die gute Führung und die Unparteilichkeit der Verwaltung gewährleistet sind.

(3) Im Aufbau der Dienststellen sind die Zuständigkeitsbereiche, die Befugnisse und die Eigenverantwortung der Beamten festgelegt.

(4) Der Zutritt zu den Stellen der öffentlichen Verwaltung erfolgt, vorbehaltlich der durch Gesetz bestimmten Fälle, durch Wettbewerb.

Artikel 98 [Öffentliche Angestellte]

(1) Die öffentlichen Angestellten stehen im ausschließlichen Dienst des Staates.

(2) Wenn sie Parlamentsmitglieder sind, können sie eine Beförderung nur aufgrund des Dienstalters erlangen.

(3) Mit Gesetz können Beschränkungen des Rechts auf Einschreibung in politische Parteien für die Richter, die Berufssoldaten im aktiven Dienst, die Beamten und Mannschaften der Polizei und für die diplomatischen und konsularischen Vertreter im Ausland festgesetzt werden.

III. Abschnitt
Die Hilfsorgane

Artikel 99 [Rat für Wirtschaft und Arbeit]

(1) Der staatliche Rat für Wirtschaft und Arbeit setzt sich in der durch Gesetz bestimmten Art und Weise aus Sachverständigen und Vertretern der Produktionszweige zusammen, wobei ihre zahlenmäßige Stärke und ihre besondere Bedeutung zu berücksichtigen sind.

(2) Er ist Beratungsorgan der Kammern und der Regierung für die Sachgebiete und gemäß den Aufgaben, die ihm vom Gesetz übertragen werden.

(3) Ihm steht Gesetzesinitiative zu und er kann gemäß den gesetzlich festgelegten Grundsätzen und Grenzen zur Ausarbeitung der wirtschaftlichen und sozialen Gesetzgebung beitragen.

Artikel 100 [Staatsrat und Rechnungshof]

(1) Der Staatsrat ist ein Organ verwaltungsrechtlicher Beratung und verbürgt den Schutz der Gerechtigkeit in der Verwaltung.

(2) Der Rechnungshof übt die Vorkontrolle über die Gesetzmäßigkeit der Regierungshandlungen sowie die Nachkontrolle über die Gebarung des Staatshaushaltes aus. In den durch Gesetz bestimmten Fällen und Formen nimmt er an der Kontrolle der Finanzgebarung jener Körperschaften teil, denen der Staat ordentliche Beiträge gibt. Er berichtet unmittelbar den Kammern über das Ergebnis der durchgeführten Überprüfung.

(3) Das Gesetz gewährleistet die Unabhängigkeit der beiden Einrichtungen und ihrer Mitglieder gegenüber der Regierung.

IV. Titel
Das Gerichtswesen

I. Abschnitt
Gerichtsverfassung

Artikel 101 [Rechtspflege; Richter]

(1) Die Rechtspflege wird im Namen des Volkes ausgeübt.

(2) Die Richter sind nur dem Gesetz unterworfen.

Artikel 102 [Ordentliche Gerichte]

(1) Die Rechtsprechung wird von ordentlichen Richtern ausgeübt, die aufgrund der Bestimmungen über die Gerichtsverfassung eingesetzt und behandelt werden.

(2) Es dürfen keine Ausnahme- oder Sondergerichte errichtet werden. Es können nur bei ordentlichen Gerichten Sonderabteilungen für bestimmte Sachgebiete errichtet werden, und zwar auch unter Mitwirkung von geeigneten Staatsbürgern, die nicht dem Richterstand angehören.

(3) Das Gesetz regelt die Fälle und Formen der unmittelbaren Mitwirkung des Volkes an der Rechtsprechung.

Artikel 103 [Rechtsprechung durch andere Organe]

(1) Der Staatsrat und die anderen Organe der Verwaltungsgerichtsbarkeit haben Rechtsprechungsgewalt zum Schutz der rechtmäßigen Interessen und, in besonderen durch Gesetz bezeichneten Fällen, auch der subjektiven Rechte gegenüber der öffentlichen Verwaltung.

(2) Der Rechnungshof hat Rechtsprechungsgewalt auf dem Gebiet des öffentlichen Rechnungswesens und der anderen durch das Gesetz bezeichneten Sachgebiete.

(3) Die Militärgerichte haben in Kriegszeiten die durch Gesetz festgelegte Rechtsprechungsgewalt. In Friedenszeiten haben sie Rechtsprechungsgewalt nur für militärische Delikte, die von Angehörigen der Streitkräfte begangen werden.

Artikel 104 [Richterstand und Oberster Gerichtsrat]

(1) Die Richter bilden einen selbständigen und von jeder anderen Gewalt unabhängigen Stand.

(2) Im Obersten Gerichtsrat führt der Präsident der Republik den Vorsitz.

(3) Mitglieder von Rechts wegen sind der Erste Präsident und der Generalstaatsanwalt des Kassationsgerichtshofes.

(4) Die anderen Mitglieder werden zu zwei Dritteln von allen ordentlichen Richtern aus den Angehörigen der verschiedenen Kategorien, zu einem Drittel vom Parlament in gemeinsamer Sitzung aus den Reihen der ordentlichen Universitätsprofessoren für Rechtswissenschaft und der Rechtsanwälte mit fünfzehnjähriger Berufspraxis gewählt.

(5) Der Rat ernennt einen stellvertretenden Präsidenten aus den vom Parlament gewählten Mitgliedern.

(6) Die gewählten Mitglieder des Rates bleiben vier Jahre im Amt und dürfen nicht unmittelbar darauf wiedergewählt werden.

(7) Solange sie im Amt sind, dürfen sie weder in den Berufslisten eingetragen sein noch dem Parlament oder einem Regionalrat angehören.

Artikel 105 [Zuständigkeit des Obersten Gerichtsrates]

Dem Obersten Gerichtsrat kommen gemäß den Bestimmungen der Gerichtsverfassung die Einstellungen, die Zuteilungen, die Versetzungen, die Beförderungen und Disziplinarmaßnahmen hinsichtlich der Richter zu.

Artikel 106 [Ernennung von Richtern]

(1) Die Bestellung der Richter findet durch Wettbewerb statt.

(2) Das Gesetz über die Gerichtsverfassung kann die Bestellung von ehrenamtlichen Richtern auch mittels Wahl für alle den einzelnen Richtern zustehenden Aufgaben gestatten.

(3) Auf Vorschlag des Obersten Gerichtsrates können wegen hervorragender Verdienste ordentliche Universitätsprofessoren

für Rechtswissenschaft zu Mitgliedern des Kassationsgerichtshofes berufen werden, ebenso Rechtsanwälte, die fünfzehn Jahre Berufstätigkeit aufweisen und in den besonderen Anwaltslisten für die höhere Gerichtsbarkeit eingetragen sind.

Artikel 107 [Unabsetzbarkeit, Disziplinarrecht und Staatsanwaltschaft]

(1) Die Richter sind unabsetzbar. Sie dürfen weder dauernd noch zeitweilig vom Dienst enthoben und in einen anderen Amtssitz versetzt noch zu anderen Aufgaben bestimmt werden, es sei denn kraft eines Beschlusses des Obersten Gerichtsrates, der entweder aus den von der Gerichtsverfassung festgesetzten Gründen und unter Wahrung des darin vorgesehenen Verteidigungsrechtes oder mit Einwilligung der Betroffenen gefasst wird.

(2) Der Justizminister hat die Befugnis, ein Disziplinarverfahren einzuleiten.

(3) Die Richter unterscheiden sich nur durch die Verschiedenheit der Befugnisse.

(4) Der Staatsanwalt genießt jenen rechtlichen Schutz, der durch die Bestimmungen der Gerichtsverfassung in Bezug auf ihn festgesetzt ist.

Artikel 108 [Gerichtsverfassung und Richteramt]

(1) Die Bestimmungen über die Gerichtsverfassung und über jedes Richteramt werden durch Gesetz geregelt.

(2) Das Gesetz gewährleistet die Unabhängigkeit der Richter der Sondergerichte, der Staatsanwaltschaft bei denselben und der nichtrichterlichen Beisitzer, die an der Rechtsprechung mitwirken.

Artikel 109 [Gerichtspolizei]

Die Gerichtsbehörde verfügt unmittelbar über die Gerichtspolizei.

Artikel 110 [Justizminister]

Unter Wahrung der Zuständigkeit des Obersten Gerichtsrates steht dem Justizminister die Ausgestaltung und Einrichtung der Dienste der Rechtspflege zu.

II. Abschnitt
Bestimmungen über die Rechtsprechung

Artikel 111 [Faires Verfahren]

(1) Die Rechtsprechung wird im Rahmen eines gesetzlich geregelten fairen Verfahrens ausgeübt.

(2) Jedes Verfahren ist vor einem unbefangenen und unparteiischen Richter so abzuwickeln, dass das rechtliche Gehör der Parteien gewahrt und diesen die gleiche Behandlung zuteilwird. Das Gesetz hat die angemessene Dauer des Verfahrens zu gewährleisten.

(3) Für das Strafverfahren muss das Gesetz gewährleisten, dass die einer strafbaren Handlung beschuldigte Person in der kürzest möglichen Zeit über den Inhalt und die Gründe der gegen sie erhobenen Anklage vertraulich verständigt wird; dass ihr die für die Vorbereitung ihrer Verteidigung nötige Zeit und die dazu erforderlichen Gelegenheiten eingeräumt werden; dass ihr die Möglichkeit geboten wird, jene Personen vor Gericht zu vernehmen oder vernehmen zu lassen, die für sie nachteilige Erklärungen abgeben, die Vorladung und die Vernehmung der zur eigenen Entlastung aufgebotenen Personen unter Bedingungen zu erwirken, wie sie für die Anklage gelten, sowie jedes sonstige für sie günstige Beweismittel beibringen zu dürfen; dass ihr ein Dolmetscher beisteht, wenn sie die im Verfahren verwendete Sprache nicht versteht oder nicht spricht.

(4) Für das Strafverfahren gilt hinsichtlich der Beweisbildung der Grundsatz der Wahrung des rechtlichen Gehörs. Die Schuld des Angeklagten darf nicht durch Erklärungen bewiesen werden, die von jemandem abgegeben worden sind, der sich einer freien Entscheidung zufolge immer willentlich der Vernehmung durch den Angeklagten oder durch dessen Verteidiger entzogen hat.

(5) Das Gesetz regelt die Fälle, in denen die Beweisbildung wegen Zustimmung des Angeklagten oder wegen feststehender objektiver Unmöglichkeit oder infolge eines nachweislich rechtswidrigen Verhaltens

auch ohne Wahrung des rechtlichen Gehörs erfolgen darf.

(6) Alle Maßnahmen der Rechtsprechung müssen begründet sein.

(7) Gegen die Urteile und Maßnahmen, die die Freiheit der Personen betreffen, seien sie von ordentlichen Gerichten oder Sonderorganen der Rechtsprechung erlassen worden, ist Berufung an den Kassationsgerichtshof wegen Gesetzesverletzungen immer zulässig. Von dieser Bestimmung darf nur bei Urteilen der Militärgerichte in Kriegszeiten abgewichen werden.

(8) Gegen die Entscheidungen des Staatsrates und des Obersten Rechnungshofes ist die Berufung an den Kassationsgerichtshof nur aus Gründen, welche die Rechtsprechungsgewalt betreffen, zulässig.

Artikel 112 [Klagerecht in Strafsachen]
Der Staatsanwalt hat die Pflicht, das Anklagerecht in Strafsachen auszuüben.

Artikel 113 [Rechtsschutz in Verwaltungssachen]
(1) Gegen die Maßnahmen der öffentlichen Verwaltung ist der Rechtsweg zum Schutz der Rechte und der rechtmäßigen Interessen vor den Organen der ordentlichen Gerichtsbarkeit oder der Verwaltungsgerichtsbarkeit immer zulässig.

(2) Dieser Rechtsschutz darf nicht ausgeschlossen oder auf besondere Anfechtungsmittel oder auf bestimmte Arten von Maßnahmen beschränkt werden.

(3) Das Gesetz bestimmt, welche Organe der Rechtsprechung die Maßnahmen der öffentlichen Verwaltung in den Fällen und mit den Wirkungen, die vom Gesetz selbst vorgesehen sind, aufheben können.

V. Titel
Die Regionen, die Provinzen, die Gemeinden

Artikel 114 [Körperschaften und Hauptstadt]
(1) Gemeinden, Provinzen, Großstädte mit besonderem Status, Regionen und der Staat bilden die Republik.

(2) Gemeinden, Provinzen, Großstädte mit besonderem Status und Regionen sind autonome Körperschaften mit eigenen Statuten, Befugnissen und Aufgaben gemäß den in der Verfassung verankerten Grundsätzen.

(3) Hauptstadt der Republik ist Rom. Ihre Grundordnung wird durch ein Staatsgesetz geregelt.

Artikel 115 [aufgehoben]

Artikel 116 [Autonomien]
(1) Friaul – Julisch Venetien, Sardinien, Sizilien, Trentino – Alto Adige/Südtirol und Aostatal/Vallèe d'Aoste verfügen über besondere Formen und Arten der Autonomie gemäß Sonderstatuten, die mit Verfassungsgesetz genehmigt werden.

(2) Die Autonomen Provinzen Trient und Bozen bilden die Region Trentino – Alto Adige/Südtirol.

(3) Auf Initiative der daran interessierten Region können, nach Anhörung der lokalen Körperschaften und unter Wahrung der Grundsätze nach Artikel 119, den anderen Regionen mit Staatsgesetz weitere Formen und besondere Arten der Autonomie zuerkannt werden; dies gilt für die Sachgebiete gemäß Artikel 117 Absatz 3 und Absatz 2 desselben Artikels unter Buchstabe l), beschränkt auf die Friedensgerichtsbarkeit, und Buchstabe n) und s). Das entsprechende Gesetz wird von beiden Kammern mit absoluter Stimmenmehrheit ihrer Mitglieder auf der Grundlage des Einvernehmens zwischen Staat und entsprechender Region genehmigt.

Artikel 117 [Gesetzgebungsbefugnisse]
(1) Staat und Regionen üben unter Wahrung der Verfassung sowie der aus der gemeinschaftlichen Rechtsordnung und aus den internationalen Verpflichtungen erwachsenden Einschränkungen die Gesetzgebungsbefugnis aus.

(2) Für nachstehende Sachgebiete besitzt der Staat die ausschließliche Gesetzgebungsbefugnis:

a) Außenpolitik und internationale Beziehungen des Staates; Beziehungen des Staates mit der Europäischen Union; Asylrecht und rechtliche Stellung der Bürger von Staaten, die nicht der Europäischen Union angehören;

b) Einwanderung;

c) Beziehungen zwischen der Republik und den religiösen Bekenntnissen;

d) Verteidigung und Streitkräfte; Sicherheit des Staates; Waffen, Munition und Sprengstoffe;

e) Währung, Schutz der Spartätigkeit und Kapitalmärkte; Schutz des Wettbewerbs; Währungssystem; Steuersystem und Rechnungswesen des Staates; Harmonisierung der öffentlichen Haushalte; Finanzausgleich;

f) Organe des Staates und entsprechende Wahlgesetze; staatliche Referenden; Wahl zum Europäischen Parlament;

g) Aufbau und Organisation der Verwaltung des Staates und der gesamtstaatlichen öffentlichen Körperschaften;

h) öffentliche Ordnung und Sicherheit, mit Ausnahme der örtlichen Verwaltungspolizei;

i) Staatsbürgerschaft, Personenstand- und Melderegister;

l) Gerichtsbarkeit und Verfahrensvorschriften; Zivil- und Strafgesetzgebung; Verwaltungsgerichtsbarkeit;

m) Festsetzung der wesentlichen Leistungen im Rahmen der bürgerlichen und sozialen Grundrechte, die im ganzen Staatsgebiet gewährleistet sein müssen;

n) allgemeine Bestimmungen über den Unterricht;

o) Sozialvorsorge;

p) Wahlgesetzgebung, Regierungsorgane und grundlegende Aufgaben der Gemeinden, Provinzen und Großstädte mit besonderem Status;

q) Zoll, Schutz der Staatsgrenzen und internationale vorbeugende Maßnahmen;

r) Gewichte, Maße und Festsetzung der Zeit; Koordinierung der statistischen Information und informatische Koordinierung der Daten der staatlichen, regionalen und lokalen Verwaltung; Geisteswerke;

s) Umwelt-, Ökosystem- und Kulturgüterschutz.

(3) Folgende Sachgebiete gehören zur konkurrierenden Gesetzgebung: die internationalen Beziehungen der Regionen und ihre Beziehungen zur Europäischen Union; Außenhandel; Arbeitsschutz und -sicherheit; Unterricht, unbeschadet der Autonomie der Schuleinrichtungen und unter Ausschluss der theoretischen und praktischen Berufsausbildung; Berufe; wissenschaftliche und technologische Forschung und Unterstützung der Innovation der Produktionszweige; Gesundheitsschutz; Ernährung; Sportgesetzgebung; Zivilschutz; Raumordnung; Häfen und Zivilflughäfen; große Verkehrs- und Schifffahrtsnetze; Regelung des Kommunikationswesens; Produktion, Transport und gesamtstaatliche Verteilung von Energie; Ergänzungs- und Zusatzvorsorge; Koordinierung der öffentlichen Finanzen und des Steuersystems; Aufwertung der Kultur- und Umweltgüter und Förderung und Organisation kultureller Tätigkeiten; Sparkassen; Landwirtschaftsbanken, Kreditinstitute regionalen Charakters; Körperschaften für Boden- und Agrarkredit regionalen Charakters. Unbeschadet der dem staatlichen Gesetzgeber vorbehaltenen Befugnis zur Festsetzung wesentlicher Grundsätze steht die Gesetzgebungsbefugnis für Sachgebiete der konkurrierenden Gesetzgebung den Regionen zu.

(4) Für alle Sachgebiete, die nicht ausdrücklich der staatlichen Gesetzgebung vorbehalten sind, steht den Regionen die Gesetzgebungsbefugnis zu.

(5) Die Regionen und die Autonomen Provinzen Trient und Bozen nehmen für die in ihre Zuständigkeit fallenden Sachgebiete an den Entscheidungen im Rahmen des Rechtssetzungsprozesses der Europäischen Union teil und sorgen für Anwendung und Durchführung von völkerrechtlichen Abkommen und Rechtsakten der Europäischen Union; dabei sind die Verfahrensbestimmungen zu beachten, die mit Staatsgesetz festgesetzt werden, durch das die Einzelheiten der Ausübung der Ersetzungsbefugnis in Fällen der Untätigkeit geregelt sind.

(6) Vorbehaltlich der Übertragung der Befugnisse an die Regionen steht die Verordnungsgewalt für Sachgebiete der ausschließlichen Gesetzgebungsbefugnis dem Staat zu. Für alle weiteren Sachgebiete steht die Verordnungsgewalt den Regionen zu. Gemeinden, Provinzen und Großstädte mit besonderem Status besitzen die Verordnungsgewalt für die Regelung der Organisation und der Wahrnehmung der ihnen zuerkannten Aufgaben.

(7) Die Regionalgesetze beseitigen sämtliche Hindernisse, welche der vollständigen Gleichbehandlung von Mann und Frau in Gesellschaft, Kultur und Wirtschaft entgegenstehen, und fördern die Chancengleichheit von Mann und Frau beim Zugang zu Wahlämtern.

(8) Die Vereinbarungen einer Region mit anderen Regionen zur besseren Ausübung der eigenen Funktionen werden einschließlich der Einrichtung gemeinsamer Organe mit Regionalgesetz ratifiziert.

(9) Die Region kann für Sachgebiete in ihrem Zuständigkeitsbereich Abkommen mit Staaten und Vereinbarungen mit Gebietskörperschaften eines anderen Staates in den durch Staatsgesetze geregelten Fällen und Formen abschließen.

Artikel 118 [Verwaltungsbefugnisse]

(1) Die Verwaltungsbefugnisse sind den Gemeinden zuerkannt, unbeschadet der Fälle, in denen sie den Provinzen, Großstädten mit besonderem Status, Regionen und dem Staat zugewiesen werden, um deren einheitliche Ausübung auf der Grundlage der Prinzipien der Subsidiarität, der Differenzierung und der Angemessenheit zu gewährleisten.

(2) Gemeinden, Provinzen und Großstädte mit besonderem Status üben eigene Verwaltungsbefugnisse sowie die Befugnisse aus, die ihnen mit Staats- oder Regionalgesetz entsprechend den Zuständigkeiten zugewiesen werden.

(3) Ein Staatsgesetz regelt Formen der Koordinierung zwischen Staat und Regionen auf den Sachgebieten gemäß Artikel 117 Absatz 2 Buchstabe b) und h) sowie außerdem

Formen der Vereinbarung und der Koordinierung auf dem Sachgebiet des Kulturgüterschutzes.

(4) Staat, Regionen, Großstädte mit besonderem Status, Provinzen und Gemeinden fördern aufgrund des Subsidiaritätsprinzips die autonome Initiative sowohl einzelner Bürger als auch von Vereinigungen bei der Wahrnehmung von Tätigkeiten im allgemeinen Interesse.

Artikel 119 [Finanzautonomie]

(1) Gemeinden, Provinzen, Großstädte mit besonderem Status und Regionen haben Finanzautonomie für Einnahmen und Ausgaben unter Beachtung der Ausgeglichenheit ihrer Haushalte und tragen zur Einhaltung der aus der Ordnung der Europäischen Union herrührenden wirtschaftlichen und finanziellen Verpflichtungen bei.

(2) Gemeinden, Provinzen, Großstädte mit besonderem Status und Regionen besitzen eigene Einnahmequellen. Sie erheben eigene Steuern und Einnahmen in Übereinstimmung mit der Verfassung und gemäß den Prinzipien der Koordinierung der öffentlichen Finanzen und des Steuersystems. Sie sind an den Einnahmen aus den Staatssteuern beteiligt, die sich auf ihr Gebiet beziehen.

(3) Das Staatsgesetz führt für Gebiete mit geringerer Steuerkraft pro Einwohner einen Ausgleichsfonds ohne Zweckbindung ein.

(4) Die aus den in den vorstehenden Absätzen genannten Einnahmequellen erwachsenden Mittel geben Gemeinden, Provinzen, Großstädten mit besonderem Status und Regionen die Möglichkeit, die ihnen zugewiesenen öffentlichen Befugnisse zur Gänze zu finanzieren.

(5) Der Staat bestimmt zusätzliche Mittel und trifft besondere Maßnahmen zugunsten bestimmter Gemeinden, Provinzen, Großstädte mit besonderem Status und Regionen, um die wirtschaftliche Entwicklung, den sozialen Zusammenhalt und die soziale Solidarität zu fördern, wirtschaftliche und soziale Ungleichheiten zu beseitigen, die effektive Ausübung der Personenrechte zu fördern oder andere Zwecke zu erfüllen, die nicht

jenen der ordentlichen Ausübung ihrer Befugnisse entsprechen.

(6) Gemeinden, Provinzen, Großstädte mit besonderem Status und Regionen haben ein eigenes Vermögen, das ihnen gemäß den allgemeinen mit Staatsgesetz festgesetzten Prinzipien zuerkannt wird. Sie dürfen sich nur zur Finanzierung von Investitionsausgaben verschulden, wobei sie Abschreibungspläne festlegen und die Bedingung beachten müssen, dass für die Gesamtheit der Körperschaften jeder Region die Haushaltsausgeglichenheit gewährleistet wird. Jedwede Garantie seitens des Staates für von ihnen aufgenommene Schulden ist ausgeschlossen.

Artikel 120 [Zölle und Ersetzungsbefugnis der Regierung]

(1) Die Region darf weder Zölle für Einfuhr, Ausfuhr oder Durchzugsverkehr von Region zu Region einführen, noch Maßnahmen treffen, die den freien Personen- und Warenverkehr zwischen den Regionen irgendwie behindern, noch das Recht auf Arbeit in jedem beliebigen Teil des Staatsgebietes beschränken.

(2) Die Regierung ist – ohne Rücksicht auf die Gebietsgrenzen der lokalen Regierungen – befugt, bei Nichtbeachtung internationaler Bestimmungen und Abkommen oder der EU-Bestimmungen oder bei großer Gefahr für die öffentliche Ordnung und Sicherheit für Organe der Regionen, der Großstädte mit besonderem Status, der Provinzen und der Gemeinden zu handeln, sowie wenn es für den Schutz der Rechts- oder Wirtschaftseinheit und insbesondere für den Schutz der wesentlichen Dienstleistungen betreffend die Bürger- und Sozialrechte erforderlich ist. Das Gesetz legt die Verfahren zur Gewährleistung dafür fest, dass die Ersetzungsbefugnis unter Berücksichtigung des Subsidiaritätsprinzips und des Prinzips der loyalen Zusammenarbeit ausgeübt wird.

Artikel 121 [Organe der Regionen]

(1) Die Organe der Region sind: der Regionalrat, der Regionalausschuss und sein Präsident.

(2) Der Regionalrat übt die der Region aufgetragene Gesetzgebungsgewalt und die anderen ihm durch die Verfassung und durch die Gesetze zugewiesenen Befugnisse aus. Er kann bei den Kammern Gesetzesvorlagen einbringen.

(3) Der Regionalausschuss ist das Vollzugsorgan der Region.

(4) Der Präsident des Regionalausschusses vertritt die Region; er leitet die Politik des Ausschusses und ist dafür verantwortlich; er beurkundet die Regionalgesetze und erlässt die Regionalverordnungen; er leitet die Ausübung der vom Staat der Region übertragenen Verwaltungsbefugnisse, wobei er sich nach den Weisungen der Staatsregierung richtet.

Artikel 122 [Wahlsystem, Unvereinbarkeit]

(1) Das Wahlsystem und die Fälle der Nichtwählbarkeit und Unvereinbarkeit des Präsidenten und der anderen Mitglieder des Regionalausschusses sowie der Mitglieder des Regionalrates werden mit Regionalgesetz geregelt, und zwar im Rahmen der mit Staatsgesetz festgelegten Grundsätze; dieses Staatsgesetz legt auch die Funktionsdauer für die gewählten Organe fest.

(2) Niemand darf gleichzeitig einem Regionalrat oder Regionalausschuss und einer der Kammern des Parlaments, einem anderen Regionalrat oder -ausschuss und dem Europäischen Parlament angehören.

(3) Der Rat wählt aus seiner Mitte einen Vorsitzenden und ein Präsidium.

(4) Die Regionalratsmitglieder können für die in Ausübung ihrer Befugnisse geäußerten Meinungen und Stimmabgaben nicht zur Verantwortung gezogen werden.

(5) Der Präsident des Regionalausschusses wird, sofern das Regionalstatut nichts anderes festlegt, in allgemeiner und direkter Wahl gewählt. Der Präsident ernennt die Mitglieder des Ausschusses und beruft sie auch ab.

Artikel 123 [Statut der Region]

(1) Jede Region hat ein Statut, das in

Übereinstimmung mit der Verfassung die Form der Regierung und die wesentlichen Grundsätze ihres Aufbaus und ihrer Arbeitsweise festlegt. Das Statut regelt die Ausübung des Rechts auf die Volksinitiative und die Volksbefragung über Gesetze und Verwaltungsmaßnahmen der Region sowie die Veröffentlichung der Gesetze und Verordnungen der Region.

(2) Das Statut wird vom Regionalrat mit absoluter Mehrheit seiner Mitglieder per Gesetz beschlossen und geändert, und zwar durch zwei mit einer Zwischenzeit von mindestens zwei Monaten gefasste Entschließungen. Für dieses Gesetz ist der Sichtvermerk des Regierungskommissars nicht erforderlich. Die Regierung kann innerhalb von dreißig Tagen nach Veröffentlichung die Frage der Verfassungsmäßigkeit der Regionalstatute vor dem Verfassungsgerichtshof aufwerfen.

(3) Das Statut wird einer Volksbefragung unterworfen, wenn innerhalb von drei Monaten nach seiner Veröffentlichung ein Fünfzigstel der Wahlberechtigten der Region oder ein Fünftel der Mitglieder des Regionalrates dies verlangen. Wenn das Statut bei der Volksbefragung nicht mit der Mehrheit der gültigen Stimmen angenommen wird, so wird es nicht beurkundet.

(4) Im Statut jeder Region wird der Rat der lokalen Autonomien als beratendes Organ zwischen der Region und den lokalen Körperschaften geregelt.

Artikel 124 [aufgehoben]

Artikel 125 [Organe der Verwaltungsgerichtsbarkeit erster Instanz]

In der Region werden gemäß der durch Gesetz der Republik festgelegten Ordnung Organe der Verwaltungsgerichtsbarkeit erster Instanz errichtet. Es können auch Abteilungen mit Sitz in einem vom Hauptort der Region verschiedenen Ort errichtet werden.

Artikel 126 [Auflösung, Amtsenthebung und Misstrauensantrag]

(1) Mit begründetem Dekret des Präsidenten der Republik werden die Auflösung des Regionalrates und die Amtsenthebung des Regionalausschusses verfügt, wenn diese Organe verfassungswidrige Handlungen oder schwere Gesetzesverletzungen begangen haben. Die Auflösung des Regionalrates und die Enthebung des Ausschusspräsidenten können auch aus Gründen der Staatssicherheit verfügt werden. Das Dekret wird in der Art, welche durch Gesetz der Republik vorgesehen ist, angenommen nach Anhörung eines Ausschusses für regionale Fragen, welcher aus Abgeordneten und Senatoren besteht.

(2) Der Regionalrat kann gegen den Ausschusspräsidenten einen begründeten Misstrauensantrag einbringen; dieser muss von mindestens einem Fünftel der Regionalräte unterschrieben sein; er gilt als angenommen, wenn in namentlicher Abstimmung die absolute Mehrheit der Räte ihm zustimmt. Der Misstrauensantrag darf nicht früher als drei Tage nach der Einreichung zur Diskussion gestellt werden.

(3) Die Annahme des Misstrauensantrages gegen den in direkter und allgemeiner Wahl gewählten Ausschusspräsidenten sowie dessen Enthebung vom Amt, ständige Behinderung, Tod oder freiwilliger Amtsverzicht ziehen den Rücktritt des Ausschusses und die Auflösung des Regionalrates nach sich. Die gleichen Folgen hat der geschlossene Rücktritt der Mehrheit der Regionalräte.

Artikel 127 [Überschreitung der Zuständigkeit]

(1) Überschreitet ein Regionalgesetz nach Ansicht der Regierung die Zuständigkeit der Region, so kann die Regierung innerhalb sechzig Tagen nach seiner Veröffentlichung die Frage der Verfassungsmäßigkeit vor dem Verfassungsgerichtshof aufwerfen.

(2) Verletzt ein Staatsgesetz oder Akt mit Gesetzeskraft des Staates oder einer anderen Region nach Ansicht einer Region deren Zuständigkeiten, so kann sie innerhalb sechzig Tagen nach Veröffentlichung des Gesetzes oder des Aktes mit Gesetzeskraft die Frage der Verfassungsmäßigkeit vor dem Verfassungsgerichtshof aufwerfen.

Artikel 128 [aufgehoben]

Artikel 129 [aufgehoben]

Artikel 130 [aufgehoben]

Artikel 131 [Regionen]
Es werden folgende Regionen errichtet:
Piemont
Aostatal
Lombardei
Trentino-Südtirol
Venetien
Friaul-Julisch Venetien
Ligurien
Emilia-Romagna
Toskana
Umbrien
Marken
Latium
Abruzzen
Molise
Kampanien
Apulien
Basilicata
Kalabrien
Sizilien
Sardinien

Artikel 132 [Zusammenlegung und Schaffung neuer Regionen]
(1) Mit Verfassungsgesetz kann nach Anhörung der Regionalräte die Zusammenlegung bestehender Regionen oder die Schaffung neuer Regionen mit einer Mindestanzahl von einer Million Einwohnern verfügt werden, wenn so viele Gemeinderäte darum ansuchen, dass sie wenigstens ein Drittel der betroffenen Bevölkerung vertreten, und wenn der Antrag durch Volksbefragung von der Mehrheit der Bevölkerung selbst angenommen wird.
(2) Mit Zustimmung der Mehrheit der Bevölkerung der betreffenden Provinz oder der betreffenden Provinzen bzw. der betreffenden Gemeinde oder der betreffenden Gemeinden in einem Referendum und mit Staatsgesetz nach Anhörung der Regionalräte kann die Zustimmung erteilt werden, dass

Provinzen und Gemeinden, die darum ansuchen, von einer Region abgetrennt und einer anderen angegliedert werden.

Artikel 133 [Gebietsänderung und neue Provinzen]
(1) Gebietsänderungen der Provinzen und die Errichtung neuer Provinzen im Bereiche einer Region werden auf Initiative der Gemeinden und nach Anhörung der betreffenden Region durch Gesetz der Republik verfügt.
(2) Die Region kann nach Anhörung der betroffenen Bevölkerung mit eigenen Gesetzen in ihrem Gebiet neue Gemeinden errichten sowie ihre Gebietsabgrenzungen und Benennungen abändern.

VI. Titel
Verfassungsgarantien

I. Abschnitt
Der Verfassungsgerichtshof

Artikel 134 [Verfassungsgerichtshof]
Der Verfassungsgerichtshof urteilt:
über Streitigkeiten betreffend die Verfassungsmäßigkeit der Gesetze und der Akte, die Gesetzeskraft haben, des Staates und der Regionen,
über Streitigkeiten betreffend die Zuständigkeit zwischen den Gewalten des Staates und über die Streitigkeiten zwischen dem Staat und den Regionen und zwischen den Regionen,
gemäß der Verfassung über die Anklagen, die gegen den Präsidenten der Republik erhoben werden.

Artikel 135 [Richter des Verfassungsgerichtshofes]
(1) Der Verfassungsgerichtshof setzt sich aus 15 Richtern zusammen, die zu einem Drittel vom Präsidenten der Republik, zu einem Drittel vom Parlament in gemeinsamer Sitzung und zu einem Drittel von den obersten ordentlichen Gerichten und Verwaltungsgerichten bestellt werden.
(2) Die Richter des Verfassungsgerichts-

hofes werden unter den amtierenden und auch unter den im Ruhestand befindlichen Richtern der ordentlichen und der Verwaltungsgerichte, unter den ordentlichen Universitätsprofessoren für Rechtswissenschaft und unter Rechtsanwälten mit zwanzigjähriger Berufsausübung ausgewählt.

(3) Die Verfassungsrichter werden für neun Jahre bestellt, beginnend mit dem Tag der Vereidigung, und können nicht wiedergewählt werden.

(4) Mit Ablauf der Frist erlöschen das Amt und die Ausübung der Befugnisse des Verfassungsrichters.

(5) Der Verfassungsgerichtshof wählt gemäß den vom Gesetz festgelegten Bestimmungen unter seinen Mitgliedern den Vorsitzenden, der für drei Jahre im Amt bleibt und wiedergewählt werden kann, allerdings unter Einhaltung der Fälligkeit seines Richteramtes.

(6) Das Amt des Verfassungsrichters ist unvereinbar mit dem Amt eines Parlamentsmitglieds, eines Regionalratsmitglieds, mit der Ausübung des Anwaltsberufs und mit jedem sonstigen vom Gesetz festgelegten Auftrag oder Amt.

(7) Bei Anklageverfahren gegen den Präsidenten der Republik werden außer den ordentlichen Verfassungsrichtern 16 Mitglieder hinzugezogen. Diese werden durch Auslosung aus einem Verzeichnis von Bürgern bestimmt, die die Voraussetzungen für die Wählbarkeit zum Senator besitzen. Dieses Verzeichnis wird alle neun Jahre vom Parlament mittels Wahl nach den gleichen Bestimmungen, die für die Bestellung der ordentlichen Verfassungsrichter gelten, aufgestellt.

Artikel 136 [Entscheidung des Verfassungsgerichtshofes]

(1) Wenn der Verfassungsgerichtshof die Verfassungswidrigkeit einer gesetzlichen Bestimmung oder eines Aktes mit Gesetzeskraft erklärt, verliert die Bestimmung ihre Wirksamkeit vom Tage nach der Veröffentlichung der Entscheidung.

(2) Die Entscheidung des Gerichtshofes wird veröffentlicht und den Kammern sowie den betroffenen Regionalräten mitgeteilt, damit sie in den verfassungsmäßigen Formen das Weitere veranlassen, falls sie es für notwendig erachten.

Artikel 137 [Form und Frist, Unabhängigkeit]

(1) Ein Verfassungsgesetz bestimmt die Voraussetzungen, die Formen und die Fristen für die Einleitung der Verfahren über die Verfassungsmäßigkeit sowie die Garantien für die Unabhängigkeit der Richter des Verfassungsgerichtshofes.

(2) Durch einfaches Gesetz werden die übrigen für die Errichtung und die Tätigkeit des Gerichtshofes erforderlichen Vorschriften festgelegt.

(3) Gegen die Entscheidungen des Verfassungsgerichtshofes ist keinerlei Anfechtung zulässig.

II. Abschnitt
Verfassungsrevision, Verfassungsgesetze

Artikel 138 [Beschlussfassung und Volksbefragung]

(1) Die Gesetze der Verfassungsrevision und die anderen Verfassungsgesetze werden von jeder Kammer durch zwei mit einer Zwischenzeit von mindestens drei Monaten gefasste Entschließungen angenommen und mit absoluter Mehrheit der Mitglieder beider Kammern bei der zweiten Abstimmung genehmigt.

(2) Diese Gesetze werden einem Volksentscheid unterworfen, wenn innerhalb von drei Monaten nach ihrer Veröffentlichung ein Fünftel der Mitglieder einer Kammer oder fünfhunderttausend Wähler oder fünf Regionalräte dies verlangen. Das einem Volksentscheid unterworfene Gesetz wird nicht verkündet, wenn es nicht von der Mehrheit der gültigen Stimmen angenommen worden ist.

(3) Einem Volksentscheid wird nicht stattgegeben, wenn das Gesetz in der zweiten Abstimmung von beiden Kammern mit Zweidrittelmehrheit ihrer Mitglieder angenommen worden ist.

Artikel 139 [Unabänderliches Verfassungsrecht]

Die republikanische Staatsform kann nicht Gegenstand einer Verfassungsrevision sein.

Übergangs- und Schlussbestimmungen

I. Mit dem Inkrafttreten der Verfassung übt das provisorische Staatsoberhaupt die Befugnisse als Präsident der Republik aus und nimmt diesen Titel an.

II. Wenn zum Zeitpunkt der Wahl des Präsidenten der Republik nicht alle Regionalräte gebildet worden sind, nehmen an der Wahl nur die Mitglieder der beiden Kammern teil.

III. (1) Für die erste Zusammensetzung des Senats der Republik werden mit Dekret des Präsidenten der Republik jene Abgeordneten der Verfassungsgebenden Versammlung zu Senatoren ernannt, die die gesetzlichen Voraussetzungen besitzen, um Senatoren sein zu können, sowie jene,

die Präsident des Ministerrats oder gesetzgebender Versammlungen waren,

die Mitglieder des aufgelösten Senats waren,

die wenigstens dreimal gewählt wurden, inbegriffen die Wahl zur verfassunggebenden Versammlung,

die in der Sitzung der Abgeordnetenkammer vom 9. November 1926 ihres Mandates verlustig erklärt wurden,

die infolge Verurteilung durch das faschistische Sondergericht zur Verteidigung des Staates wenigstens eine fünfjährige Gefängnisstrafe verbüßt haben.

(2) Ebenfalls werden mit Dekret des Präsidenten der Republik jene Mitglieder des aufgelösten Senats zu Senatoren ernannt, die Mitglieder der beratenden Nationalversammlung waren.

(3) Auf das Recht, zum Senator ernannt zu werden, kann man vor Unterzeichnung des Ernennungsdekretes verzichten. Die Annahme der Kandidatur bei den politischen Wahlen schließt den Verzicht auf das Recht zur Ernennung zum Senator ein.

IV. Für die ersten Senatswahlen wird das Gebiet Molise als Region für sich betrachtet und erhält eine Anzahl von Senatoren, die ihr aufgrund ihrer Bevölkerungszahl zusteht.

V. Die Verfügung des Artikels 80 der Verfassung betreffs die internationalen Verträge, die Finanzbelastungen oder Gesetzesänderungen mit sich bringen, wird mit dem Zeitpunkt der Einberufung der Kammern wirksam.

VI. (1) Innerhalb von fünf Jahren nach Inkrafttreten der Verfassung wird die Revision der zur Zeit bestehenden Sonderorgane der Gerichtsbarkeit vorgenommen, ausgenommen die Gerichtsbarkeit des Staatsrates, des Rechnungshofes und der Militärgerichte.

(2) Innerhalb eines Jahres nach dem gleichen Zeitpunkt wird gemäß Artikel 111 durch Gesetz die Neuordnung des Obersten Militärgerichts vorgenommen.

VII. (1) Solange nicht in Übereinstimmung mit der Verfassung das neue Gesetz über die Gerichtsordnung erlassen wird, werden weiterhin die Bestimmungen der geltenden Ordnung befolgt.

(2) Solange der Verfassungsgerichtshof nicht in Tätigkeit tritt, erfolgt die Entscheidung der im Artikel 134 angegebenen Streitfälle in den vor Inkrafttreten dieser Verfassung geltenden Formen und Grenzen.

VIII. (1) Die Wahlen der Regionalräte und wählbaren Organe der Provinzialverwaltungen werden innerhalb eines Jahres nach Inkrafttreten der Verfassung ausgeschrieben.

(2) Gesetze der Republik regeln für jeden Zweig der öffentlichen Verwaltung den Übergang der den Regionen übertragenen staatlichen Befugnisse. Solange die Neuordnung und Aufteilung der Verwaltungsbefugnisse unter den Lokalkörperschaften nicht geregelt ist, bleiben den Provinzen und Gemeinden jene Befugnisse, die sie zur Zeit ausüben, sowie die anderen, deren Ausübung ihnen die Regionen übertragen.

(3) Gesetze der Republik regeln den durch die Neuordnung erforderlichen Übergang der Beamten und Angestellten des Staates, auch jener der Zentralverwaltung, an die Regionen. Zur Bildung ihrer Ämter müssen die Regionen, außer in Fällen der Notwen-

digkeit, das Dienstpersonal aus jenem des Staates und der Lokalkörperschaften beziehen.

IX. Die Republik passt innerhalb von drei Jahren nach Inkrafttreten der Verfassung ihre Gesetze den Erfordernissen der lokalen Selbstverwaltungen und der den Regionen zuerkannten Gesetzgebungsvollmacht an.

X. Auf die im Artikel 116 genannte Region Friaul Julisch Venetien finden vorläufig die allgemeinen Bestimmungen des zweiten Teiles des V. Titels Anwendung, unbeschadet des Schutzes der sprachlichen Minderheiten in Übereinstimmung mit dem Artikel 6.

XI. Innerhalb von fünf Jahren nach Inkrafttreten der Verfassung können durch Verfassungsgesetze, in Abänderung der Aufzählung des Artikels 131, neue Regionen gebildet werden, auch wenn die vom ersten Absatz des Artikels 132 geforderten Voraussetzungen nicht zutreffen, wobei auf jeden Fall die Verpflichtungen zur Befragung der betroffenen Bevölkerung aufrecht bleibt.

XII. (1) Die Neubildung der aufgelösten faschistischen Partei ist in jedweder Form verboten.

(2) In Abweichung vom Artikel 48 werden für die Dauer von nicht mehr als fünf Jahren nach Inkrafttreten der Verfassung zeitweilige Beschränkungen des Wahlrechts und der Wählbarkeit für die verantwortlichen Führer des faschistischen Regimes gesetzlich festgelegt.

XIII. (1) Die Mitglieder und Nachkommen des Hauses Savoyen sind nicht Wähler und können weder öffentliche Ämter noch Wahlmandate innehaben.

(2) Den ehemaligen Königen des Hauses Savoyen, ihren Ehepartnern und ihren männlichen Nachkommen ist die Einreise in das Staatsgebiet und der Aufenthalt im Staatsgebiet untersagt.

(3) Die im Staatsgebiet liegenden Güter der ehemaligen Könige des Hauses Savoyen, ihrer Ehepartner und ihrer männlichen Nachkommen verfallen dem Staate. Die Übertragung und die Begründung von dinglichen Rechten auf diese Güter, die nach dem 2. Juni 1946 erfolgt sind, sind nichtig.

XIV. (1) Die Adelstitel werden nicht anerkannt.

(2) Die Adelsprädikate der vor dem 28. Oktober 1922 gebrauchten Titel gelten als Teil des Namens.

(3) Der Mauritiusorden bleibt als Spitalkörperschaft erhalten und übt seine Tätigkeit in den gesetzlichen Formen aus.

(4) Das Gesetz regelt die Abschaffung des Heraldischen Beirates.

XV. Mit dem Inkrafttreten der Verfassung gilt das Statthalter-Gesetzesdekret vom 15. Juni 1944, Nr. 151, über die vorläufige Ordnung des Staates als in ein Gesetz umgewandelt.

XVI. Innerhalb eines Jahres nach Inkrafttreten der Verfassung wird die Revision und die Abstimmung derselben mit den früheren Verfassungsgesetzen, die bisher nicht ausdrücklich oder stillschweigend abgeschafft wurden, vorgenommen.

XVII. (1) Die Verfassunggebende Versammlung wird von ihrem Präsidenten einberufen, um bis zum 31. Jänner 1948 das Gesetz für die Wahlen zum Senat der Republik, die Sonderstatute von Regionen und das Pressegesetz zu beschließen.

(2) Bis zum Zeitpunkt der Wahlen der neuen Kammern kann die Verfassunggebende Versammlung einberufen werden, um notfalls in den von den Artikeln 2, erster und zweiter Absatz, und Artikel 3, erster und zweiter Absatz, des Gesetzesdekretes vom 16. März 1946, Nr. 98, ihrer Zuständigkeit übertragenen Sachgebieten zu beschließen.

(3) In diesem Zeitraum bleiben die ständigen Ausschüsse im Amte. Die gesetzgebenden Ausschüsse übermitteln die ihnen zugewiesenen Gesetzentwürfe mit allfälligen Bemerkungen und Änderungsvorschlägen der Regierung.

(4) Die Abgeordneten können der Regierung Anfragen mit dem Ersuchen um schriftliche Antwort vorlegen.

(5) Die Verfassunggebende Versammlung wird zwecks Beschlussfassung gemäß Absatz 2 dieses Artikels von ihrem Präsidenten auf begründetes Ansuchen der Regierung

oder von wenigstens 200 Abgeordneten einberufen.

XVIII. (1) Diese Verfassung wird vom
provisorischen Staatsoberhaupt innerhalb
von fünf Tagen nach ihrer Genehmigung
seitens der Verfassunggebenden Versammlung verkündet und tritt am 1. Jänner 1948
in Kraft.

(2) Der Wortlaut der Verfassung wird im
Gemeindeamt jeder Gemeinde der Republik
hinterlegt und liegt dort das ganze Jahr 1948
auf, damit jeder Staatsbürger darin Einsicht
nehmen kann.

(3) Die Verfassung wird, versehen mit
dem Staatssiegel, in die amtliche Sammlung
der Gesetze und Dekrete der Republik ein-
gereiht.

(4) Die Verfassung muss von allen Staatsbürgern und Staatsorganen als Grundgesetz
der Republik treu befolgt werden.

Verfassung der Republik Kroatien[*]

Vom 22. Dezember 1990 („Narodne novine" broj 56 od 22. prosinca 1990. – NN 56/90), zuletzt geändert am 1. Dezember 2013 („Narodne novine" broj 5 od 15. siječnja 2014. – odluka Ustavnog suda broj: SuP-O-1/2014 od 14. siječnja 2014.)

I. HISTORISCHE GRUNDLAGEN

Seine tausendjährige nationale Eigenständigkeit und das durch die Gesamtheit historischer Ereignisse unter verschiedenen Staatsformen bestätigte staatliche Fortbestehen des kroatischen Volkes zum Ausdruck bringend, sowie durch die Wahrung und Entwicklung des staatsbildenden Gedankens von dem historischen Recht des kroatischen Volkes auf volle staatliche Souveränität, welches sich äußerte:
– in der Gründung der kroatischen Fürstentümer im VII. Jahrhundert;
– in dem im IX. Jahrhundert gegründeten mittelalterlichen selbstständigen Staat Kroatien;
– in dem im X. Jahrhundert errichteten Königreich der Kroaten;
– in der Wahrung der kroatischen staatlichen Subjektivität in der kroatisch-ungarischen Personalunion;
– im selbstständigen und souveränen Beschluss des kroatischen Sabor aus dem Jahre 1527 über die Wahl des Königs aus der Habsburger Dynastie;
– im selbstständigen und souveränen Beschluss des kroatischen Sabor über die Pragmatische Sanktion aus dem Jahre 1712;
– in den Beschlüssen des kroatischen Sabor aus dem Jahre 1848 über die Wiederherstellung der Integrität des Dreieinigen Königreiches Kroatien unter der Herrschaft des Bans auf Grundlage des historischen Staats- und Naturrechts des kroatischen Volkes;
– im Kroatisch-Ungarischen Ausgleich aus dem Jahre 1868 über die Regelung der Beziehungen zwischen dem Königreich Dalmatien, Kroatien und Slawonien und dem Königreich Ungarn auf der Grundlage der Rechtstraditionen beider Staaten und der Pragmatischen Sanktion aus dem Jahre 1712;
– im Beschluss des Kroatischen Sabor vom 29. Oktober 1918 über den Abbruch der staatsrechtlichen Beziehungen Kroatiens zu Österreich-Ungarn sowie über den gleichzeitigen Beitritt des selbstständigen Kroatien – unter Berufung auf das historische und natürliche nationale Recht – zu dem auf dem bisherigen Gebiet der Habsburger-Monarchie ausgerufenen Staat der Slowenen, Kroaten und Serben;
– in der Tatsache, dass der Kroatische Sabor den Beschluss des Volksrates des SHS-Staates über die Vereinigung mit Serbien und Montenegro zum Königreich der Serben, Kroaten und Slowenen (am 1. Dezember 1918), später (am 3. Oktober 1929) zum Königreich Jugoslawien proklamiert, niemals sanktioniert hat;
– in der Errichtung der Banschaft Kroatien im Jahre 1939, mit der die kroatische staatliche Eigenständigkeit im Königreich Jugoslawien wiederhergestellt wurde;
– in der Schaffung der Grundlagen staatlicher Souveränität in der Zeit des Zweiten Weltkrieges, entgegen der Ausrufung des Unabhängigen Staates Kroatien (1941), durch die Beschlüsse des Antifaschistischen Landesrats der Volksbefreiung Kroatiens (1943) zum Ausdruck gebracht, danach in

---

[*] Übersetzt von *Ivona Šalinović*, veröffentlicht von der Konrad-Adenauer-Stiftung (abrufbar unter: https://www.kas.de/c/document_library/get_file?uuid=0ca1c9c9-c10d-766a-cfa5-2fc3097 0f72a&groupId=273233), mit der Einarbeitung der Novelle von 2013 und sprachlicher Überarbeitung durch *Armin Stolz* und *Maximilian Zankel*, beide Institut für Öffentliches Recht und Politikwissenschaft, Karl-Franzens-Universität Graz.

der Verfassung der Volksrepublik Kroatien (1947) sowie später in den Verfassungen der Sozialistischen Republik Kroatien (1963-1990), am historischen Wendepunkt der Ablehnung des kommunistischen Systems und dem Wandel der internationalen Ordnung in Europa, hat das kroatische Volk bei den ersten demokratischen Wahlen (im Jahre 1990) mit frei zum Ausdruck gebrachten Willen, seine tausendjährige staatliche Eigenständigkeit bestätigt.

– in der neuen Verfassung der Republik Kroatien (1990) und dem Sieg des kroatischen Volkes und der kroatischen Vaterlandsverteidiger im gerechten, legitimen, Verteidigung-, Befreiungs- und Heimatkrieg (1991 – 1995), wodurch das kroatische Volk seine Entschlossenheit und Bereitschaft zur Wiederherstellung und Erhaltung der Republik Kroatien als selbstständigen und unabhängigen, souveränen und demokratischen Staat bekräftigt hat.

– im gerechten, legitimen, Verteidigung-, Befreiungs- und Heimatkrieg

Ausgehend von den dargestellten historischen Tatsachen, sowie den in der heutigen Welt allgemein anerkannten Prinzipien der Unveräußerlichkeit und Unteilbarkeit, Unübertragbarkeit und Unvergänglichkeit des Rechtes auf Selbstbestimmung und staatliche Souveränität des kroatischen Volkes, welches auch das unverletzbare Recht auf Abspaltung und Vereinigung als grundlegende Voraussetzung für Frieden und Stabilität der zwischenstaatlichen Ordnung beinhaltet, konstituiert sich die Republik Kroatien als Nationalstaat des kroatischen Volkes und als Staat der Angehörigen der nationalen Minderheiten: Serben, Tschechen, Slowaken, Italiener, Ungarn, Juden, Deutschen, Österreicher, Ukrainer, Russinen, Bosniaken, Slowenen, Montenegriner, Mazedonier, Russen, Bulgaren, Polen, Roma, Rumänen, Türken, Walachen, Albaner und anderer seiner Staatsbürger, denen Gleichberechtigung mit den Bürgern kroatischer Nationalität und die Verwirklichung nationaler Rechte in Einklang mit den demokratischen Regeln

der Vereinten Nationen und den Ländern der freien Welt garantiert werden.

Den bei den freien Wahlen entschieden zum Ausdruck gebrachten Willen des kroatischen Volkes und aller Bürger achtend, gestaltet und entwickelt sich die Republik Kroatien als souveräner und demokratischer Staat, in dem Gleichberechtigung, Freiheiten und Rechte der Menschen und Staatsbürger garantiert sowie ihr wirtschaftlicher und kultureller Fortschritt und ihr sozialer Wohlstand gefördert werden.

II. GRUNDLEGENDE BESTIMMUNGEN

Artikel 1 [Republik Kroatien; Demokratie]

(1) Die Republik Kroatien ist ein einheitlicher und unteilbarer, demokratischer und sozialer Staat.

(2) In der Republik Kroatien geht die Gewalt vom Volke aus und steht dem Volk als Gemeinschaft freier und gleichberechtigter Staatsbürger zu.

(3) Das Volk übt die Gewalt durch die Wahl seiner Vertreter und durch direkte Abstimmung aus.

Artikel 2 [Souveränität; Gebietshoheit; Hoheitsrechte und Gerichtsbarkeit]

(1) Die Souveränität der Republik Kroatien ist unveräußerlich, unteilbar und unübertragbar.

(2) Die Gebietshoheit der Republik Kroatien erstreckt sich auf ihr Festland, ihre Flüsse, Seen, Kanäle, innere Gewässer, Hoheitsgewässer sowie den Luftraum über diesen Gebieten.

(3) In Einklang mit dem Völkerrecht verwirklicht die Republik Kroatien ihre Hoheitsrechte und die Gerichtsbarkeit auf den Meeresgebieten und dem Meeresgrund des Adriatischen Meeres außerhalb des Staatsgebietes bis zu den Grenzen mit den Nachbarländern.

(4) Der Kroatische Sabor oder das Volk entscheidet unmittelbar, selbstständig, in Einklang mit der Verfassung und den Gesetzen:

über die Regelung der wirtschaftlichen, rechtlichen und politischen Verhältnisse in der Republik Kroatien;

über die Bewahrung der Natur- und Kulturschätze und deren Nutzung;

über die Vereinigung in Bündnisse mit anderen Staaten.

(5) Die Republik Kroatien kann Bündnisse mit anderen Staaten eingehen, unter Vorbehalt des souveränen Rechtes, selbst über die zu übertragenden Kompetenzen und das Recht zu entscheiden, aus diesen frei auszutreten.

Artikel 3 [Höchste Werte der Verfassungsordnung]

Freiheit, Gleichheit, nationale Gleichberechtigung und Gleichstellung der Geschlechter, Friedfertigkeit, soziale Gerechtigkeit, Achtung der Menschenrechte, Unverletzbarkeit des Eigentums, Erhaltung der Natur und der Umwelt der Menschen, Rechtsstaatlichkeit und ein demokratisches Mehrparteiensystem sind die höchsten Werte der Verfassungsordnung der Republik Kroatien und die Grundlage für die Auslegung der Verfassung.

Artikel 4 [Prinzip der Gewaltenteilung]

(1) In der Republik Kroatien ist die Staatsgewalt nach dem Prinzip der Gewalteinteilung in Legislative, Exekutive und Judikative gegliedert und wird von dem durch die Verfassung garantierten Recht auf lokale und regionale Selbstverwaltung eingeschränkt.

(2) Das Prinzip der Gewaltenteilung schließt durch Verfassung und Gesetz vorgeschriebene Formen der gemeinsamen Zusammenarbeit und gegenseitigen Kontrolle der Staatsorgane ein.

Artikel 5 [Übereinstimmung mit der Verfassung und den Gesetzen]

(1) In der Republik Kroatien müssen die Gesetze mit der Verfassung und die übrigen Rechtsvorschriften sowohl mit der Verfassung als auch mit dem Gesetz übereinstimmen.

(2) Jedermann ist verpflichtet, sich an die Verfassung und das Recht zu halten und die Rechtsordnung der Republik Kroatien zu achten.

Artikel 6 [Politische Parteien]

(1) Die Gründung politischer Parteien ist frei.

(2) Die innere Organisation politischer Parteien hat grundlegenden verfassungsgemäßen demokratischen Prinzipien zu entsprechen.

(3) Die Parteien müssen öffentlich über die Herkunft ihrer Mittel und ihres Eigentums Rechenschaft ablegen.

(4) Politische Parteien, die mit ihrem Programm oder gewaltsamen Handlungen eine Unterwanderung der freiheitlichen demokratischen Ordnung anstreben oder die Integrität der Republik Kroatien gefährden, sind verfassungswidrig. Über die Verfassungswidrigkeit entscheidet das Verfassungsgericht der Republik Kroatien.

(5) Stellung und Finanzierung der politischen Parteien werden durch das Gesetz geregelt.

Artikel 7 [Streitkräfte; verbündete Staaten]

(1) Die Streitkräfte der Republik Kroatien sichern die Souveränität und Unabhängigkeit und verteidigen die territoriale Integrität der Republik Kroatien.

(2) Verbündete Staaten können in Einklang mit abgeschlossenen zwischenstaatlichen Verträgen der Republik Kroatien in der Wahrung ihrer Souveränität und Unabhängigkeit sowie der Verteidigung ihrer territorialen Integrität Hilfestellung leisten.

(3) In Einklang mit abgeschlossenen zwischenstaatlichen Verträgen auf Grundlage eines Beschlusses des Kroatischen Sabor, welcher von der Regierung der Republik Kroatien mit vorangehender Zustimmung des Präsidenten der Republik Kroatien vorgeschlagen wurde, können Streitkräfte verbündeter Staaten die Grenze Kroatiens überschreiten und in die Republik Kroatien eintreten oder innerhalb ihrer Grenze handeln.

(4) In Einklang mit abgeschlossenen zwi-

schenstaatlichen Verträgen auf Grundlage eines Beschlusses des Kroatischen Sabor, welcher von der Regierung der Republik Kroatien mit vorangehender Zustimmung des Präsidenten der Republik Kroatien vorgeschlagen wurde, kann die Republik Kroatien im Falle eines bewaffneten Angriffs auf einen oder auf mehrere verbündete Staaten diesen Hilfestellung leisten.

(5) Die Streitkräfte der Republik Kroatien können ihre Grenzen überschreiten oder über ihre Grenzen hinaus handeln auf Grundlage eines Beschlusses des Kroatischen Sabor, der von der Regierung der Republik Kroatien mit vorangehender Zustimmung des Präsidenten der Republik Kroatien vorgeschlagen wurde.

(6) Ein Beschluss aus den Absätzen 3, 4 und 5 dieses Artikels wird mit einer Stimmenmehrheit aller Abgeordneten des Kroatischen Sabor verabschiedet.

(7) Sollte der Präsident der Republik Kroatien seine Zustimmung zu den Absätzen 3, 4 und 5 dieses Artikels verweigern, wird der Beschluss durch eine Zweidrittelmehrheit der Stimmen aller Abgeordneten des Kroatischen Sabor verabschiedet.

(8) Auf Grundlage eines Beschlusses der Regierung der Republik Kroatien, mit vorangehender Zustimmung des Präsidenten der Republik Kroatien, können die Streitkräfte der Republik Kroatien die Grenzen der Republik Kroatien überschreiten – zum Zweck der Übung und Schulung im Rahmen internationaler Organisationen, denen die Republik Kroatien beigetreten ist oder denen sie auf Grundlage von zwischenstaatlichen Abkommen beitritt sowie zur humanitären Hilfeleistung.

(9) Auf Grundlage eines Beschlusses der Regierung der Republik Kroatien, mit vorangehender Zustimmung des Präsidenten der Republik Kroatien, können Streitkräfte verbündeter Staaten die Grenzen der Republik Kroatien überschreiten – zum Zweck der Übung und Schulung im Rahmen internationaler Organisationen, denen die Republik Kroatien beigetreten ist oder denen sie auf Grundlage von zwischenstaatlichen Abkom-

men beitritt sowie zur humanitären Hilfeleistung.

(10) In durch Artikel 17 und 101 der Verfassung vorgesehenen Fällen können die Streitkräfte als Unterstützung für die Polizei und andere Staatsorgane genutzt werden, sollte die Art der Notsituation dies erfordern.

(11) Die Streitkräfte der Republik Kroatien können auch als Unterstützung beim Brandschutz, bei Rettungen und für die Aufsicht und Wahrung der Rechte der Republik Kroatien auf See eingesetzt werden.

(12) Aufbau der Streitkräfte, Befehlshabung, Leitung sowie die demokratische Aufsicht über die Streitkräfte der Republik Kroatien werden durch Verfassung und Gesetz geregelt.

Artikel 8 [Grenzen]

Die Grenzen der Republik Kroatien können nur durch einen Beschluss des Kroatischen Sabor geändert werden.

Artikel 9 [Staatsbürgerschaft]

(1) Die kroatische Staatsbürgerschaft, ihr Erwerb und Verlust wird durch das Gesetz geregelt.

(2) Ein Staatsbürger der Republik Kroatien kann nicht des Landes verwiesen werden, noch kann ihm die Staatsbürgerschaft entzogen werden, wie er auch nicht an einen anderen Staat ausgeliefert werden kann, außer wenn es sich um den Vollzug eines Beschlusses über die Auslieferung oder Übergabe handelt, der in Übereinstimmung mit zwischenstaatlichen Abkommen oder dem gemeinschaftlichen Besitzstand der Europäischen Union erlassen wurde.

Artikel 10 [Kroaten im Ausland]

(1) Die Republik Kroatien schützt die Rechte und Interessen ihrer Staatsbürger, die im Ausland leben oder sich dort aufhalten, und fördert ihre Verbindung zum Heimatland.

(2) In anderen Staaten lebenden Teilen des kroatischen Volkes wird von der Republik Kroatien besondere Fürsorge und Schutz garantiert.

Artikel 11 [Wappen; Flagge; Hymne]

(1) Das Wappen der Republik Kroatien ist das historische kroatische Wappen, dessen Grundfläche aus 25 abwechselnd roten und weißen (silbernen) Feldern besteht.

(2) Die Flagge der Republik Kroatien setzt sich aus drei Farben zusammen: rot, weiß und blau, mit dem historischen kroatischen Wappen in der Mitte.

(3) Die Hymne der Republik Kroatien ist „Lijepa naša domovino" (Unsere schöne Heimat).

(4) Das historische kroatische Wappen, die Flagge und der Text der Hymne sowie der Gebrauch und Schutz dieser und anderer staatlicher Hoheitszeichen werden durch das Gesetz geregelt.

Artikel 12 [Sprache]

(1) In der Republik Kroatien werden amtlich die kroatische Sprache und die lateinische Schrift verwendet.

(2) Unter den durch das Gesetz festgelegten Bedingungen kann in einzelnen lokalen Verwaltungseinheiten neben der kroatischen Sprache und der lateinischen Schrift auch eine andere Sprache sowie die kyrillische oder eine andere Schrift öffentlich verwendet werden.

Artikel 13 [Hauptstadt]

(1) Hauptstadt der Republik Kroatien ist Zagreb.

(2) Durch das Gesetz werden Lage, Zuständigkeitsbereich und Aufbau der Hauptstadt Zagreb geregelt.

III. DIE WAHRUNG DER MENSCHENRECHTE UND GRUNDFREIHEITEN

1. Allgemeine Bestimmungen

Artikel 14 [Gleichheit]

(1) Jedermann in der Republik Kroatien hat Rechte und Freiheiten, unabhängig von Rasse, Hautfarbe, Geschlecht, Sprache, Glauben, politischer oder sonstiger Überzeugung, nationaler oder sozialer Herkunft, Vermögen, Abstammung, Bildung, gesellschaftlicher Stellung oder anderer persönlicher Eigenschaften.

(2) Vor dem Gesetz sind alle Menschen gleich.

Artikel 15 [Nationale Minderheiten]

(1) In der Republik Kroatien wird die Gleichberechtigung der Angehörigen aller nationalen Minderheiten garantiert.

(2) Gleichberechtigung und Schutz der Rechte der nationalen Minderheiten werden durch das Verfassungsgesetz geregelt, das nach dem für Organgesetze vorgesehenen Verfahren verabschiedet wird.

(3) Durch Gesetz kann den Angehörigen nationaler Minderheiten, neben dem allgemeinen Wahlrecht, das besondere Recht, ihre Vertreter in den Kroatischen Sabor zu wählen, zugesichert werden.

(4) Den Angehörigen aller nationalen Minderheiten wird die Freiheit der Äußerung ihrer nationalen Zugehörigkeit, der freie Gebrauch ihrer Sprache und Schrift sowie kulturelle Autonomie garantiert.

Artikel 16 [Einschränkung von Freiheiten und Rechten]

(1) Die Freiheiten und Rechte können nur durch Gesetze zum Schutz der Freiheiten und Rechte anderer Menschen sowie der Rechtsordnung, der öffentlichen Moral und Gesundheit eingeschränkt werden.

(4) Jede Einschränkung der Freiheiten oder Rechte muss in jedem einzelnen Fall verhältnismäßig zur Art der Notwendigkeit zur Einschränkung sein.

Artikel 17 [Einschränkung im Kriegszustand, einer unmittelbaren Bedrohung oder Naturkatastrophen]

(1) Für die Zeit eines Kriegszustandes oder einer unmittelbaren Bedrohung der Unabhängigkeit und Einheit des Staates sowie großer Naturkatastrophen können einzelne durch die Verfassung garantierte Freiheiten und Rechte eingeschränkt werden. Hierüber entscheidet der Kroatische Sabor mit einer Zweidrittelmehrheit aller Abgeordne-

ten. Falls der Kroatische Sabor aber nicht einberufen werden kann, entscheidet, auf Vorschlag der Regierung und mit Gegenzeichnung des Regierungsvorsitzenden, der Präsident der Republik.

(2) Das Ausmaß der Einschränkung muss dem Wesen der Gefahr entsprechen und darf keine Ungleichheit der Bürger hinsichtlich Rasse, Hautfarbe, Geschlecht, Sprache, Glauben, nationaler oder sozialer Herkunft zur Folge haben.

(3) Nicht einmal im Falle einer unmittelbaren Gefahr für das Bestehen des Staates kann die Anwendung der Verfassungsbestimmungen über das Recht auf Leben, über das Verbot der Folter, brutaler oder erniedrigender Behandlung oder Bestrafung, über die rechtliche Bestimmtheit strafbarer Handlungen und Strafen sowie über die Gedanken-, Gewissens- und Glaubensfreiheit eingeschränkt werden.

Artikel 18 [Beschwerderecht]

(1) Das Beschwerderecht gegen Einzelrechtsakte, die im Verfahren erster Instanz von einem Gericht oder einem anderen zuständigen Organ erlassen wurden, wird gewährleistet.

(2) Das Beschwerderecht kann ausnahmsweise in den durch Gesetz geregelten Fällen ausgeschlossen werden, soweit ein anderer Rechtsschutz sichergestellt ist.

Artikel 19 [Gesetzliche Grundlage]

(1) Einzelakte der staatlichen Verwaltung und der Organe mit hoheitlichen Befugnissen müssen im Gesetz begründet sein.

(2) Die gerichtliche Kontrolle der Gesetzmäßigkeit von Einzelakten der Verwaltungsbehörden und der Organe mit hoheitlichen Befugnissen wird gewährleistet.

Artikel 20 [Persönliche Verantwortlichkeit]

Wer gegen die Bestimmungen dieser Verfassung über die Menschenrechte und Grundfreiheiten verstößt, hat sich persönlich zu verantworten und kann sich nicht auf höheren Befehl berufen.

2. Persönliche und politische Freiheiten und Rechte

Artikel 21 [Recht auf Leben]

(1) Jedes menschliche Wesen hat das Recht auf Leben.

(2) In der Republik Kroatien gibt es keine Todesstrafe.

Artikel 22 [Freiheit und Persönlichkeit]

(1) Die Freiheit und Persönlichkeit des Menschen ist unantastbar.

(2) Niemandem darf die Freiheit entzogen oder eingeschränkt werden, außer in den durch Gesetz festgelegten Fällen, worüber ein Gericht zu entscheiden hat.

Artikel 23 [Misshandlung; Zwangsarbeit und Arbeitspflicht]

(1) Niemand darf Misshandlung jeglicher Art oder, ohne seine Einwilligung, ärztlichen oder wissenschaftlichen Experimenten unterzogen werden.

(2) Zwangsarbeit und Arbeitspflicht sind verboten.

Artikel 24 [Festnahme und Inhaftierung]

(1) Niemand darf ohne schriftlichen, auf Gesetz beruhenden gerichtlichen Befehl festgenommen oder inhaftiert werden. Ein solcher Haftbefehl muss dem Festgenommenen bei der Festnahme vorgelesen und überreicht werden.

(2) Die Polizei kann eine Person, gegen die ein begründeter Verdacht besteht, dass sie eine durch Gesetz festgelegte schwere Straftat begangen hat, ohne gerichtliche Anordnung festnehmen, unter der Bedingung, dass sie unverzüglich dem Gericht übergeben wird.

(3) Die festgenomme Person muss unverzüglich auf eine ihr verständliche Weise über den Grund der Festnahme sowie über ihre gesetzlich festgelegten Rechte aufgeklärt werden.

(4) Jede festgenommene oder inhaftierte Person hat das Recht, ein Gericht anzurufen, welches unverzüglich über die Gesetzmä-

ßigkeit des Freiheitsentzugs zu entscheiden hat.

Artikel 25 [Rechte von Inhaftierten]

(1) Jeder Festgenommene und Verurteilte muss human behandelt und in seiner Würde geachtet werden.

(2) Wer wegen einer strafbaren Handlung inhaftiert und angeklagt ist, hat das Recht, innerhalb der kürzesten gesetzlich festgelegten Frist vor Gericht gestellt und innerhalb der gesetzlichen Frist freigesprochen oder verurteilt zu werden.

(3) Ein Inhaftierter kann bei Hinterlegung einer gesetzlichen Kaution freigelassen werden, um sich auf freiem Fuß zu verteidigen.

(4) Jeder widerrechtlich der Freiheit Beraubte oder Verurteilte hat in Einklang mit dem Gesetz das Recht auf Entschädigung und öffentliche Entschuldigung.

Artikel 26 [Gleichheit vor dem Gesetz]

Alle Staatsbürger der Republik Kroatien und Ausländer sind vor den Gerichten und anderen Staatsorganen sowie den übrigen Organen mit hoheitlichen Befugnissen gleich.

Artikel 27 [Rechtsanwaltschaft]

Die Rechtsanwaltschaft als selbstständiger und unabhängiger Dienst hat den Bürgern in Einklang mit dem Gesetz Rechtshilfe zu gewährleisten.

Artikel 28 [Unschuldsvermutung]

Jedermann ist unschuldig und darf von niemandem einer Straftat für schuldig erklärt werden, solange seine Schuld nicht durch ein rechtskräftiges gerichtliches Urteil festgestellt wurde.

Artikel 29 [Verfahrensgarantien]

(1) Jeder hat das Recht darauf, dass ein in Einklang mit dem Gesetz einberufenes, unabhängiges und unvoreingenommenes Gericht, gerecht und innerhalb einer angemessenen Frist über seine Rechte und Pflichten oder über den Verdacht oder die Anklage wegen einer strafbaren Handlung entscheidet.

(2) Im Falle eines Verdachts oder einer Anklage wegen einer Straftat hat der Verdächtige, Beschuldigte oder Angeklagte das Recht:

binnen kürzester Frist ausführlich und in einer ihm verständlichen Sprache über die Art und Gründe der gegen ihn erhobenen Anklage und über die ihn belastenden Beweise unterrichtet zu werden;

auf einen angemessenen Zeitraum und die Möglichkeit zur Vorbereitung seiner Verteidigung;

auf einen Verteidiger und ungestörte Kontaktaufnahme mit ihm sowie die Aufklärung über dieses Recht;

auf eine Verteidigung in eigener Sache oder auf einen Verteidiger nach eigener Wahl und für den Fall, dass er nicht über genügend Mittel verfügt, das Recht auf einen gemäß den gesetzlichen Bestimmungen vorgesehenen kostenlosen Verteidiger;

auf eine Gerichtsverhandlung in seiner Anwesenheit, soweit ihn das Gericht erreichen kann;

darauf, dass er die Zeugen der Anklage verhört oder verhören lässt sowie das Recht zu verlangen, dass die Anwesenheit und Anhörung der Zeugen der Verteidigung unter denselben Umständen sicher gestellt wird wie die der Zeugen der Anklage;

auf kostenlose Dienste eines Dolmetschers, falls er die Verhandlungssprache bei Gericht nicht versteht oder ihrer nicht mächtig ist.

(3) Verdächtige, Beschuldigte und Angeklagte dürfen zu keinem Schuldbekenntnis gezwungen werden.

(4) Auf rechtswidrige Weise ermittelte Beweise dürfen im Gerichtsverfahren nicht verwendet werden.

(5) Ein Strafverfahren kann nur auf Antrag des ermächtigten Staatsanwalts vor ein Strafgericht gebracht werden.

Artikel 30 [Verlust von Rechten]

Eine Verurteilung wegen schwerer und besonders verwerflicher Straftaten kann, im Einklang mit dem Gesetz, zum Verlust erworbener Rechte oder für eine begrenzte

Zeit zum Verbot des Erwerbs einzelner, zur Wahrnehmung gewisser Aufgaben notwediger, Rechte führen, wenn dies zum Schutz der Rechtsordnung erforderlich ist.

Artikel 31 [Rückwirkungsverbot; Strafverfahren]

(1) Niemand darf für eine Tat bestraft werden, die vor der Tatbegehung durch Gesetz oder das Völkerrecht nicht als strafbare Handlung bestimmt war, noch darf eine Strafe ausgesprochen werden, die nicht durch das Gesetz festgelegt war. Wenn ein Gesetz nach begangener Tat eine mildere Strafe vorsieht, ist eine solche Strafe zu verfügen.

(2) Ein Strafverfahren gegen Personen, die durch ein rechtskräftiges Urteil freigesprochen oder in Einklang mit dem Gesetz verurteilt wurden, darf nicht wieder aufgenommen werden, noch können sie für dieselbe Straftat erneut bestraft werden.

(3) Nur durch Gesetz und in Einklang mit der Verfassung und internationalen Abkommen können Fälle und Gründe für eine Wiederaufnahme eines Verfahrens gemäß Absatz 2 vorgeschrieben werden.

(4) Durch Gesetz bestimmte Straftaten des Kriegsprofits, ebenso wie Straftaten aus dem Umwandlungs- und Privatisierungsprozess, die in der Zeit des Heimatkrieges und während des Prozesses der friedlichen Reintegration, des Kriegszustandes und der unmittelbaren Gefährdung der Unabhängigkeit und territorialen Integrität des Staates begangen wurden, verjähren nicht, ebenso solche, die nach dem Völkerrecht nicht verjähren. Eigentumsvorteile, die so entstanden sind oder damit in Zusammenhang stehen, werden aberkannt.

Artikel 32 [Freizügigkeit]

(1) Jeder, der sich rechtmäßig auf dem Territorium der Republik Kroatien aufhält, genießt Freizügigkeit.

(2) Jeder Bürger der Republik Kroatien hat das Recht, das Staatsgebiet jederzeit zu verlassen, um sich dauernd oder vorübergehend im Ausland niederzulassen, und jederzeit wieder in die Heimat zurückzukehren.

(3) Das Recht der Freizügigkeit auf dem Territorium der Republik Kroatien und das Recht der Ein- und Ausreise können ausnahmsweise durch Gesetz eingeschränkt werden, wenn dies für den Schutz der Rechtsordnung, der Gesundheit, der Rechte und der Freiheiten anderer erforderlich ist.

Artikel 33 [Asylrecht; Verweis und Auslieferung]

(1) Ausländischen Staatsbürgern und Staatenlosen kann in der Republik Kroatien Asyl gewährt werden, es sei denn, sie werden wegen nichtpolitischer Straftaten und Handlungen verfolgt, die den grundlegenden Prinzipien des Völkerrechts widersprechen.

(2) Ausländer, die sich rechtmäßig auf dem Territorium der Republik Kroatien aufhalten, können weder des Landes verwiesen noch an einen anderen Staat ausgeliefert werden, außer wenn ein in Einklang mit internationalen Abkommen und dem Gesetz ergangener Beschluss zu vollstrecken ist.

Artikel 34 [Unverletzlichkeit der Wohnung]

(1) Die Wohnung ist unverletzlich.

(2) Die Durchsuchung der Wohnung oder anderer Räumlichkeiten kann nur aufgrund einer begründeten schriftlichen Anordnung eines Gerichtes auf der Grundlage eines Gesetzes erfolgen.

(3) Der Bewohner oder sein Vertreter hat das Recht, in obligatorischer Anwesenheit von zwei Zeugen, bei der Durchsuchung seiner Wohnung oder anderer Räumlichkeiten anwesend zu sein.

(4) In Einklang mit den durch Gesetz vorgesehenen Bedingungen können die Polizeikräfte auch ohne gerichtliche Anordnung oder Zustimmung des Wohnungsinhabers die Wohnung oder Räumlichkeiten betreten und eine Durchsuchung ohne Anwesenheit von Zeugen durchführen, wenn dies für die Vollstreckung eines Haftbefehls oder zur Ergreifung eines Straftäters, beziehungsweise zur Abwehr einer ernsthaften Gefahr für Leben und Gesundheit von Menschen oder

Eigentum größeren Umfangs erforderlich ist.

(5) Eine Durchsuchung zur Ermittlung oder Sicherstellung von Beweismitteln, für die begründet angenommen wird, dass sie sich in der Wohnung des Straftäters befinden, kann nur in Anwesenheit von Zeugen durchgeführt werden.

Artikel 35 [Privat- und Familienleben, Würde, Ansehen und Ehre]

Jedem Bürger werden Achtung und rechtlicher Schutz seines Privat- und Familienlebens, seiner Würde, seines Ansehens und seiner Ehre gewährleistet.

Artikel 36 [Briefgeheimnis]

(1) Das Briefgeheimnis und die Freiheit und Geheimhaltung aller anderen Formen der Kommunikation werden garantiert und sind unverletzlich.

(2) Nur durch Gesetz können Beschränkungen vorgeschrieben werden, die zum Schutz der Sicherheit des Staates oder zur Durchführung eines Strafverfahrens notwendig sind.

Artikel 37 [Datenschutz]

(1) Jedem wird die Sicherheit und Geheimhaltung personenbezogener Daten gewährleistet. Ohne Zustimmung des Befragten können personenbezogene Daten nur unter den im Gesetz festgelegten Bedingungen erhoben, verarbeitet und verwertet werden.

(2) Der Datenschutz und die Aufsicht über die Tätigkeit des Informationswesens im Staat werden durch Gesetz geregelt.

(3) Der Gebrauch personenbezogener Daten entgegen dem Zweck ihrer Erhebung ist verboten.

Artikel 38 [Meinungsfreiheit]

(1) Meinungsfreiheit und die Freiheit der Meinungsäußerung werden gewährleistet.

(2) Die Freiheit der Meinungsäußerung schließt insbesondere die Freiheit der Presse und anderer Kommunikationsmittel, die Redefreiheit, die Freiheit öffentlichen Auftretens und die freie Gründung aller öffentlichen Einrichtungen der öffentlichen Berichterstattung ein.

(3) Die Zensur ist verboten. Journalisten haben das Recht auf freie Berichterstattung und freien Zugang zu Informationen.

(4) Das Recht auf den Zugang zu Informationen, die in Besitz von Behörden stehen, wird gewährleistet. Die Einschränkungen des Rechts auf den Zugang zu Informationen müssen in jedem Einzelfall proportional zur Notwendigkeit der Einschränkung sein, sowie sie in einer freien und demokratischen Gesellschaft notwendig und durch Gesetz geregelt sind.

(5) Jedem, dem durch eine öffentliche Nachricht ein durch die Verfassung oder das Gesetz zuerkanntes Recht verletzt wurde, wird das Recht auf Gegendarstellung gewährleistet.

Artikel 39 [Verbote]

Verboten und strafbar ist jede Anstiftung und Aufwiegelung zum Krieg oder zur Gewaltanwendung sowie zu National-, Rassen- oder Religionshass oder jede andere Form von Intoleranz.

Artikel 40 [Gewissens- und Glaubensfreiheit]

Die Gewissens- und Glaubensfreiheit sowie das freie öffentliche Bekenntnis des Glaubens oder einer anderen Weltanschauung werden gewährleistet.

Artikel 41 [Religionsgemeinschaften]

(1) Alle Religionsgemeinschaften sind vor dem Gesetz gleich und vom Staat getrennt.

(2) Religionsgemeinschaften haben in Einklang mit dem Gesetz das Recht auf öffentliche Glaubenszeremonien, die Gründung und Verwaltung von Schulen, Bildungseinrichtungen, anderen Anstalten sowie sozialen und wohltätigen Einrichtungen. Sie genießen bei ihrer Tätigkeit den Schutz und die Unterstützung des Staates.

Artikel 42 [Versammlungsrecht]

Jedem wird das Recht auf öffentliche Versammlung und friedlichen Protest gewährleistet.

Artikel 43 [Vereinigungsfreiheit]

(1) Jedem wird das Recht gewährleistet, sich zur Wahrung seiner Interessen oder zur Förderung sozialer, wirtschaftlicher, politischer, nationaler, kultureller oder sonstiger Überzeugungen und Ziele frei zu vereinigen. Zu diesem Zweck kann jeder in Einklang mit dem Gesetz frei Gewerkschaften und andere Vereinigungen gründen, diesen beitreten oder aus ihnen austreten.

(2) Das Recht auf freie Vereinigung ist durch das Verbot der gewaltsamen Bedrohung der demokratischen Verfassungsordnung sowie der Unabhängigkeit, Einheit und territorialen Integrität der Republik Kroatien eingeschränkt.

Artikel 44 [Öffentliche Angelegenheiten und öffentlicher Dienst]

Jeder Bürger der Republik Kroatien hat das Recht, unter den gleichen Bedingungen an der Ausübung öffentlicher Angelegenheiten teilzunehmen und in den öffentlichen Dienst aufgenommen zu werden.

Artikel 45 [Wahlrecht]

(1) In Einklang mit dem Gesetz haben kroatische Staatsbürger mit Vollendung des 18. Lebensjahres (Wähler) das allgemeine und gleiche Wahlrecht für die Wahlen zum Kroatischen Sabor, bei der Wahl des Präsidenten der Republik Kroatien und des Europäischen Parlaments sowie das Recht an staatlichen Volksentscheiden teilzunehmen.

(2) Bei den Wahlen zum Kroatischen Sabor haben Wähler, die keinen Wohnsitz in der Republik Kroatien haben, das Recht in Einklang mit dem Gesetz drei Abgeordnete zu wählen.

(3) Bei den Wahlen zum Kroatischen Sabor, den Präsidentschaftswahlen, den Wahlen zum Europäischen Parlament sowie beim Prozess der Teilnahme an staatlichen Volksentscheiden wird das Wahlrecht an den unmittelbaren Wahlen durch geheime Wahl wahrgenommen, wobei Wähler, die keinen Wohnsitz in der Republik Kroatien haben, ihr Wahlrecht in Wahllokalen in diplomatischen oder konsularen Auslandsvertretungen der Republik Kroatien im Land, in dem sie ihren Wohnsitz haben, wahrnehmen.

(4) Bei den Wahlen zum Kroatischen Sabor, den Präsidentschaftswahlen, den Wahlen zum Europäischen Parlament sowie beim Prozess der Teilnahme an staatlichen Volksentscheiden gewährleistet die Republik Kroatien ihren Staatsbürgern mit Wohnsitz in der Republik Kroatien, die sich zur Zeit der Wahlen außerhalb ihrer Grenzen aufhalten, die Möglichkeit, in Wahllokalen in diplomatischen oder konsularen Auslandsvertretungen der Republik Kroatien in dem Land, in dem sie sich derzeit aufhalten oder auf andere durch das Gesetz vorgeschriebene Art an den Wahlen teilzunehmen.

Artikel 46 [Petitionen und Beschwerden]

Jedermann hat das Recht, Petitionen und Beschwerden einzubringen, an staatliche und andere öffentliche Stellen Vorschläge zu richten und auf diese eine Antwort zu erhalten.

Artikel 47 [Wehrpflicht; Gewissenseinwand]

(1) Die Wehrpflicht und Verteidigung der Republik Kroatien ist die Pflicht aller dazu tauglichen Bürger.

(2) Ein Gewissenseinwand wird jenen zugestanden, die wegen ihres Glaubensbekenntnisses oder ihrer moralischen Gesinnung nicht zur Verrichtung des Wehrdienstes in den Streitkräften bereit sind. Diese Personen sind verpflichtet, andere durch Gesetz festgelegte Pflichten zu erfüllen.

3. Wirtschaftliche, soziale und kulturelle Rechte

Artikel 48 [Recht auf Eigentum; Erbrecht]

(1) Das Recht auf Eigentum wird gewährleistet.

(2) Eigentum verpflichtet. Inhaber des Ei-

gentumsrechts und ihre Nutznießer sind verpflichtet, zum Allgemeinwohl beizutragen.

(3) Ausländer können das Eigentumsrecht unter den durch Gesetz festgelegten Bedingungen erwerben.

(4) Das Erbrecht wird gewährleistet.

Artikel 49 [Unternehmer- und Marktfreiheit]

(1) Die Unternehmer- und Marktfreiheit bildet die Grundlage der Wirtschaftsordnung der Republik Kroatien.

(2) Der Staat sichert allen Unternehmen die gleiche rechtliche Stellung auf dem Markt zu. Ein Missbrauch der durch Gesetz festgelegten Monopolstellung ist verboten.

(3) Der Staat fördert den wirtschaftlichen Fortschritt und sozialen Wohlstand der Bürger und trägt Sorge für die wirtschaftliche Entwicklung all seiner Gebiete.

(4) Die durch Kapitalanlagen erworbenen Rechte können nicht durch Gesetz oder andere Rechtsakte eingeschränkt werden.

(5) Ausländischen Investoren wird die freie Ausfuhr der Gewinne und des angelegten Kapitals gewährleistet.

Artikel 50 [Einschränkung und Entziehung von Eigentum]

(1) Eigentum kann im Interesse der Republik Kroatien gegen Entschädigung in Höhe des Marktwertes durch Gesetz eingeschränkt oder entzogen werden.

(2) Unternehmerfreiheit und Eigentumsrechte können zum Schutz der Interessen und der Sicherheit der Republik Kroatien, der Natur, der Umwelt und Gesundheit der Menschen ausnahmsweise durch Gesetz eingeschränkt werden.

Artikel 51 [Beitrag zur Deckung öffentlicher Ausgaben]

(1) Jedermann ist verpflichtet, zur Deckung öffentlicher Ausgaben entsprechend seinen wirtschaftlichen Möglichkeiten beizutragen.

(2) Das Steuersystem basiert auf den Grundsätzen der Gleichheit und Gerechtigkeit.

Artikel 52 [Güter von besonderem Interesse]

(1) Das Meer, die Meeresküste und die Inseln, die Gewässer, der Luftraum, Bodenschätze und andere Naturschätze, aber auch der Boden, die Wälder, die Pflanzen- und Tierwelt, andere Teile der Natur, Immobilien und Gegenstände von besonderer kultureller, historischer, wirtschaftlicher und ökologischer Bedeutung, deren Interesse für die Republik Kroatien durch das Gesetz bestimmt wird, genießen ihren besonderen Schutz.

(2) Die Art des Gebrauchs und der Verwertung von Gütern, die für die Republik Kroatien von Interesse sind, durch Berechtigte und Eigentümer sowie die Entschädigung für die ihnen auferlegten Einschränkungen wird durch Gesetz festgelegt.

Artikel 53 [Nationalbank]

(1) Die kroatische Nationalbank ist die Zentralbank der Republik Kroatien.

(2) Die kroatische Nationalbank ist selbstständig und unabhängig; sie leistet dem Kroatischen Sabor Berichterstattung über ihre Tätigkeit.

(3) Der Gouverneur der Kroatischen Nationalbank steht der Kroatischen Nationalbank vor und leitet ihre Geschäftsführung.

(4) Organisation, Ziel, Aufgaben und Zuständigkeit der Kroatischen Nationalbank werden durch Gesetz geregelt.

Artikel 54 [Staatliches Amt für Wirtschaftsprüfung]

(1) Das staatliche Amt für Wirtschaftsprüfung ist die ranghöchste Institution für Wirtschaftsprüfung in der Republik Kroatien; es ist in seiner Arbeit selbstständig und unabhängig.

(2) Das staatliche Amt für Wirtschaftsprüfung wird vom staatlichen Hauptwirtschaftsprüfer geleitet, der dem Kroatischen Sabor über die Tätigkeit des Amtes Bericht erstattet.

(3) Gründung, Organisation, Zuständigkeit und Arbeitsweise des staatlichen Amtes für Wirtschaftsprüfung werden durch Gesetz geregelt.

Artikel 55 [Recht auf Arbeit; Arbeitsfreiheit]

(1) Jeder hat das Recht auf Arbeit und Arbeitsfreiheit.

(2) Jedermann kann Beruf und Beschäftigung frei wählen und hat unter den gleichen Bedingungen Zugang zu allen Arbeitsplätzen und allen Funktionen.

Artikel 56 [Rechte von Beschäftigten]

(1) Jeder Beschäftigte hat das Recht auf ein Einkommen, mit dem er sich selbst und seiner Familie ein freies und würdevolles Leben sichern kann.

(2) Die Höchstarbeitszeit wird durch Gesetz festgelegt.

(3) Jeder Beschäftigte hat das Recht auf Wochenruhe und bezahlten Jahresurlaub und kann auf diese Rechte nicht verzichten.

(4) Beschäftigte können in Einklang mit dem Gesetz bei Entscheidungen im Unternehmen mitbestimmen.

Artikel 57 [Soziale Sicherheit und Sozialversicherung]

(1) Das Recht der Beschäftigten und ihrer Familienmitglieder auf soziale Sicherheit und Sozialversicherung wird durch Gesetz und Kollektivvertrag geregelt.

(2) Geburt, Mutterschaft und Kindererziehung betreffende Rechte werden durch Gesetz geregelt.

Artikel 58 [Grundlegende Lebensbedürfnisse; Schutz behinderter Personen]

(1) Schwachen, Pflegebedürftigen und anderen wegen ihrer Arbeitslosigkeit oder Arbeitsunfähigkeit bedürftigen Bürgern gewährleistet der Staat das Recht auf Hilfe zur Befriedigung ihrer grundlegenden Lebensbedürfnisse.

(2) Besondere Fürsorge widmet der Staat dem Schutz behinderter Personen und ihrer Integration in die Gesellschaft.

(3) Besondere Fürsorge widmet der Staat dem Schutz der Vaterlandsverteidiger, kroatischer kriegsversehrter Soldaten, Witwen, Eltern und Kinder der im Krieg gefallenen Soldaten.

(4) Die Annahme humanitärer Unterstützung aus dem Ausland kann nicht untersagt werden.

Artikel 59 [Schutz der Gesundheit]

Jedem wird in Einklang mit dem Gesetz das Recht auf Schutz der Gesundheit gewährleistet.

Artikel 60 [Gewerkschaften und Verbände]

(1) Zur Wahrung ihrer wirtschaftlichen und sozialen Interessen haben alle Arbeitnehmer das Recht, Gewerkschaften zu gründen, diesen frei beizutreten und aus diesen auszutreten.

(2) Die Gewerkschaften können eigene Verbände gründen und internationalen Gewerkschaftsorganisationen beitreten.

(3) Bei den Streitkräften und der Polizei kann die Gründung von Gewerkschaften durch Gesetz eingeschränkt werden.

(4) Arbeitgeber haben das Recht, Vereinigungen zu gründen, diesen frei beizutreten und aus ihnen auszutreten.

Artikel 61 [Streikrecht]

(1) Das Streikrecht wird gewährleistet.

(2) Das Streikrecht kann für die Streitkräfte, die Polizei, die staatliche Verwaltung und den öffentlichen Dienst durch Gesetz eingeschränkt werden.

Artikel 62 [Besonderer Schutz von Familien; Ehe]

(1) Die Familie steht unter dem besonderen Schutz des Staates.

(2) Die Ehe ist eine Lebensgemeinschaft zwischen einer Frau und einem Mann.

(3) Die Ehe und die Rechtsverhältnisse in der Ehe, der außerehelichen Lebensgemeinschaft und in der Familie werden durch Gesetz geregelt.

Artikel 63 [Recht auf ein würdevolles Leben]

Der Staat schützt die Mutterschaft, Kinder und Jugendliche und schafft soziale, kulturelle, die Erziehung betreffende, materielle und andere Bedingungen, durch die die Verwirklichung des Rechts auf ein würdevolles Leben gefördert wird.

Artikel 64 [Rechte und Pflichten von Erwachsenen und Kindern]

(1) Die Eltern sind verpflichtet, ihre Kinder zu erziehen und für ihren Unterhalt und ihre Ausbildung zu sorgen. Sie haben das Recht und die Freiheit, selbstständig über die Erziehung der Kinder zu entscheiden.

(2) Die Eltern sind verpflichtet, das Recht des Kindes auf eine vollständige und harmonische Entfaltung seiner Persönlichkeit zu sichern.

(3) Körperlich und geistig behinderte sowie sozial vernachlässigte Kinder haben das Recht auf besondere Pflege, Ausbildung und Fürsorge.

(4) Die Kinder sind verpflichtet, für ihre alten und hilfsbedürftigen Eltern zu sorgen.

(5) Besondere Fürsorge des Staates gilt Minderjährigen ohne Eltern und jenen, die von ihren Eltern vernachlässigt werden.

Artikel 65 [Schutz von Kindern und hilfsbedürftigen Personen]

(1) Jedermann ist verpflichtet, Kinder und hilfsbedürftige Personen zu schützen.

(2) Kinder dürfen nicht vor Vollendung des durch Gesetz vorgeschriebenen Alters zur Arbeit herangezogen werden, auch dürfen sie nicht gezwungen werden, eine Arbeit auszuüben, die sich schädlich auf ihre Gesundheit oder Moral auswirkt, noch darf ihnen eine solche Arbeit erlaubt werden.

(3) Jugendliche, Mütter und Behinderte haben das Recht auf besondere Schutzmaßnahmen bei der Arbeit.

Artikel 66 [Zugang zur Bildung]

(1) In der Republik Kroatien hat jedermann unter gleichen Bedingungen und in Einklang mit seinen persönlichen Fähigkeiten Zugang zu Bildung.

(2) Die Pflichtausbildung ist in Einklang mit dem Gesetz unentgeltlich.

Artikel 67 [Privatschulen und private Bildungsanstalten]

Privatschulen und private Bildungsanstalten können unter den im Gesetz festgelegten Bedingungen gegründet werden.

Artikel 68 [Hochschulautonomie]

(1) Die Hochschulautonomie wird gewährleistet.

(2) Die Hochschulen entscheiden in Einklang mit dem Gesetz selbstständig über ihre Organisation und Tätigkeit.

Artikel 69 [Wissenschaft, Kultur und Kunst]

(1) Die Freiheit wissenschaftlichen, kulturellen und künstlerischen Schaffens wird gewährleistet.

(2) Der Staat fördert und unterstützt die Entwicklung der Wissenschaft, Kultur und Kunst.

(3) Der Staat schützt die wissenschaftlichen, kulturellen und künstlerischen Güter als nationale geistige Werte.

(4) Der Schutz der immateriellen und materiellen Rechte, die wissenschaftlichem, kulturellem, künstlerischem, intellektuellem und anderem Schaffen entspringen, wird gewährleistet.

(5) Der Staat fördert und unterstützt die Pflege der Körperkultur und des Sportes.

Artikel 70 [Recht auf ein gesundes Leben]

(1) Jedermann hat das Recht auf ein gesundes Leben.

(2) Der Staat sichert die Bedingungen für eine gesunde Umwelt.

(3) Jedermann hat im Rahmen seiner Zuständigkeiten und Tätigkeiten die Pflicht, besondere Sorge für den Schutz der Gesundheit der Menschen, der Natur und der Umwelt zu tragen.

IV. AUFBAU DER STAATSGEWALT

1. Der kroatische Sabor

Artikel 71 [Gesetzgebende Gewalt der Republik]

Der Kroatische Sabor ist das Vertretungsorgan der Bürger und Träger der gesetzgebenden Gewalt in der Republik Kroatien.

Artikel 72 [Zahl und Wahl der Abgeordneten]

Der Kroatische Sabor hat mindestens 100 und höchstens 160 Abgeordnete, die auf der Grundlage des allgemeinen und gleichen Wahlrechts direkt und geheim gewählt werden.

Artikel 73 [Amtszeit]

(1) Die Abgeordneten des Kroatischen Sabor werden für einen Zeitraum von vier Jahren gewählt.

(2) Die Zahl der Abgeordneten, die Voraussetzungen sowie das Verfahren zur Wahl der Abgeordneten des Kroatischen Sabor werden durch Gesetz festgelegt.

Artikel 74 [Durchführung der Wahl und der ersten Sitzung]

(1) Die Wahl der Abgeordneten des Kroatischen Sabor wird spätestens 60 Tage nach Ablauf der Wahlperiode oder der Auflösung des Sabor durchgeführt.

(2) Die erste Sitzung des Kroatischen Sabor wird spätestens 20 Tage nach der Durchführung der Wahl abgehalten.

(3) Die Konstituierung des Kroatischen Sabor erfolgt durch die Wahl seines Präsidenten in der ersten Sitzung, bei der die Mehrheit der Abgeordneten anwesend ist.

Artikel 75 [Freies Mandat; Vergütung]

(1) Die Abgeordneten des Kroatischen Sabor haben kein imperatives Mandat.

(2) Die Abgeordneten des Kroatischen Sabor erhalten eine laufende Vergütung und besitzen andere gesetzlich festgelegte Rechte.

Artikel 76 [Immunität]

(1) Die Abgeordneten des Kroatischen Sabor genießen Immunität.

(2) Ein Abgeordneter kann wegen einer Meinungsäußerung oder Abstimmung im Sabor nicht zur strafrechtlichen Verantwortung gezogen, inhaftiert oder bestraft werden.

(3) Ohne Zustimmung des Sabor kann ein Abgeordneter weder inhaftiert, noch kann ein Strafverfahren gegen ihn eingeleitet werden.

(4) Ein Abgeordneter kann ohne Zustimmung des Kroatischen Sabor nur inhaftiert werden, wenn er bei der Begehung einer Straftat angetroffen wurde, für die eine Freiheitsstrafe von mehr als fünf Jahren vorgeschrieben ist. In diesem Fall ist der Präsident des Sabor zu verständigen.

(5) Für den Fall, dass der Kroatische Sabor nicht tagt, erteilt der Mandats- und Immunitätsausschuss die Zustimmung zur Verhaftung eines Abgeordneten oder zur Fortsetzung eines Strafverfahrens gegen ihn und entscheidet über sein Recht auf Immunität. Dieser Beschluss muss nachträglich vom Kroatischen Sabor bestätigt werden.

Artikel 77 [Wahlperiode in Kriegszeiten]

Die Dauer einer Wahlperiode der Abgeordneten des Kroatischen Sabor kann durch Gesetz nur im Kriegsfall oder in Fällen der Artikel 17 und 101 der Verfassung verlängert werden.

Artikel 78 [Auflösung des Sabor]

(1) Der Kroatische Sabor kann wegen der Ausschreibung vorgezogener Neuwahlen aufgelöst werden, wenn dies von der Mehrheit aller Abgeordneten beschlossen wird.

(2) Der Präsident der Republik kann den Kroatischen Sabor im Einklang mit den Bestimmungen aus Artikel 104 der Verfassung auflösen.

Artikel 79 [Zusammentreffen des Sabor]

(1) Der Kroatische Sabor tritt in der Regel

zweimal jährlich zusammen: das erste Mal zwischen dem 15. Januar und dem 15. Juli und das zweite Mal zwischen dem 15. September und dem 15. Dezember.

(2) Der Kroatische Sabor tritt auf Antrag des Präsidenten der Republik, der Regierung oder der Mehrheit aller Abgeordneten zu einer außerordentlichen Sitzung zusammen.

(3) Der Präsident des Kroatischen Sabor kann nach Anhörung aller Fraktionen den Kroatischen Sabor zu einer außerordentlichen Sitzung einberufen.

Artikel 80 [Präsident des Sabor; Geschäftsordnung]

(1) Der Kroatische Sabor hat einen Präsidenten und einen oder mehrere Vizepräsidenten.

(2) Der innere Aufbau und die Arbeitsweise des Kroatischen Sabor werden durch eine Geschäftsordnung geregelt.

(3) Die Geschäftsordnung wird mit Stimmenmehrheit aller Abgeordneten beschlossen.

Artikel 81 [Kompetenzen]

Der Kroatische Sabor:

entscheidet über die Verabschiedung und Änderung der Verfassung;

verabschiedet Gesetze;

beschließt den Haushaltsplan;

entscheidet über Krieg und Frieden;

verabschiedet Akte, durch die die Politik des Kroatischen Sabor zum Ausdruck gebracht wird;

beschließt den Strategieplan der nationalen Sicherheit und den Verteidigungsplan der Republik Kroatien;

verwirklicht die zivile Kontrolle über die Streitkräfte und die Sicherheitsdienste der Republik Kroatien;

entscheidet über Änderungen der Grenzen der Republik Kroatien;

schreibt Referenden aus;

führt Wahlen, Ernennungen und Amtsenthebungen in Einklang mit der Verfassung und dem Gesetz durch;

übt in Einklang mit der Verfassung und den Gesetzen die Kontrolle über die Arbeit der Regierung der Republik Kroatien und anderer dem Kroatischen Sabor verantwortlicher Amtsträger aus;

gewährt Amnestie für Straftaten;

nimmt andere durch die Verfassung festgelegte Aufgaben wahr.

Artikel 82 [Stimmmehrheit]

(1) Wird durch die Verfassung nichts anderes bestimmt, verabschiedet der Kroatische Sabor Beschlüsse mit Stimmenmehrheit, wenn bei der Sitzung die Mehrheit der Abgeordneten anwesend ist.

(2) Die Abgeordneten üben ihr Stimmrecht persönlich aus.

Artikel 83 [Erhöhte Zustimmungserfordernisse]

(1) Gesetze (Organgesetze), durch die die Rechte der nationalen Minderheiten geregelt werden, verabschiedet der Kroatische Sabor mit einer Zweidrittelmehrheit aller Abgeordneten.

(2) Gesetze (Organgesetze), durch die die verfassungsmäßig festgelegten Menschenrechte und Grundfreiheiten, Wahlsystem, Organisation, Zuständigkeitsbereich und Arbeitsweise staatlicher Organe sowie Organisation und Zuständigkeitsbereich der lokalen und regionalen Selbstverwaltung geregelt werden, verabschiedet der Kroatische Sabor mit der Stimmenmehrheit aller Abgeordneten.

(3) Beschlüsse nach Artikel 8 der Verfassung werden vom Kroatischen Sabor mit einer Zweidrittelmehrheit der Stimmen aller Abgeordneten gefasst.

Artikel 84 [Öffentlichkeit]

Die Sitzungen des Kroatischen Sabors sind öffentlich.

Artikel 85 [Einbringung von Gesetzesvorlagen]

Alle Abgeordneten des Kroatischen Sabor, Fraktionen und Arbeitsausschüsse des Kroatischen Sabor sowie die Regierung der Republik Kroatien haben das Recht, Gesetzesvorlagen einzubringen.

Artikel 86 [Fragen und Interpellationen]

(1) Abgeordnete des Kroatischen Sabor haben das Recht, an die Regierung der Republik Kroatien und an einzelne Minister Fragen zu richten.

(2) Mindestens ein Zehntel der Abgeordneten des Kroatischen Sabor kann eine Interpellation über die Tätigkeit der Regierung der Republik Kroatien oder einzelner Regierungsmitglieder einbringen.

(3) Das Fragerecht der Abgeordneten und das Interpellationsrecht werden detaillierter durch die Geschäftsordnung geregelt.

Artikel 87 [Referendum]

(1) Der Kroatische Sabor kann ein Referendum über den Entwurf einer Verfassungsänderung, eine Gesetzesvorlage oder über eine andere Frage aus seinem Zuständigkeitsbereich ausschreiben.

(2) Der Präsident der Republik kann auf Vorschlag der Regierung und mit Gegenzeichnung des Ministerpräsidenten ein Referendum über den Entwurf einer Verfassungsänderung oder eine andere Frage, die er für die Unabhängigkeit, Einheit und das Bestehen der Republik Kroatien für bedeutend erachtet, ausschreiben.

(3) Der Kroatische Sabor schreibt in Einklang mit dem Gesetz ein Referendum über Fragen aus Absatz 1 und 2 dieses Artikels aus, wenn 10 Prozent der Gesamtzahl der Wahlberechtigten der Republik Kroatien dies verlangen.

(4) Beim Referendum entscheidet die Mehrheit der dem Referendum beigetretenen Wählerstimmen.

(5) Das Ergebnis des Referendums ist verbindlich.

(6) Über das Referendum wird ein Gesetz erlassen. Durch das Gesetz können auch die Bedingungen für das Stattfinden eines konsultativen Referendums vorgeschrieben werden.

Artikel 88 [Regelungen durch Verordnung]

(1) Der Kroatische Sabor kann die Regierung der Republik Kroatien höchstens für den Zeitraum eines Jahres ermächtigen, einzelne Fragen aus seinem Zuständigkeitsbereich durch Verordnungen zu regeln, ausgenommen jene, die sich auf die Regelung der durch die Verfassung festgelegten Menschenrechte und Grundfreiheiten, auf nationale Rechte, das Wahlsystem, Organisation, Zuständigkeitsbereich und Arbeitsweise der Staatsorgane und der Organe der lokalen Selbstverwaltung beziehen.

(2) Verordnungen auf Grundlage einer gesetzlichen Ermächtigung haben keine rückwirkende Kraft.

(3) Soweit vom Kroatischen Sabor nicht anders beschlossen, treten auf Grundlage einer gesetzlichen Ermächtigung erlassene Verordnungen nach Ablauf einer Frist von einem Jahr vom Tag der Ermächtigung an außer Kraft.

Artikel 89 [Verkündung; Prüfung der Verfassungsmäßigkeit]

(1) Gesetze werden vom Präsidenten der Republik innerhalb einer Frist von acht Tagen nach ihrer Verabschiedung durch den Kroatischen Sabor verkündet.

(2) Ist der Präsident der Republik der Auffassung, dass das verabschiedete Gesetz nicht in Einklang mit der Verfassung ist, kann er ein Verfahren zur Prüfung der Verfassungsmäßigkeit des Gesetzes vor dem Verfassungsgericht der Republik Kroatien einleiten.

Artikel 90 [Veröffentlichung; Inkrafttreten]

(1) Vor ihrem Inkrafttreten werden die Gesetze und andere Verordnungen der Staatsorgane im Amtsblatt der Republik Kroatien, „Narodne novine", veröffentlicht.

(2) Verordnungen der Organe mit Hoheitsgewalt müssen vor ihrem Inkrafttreten in Einklang mit dem Gesetz auf allgemein zugängliche Weise veröffentlicht werden.

(3) Ein Gesetz tritt frühestens am achten Tage nach seiner Veröffentlichung in Kraft, es sei denn, dies wird aus besonders gerechtfertigten Gründen durch Gesetz anders bestimmt.

(4) Gesetze und andere Verordnungen der Staatsorgane und der Organe mit Hoheitsgewalt können keine rückwirkende Kraft haben.

(5) Bei besonders gerechtfertigten Gründen können nur einzelne gesetzliche Bestimmungen rückwirkende Kraft haben.

Artikel 91 [Haushaltsplan]

(1) Alle Einnahmen und Ausgaben des Staates werden im Haushaltsplan festgelegt.

(2) Der Kroatische Sabor verabschiedet den Staatshaushalt mit der Stimmenmehrheit aller Abgeordneten.

(3) Gesetze, deren Anwendung finanzielle Mittel erfordert, müssen die Finanzquelle dieser Mittel vorsehen.

Artikel 92 [Untersuchungsausschüsse]

(1) Der Kroatische Sabor kann für alle Fragen von öffentlichem Interesse Untersuchungsausschüsse einrichten.

(2) Zusammensetzung, Zuständigkeitsbereich und Befugnisse der Untersuchungsausschüsse werden im Einklang mit dem Gesetz geregelt.

(3) Der Vorsitzende eines Untersuchungsausschusses wird mit der Stimmenmehrheit der Abgeordneten aus den Reihen der Opposition gewählt.

Artikel 93 [Ombudsmann]

(1) Der Ombudsmann ist ein Bevollmächtigter des Kroatischen Sabor zur Förderung und Wahrung von Menschenrechten und Freiheiten, die in der Verfassung, durch Gesetze und internationale Rechtsakte über Menschenrechte und Freiheiten festgelegt sind und von der Republik Kroatien übernommen wurden.

(2) Jedermann hat das Recht, dem Ombudsmann eine Beschwerde einzureichen, wenn er der Meinung ist, dass durch unrechtmäßiges oder unkorrektes Handeln der Staatsorgane oder der Organe der lokalen und regionalen Selbstverwaltung und der Organe mit Hoheitsgewalt seine ihm durch die Verfassung und das Gesetz garantierten Rechte verletzt oder gefährdet sind.

(3) Der Ombudsmann wird vom Kroatischen Sabor für die Dauer von acht Jahren gewählt. Er ist in seiner Arbeit selbstständig und unabhängig.

(4) Wahl, Entlassung, Zuständigkeitsbereich und Arbeitsweise des Ombudsmanns und seiner Stellvertreter werden durch Gesetz geregelt. Durch Gesetz können dem Ombudsmann bestimmte Befugnisse zur Wahrung grundlegender durch die Verfassung garantierter Rechte in Bezug auf juristische und natürliche Personen übertragen werden.

(5) Der Ombudsmann und andere zur Förderung und Wahrung von Menschenrechten und Grundfreiheiten Bevollmächtigte des Kroatischen Sabor genießen Immunität wie auch die Abgeordneten des Kroatischen Sabor.

2. Der Präsident der Republik Kroatien

Artikel 94 [Präsident der Republik]

(1) Der Präsident der Republik Kroatien repräsentiert und vertritt die Republik Kroatien im In- und Ausland.

(2) Der Präsident der Republik sorgt für das ordnungsgemäße und harmonische Funktionieren und die Stabilität der Staatsgewalt.

(3) Der Präsident der Republik ist für die Verteidigung der Unabhängigkeit und der territorialen Integrität der Republik Kroatien verantwortlich.

Artikel 95 [Wahl des Präsidenten]

(1) Der Präsident der Republik wird auf der Grundlage des allgemeinen und gleichen Wahlrechtes in unmittelbarer und geheimer Wahl für die Dauer von fünf Jahren gewählt.

(2) Niemand kann mehr als zweimal zum Präsidenten der Republik gewählt werden.

(3) Der Präsident der Republik wird mit der Mehrheit aller abgegebenen Stimmen gewählt. Wenn keiner der Kandidaten eine solche Mehrheit erhält, wird die Wahl nach 14 Tagen wiederholt.

(4) Bei der Stichwahl haben jene zwei Kandidaten das Recht gewählt zu werden,

die bei der ersten Wahl die meisten Stimmen erhalten haben. Zieht einer der Kandidaten seine Kandidatur zurück, erwirbt der nach der Zahl der erhaltenen Stimmen nachfolgende Kandidat das Recht, nochmals gewählt zu werden.

(5) Die Wahl des Präsidenten der Republik wird mindestens 30 und höchstens 60 Tage vor Ablauf der Amtszeit durchgeführt.

(6) Bevor der Präsident der Republik sein Amt übernimmt, legt er vor dem Präsidenten des Verfassungsgerichts der Republik Kroatien einen feierlichen Eid ab, mit dem er sich zur Treue gegenüber der Verfassung verpflichtet.

(7) Die Wahl des Präsidenten der Republik, der Eid und die Vereidigung werden durch Gesetz geregelt.

Artikel 96 [Inkompatibilität]

(1) Der Präsident der Republik kann kein anderes öffentliches Amt bekleiden und keinen Beruf ausüben.

(2) Nach der Wahl legt der Präsident der Republik seine Mitgliedschaft in einer politischen Partei nieder, worüber er den Kroatischen Sabor zu unterrichten hat.

Artikel 97 [Vertretung; Todesfall und Rücktritt]

(1) Im Falle, dass der Präsident der Republik für kürzere Zeit seine Amtspflichten wegen Abwesenheit, Krankheit oder Inanspruchnahme des Jahresurlaubs nicht wahrnehmen kann, kann er den Präsidenten des Kroatischen Sabor beauftragen, ihn zu vertreten.

(2) Über die Wiederaufnahme seiner Amtspflichten entscheidet der Präsident der Republik.

(3) Im Falle, dass der Präsident der Republik für längere Zeit seine Amtspflichten wegen Krankheit oder Unvermögen nicht wahrnehmen kann, und insbesondere sollte er außerstande sein, über eine Übergabe seiner Amtspflichten an einen vorläufigen Vertreter zu entscheiden, übernimmt der Präsident des Kroatischen Sabor das Amt des vorläufigen Präsidenten der Republik aufgrund einer

Entscheidung des Verfassungsgerichts. Das Verfassungsgericht entscheidet darüber auf Vorschlag der Regierung.

(4) Im Todesfall oder im Falle des Rücktritts, der dem Präsidenten des Verfassungsgerichts der Republik Kroatien bekannt zu geben ist und über den der Präsident des Kroatischen Sabor zu informieren ist oder wenn das Verfassungsgericht Gründe für eine Mandatsniederlegung des Präsidenten der Republik feststellt, übernimmt Kraft der Verfassung der Präsident des Kroatischen Sabor das Amt des vorläufigen Präsidenten der Republik.

(5) Erlässt der Präsident des Kroatischen Sabor als vorläufiger Präsident der Republik einen Akt über die Verkündung eines Gesetzes, so ist dieser vom Ministerpräsidenten gegenzuzeichnen.

(6) Wahlen für einen neuen Präsidenten der Republik müssen in Einklang mit Absatz 3 dieses Artikels innerhalb einer Frist von 60 Tagen nach der Amtsübernahme durch den vorläufigen Präsidenten der Republik durchgeführt werden.

Artikel 98 [Kompetenzen des Präsidenten]

Der Präsident der Republik:

schreibt die Wahlen zum Kroatischen Sabor aus und beruft ihn zur ersten Sitzung ein;

schreibt in Einklang mit der Verfassung Referenden aus;

erteilt das Mandat zur Regierungsbildung einer Person, die auf Grundlage der Sitzverteilung im Kroatischen Sabor und nach abgehaltenen Konsultationen das Vertrauen der Mehrheit aller Abgeordneten genießt;

spricht Begnadigungen aus;

verleiht durch Gesetz vorgesehene Orden und Auszeichnungen;

nimmt andere durch die Verfassung vorgesehene Aufgaben wahr.

Artikel 99 [Außenpolitik; diplomatische Vertreungen]

(1) Der Präsident der Republik und die Regierung der Republik Kroatien gestalten

und führen die Außenpolitik gemeinsam aus.

(2) Der Präsident der Republik entscheidet auf Vorschlag der Regierung und mit Gegenzeichnung durch den Ministerpräsidenten über die Gründung diplomatischer und konsularer Auslandsvertretungen der Republik Kroatien.

(3) Der Präsident der Republik entscheidet auf Vorschlag der Regierung und nach Anhörung des zuständigen Ausschusses des Kroatischen Sabor mit vorheriger Gegenzeichnung des Ministerpräsidenten der Republik Kroatien über die Ernennung und Abberufung der Leiter der diplomatischen Auslandsvertretungen der Republik Kroatien.

(4) Der Präsident der Republik nimmt Beglaubigungs- und Abberufungsschreiben ausländischer Leiter diplomatischer Vertretungen an.

Artikel 100 [Oberbefehlshaber]

(1) Der Präsident der Republik ist Oberbefehlshaber der Streitkräfte der Republik Kroatien.

(2) Der Präsident der Republik ernennt und entlässt die Militärbefehlshaber im Einklang mit dem Gesetz.

(3) Auf Grundlage eines Beschlusses des Kroatischen Sabor erklärt der Präsident der Republik Krieg und schließt Frieden.

(4) Im Falle einer unmittelbaren Gefährdung der Unabhängigkeit, Einheit und Existenz des Staates kann der Präsident der Republik mit Gegenzeichnung des Ministerpräsidenten die Mobilmachung der Streitkräfte anordnen, auch wenn der Kriegszustand nicht erklärt wurde.

Artikel 101 [Verordnungen mit Gesetzeskraft]

(1) Während eines Kriegszustandes kann der Präsident der Republik auf Grundlage und im Rahmen einer Ermächtigung durch den Kroatischen Sabor Verordnungen mit Gesetzeskraft erlassen. Wenn der Kroatische Sabor nicht tagt, ist der Präsident der Republik befugt, durch Verordnungen mit Gesetzeskraft alle den Kriegszustand betreffenden Angelegenheiten zu regeln.

(2) Im Falle einer unmittelbaren Gefährdung der Unabhängigkeit, Einheit und Existenz des Staates oder für den Fall, dass die Organe der Staatsgewalt außerstande sind, ordnungsgemäß ihre verfassungsmäßigen Pflichten auszuüben, kann der Präsident der Republik auf Vorschlag des Ministerpräsidenten und mit dessen Gegenzeichnung Angelegenheiten durch Verordnungen mit Gesetzeskraft regeln.

(3) Sobald der Kroatische Sabor tagen kann, hat der Präsident der Republik die Zustimmung zu den Verordnungen mit Gesetzeskraft zur beantragen.

(4) Wenn der Präsident der Republik dem Kroatischen Sabor eine Verordnung mit Gesetzeskraft nicht gemäß Absatz 3 dieses Artikels zur Zustimmung vorlegt, oder wenn der Kroatische Sabor seine Zustimmung verweigert, verliert die Verordnung mit Gesetzeskraft ihre Gültigkeit.

(5) In den Fällen aus Absatz 1 und 2 dieses Artikels hat der Präsident das Recht, Regierungssitzungen einzuberufen und einer so einberufenen Sitzung vorzusitzen.

Artikel 102 [Vorschlag auf Sitzung der Regierung]

(1) Der Präsident der Republik kann zur Erörterung bestimmter Fragen eine Sitzung der Regierung vorschlagen.

(2) Der Präsident der Republik kann der Sitzung beiwohnen und an der Beratung teilnehmen.

Artikel 103 [Leitung der Tätigkeiten der Nachrichtendienste]

(1) Der Präsident der Republik und die Regierung der Republik Kroatien arbeiten in Einklang mit der Verfassung und dem Gesetz bei der Leitung der Tätigkeiten der Nachrichtendienste zusammen.

(2) Die Ernennung der Leiter der Nachrichtendienste wird nach Anhörung des zuständigen Ausschusses des Kroatischen Sabor vom Präsidenten der Republik und dem Ministerpräsidenten unterzeichnet.

Artikel 104 [Misstrauen gegenüber der Regierung und Auflösung des Sabor]

(1) Wenn auf einen Antrag der Regierung, ihr das Vertrauen auszusprechen, der Kroatische Sabor der Regierung das Misstrauen ausspricht oder innerhalb einer Frist von 120 Tagen nach seiner Vorlage der Haushaltsplan nicht verabschiedet wird, kann der Präsident der Republik auf Vorschlag der Regierung und nach Anhörung der Vertreter der Fraktionen und mit Gegenzeichnung des Ministerpräsidenten den Kroatischen Sabor auflösen.

(2) Der Präsident der Republik kann den Kroatischen Sabor nicht auf Antrag der Regierung auflösen, solange ein Verfahren zur Feststellung der Verantwortlichkeit für einen Verfassungsverstoß gegen ihn im Gange ist.

Artikel 105 [Verantwortlichkeit des Präsidenten]

(1) Der Präsident der Republik ist verantwortlich für einen Verfassungsverstoß, den er in Ausübung seines Amtes begeht.

(2) Das Verfahren zur Feststellung der besonderen Verantwortlichkeit des Präsidenten der Republik kann der Kroatische Sabor mit einer Zweidrittelmehrheit aller Abgeordneten einleiten.

(3) Über die Verantwortlichkeit des Präsidenten der Republik entscheidet das Verfassungsgericht der Republik Kroatien mit einer Zweidrittelmehrheit aller Verfassungsrichter.

(4) Das Verfassungsgericht muss seine Entscheidung über die Verantwortlichkeit des Präsidenten der Republik für einen Verfassungsverstoß innerhalb einer Frist von 30 Tagen nach Eingang des Antrags zur Einleitung des Verfahrens zur Feststellung der Verantwortlichkeit des Präsidenten für einen Verfassungsverstoß treffen.

(5) Stellt das Verfassungsgericht der Republik Kroatien dessen Verantwortlichkeit fest, endet das Amt des Präsidenten der Republik kraft Verfassung.

Artikel 106 [Immunität des Präsidenten]

(1) Der Präsident der Republik genießt Immunität.

(2) Der Präsident der Republik kann ohne vorherige Zustimmung des Verfassungsgerichts weder in Haft genommen werden noch kann ein Strafverfahren gegen ihn eingeleitet werden.

(3) Ohne Genehmigung des Verfassungsgerichts kann der Präsident der Republik nur dann in Haft genommen werden, wenn er beim Begehen einer Straftat angetroffen wurde, für die eine mehr als fünfjährige Gefängnisstrafe vorgeschrieben ist. In einem derartigen Fall hat das Staatsorgan, das den Präsidenten der Republik in Haft genommen hat, den Präsidenten des Verfassungsgerichts unverzüglich zu benachrichtigen.

Artikel 107 [Beratende Gremien]

(1) Der Präsident der Republik wird bei der Wahrnehmung seiner Befugnisse von beratenden Gremien unterstützt. Die Mitglieder dieser Gremien werden vom Präsidenten der Republik ernannt und ihres Amtes enthoben. Ernennungen, die dem Prinzip der Gewaltenteilung entgegenstehen, sind nicht erlaubt.

(2) Beratende, fachliche und anderweitige Tätigkeiten werden vom Präsidialamt wahrgenommen. Über den Aufbau und Zuständigkeitsbereich des Präsidialamtes entscheidet der Präsidenten der Republik. Das Präsidialamt und die Fachämter der Regierung der Republik Kroatien arbeiten bei der Ausübung von Tätigkeiten von gemeinsamem Interesse zusammen. Mittel für die Tätigkeit des Präsidialamtes werden im Rahmen des Staatshaushalts der Republik Kroatien zugesichert.

3. Die Regierung der Republik Kroatien

Artikel 108 [Regierung]

Die Regierung der Republik Kroatien übt die vollziehende Gewalt in Einklang mit der Verfassung und den Gesetzen aus.

Artikel 109 [Zusammensetzung; Unvereinbarkeit]

(1) Die Regierung der Republik Kroatien besteht aus dem Ministerpräsidenten, einem oder mehreren Vizepräsidenten und den Ministern.

(2) Der Ministerpräsident und andere Regierungsmitglieder dürfen ohne Zustimmung der Regierung kein anderes öffentliches Amt bekleiden und keine berufliche Tätigkeit ausüben.

Artikel 110 [Regierungsbildung]

(1) Die Mitglieder der Regierung werden von dem Mandatar, dem der Präsident der Republik das Mandat zur Bildung der Regierung erteilt hat, vorgeschlagen.

(2) Unmittelbar nach der Regierungsbildung bzw. spätestens 30 Tage nach Mandatsannahme ist der Abgeordnete verpflichtet, dem Kroatischen Sabor das Programm der Regierung und die Regierung vorzustellen und das Vertrauensvotum zu beantragen.

(3) Die Regierung tritt ihr Amt an, wenn ihr die Mehrheit aller Abgeordneten des Kroatischen Sabor das Vertrauen ausspricht.

(4) Der Ministerpräsident und die Regierungsmitglieder legen vor dem Kroatischen Sabor feierlich einen Eid ab. Der Wortlaut des Eides wird durch das Gesetz festgelegt.

(5) Auf Grundlagen eines Beschlusses des Kroatischen Sabor, mit dem er der Regierung der Republik Kroatien sein Vertrauen ausspricht, erlässt der Präsident der Republik einen vom Präsidenten des Kroatischen Sabor gegengezeichneten Beschluss über die Ernennung des Ministerpräsidenten; der Beschluss über die Ernennung der Regierungsmitglieder wird vom Ministerpräsidenten unter Gegenzeichnung des Präsidenten des Kroatischen Sabor erlassen.

Artikel 111 [Frist zur Regierungsbildung]

(1) Wird die Regierung vom Mandatar nicht innerhalb einer Frist von 30 Tagen nach Mandatsannahme gebildet, kann das Mandat vom Präsidenten der Republik um höchstens 30 Tage verlängert werden.

(2) Kann die Regierung auch innerhalb dieser Frist nicht gebildet werden oder spricht der Kroatische Sabor der Regierung das Vertrauen nicht aus, übergibt der Präsident der Republik das Mandat zur Regierungsbildung an einen anderen Mandatar.

Artikel 112 [Vorläufige unparteiliche Regierung]

Wenn die Regierung nicht in Einklang mit Artikel 110 und 111 der Verfassung gebildet werden kann, ernennt der Präsident der Republik eine vorläufige überparteiliche Regierung und schreibt gleichzeitig vorgezogene Neuwahlen zum Kroatischen Sabor aus.

Artikel 113 [Kompetenzen der Regierung]

Die Regierung der Republik Kroatien:

bringt beim Kroatischen Sabor Vorlagen zu Gesetzen und anderen Akten ein;

legt den Haushaltsplan und die Endabrechnung vor;

führt Gesetze und andere Beschlüsse des Kroatischen Sabor aus;

erlässt Verordnungen zur Durchführung der Gesetze;

leitet die Außen- und Innenpolitik;

steuert und kontrolliert die Tätigkeiten der Staatsverwaltung;

trägt Sorge für die wirtschaftliche Entwicklung des Landes;

leitet die Durchführung und Entwicklung der öffentlichen Dienste;

nimmt andere durch die Verfassung und das Gesetz festgelegte Aufgaben wahr.

Artikel 114 [Regelung durch Gesetz und Geschäftsordnung]

Organisation, Arbeitsweise, Beschlussfassung sowie die Arten der Rechtsakte, die von der Regierung erlassen werden, sind durch Gesetz und Geschäftsordnung geregelt.

Artikel 115 [Verantwortlichkeit der Regierung]

(1) Die Regierung ist dem Kroatischen Sabor verantwortlich.

(2) Der Ministerpräsident und die Re-

gierungsmitglieder tragen gemeinsam die Verantwortung für die von der Regierung gefassten Beschlüsse; für ihren Tätigkeitsbereich sind sie persönlich verantwortlich.

Artikel 116 [Vertrauensfrage und Misstrauensantrag]

(1) Auf Vorschlag mindestens eines Fünftels der Abgeordneten des Kroatischen Sabor kann ein Antrag gestellt werden, dem Ministerpräsidenten, einem einzelnen Regierungsmitglied oder der Regierung als Ganzem das Vertrauen auszusprechen.

(2) Der Antrag, der Regierung das Vertrauen auszusprechen, kann auch vom Ministerpräsidenten gestellt werden.

(3) Über die Vertrauensfrage kann nicht vor Ablauf von sieben Tagen vom Tag der Zustellung des Antrags an den Kroatischen Sabor beraten und abgestimmt werden.

(4) Debatte und Abstimmung über die Vertrauensfrage sind spätestens 30 Tage ab dem Tag der Antragstellung im Kroatischen Sabor durchzuführen.

(5) Der Misstrauensantrag gilt als angenommen, wenn die Mehrheit aller Abgeordneten des Kroatischen Sabor dafür gestimmt hat.

(6) Wird ein Misstrauensantrag vom Kroatischen Sabor abgelehnt, können jene Abgeordneten, die ihn gestellt haben, denselben Antrag nicht erneut vor Ablauf einer Frist von sechs Monaten stellen.

(7) Wird dem Ministerpräsidenten oder der gesamten Regierung das Misstrauen ausgesprochen, müssen der Ministerpräsident und die Regierung ihren Rucktritt erklären. Wenn innerhalb einer Frist von 30 Tagen nicht einem neuen Mandatar und den von ihm vorgeschlagenen Regierungsmitgliedern das Vertrauen ausgesprochen wird, hat der Präsident des Kroatischen Sabor darüber den Präsidenten der Republik Kroatien zu unterrichten. Nach Unterrichtung des Präsidenten der Republik durch den Präsidenten des Kroatischen Sabor hat der Präsident der Republik unverzüglich einen Beschluss über die Auflösung des Kroatischen Sabor zu erlassen und gleichzeitig Neuwahlen zum Kroatischen Sabor auszuschreiben.

(8) Wird einem einzelnen Regierungsmitglied das Misstrauen ausgesprochen, kann der Ministerpräsident dem Kroatischen Sabor an seiner Stelle ein anderes Mitglied vorschlagen und beantragen, dass ihm der Kroatische Sabor das Vertrauen ausspricht; anderenfalls können der Ministerpräsident und die Regierung ihren Rücktritt erklären.

(9) In Falle einer Rücktrittserklärung des Ministerpräsidenten oder der Regierung wird gemäß Absatz 7 dieses Artikels verfahren.

Artikel 117 [Staatsverwaltung]

(1) Organisation und Zuständigkeitsbereich der Staatsverwaltung sowie Art und Weise der Wahrnehmung ihrer Zuständigkeiten werden durch Gesetz geregelt.

(2) Einzelne Befugnisse der Staatsverwaltung können durch Gesetz an lokale und regionale Selbstverwaltungskörperschaften und an juristische Personen mit öffentlichen Befugnissen übertragen werden.

(3) Die Stellung der Staatsbeamten und die arbeitsrechtliche Stellung der staatlichen Bediensteten werden durch Gesetz oder andere Rechtsvorschriften geregelt.

4. Die rechtsprechende Gewalt

Artikel 118 [Rechtsprechende Gewalt]

(1) Die Recht sprechende Gewalt wird von den Gerichten ausgeübt.

(2) Die Recht sprechende Gewalt ist selbstständig und unabhängig.

(3) Die Gerichte sind in ihrer Rechtsprechung an Verfassung, Gesetze, zwischenstaatliche Verträge und weitere gültige Rechtsquellen gebunden.

Artikel 119 [Oberster Gerichtshof]

(1) Der Oberste Gerichtshof der Republik Kroatien stellt als höchstes Gericht die einheitliche Anwendung der Gesetze sowie die Gleichstellung aller Bürger bei ihrer Anwendung sicher.

(2) Der Präsident des Obersten Gerichtshofes der Republik Kroatien wird nach An-

hörung der Plenarversammlung des Obersten Gerichtshofes und des zuständigen Ausschusses des Kroatischen Sabor auf Vorschlag des Präsidenten der Republik vom Kroatischen Sabor ernannt und von seinem Amtspflichten entbunden. Der Präsident des Obersten Gerichtshofes der Republik Kroatien wird für die Dauer von vier Jahren ernannt.

(3) Konstituierung, Zuständigkeitsbereich, Zusammensetzung und Organisation der Gerichte sowie das Gerichtsverfahren werden durch Gesetz geregelt.

Artikel 120 [Öffentlichkeit]

(1) Die Gerichtsverhandlungen sind öffentlich und Urteile werden im Namen der Republik Kroatien öffentlich verkündet.

(2) Die Öffentlichkeit kann von der gesamten Gerichtsverhandlung oder eines Teils der Gerichtsverhandlung ausgeschlossen werden, aus Gründen, die in einer demokratischen Gesellschaft notwendig und im Interesse der Moral, öffentlichen Ordnung oder Sicherheit des Staates sind, insbesondere, wenn Minderjährige vor Gericht stehen oder zum Schutze des Privatlebens der Prozessparteien, bei Ehestreitigkeiten, Sorgerechts- und Adoptionsangelegenheiten oder zwecks Geheimhaltung von Militär-, Amts- und Geschäftsgeheimnissen sowie zum Schutz der Sicherheit und der Verteidigung der Republik Kroatien. Sie kann jedoch nur im nach Auffassung des Gerichts absolut erforderlichen und den besonderen Umständen entsprechenden Umfang ausgeschlossen werden, wenn die Öffentlichkeit den Interessen der Justiz entgegensteht.

Artikel 121 [Richteramt; Laienbeteiligung]

(1) Das Richteramt wird den Richtern persönlich übertragen.

(2) In Einklang mit dem Gesetz sind an der Gerichtsverhandlung sowohl Laienrichter als auch Gerichtsberater beteiligt.

Artikel 122 [Immunität der Richter]

(1) Richter genießen in Einklang mit dem Gesetz Immunität.

(2) Richter und Laienrichter, die in einer Gerichtsverhandlung mitwirken, können für ihre Äußerungen oder wegen ihrer Abstimmung bei einer Urteilsfindung nicht zur Verantwortung gezogen werden, außer im Falle einer Gesetzesverletzung durch den Richter, was eine Straftat darstellt.

(3) Ein Richter kann im Verfahren wegen einer bei der Ausübung seines Richteramtes begangenen Straftat nicht ohne vorherige Zustimmung des Staatlichen Gerichtsrates festgenommen werden, noch kann eine Untersuchungshaft angeordnet werden.

Artikel 123 [Amtsenthebung]

(1) Das Richteramt ist unbefristet.

(2) Ein Richter wird seines Amtes enthoben:

– auf eigenes Verlangen;

– wenn er die Fähigkeit zur Ausübung seines Amtes auf Dauer verliert;

– wenn er wegen einer Straftat verurteilt wird, die ihn unwürdig zur Ausübung des Richteramtes macht;

– wenn der Staatliche Gerichtsrat im Einklang mit dem Gesetz wegen Begehung eines schweren Disziplinarvergehens so beschließt;

– nach Vollendung des 70. Lebensjahres.

(3) Der Richter hat das Recht, innerhalb einer Frist von 15 Tagen nach Zustellung des Beschlusses über die Amtsenthebung beim Verfassungsgericht der Republik Kroatien Beschwerde einzulegen, über die das Verfassungsgericht gemäß dem durch das Verfassungsgesetz über das Verfassungsgericht der Republik Kroatien festgelegten Verfahren und der Zusammensetzung entscheidet.

(4) Gegen den Beschluss des Staatlichen Gerichtsrates über die disziplinäre Verantwortlichkeit hat der Richter das Recht, innerhalb einer Frist von 15 Tagen nach Zustellung des Beschlusses, beim Verfassungsgericht der Republik Kroatien Beschwerde einzulegen. Das Verfassungsgericht entscheidet über die Beschwerde auf Art und Weise und gemäß dem durch das Verfassungsgesetz über das Verfassungsgericht der Republik Kroatien festgelegten Verfahren.

(5) Das Verfassungsgericht ist verpflichtet, in Fällen aus Absatz 3 und 4 dieses Artikels innerhalb einer Frist von 30 Tagen nach Eingang der Beschwerde eine Entscheidung zu fällen. Der Beschluss des Verfassungsgerichts schließt das Recht auf eine Verfassungsbeschwerde aus.

(6) Außer im Falle einer Auflösung oder einer Reorganisation des Gerichts im Einklang mit dem Gesetz kann ein Richter nicht gegen seinen Willen versetzt werden.

(7) Ein Richter kann kein Amt und keinen Beruf ausüben, die laut Gesetz unvereinbar mit dem Richteramt sind.

Artikel 124 [Staatlicher Gerichtsrat]

(1) Der Staatliche Gerichtsrat ist ein selbstständiges und unabhängiges Organ, das die Selbstständigkeit und Unabhängigkeit der Recht sprechenden Gewalt in der Republik Kroatien sichert.

(2) Der Staatliche Gerichtsrat entscheidet in Einklang mit der Verfassung und dem Gesetz selbstständig über Benennung, Aufstieg, Versetzung, Entlassung und disziplinäre Verantwortlichkeit von Richtern und Gerichtspräsidenten, mit Ausnahme des Präsidenten des Obersten Gerichtshofs der Republik Kroatien.

(3) Beschlüsse aus Absatz 2 dieses Artikels fällt der Staatliche Gerichtsrat unbefangen und nach durch das Gesetz vorgeschriebenen Kriterien.

(4) Der Staatliche Gerichtsrat wirkt bei der Aus- und Fortbildung von Richtern und anderem Justizpersonal mit.

(5) Der Staatliche Gerichtsrat besteht aus elf Mitgliedern, von denen sieben Richter und zwei Hochschulprofessoren der Rechtswissenschaft sind sowie zwei Abgeordnete des Kroatischen Sabor, von denen einer aus den Reihen der Opposition gestellt wird.

(6) Die Mitglieder des Staatlichen Gerichtsrates wählen ihren Präsidenten aus den eigenen Reihen.

(7) Gerichtspräsidenten können nicht in den Staatlichen Gerichtsrat gewählt werden.

(8) Die Mitglieder des Staatlichen Gerichtsrates werden für die Dauer von vier Jahren gewählt. Niemand darf mehr als zwei Mal in den Staatlichen Gerichtsrates gewählt werden.

(9) Zuständigkeitsbereich, Organisation, Art der Wahl seiner Mitglieder sowie die Arbeitsweise des Staatlichen Gerichtsrates werden durch Gesetz geregelt.

5. Die Staatsanwaltschaft

Artikel 125 [Staatsanwaltschaft]

(1) Die Staatsanwaltschaft ist ein selbstständiges und unabhängiges Organ der Recht sprechenden Gewalt, das bevollmächtigt und verpflichtet ist, gegen Personen, die Straftaten oder andere Vergehen begangen haben, rechtlich vorzugehen, Rechtshandlungen zum Schutz des Eigentums der Republik Kroatien vorzunehmen sowie Rechtsmittel zum Schutz der Verfassung und der Gesetze einzulegen.

(2) Der Generalstaatsanwalt der Republik Kroatien wird für die Dauer von vier Jahren vom Kroatischen Sabor, nach vorheriger Stellungnahme des zuständigen Ausschusses des Kroatischen Sabor auf Vorschlag der Regierung der Republik Kroatien ernannt.

(3) Die stellvertretenden Staatsanwälte werden in Einklang mit der Verfassung und dem Gesetz vom Staatsanwaltsrat ernannt und entlassen, der auch über ihre disziplinäre Verantwortlichkeit befindet.

(4) Beschlüsse aus Absatz 3 dieses Artikels werden vom Staatsanwaltsrat unbefangen und nach durch das Gesetz vorgeschriebenen Kriterien erbracht.

(5) Die stellvertretenden Staatsanwälte bekleiden ihr Amt als Staatsanwalt stetig.

(6) Die Staatsanwaltschaft besteht aus elf Mitgliedern, von denen sieben stellvertretende Staatsanwälte, zwei Hochschulprofessoren der Rechtswissenschaft sind sowie zwei Abgeordnete des Sabor, von denen einer aus den Reihen der Opposition gestellt wird.

(7) Die Mitglieder des Staatsanwaltsrates werden für die Dauer von vier Jahren gewählt, wobei niemand mehr als zwei Mal in den Staatsanwaltsrat gewählt werden kann.

(8) Die Mitglieder des Staatsanwaltsrates wählen ihren Präsidenten aus den eigenen Reihen.

(9) Die Präsidenten der Staatsanwaltschaften dürfen nicht in den Staatsanwaltsrat gewählt werden.

(10) Zuständigkeitsbereich, Organisation, Art der Wahl seiner Mitglieder sowie die Arbeitsweise des Staatsanwaltrates werden durch Gesetz geregelt.

(11) Konstituierung, Organisation, Wirkungs- und Zuständigkeitsbereich der Staatsanwaltschaft werden durch Gesetz geregelt.

V. DAS VERFASSUNGSGERICHT DER REPUBLIK

Artikel 126 [Verfassungsgericht]

(1) Das Verfassungsgericht der Republik Kroatien besteht aus dreizehn Richtern, die vom kroatischen Sabor mit einer Zweidrittel-Stimmenmehrheit der Gesamtzahl der Abgeordneten aus den Reihen namhafter Juristen, insbesondere der Richter, Staatsanwälte, Anwälte und Hochschulprofessoren der Rechtswissenschaften, auf durch das Verfassungsgesetz vorgeschriebene Weise und Prozedur gewählt werden. Das Mandat eines Richters des Verfassungsgerichts dauert acht Jahre und wird bis zum Amtsantritt eines neuen Richters verlängert, im Falle, dass bis zum Ablauf der Amtszeit noch kein neuer Richter auserwählt wurde oder er sein Amt noch nicht angetreten hat, und dies im Ausnahmefall für höchstens sechs Monate.

(2) Das Kandidaturverfahren für Richter des Verfassungsgerichts wird von dem für Verfassungsfragen zuständigen Ausschuss durchgeführt, der dem kroatischen Sabor den Wahlvorschlag unterbreitet.

(3) Der Präsident des Gerichts wird vom Verfassungsgericht der Republik Kroatien für die Dauer von vier Jahren gewählt.

Artikel 127 [Richter des Verfassungsgerichts]

(1) Die Richter des Verfassungsgerichts der Republik Kroatien dürfen kein anderes öffentliches Amt bekleiden und keiner anderen beruflichen Tätigkeit nachgehen.

(2) Die Richter des Verfassungsgerichts der Republik Kroatien genießen wie auch die Abgeordneten des Kroatischen Sabor Immunität.

Artikel 128 [Amtsenthebung von Verfassungsrichtern]

Ein Richter des Verfassungsgerichts der Republik Kroatien kann vor Ablauf seiner Amtszeit auf eigenes Verlangen, im Falle einer Verurteilung zu einer Gefängnisstrafe oder im Falle dauernder Amtsunfähigkeit, worüber das Gericht selbst entscheidet, seines Amtes enthoben werden.

Artikel 129 [Kompetenzen des Verfassungsgerichts]

Das Verfassungsgericht der Republik Kroatien

– entscheidet über die Übereinstimmung der Gesetze mit der Verfassung;

– entscheidet über die Übereinstimmung anderer Vorschriften mit der Verfassung und den Gesetzen;

– kann die Verfassungsmäßigkeit von Gesetzen sowie die Verfassungs- und Gesetzesmäßigkeit anderer Rechtsvorschriften, die außer Kraft getreten sind, bewerten, vorausgesetzt, dass vom Zeitpunkt ihres Außerkrafttretens bis zur Antragstellung oder bis zum Antrag zur Einleitung eines Verfahrens nicht mehr als ein Jahr vergangen ist;

– entscheidet bei Verfassungsbeschwerden gegen Einzelentscheidungen der Staatsorgane, der Organe der lokalen und regionalen Selbstverwaltung sowie juristischer Personen mit öffentlichen Befugnissen, wenn durch diese Entscheidungen die verfassungsmäßig gewährleisteten Menschenrechte und Grundfreiheiten sowie das Recht auf lokale und regionale Selbstverwaltung verletzt wurden;

– beaufsichtigt die Verwirklichung der Verfassungs- und Gesetzmäßigkeit und unterrichtet den Kroatischen Sabor über beobachtete Fälle der Verfassungs- und Gesetzeswidrigkeit;

– entscheidet bei Zuständigkeitskonflikten zwischen den Organen der gesetzgebenden, vollziehenden und Recht sprechenden Gewalt;

– entscheidet in Einklang mit der Verfassung über die Verantwortlichkeit des Präsidenten der Republik;

– überprüft die Verfassungsmäßigkeit der Programme und die Tätigkeit politischer Parteien und kann sie in Einklang mit der Verfassung verbieten;

– überprüft die Verfassungs- und Gesetzmäßigkeit der Wahlen und Referenden und entscheidet in Wahlstreitigkeiten, die nicht in die Zuständigkeit der Gerichte fallen;

– nimmt andere durch die Verfassung festgelegte Aufgaben wahr.

Artikel 130 [Mitteilung über Versäumnis]

Stellt das Verfassungsgericht fest, dass ein zuständiges Organ versäumt hat, eine Vorschrift zur Durchführung von Verfassungsbestimmungen, Gesetzen und anderen Rechtsvorschriften zu erlassen, zu deren Erlass es verpflichtet war, unterrichtet es darüber die Regierung. Bei Verordnungen, zu deren Erlass die Regierung verpflichtet war, unterrichtet das Verfassungsgericht den Kroatischen Sabor.

Artikel 131 [Verfassungswidrige Gesetze]

(1) Gesetze, deren Verfassungswidrigkeit festgestellt wird, werden vom Verfassungsgericht der Republik Kroatien aufgehoben.

(2) Rechtsvorschriften, deren Verfassungs- oder Gesetzeswidrigkeit festgestellt wird, werden vom Verfassungsgericht der Republik Kroatien für nichtig erklärt oder aufgehoben.

(3) Wird festgestellt, dass ein Gesetz oder eine andere Rechtsvorschrift nicht in Einklang mit der Verfassung und dem Gesetz war, erlässt das Verfassungsgericht der Republik Kroatien in den Fällen des Artikels 129 Absatz 1 Unterabsatz 3 einen Beschluss über die Feststellung der Verfassungs- und Gesetzeswidrigkeit.

Artikel 132 [Regelung durch Verfassungsgesetz]

(1) Das Verfahren und die Bedingungen für die Wahl der Richter des Verfassungsgerichts der Republik Kroatien, die Niederlegung ihres Amtes, die Bedingungen und Fristen zur Einleitung des Verfahrens zur Prüfung der Verfassungs- und Gesetzmäßigkeit, das Verfahren und die Rechtswirkung der Gerichtsentscheidungen, die durch die Verfassung garantierte Wahrung der Menschenrechte und Grundfreiheiten sowie andere Fragen, die für die Amtsausübung und Arbeit des Verfassungsgerichts der Republik Kroatien wichtig sind, werden durch ein Verfassungsgesetz geregelt.

(2) Das Verfassungsgesetz wird gemäß dem zur Verfassungsänderung bestimmten Verfahren erlassen.

(3) Der innere Aufbau des Verfassungsgerichts der Republik Kroatien wird durch seine Geschäftsordnung geregelt.

VI. ÖRTLICHE, LOKALE UND REGIONALE SELBSTVERWALTUNG

Artikel 133 [Gewährleistung des Rechts auf Selbstverwaltung]

(1) Den Bürgern wird das Recht auf lokale und regionale Selbstverwaltung gewährleistet.

(2) Das Selbstverwaltungsrecht wird durch lokale bzw. regionale Vertretungskörperschaften verwirklicht, deren Mitglieder in freien und geheimen Wahlen auf Grundlage des unmittelbaren, gleichen und allgemeinen Wahlrechts gewählt werden.

(3) Die Bürger können in Einklang mit dem Gesetz und der Satzung unmittelbar durch Bürgerversammlungen, Referenden oder andere Formen direkter Beschlussfassung bei der Verwaltung lokaler Angelegenheiten mitwirken. Rechte aus diesem Artikel verwirklichen in Einklang mit der Verfassung und dem gemeinschaftlichen Besitzstand der Europäischen Union auch Bürger der Europäischen Union in der Republik Kroatien.

Artikel 134 [Lokale Selbstverwaltung]

(1) Einheiten der lokalen Selbstverwaltung sind die Gemeinden und Städte; ihr Gebiet wird auf die durch Gesetz vorgeschriebene Weise festgelegt. Durch Gesetz können auch andere Einheiten der lokalen Selbstverwaltung bestimmt werden.

(2) Die Einheiten der regionalen Selbstverwaltung sind die Gespanschaften. Ihr Gebiet wird auf die durch Gesetz vorgeschriebene Weise festgelegt.

(3) Der Hauptstadt Zagreb kann durch das Gesetz der Status einer Gespanschaft zuerkannt werden. Auf größere Städte der Republik Kroatien können durch Gesetz die Befugnisse einer Gespanschaft übertragen werden.

(4) In Ortschaften oder Teilsiedlungen können in Einklang mit dem Gesetz Formen der örtlichen Selbstverwaltung gebildet werden.

Artikel 135 [Angelegenheiten der lokalen Selbstverwaltung]

(1) Die Einheiten der lokalen Selbstverwaltung verwalten Angelegenheiten aus dem lokalen Wirkungsbereich, durch die direkt die Bedürfnisse der Bürger befriedigt werden; dies bezieht sich insbesondere auf die Einrichtung der Ortschaften und Wohngebiete, die Raum- und Stadtplanung, kommunale Dienstleistungen, Kinderbetreuung, Sozialfürsorge, den primären Gesundheitsschutz, Erziehungswesen und Grundschulausbildung, Kultur, Körperkultur und Sport, Technikkultur, Verbraucherschutz, Schutzes und Verbesserung der Umwelt, den Brand- sowie den Zivilschutz.

(2) Die Einheiten der regionalen Selbstverwaltung verwalten Angelegenheiten von regionaler Bedeutung, insbesondere Tätigkeiten bezüglich des Schul- und Gesundheitswesens, der Raum- und Stadtplanung, der wirtschaftlichen Entwicklung, des Verkehrs und der Verkehrsinfrastruktur sowie der Planung eines Netzes von Bildungs-, Gesundheits-, Sozial- und Kultureinrichtungen.

(3) Angelegenheiten aus dem lokalen und regionalen Wirkungsbereich werden durch Gesetz geregelt. Die Verwaltung dieser Angelegenheiten wird vorzugsweise den Körperschaften zugewiesen, die den Bürgern am nächsten stehen.

(4) Bei der Festlegung der Zuständigkeiten lokaler und regionaler Selbstverwaltungseinheiten müssen Art und Umfang der Angelegenheit sowie die Anforderungen an Effizienz und Wirtschaftlichkeit bedacht werden.

Artikel 136 [Interner Aufbau und Zuständigkeitsbereich]

Die Einheiten der lokalen und regionalen Selbstverwaltung haben das Recht, im Rahmen der Gesetze und durch ihre Satzungen den internen Aufbau und den Zuständigkeitsbereich ihrer Organe selbstständig festzulegen und diese den lokalen Erfordernissen und Möglichkeiten anzupassen.

Artikel 137 [Selbstständigkeit]

Die Organe lokaler und regionaler Selbstverwaltungseinheiten sind in der Verwaltung von in ihrem Zuständigkeitsbereich liegenden Angelegenheiten selbstständig und unterliegen lediglich der Kontrolle der Verfassungs- und Gesetzmäßigkeit seitens der dazu befugten Staatsorgane.

Artikel 138 [Freie Verfügung über Einnahmen]

(1) Die Einheiten der lokalen und regionalen Selbstverwaltungen haben das Recht auf eigene Einnahmen, über die sie bei der Verwaltung der in ihrem Zuständigkeitsbereich liegenden Angelegenheiten frei verfügen können.

(2) Die Einnahmen lokaler und regionaler Selbstverwaltungseinheiten müssen im Verhältnis zu ihren durch die Verfassung und das Gesetz festgelegten Befugnissen stehen.

(3) Der Staat hat die Pflicht, finanziell schwächere Einheiten der lokalen Selbstverwaltung in Einklang mit dem Gesetz zu unterstützen.

VII. INTERNATIONALE BEZIEHUNGEN

1. Internationale Abkommen

Artikel 139 [Abschluss internationaler Abkommen]

In Einklang mit der Verfassung, dem Gesetz und den Normen des Völkerrechts fällt der Abschluss internationaler Abkommen, abhängig von ihrer Natur und ihrem Inhalt in die Zuständigkeit des Kroatischen Sabor, des Präsidenten der Republik und der Regierung der Republik Kroatien.

Artikel 140 [Ratifikation]

(1) Der Kroatische Sabor ratifiziert internationale Verträge, die die Verabschiedung oder die Änderung eines Gesetzes verlangen, internationale Verträge militärischer oder politischer Natur sowie internationale Verträge, die eine finanzielle Verpflichtung für die Republik Kroatien mit sich ziehen.

(2) Internationale Verträge, durch die einer internationalen Organisation oder einem Bündnis aus der Verfassung der Republik Kroatien abgeleitete Befugnisse übertragen werden, werden vom Kroatischen Sabor mit einer Zweidrittelmehrheit der Stimmen aller Abgeordneten ratifiziert.

(3) Der Präsident der Republik unterzeichnet Ratifikations-, Beitritts-, Genehmigungs- und Annahmeurkunden internationaler Verträge, die vom Kroatischen Sabor auf Grundlage der Absätze 1 und 2 dieses Artikels ratifiziert wurden.

(4) Internationale Verträge, die nicht der Ratifizierung durch den Kroatischen Sabor bedürfen, werden vom Präsidenten der Republik auf Vorschlag der Regierung oder von der Regierung der Republik Kroatien abgeschlossen.

Artikel 141 [Bestandteil der Rechtsordnung]

In Kraft getretene internationale Verträge, die in Einklang mit der Verfassung abgeschlossen, ratifiziert und veröffentlicht wurden, sind Bestandteil der inneren Rechtsordnung der Republik Kroatien und stehen ihrer Rechtskraft nach über dem Gesetz. Ihre Bestimmungen dürfen nur unter den Bedingungen und auf die in ihnen festgelegte Weise oder in Einklang mit den allgemeinen Normen des Völkerrechts geändert oder aufgehoben werden.

2. Beitritt zu und Austritt aus Staatenbündnissen

Artikel 142 [Beitrittsverfahren; Referendum]

(1) Ein Verfahren mit dem Ziel eines Beitritts der Republik Kroatien zu einem Staatenbündnis kann von mindestens einem Drittel der Abgeordneten des Kroatischen Sabor, vom Präsidenten der Republik und von der Regierung der Republik Kroatien eingeleitet werden.

(2) Die Einleitung eines Verfahrens zum Beitritt der Republik Kroatien zu einem Bündnis mit anderen Staaten, das zur Erneuerung einer jugoslawischen Staatengemeinschaft oder zu einem Balkan-Staatenbündnis in irgendeiner Art führen würde oder könnte, ist unzulässig.

(3) Über den Beitritt der Republik Kroatien zu einem Staatenbündnis entscheidet zunächst der Kroatische Sabor mit einer Zweidrittelmehrheit der Stimmen aller Abgeordneten.

(4) Über den Beitritt der Republik Kroatien zu einem Staatenbündnis wird durch ein Referendum mit der Stimmenmehrheit aller am Referendum teilgenommenen Wähler entschieden.

(5) Das Referendum muss innerhalb einer Frist von 30 Tagen nach der Beschlussfassung des Kroatischen Sabor durchgeführt werden.

(6) Die Bestimmungen dieses Artikels über den Beitritt zu einem Staatenbündnis beziehen sich auch auf die Bedingungen und das Verfahren zum Austritt der Republik Kroatien aus einem Staatenbündnis.

VIII. DIE EUROPÄISCHE UNION

1. Rechtliche Grundlage der Mitgliedschaft und Übertragung verfassungsmäßiger Befugnisse

Artikel 143 [Rechtliche Grundlage]

(1) Die Republik Kroatien beteiligt sich auf Grundlage des Artikels 142 der Verfassung und in Übereinstimmung mit den Grundprinzipien und Werten, auf denen die Europäische Union beruht, als Mitgliedsstaat der Europäischen Union an der Gestaltung einer europäischen Gemeinschaft, um gemeinsam mit den anderen europäischen Staaten einen dauerhaften Frieden, Freiheit, Sicherheit und Wohlstand zu sichern und weitere gemeinschaftliche Ziele zu verwirklichen.

(2) Die Republik Kroatien überträgt auf Grundlage der Artikel 140 und 141 der Verfassung den Institutionen der Europäischen Union Befugnisse, die für die Verwirklichung von Rechten und die Erfüllung von Verpflichtungen, welche auf Grundlage der Mitgliedschaft angenommen wurden, notwendig sind.

2. Mitwirkung bei den Institutionen der Europäischen Union

Artikel 144 [Mitwirkung an den Institutionen der EU]

(1) Die Staatsbürger der Republik Kroatien sind direkt im Europäischen Parlament vertreten, wo sie mittels ihrer gewählten Vertreter über Angelegenheiten in dessen Zuständigkeit entscheiden können.

(2) Der Kroatische Sabor nimmt in Einklang mit den Verträgen, auf denen die Europäische Union beruht, am europäischen Gesetzgebungsverfahren teil.

(3) Die Regierung der Republik Kroatien leistet dem Kroatischen Sabor Berichterstattung über Entwürfe zu gesetzlichen Regelungen und Beschlüssen, bei deren Verabschiedung sie in den Institutionen der Europäischen Union mitwirkt. Der Kroatische Sabor kann anhand dieser Entwürfe Rückschlüsse ziehen, auf deren Grundlage die Regierung in den Institutionen der Europäischen Union agieren kann.

(4) Die Beaufsichtigung der Aktivitäten der Regierung der Republik Kroatien in den Institutionen der Europäischen Union durch den Kroatischen Sabor wird durch Gesetz geregelt.

(5) Die Republik Kroatien ist im Rat der Europäischen Union und im Europäischen Rat durch die Regierung und den Präsidenten der Republik Kroatien in Einklang mit deren verfassungsmäßigen Befugnissen vertreten.

3. Recht der Europäischen Union

Artikel 145 [Recht der Europäischen Union]

(1) Die Verwirklichung der Rechte, die sich durch den rechtlichen Besitzstand der Europäischen Union ergeben, ist gleichgestellt mit der Verwirklichung von Rechten, die durch die kroatische Rechtsordnung garantiert werden.

(2) Rechtsakte und Beschlüsse, die die Republik Kroatien in den Institutionen der Europäischen Union angenommen hat, werden in der Republik Kroatien in Einklang mit dem rechtlichen Besitzstand der Europäischen Union angewandt.

(3) Die kroatischen Gerichte schützen subjektive Rechte, die auf dem rechtlichen Besitzstand der Europäischen Union beruhen.

(4) Staatsorgane, Organe der lokalen und regionalen Selbstverwaltungseinheiten sowie Rechtspersonen mit öffentlichen Befugnissen wenden das Recht der Europäischen Union direkt an.

4. Recht der Bürger der Europäischen Union

Artikel 146 [Recht der Bürger der EU]

(1) Die Staatsbürger der Republik Kroatien sind Bürger der Europäischen Union und genießen die ihnen durch den rechtlichen

Besitzstand der Europäischen Union garantierten Rechte, insbesondere:

– die Personenfreizügigkeit und Niederlassungsfreiheit auf dem Gebiet aller Mitgliedsstaaten;

– aktives und passives Wahlrecht bei den Wahlen zum Europäischen Parlament sowie bei Kommunalwahlen in einem anderen Mitgliedsstaat, in Einklang mit dessen Vorschriften;

– das Recht auf diplomatischen und konsularischen Schutz durch jeden Mitgliedsstaat, der dem Schutz der eigenen Staatsangehörigen gleichgestellt ist, bei Aufenthalt in einem Drittstaat, in dem die Republik Kroatien keine diplomatisch-konsularische Vertretung hat;

– das Recht, beim Europäischen Parlament Petitionen und beim europäischen Bürgerbeauftragten Beschwerden einzureichen sowie das Recht, sich in kroatischer Sprache ebenso wie in jeder anderen Amtssprache der Europäischen Union an Institutionen und beratende Organe der Europäischen Union zu wenden sowie das Recht, in derselben Sprache eine Antwort zu erhalten.

(2) Alle Rechte werden in Einklang mit den Bedingungen und Beschränkungen verwirklicht, welche durch die Verträge, auf denen die Europäische Union beruht, vorgeschrieben sind sowie in Einklang mit den Maßnahmen, die aufgrund dieser Verträge beschlossen wurden.

(3) In der Republik Kroatien genießen alle Bürger der Europäischen Union alle Rechte, die durch den rechtlichen Besitzstand der Europäischen Union garantiert werden.

IX. ÄNDERUNG DER VERFASSUNG

Artikel 147 [Änderung der Verfassung]

Eine Änderung der Verfassung der Republik Kroatien kann von mindestens einem Fünftel der Abgeordneten des Kroatischen Sabor, vom Präsidenten der Republik und der Regierung der Republik Kroatien vorgeschlagen werden.

Artikel 148 [Verfahren zur Änderung]

(1) Der Kroatische Sabor entscheidet mit der Stimmenmehrheit aller Abgeordneten, ob er eine Änderung der Verfassung vornehmen wird.

(2) Der Entwurf einer Verfassungsänderung wird mit der Stimmenmehrheit aller Abgeordneten angenommen.

Artikel 149 [Abstimmung über Änderung]

Über die Änderung der Verfassung entscheidet der Kroatische Sabor mit einer Zweidrittelmehrheit der Stimmen aller Abgeordneten.

Artikel 150 [Verkündung der Änderung]

Die Änderung der Verfassung wird vom Kroatischen Sabor verkündet.

X. SCHLUSSBESTIMMUNGEN

Artikel 151 [Verabschiedung]

Der Kroatische Sabor wird das Verfassungsgesetz zur Implementierung der Verfassung der Republik Kroatien innerhalb einer Frist von 6 Monaten, beginnend mit dem 16. Juni 2010, dem Tag der Verkündung der Änderung der Verfassung der Republik Kroatien, verabschieden.

Artikel 152 [Inkrafttreten]

Die Verfassungsänderung tritt mit dem 16. Juni 2010, dem Tag der Verkündung, in Kraft. Ausgenommen sind Artikel 9 Absatz 2, in dem Teil, der sich auf die Vollstreckung von Beschlüssen über Auslieferungen, die in Einklang mit dem rechtlichen Besitzstand der Europäischen Union gefasst wurden, bezieht; Artikel 133 Absatz 4 und die Artikel 144, 145 und 146 der Verfassung der Republik Kroatien, die mit dem Tag des Beitritts der Republik Kroatien zur Europäischen Union in Kraft treten.

Verfassung des Fürstentums Liechtenstein[*]

vom 5. Oktober 1921 (LGBl. 1921.015), zuletzt geändert am 1. Dezember 2020 (LGBl. 2020.357)

Wir, Johann II. von Gottes Gnaden souveräner Fürst zu Liechtenstein, Herzog zu Troppau, Graf zu Rietberg etc. etc. etc. tun hiemit kund, dass von Uns die Verfassung vom 26. September 1862 mit Zustimmung Unseres Landtages in folgender Weise geändert worden ist:

I. Hauptstück
DAS FÜRSTENTUM

Artikel 1 [Fürstentum Lichtenstein]

(1) Das Fürstentum Liechtenstein ist ein Staatsverband von zwei Landschaften mit elf Gemeinden. Das Fürstentum Liechtenstein soll den innerhalb seiner Grenzen lebenden Menschen dazu dienen, in Freiheit und Frieden miteinander leben zu können. Die Landschaft Vaduz (Oberland) besteht aus den Gemeinden Vaduz, Balzers, Planken, Schaan, Triesen und Triesenberg, die Landschaft Schellenberg (Unterland) aus den Gemeinden Eschen, Gamprin, Mauren, Ruggell und Schellenberg.

(2) Vaduz ist der Hauptort und der Sitz des Landtages und der Regierung.

Artikel 2 [Konstitutionelle Erbmonarchie]

Das Fürstentum ist eine konstitutionelle Erbmonarchie auf demokratischer und parlamentarischer Grundlage (Art. 79 und 80); die Staatsgewalt ist im Fürsten und im Volke verankert und wird von beiden nach Massgabe der Bestimmungen dieser Verfassung ausgeübt.

Artikel 3 [Regelung durch Hausgesetz]

Die im Fürstenhause Liechtenstein erbliche Thronfolge, die Volljährigkeit des Landesfürsten und des Erbprinzen sowie vorkommenenfalls die Vormundschaft werden durch das Fürstenhaus in der Form eines Hausgesetzes geordnet.

Artikel 4 [Grenzen und Austrittsverfahren]

(1) Die Änderung der Grenzen des Staatsgebietes kann nur durch ein Gesetz erfolgen. Grenzänderungen zwischen Gemeinden, die Schaffung neuer und die Zusammenlegung bestehender Gemeinden bedürfen überdies eines Mehrheitsbeschlusses der dort ansässigen wahlberechtigten Landesangehörigen.

(2) Den einzelnen Gemeinden steht das Recht zu, aus dem Staatsverband auszutreten. Über die Einleitung des Austrittsverfahrens entscheidet die Mehrheit der dort ansässigen wahlberechtigten Landesangehörigen. Die Regelung des Austrittes erfolgt durch Gesetz oder von Fall zu Fall durch einen Staatsvertrag. Im Falle einer staatsvertraglichen Regelung ist nach Abschluss der Vertragsverhandlungen in der Gemeinde eine zweite Abstimmung abzuhalten.

Artikel 5 [Staatswappen und Landesfarben]

Das Staatswappen ist das des Fürstenhauses Liechtenstein; die Landesfarben sind blau-rot.

Artikel 6 [Sprache]

Die deutsche Sprache ist die Staats- und Amtssprache.

II. Hauptstück
VOM LANDESFÜRSTEN

Artikel 7 [Landesfürst]

(1) Der Landesfürst ist das Oberhaupt des Staates und übt sein Recht an der Staatsge-

---

[*] Fassung der Landesverwaltung des Fürstentums Liechtenstein, abrufbar unter: https://www. gesetze.li/konso/pdf/1921.015.

walt in Gemässheit der Bestimmungen dieser Verfassung und der übrigen Gesetze aus.

(2) Die Person des Landesfürsten untersteht nicht der Gerichtsbarkeit und ist rechtlich nicht verantwortlich. Dasselbe gilt für jenes Mitglied des Fürstenhauses, welches gemäss Art. 13bis für den Fürsten die Funktion des Staatsoberhauptes ausübt.

Artikel 8 [Vertretung und Zustimmungserfordernis]

(1) Der Landesfürst vertritt, unbeschadet der erforderlichen Mitwirkung der verantwortlichen Regierung, den Staat in allen seinen Verhältnissen gegen auswärtige Staaten.

(2) Staatsverträge, durch die Staatsgebiet abgetreten oder Staatseigentum veräussert, über Staatshoheitsrechte oder Staatsregale verfügt, eine neue Last auf das Fürstentum oder seine Angehörigen übernommen oder eine Verpflichtung, durch die den Rechten der Landesangehörigen Eintrag getan würde, eingegangen werden soll, bedürfen zu ihrer Gültigkeit der Zustimmung des Landtages.

Artikel 9 [Gültigkeitsvoraussetzung]

Jedes Gesetz bedarf zu seiner Gültigkeit der Sanktion des Landesfürsten.

Artikel 10 [Verordnungen]

(1) Der Landesfürst wird ohne Mitwirkung des Landtages durch die Regierung die zur Vollziehung und Durchführung der Gesetze erforderlichen, sowie die aus dem Verwaltungs- und Aufsichtsrechte fliessenden Einrichtungen treffen und die einschlägigen Verordnungen erlassen (Art. 92). In dringenden Fällen wird er das Nötige zur Sicherheit und Wohlfahrt des Staates vorkehren.

(2) Notverordnungen dürfen die Verfassung als Ganzes oder einzelne Bestimmungen derselben nicht aufheben, sondern nur die Anwendbarkeit einzelner Bestimmungen der Verfassung einschränken. Notverordnungen können weder das Recht eines jeden Menschen auf Leben, das Verbot der Folter und der unmenschlichen Behandlung, das Verbot der Sklaverei und der Zwangsarbeit, noch die Regel „Keine Strafe ohne Gesetz"

beschränken. Überdies können die Bestimmungen dieses Artikels, des Art. 3, 13ter und 113, sowie des Hausgesetzes durch Notverordnungen nicht eingeschränkt werden. Notverordnungen treten spätestens sechs Monate nach ihrem Erlass ausser Kraft.

Artikel 11 [Ernennung von Richtern]

Der Landesfürst ernennt die Richter unter Beobachtung der Bestimmungen der Verfassung (Art. 96).

Artikel 12 [Begnadigung, Milderung und Umwandlung]

(1) Dem Landesfürsten steht das Recht der Begnadigung, der Milderung und Umwandlung rechtskräftig zuerkannter Strafen und der Niederschlagung eingeleiteter Untersuchungen zu.

(2) Zugunsten eines wegen seiner Amtshandlungen verurteilten Mitgliedes der Regierung wird der Fürst das Recht der Begnadigung oder Strafmilderung nur auf Antrag des Landtages ausüben.

Artikel 13 [Eid des Thronfolgers]

Jeder Thronfolger wird noch vor Empfangnahme der Erbhuldigung unter Bezug auf die fürstlichen Ehren und Würden in einer schriftlichen Urkunde aussprechen, dass er das Fürstentum Liechtenstein in Gemässheit der Verfassung und der übrigen Gesetze regieren, seine Integrität erhalten und die landesfürstlichen Rechte unzertrennlich und in gleicher Weise beobachten wird.

Artikel 13bis [Vertretung]

Der Landesfürst kann den nächsterbfolgeberechtigten volljährigen Prinzen seines Hauses wegen vorübergehender Verhinderung oder zur Vorbereitung für die Thronfolge als seinen Stellvertreter mit der Ausübung ihm zustehender Hoheitsrechte betrauen.

Artikel 13ter [Misstrauensantrag]

Wenigstens 1 500 Landesbürgern steht das Recht zu, gegen den Landesfürsten einen begründeten Misstrauensantrag einzubringen. Über diesen hat der Landtag in der nächsten

Sitzung eine Empfehlung abzugeben und eine Volksabstimmung (Art. 66 Abs. 6) anzuordnen. Wird bei der Volksabstimmung der Misstrauensantrag angenommen, dann ist er dem Landesfürsten zur Behandlung nach dem Hausgesetz mitzuteilen. Die gemäss dem Hausgesetz getroffene Entscheidung wird dem Landtag durch den Landesfürsten innerhalb von sechs Monaten bekannt gegeben.

III. Hauptstück
VON DEN STAATSAUFGABEN

Artikel 14 [Volkswohlfahrt]
Die oberste Aufgabe des Staates ist die Förderung der gesamten Volkswohlfahrt. In diesem Sinne sorgt der Staat für die Schaffung und Wahrung des Rechtes und für den Schutz der religiösen, sittlichen und wirtschaftlichen Interessen des Volkes.

Artikel 15 [Erziehungs- und Bildungswesen]
Der Staat wendet seine besondere Sorgfalt dem Erziehungs- und Bildungswesen zu. Dieses ist so einzurichten und zu verwalten, dass aus dem Zusammenwirken von Familie, Schule und Kirche der heranwachsenden Jugend eine religiös-sittliche Bildung, vaterländische Gesinnung und künftige berufliche Tüchtigkeit zu eigen wird.

Artikel 16 [Staatliche Aufsicht über Erziehungs- und Bildungswesen]
(1) Das gesamte Erziehungs- und Unterrichtswesen steht, unbeschadet der Unantastbarkeit der kirchlichen Lehre, unter staatlicher Aufsicht.

(2) Es besteht allgemeine Schulpflicht.

(3) Der Staat sorgt dafür, dass der obligatorische Unterricht in den Elementarfächern in genügendem Ausmass in öffentlichen Schulen unentgeltlich erteilt wird.

(4) Der Religionsunterricht wird durch die kirchlichen Organe erteilt.

(5) Niemand darf die unter seiner Aufsicht stehende Jugend ohne den für die öffentlichen Elementarschulen vorgeschriebenen Grad von Unterricht lassen.

(6) [aufgehoben]

(7) [aufgehoben]

(8) Der Privatunterricht ist zulässig, soferne er den gesetzlichen Bestimmungen über die Schulzeit, die Lehrziele und die Einrichtungen in den öffentlichen Schulen entspricht.

Artikel 17 [Förderung durch den Staat]
(1) Der Staat unterstützt und fördert das Unterrichts- und Bildungswesen.

(2) Er wird unbemittelten, gut veranlagten Schülern den Besuch höherer Schulen durch Gewährung von angemessenen Stipendien erleichtern.

Artikel 18 [Gesundheitswesen]
Der Staat sorgt für das öffentliche Gesundheitswesen, unterstützt die Krankenpflege und strebt auf gesetzlichem Wege die Bekämpfung der Trunksucht sowie die Besserung von Trinkern und arbeitsscheuen Personen an.

Artikel 19 [Arbeit]
(1) Der Staat schützt das Recht auf Arbeit und die Arbeitskraft, insbesondere jene der in Gewerbe und Industrie beschäftigten Frauen und jugendlichen Personen.

(2) Der Sonntag und die staatlich anerkannten Feiertage sind, unbeschadet gesetzlicher Regelung der Sonn- und Feiertagsruhe, öffentliche Ruhetage.

Artikel 20 [Förderung durch den Staat]
(1) Zur Hebung der Erwerbsfähigkeit und zur Pflege seiner wirtschaftlichen Interessen fördert und unterstützt der Staat Land- und Alpwirtschaft, Gewerbe und Industrie; er fördert insbesondere die Versicherung gegen Schäden, die Arbeit und Güter bedrohen und trifft Massregeln zur Bekämpfung solcher Schäden.

(2) Er wendet seine besondere Sorgfalt einer den modernen Bedürfnissen entsprechenden Ausgestaltung des Verkehrswesens zu.

(3) Er unterstützt die Rüfeverbauungen, Aufforstungen und Entwässerungen und

wird allen Bestrebungen zur Erschliessung neuer Verdienstquellen sein Augenmerk und seine Förderung zuwenden.

Artikel 21 [Gewässer]

Dem Staate steht das Hoheitsrecht über die Gewässer nach Massgabe der hierüber bestehenden und zu erlassenden Gesetze zu. Die Benützung, Leitung und Abwehr der Gewässer soll auf gesetzlichem Wege unter Bedachtnahme auf die Entwicklung der Technik geregelt und gefördert werden. Das Elektrizitätsrecht ist gesetzlich zu regeln.

Artikel 22 [Jagd, Fischerei und Bergwesen]

Der Staat übt die Hoheit über Jagd, Fischerei und Bergwesen aus und schützt bei Erlassung der diesbezüglichen Gesetze die Interessen der Landwirtschaft und der Gemeindefinanzen.

Artikel 23 [Münz- und Kreditwesen]

Die Regelung des Münz- und öffentlichen Kreditwesens ist Sache des Staates.

Artikel 24 [Besteuerung]

(1) Der Staat sorgt im Wege zu erlassender Gesetze für eine gerechte Besteuerung unter Freilassung eines Existenzminimums und mit stärkerer Heranziehung höherer Vermögen oder Einkommen.

(2) Die finanzielle Lage des Staates ist nach Tunlichkeit zu heben und es ist besonders auf die Erschliessung neuer Einnahmsquellen zur Bestreitung der öffentlichen Bedürfnisse Bedacht zu nehmen.

Artikel 25 [Armenwesen]

Das öffentliche Armenwesen ist Sache der Gemeinden nach Massgabe der besonderen Gesetze. Der Staat übt jedoch die Oberaufsicht hierüber aus. Er kann den Gemeinden, insbesonders zur zweckmässigen Versorgung von Waisen, Geisteskranken, Unheilbaren und Altersschwachen geeignete Beihilfen leisten.

Artikel 26 [Versicherungswesen]

Der Staat unterstützt und fördert das Kranken-, Alters-, Invaliden- und Brandschadenversicherungswesen.

Artikel 27 [Verfahrensrechte]

(1) Der Staat sorgt für ein rasches, das materielle Recht schützendes Prozess- und Vollstreckungsverfahren, ebenso für eine den gleichen Grundsätzen angepasste Verwaltungsrechtspflege.

(2) Die berufsmässige Ausübung der Parteienvertretung ist gesetzlich zu regeln.

IV. Hauptstück
VON DEN ALLGEMEINEN RECHTEN UND PFLICHTEN DER LANDESANGEHÖRIGEN

Artikel 27bis [Würde des Menschen]

(1) Die Würde des Menschen ist zu achten und zu schützen.

(2) Niemand darf unmenschlicher oder erniedrigender Behandlung oder Strafe unterworfen werden.

Artikel 27ter [Recht auf Leben]

(1) Jeder Mensch hat das Recht auf Leben.

(2) Die Todesstrafe ist verboten.

Artikel 28 [Niederlassungs- und Vermögensfreiheit]

(1) Jeder Landesangehörige hat das Recht, sich unter Beobachtung der näheren gesetzlichen Bestimmungen an jedem Orte des Staatsgebietes frei niederzulassen und Vermögen jeder Art zu erwerben.

(2) Ein- und Ausreise, Aufenthalt und Niederlassung von Ausländern werden durch Staatsverträge und Gesetz geregelt.

(3) Der Aufenthalt innerhalb der Grenzen des Fürstentums verpflichtet zur Beobachtung der Gesetze desselben und begründet den Schutz nach der Verfassung und den übrigen Gesetzen.

Artikel 29 [Staatsbürgerliche und politische Rechte]

(1) Die staatsbürgerlichen Rechte stehen

jedem Landesangehörigen nach den Bestimmungen dieser Verfassung zu.

(2) In Landesangelegenheiten stehen die politischen Rechte allen Landesangehörigen zu, die das 18. Lebensjahr vollendet, im Lande ordentlichen Wohnsitz haben und nicht im Wahl- und Stimmrecht eingestellt sind.

Artikel 30 [Staatsbürgerrecht]
Über Erwerb und Verlust des Staatsbürgerrechtes bestimmen die Gesetze.

Artikel 31 [Gleichberechtigung]
(1) Alle Landesangehörigen sind vor dem Gesetze gleich. Die öffentlichen Ämter sind ihnen unter Einhaltung der gesetzlichen Bestimmungen gleich zugänglich.

(2) Mann und Frau sind gleichberechtigt.

(3) Die Rechte der Ausländer werden zunächst durch die Staatsverträge und in Ermangelung solcher durch das Gegenrecht bestimmt.

Artikel 32 [Freiheit, Hausrecht und Briefgeheimnis]
(1) Die Freiheit der Person, das Hausrecht und das Brief- und Schriftengeheimnis sind gewährleistet.

(2) Ausser den vom Gesetze bestimmten Fällen und der durch das Gesetz bestimmten Art und Weise darf weder jemand verhaftet oder in Haft behalten, noch eine Hausdurchsuchung oder Durchsuchung von Personen, Briefen oder Schriften oder eine Beschlagnahme von Briefen oder Schriften vorgenommen werden.

(3) Ungesetzlich oder erwiesenermassen unschuldig Verhaftete und unschuldig Verurteilte haben Anspruch auf volle vom Staate zu leistende, gerichtlich zu bestimmende Entschädigung. Ob und inwieweit dem Staate ein Rückgriffsrecht gegen Dritte zusteht, bestimmen die Gesetze.

Artikel 33 [Gesetzlicher Richter]
(1) Niemand darf seinem ordentlichen Richter entzogen, Ausnahmsgerichte dürfen nicht eingeführt werden.

(2) Strafen dürfen nur in Gemässheit der Gesetze angedroht oder verhängt werden.

(3) In allen Strafsachen ist dem Angeschuldigten das Recht der Verteidigung gewährleistet.

Artikel 34 [Unverletzlichkeit des Eigentums]
(1) Die Unverletzlichkeit des Privateigentums ist gewährleistet; Konfiskationen finden nur in den vom Gesetze bestimmten Fällen statt.

(2) Das Urheberrecht ist gesetzlich zu regeln.

Artikel 35 [Enteignung]
(1) Wo es das öffentliche Wohl erheischt, kann die Abtretung oder Belastung jeder Art von Vermögen gegen angemessene, streitigenfalls durch den Richter festzusetzende Schadloshaltung verfügt werden.

(2) Das Enteignungsverfahren wird durch das Gesetz bestimmt.

Artikel 36 [Freiheit von Handel und Gewerbe]
Handel und Gewerbe sind innerhalb der gesetzlichen Schranken frei; die Zulässigkeit ausschliesslicher Handels- und Gewerbeprivilegien für eine bestimmte Zeit wird durch das Gesetz geregelt.

Artikel 37 [Glaubens- und Gewissensfreiheit]
(1) Die Glaubens- und Gewissensfreiheit ist jedermann gewährleistet.

(2) Die römisch-katholische Kirche ist die Landeskirche und geniesst als solche den vollen Schutz des Staates; anderen Konfessionen ist die Betätigung ihres Bekenntnisses und die Abhaltung ihres Gottesdienstes innerhalb der Schranken der Sittlichkeit und der öffentlichen Ordnung gewährleistet.

Artikel 38 [Vermögensrechte von Religionsgemeinschaften]
Das Eigentum und alle anderen Vermögensrechte der Religionsgesellschaften und religiösen Vereine an ihren für Kultus-,

Unterrichts- und Wohltätigkeitszwecke bestimmten Anstalten, Stiftungen und sonstigen Vermögenheiten sind gewährleistet. Die Verwaltung des Kirchengutes in den Kirchgemeinden wird durch ein besonderes Gesetz geregelt; vor dessen Erlassung ist das Einvernehmen mit der kirchlichen Behörde zu pflegen.

Artikel 39 [Religionsbekenntnis]

Der Genuss der staatsbürgerlichen und politischen Rechte ist vom Religionsbekenntnisse unabhängig; den staatsbürgerlichen Pflichten darf durch denselben kein Abbruch geschehen.

Artikel 40 [Meinungsfreiheit]

Jedermann hat das Recht, durch Wort, Schrift, Druck oder bildliche Darstellung innerhalb der Schranken des Gesetzes und der Sittlichkeit seine Meinung frei zu äussern und seine Gedanken mitzuteilen; eine Zensur darf nur öffentlichen Aufführungen und Schaustellungen gegenüber stattfinden.

Artikel 41 [Vereins- und Versammlungsrecht]

Das freie Vereins- und Versammlungsrecht ist innerhalb der gesetzlichen Schranken gewährleistet.

Artikel 42 [Petitionsrecht]

Das Petitionsrecht an den Landtag und den Landesausschuss ist gewährleistet und es steht nicht nur einzelnen in ihren Rechten oder Interessen Betroffenen, sondern auch Gemeinden und Korporationen zu, ihre Wünsche und Bitten durch ein Mitglied des Landtages daselbst vorbringen zu lassen.

Artikel 43 [Recht der Beschwerdeführung]

Das Recht der Beschwerdeführung ist gewährleistet. Jeder Landesangehörige ist berechtigt, über das seine Rechte oder Interessen benachteiligende verfassungs-, gesetz- oder verordnungswidrige Benehmen oder Verfahren einer Behörde bei der ihr unmittelbar vorgesetzten Stelle Beschwerde zu erheben und dies nötigenfalls bis zur höchsten Stelle zu verfolgen, soweit nicht eine gesetzliche Beschränkung des Rechtsmittelzuges entgegensteht. Wird die eingebrachte Beschwerde von der vorgesetzten Stelle verworfen, so ist diese verpflichtet, dem Beschwerdeführer die Gründe ihrer Entscheidung zu eröffnen.

Artikel 44 [Landesverteidigung]

(1) Jeder Waffenfähige ist bis zum zurückgelegten 60. Lebensjahre im Falle der Not zur Verteidigung des Vaterlandes verpflichtet.

(2) Ausser diesem Falle dürfen bewaffnete Formationen nur insoweit gebildet und erhalten werden, als es zur Versehung des Polizeidienstes und zur Aufrechterhaltung der Ordnung im Innern notwendig erscheint. Die näheren Bestimmungen hierüber trifft die Gesetzgebung.

V. Hauptstück
VOM LANDTAGE

Artikel 45 [Landtag]

(1) Der Landtag ist das gesetzmässige Organ der Gesamtheit der Landesangehörigen und als solches berufen, nach den Bestimmungen dieser Verfassung die Rechte und Interessen des Volkes im Verhältnis zur Regierung wahrzunehmen und geltend zu machen und das Wohl des Fürstlichen Hauses und des Landes mit treuer Anhänglichkeit an die in dieser Verfassung niedergelegten Grundsätze möglichst zu fördern.

(2) Die dem Landtage zukommenden Rechte können nur in der gesetzlich konstituierten Versammlung desselben ausgeübt werden.

Artikel 46 [Zusammensetzung und Wahl]

(1) Der Landtag besteht aus 25 Abgeordneten, die vom Volke im Wege des allgemeinen, gleichen, geheimen und direkten Stimmrechtes nach dem Verhältniswahlsystem gewählt werden. Das Oberland und Unterland bilden je einen Wahlbezirk. Von den

25 Abgeordneten entfallen 15 auf das Oberland und 10 auf das Unterland.

(2) Mit den 25 Abgeordneten werden in jedem Wahlbezirk auch stellvertretende Abgeordnete gewählt. Auf jeweils drei Abgeordnete in einem Wahlbezirk steht jeder Wählergruppe ein stellvertretender Abgeordneter zu, jedoch mindestens einer, wenn eine Wählergruppe in einem Wahlkreis ein Mandat erreicht.

(3) Die Mandatszuteilung erfolgt unter den Wählergruppen, die wenigstens acht Prozent der im ganzen Land abgegebenen gültigen Stimmen erreicht haben.

(4) Die Mitglieder der Regierung und der Gerichte können nicht gleichzeitig Mitglieder des Landtages sein.

(5) Das Nähere über die Durchführung der Wahl wird durch ein besonderes Gesetz geregelt.

Artikel 47 [Mandatsdauer]

(1) Die Mandatsdauer zum Landtag beträgt vier Jahre mit der Massgabe, dass die ordentlichen Landtagswahlen jeweils im Februar oder März jenes Kalenderjahres stattfinden, in welches das Ende des vierten Jahres fällt. Wiederwahl ist zulässig.

(2) [aufgehoben]

Artikel 48 [Einberufung, Schließung, Vertagung und Auflösung des Landtags]

(1) Der Landesfürst hat, mit der im folgenden Absatze normierten Ausnahme, das Recht, den Landtag einzuberufen, zu schliessen und aus erheblichen Gründen, die der Versammlung jedesmal mitzuteilen sind, auf drei Monate zu vertagen oder ihn aufzulösen. Eine Vertagung, Schliessung oder Auflösung kann nur vor dem versammelten Landtage ausgesprochen werden.

(2) Über begründetes, schriftliches Verlangen von wenigstens 1 000 wahlberechtigten Landesbürgern oder über Gemeindeversammlungsbeschluss von mindestens drei Gemeinden ist der Landtag einzuberufen.

(3) Unter den gleichen Voraussetzungen wie in vorstehendem Absatze können 1 500 wahlberechtigte Landesbürger oder vier Gemeinden durch Gemeindeversammlungsbeschlüsse eine Volksabstimmung über die Auflösung des Landtages verlangen.

Artikel 49 [Einberufung]

(1) Die regelmässige Einberufung des Landtages findet zu Anfang eines jeden Jahres mittelst landesfürstlicher Verordnung unter Bezeichnung von Ort, Tag und Stunde der Versammlung statt.

(2) Innerhalb des Jahres ordnet der Präsident die Sitzungen an.

(3) Nach Ablauf einer Vertagungsfrist hat die Wiedereinberufung innerhalb eines Monates durch fürstliche Verordnung zu geschehen.

(4) Die stellvertretenden Abgeordneten haben bei Behinderung eines Abgeordneten ihrer Wählergruppe an einzelnen oder mehreren aufeinanderfolgenden Sitzungen in Stellvertretung des verhinderten Abgeordneten mit Sitz und Stimme teilzunehmen.

Artikel 50 [Auflösung und Wahl]

Wird der Landtag aufgelöst, so muss binnen sechs Wochen eine neue Wahl angeordnet werden. Die neugewählten Abgeordneten sind sodann binnen 14 Tagen einzuberufen.

Artikel 51 [Thronfolgefall]

(1) Im Thronfolgefall ist der Landtag innerhalb 30 Tagen zu einer ausserordentlichen Sitzung zwecks Entgegennahme der im Art. 13 vorgesehenen Erklärung des Landesfürsten und Leistung der Erbhuldigung einzuberufen.

(2) Ist eine Auflösung vorhergegangen, so sind die Neuwahlen so zu beschleunigen, dass die Einberufung spätestens auf den vierzigsten Tag nach der eingetretenen Thronfolge erfolgen kann.

Artikel 52 [Präsident des Landtags]

(1) Der Landtag wählt in seiner ersten gesetzmässig einberufenen Sitzung unter Leitung eines Altersvorsitzenden für das laufende Jahr zur Leitung der Geschäfte aus seiner Mitte einen Präsidenten und einen Stellvertreter desselben.

(2) [aufgehoben]

Artikel 53 [Einberufung]

Die Abgeordneten haben auf die ergangene Einberufung persönlich am Sitze der Regierung zu erscheinen. Ist ein Abgeordneter am Erscheinen verhindert, so hat er unter Angabe des Hinderungsgrundes rechtzeitig die Anzeige bei der ersten Einberufung an die Regierung und hernach an den Präsidenten zu erstatten. Ist das Hindernis bleibend, so hat eine Ergänzungswahl stattzufinden, falls nach dem Nachrückungssystem kein Ersatz geschaffen werden kann.

Artikel 54 [Eröffnung des Landtages und Eid]

(1) Der Landtag wird vom Landesfürsten in eigener Person oder durch einen Bevollmächtigten mit angemessener Feierlichkeit eröffnet. Sämtliche neu eingetretene Mitglieder legen folgenden Eid in die Hände des Fürsten oder seines Bevollmächtigten ab:

„Ich gelobe, die Staatsverfassung und die bestehenden Gesetze zu halten und in dem Landtage das Wohl des Vaterlandes ohne Nebenrücksichten nach bestem Wissen und Gewissen zu fördern, so wahr mir Gott helfe!"

2) Später eintretende Mitglieder legen diesen Eid in die Hände des Präsidenten ab.

Artikel 55 [Schließung]

Der Landtag wird vom Fürsten in eigener Person oder durch einen Bevollmächtigten geschlossen.

Artikel 56 [Verhaftung von Abgeordneten]

(1) Kein Abgeordneter darf während der Dauer der Sitzungsperiode ohne Einwilligung des Landtages verhaftet werden, den Fall der Ergreifung auf frischer Tat ausgenommen.

(2) Im letzteren Falle ist die Verhaftung unter Angabe ihres Grundes unverzüglich zur Kenntnis des Landtages zu bringen, welcher über die Aufrechterhaltung der Haft entscheidet. Auf sein Verlangen sind ihm die den Fall betreffenden Akten sofort zur Verfügung zu stellen.

(3) Erfolgt die Verhaftung eines Abgeordneten zu einer Zeit, während welcher der Landtag nicht versammelt ist, so ist hievon ungesäumt dem Landesausschusse mit Angabe des Grundes Mitteilung zu machen.

Artikel 57 [Freies Mandat]

(1) Die Mitglieder des Landtages stimmen einzig nach ihrem Eid und ihrer Überzeugung. Sie sind für ihre Abstimmungen niemals, für ihre in den Sitzungen des Landtages oder seiner Kommissionen gemachten Äusserungen aber nur dem Landtage verantwortlich und können hiefür niemals gerichtlich belangt werden.

(2) Die Regelung der Disziplinargewalt bleibt der zu erlassenden Geschäftsordnung vorbehalten.

Artikel 58 [Quoren]

(1) Zu einem gültigen Beschluss des Landtages ist die Anwesenheit von wenigstens zwei Dritteln der gesetzlichen Zahl der Abgeordneten und die absolute Stimmenmehrheit unter den anwesenden Mitgliedern erforderlich, soweit in dieser Verfassung oder in der Geschäftsordnung nicht etwas anderes bestimmt wird. Das gleiche gilt für Wahlen, die der Landtag vorzunehmen hat.

(2) Bei Stimmengleichheit entscheidet der Vorsitzende, und zwar bei Wahlen nach dreimaliger, in allen anderen Angelegenheiten nach einmaliger Abstimmung.

Artikel 59 [Wahlbeschwerden und Validierung]

(1) Über Wahlbeschwerden entscheidet der Staatsgerichtshof.

(2) Der Landtag prüft die Gültigkeit der Wahl seiner Mitglieder und der Wahl als solcher auf Grund der Wahlprotokolle und auf Grund etwaiger Entscheidung des Staatsgerichtshofes (Validierung).

Artikel 60 [Geschäftsordnung]

Der Landtag setzt beschlussweise unter Beobachtung der Bestimmungen dieser Verfassung seine Geschäftsordnung fest.

Artikel 61 [Entschädigung und Reisevergütung]

Die Abgeordneten erhalten aus der Landeskasse die durch das Gesetz zu bestimmenden Entschädigungen und Reisevergütungen.

Artikel 62 [Zuständigkeiten]

Zur Wirksamkeit des Landtages gehören vorzugsweise folgende Gegenstände:

a) die verfassungsmässige Mitwirkung an der Gesetzgebung;

b) die Mitwirkung bei Abschliessung von Staatsverträgen (Art. 8);

c) die Festsetzung des jährlichen Voranschlages und die Bewilligung von Steuern und anderen öffentlichen Abgaben;

d) die Beschlussfassung über Kredite, Anleihen und Bürgschaften zu Lasten des Landes sowie über den Erwerb und die Veräusserung von Grundstücken des Verwaltungs- und des Finanzvermögens des Landes; vorbehalten bleiben Art. 63ter und 93;

e) die Beschlussfassung über den alljährlich von der Regierung über die gesamte Staatsverwaltung zu erstattenden Rechenschaftsbericht;

f) die Antragstellung, Beschwerdeführung und Kontrolle bezüglich der Staatsverwaltung (Art. 63);

g) die Erhebung der Anklage gegen Mitglieder der Regierung wegen Verletzung der Verfassung oder sonstiger Gesetze vor dem Staatsgerichtshof;

h) die Beschlussfassung über ein Misstrauensvotum gegen die Regierung oder eines ihrer Mitglieder.

Artikel 63 [Kontrollbefugnis]

(1) Dem Landtag steht das Recht der Kontrolle über die gesamte Staatsverwaltung unter Einschluss der Justizverwaltung zu. Der Landtag übt dieses Recht unter anderem durch eine von ihm zu wählende Geschäftsprüfungskommission aus. Das Kontrollrecht des Landtages erstreckt sich weder auf die Rechtsprechung der Gerichte noch auf die dem Landesfürsten zugewiesenen Tätigkeiten.

(2) Es bleibt ihm jederzeit unbenommen, von ihm wahrgenommene Mängel oder Missbräuche in der Staatsverwaltung im Wege der Vorstellung oder Beschwerde direkt zur Kenntnis des Landesfürsten oder der Regierung zu bringen und ihre Abstellung zu beantragen. Das Ergebnis der hierüber einzuleitenden Untersuchung und die auf Grund derselben getroffene Verfügung ist dem Landtage zu eröffnen.[51]

(3) [aufgehoben]

(4) Der Regierungsvertreter muss gehört werden und ist verpflichtet, Interpellationen der Abgeordneten zu beantworten.

Artikel 63bis [Untersuchungskommissionen]

Der Landtag hat das Recht, Untersuchungskommissionen zu bestellen. Er ist dazu verpflichtet, wenn wenigstens ein Viertel der gesetzlichen Zahl der Abgeordneten es beantragt.

Artikel 63ter [Finanzkommission]

Der Landtag bestellt eine Finanzkommission, der durch Gesetz auch die Beschlussfassung über den Erwerb und die Veräusserung von Grundstücken des Verwaltungs- und des Finanzvermögens sowie die Mitwirkung bei der Verwaltung des Finanzvermögens übertragen werden können.

Artikel 64 [Gesetzesinitiativen]

(1) Das Recht der Initiative in der Gesetzgebung, d. h. zur Einbringung von Gesetzesvorschlägen steht zu:

a) dem Landesfürsten in der Form von Regierungsvorlagen;

b) dem Landtage selbst;

c) den wahlberechtigten Landesbürgern nach Massgabe folgender Bestimmungen.

(2) Wenn wenigstens 1 000 wahlberechtigte Landesbürger, deren Unterschrift und Stimmberechtigung von der Gemeindevorstehung ihres Wohnsitzes beglaubigt ist, schriftlich oder wenigstens drei Gemeinden in Form übereinstimmender Gemeindeversammlungsbeschlüsse das Begehren um Erlassung, Abänderung oder Aufhebung eines

Gesetzes stellen, so ist dieses Begehren in der darauffolgenden Sitzung des Landtages in Verhandlung zu ziehen.

(3) Ist das Begehren eines der unter a bis c erwähnten Organe auf Erlassung eines nicht schon durch diese Verfassung vorgesehenen Gesetzes gerichtet, aus dessen Durchführung dem Lande entweder eine einmalige im Finanzgesetz nicht schon vorgesehene oder eine länger andauernde Belastung erwächst, so ist das Begehren nur dann vom Landtage in Verhandlung zu ziehen, wenn es zugleich auch mit einem Bedeckungsvorschlage versehen ist.

(4) Ein die Verfassung betreffendes Initiativbegehren kann nur von wenigstens 1 500 wahlberechtigten Landesbürgern oder wenigstens vier Gemeinden gestellt werden.

(5) Die näheren Bestimmungen über diese Volksinitiative werden durch ein Gesetz getroffen.

Artikel 65 [Zustandekommen der Gültigkeit]

(1) Ohne Mitwirkung des Landtages darf kein Gesetz gegeben, abgeändert oder authentisch erklärt werden. Zur Gültigkeit eines jeden Gesetzes ist ausser der Zustimmung des Landtages die Sanktion des Landesfürsten, die Gegenzeichnung des verantwortlichen Regierungschefs oder seines Stellvertreters und die Kundmachung im Landesgesetzblatte erforderlich. Erfolgt die Sanktion des Landesfürsten nicht innerhalb von sechs Monaten, dann gilt sie als verweigert.

(2) Überdies findet nach Massgabe der Anordnungen des folgenden Artikels eine Volksabstimmung (Referendum) statt.

Artikel 66 [Volksabstimmung]

(1) Jedes vom Landtag beschlossene, von ihm nicht als dringlich erklärte Gesetz, ebenso jeder von ihm nicht als dringlich erklärte Finanzbeschluss, sofern er eine einmalige neue Ausgabe von mindestens 500 000 Franken oder eine jährlich wiederkehrende neue Ausgabe von 250 000 Franken verursacht, unterliegt der Volksabstimmung, wenn der

Landtag eine solche beschliesst oder wenn innerhalb von 30 Tagen nach amtlicher Verlautbarung des Landtagsbeschlusses wenigstens 1 000 wahlberechtigte Landesbürger oder wenigstens drei Gemeinden in der in Art. 64 vorgesehenen Weise ein darauf gerichtetes Begehren stellen.

(2) Handelt es sich um die Verfassung im ganzen oder um einzelne Teile derselben, so ist hiezu das Verlangen von wenigstens 1 500 wahlberechtigten Landesbürgern oder von wenigstens vier Gemeinden erforderlich.

(3) Der Landtag ist befugt, über die Aufnahme einzelner Grundsätze in ein zu erlassendes Gesetz eine Volksabstimmung zu veranlassen.

(4) Die Volksabstimmung erfolgt gemeindeweise; die absolute Mehrheit der im ganzen Lande gültig abgegebenen Stimmen entscheidet über Annahme oder Ablehnung des Gesetzesbeschlusses.

(5) Dem Referendum unterliegende Gesetzesbeschlüsse werden erst nach Durchführung der Volksabstimmung beziehungsweise nach fruchtlosem Ablauf der für die Stellung des Begehrens nach Vornahme einer Volksabstimmung normierten dreissigtägigen Frist dem Landesfürsten zur Sanktion vorgelegt.

(6) Hat der Landtag einen ihm im Wege der Volksinitiative (Art. 64 Bst. c) zugegangenen ausgearbeiteten und erforderlichenfalls mit einem Bedeckungsvorschlag versehenen Gesetzentwurf abgelehnt, so ist derselbe der Volksabstimmung zu unterziehen. Die Annahme des Entwurfes durch die wahlberechtigten Landesbürger vertritt in diesem Falle den sonst zur Annahme eines Gesetzes erforderlichen Beschluss des Landtages.

(7) Die näheren Bestimmungen über das Referendum werden im Wege eines Gesetzes getroffen.

Artikel 66bis [Staatsvertrag und Volksabstimmung]

(1) Jeder Landtagsbeschluss, der die Zustimmung zu einem Staatsvertrag (Art. 8) zum Gegenstand hat, unterliegt der Volksab-

stimmung, wenn der Landtag eine solche beschliesst oder wenn innerhalb von 30 Tagen nach der amtlichen Verlautbarung des Landtagsbeschlusses wenigstens 1 500 wahlberechtigte Landesbürger oder wenigstens vier Gemeinden in der in Art. 64 vorgesehenen Weise ein darauf gerichtetes Begehren stellen.

(2) In der Volksabstimmung entscheidet die absolute Mehrheit der im ganzen Land gültig abgegebenen Stimmen über die Annahme oder Ablehnung des Landtagsbeschlusses.

(3) Die näheren Bestimmungen über dieses Referendum werden durch ein Gesetz getroffen.

Artikel 67 [Inkrafttreten und Kundmachung]

(1) Wenn in einem Gesetze nichts anderes bestimmt ist, tritt es nach Verlauf von acht Tagen nach erfolgter Kundmachung im Landesgesetzblatte in Wirksamkeit.

(2) Die Art und der Umfang der Kundmachung von Gesetzen, Finanzbeschlüssen, Staatsverträgen, Verordnungen, Beschlüssen internationaler Organisationen und der aufgrund von Staatsverträgen anwendbaren Rechtsvorschriften werden im Wege der Gesetzgebung geregelt. Für die im Fürstentum Liechtenstein aufgrund von Staatsverträgen anwendbaren Rechtsvorschriften kann eine Kundmachung in vereinfachter Form, wie insbesondere eine Verweispublikation auf ausländische Rechtssammlungen, eingerichtet werden.

(3) [aufgehoben]

Artikel 68 [Öffentliche Abgaben und Leistungen]

(1) Ohne Bewilligung des Landtages darf keine direkte oder indirekte Steuer, noch irgendeine sonstige Landesabgabe oder allgemeine Leistung, welchen Namen sie haben möge, ausgeschrieben oder erhoben werden. Die erteilte Bewilligung ist bei der Steuerausschreibung ausdrücklich zu erwähnen.

(2) Auch die Art der Umlegung und Verteilung aller öffentlichen Abgaben und Leistungen auf Personen und Gegenstände sowie ihre Erhebungsweise erfordern die Zustimmung des Landtages.

(3) Die Bewilligung von Steuern und Abgaben erfolgt in der Regel für ein Verwaltungsjahr.

Artikel 69 [Vorschlag über Ausgaben und Einnahmen]

(1) In Bezug auf die Landesverwaltung ist dem Landtage für das nächstfolgende Verwaltungsjahr von der Regierung ein Voranschlag über sämtliche Ausgaben und Einnahmen zur Prüfung und Beistimmung zu übergeben, womit der Antrag auf die zu erhebenden Abgaben zu verbinden ist.

(2) Für jedes abgelaufene Verwaltungsjahr hat die Regierung in der ersten Hälfte des folgenden Verwaltungsjahres dem Landtag eine genaue Nachweisung über die nach Massgabe des Voranschlages geschehene Verwendung der bewilligten und erhobenen Einnahmen mitzuteilen, vorbehaltlich der Genehmigung von gerechtfertigten und der Verantwortlichkeit der Regierung bei nicht gerechtfertigten Überschreitungen.

(3) Unter dem gleichen Vorbehalte ist die Regierung berechtigt, im Voranschlage nicht vorgesehene, dringliche Ausgaben zu machen.

(4) Etwaige Ersparnisse in den einzelnen Positionen des Voranschlages dürfen nicht zur Deckung des Mehraufwandes in anderen Positionen verwendet werden.

Artikel 70 [Finanzvermögen]

Die Regierung verwaltet das Finanzvermögen des Landes nach Grundsätzen, die sie im Einvernehmen mit dem Landtag festzulegen hat. Sie berichtet dem Landtag zusammen mit dem Rechenschaftsbericht (Art. 69 Abs. 2).

VI. Hauptstück
VOM LANDESAUSSCHUSSE

Artikel 71 [Landesausschuss]

Für die Zeit zwischen einer Vertagung, Schliessung oder Auflösung des Landtages und seinem Wiederzusammentreten besteht, unbeschadet der Bestimmungen der Art. 48 bis 51 über die Fristen zur Wiedereinberufung bezw. Neuwahl, an Stelle des Landtages zur Besorgung der seiner Mitwirkung oder jener seiner Kommissionen bedürftigen Geschäfte der Landesausschuss.

Artikel 72 [Zusammensetzung und Wahl]

(1) Der Landesausschuss besteht aus dem bisherigen Landtagspräsidenten, der im Verhinderungsfalle durch seinen Stellvertreter ersetzt wird, und aus vier vom Landtage aus seiner Mitte unter gleichmässiger Berücksichtigung des Ober- und des Unterlandes zu wählenden weiteren Mitgliedern.

(2) Zu dieser Wahl ist dem Landtage noch in jener Sitzung, in der seine Vertagung, Schliessung oder Auflösung ausgesprochen wird, unter allen Umständen Gelegenheit zu geben.

Artikel 73 [Mandatsdauer]

Die Mandatsdauer des Landesausschusses erlischt mit dem Wiederzusammentritte des Landtages.

Artikel 74 [Berechtigungen und Pflichten]

Der Landesausschuss ist insbesonders berechtigt und verpflichtet:

a) darauf zu achten, dass die Verfassung aufrechterhalten, die Vollziehung der Landtagserledigungen besorgt und der Landtag bei vorausgegangener Auflösung oder Vertagung rechtzeitig wieder einberufen wird;

b) die Landeskassenrechnung zu prüfen und dieselbe mit seinem Bericht und seinen Anträgen an den Landtag zu leiten;

c) die auf die Landeskasse unter Bezug auf einen vorausgegangenen Landtagsbeschluss auszustellenden Schuld- und Pfandverschreibungen mit zu unterzeichnen;

d) die vom Landtag erhaltenen besonderen Aufträge zur Vorbereitung künftiger Landtagsverhandlungen zu erfüllen;

e) in dringenden Fällen Anzeige an den Landesfürsten oder die Regierung zu erstatten und bei Bedrohung oder Verletzung verfassungsmässiger Rechte, Vorstellungen, Verwahrungen und Beschwerden zu erheben;

f) nach Erfordernis der Umstände die Einberufung des Landtages zu beantragen.

Artikel 75 [Verbindlichkeiten]

Der Landesausschuss kann keine bleibende Verbindlichkeit für das Land eingehen und ist dem Landtage für seine Geschäftsführung verantwortlich.

Artikel 76 [Sitzungen des Landesausschusses]

(1) Die Sitzungen des Landesausschusses finden nach Bedarf über Einberufung durch den Präsidenten am Sitze der Regierung statt.

(2) Zur Gültigkeit seiner Beschlüsse ist die Anwesenheit von mindestens drei Mitgliedern erforderlich.

Artikel 77 [Taggeld und Reisevergütung]

Die Mitglieder des Landesausschusses beziehen während ihrer Sitzungen die nämlichen Taggelder und Reisevergütungen wie die Abgeordneten.

VII. Hauptstück
VON DER REGIERUNG

Artikel 78 [Regierung]

(1) Die gesamte Landesverwaltung wird unter Vorbehalt der nachfolgenden Bestimmungen dieses Artikels durch die dem Landesfürsten und dem Landtag verantwortliche Kollegialregierung in Gemässheit der Bestimmungen dieser Verfassung und der übrigen Gesetze besorgt.

(2) Durch Gesetz oder kraft gesetzlicher Ermächtigung können bestimmte Geschäfte einzelnen Amtspersonen, Amtsstellen oder besonderen Kommissionen, unter Vorbehalt des Rechtszuges an die Kollegialregierung, zur selbständigen Erledigung übertragen werden.

(3) Durch Gesetz können besondere Kommissionen für die Entscheidung von Be-

schwerden an Stelle der Kollegialregierung eingesetzt werden.

(4) Zur Besorgung wirtschaftlicher, sozialer und kultureller Aufgaben können durch Gesetz besondere Körperschaften, Anstalten und Stiftungen des öffentlichen Rechts errichtet werden, die unter der Oberaufsicht der Regierung stehen.

Artikel 79 [Zusammensetzung und Ernennung]

(1) Die Kollegialregierung besteht aus dem Regierungschef und vier Regierungsräten.

(2) Der Regierungschef und die Regierungsräte werden vom Landesfürsten einvernehmlich mit dem Landtage auf dessen Vorschlag ernannt. In gleicher Weise ist für den Regierungschef und die Regierungsräte je ein Stellvertreter zu ernennen, der im Falle der Verhinderung das betreffende Regierungsmitglied in den Sitzungen der Kollegialregierung vertritt.

(3) Einer der Regierungsräte wird auf Vorschlag des Landtages vom Landesfürsten zum Regierungschef-Stellvertreter ernannt.

(4) Die Regierungsmitglieder müssen Liechtensteiner und zum Landtag wählbar sein.

(5) Bei der Bestellung der Kollegialregierung ist darauf Rücksicht zu nehmen, dass auf jede der beiden Landschaften wenigstens zwei Mitglieder entfallen. Ihre Stellvertreter sind der gleichen Landschaft zu entnehmen.

(6) Die Amtsperiode der Kollegialregierung beträgt vier Jahre. Bis zur Ernennung einer neuen Regierung haben die bisherigen Regierungsmitglieder die Geschäfte verantwortlich weiterzuführen, es sei denn, Art. 80 kommt zur Anwendung.

Artikel 80 [Erlöschen des Amtes]

(1) Verliert die Regierung das Vertrauen des Landesfürsten oder des Landtages, dann erlischt ihre Befugnis zur Ausübung des Amtes. Für die Zeit bis zum Antritt der neuen Regierung bestellt der Landesfürst unter Anwendung der Bestimmungen gemäss Art. 79 Abs. 1 und 4 eine Übergangsregierung zur interimistischen Besorgung der gesamten Landesverwaltung (Art. 78 Abs. 1). Der Landesfürst kann auch Mitglieder der alten Regierung in die Übergangsregierung berufen. Vor Ablauf von vier Monaten hat sich die Übergangsregierung im Landtag einer Vertrauensabstimmung zu stellen, sofern nicht vorher vom Landesfürsten einvernehmlich mit dem Landtage auf dessen Vorschlag eine neue Regierung ernannt wurde (Art. 79 Abs. 2).

(2) Verliert ein einzelnes Regierungsmitglied das Vertrauen des Landesfürsten oder des Landtages, dann wird die Entscheidung über den Verlust der Befugnis zur Ausübung seines Amtes zwischen Landesfürst und Landtag einvernehmlich getroffen. Bis zur Ernennung des neuen Regierungsmitgliedes hat der Stellvertreter die Amtsgeschäfte fortzuführen.

Artikel 81 [Gültigkeitsvoraussetzungen]

Zu einem gültigen Beschluss der Kollegialregierung ist die Anwesenheit von wenigstens vier Mitgliedern und die Stimmenmehrheit unter den anwesenden Mitgliedern erforderlich. Bei Stimmengleichheit entscheidet der Vorsitzende. Es besteht Stimmzwang.

Artikel 82 [Ausschluss und Ablehnung]

Im Wege der Gesetzgebung wird bestimmt, aus welchen Gründen ein Mitglied der Regierung von der Vornahme einer Amtshandlung ausgeschlossen ist oder abgelehnt werden kann.

Artikel 83 [Kollegiale und ressortmäßige Aufteilung]

Die Geschäftsbehandlung durch die Regierung ist teils eine kollegiale, teils eine ressortmässige.

Artikel 84 [Geschäftsordnung]

Die Kollegialregierung erlässt im Verordnungswege ihre Geschäftsordnung.

Artikel 85 [Regierungschef]

Der Regierungschef führt den Vorsitz in der Regierung. Er besorgt die ihm unmittelbar vom Fürsten übertragenen Geschäfte und die Gegenzeichnung der Gesetze sowie der vom Fürsten oder einer Regentschaft ausgehenden Erlässe und Verordnungen und geniesst bei öffentlichen Feierlichkeiten die dem Repräsentanten des Landesfürsten vorschriftsgemäss zustehenden Vorzüge.

Artikel 86 [Vortrag und Berichterstattung]

(1) Der Regierungschef hat über die der landesherrlichen Verfügung unterstellten Gegenstände dem Landesfürsten Vortrag zu halten beziehungsweise Bericht zu erstatten.

(2) Die Ausfertigungen der über seinen Antrag ergehenden landesherrlichen Resolutionen erhalten die eigenhändige Unterschrift des Landesherrn und überdies die Gegenzeichnung des Regierungschefs.

Artikel 87 [Eid]

Der Regierungschef legt den Diensteid in die Hände des Landesfürsten oder des Regenten ab; die übrigen Mitglieder der Regierung und die Staatsangestellten werden vom Regierungschef in Eid und Pflicht genommen.

Artikel 88 [Verhinderung]

Bei Verhinderung des Regierungschefs tritt der Regierungschef-Stellvertreter in die Funktionen ein, die durch die Verfassung ausdrücklich dem Regierungschef übertragen sind. Ist auch der Regierungschef-Stellvertreter verhindert, so tritt für ihn der an Jahren ältere Regierungsrat ein.

Artikel 89 [Unterzeichnung und Überwachung]

Der Regierungschef unterzeichnet die von der Regierung auf Grund kollegialer Behandlung ausgehenden Erlässe und Verfügungen; ihm steht auch die unmittelbare Überwachung des Geschäftsganges in der Regierung zu.

Artikel 90 [Kollegialregierung und einzelne Regierungsmitglieder]

(1) Alle wichtigeren, der Regierung zur Behandlung zugewiesenen Angelegenheiten, insbesondere die Erledigung der Verwaltungsstreitsachen, unterliegen der Beratung und Beschlussfassung der Kollegialregierung. Bestimmte minder wichtige Geschäfte können durch Gesetz den nach der Geschäftsverteilung zuständigen Regierungsmitgliedern zur selbständigen Erledigung übertragen werden.

(2) Über die Sitzungen ist durch den Regierungssekretär, im Verhinderungsfall durch einen von der Kollegialregierung bestimmten Stellvertreter, Protokoll zu führen.

(3) Der Regierungschef hat die Beschlüsse der Kollegialregierung in Vollzug zu setzen. Nur in dem Falle, als er vermeint, dass ein Beschluss gegen bestehende Gesetze oder Verordnungen verstosse, kann er mit der Vollziehung desselben innehalten, jedoch hat er hievon ohne jeden Verzug die Anzeige an den Verwaltungsgerichtshof zu erstatten, welcher, unbeschadet des Beschwerderechtes einer Partei, über den Vollzug entscheidet.

Artikel 91 [Verteilung der Geschäfte]

Zur Vorbereitung der kollegial zu beschliessenden Angelegenheiten und zur selbständigen Erledigung der durch Gesetz dafür bezeichneten Geschäfte hat die Kollegialregierung zu Beginn der Amtsperiode ihre Geschäfte auf den Regierungschef und die Regierungsräte zu verteilen. Für den Fall der Verhinderung ist eine gegenseitige Vertretung vorzusehen.

Artikel 92 [Vollzug der Gesetze]

(1) Der Regierung obliegt der Vollzug aller Gesetze und rechtlich zulässigen Aufträge des Landesfürsten oder des Landtages.

(2) Sie erlässt die zur Durchführung der Gesetze und der direkt anwendbaren Staatsverträge erforderlichen Verordnungen, die nur im Rahmen der Gesetze und der direkt anwendbaren Staatsverträge erlassen werden dürfen.

(3) Zur Umsetzung anderer staatsvertraglicher Verpflichtungen kann die Regierung die erforderlichen Verordnungen erlassen, soweit dazu keine Gesetzeserlasse nötig sind.

(4) Die gesamte Landesverwaltung überhaupt hat sich innerhalb der Schranken der Verfassung, der Gesetze und staatsvertraglichen Regelungen zu bewegen, auch in jenen Angelegenheiten, in welchen das Gesetz der Verwaltung ein freies Ermessen einräumt, sind die demselben durch die Gesetze gezogenen Grenzen streng zu beobachten.

Artikel 93 [Wirkungsbereich der Regierung]

In den Wirkungskreis der Regierung fallen insbesonders:

a) die Beaufsichtigung aller ihr unterstellten Behörden und Angestellten sowie die Ausübung der Disziplinargewalt über letztere; die Aufsicht und Disziplinargewalt über Staatsanwälte werden durch das Gesetz bestimmt;

b) die Zuweisung des für die Regierung und die übrigen Behörden nötigen Personales;

c) die Überwachung der Gefängnisse und die Oberaufsicht über die Behandlung der Untersuchungshäftlinge und Sträflinge;

d) die Verwaltung der landschaftlichen Gebäude;

e) die Überwachung des gesetzmässigen und ununterbrochenen Geschäftsganges der ordentlichen Gerichte;

f) die Erstattung des jährlich dem Landtage vorzulegenden Berichtes über ihre Amtstätigkeit;

g) die Ausarbeitung von Regierungsvorlagen an den Landtag und die Begutachtung der ihr zu diesem Zwecke vom Landtag überwiesenen Vorlagen;

h) die Verfügung über dringende, im Voranschlage nicht aufgenommene Auslagen;

i) die Beschlussfassung über Bürgschaften bis 250 000 Franken, über den Erwerb und die Veräusserung von Grundstücken des Finanzvermögens bis 1 000 000 Franken und des Verwaltungsvermögens bis 30 000

Franken sowie kraft gesetzlicher Ermächtigung über die Aufnahme von Krediten und Anleihen.

Artikel 94 [Verwaltungsorganisation]

Die Verwaltungsorganisation ist mit Gesetz zu regeln.

VIII. Hauptstück
VON DEN GERICHTEN

A. Allgemeine Bestimmungen

Artikel 95 [Gerichtsbarkeit]

(1) Die gesamte Gerichtsbarkeit wird im Namen des Fürsten und des Volkes durch verpflichtete Richter ausgeübt, die vom Landesfürsten ernannt werden (Art. 11). Die Entscheidungen der Richter in Urteilsform werden „im Namen von Fürst und Volk" erlassen und ausgefertigt.

(2) Die Richter sind in der Ausübung ihres richterlichen Amtes innerhalb der gesetzlichen Grenzen ihrer Wirksamkeit und im gerichtlichen Verfahren unabhängig. Sie haben ihren Entscheidungen und Urteilen Gründe beizufügen. Einwirkungen durch nichtrichterliche Organe auf die Rechtsprechung sind nur soweit zulässig, als sie die Verfassung ausdrücklich vorsieht (Art. 12).

(3) Richter im Sinne dieses Artikels sind die Richter aller ordentlichen Gerichte (Art. 97 bis 101), die Richter des Verwaltungsgerichtshofes (Art. 102 und 103) sowie die Richter des Staatsgerichtshofes (Art. 104 und 105).

Artikel 96 [Auswahl von Richtern]

(1) Für die Auswahl von Richtern bedienen sich Landesfürst und Landtag eines gemeinsamen Gremiums. In diesem Gremium hat der Landesfürst den Vorsitz und den Stichentscheid. Er kann ebenso viele Mitglieder in dieses Gremium berufen wie der Landtag Vertreter entsendet. Der Landtag entsendet je einen Abgeordneten von jeder im Landtag vertretenen Wählergruppe. Die Regierung entsendet das für die Justiz zuständige Regierungsmitglied. Die Beratungen des Gre-

miums sind vertraulich. Kandidaten können nur mit Zustimmung des Landesfürsten vom Gremium dem Landtag empfohlen werden. Wählt der Landtag den empfohlenen Kandidaten, dann wird dieser vom Landesfürsten zum Richter ernannt.

(2) Lehnt der Landtag den vom Gremium empfohlenen Kandidaten ab, und lässt sich innerhalb von vier Wochen keine Einigung über einen neuen Kandidaten erzielen, dann hat der Landtag einen Gegenkandidaten vorzuschlagen und eine Volksabstimmung anzuberaumen. Im Falle einer Volksabstimmung sind auch die wahlberechtigten Landesbürger berechtigt, unter den Bedingungen einer Initiative (Art. 64) Kandidaten zu nominieren. Wird über mehr als zwei Kandidaten abgestimmt, dann erfolgt die Abstimmung in zwei Wahlgängen gemäss Art. 113 Abs. 2. Jener Kandidat, der die absolute Mehrheit der Stimmen erhält, wird vom Landesfürsten zum Richter ernannt.

(3) Ein auf Zeit ernannter Richter bleibt bis zur Vereidigung seines Nachfolgers im Amt.

B. Die ordentlichen Gerichte

Artikel 97 [Ordentliche Gerichte]
(1) In erster Instanz wird die ordentliche Gerichtsbarkeit durch das Fürstliche Landgericht in Vaduz, in zweiter Instanz durch das Fürstliche Obergericht in Vaduz und in dritter Instanz durch den Fürstlichen Obersten Gerichtshof ausgeübt.

(2) Die Organisation der ordentlichen Gerichte, das Verfahren und die Gerichtsgebühren werden durch das Gesetz bestimmt.

Artikel 98 [Rechtspfleger]
Mit Gesetz kann die Besorgung einzelner, genau zu bezeichnender Arten von Geschäften der Gerichtsbarkeit erster Instanz besonders ausgebildeten und weisungsgebundenen nichtrichterlichen Angestellten des Landgerichtes (Rechtspflegern) übertragen werden.

Artikel 99 [Fiskus und Domänenbehörden]
Der Fiskus und die fürstlichen Domänenbehörden haben vor den ordentlichen Gerichten Recht zu nehmen und zu geben.

Artikel 100 [Verfahrensgrundsätze]
(1) Das Verfahren in bürgerlichen Rechtsstreitigkeiten ist nach den Grundsätzen der Mündlichkeit, Unmittelbarkeit und freien Beweiswürdigung zu regeln. In Strafsachen gilt ausserdem das Anklageprinzip.

(2) In bürgerlichen Rechtssachen wird die ordentliche Gerichtsbarkeit in erster Instanz durch einen oder mehrere Einzelrichter ausgeübt.

(3) Das Obergericht und der Oberste Gerichtshof sind Kollegialgerichte.

(4) Die Gerichtsbarkeit in Strafsachen wird in erster Instanz beim Landgericht von diesem, allenfalls vom Kriminalgericht und vom Jugendgericht ausgeübt.

Artikel 101 [Präsidenten der Gerichte]
(1) Der Landgerichtspräsident übt die Aufsicht über die Richter des Landgerichtes aus.

(2) Der Obergerichtspräsident führt die Aufsicht über den Landgerichtspräsidenten und die Richter des Obergerichtes. Er übt die Disziplinargewalt über die Richter des Landgerichtes aus.

(3) Der Präsident des Obersten Gerichtshofes führt die Aufsicht über den Obergerichtspräsidenten und die Richter des Obersten Gerichtshofes. Er übt die Disziplinargewalt über die Richter des Obergerichtes und des Obersten Gerichtshofes aus.

(4) Ein aus drei rechtskundigen Oberstrichtern bestehender Dienstsenat übt die Aufsicht und die Disziplinargewalt über den Präsidenten des Obersten Gerichtshofes aus.

C. Der Verwaltungsgerichtshof

Artikel 102 [Verwaltungsgerichtshof]
(1) Der Verwaltungsgerichtshof besteht aus fünf Richtern und fünf Ersatzrichtern, die vom Landesfürsten ernannt werden

(Art. 96). Die Mehrheit der Richter muss das liechtensteinische Landesbürgerrecht besitzen. Die Mehrheit der Richter muss rechtskundig sein.

(2) Die Amtsdauer der Richter und der Ersatzrichter des Verwaltungsgerichtshofes beträgt fünf Jahre. Die Amtsdauer ist so zu gestalten, dass jedes Jahr ein anderer Richter beziehungsweise Ersatzrichter ausscheidet. Bei der ersten Ernennung entscheidet das Los über die Länge der Amtsdauer der fünf Richter und fünf Ersatzrichter. Scheidet ein Richter beziehungsweise ein Ersatzrichter vorzeitig aus dem Amt, dann wird der Nachfolger für die restliche Amtsdauer des ausscheidenden Richters ernannt.

(3) Die fünf Richter wählen aus ihrer Reihe jährlich einen Präsidenten und einen stellvertretenden Präsidenten. Eine Wiederwahl ist zulässig.

(4) Ist ein Richter verhindert, dann wird er für diesen Fall durch einen Ersatzrichter vertreten. Die Geschäftsordnung des Verwaltungsgerichtshofes hat Regeln über die Vertretung durch Ersatzrichter zu enthalten.

(5) Soweit das Gesetz nichts anderes bestimmt, unterliegen sämtliche Entscheidungen oder Verfügungen der Regierung und der anstelle der Kollegialregierung eingesetzten besonderen Kommissionen (Art. 78 Abs. 3) dem Rechtsmittel der Beschwerde an den Verwaltungsgerichtshof.

(6) Für internationale Amtshilfeverfahren können mit Gesetz die Befugnis eines Richters des Verwaltungsgerichthofes zur Genehmigung bestimmter Massnahmen sowie die direkte Beschwerde von der erstinstanzlich verfügenden Behörde an den Verwaltungsgerichtshof vorgesehen werden.

Artikel 103 [Vorbehalt des Gesetzes]

Die näheren Bestimmungen über das Verfahren, über die Ausstandspflicht, über die Entlohnung und über die von den Parteien zu entrichtenden Gebühren werden durch ein besonderes Gesetz getroffen.

D. Der Staatsgerichtshof

Artikel 104 [Staatsgerichtshof]

(1) Im Wege eines besonderen Gesetzes ist ein Staatsgerichtshof als Gerichtshof des öffentlichen Rechtes zum Schutze der verfassungsmässig gewährleisteten Rechte, zur Entscheidung von Kompetenzkonflikten zwischen den Gerichten und den Verwaltungsbehörden und als Disziplinargerichtshof für die Mitglieder der Regierung zu errichten.

(2) In seine Kompetenz fallen weiter die Prüfung der Verfassungsmässigkeit von Gesetzen und Staatsverträgen sowie der Gesetzmässigkeit der Regierungsverordnungen; in diesen Angelegenheiten urteilt er kassatorisch. Endlich fungiert er auch als Wahlgerichtshof.

Artikel 105 [Zusammensetzung]

Der Staatsgerichtshof besteht aus fünf Richtern und fünf Ersatzrichtern, die vom Landesfürsten ernannt werden (Art. 96). Der Präsident des Staatsgerichtshofes und die Mehrheit der Richter müssen das liechtensteinische Landesbürgerrecht besitzen. Im Übrigen finden die Bestimmungen von Art. 102 sinngemäss Anwendung.

IX. Hauptstück
VON DEN BEHÖRDEN UND STAATSBEDIENSTETEN

Artikel 106 [Richterstellen]

Unbefristete Richterstellen dürfen nur mit Zustimmung des Landtages geschaffen werden.

Artikel 107 [Organisation der Behörden]

Die Organisation der Behörden erfolgt im Wege der Gesetzgebung. Sämtliche Behörden haben unter Vorbehalt staatsvertraglicher Abmachungen ihren Sitz im Lande; kollegiale Behörden sind mindestens mehrheitlich mit Liechtensteinern zu besetzen.

Artikel 108 [Eid]

Die Mitglieder der Regierung, die Staatsangestellten sowie alle Ortsvorstände, deren Stellvertreter und die Gemeindekassiere haben beim Dienstantritt folgenden Eid abzulegen:

„Ich schwöre Treue dem Landesfürsten, Gehorsam den Gesetzen und genaue Beobachtung der Verfassung, so wahr mir Gott helfe."

Artikel 109 [Amtshaftung und Organhaftung]

(1) Das Land, die Gemeinden und die sonstigen Körperschaften, Anstalten und Stiftungen des öffentlichen Rechts haften für den Schaden, den die als ihre Organe handelnden Personen in Ausübung ihrer amtlichen Tätigkeit Dritten widerrechtlich zufügen. Bei Vorsatz oder grober Fahrlässigkeit bleibt der Rückgriff auf die fehlbaren Personen vorbehalten.

(2) Die als Organe handelnden Personen haften dem Land, der Gemeinde oder sonstigen Körperschaft, Anstalt oder Stiftung des öffentlichen Rechts, in deren Dienst sie stehen, für den Schaden, den sie ihnen durch vorsätzliche oder grobfahrlässige Verletzung der Amtspflichten unmittelbar zufügen.

(3) Die näheren Bestimmungen, insbesondere über die Zuständigkeit, werden durch Gesetz getroffen.

X. Hauptstück
VON DEN GEMEINDEN

Artikel 110 [Gemeindegesetze]

(1) Über Bestand, Organisation und Aufgaben der Gemeinden im eigenen und übertragenen Wirkungskreise bestimmen die Gesetze.

(2) In den Gemeindegesetzen sind folgende Grundzüge festzulegen:

a) freie Wahl der Ortsvorsteher und der übrigen Gemeindeorgane durch die Gemeindeversammlung;

b) selbständige Verwaltung des Gemeindevermögens und der Handhabung der Ortspolizei unter Aufsicht der Landesregierung;

c) Pflege eines geregelten Armenwesens unter Aufsicht der Landesregierung;

d) Recht der Gemeinde zur Aufnahme von Bürgern und Freiheit der Niederlassung der Landesangehörigen in jeder Gemeinde.

Artikel 111 [Wahl- und Stimmrecht]

In Gemeindeangelegenheiten sind alle in der Gemeinde wohnhaften Landesangehörigen wahl- und stimmberechtigt, die das 18. Lebensjahr vollendet haben und nicht im Wahl- und Stimmrecht eingestellt sind.

XI. Hauptstück
DIE VERFASSUNGSGEWÄHR

Artikel 112 [Verbindlichkeit und Änderung]

(1) Die gegenwärtige Verfassungsurkunde ist nach ihrer Verkündigung als Landesgrundgesetz allgemein verbindlich.

(2) Abänderungen oder allgemein verbindliche Erläuterungen dieses Grundgesetzes können sowohl von der Regierung als auch vom Landtage oder im Wege der Initiative (Art. 64) beantragt werden. Sie erfordern auf Seite des Landtages Stimmeneinhelligkeit seiner anwesenden Mitglieder oder eine auf zwei nacheinander folgenden Landtagssitzungen sich aussprechende Stimmenmehrheit von drei Vierteln derselben, allenfalls eine Volksabstimmung (Art. 66) und jedenfalls die nachfolgende Zustimmung des Landesfürsten, abgesehen von dem Verfahren zur Abschaffung der Monarchie (Art. 113).

Artikel 113 [Abschaffung der Monarchie]

(1) Wenigstens 1 500 Landesbürgern steht das Recht zu, eine Initiative auf Abschaffung der Monarchie einzubringen. Im Falle der Annahme der Initiative durch das Volk hat der Landtag eine neue Verfassung auf republikanischer Grundlage auszuarbeiten und diese frühestens nach einem Jahr und spätestens nach zwei Jahren einer Volksabstimmung zu unterziehen. Dem Landesfürsten steht das Recht zu, für die gleiche Volksab-

stimmung eine neue Verfassung vorzulegen. Das im Folgenden geregelte Verfahren tritt insoweit an die Stelle des Verfassungsänderungsverfahrens nach Art. 112 Abs. 2.

(2) Liegt nur ein Entwurf vor, dann genügt für die Annahme die absolute Mehrheit (Art. 66 Abs. 4). Liegen zwei Entwürfe vor, dann hat der wahlberechtigte Landesbürger die Möglichkeit, zwischen der bestehenden Verfassung und den beiden Entwürfen zu wählen. In diesem Fall hat der wahlberechtigte Landesbürger in der ersten Abstimmung zwei Stimmen. Diese teilt er jenen beiden Verfassungsvarianten zu, von denen er wünscht, dass sie in die zweite Abstimmung gelangen. Jene zwei Verfassungsvarianten, welche die meisten Erst- und Zweitstimmen auf sich vereinen, kommen in die zweite Abstimmung. In der zweiten Abstimmung, die 14 Tage nach der ersten Abstimmung durchzuführen ist, hat der wahlberechtigte Landesbürger eine Stimme. Jene Verfassung gilt als angenommen, welche die absolute Mehrheit erhält (Art. 66 Abs. 4).

XII. Hauptstück
SCHLUSSBESTIMMUNGEN

Artikel 114 [Rechtsüberleitung]

Alle Gesetze, Verordnungen und statutarischen Bestimmungen, die mit einer ausdrücklichen Bestimmung der gegenwärtigen Verfassungsurkunde im Widerspruche stehen, sind hiermit aufgehoben beziehungsweise unwirksam; jene gesetzlichen Bestimmungen, die mit dem Geiste dieses Grundgesetzes nicht im Einklange sind, werden einer verfassungsmässigen Revision unterzogen.

Artikel 115 [Durchführung]

(1) Mit der Durchführung dieser Verfassung ist Meine Regierung betraut.

(2) Die Regierung hat die in dieser Verfassung vorgesehenen Gesetze mit tunlichster Beförderung zu entwerfen und der verfassungsmässigen Behandlung zuzuführen.

Verfassung der Niederlande[*]

Vom 24. August 1815, zuletzt geändert am 9. März 2018 (Staatsblad 2018, 86)

Kapitel 1
GRUNDRECHTE

Artikel 1 [Gleichbehandlung und Diskriminierungsverbot]

Alle, die sich in den Niederlanden aufhalten, werden in gleichen Fällen gleichbehandelt. Niemand darf wegen seiner religiösen, weltanschaulichen oder politischen Anschauungen, seiner Rasse, seines Geschlechtes oder aus anderen Gründen diskriminiert werden.

Artikel 2 [Staatsangehörigkeit]

(1) Die niederländische Staatsangehörigkeit wird durch Gesetz geregelt.

(2) Die Zulassung und Ausweisung von Ausländern wird durch Gesetz geregelt.

(3) Eine Auslieferung kann nur aufgrund eines Vertrages erfolgen. Weitere Vorschriften über die Auslieferung werden durch Gesetz erlassen.

(4) Jeder hat das Recht, das Land zu verlassen, außer in den durch Gesetz bezeichneten Fällen.

Artikel 3 [Zugang zu öffentlichen Ämtern]

Alle Niederländer haben gleichermaßen Zugang zu öffentlichen Ämtern.

Artikel 4 [Wahlrecht]

Alle Niederländer haben gleichermaßen das Recht, die Mitglieder allgemeiner Vertretungsorgane zu wählen und sich zum Mitglied dieser Organe wählen zu lassen, unbeschadet der im Gesetz vorgesehenen Einschränkungen und Ausnahmen.

Artikel 5 [Recht auf Gesuche]

Jeder hat das Recht, schriftlich Gesuche an die zuständigen Stellen zu richten.

Artikel 6 [Religionsfreiheit]

(1) Jeder hat das Recht, seine Religion oder Weltanschauung einzeln oder in Gemeinschaft mit anderen frei zu bekennen, unbeschadet der Verantwortung jedes einzelnen vor dem Gesetz.

(2) Hinsichtlich der Ausübung dieses Rechts außerhalb von Gebäuden und geschlossenen Räumen können zum Schutz der Gesundheit, im Interesse des Verkehrs und zur Beseitigung oder Abwehr von Störungen gesetzliche Vorschriften erlassen werden.

Artikel 7 [Meinungsfreiheit]

(1) Niemand bedarf der vorherigen Erlaubnis, seine Gedanken oder Meinungen in Druckerzeugnissen zu äußern, unbeschadet der Verantwortung jedes einzelnen vor dem Gesetz.

(2) Für das Radio und das Fernsehen gelten gesetzliche Vorschriften. Es gibt keine Vorzensur für Radio und Fernsehsendungen.

(3) Was den Inhalt seiner Gedanken oder Meinungen angeht, bedarf niemand der vorherigen Erlaubnis, sie mit anderen als den in Absatz 1 und 2 genannten Mitteln zu äußern, unbeschadet der Verantwortung jedes einzelnen vor dem Gesetz. Für Veranstaltungen, die Personen unter sechzehn Jahren zugänglich sind, können zum Schutz der guten Sitten gesetzliche Vorschriften erlassen werden.

(4) Die vorhergehenden Absätze gelten nicht für kommerzielle Werbung.

---

[*] Entsprechend der Übersetzung der niederländischen Regierung, abrufbar unter: https://www.government.nl/documents/reports/2019/02/28/the-constitution-of-the-kingdom-of-the-netherlands, überarbeitet durch *Armin Stolz* und *Maximilian Zankel*, beide Institut für Öffentliches Recht und Politikwissenschaft, Karl-Franzens-Universität Graz.

Artikel 8 [Vereinsfreiheit]

Das Recht auf Bildung von Vereinen wird anerkannt. Dieses Recht kann im Interesse der öffentlichen Ordnung durch Gesetz eingeschränkt werden.

Artikel 9 [Versammlungsfreiheit]

(1) Das Recht zur Versammlung und Demonstration wird anerkannt, unbeschadet der Verantwortung jedes einzelnen vor dem Gesetz.

(2) Zum Schutze der Gesundheit, im Interesse des Verkehrs und zur Beseitigung oder Abwehr von Störungen können gesetzliche Vorschriften erlassen werden.

Artikel 10 [Recht auf Privatsphäre]

(1) Jeder hat, unbeschadet der Einschränkungen durch Gesetz oder kraft Gesetzes, das Recht auf Wahrung seiner Privatsphäre.

(2) Der Schutz der Privatsphäre wird im Zusammenhang mit der Speicherung und Weitergabe persönlicher Daten durch Gesetz geregelt.

(3) Der Anspruch von Personen auf Einblick in die über sie gesammelten Daten und deren Verwendung sowie auf Berichtigung solcher Daten wird durch Gesetz geregelt.

Artikel 11 [Körperliche Unversehrtheit]

Jeder hat, unbeschadet der Einschränkungen durch Gesetz oder kraft Gesetzes, das Recht auf körperliche Unversehrtheit.

Artikel 12 [Schutz der Wohnung]

(1) Das Betreten einer Wohnung ohne Zustimmung des Bewohners ist nur den durch Gesetz oder kraft Gesetzes bezeichneten Personen in den durch Gesetz oder kraft Gesetzes bezeichneten Fällen erlaubt.

(2) Für das Betreten einer Wohnung gemäß Absatz 1 ist die vorherige Legitimation und die Mitteilung des Zwecks des Betretens der Wohnung erforderlich, unbeschadet der im Gesetz vorgesehenen Ausnahmen.

(3) Der Bewohner erhält schnellstmöglich eine schriftliche Benachrichtigung über das Betreten der Wohnung. Wenn das Betreten der Wohnung im Interesse der nationalen Sicherheit oder der Strafverfolgung erfolgt ist, kann nach durch Gesetz festzustellenden Regeln die Benachrichtigung aufgeschoben werden. In den durch Gesetz zu bezeichnenden Fällen kann die Benachrichtigung unterbleiben.

Artikel 13 [Brief- und Fernmeldegeheimnis]

(1) Das Briefgeheimnis ist unverletzlich, Ausnahmen sind nur auf richterliche Anordnung in den durch Gesetz bezeichneten Fällen möglich.

(2) Das Fernmeldegeheimnis ist unverletzlich; Ausnahmen sind nur in den durch Gesetz bezeichneten Fällen für hierzu gesetzlich Beauftragte oder für Personen möglich, die von ihnen bevollmächtigt worden sind.

Artikel 14 [Enteignung]

(1) Eine Enteignung ist nur im Interesse der Allgemeinheit und gegen eine im Voraus garantierte Entschädigung zulässig, und zwar gemäß durch Gesetz oder kraft Gesetzes zu erlassenden Vorschriften.

(2) Die Entschädigung braucht nicht im Voraus garantiert zu sein, wenn im Notfall eine unverzügliche Enteignung erforderlich ist.

(3) In den durch Gesetz oder kraft Gesetzes bezeichneten Fällen besteht ein Anspruch auf vollständige oder teilweise Entschädigung, wenn das Eigentum von den zuständigen Stellen im Interesse der Allgemeinheit vernichtet oder unbrauchbar gemacht wird oder wenn die Ausübung des Eigentumsrechts eingeschränkt wird.

Artikel 15 [Persönliche Freiheit]

(1) Außer in den durch Gesetz oder kraft Gesetzes bezeichneten Fällen darf niemandem die Freiheit entzogen werden.

(2) Jeder, dem die Freiheit ohne richterliche Anordnung entzogen wird, kann seine Freilassung durch den Richter beantragen. Er wird in diesem Falle innerhalb einer durch Gesetz festzusetzenden Frist vom

Richter gehört. Der Richter ordnet die sofortige Freilassung an, wenn er die Freiheitsentziehung für unrechtmäßig hält.

(3) Die Sache, derentwegen jemandem die Freiheit entzogen wurde, wird innerhalb einer angemessenen Frist verhandelt.

(4) Derjenige, dem die Freiheit rechtmäßig entzogen worden ist, kann in der Ausübung von Grundrechten eingeschränkt werden, soweit diese mit der Freiheitsentziehung nicht vereinbar ist.

Artikel 16 [Bestrafung]

Eine Tat kann nur bestraft werden, wenn die Strafbarkeit gesetzlich festgelegt war, bevor die Tat begangen wurde.

Artikel 17 [Gesetzlicher Richter]

Niemand darf gegen seinen Willen dem gesetzlichen Richter entzogen werden.

Artikel 18 [Beistand]

(1) Jeder kann sich in Rechts- und Verwaltungssachen beistehen lassen.

(2) Für die Beiordnung eines Rechtsbeistands an Unbemittelte gelten gesetzliche Vorschriften.

Artikel 19 [Arbeit]

(1) Die Schaffung von genügend Arbeitsplätzen ist Gegenstand der Sorge des Staates.

(2) Vorschriften über die Rechtsstellung derjenigen, die Arbeit verrichten, über den Arbeitsschutz und über die Mitbestimmung werden durch Gesetz erlassen.

(3) Das Recht jedes Niederländers auf freie Wahl der Arbeit wird anerkannt, unbeschadet der Einschränkungen durch Gesetz oder kraft Gesetzes.

Artikel 20 [Existenzsicherheit]

(1) Die Existenzsicherheit der Bevölkerung und die Verteilung des Wohlstandes sind Gegenstand der Sorge des Staates.

(2) Vorschriften über den Anspruch auf soziale Sicherheit werden durch Gesetz erlassen.

(3) Niederländer, die ihren Lebensunterhalt nicht selbst bestreiten können, haben hierzulande einen durch Gesetz zu regelnden Anspruch auf öffentliche Sozialhilfe.

Artikel 21 [Bewohnbarkeit und Umweltschutz]

Die Sorge des Staates und der anderen öffentlich-rechtlichen Körperschaften gilt der Bewohnbarkeit des Landes sowie dem Schutz und der Verbesserung der Umwelt.

Artikel 22 [Volksgesundheit, Wohnraum und Freizeitgestaltung]

(1) Der Staat trifft Maßnahmen zur Förderung der Volksgesundheit.

(2) Die Schaffung von genügend Wohnraum ist Gegenstand der Sorge des Staates.

(3) Der Staat schafft Voraussetzungen für die soziale und kulturelle Entfaltung und für die Freizeitgestaltung.

Artikel 23 [Unterricht]

(1) Das Unterrichtswesen ist Gegenstand anhaltender Sorge der Regierung.

(2) Die Erteilung von Unterricht ist frei, vorbehaltlich der behördlichen Aufsicht und, was die im Gesetz bezeichneten Unterrichtsarten betrifft, vorbehaltlich der Prüfung der Befähigung und der sittlichen Eignung der Lehrkräfte. Näheres wird durch Gesetz geregelt.

(3) Der öffentliche Unterricht wird unter Wahrung der Freiheit des religiösen und weltanschaulichen Bekenntnisses durch Gesetz geregelt.

(4) In jeder Gemeinde und in jeder öffentlich-rechtlichen Körperschaft im Sinne des Artikels 132a wird staatlicherseits dafür gesorgt, dass an einer ausreichenden Anzahl öffentlicher Schulen genügend öffentlicher allgemeinbildender Grundschulunterricht erteilt wird. Nach durch Gesetz zu erlassenden Vorschriften kann von dieser Bestimmung abgewichen werden, sofern in öffentlichen oder nichtöffentlichen Schulen die Gelegenheit geboten wird, an dieser Art von Unterricht teilzunehmen.

(5) Die Anforderungen, die an die Qualität des ganz oder teilweise aus öffentlichen Mitteln zu finanzierenden Unterrichts zu

stellen sind, werden durch Gesetz geregelt; soweit es sich um Unterricht an Privatschulen handelt, ist die Freiheit der religiösen und weltanschaulichen Ausrichtung zu gewährleisten.

(6) Diese Anforderungen werden für den allgemeinbildenden Grundschulunterricht so geregelt, dass die Qualität des ganz aus öffentlichen Mitteln finanzierten privaten Unterrichts und des öffentlichen Unterrichts gleichermaßen gewährleistet wird. Bei dieser Regelung ist insbesondere die Freiheit des privaten Unterrichts bei der Wahl der Lehrmittel und der Anstellung der Lehrkräfte zu gewährleisten.

(7) Der private allgemeinbildende Grundschulunterricht, der die durch Gesetz festzulegenden Bedingungen erfüllt, wird nach demselben Maßstab aus öffentlichen Mitteln finanziert wie der öffentliche Unterricht. Es wird durch Gesetz bestimmt, unter welchen Bedingungen für den privaten allgemeinbildenden Sekundarunterricht und für den universitären Unterricht Beiträge aus öffentlichen Mitteln geleistet werden.

(8) Die Regierung unterrichtet die Generalstaaten alljährlich über die Lage im Bildungsbereich.

Kapitel 2
REGIERUNG

2.1 Der König

Artikel 24 [Erbfolge]
Die Königswürde geht durch Erbfolge auf die gesetzlichen Nachfolger König Wilhelms I., Prinz von Oranien Nassau, über.

Artikel 25 [Tod des Königs]
Beim Tod des Königs geht die Königswürde durch Erbfolge auf seine gesetzlichen Nachkommen über, wobei das älteste Kind Vorrang hat, für dessen Nachfolge dieselbe Regel gilt. Hat der verstorbene König keine eigenen Nachkommen, geht die Königswürde in gleicher Weise auf die gesetzlichen Nachkommen zunächst des elterlichen Zweiges, dann des großelterlichen Zweiges

innerhalb der Erbfolgelinie über, sofern der verstorbene König mit ihnen nicht entfernter blutsverwandt war als im dritten Grade.

Artikel 26 [Ungeborenes Kind in der Thronfolge]
Das zum Zeitpunkt des Todes des Königs ungeborene Kind gilt im Sinne der Erbfolge als bereits geboren. Kommt es tot zur Welt, gilt es als nie geboren.

Artikel 27 [Verzicht auf Königswürde]
Bei einem Verzicht auf die Königswürde kommt es zur Erbfolge entsprechend den Regeln in den vorstehenden Artikeln. Nach dem Verzicht geborene Kinder und ihre Nachkommen sind von der Erbfolge ausgeschlossen.

Artikel 28 [Eheschließung ohne Zustimmung]
(1) Schließt der König eine Ehe ohne die durch Gesetz gewährte Zustimmung, verzichtet er auf die Königswürde.

(2) Schließt jemand, der vom König die Königswürde erben kann, eine solche Ehe, sind er, seine aus dieser Ehe hervorgegangenen Kinder und ihre Nachkommen von der Erbfolge ausgeschlossen.

(3) Die Generalstaaten beraten und beschließen über eine Gesetzesvorlage zur Gewährung der Zustimmung in einer Vollversammlung.

Artikel 29 [Ausschluss von der Erbfolge]
(1) Wenn außergewöhnliche Umstände dies erfordern, können durch Gesetz eine oder mehrere Personen von der Erbfolge ausgeschlossen werden.

(2) Die entsprechende Vorlage wird vom König oder in seinem Auftrag eingebracht. Die Generalstaaten beraten und beschließen darüber in einer Vollversammlung. Für die Annahme der Vorlage ist eine Mehrheit von mindestens zwei Dritteln der abgegebenen Stimmen erforderlich.

Artikel 30 [Ernennung eines Nachfolgers]

(1) Wenn voraussichtlich ein Nachfolger fehlen wird, kann ein Nachfolger durch Gesetz ernannt werden. Die Vorlage wird vom König oder in seinem Auftrag eingebracht. Nach Einbringung der Vorlage werden die Kammern aufgelöst. Die neuen Kammern beraten und beschließen über die Vorlage in einer Vollversammlung. Für die Annahme der Vorlage ist eine Mehrheit von mindestens zwei Dritteln der abgegebenen Stimmen erforderlich.

(2) Wenn beim Tode des Königs oder beim Verzicht auf die Königswürde ein Nachfolger fehlt, werden die Kammern aufgelöst. Die neuen Kammern treten innerhalb von vier Monaten nach dem Tod oder nach dem Verzicht in einer Vollversammlung zusammen, um über die Ernennung eines Königs zu entscheiden. Sie können einen Nachfolger nur mit einer Mehrheit von mindestens zwei Dritteln der abgegebenen Stimmen ernennen.

Artikel 31 [Nachfolge]

(1) Die Nachfolge eines ernannten Königs kann kraft Erbfolge nur von seinen gesetzlichen Nachkommen angetreten werden.

(2) Die Bestimmungen über die Erbfolge und Absatz 1 dieses Artikels gelten entsprechend für einen ernannten Nachfolger, solange er noch nicht König ist.

Artikel 32 [Eid]

Nach seiner Amtsübernahme leistet der König so bald wie möglich seinen Eid, und es wird ihm so bald wie möglich in der Hauptstadt Amsterdam in einer öffentlichen Vollversammlung der Generalstaaten gehuldigt. Er schwört oder gelobt Treue zur Verfassung und die gewissenhafte Ausübung seines Amtes. Das Nähere regelt ein Gesetz.

Artikel 33 [Amtsausübung]

Der König übt sein Amt erst nach Vollendung des achtzehnten Lebensjahres aus.

Artikel 34 [Elterliche Gewalt und Vormundschaft]

Das Gesetz regelt die elterliche Gewalt und die Vormundschaft über den minderjährigen König und die Aufsicht über die elterliche Gewalt und die Vormundschaft. Die Generalstaaten beraten und beschließen hierüber in einer Vollversammlung.

Artikel 35 [Unmöglichkeit der Amtsausführung]

(1) Wenn der Ministerrat der Auffassung ist, der König sei außerstande, sein Amt auszuüben, teilt er dies unter Vorlage der hierzu vom Staatsrat erbetenen Empfehlung den Generalstaaten mit, die daraufhin zu einer Vollversammlung zusammentreten.

(2) Teilen die Generalstaaten diese Auffassung, dann erklären sie, der König sei außerstande, sein Amt auszuüben. Diese Erklärung wird auf Anordnung des Vorsitzenden der Versammlung bekannt gegeben und wird sofort wirksam.

(3) Sobald der König wieder zur Ausübung seines Amtes imstande ist, wird dies durch Gesetz erklärt. Die Generalstaaten beraten und beschließen hierüber in einer Vollversammlung. Sofort nach Bekanntmachung dieses Gesetzes übt der König sein Amt wieder aus.

(4) Das Gesetz regelt erforderlichenfalls die Aufsicht über die Person des Königs, wenn erklärt worden ist, er sei außerstande, sein Amt auszuüben. Die Generalstaaten beraten und beschließen hierüber in einer Vollversammlung.

Artikel 36 [Wiederaufnahme des Amtes]

Der König kann kraft eines Gesetzes die Ausübung seines Amtes vorübergehend abgeben und kraft eines Gesetzes, dessen Vorlage vom König oder in seinem Auftrag eingebracht wird, seine Amtstätigkeiten wieder aufnehmen. Die Generalstaaten beraten und beschließen in einer Vollversammlung über diese Vorlage.

Artikel 37 [Ausübung durch Regenten]

(1) Das Amt des Königs wird von einem Regenten ausgeübt:

a) solange der König das achtzehnte Lebensjahr nicht vollendet hat;

b) wenn ein ungeborenes Kind die Königswürde übernehmen könnte;

c) wenn erklärt worden ist, der König sei außerstande, sein Amt auszuüben;

d) wenn der König die Ausübung seines Amtes vorübergehend abgegeben hat;

e) solange es nach dem Tode des Königs oder nach seinem Verzicht auf die Königswürde keinen Nachfolger gibt.

(2) Der Regent wird durch Gesetz ernannt. Die Generalstaaten beraten und beschließen hierüber in einer Vollversammlung.

(3) In den in Absatz 1 Buchstabe c und d genannten Fällen ist der Nachkomme des Königs, der sein mutmaßlicher Nachfolger ist, von Rechts wegen Regent, wenn er bereits das achtzehnte Lebensjahr vollendet hat.

(4) Der Regent schwört oder gelobt Treue zur Verfassung und die gewissenhafte Ausübung seines Amtes in einer Vollversammlung der Generalstaaten. Näheres über die Regentschaft sowie die Nachfolge und die Vertretung des Regenten regelt ein Gesetz. Die Generalstaaten beraten und beschließen hierüber in einer Vollversammlung.

(5) Für den Regenten gelten die Artikel 35 und 36 entsprechend.

Artikel 38 [Ausübung durch Staatsrat]

Solange die Ausübung des Amtes des Königs nicht geregelt ist, wird es vom Staatsrat ausgeübt.

Artikel 39 [Mitglied des Königshauses]

Das Gesetz regelt, wer Mitglied des Königshauses ist.

Artikel 40 [Zuwendungen]

(1) Der König erhält jährlich Zuwendungen zu Lasten des Reiches gemäß einer gesetzlichen Regelung. Dieses Gesetz bestimmt, welche anderen Mitglieder des Königshauses Zuwendungen zu Lasten des Reiches erhalten und regelt diese Zuwendungen.

(2) Die den Mitgliedern des Königshauses gewährten Zuwendungen zu Lasten des Reiches sowie die für die Ausübung ihres Amtes verwendeten Vermögensbestandteile sind frei von Personensteuern. Ferner ist dasjenige, was der König oder sein mutmaßlicher Nachfolger gemäß Erbrecht oder durch Schenkung eines Mitglieds des Königshauses erhält, frei von Erbschafts-, Übertragungs- und Schenkungssteuer. Weitere Steuerbefreiungen können durch Gesetz gewährt werden.

(3) Für die Annahme der Vorlagen von in den vorstehenden Absätzen bezeichneten Gesetzen durch die Kammern der Generalstaaten ist eine Mehrheit von mindestens zwei Dritteln der abgegebenen Stimmen erforderlich.

Artikel 41 [Ordnung]

Der König ordnet sein Haus unter Berücksichtigung des öffentlichen Interesses.

2.2 König und Minister

Artikel 42 [Regierung]

(1) Die Regierung besteht aus dem König und den Ministern.

(2) Die Minister, nicht jedoch der König, sind für die Maßnahmen der Regierung verantwortlich.

Artikel 43 [Ernennung und Entlassung]

Der Ministerpräsident und die übrigen Minister werden durch königlichen Erlass ernannt und entlassen.

Artikel 44 [Einrichtung von Ministerien]

(1) Durch königlichen Erlass werden Ministerien eingerichtet. Sie werden von einem Minister geleitet.

(2) Es können auch Minister ernannt werden, die nicht mit der Leitung eines Ministeriums betraut sind.

Artikel 45 [Ministerrat]

(1) Die Minister bilden gemeinsam den Ministerrat.

(2) Der Ministerpräsident ist Vorsitzender des Ministerrats.

(3) Der Ministerrat berät und beschließt über die allgemeine Regierungspolitik und sorgt für die Einheitlichkeit dieser Politik.

Artikel 46 [Staatssekretäre]

(1) Durch königlichen Erlass können Staatssekretäre ernannt und entlassen werden.

(2) Ein Staatssekretär tritt in den Fällen, in denen der Minister dies für notwendig hält, unter Befolgung der Weisungen des Ministers an dessen Stelle. Der Staatssekretär ist in dieser Eigenschaft verantwortlich, unbeschadet der Verantwortung des Ministers.

Artikel 47 [Unterzeichnung]

Alle Gesetze und königlichen Erlasse werden vom König und von einem oder mehreren Ministern oder Staatssekretären unterzeichnet.

Artikel 48 [Ernennung des Ministerpräsidenten]

Der königliche Erlass, durch den der Ministerpräsident ernannt wird, wird von letzterem gegengezeichnet. Die königlichen Erlasse, durch die die übrigen Minister und die Staatssekretäre ernannt und entlassen werden, werden vom Ministerpräsidenten gegengezeichnet.

Artikel 49 [Eid der Minister]

Auf die durch Gesetz vorgeschriebene Weise leisten die Minister und Staatssekretäre bei ihrem Amtsantritt vor dem König einen Eid beziehungsweise geben eine Erklärung und ein Gelöbnis ab und schwören oder geloben Treue zur Verfassung und die gewissenhafte Ausübung ihres Amtes.

Kapitel 3
GENERALSTAATEN

3.1 Organisation und Zusammensetzung

Artikel 50 [Generalstaaten]

Die Generalstaaten vertreten das gesamte niederländische Volk.

Artikel 51 [Erste und Zweite Kammer]

(1) Die Generalstaaten bestehen aus der Zweiten Kammer und der Ersten Kammer.

(2) Die Zweite Kammer hat einhundertfünfzig Mitglieder.

(3) Die Erste Kammer hat fünfundsiebzig Mitglieder.

(4) Bei einer Vollversammlung werden die Kammern als Einheit betrachtet.

Artikel 52 [Wahlperioden]

(1) Die Wahlperiode beider Kammern beträgt vier Jahre.

(2) Wenn für die Provinzialstaaten durch Gesetz eine andere Dauer der Wahlperiode als vier Jahre angesetzt wird, wird damit die Wahlperiode der Ersten Kammer entsprechend geändert.

Artikel 53 [Wahlgrundsätze]

(1) Die Mitglieder beider Kammern werden auf der Grundlage des Verhältniswahlrechts innerhalb der durch Gesetz festzulegenden Grenzen gewählt.

(2) Die Wahlen sind geheim.

Artikel 54 [Wahl der Zweiten Kammer]

(1) Die Mitglieder der Zweiten Kammer werden in unmittelbarer Wahl von den Niederländern gewählt, die das achtzehnte Lebensjahr vollendet haben, unbeschadet der durch Gesetz zu bestimmenden Ausnahmen in Bezug auf Niederländer, die sich nicht in den Niederlanden aufhalten.

(2) Vom Wahlrecht ausgeschlossen ist, wer wegen einer durch Gesetz bezeichneten Straftat mit rechtskräftiger gerichtlicher Entscheidung zu einer Freiheitsstrafe von mindestens einem Jahr verurteilt worden ist und wem hierbei gleichzeitig das Wahlrecht aberkannt wurde.

Artikel 55 [Wahl der Ersten Kammer]

Die Mitglieder der Ersten Kammer werden von den Mitgliedern der Provinzialstaaten und den Mitgliedern eines Wahlgremiums im Sinne des Artikels 132a Absatz 3 gewählt. Die Wahl findet, außer im Falle einer Auflösung der Kammer, innerhalb von drei Monaten nach der Wahl der Mitglieder der Provinzialstaaten statt.

Artikel 56 [Voraussetzungen der Mitglieder der Generalstaaten]

Wer Mitglied der Generalstaaten werden will, muss niederländischer Staatsangehöriger sein, das achtzehnte Lebensjahr vollendet haben und darf nicht vom Wahlrecht ausgeschlossen sein.

Artikel 57 [Unvereinbarkeit]

(1) Niemand kann Mitglied beider Kammern sein.

(2) Ein Mitglied der Generalstaaten kann nicht gleichzeitig Minister, Staatssekretär, Mitglied des Staatsrats, Mitglied der Allgemeinen Rechnungskammer, Nationaler Ombudsmann oder stellvertretender Ombudsmann, Mitglied des Hohen Rates, Generalstaatsanwalt oder Untergeneralstaatsanwalt beim Hohen Rat sein.

(3) Gleichwohl kann ein Minister oder Staatssekretär, der sein Amt zur Verfügung gestellt hat, gleichzeitig Mitglied der Generalstaaten sein, bis über die Zurverfügungstellung entschieden worden ist.

(4) Das Gesetz kann bestimmen, dass andere öffentliche Ämter nicht gleichzeitig mit der Mitgliedschaft in den Generalstaaten oder in einer der beiden Kammern ausgeübt werden können.

Artikel 57a [Regelung der Vertretung]

Die vorübergehende Vertretung eines Mitglieds der Generalstaaten wegen Schwangerschaft oder Mutterschaft sowie wegen Krankheit regelt das Gesetz.

Artikel 58 [Prüfung der Vollmacht]

Jede Kammer prüft die Vollmachten ihrer neu ernannten Mitglieder und entscheidet unter Berücksichtigung der durch Gesetz festzustellenden Regeln über Streitigkeiten, die in Bezug auf die Vollmachten oder die Wahl selbst entstehen.

Artikel 59 [Regelung der Wahl durch Gesetz]

Alles Weitere über das Wahlrecht und die Wahlen wird durch Gesetz geregelt.

Artikel 60 [Eid der Mitglieder der Kammern]

Auf die durch Gesetz vorgeschriebene Weise leisten die Mitglieder der Kammern bei ihrem Amtsantritt in der Versammlung einen Eid beziehungsweise geben eine Erklärung und ein Gelöbnis ab und schwören oder geloben Treue zur Verfassung und die gewissenhafte Ausübung ihres Amtes.

Artikel 61 [Vorsitzende der Kammern]

(1) Jede der beiden Kammern ernennt aus ihrer Mitte einen Vorsitzenden.

(2) Jede der beiden Kammern ernennt einen Schriftführer. Der Schriftführer und die übrigen Beamten der Kammern können nicht gleichzeitig Mitglied der Generalstaaten sein.

Artikel 62 [Leitung der Vollversammlung]

Der Vorsitzende der Ersten Kammer leitet die Vollversammlung.

Artikel 63 [Zuwendungen]

Finanzielle Zuwendungen zugunsten von Mitgliedern und ehemaligen Mitgliedern der Generalstaaten und ihren Hinterbliebenen werden durch Gesetz geregelt. Die Kammern können eine diesbezügliche Gesetzesvorlage nur mit einer Mehrheit von mindestens zwei Dritteln der abgegebenen Stimmen annehmen.

Artikel 64 [Auflösung der Kammern]

(1) Jede der beiden Kammern kann durch königlichen Erlass aufgelöst werden.

(2) Der Erlass zur Auflösung enthält gleichzeitig die Vorschrift zur Neuwahl der aufgelösten Kammer und zum Zusammentreten der neugewählten Kammer innerhalb von drei Monaten.

(3) Die Auflösung wird an dem Tag wirksam, an dem die neugewählte Kammer zusammentritt.

(4) Das Gesetz setzt die Dauer der Wahlperiode der Zweiten Kammer nach einer Auflösung fest; sie darf nicht länger sein als fünf Jahre. Nach einer Auflösung endet die Wahlperiode der Ersten Kammer zu dem Zeitpunkt, zu dem die Wahlperiode der aufgelösten Kammer abgelaufen wäre.

3.2 Verfahren

Artikel 65 [Abgabe der Erklärung]
An jedem dritten Dienstag im September oder zu einem durch Gesetz festzulegenden früheren Zeitpunkt wird vom König oder in seinem Namen in einer Vollversammlung der Generalstaaten eine Erklärung über die von der Regierung zu verfolgende Politik abgegeben.

Artikel 66 [Öffentlichkeit]
(1) Die Sitzungen der Generalstaaten sind öffentlich.

(2) Die Öffentlichkeit wird ausgeschlossen, wenn ein Zehntel der anwesenden Mitglieder dies beantragt oder der Präsident dies für nötig hält.

(3) Die Kammer oder die beiden Kammern, die in einer Vollversammlung zusammentreten, entscheiden sodann, ob die Beratung fortgesetzt und die Beschlüsse unter Ausschluss der Öffentlichkeit gefasst werden.

Artikel 67 [Quoren der Kammern]
(1) Die Kammern dürfen einzeln und in einer Vollversammlung nur beraten oder beschließen, wenn mehr als die Hälfte ihrer Mitglieder anwesend sind.

(2) Beschlüsse werden mit Stimmenmehrheit gefasst.

(3) Die Mitglieder sind bei der Stimmabgabe nicht durch Anweisungen gebunden.

(4) Die Abstimmung erfolgt mündlich und namentlich, wenn ein Mitglied dies beantragt.

Artikel 68 [Auskunftserteilung]
Die Minister und die Staatssekretäre erteilen den Kammern gesondert und in einer Vollversammlung mündlich oder schriftlich die von einem oder mehreren Mitgliedern gewünschten Auskünfte, wenn dies nicht dem Interesse des Staates widerspricht.

Artikel 69 [Zulassung und Teilnahme an Sitzungen]
(1) Die Minister und die Staatssekretäre sind zu den Sitzungen zugelassen und können an den Beratungen teilnehmen.

(2) Sie können von den Kammern gesondert und in einer Vollversammlung aufgefordert werden, der Sitzung beizuwohnen.

(3) Sie können sich in den Sitzungen durch von ihnen beauftragte Personen vertreten lassen.

Artikel 70 [Enqueterechte]
Beide Kammern haben gesondert und in der Vollversammlung das durch Gesetz zu regelnde Enqueterecht.

Artikel 71 [Immunität]
Die Mitglieder der Generalstaaten, die Minister, die Staatssekretäre und andere Personen, die an den Beratungen teilnehmen, können für das, was sie in den Sitzungen der Generalstaaten oder der Parlamentsausschüsse gesagt haben oder diesen schriftlich vorgelegt haben, nicht rechtlich belangt oder haftbar gemacht werden.

Artikel 72 [Geschäftsordnung]
Die Kammern geben sich gesondert und in der Vollversammlung eine Geschäftsordnung.

Kapitel 4
STAATSRAT, ALLGEMEINE RECHNUNGSKAMMER, NATIONALER OMBUDSMANN UND STÄNDIGE BERATUNGSGREMIEN

Artikel 73 [Anhörung]
(1) Der Staatsrat oder eine Abteilung des Staatsrats wird zu Gesetzesvorlagen und zu Entwürfen von Rechtsverordnungen sowie zu Vorschlägen zur Zustimmung zu Verträgen seitens der Generalstaaten gehört. In

durch Gesetz zu bezeichnenden Fällen kann die Anhörung unterbleiben.

(2) Dem Staatsrat oder einer Abteilung des Staatsrats obliegt die Untersuchung der Verwaltungsstreitigkeiten, über die durch königlichen Erlass entschieden wird; der Staatsrat beziehungsweise seine Abteilung empfiehlt eine Entscheidung.

(3) Durch Gesetz kann die Entscheidung in Verwaltungsstreitigkeiten dem Staatsrat oder einer Abteilung des Staatsrats übertragen werden.

Artikel 74 [Sitz im Staatsrat und Mitglieder]

(1) Der König ist Vorsitzender des Staatsrats. Der mutmaßliche Nachfolger des Königs hat nach Vollendung des achtzehnten Lebensjahres von Rechts wegen Sitz im Staatsrat. Durch Gesetz oder kraft Gesetzes können andere Mitglieder des Königshauses Sitz im Staatsrat erhalten.

(2) Die Mitglieder des Staatsrats werden durch königlichen Erlass auf Lebenszeit ernannt.

(3) Sie werden auf eigenen Wunsch oder bei Erreichen einer durch Gesetz festzulegenden Altersgrenze entlassen.

(4) In den durch Gesetz bezeichneten Fällen können sie vom Staatsrat suspendiert oder entlassen werden.

(5) Ihre Rechtsstellung ist ansonsten durch Gesetz geregelt.

Artikel 75 [Organisation, Zusammensetzung und Zuständigkeit]

(1) Organisation, Zusammensetzung und Zuständigkeit des Staatsrats regelt das Gesetz.

(2) Durch Gesetz können dem Staatsrat oder einer Abteilung des Staatsrats auch andere Aufgaben übertragen werden.

Artikel 76 [Allgemeine Rechnungskammer]

Der Allgemeinen Rechnungskammer obliegt die Prüfung der Einnahmen und Ausgaben des Reiches.

Artikel 77 [Mitglieder der Allgemeinen Rechnungskammer]

(1) Die Mitglieder der Allgemeinen Rechnungskammer werden durch königlichen Erlass auf Lebenszeit auf Vorschlag der Zweiten Kammer der Generalstaaten ernannt, die jeweils drei Kandidaten vorschlägt.

(2) Sie werden auf eigenen Wunsch oder bei Erreichen einer durch Gesetz festzulegenden Altersgrenze entlassen.

(3) In den durch Gesetz bezeichneten Fällen können sie vom Hohen Rat suspendiert oder entlassen werden.

(4) Ihre Rechtsstellung ist ansonsten durch Gesetz geregelt.

Artikel 78 [Organisation, Zusammensetzung und Zuständigkeit der Allgemeinen Rechnungskammer]

(1) Organisation, Zusammensetzung und Zuständigkeit der Allgemeinen Rechnungskammer regelt das Gesetz.

(2) Durch Gesetz können der Allgemeinen Rechnungskammer auch weitere Aufgaben übertragen werden.

Artikel 78a [Nationaler Ombudsmann]

(1) Der Nationale Ombudsmann untersucht auf Antrag oder aus eigener Initiative die Handlungen von Verwaltungsorganen des Reichs und die Handlungen anderer durch Gesetz oder kraft Gesetzes bezeichneter Verwaltungsorgane.

(2) Der Nationale Ombudsmann und ein stellvertretender Ombudsmann werden für eine durch Gesetz festzusetzende Frist von der Zweiten Kammer der Generalstaaten ernannt. Sie werden auf eigenen Wunsch oder bei Erreichen einer durch Gesetz festzulegenden Altersgrenze entlassen. In den durch Gesetz bezeichneten Fällen können sie von der Zweiten Kammer der Generalstaaten suspendiert oder entlassen werden. Ihre Rechtsstellung ist ansonsten durch Gesetz geregelt.

(3) Das Gesetz regelt die Zuständigkeit und Arbeitsweise des Nationalen Ombudsmanns.

(4) Durch Gesetz oder kraft Gesetzes können dem Nationalen Ombudsmann auch weitere Aufgaben übertragen werden.

Artikel 79 [Ständige Beratungsgremien]

(1) Ständige Beratungsgremien auf dem Gebiet der staatlichen Gesetzgebung und Verwaltung werden durch Gesetz oder kraft Gesetzes eingesetzt.

(2) Organisation, Zusammensetzung und Zuständigkeit dieser Gremien regelt das Gesetz.

(3) Durch Gesetz oder kraft Gesetzes können diesen Gremien auch andere als beratende Aufgaben übertragen werden.

Artikel 80 [Veröffentlichung von Gutachten]

(1) Die Gutachten der in diesem Kapitel bezeichneten Gremien werden nach durch Gesetz zu erlassenden Vorschriften veröffentlicht.

(2) Gutachten zu Gesetzesvorlagen, die vom König oder in seinem Auftrag eingebracht werden, werden außer in den durch Gesetz zu bezeichnenden Ausnahmen den Generalstaaten vorgelegt.

Kapitel 5
GESETZGEBUNG UND VERWALTUNG

5.1 Gesetze und andere Vorschriften

Artikel 81 [Erlassung von Gesetzen]

Gesetze werden von der Regierung und den Generalstaaten gemeinsam erlassen.

Artikel 82 [Gesetzesvorschläge]

(1) Gesetzesvorschläge können vom König oder in seinem Auftrag und von der Zweiten Kammer der Generalstaaten eingebracht werden.

(2) Gesetzesvorschläge, deren Behandlung in der Vollversammlung der Generalstaaten vorgeschrieben ist, können vom König oder in seinem Auftrag und, soweit dies gemäß den betreffenden Artikeln in Kapitel 2 zulässig ist, von der Vollversammlung eingebracht werden.

(3) Von der Zweiten Kammer beziehungsweise von der Vollversammlung einzubringende Gesetzesvorschläge werden ihr von einem oder mehreren Mitgliedern unterbreitet.

Artikel 83 [Behandlung von Gesetzesvorschlägen]

Vom König oder in seinem Auftrag eingebrachte Gesetzesvorschläge werden an die Zweite Kammer oder, wenn deren Behandlung in der Vollversammlung der Generalstaaten vorgeschrieben ist, an dieses Gremium gesandt.

Artikel 84 [Änderung von Gesetzesvorschlägen]

(1) Solange ein vom König oder in seinem Auftrag eingebrachter Gesetzesvorschlag nicht von der Zweiten Kammer beziehungsweise von der Vollversammlung angenommen worden ist, kann er von ihr auf Vorschlag eines Mitglieds oder mehrerer Mitglieder und auf Betreiben der Regierung geändert werden.

(2) Solange die Zweite Kammer beziehungsweise die Vollversammlung einen von ihr einzubringenden Gesetzesvorschlag nicht angenommen hat, kann er von ihr auf Vorschlag eines oder mehrerer Mitglieder und von dem Mitglied oder den Mitgliedern, von dem beziehungsweise denen er unterbreitet worden ist, geändert werden.

Artikel 85 [Vorlage]

Sobald die Zweite Kammer einen Gesetzesvorschlag angenommen hat oder beschlossen hat, einen Vorschlag einzubringen, leitet sie ihn der Ersten Kammer zu, die den Vorschlag in der Form berät, in der er ihr von der Zweiten Kammer zugeleitet worden ist. Die Zweite Kammer kann eines oder mehrere ihrer Mitglieder beauftragen, einen von ihr eingebrachten Vorschlag in der Ersten Kammer zu verteidigen.

Artikel 86 [Zurückziehung des Gesetzesvorschlages]

(1) Solange ein Gesetzesvorschlag nicht von den Generalstaaten angenommen worden ist, kann er von demjenigen, der ihn ein-

gebracht hat, oder in seinem Auftrag zurückgezogen werden.

(2) Solange die Zweite Kammer beziehungsweise die Vollversammlung einen von ihr einzubringenden Gesetzesvorschlag nicht angenommen hat, kann er von dem Mitglied oder den Mitgliedern, von dem beziehungsweise denen er unterbreitet worden ist, zurückgezogen werden.

Artikel 87 [Annahme und Bestätigung]

(1) Ein Vorschlag wird Gesetz, sobald er von den Generalstaaten angenommen und vom König bestätigt worden ist.

(2) Der König und die Generalstaaten unterrichten sich gegenseitig von ihren Beschlüssen über Gesetzesvorschläge.

Artikel 88 [Verkündung und In-Kraft-Treten]

Die Verkündung und das In-Kraft-Treten der Gesetze regelt das Gesetz. Die Gesetze treten erst nach ihrer Verkündung in Kraft.

Artikel 89 [Rechtsverordnungen]

(1) Rechtsverordnungen ergehen durch königlichen Erlass.

(2) Vorschriften in Rechtsverordnungen, deren Nichtbefolgung unter Strafe gestellt ist, können nur kraft Gesetzes erlassen werden. Die Strafen werden durch Gesetz bestimmt.

(3) Die Verkündung und das In-Kraft-Treten der Rechtsverordnungen regelt das Gesetz. Sie treten erst nach ihrer Verkündung in Kraft.

(4) Die Absätze 2 und 3 gelten entsprechend für andere vom Reich erlassene allgemein verbindliche Vorschriften.

5.2 Sonstige Bestimmungen

Artikel 90 [Förderung der Internationalen Rechtsordnung]

Die Regierung fördert die Entwicklung der internationalen Rechtsordnung.

Artikel 91 [Zustimmung der Generalstaaten zu Verträgen]

(1) Ohne vorherige Zustimmung durch die Generalstaaten ist das Königreich nicht an Verträge gebunden und werden Verträge nicht gekündigt. Die Fälle, in denen keine Zustimmung erforderlich ist, bezeichnet das Gesetz.

(2) Durch Gesetz wird bestimmt, in welcher Weise die Zustimmung erteilt wird. Das Gesetz kann eine stillschweigende Zustimmung vorsehen.

(3) Enthält ein Vertrag Bestimmungen, die von der Verfassung abweichen beziehungsweise eine solche Abweichung erforderlich machen, können die Kammern ihre Zustimmung nur mit einer Mehrheit von mindestens zwei Dritteln der abgegebenen Stimmen erteilen.

Artikel 92 [Übertragung von Befugnissen]

Durch Vertrag oder kraft eines Vertrags können völkerrechtlichen Organisationen Gesetzgebungs-, Verwaltungs- und Rechtsprechungsbefugnisse übertragen werden, erforderlichenfalls unter Berücksichtigung von Artikel 91 Absatz 3.

Artikel 93 [Verbindlichkeit von Verträgen]

Bestimmungen von Verträgen und Beschlüssen völkerrechtlicher Organisationen, die ihrem Inhalt nach allgemein verbindlich sein können, haben Verbindlichkeit nach ihrer Veröffentlichung.

Artikel 94 [Unvereinbarkeit von Gesetzen mit Verträgen völkerrechtlicher Organisationen]

Innerhalb des Königreichs geltende gesetzliche Vorschriften werden nicht angewandt, wenn die Anwendung mit allgemein verbindlichen Bestimmungen von Verträgen und Beschlüssen völkerrechtlicher Organisationen nicht vereinbar ist.

Artikel 95 [Veröffentlichung von Verträgen und Beschlüssen]

Die Veröffentlichung von Verträgen und Beschlüssen völkerrechtlicher Organisationen regelt das Gesetz.

Artikel 96 [Kriegszustand]

(1) Nur nach vorheriger Zustimmung der Generalstaaten kann erklärt werden, dass sich das Königreich im Krieg befindet.

(2) Die Zustimmung ist nicht erforderlich, wenn sich infolge eines faktisch bereits bestehenden Kriegszustands Beratungen mit den Generalstaaten als nicht möglich erwiesen haben.

(3) Die Generalstaaten beraten und beschließen hierüber in einer Vollversammlung.

(4) Die Bestimmungen in Absatz 1 und 3 gelten entsprechend für eine Erklärung zur Beendigung eines Krieges.

Artikel 97 [Streitkräfte und Oberbefehl]

(1) Zum Zwecke der Verteidigung und des Schutzes der Interessen des Königreichs, wie auch zur Aufrechterhaltung und Förderung der internationalen Rechtsordnung bestehen Streitkräfte.

(2) Die Regierung hat den Oberbefehl über die Streitkräfte.

Artikel 98 [Zusammensetzung der Streitkräfte]

(1) Die Streitkräfte setzen sich aus Freiwilligen zusammen. Den Streitkräften können auch Wehrpflichtige angehören.

(2) Das Gesetz regelt die Wehrpflicht und die Befugnis zur Zurückstellung vom Wehrdienst.

Artikel 99 [Befreiung vom Wehrdienst]

Das Gesetz regelt die Befreiung vom Wehrdienst aufgrund ernsthafter Gewissensbedenken.

Artikel 99a [Zivilverteidigung]

Nach durch Gesetz festzustellenden Regeln können Pflichten für die Zivilverteidigung auferlegt werden.

Artikel 100 [Auskunfterstattung über Einsätze]

(1) Die Regierung erteilt den Generalstaaten im Voraus Auskünfte über den Einsatz und die Bereitstellung der Streitkräfte zur Aufrechterhaltung oder Förderung der internationalen Rechtsordnung. Hierzu zählt das Erteilen von Auskünften im Voraus über den Einsatz oder die Bereitstellung der Streitkräfte für humanitäre Hilfsleistungen im Falle eines bewaffneten Konflikts.

(2) Absatz 1 findet keine Anwendung, wenn zwingende Gründe der Erteilung von Auskünften im Voraus entgegenstehen. In diesem Fall werden Auskünfte schnellstmöglich erteilt.

Artikel 101 [aufgehoben]

Artikel 102 [aufgehoben]

Artikel 103 [Ausnahmezustand]

(1) Es wird durch Gesetz bestimmt, in welchen Fällen zur Aufrechterhaltung der äußeren und inneren Sicherheit durch königlichen Erlass ein durch Gesetz als solcher zu bezeichnender Ausnahmezustand erklärt werden kann; das Gesetz regelt die Folgen.

(2) Dabei kann von den Verfassungsbestimmungen über die Befugnisse der Verwaltungsorgane der Provinzen, Gemeinden, öffentlich-rechtlichen Körperschaften im Sinne des Artikels 132a und Wasserverbände, von den Grundrechten nach Artikel 6, soweit es um die Ausübung des in jenem Artikel beschriebenen Rechts außerhalb von Gebäuden und geschlossenen Räumen geht, nach Artikel 7, 8, 9, 12 Absatz 2 und 3, 13 sowie von Artikel 113 Absatz 1 und 3 abgewichen werden.

(3) Unmittelbar nach der Erklärung des Ausnahmezustands und im Weiteren immer dann solange der Ausnahmezustand nicht durch königlichen Erlass aufgehoben worden ist, wenn sie es für notwendig erachten, entscheiden die Generalstaaten über seine

Fortdauer und beraten und beschließen darüber in einer Vollversammlung.

Artikel 104 [Reichssteuern und Abgaben]

Reichssteuern werden kraft eines Gesetzes erhoben. Andere Reichsabgaben werden durch Gesetz geregelt.

Artikel 105 [Reichshaushalt]

(1) Der Reichshaushalt wird durch Gesetz festgestellt.

(2) Jedes Jahr werden Vorschläge für allgemeine Haushaltsgesetze vom König oder in seinem Auftrag zu dem in Artikel 65 bezeichneten Zeitpunkt eingebracht.

(3) Den Generalstaaten wird über die Einnahmen und Ausgaben des Reiches entsprechend den gesetzlichen Bestimmungen Rechenschaft abgelegt. Die von der Allgemeinen Rechnungskammer gebilligte Haushaltsrechnung wird den Generalstaaten vorgelegt.

(4) Das Gesetz enthält Vorschriften über die Verwaltung der Reichsfinanzen.

Artikel 106 [Währungssystem]

Das Währungssystem ist durch Gesetz geregelt.

Artikel 107 [Allgemeine Gesetzbücher]

(1) Das bürgerliche Recht, das Strafrecht, das Zivilprozessrecht und das Strafprozessrecht sind in allgemeinen Gesetzbüchern geregelt; bestimmte Gegenstände können in gesonderten Gesetzen geregelt werden.

(2) Das Gesetz enthält allgemeine verwaltungsrechtliche Vorschriften.

Artikel 108 [aufgehoben]

Artikel 109 [Rechtsstellung von Beamten]

Die Rechtsstellung der Beamten ist durch Gesetz geregelt. Das Gesetz enthält gleichzeitig Vorschriften über den Arbeitsschutz und die Mitbestimmung der Beamten.

Artikel 110 [Herstellung der Öffentlichkeit]

Die Behörden stellen bei der Durchführung ihrer Aufgaben Öffentlichkeit gemäß durch Gesetz zu erlassenden Vorschriften her.

Artikel 111 [Ritterorden]

Ritterorden werden durch Gesetz gestiftet.

Kapitel 6
RECHTSPRECHUNG

Artikel 112 [Rechtsprechung]

(1) Der richterlichen Gewalt obliegt die Rechtsprechung in bürgerlichen Rechtsstreitigkeiten und in Bezug auf Schuldforderungen.

(2) Das Gesetz kann die Entscheidung in Streitigkeiten, die nicht aufgrund bürgerlicher Rechtsverhältnisse entstanden sind, entweder der richterlichen Gewalt oder Gerichten überlassen, die nicht der richterlichen Gewalt angehören. Das Verfahren und die Folgen der Entscheidungen regelt das Gesetz.

Artikel 113 [Richterliche Gewalt]

(1) Der richterlichen Gewalt obliegt des Weiteren die Rechtsprechung in Strafsachen.

(2) Das öffentliche Disziplinarrecht wird durch Gesetz geregelt.

(3) Eine Freiheitsstrafe kann ausschließlich von der richterlichen Gewalt verhängt werden.

(4) Für Rechtsprechung außerhalb der Niederlande und für das Wehrstrafrecht können durch Gesetz abweichende Regelungen erlassen werden.

Artikel 114 [Todesstrafe]

Die Todesstrafe darf nicht verhängt werden.

Artikel 115 [Verwaltungsbeschwerde]

In Bezug auf die in Artikel 112 Absatz 2 bezeichneten Streitigkeiten ist Verwaltungsbeschwerde möglich.

Artikel 116 [Gerichte; Organisation; Laienbeteiligung]

(1) Das Gesetz bezeichnet die Gerichte, die zur richterlichen Gewalt gehören.

(2) Organisation, Zusammensetzung und Zuständigkeit der richterlichen Gewalt regelt das Gesetz.

(3) Das Gesetz kann bestimmen, dass an der Rechtsprechung der richterlichen Gewalt Personen beteiligt sind, die ihr nicht angehören.

(4) Das Gesetz regelt die Aufsicht über die Amtsausübung von Mitgliedern der richterlichen Gewalt, die mit der Rechtsprechung betraut sind, und von im vorigen Absatz bezeichneten Personen durch Mitglieder der richterlichen Gewalt, die mit der Rechtsprechung betraut sind.

Artikel 117 [Ernennung auf Lebenszeit und Entlassung]

(1) Die mit der Rechtsprechung betrauten Mitglieder der richterlichen Gewalt und der Generalstaatsanwalt beim Hohen Rat werden durch königlichen Erlass auf Lebenszeit ernannt.

(2) Sie werden auf eigenen Wunsch oder bei Erreichen der gesetzlichen Altersgrenze entlassen.

(3) In den durch Gesetz vorgeschriebenen Fällen können sie von einem durch Gesetz bezeichneten, zur richterlichen Gewalt gehörenden Gericht suspendiert oder entlassen werden.

(4) Ihre Rechtsstellung ist ansonsten durch Gesetz geregelt.

Artikel 118 [Mitglieder des Hohen Rates]

(1) Die Mitglieder des Hohen Rates der Niederlande werden auf Vorschlag der Zweiten Kammer der Generalstaaten ernannt, die jeweils drei Kandidaten vorschlägt.

(2) Dem Hohen Rat obliegt in den durch Gesetz bezeichneten Fällen und innerhalb der gesetzlichen Grenzen die Kassation richterlicher Entscheidungen wegen Verletzung des Rechts.

(3) Durch Gesetz können dem Hohen Rat auch weitere Aufgaben übertragen werden.

Artikel 119 [Verantwortlichkeit vor dem Hohen Rat]

Die Mitglieder der Generalstaaten, die Minister und die Staatssekretäre werden wegen Verbrechen im Amte, auch nach ihrem Rücktritt, vor dem Hohen Rat zur Verantwortung gezogen. Die Anordnung zur Verfolgung wird durch königlichen Erlass oder durch Beschluss der Zweiten Kammer gegeben.

Artikel 120 [Verfassungsmäßigkeit von Gesetzen]

Der Richter beurteilt nicht die Verfassungsmäßigkeit von Gesetzen und Verträgen.

Artikel 121 [Öffentlichkeit von Verhandlungen]

Mit Ausnahme der durch Gesetz bezeichneten Fälle sind die Gerichtsverhandlungen öffentlich und werden die Urteile begründet. Die Urteilsverkündung ist öffentlich.

Artikel 122 [Gnadenerweis]

(1) Ein Gnadenerweis wird durch königlichen Erlass auf Empfehlung eines durch Gesetz bezeichneten Gerichts und unter Berücksichtigung der durch Gesetz oder kraft Gesetzes erlassenen Vorschriften gewährt.

(2) Amnestie wird durch Gesetz oder kraft Gesetzes gewährt.

**Kapitel 7
PROVINZEN, GEMEINDEN, ÖFFENTLICH-RECHTLICHE KÖRPERSCHAFTEN DES KARIBISCHEN TEILS DER NIEDERLANDE, WASSERVERBÄNDE UND ANDERE ÖFFENTLICH-RECHTLICHE KÖRPERSCHAFTEN**

Artikel 123 [Auflösung und Bildung von Provinzen und Gemeinden]

(1) Durch Gesetz können Provinzen und Gemeinden aufgelöst und können neue gebildet werden.

(2) Die Änderung von Provinz- und Gemeindegrenzen regelt das Gesetz.

Artikel 124 [Haushalt der Gemeinden und Provinzen]

(1) Die Befugnis zur Regelung und Verwaltung des Haushalts der Provinzen und Gemeinden wird deren Verwaltungen überlassen.

(2) Die Regelung und Verwaltung kann den Provinzial- und Gemeindeverwaltungen durch Gesetz oder kraft Gesetzes abverlangt werden.

Artikel 125 [Provinzialstaaten und Gemeinderat]

(1) An der Spitze der Provinz stehen die Provinzialstaaten, an der Spitze der Gemeinde steht der Gemeinderat. Ihre Sitzungen sind außer in den durch Gesetz zu regelnden Fällen öffentlich.

(2) Zur Provinzialverwaltung gehören auch die Deputiertenstaaten und der Kommissar des Königs, zur Gemeindeverwaltung der Gemeindevorstand und der Bürgermeister.

Artikel 126 [Kommissar des Königs]

Durch Gesetz kann bestimmt werden, dass dem Kommissar des Königs die Ausführung von Weisungen der Regierung obliegt.

Artikel 127 [Provinzial- und Gemeindeverordnungen]

Die Provinzialstaaten und der Gemeinderat erlassen außer in durch Gesetz oder von ihnen kraft Gesetzes zu bezeichnenden Ausnahmefällen die Provinzial- beziehungsweise Gemeindeverordnungen.

Artikel 128 [Übertragung von Befugnissen]

Außer in den in Artikel 123 bezeichneten Fällen kann die Übertragung von Befugnissen im Sinne von Artikel 124 Absatz 1 auf andere als die in Artikel 125 genannten Organe nur von den Provinzialstaaten beziehungsweise vom Gemeinderat vorgenommen werden.

Artikel 129 [Mitglieder der Provinzialstaaten und des Gemeinderates]

(1) Die Mitglieder der Provinzialstaaten und des Gemeinderats werden unmittelbar von den in der Provinz beziehungsweise in der Gemeinde ansässigen Niederländern gewählt, die die für die Wahl der Zweiten Kammer der Generalstaaten geltenden Voraussetzungen erfüllen. Für die Mitgliedschaft in einem der beiden Gremien gelten dieselben Voraussetzungen.

(2) Die Mitglieder werden auf der Grundlage des Verhältniswahlrechts innerhalb der durch Gesetz festzulegenden Grenzen gewählt.

(3) Artikel 53 Absatz 2 und Artikel 59 sind anzuwenden. Artikel 57a gilt entsprechend.

(4) Die Wahlperiode der Provinzialstaaten und des Gemeinderats dauert außer in den durch Gesetz zu bezeichnenden Ausnahmefällen vier Jahre.

(5) Das Gesetz bestimmt, welche Ämter nicht gleichzeitig mit der Mitgliedschaft ausgeübt werden können. Das Gesetz kann bestimmen, dass sich für die Mitgliedschaft Hindernisse durch Verwandtschaft oder Eheschließung ergeben und dass die Vornahme durch Gesetz bezeichneter Handlungen zum Verlust der Mitgliedschaft führen kann.

(6) Die Mitglieder sind bei der Stimmabgabe nicht weisungsgebunden.

Artikel 130 [Wahlrecht von Landesansässigen]

Das Gesetz kann das Recht, Mitglieder des Gemeinderats zu wählen, und das Recht, Mitglied des Gemeinderats zu sein, Landesansässigen zuerkennen, die keine Niederländer sind, sofern sie zumindest die Voraussetzungen erfüllen, die für Landesansässige gelten, die Niederländer sind.

Artikel 131 [Anstellung, Suspendierung und Entlassung]

Der Kommissar des Königs und der Bürgermeister werden auf eine durch Gesetz zu bestimmende Weise angestellt, suspendiert und entlassen. Kraft Gesetzes können nähere

Vorschriften über die dabei anzuwendenden Verfahren erlassen werden.

Artikel 132 [Organisation der Verwaltung]

(1) Die Organisation der Provinzen und Gemeinden sowie die Zusammensetzung und Zuständigkeit ihrer Verwaltungen regelt das Gesetz.

(2) Die Aufsicht über diese Verwaltungen regelt das Gesetz.

(3) Beschlüsse dieser Verwaltungen können nur in den durch Gesetz oder kraft Gesetzes zu bezeichnenden Fällen einer vorhergehenden Prüfung unterworfen werden.

(4) Beschlüsse dieser Verwaltungen können nur durch königlichen Erlass aufgehoben werden, wenn sie im Widerspruch zum geltenden Recht oder zum Allgemeininteresse stehen.

(5) Das Gesetz trifft Vorkehrungen bei Unterlassungen in Bezug auf die nach Artikel 124 Absatz 2 vorgeschriebene Regelung und Verwaltung. Abweichend von Artikel 125 und 127 können durch Gesetz Vorkehrungen für den Fall getroffen werden, dass die Verwaltung einer Provinz oder einer Gemeinde ihre Aufgaben grob vernachlässigt.

(6) Das Gesetz bestimmt, welche Steuern die Provinzial- und Gemeindeverwaltungen erheben können; es regelt auch die finanziellen Beziehungen der Provinzen und Gemeinden zum Reich.

Artikel 132a [Karibischer Teil]

(1) Im karibischen Teil der Niederlande können andere öffentlich-rechtliche Gebietskörperschaften als Provinzen und Gemeinden durch Gesetz eingerichtet und aufgelöst werden.

(2) Die Artikel 124, 125 und 127 bis 132 gelten im Hinblick auf diese öffentlich-rechtlichen Körperschaften entsprechend.

(3) In diesen öffentlich-rechtlichen Körperschaften wird ein Wahlgremium für die Erste Kammer gewählt. Artikel 129 gilt entsprechend.

(4) Für diese öffentlich-rechtlichen Kör-

perschaften können angesichts der besonderen Umstände, aufgrund deren sich diese öffentlich-rechtlichen Körperschaften wesentlich von jenen im europäischen Teil der Niederlande unterscheiden, Vorschriften erlassen und andere spezifische Maßnahmen ergriffen werden.

Artikel 133 [Wasserverbände]

(1) Die Auflösung und Gründung von Wasserverbänden, die Regelung ihrer Aufgaben und ihre Organisation sowie die Zusammensetzung ihrer Verwaltungen werden durch Provinzialverordnung nach durch Gesetz zu erlassenden Vorschriften geregelt, soweit durch Gesetz oder kraft Gesetzes nichts anderes bestimmt ist.

(2) Die Verordnungsbefugnisse und andere Zuständigkeiten der Wasserverbandsverwaltungen sowie die Öffentlichkeit ihrer Sitzungen regelt das Gesetz.

(3) Die Aufsicht über diese Verwaltungen durch die Provinz und die sonstige Aufsicht regelt das Gesetz. Beschlüsse dieser Verwaltungen können nur aufgehoben werden, wenn sie im Widerspruch zum geltenden Recht oder zum Allgemeininteresse stehen.

Artikel 134 [Berufs- und Gewerbeverbände]

(1) Durch Gesetz oder kraft Gesetzes können öffentliche Berufs- und Gewerbeverbände und andere öffentliche Körperschaften gegründet und aufgelöst werden.

(2) Die Aufgaben und die Organisation dieser öffentlichen Körperschaften, die Zusammensetzung und Zuständigkeit ihrer Verwaltungen sowie die Öffentlichkeit ihrer Sitzungen regelt das Gesetz. Durch Gesetz oder kraft Gesetzes können ihren Verwaltungen Verordnungsbefugnisse übertragen werden.

(3) Das Gesetz regelt die Aufsicht über diese Verwaltungen. Beschlüsse dieser Verwaltungen können nur aufgehoben werden, wenn sie im Widerspruch zum geltenden Recht oder zum Allgemeininteresse stehen.

Artikel 135 [Beteiligung mehrerer Körperschaften]

Das Gesetz enthält Vorschriften zur Regelung von Angelegenheiten, an denen zwei oder mehrere öffentliche Körperschaften beteiligt sind. Dabei kann die Gründung einer neuen öffentlichen Körperschaft vorgesehen sein; in diesem Fall gilt Artikel 134 Absatz 2 und 3.

Artikel 136 [Streitigkeiten zwischen Körperschaften]

Über Streitigkeiten zwischen öffentlichen Körperschaften wird durch königlichen Erlass entschieden, es sei denn, sie fallen in die Zuständigkeit der richterlichen Gewalt oder die diesbezügliche Entscheidung ist durch Gesetz Dritten übertragen worden.

Kapitel 8
ÄNDERUNG DER VERFASSUNG

Artikel 137 [Beratung über Verfassungsänderung]

(1) Durch ein Gesetz wird erklärt, dass eine Verfassungsänderung, wie sie darin vorgeschlagen ist, beraten werden soll.

(2) Die Zweite Kammer kann aufgrund eines vom König oder in seinem Auftrag eingereichten Vorschlags oder von sich aus den Vorschlag eines solchen Gesetzes teilen.

(3) Nach Verkündung eines Gesetzes im Sinne von Absatz 1 wird die Zweite Kammer aufgelöst.

(4) Nachdem die neue Zweite Kammer zusammengetreten ist, beraten beide Kammern in zweiter Lesung über den Änderungsvorschlag im Sinne von Absatz 1. Für seine Annahme ist eine Mehrheit von mindestens zwei Dritteln der abgegebenen Stimmen erforderlich.

(5) Die Zweite Kammer kann aufgrund eines vom König oder in seinem Auftrag eingebrachten Vorschlags oder von sich aus mit einer Mehrheit von mindestens zwei Dritteln der abgegebenen Stimmen einen Änderungsvorschlag teilen.

Artikel 138 [Abstimmung und Änderungen]

(1) Bevor die in zweiter Lesung angenommenen Vorschläge zur Änderung der Verfassung vom König bestätigt werden, können durch Gesetz:

a) die angenommenen Vorschläge und die unveränderten Verfassungsbestimmungen soweit wie nötig aufeinander abgestimmt werden;

b) die Einteilung in Kapitel, Paragraphen und Artikel, deren Anordnung sowie die Überschriften geändert werden.

(2) Ein Gesetzesvorschlag, der Bestimmungen im Sinne von Absatz 1 Buchstabe a enthält, können die Kammern nur mit einer Mehrheit von mindestens zwei Dritteln der abgegebenen Stimmen annehmen.

Artikel 139 [Inkrafttreten]

Die von den Generalstaaten angenommenen und vom König bestätigten Verfassungsänderungen treten sofort nach ihrer Verkündung in Kraft.

Artikel 140 [Widerspruch zur Verfassung]

Bestehende Gesetze und andere Regelungen und Erlässe, die im Widerspruch zu einer Verfassungsänderung stehen, gelten so lange, bis eine diesbezügliche, der Verfassung entsprechende Maßnahme getroffen worden ist.

Artikel 141 [Verkündung]

Der Wortlaut der geänderten Verfassung wird durch königlichen Erlass verkündet; dabei können Kapitel, Paragraphen und Artikel umnummeriert und Verweise entsprechend geändert werden.

Artikel 142 [Statut für das Königreich]

Die Verfassung kann durch Gesetz mit dem Statut für das Königreich der Niederlande in Einklang gebracht werden. Die Artikel 139, 140 und 141 gelten entsprechend.

Zusatzartikel [aufgehoben]

Verfassungsartikel nach dem Wortlaut von 1972, die vorläufig in Kraft bleiben

Artikel 81

Die Formel der Verkündung von Gesetzen lautet wie folgt: „Wir" usw. „König der Niederlande," usw. „Allen, die dies sehen oder hören, Unseren Gruß! lassen wissen: dass Wir, in der Erwägung, dass" usw. (Begründung des Gesetzes) „nach Anhörung des Staatsrates und im Einvernehmen mit den Generalstaaten gutheißen und billigen" usw. (Inhalt des Gesetzes) „Ausgefertigt", usw. Regiert eine Königin oder wird das Amt des Königs von einem Regenten oder dem Staatsrat ausgeübt, so wird die Formel entsprechend geändert.

Artikel 130

Der König lässt die Generalstaaten so bald wie möglich davon in Kenntnis setzen, ob er einen von ihnen angenommenen Gesetzesvorschlag billigt oder nicht. Die Mitteilung erfolgt mit einer der folgenden Formeln: „Der König stimmt dem Vorschlag zu." oder: „Der König behält sich die erneute Prüfung des Vorschlags vor."

Bundes-Verfassungsgesetz der Republik Österreich[*]

Vom 1. Oktober 1920 (BGBl 1920/1), zuletzt geändert am 30. Juni 2021 (BGBl I 2021/107)

Erstes Hauptstück
ALLGEMEINE BESTIMMUNGEN.
EUROPÄISCHE UNION

A. Allgemeine Bestimmungen

Artikel 1 [Demokratie; Republik]
Österreich ist eine demokratische Republik. Ihr Recht geht vom Volk aus.

Artikel 2 [Bundesstaat; Bundesländer]
(1) Österreich ist ein Bundesstaat.
(2) Der Bundesstaat wird gebildet aus den selbständigen Ländern: Burgenland, Kärnten, Niederösterreich, Oberösterreich, Salzburg, Steiermark, Tirol, Vorarlberg, Wien.
(3) Änderungen im Bestand der Länder oder eine Einschränkung der in diesem Absatz und in Art. 3 vorgesehenen Mitwirkung der Länder bedürfen auch verfassungsgesetzlicher Regelungen der Länder.

Artikel 3 [Bundesgebiet]
(1) Das Bundesgebiet umfasst die Gebiete der Bundesländer.
(2) Staatsverträge, mit denen die Bundesgrenzen geändert werden, dürfen nur mit Zustimmung der betroffenen Länder abgeschlossen werden.
(3) Grenzänderungen innerhalb des Bundesgebietes bedürfen übereinstimmender Gesetze des Bundes und der betroffenen Länder. Für Grenzbereinigungen innerhalb des Bundesgebietes genügen übereinstimmende Gesetze der betroffenen Länder.
(4) Sofern es sich nicht um Grenzbereinigungen handelt, bedürfen Beschlüsse des Nationalrates über Grenzänderungen gemäß Abs. 2 und 3 der Anwesenheit von mindestens der Hälfte der Mitglieder und einer Mehrheit von zwei Dritteln der abgegebenen Stimmen.

Artikel 4 [Einheit des Währungs-, Wirtschafts- und Zollgebiets]
(1) Das Bundesgebiet bildet ein einheitliches Währungs-, Wirtschafts- und Zollgebiet.
(2) Innerhalb des Bundes dürfen Zwischenzolllinien oder sonstige Verkehrsbeschränkungen nicht errichtet werden.

Artikel 5 [Bundeshauptstadt; Sitz der Obersten Organe des Bundes]
(1) Bundeshauptstadt und Sitz der obersten Organe des Bundes ist Wien.
(2) Für die Dauer außergewöhnlicher Verhältnisse kann der Bundespräsident auf Antrag der Bundesregierung den Sitz oberster Organe des Bundes in einen anderen Ort des Bundesgebietes verlegen.

Artikel 6 [Staatsbürgerschaft; Landesbürgerschaft]
(1) Für die Republik Österreich besteht eine einheitliche Staatsbürgerschaft.
(2) Jene Staatsbürger, die in einem Land den Hauptwohnsitz haben, sind dessen Landesbürger; die Landesgesetze können jedoch vorsehen, dass auch Staatsbürger, die in einem Land einen Wohnsitz, nicht aber den Hauptwohnsitz haben, dessen Landesbürger sind.
(3) Der Hauptwohnsitz einer Person ist dort begründet, wo sie sich in der erweislichen oder aus den Umständen hervorgehenden Absicht niedergelassen hat, hier den Mittelpunkt ihrer Lebensbeziehungen zu schaffen; trifft diese sachliche Voraussetzung bei einer Gesamtbetrachtung der beruflichen, wirtschaftlichen und gesellschaftlichen Lebensbeziehungen einer Person auf mehrere Wohnsitze zu, so hat sie jenen als Hauptwohnsitz zu bezeichnen, zu

---

[*] Entsprechend dem Rechtsinformationssystem des Bundes (RIS), abrufbar unter https://www.ris.bka.gv.at/GeltendeFassung.wxe?Abfrage=Bundesnormen&Gesetzesnummer=10000138.

dem sie das überwiegende Naheverhältnis hat.

(4) In den Angelegenheiten der Durchführung der Wahl des Bundespräsidenten, von Wahlen zu den allgemeinen Vertretungskörpern und zum Europäischen Parlament, der Wahl des Bürgermeisters durch die zur Wahl des Gemeinderates Berechtigten, in den Angelegenheiten der Durchführung von Volksbegehren, Volksabstimmungen und Volksbefragungen auf Grund der Bundesverfassung oder einer Landesverfassung sowie in den Angelegenheiten der unmittelbaren Mitwirkung der zum Gemeinderat Wahlberechtigten an der Besorgung der Angelegenheiten des eigenen Wirkungsbereiches der Gemeinde gelten für die Dauer einer Festnahme oder Anhaltung im Sinne des Bundesverfassungsgesetzes über den Schutz der persönlichen Freiheit, BGBl. Nr. 684/1988, die letzten, außerhalb des Ortes einer Festnahme oder Anhaltung gelegenen Wohnsitze und der letzte, außerhalb des Ortes einer Festnahme oder Anhaltung gelegene Hauptwohnsitz vor der Festnahme oder Anhaltung als Wohnsitze beziehungsweise Hauptwohnsitz der festgenommenen oder angehaltenen Person.

Artikel 7 [Gleichheit vor dem Gesetz]

(1) Alle Staatsbürger sind vor dem Gesetz gleich. Vorrechte der Geburt, des Geschlechtes, des Standes, der Klasse und des Bekenntnisses sind ausgeschlossen. Niemand darf wegen seiner Behinderung benachteiligt werden. Die Republik (Bund, Länder und Gemeinden) bekennt sich dazu, die Gleichbehandlung von behinderten und nichtbehinderten Menschen in allen Bereichen des täglichen Lebens zu gewährleisten.

(2) Bund, Länder und Gemeinden bekennen sich zur tatsächlichen Gleichstellung von Mann und Frau. Maßnahmen zur Förderung der faktischen Gleichstellung von Frauen und Männern insbesondere durch Beseitigung tatsächlich bestehender Ungleichheiten sind zulässig.

(3) Amtsbezeichnungen können in der Form verwendet werden, die das Geschlecht des Amtsinhabers oder der Amtsinhaberin zum Ausdruck bringt. Gleiches gilt für Titel, akademische Grade und Berufsbezeichnungen.

(4) Den öffentlich Bediensteten, einschließlich der Angehörigen des Bundesheeres, ist die ungeschmälerte Ausübung ihrer politischen Rechte gewährleistet.

Artikel 8 [Staatssprache; Volksgruppen]

(1) Die deutsche Sprache ist, unbeschadet der den sprachlichen Minderheiten bundesgesetzlich eingeräumten Rechte, die Staatssprache der Republik.

(2) Die Republik (Bund, Länder und Gemeinden) bekennt sich zu ihrer gewachsenen sprachlichen und kulturellen Vielfalt, die in den autochthonen Volksgruppen zum Ausdruck kommt. Sprache und Kultur, Bestand und Erhaltung dieser Volksgruppen sind zu achten, zu sichern und zu fördern.

(3) Die Österreichische Gebärdensprache ist als eigenständige Sprache anerkannt. Das Nähere bestimmen die Gesetze.

Artikel 8a [Staatssymbole]

(1) Die Farben der Republik Österreich sind rot-weiß-rot. Die Flagge besteht aus drei gleichbreiten waagrechten Streifen, von denen der mittlere weiß, der obere und der untere rot sind.

(2) Das Wappen der Republik Österreich (Bundeswappen) besteht aus einem freischwebenden, einköpfigen, schwarzen, golden gewaffneten und rot bezungten Adler, dessen Brust mit einem roten, von einem silbernen Querbalken durchzogenen Schild belegt ist. Der Adler trägt auf seinem Haupt eine goldene Mauerkrone mit drei sichtbaren Zinnen. Die beiden Fänge umschließt eine gesprengte Eisenkette. Er trägt im rechten Fang eine goldene Sichel mit einwärts gekehrter Schneide, im linken Fang einen goldenen Hammer.

(3) Nähere Bestimmungen, insbesondere über den Schutz der Farben und des Wappens sowie über das Siegel der Republik werden durch Bundesgesetz getroffen.

Artikel 9 [Allgemein anerkannte Regeln des Völkerrechts; Übertragung von Hoheitsrechten]

(1) Die allgemein anerkannten Regeln des Völkerrechtes gelten als Bestandteile des Bundesrechtes.

(2) Durch Gesetz oder durch einen gemäß Art. 50 Abs. 1 genehmigten Staatsvertrag können einzelne Hoheitsrechte auf andere Staaten oder zwischenstaatliche Einrichtungen übertragen werden. In gleicher Weise können die Tätigkeit von Organen anderer Staaten oder zwischenstaatlicher Einrichtungen im Inland und die Tätigkeit österreichischer Organe im Ausland geregelt sowie die Übertragung einzelner Hoheitsrechte anderer Staaten oder zwischenstaatlicher Einrichtungen auf österreichische Organe vorgesehen werden. Dabei kann auch vorgesehen werden, dass österreichische Organe der Weisungsbefugnis der Organe anderer Staaten oder zwischenstaatlicher Einrichtungen oder diese der Weisungsbefugnis österreichischer Organe unterstellt werden.

Artikel 9a [Umfassende Landesverteidigung]

(1) Österreich bekennt sich zur umfassenden Landesverteidigung. Ihre Aufgabe ist es, die Unabhängigkeit nach außen sowie die Unverletzlichkeit und Einheit des Bundesgebietes zu bewahren, insbesondere zur Aufrechterhaltung und Verteidigung der immerwährenden Neutralität. Hiebei sind auch die verfassungsmäßigen Einrichtungen und ihre Handlungsfähigkeit sowie die demokratischen Freiheiten der Einwohner vor gewaltsamen Angriffen von außen zu schützen und zu verteidigen.

(2) Zur umfassenden Landesverteidigung gehören die militärische, die geistige, die zivile und die wirtschaftliche Landesverteidigung.

(3) Jeder männliche Staatsbürger ist wehrpflichtig. Staatsbürgerinnen können freiwillig Dienst im Bundesheer als Soldatinnen leisten und haben das Recht, diesen Dienst zu beenden.

(4) Wer die Erfüllung der Wehrpflicht aus Gewissensgründen verweigert und hievon befreit wird, hat die Pflicht, einen Ersatzdienst (Zivildienst) zu leisten.

Artikel 10 [Zuständigkeit des Bundes zur Gesetzgebung und Vollziehung]

(1) Bundessache ist die Gesetzgebung und die Vollziehung in folgenden Angelegenheiten:

1. Bundesverfassung, insbesondere Wahlen zum Nationalrat, und Volksbegehren, Volksabstimmungen und Volksbefragungen auf Grund der Bundesverfassung; Verfassungsgerichtsbarkeit; Verwaltungsgerichtsbarkeit mit Ausnahme der Organisation der Verwaltungsgerichte der Länder;

1a. Wahlen zum Europäischen Parlament; Europäische Bürgerinitiativen;

2. äußere Angelegenheiten mit Einschluss der politischen und wirtschaftlichen Vertretung gegenüber dem Ausland, insbesondere Abschluss von Staatsverträgen, unbeschadet der Zuständigkeit der Länder nach Art. 16 Abs. 1; Grenzvermarkung; Waren- und Viehverkehr mit dem Ausland; Zollwesen;

3. Regelung und Überwachung des Eintrittes in das Bundesgebiet und des Austrittes aus ihm; Ein- und Auswanderungswesen einschließlich des Aufenthaltsrechtes aus berücksichtigungswürdigen Gründen; Passwesen; Aufenthaltsverbot, Ausweisung und Abschiebung; Asyl; Auslieferung;

4. Bundesfinanzen, insbesondere öffentliche Abgaben, die ausschließlich oder teilweise für den Bund einzuheben sind; Monopolwesen;

5. Geld-, Kredit-, Börse- und Bankwesen; Maß- und Gewichts-, Normen- und Punzierungswesen;

6. Zivilrechtswesen einschließlich des wirtschaftlichen Assoziationswesens, jedoch mit Ausschluss von Regelungen, die den Grundstücksverkehr für Ausländer und den Verkehr mit bebauten oder zur Bebauung bestimmten Grundstücken verwaltungsbehördlichen Beschränkungen unterwerfen, einschließlich des Rechtserwerbes von Todes wegen durch Personen, die nicht zum Kreis der gesetzlichen Erben gehören; Pri-

vatstiftungswesen; Strafrechtswesen mit Ausschluss des Verwaltungsstrafrechtes und des Verwaltungsstrafverfahrens in Angelegenheiten, die in den selbständigen Wirkungsbereich der Länder fallen; Justizpflege; Einrichtungen zum Schutz der Gesellschaft gegen verbrecherische oder sonstige gefährliche Personen; Urheberrecht; Pressewesen; Enteignung, soweit sie nicht Angelegenheiten betrifft, die in den selbständigen Wirkungsbereich der Länder fallen; Angelegenheiten der Notare, der Rechtsanwälte und verwandter Berufe; außergerichtliche Vermittlung von Streitigkeiten in den Angelegenheiten des Zivilrechtswesens und des Strafrechtswesens;

7. Aufrechterhaltung der öffentlichen Ruhe, Ordnung und Sicherheit einschließlich der ersten allgemeinen Hilfeleistung, jedoch mit Ausnahme der örtlichen Sicherheitspolizei; Vereins- und Versammlungsrecht; Personenstandsangelegenheiten einschließlich des Matrikenwesens und der Namensänderung; Fremdenpolizei und Meldewesen; Waffen-, Munitions- und Sprengmittelwesen, Schießwesen;

8. Angelegenheiten des Gewerbes und der Industrie; öffentliche Agentien und Privatgeschäftsvermittlungen; Bekämpfung des unlauteren Wettbewerbes; Kartellrecht; Patentwesen sowie Schutz von Mustern, Marken und anderen Warenbezeichnungen; Angelegenheiten der Patentanwälte; Ingenieur- und Ziviltechnikerwesen; Kammern für Handel, Gewerbe und Industrie; Einrichtung beruflicher Vertretungen, soweit sie sich auf das ganze Bundesgebiet erstrecken, mit Ausnahme solcher auf land- und forstwirtschaftlichem Gebiet;

9. Verkehrswesen bezüglich der Eisenbahnen und der Luftfahrt sowie der Schifffahrt, soweit diese nicht unter Art. 11 fällt; Kraftfahrwesen; Angelegenheiten der wegen ihrer Bedeutung für den Durchzugsverkehr durch Bundesgesetz als Bundesstraßen erklärten Straßenzüge außer der Straßenpolizei; Strom- und Schifffahrtspolizei, soweit sie nicht unter Art. 11 fällt; Post- und Fernmeldewesen; Umweltverträglichkeitsprüfung für Bundesstraßen und Eisenbahn-Hochleistungsstrecken, bei denen mit erheblichen Auswirkungen auf die Umwelt zu rechnen ist;

10. Bergwesen; Forstwesen einschließlich des Triftwesens; Wasserrecht; Regulierung und Instandhaltung der Gewässer zum Zweck der unschädlichen Ableitung der Hochfluten oder zum Zweck der Schifffahrt und Flößerei; Wildbachverbauung; Bau und Instandhaltung von Wasserstraßen; Normalisierung und Typisierung elektrischer Anlagen und Einrichtungen, Sicherheitsmaßnahmen auf diesem Gebiet; Starkstromwegerecht, soweit sich die Leitungsanlage auf zwei oder mehrere Länder erstreckt; Dampfkessel- und Kraftmaschinenwesen; Vermessungswesen;

11. Arbeitsrecht, soweit es nicht unter Art. 11 fällt, jedoch einschließlich des Arbeiterrechtes sowie des Arbeiter- und Angestelltenschutzes der Dienstnehmer in Sägen, Harzverarbeitungsstätten, Mühlen und Molkereien, die von land- und forstwirtschaftlichen Erwerbs- und Wirtschaftsgenossenschaften betrieben werden, sofern in diesen eine bundesgesetzlich zu bestimmende Anzahl von Dienstnehmern dauernd beschäftigt ist; für diese Dienstnehmer gelten die für die Dienstnehmer in gewerblichen Betrieben bestehenden Rechtsvorschriften; Sozial- und Vertragsversicherungswesen; Pflegegeldwesen; Sozialentschädigungsrecht; Ausbildungspflicht für Jugendliche; Kammern für Arbeiter und Angestellte, mit Ausnahme solcher auf land- und forstwirtschaftlichem Gebiet, jedoch auch für die Dienstnehmer in Sägen, Harzverarbeitungsstätten, Mühlen und Molkereien, die von land- und forstwirtschaftlichen Erwerbs- und Wirtschaftsgenossenschaften betrieben werden, sofern in diesen eine bundesgesetzlich zu bestimmende Anzahl von Dienstnehmern dauernd beschäftigt ist;

12. Gesundheitswesen mit Ausnahme des Leichen- und Bestattungswesens sowie des Gemeindesanitätsdienstes und Rettungswesens, hinsichtlich der Heil- und Pflegeanstalten, des Kurortewesens und der natürlichen

Heilvorkommen jedoch nur die sanitäre Aufsicht; Maßnahmen zur Abwehr von gefährlichen Belastungen der Umwelt, die durch Überschreitung von Immissionsgrenzwerten entstehen; Luftreinhaltung, unbeschadet der Zuständigkeit der Länder für Heizungsanlagen; Abfallwirtschaft hinsichtlich gefährlicher Abfälle, hinsichtlich anderer Abfälle nur soweit ein Bedürfnis nach Erlassung einheitlicher Vorschriften vorhanden ist; Veterinärwesen; Ernährungswesen einschließlich der Nahrungsmittelkontrolle; Regelung des geschäftlichen Verkehrs mit Saat- und Pflanzgut, Futter-, Dünge- und Pflanzenschutzmitteln sowie mit Pflanzenschutzgeräten, einschließlich der Zulassung und bei Saat- und Pflanzgut auch der Anerkennung;

12a. Universitäts- und Hochschulwesen sowie das Erziehungswesen betreffend Studentenheime in diesen Angelegenheiten;

13. wissenschaftlicher und fachtechnischer Archiv- und Bibliotheksdienst; Angelegenheiten der künstlerischen und wissenschaftlichen Sammlungen und Einrichtungen des Bundes; Angelegenheiten der Bundestheater mit Ausnahme der Bauangelegenheiten; Denkmalschutz; Angelegenheiten des Kultus; Volkszählungswesen sowie – unter Wahrung der Rechte der Länder, im eigenen Land jegliche Statistik zu betreiben – sonstige Statistik, soweit sie nicht nur den Interessen eines einzelnen Landes dient; allgemeine Angelegenheiten des Schutzes personenbezogener Daten; Stiftungs- und Fondswesen, soweit es sich um Stiftungen und Fonds handelt, die nach ihren Zwecken über den Interessenbereich eines Landes hinausgehen und nicht schon bisher von den Ländern autonom verwaltet wurden;

14. Organisation und Führung der Bundespolizei; Regelung der Errichtung und der Organisierung sonstiger Wachkörper mit Ausnahme der Gemeindewachkörper; Regelung der Bewaffnung der Wachkörper und des Rechtes zum Waffengebrauch;

15. militärische Angelegenheiten; Angelegenheiten des Zivildienstes; Kriegsschadenangelegenheiten; Fürsorge für Kriegsgräber; aus Anlass eines Krieges oder im Gefolge eines solchen zur Sicherung der einheitlichen Führung der Wirtschaft notwendig erscheinende Maßnahmen, insbesondere auch hinsichtlich der Versorgung der Bevölkerung mit Bedarfsgegenständen;

16. Einrichtung der Bundesbehörden und sonstigen Bundesämter; Dienstrecht und Personalvertretungsrecht der Bundesbediensteten;

17. Bevölkerungspolitik.

(2) In Bundesgesetzen über das bäuerliche Anerbenrecht sowie in den nach Abs. 1 Z 10 ergehenden Bundesgesetzen kann die Landesgesetzgebung ermächtigt werden, zu genau zu bezeichnenden einzelnen Bestimmungen Ausführungsbestimmungen zu erlassen. Für diese Landesgesetze sind die Bestimmungen des Art. 15 Abs. 6 sinngemäß anzuwenden. Die Vollziehung der in solchen Fällen ergehenden Ausführungsgesetze steht dem Bund zu, doch bedürfen die Durchführungsverordnungen, soweit sie sich auf die Ausführungsbestimmungen des Landesgesetzes beziehen, des vorherigen Einvernehmens mit der betreffenden Landesregierung.

(3) Bevor der Bund Staatsverträge, die Durchführungsmaßnahmen im Sinne des Art. 16 erforderlich machen oder die den selbständigen Wirkungsbereich der Länder in anderer Weise berühren, abschließt, hat er den Ländern Gelegenheit zur Stellungnahme zu geben. Liegt dem Bund eine einheitliche Stellungnahme der Länder vor, so ist der Bund beim Abschluss des Staatsvertrages an diese Stellungnahme gebunden. Der Bund darf davon nur aus zwingenden außenpolitischen Gründen abweichen; er hat diese Gründe den Ländern unverzüglich mitzuteilen.

Artikel 11 [Zuständigkeit des Bundes zur Gesetzgebung und der Länder zur Vollziehung]
(1) Bundessache ist die Gesetzgebung, Landessache die Vollziehung in folgenden Angelegenheiten:

1. Staatsbürgerschaft;

2. berufliche Vertretungen, soweit sie nicht unter Art. 10 fallen, jedoch mit Ausnahme jener auf land- und forstwirtschaftlichem

Gebiet sowie auf dem Gebiet des Berg- und Schiführerwesens und des in den selbständigen Wirkungsbereich der Länder fallenden Sportunterrichtswesens;

3. Volkswohnungswesen mit Ausnahme der Förderung des Wohnbaus und der Wohnhaussanierung;

4. Straßenpolizei;

5. Assanierung;

6. Binnenschifffahrt hinsichtlich der Schifffahrtskonzessionen, Schifffahrtsanlagen und Zwangsrechte an solchen Anlagen, soweit sie sich nicht auf die Donau, den Bodensee, den Neusiedlersee und auf Grenzstrecken sonstiger Grenzgewässer bezieht; Strom- und Schifffahrtspolizei auf Binnengewässern mit Ausnahme der Donau, des Bodensees, des Neusiedlersees und der Grenzstrecken sonstiger Grenzgewässer;

7. Umweltverträglichkeitsprüfung für Vorhaben, bei denen mit erheblichen Auswirkungen auf die Umwelt zu rechnen ist; soweit ein Bedürfnis nach Erlassung einheitlicher Vorschriften als vorhanden erachtet wird, Genehmigung solcher Vorhaben;

8. Tierschutz, soweit er nicht nach anderen Bestimmungen in Gesetzgebung Bundessache ist, jedoch mit Ausnahme der Ausübung der Jagd oder der Fischerei;

9. Arbeiterrecht sowie Arbeiter- und Angestelltenschutz, soweit es sich um land- und forstwirtschaftliche Arbeiter und Angestellte handelt.

(2) Soweit ein Bedürfnis nach Erlassung einheitlicher Vorschriften als vorhanden erachtet wird, werden das Verwaltungsverfahren, die allgemeinen Bestimmungen des Verwaltungsstrafrechtes, das Verwaltungsstrafverfahren und die Verwaltungsvollstreckung auch in den Angelegenheiten, in denen die Gesetzgebung den Ländern zusteht, durch Bundesgesetz geregelt; abweichende Regelungen können in den die einzelnen Gebiete der Verwaltung regelnden Bundes- oder Landesgesetzen nur dann getroffen werden, wenn sie zur Regelung des Gegenstandes erforderlich sind.

(3) Die Durchführungsverordnungen zu den nach den Abs. 1 und 2 ergehenden Bundesgesetzen sind, soweit in diesen Gesetzen nicht anderes bestimmt ist, vom Bund zu erlassen. Die Art der Kundmachung von Durchführungsverordnungen, zu deren Erlassung die Länder in den Angelegenheiten des Abs. 1 Z 4 und 6 bundesgesetzlich ermächtigt werden, kann durch Bundesgesetz geregelt werden.

(4) Die Handhabung der gemäß Abs. 2 ergehenden Gesetze und der hiezu erlassenen Durchführungsverordnungen steht dem Bund oder den Ländern zu, je nachdem, ob die den Gegenstand des Verfahrens bildende Angelegenheit der Vollziehung nach Bundes- oder Landessache ist.

(5) Soweit ein Bedürfnis nach Erlassung einheitlicher Vorschriften vorhanden ist, können durch Bundesgesetz einheitliche Emissionsgrenzwerte für Luftschadstoffe festgelegt werden. Diese dürfen in den die einzelnen Gebiete der Verwaltung regelnden Bundes- und Landesvorschriften nicht überschritten werden.

(6) Soweit ein Bedürfnis nach Erlassung einheitlicher Vorschriften als vorhanden erachtet wird, werden auch das Bürgerbeteiligungsverfahren für bundesgesetzlich zu bestimmende Vorhaben, die Beteiligung an den einem Bürgerbeteiligungsverfahren nachfolgenden Verwaltungsverfahren und die Berücksichtigung der Ergebnisse des Bürgerbeteiligungsverfahrens bei der Erteilung der für die betroffenen Vorhaben erforderlichen Genehmigungen sowie die Genehmigung der in Art. 10 Abs. 1 Z 9 genannten Vorhaben durch Bundesgesetz geregelt. Für die Vollziehung dieser Vorschriften gilt Abs. 4.

(7) In den in Abs. 1 Z 7 und 8 genannten Angelegenheiten stehen der Bundesregierung und den einzelnen Bundesministern gegenüber der Landesregierung die folgenden Befugnisse zu:

1. die Befugnis, durch Bundesorgane in die Akten der Landesbehörden Einsicht zu nehmen;

2. die Befugnis, die Übermittlung von Berichten über die Vollziehung der vom Bund erlassenen Gesetze und Verordnungen zu verlangen;

3. die Befugnis, alle für die Vorbereitung der Erlassung von Gesetzen und Verordnungen durch den Bund notwendigen Auskünfte über die Vollziehung zu verlangen;

4. die Befugnis, in bestimmten Fällen Auskünfte und die Vorlage von Akten zu verlangen, soweit dies zur Ausübung anderer Befugnisse notwendig ist.

Artikel 12 [Zuständigkeit des Bundes zur Grundsatzgesetzgebung und der Länder zur Ausführungsgesetzgebung und zur Vollziehung]

(1) Bundessache ist die Gesetzgebung über die Grundsätze, Landessache die Erlassung von Ausführungsgesetzen und die Vollziehung in folgenden Angelegenheiten:

1. Armenwesen; Heil- und Pflegeanstalten;

2. Elektrizitätswesen, soweit es nicht unter Art. 10 fällt.

(2) Grundsatzgesetze und Grundsatzbestimmungen in Bundesgesetzen sind als solche ausdrücklich zu bezeichnen.

Artikel 13 [Abgabenwesen; Finanzverfassung; Stabilitätsauftrag]

(1) Die Zuständigkeiten des Bundes und der Länder auf dem Gebiet des Abgabenwesens werden durch ein eigenes Bundesverfassungsgesetz („Finanz-Verfassungsgesetz") geregelt.

(2) Bund, Länder und Gemeinden haben bei ihrer Haushaltsführung die Sicherstellung des gesamtwirtschaftlichen Gleichgewichtes und nachhaltig geordnete Haushalte anzustreben. Sie haben ihre Haushaltsführung in Hinblick auf diese Ziele zu koordinieren.

(3) Bund, Länder und Gemeinden haben bei der Haushaltsführung die tatsächliche Gleichstellung von Frauen und Männern anzustreben.

Artikel 14 [Schul- und Erziehungswesen]

(1) Bundessache ist die Gesetzgebung und die Vollziehung auf dem Gebiet des Schulwesens sowie auf dem Gebiet des Erziehungswesens in den Angelegenheiten der Schülerheime, soweit in den folgenden Absätzen nicht anderes bestimmt ist. Zum Schul- und Erziehungswesen im Sinne dieses Artikels zählen nicht die im Art. 14a geregelten Angelegenheiten.

(2) Bundessache ist die Gesetzgebung, Landessache die Vollziehung in den Angelegenheiten des Dienstrechtes und des Personalvertretungsrechtes der Lehrer für öffentliche Pflichtschulen, soweit im Abs. 4 lit. a nicht anderes bestimmt ist. In diesen Bundesgesetzen kann die Landesgesetzgebung ermächtigt werden, zu genau zu bezeichnenden einzelnen Bestimmungen Ausführungsbestimmungen zu erlassen; hiebei finden die Bestimmungen des Art. 15 Abs. 6 sinngemäß Anwendung. Durchführungsverordnungen zu diesen Bundesgesetzen sind, soweit darin nicht anderes bestimmt ist, vom Bund zu erlassen.

(3) Bundessache ist die Gesetzgebung über die Grundsätze, Landessache die Erlassung von Ausführungsgesetzen und die Vollziehung in folgenden Angelegenheiten:

a) äußere Organisation (Aufbau, Organisationsformen, Errichtung, Erhaltung, Auflassung, Sprengel, Klassenschülerzahlen und Unterrichtszeit) der öffentlichen Pflichtschulen;

b) äußere Organisation der öffentlichen Schülerheime, die ausschließlich oder vorwiegend für Schüler von Pflichtschulen bestimmt sind;

c) fachliche Anstellungserfordernisse für die von den Ländern, Gemeinden oder von Gemeindeverbänden anzustellenden Kindergärtnerinnen und Erzieher an Horten und an Schülerheimen, die ausschließlich oder vorwiegend für Schüler von Pflichtschulen bestimmt sind.

(4) Landessache ist die Gesetzgebung und die Vollziehung in folgenden Angelegenheiten:

a) Behördenzuständigkeit zur Ausübung der Diensthoheit über die Lehrer für öffentliche Pflichtschulen auf Grund der gemäß Abs. 2 ergehenden Gesetze;

b) Kindergartenwesen und Hortwesen.

(5) Abweichend von den Bestimmungen der Abs. 2 bis 4 ist Bundessache die Gesetzgebung und die Vollziehung in folgenden Angelegenheiten:

a) Öffentliche Praxisschulen, Übungskindergärten, Übungshorte und Übungsschülerheime, die einer öffentlichen Schule zum Zweck lehrplanmäßig vorgesehener Übungen eingegliedert sind;

b) öffentliche Schülerheime, die ausschließlich oder vorwiegend für Schüler der in lit. a genannten Praxisschulen bestimmt sind;

c) Dienstrecht und Personalvertretungsrecht der Lehrer, Erzieher und Kindergärtnerinnen für die in lit. a und b genannten öffentlichen Einrichtungen.

(5a) Demokratie, Humanität, Solidarität, Friede und Gerechtigkeit sowie Offenheit und Toleranz gegenüber den Menschen sind Grundwerte der Schule, auf deren Grundlage sie der gesamten Bevölkerung, unabhängig von Herkunft, sozialer Lage und finanziellem Hintergrund, unter steter Sicherung und Weiterentwicklung bestmöglicher Qualität ein höchstmögliches Bildungsniveau sichert. Im partnerschaftlichen Zusammenwirken von Schülern, Eltern und Lehrern ist Kindern und Jugendlichen die bestmögliche geistige, seelische und körperliche Entwicklung zu ermöglichen, damit sie zu gesunden, selbstbewussten, glücklichen, leistungsorientierten, pflichttreuen, musischen und kreativen Menschen werden, die befähigt sind, an den sozialen, religiösen und moralischen Werten orientiert Verantwortung für sich selbst, Mitmenschen, Umwelt und nachfolgende Generationen zu übernehmen. Jeder Jugendliche soll seiner Entwicklung und seinem Bildungsweg entsprechend zu selbständigem Urteil und sozialem Verständnis geführt werden, dem politischen, religiösen und weltanschaulichen Denken anderer aufgeschlossen sein sowie befähigt werden, am Kultur- und Wirtschaftsleben Österreichs, Europas und der Welt teilzunehmen und in Freiheits- und Friedensliebe an den gemeinsamen Aufgaben der Menschheit mitzuwirken.

(6) Schulen sind Einrichtungen, in denen Schüler gemeinsam nach einem umfassenden, festen Lehrplan unterrichtet werden und im Zusammenhang mit der Vermittlung von allgemeinen oder allgemeinen und beruflichen Kenntnissen und Fertigkeiten ein umfassendes erzieherisches Ziel angestrebt wird. Öffentliche Schulen sind jene Schulen, die vom gesetzlichen Schulerhalter errichtet und erhalten werden. Gesetzlicher Schulerhalter ist der Bund, soweit die Gesetzgebung und Vollziehung in den Angelegenheiten der Errichtung, Erhaltung und Auflassung von öffentlichen Schulen Bundessache ist. Gesetzlicher Schulerhalter ist das Land oder nach Maßgabe der landesgesetzlichen Vorschriften die Gemeinde oder ein Gemeindeverband, soweit die Gesetzgebung oder Ausführungsgesetzgebung und die Vollziehung in den Angelegenheiten der Errichtung, Erhaltung und Auflassung von öffentlichen Schulen Landessache ist. Öffentliche Schulen sind allgemein ohne Unterschied der Geburt, des Geschlechtes, der Rasse, des Standes, der Klasse, der Sprache und des Bekenntnisses, im Übrigen im Rahmen der gesetzlichen Voraussetzungen zugänglich. Das Gleiche gilt sinngemäß für Kindergärten, Horte und Schülerheime.

(6a) Die Gesetzgebung hat ein differenziertes Schulsystem vorzusehen, das zumindest nach Bildungsinhalten in allgemeinbildende und berufsbildende Schulen und nach Bildungshöhe in Primar- und Sekundarschulbereiche gegliedert ist, wobei bei den Sekundarschulen eine weitere angemessene Differenzierung vorzusehen ist.

(7) Schulen, die nicht öffentlich sind, sind Privatschulen; diesen ist nach Maßgabe der gesetzlichen Bestimmungen das Öffentlichkeitsrecht zu verleihen.

(7a) Die Schulpflicht beträgt zumindest neun Jahre und es besteht auch Berufsschulpflicht.

(8) Dem Bund steht die Befugnis zu, sich in den Angelegenheiten, die nach Abs. 2 und 3 in die Vollziehung der Länder fallen, von der Einhaltung der auf Grund dieser Absätze erlassenen Gesetze und Verordnungen Kenntnis zu verschaffen, zu welchem Zweck

er auch Organe in die Schulen und Schülerheime entsenden kann. Werden Mängel wahrgenommen, so kann dem Landeshauptmann durch Weisung (Art. 20 Abs. 1) die Abstellung der Mängel innerhalb einer angemessenen Frist aufgetragen werden. Der Landeshauptmann hat für die Abstellung der Mängel nach Maßgabe der gesetzlichen Vorschriften Sorge zu tragen und ist verpflichtet, um die Durchführung solcher Weisungen zu bewirken, auch die ihm in seiner Eigenschaft als Organ des selbständigen Wirkungsbereiches des Landes zu Gebote stehenden Mittel anzuwenden.

(9) Auf dem Gebiet des Dienstrechtes der Lehrer, Erzieher und Kindergärtnerinnen gelten für die Verteilung der Zuständigkeiten zur Gesetzgebung und Vollziehung hinsichtlich der Dienstverhältnisse zum Bund, zu den Ländern, zu den Gemeinden und zu den Gemeindeverbänden, soweit in den vorhergehenden Absätzen nicht anderes bestimmt ist, die diesbezüglichen allgemeinen Regelungen der Art. 10 und 21. Gleiches gilt für das Personalvertretungsrecht der Lehrer, Erzieher und Kindergärtnerinnen.

(10) In den Angelegenheiten der Schulgeldfreiheit sowie des Verhältnisses der Schule und Kirchen (Religionsgesellschaften) einschließlich des Religionsunterrichtes in der Schule, soweit es sich nicht um Angelegenheiten der Universitäten und Hochschulen handelt, können Bundesgesetze vom Nationalrat nur in Anwesenheit von mindestens der Hälfte der Mitglieder und mit einer Mehrheit von zwei Dritteln der abgegebenen Stimmen beschlossen werden. Das Gleiche gilt, wenn die Grundsätze des Abs. 6a verlassen werden sollen und für die Genehmigung der in vorstehenden Angelegenheiten abgeschlossenen Staatsverträge der im Art. 50 bezeichneten Art.

Artikel 14a [Land- und Forstwirtschaftliches Schul- und Erziehungswesen]

(1) Auf dem Gebiet des land- und forstwirtschaftlichen Schulwesens sowie auf dem Gebiet des land- und forstwirtschaftlichen Erziehungswesens in den Angelegenheiten der Schülerheime, ferner in den Angelegenheiten des Dienstrechtes und des Personalvertretungsrechtes der Lehrer und Erzieher an den unter diesen Artikel fallenden Schulen und Schülerheimen sind Gesetzgebung und Vollziehung Landessache, soweit in den folgenden Absätzen nicht anderes bestimmt ist.

(2) Bundessache ist die Gesetzgebung und Vollziehung in folgenden Angelegenheiten:

a) höhere land- und forstwirtschaftliche Lehranstalten sowie Anstalten für die Ausbildung und Fortbildung der Lehrer an land- und forstwirtschaftlichen Schulen;

b) Fachschulen für die Ausbildung von Forstpersonal;

c) öffentliche land- und forstwirtschaftliche Fachschulen, die zur Gewährleistung von lehrplanmäßig vorgesehenen Übungen mit einer der unter den lit. a und b genannten öffentlichen Schulen oder mit einer land- und forstwirtschaftlichen Versuchsanstalt des Bundes organisatorisch verbunden sind;

d) Schülerheime, die ausschließlich oder vorwiegend für Schüler der unter den lit. a bis c genannten Schulen bestimmt sind;

e) Dienstrecht und Personalvertretungsrecht der Lehrer und Erzieher für die unter den lit. a bis d genannten Einrichtungen;

f) Subventionen zum Personalaufwand der konfessionellen land- und forstwirtschaftlichen Schulen;

g) land- und forstwirtschaftliche Versuchsanstalten des Bundes, die mit einer vom Bund erhaltenen land- und forstwirtschaftlichen Schule zur Gewährleistung von lehrplanmäßig vorgesehenen Übungen an dieser Schule organisatorisch verbunden sind.

(3) Soweit es sich nicht um die im Abs. 2 genannten Angelegenheiten handelt, ist Bundessache die Gesetzgebung, Landessache die Vollziehung in den Angelegenheiten

a) des Religionsunterrichtes;

b) des Dienstrechtes und des Personalvertretungsrechtes der Lehrer für öffentliche land- und forstwirtschaftliche Berufs- und Fachschulen und der Erzieher für öffentliche Schülerheime, die ausschließlich oder vorwiegend für Schüler dieser Schulen bestimmt sind, ausgenommen jedoch die Angelegenheiten der Behördenzuständigkeit zur Ausübung der Diensthoheit über diese Lehrer und Erzieher.

In den auf Grund der Bestimmungen unter lit. b ergehenden Bundesgesetzen kann die Landesgesetzgebung ermächtigt werden, zu genau zu bezeichnenden einzelnen Bestimmungen Ausführungsbestimmungen zu erlassen; hiebei finden die Bestimmungen des Art. 15 Abs. 6 sinngemäß Anwendung. Durchführungsverordnungen zu diesen Bundesgesetzen sind, soweit darin nicht anderes bestimmt ist, vom Bund zu erlassen.

(4) Bundessache ist die Gesetzgebung über die Grundsätze, Landessache die Erlassung von Ausführungsgesetzen und die Vollziehung

a) hinsichtlich der land- und forstwirtschaftlichen Berufsschulen: in den Angelegenheiten der Festlegung sowohl des Bildungszieles als auch von Pflichtgegenständen und der Unentgeltlichkeit des Unterrichtes sowie in den Angelegenheiten der Schulpflicht und des Übertrittes von der Schule eines Landes in die Schule eines anderen Landes;

b) hinsichtlich der land- und forstwirtschaftlichen Fachschulen: in den Angelegenheiten der Festlegung der Aufnahmevoraussetzungen, des Bildungszieles, der Organisationsformen, des Unterrichtsausmaßes und der Pflichtgegenstände, der Unentgeltlichkeit des Unterrichtes und des Übertrittes von der Schule eines Landes in die Schule eines anderen Landes;

c) in den Angelegenheiten des Öffentlichkeitsrechtes der privaten land- und forstwirtschaftlichen Berufs- und Fachschulen mit Ausnahme der unter Abs. 2 lit. b fallenden Schulen;

d) hinsichtlich der Organisation und des Wirkungskreises von Beiräten, die in den Angelegenheiten des Abs. 1 an der Vollziehung der Länder mitwirken.

(5) Die Errichtung der im Abs. 2 unter den lit. c und g bezeichneten land- und forstwirtschaftlichen Fachschulen und Versuchsanstalten ist nur zulässig, wenn die Landesre-

gierung des Landes, in dem die Fachschule beziehungsweise Versuchsanstalt ihren Sitz haben soll, der Errichtung zugestimmt hat. Diese Zustimmung ist nicht erforderlich, wenn es sich um die Errichtung einer land- und forstwirtschaftlichen Fachschule handelt, die mit einer Anstalt für die Ausbildung und Fortbildung der Lehrer an land- und forstwirtschaftlichen Schulen zur Gewährleistung von lehrplanmäßig vorgesehenen Übungen organisatorisch verbunden werden soll.

(6) Dem Bund steht die Befugnis zu, in den Angelegenheiten, die nach Abs. 3 und 4 in die Vollziehung der Länder fallen, die Einhaltung der von ihm erlassenen Vorschriften wahrzunehmen.

(7) Die Bestimmungen des Art. 14 Abs. 5a, 6, 6a, 7, 7a und 9 gelten sinngemäß auch für die im ersten Satz des Abs. 1 bezeichneten Gebiete.

(8) Art. 14 Abs. 10 gilt sinngemäß.

Artikel 14b [Öffentliches Auftragswesen]

(1) Bundessache ist die Gesetzgebung in den Angelegenheiten des öffentlichen Auftragswesens, soweit diese nicht unter Abs. 3 fallen.

(2) Die Vollziehung in den Angelegenheiten des Abs. 1 ist

1. Bundessache hinsichtlich

a) der Vergabe von Aufträgen durch den Bund;

b) der Vergabe von Aufträgen durch Stiftungen, Fonds und Anstalten im Sinne des Art. 126b Abs. 1;

c) der Vergabe von Aufträgen durch Unternehmungen im Sinne des Art. 126b Abs. 2, wenn die finanzielle Beteiligung oder der durch andere finanzielle oder sonstige wirtschaftliche oder organisatorische Maßnahmen vermittelte Einfluss des Bundes mindestens gleich groß ist wie die finanzielle Beteiligung oder der Einfluss der Länder;

d) der Vergabe von Aufträgen durch bundesgesetzlich eingerichtete Selbstverwaltungskörperschaften;

e) der Vergabe von Aufträgen durch in

lit. a bis d und Z 2 lit. a bis d nicht genannte Rechtsträger,

aa) die vom Bund finanziert werden, wenn der Finanzierungsanteil des Bundes mindestens gleich groß ist wie der der Länder;

bb) die hinsichtlich ihrer Leitung der Aufsicht des Bundes unterliegen, soweit die Vergabe nicht unter sublit. aa oder Z 2 lit. e sublit. aa fällt;

cc) deren Verwaltungs-, Leitungs- oder Aufsichtsorgane aus Mitgliedern bestehen, die vom Bund ernannt worden sind, wenn der Bund mindestens gleich viele Mitglieder ernannt hat wie die Länder, soweit die Vergabe nicht unter sublit. aa oder bb oder Z 2 lit. e sublit. aa oder bb fällt;

f) der gemeinsamen Vergabe von Aufträgen durch den Bund und die Länder, wenn der Anteil des Bundes am geschätzten Gesamtauftragswert mindestens gleich groß ist wie die Summe der Anteile der Länder;

g) der Vergabe von Aufträgen durch in lit. a bis f und Z 2 nicht genannte Rechtsträger;

2. Landessache hinsichtlich

a) der Vergabe von Aufträgen durch das Land, die Gemeinden und die Gemeindeverbände;

b) der Vergabe von Aufträgen durch Stiftungen, Fonds und Anstalten im Sinne des Art. 127 Abs. 1 und des Art. 127a Abs. 1 und 8;

c) der Vergabe von Aufträgen durch Unternehmungen im Sinne des Art. 126b Abs. 2, soweit sie nicht unter Z 1 lit. c fällt, sowie der Vergabe von Aufträgen durch Unternehmungen im Sinne des Art. 127 Abs. 3 und des Art. 127a Abs. 3 und 8;

d) der Vergabe von Aufträgen durch landesgesetzlich eingerichtete Selbstverwaltungskörperschaften;

e) der Vergabe von Aufträgen durch in Z 1 lit. a bis d und lit. a bis d nicht genannte Rechtsträger,

aa) die vom Land allein oder gemeinsam mit dem Bund oder anderen Ländern finanziert werden, soweit die Vergabe nicht unter Z 1 lit. e sublit. aa fällt;

bb) die hinsichtlich ihrer Leitung der Aufsicht des Landes unterliegen, soweit die Vergabe nicht unter Z 1 lit. e sublit. aa oder bb oder sublit. aa fällt;

cc) deren Verwaltungs-, Leitungs- oder Aufsichtsorgane aus Mitgliedern bestehen, die vom Land ernannt worden sind, soweit die Vergabe nicht unter Z 1 lit. e sublit. aa bis cc oder sublit. aa oder bb fällt;

f) der gemeinsamen Vergabe von Aufträgen durch den Bund und die Länder, soweit diese nicht unter Z 1 lit. f fällt, sowie der gemeinsamen Vergabe von Aufträgen durch mehrere Länder.

Gemeinden gelten unabhängig von der Zahl ihrer Einwohner als Rechtsträger, die im Sinne der Z 1 lit. b und c und der Z 2 lit. b und c der Zuständigkeit des Rechnungshofes unterliegen. Im Rahmen der Z 1 lit. b, c, e und f werden Auftraggeber im Sinne der Z 1 dem Bund und Auftraggeber im Sinne der Z 2 dem jeweiligen Land zugerechnet. Sind nach Z 2 lit. c, e oder f mehrere Länder beteiligt, so richtet sich die Zuständigkeit zur Vollziehung nach dem Überwiegen des Merkmals, das nach der entsprechenden Litera (Sublitera) der Z 1 für die Abgrenzung der Vollziehungszuständigkeit des Bundes von jener der Länder maßgebend ist oder wäre, dann nach dem Sitz des Auftraggebers, dann nach dem Schwerpunkt der Unternehmenstätigkeit des Auftraggebers, dann nach dem Sitz (Hauptwohnsitz) der vergebenden Stelle, kann jedoch auch danach die Zuständigkeit nicht bestimmt werden, so ist dasjenige beteiligte Land zuständig, das im Zeitpunkt der Einleitung des Vergabeverfahrens zum Vorsitz im Bundesrat berufen ist oder zuletzt war.

(3) Landessache ist die Gesetzgebung und die Vollziehung in den Angelegenheiten der Nachprüfung im Rahmen der Vergabe von Aufträgen durch Auftraggeber im Sinne des Abs. 2 Z 2.

(4) Der Bund hat den Ländern Gelegenheit zu geben, an der Vorbereitung von Gesetzesvorhaben in Angelegenheiten des Abs. 1 mitzuwirken. Nach Abs. 1 ergehende Bundesgesetze, die Angelegenheiten regeln, die in Vollziehung Landessache sind, dürfen nur mit Zustimmung der Länder kundgemacht werden.

(5) Die Durchführungsverordnungen zu den nach Abs. 1 ergehenden Bundesgesetzen sind, soweit in diesen Gesetzen nicht anderes bestimmt ist, vom Bund zu erlassen. Abs. 4 und Art. 42a sind auf solche Verordnungen sinngemäß anzuwenden.

Artikel 15 [Zuständigkeit der Länder zur Gesetzgebung und Vollziehung]

(1) Soweit eine Angelegenheit nicht ausdrücklich durch die Bundesverfassung der Gesetzgebung oder auch der Vollziehung des Bundes übertragen ist, verbleibt sie im selbständigen Wirkungsbereich der Länder.

(2) In den Angelegenheiten der örtlichen Sicherheitspolizei, das ist des Teiles der Sicherheitspolizei, der im ausschließlichen oder überwiegenden Interesse der in der Gemeinde verkörperten örtlichen Gemeinschaft gelegen und geeignet ist, durch die Gemeinschaft innerhalb ihrer örtlichen Grenzen besorgt zu werden, wie die Wahrung des öffentlichen Anstandes und die Abwehr ungebührlicherweise hervorgerufenen störenden Lärmes, steht dem Bund die Befugnis zu, die Führung dieser Angelegenheiten durch die Gemeinde zu beaufsichtigen und wahrgenommene Mängel durch Weisungen an den Landeshauptmann (Art. 103) abzustellen. Zu diesem Zweck können auch Inspektionsorgane des Bundes in die Gemeinde entsendet werden; hievon ist in jedem einzelnen Fall der Landeshauptmann zu verständigen.

(3) Die landesgesetzlichen Bestimmungen in den Angelegenheiten des Theater- und Kinowesens sowie der öffentlichen Schaustellungen, Darbietungen und Belustigungen haben für das Gebiet einer Gemeinde, in dem die Landespolizeidirektion zugleich Sicherheitsbehörde erster Instanz ist, der Landespolizeidirektion wenigstens die Überwachung der Veranstaltungen, soweit sie sich nicht auf betriebstechnische, bau- und feuerpolizeiliche Rücksichten erstreckt, und die Mitwirkung in erster Instanz bei Verleihung von Berechtigungen, die in solchen Gesetzen vorgesehen werden, zu übertragen.

(4) Inwieweit in den Angelegenheiten der Straßenpolizei mit Ausnahme der örtlichen Straßenpolizei (Art. 118 Abs. 3 Z 4) und der Strom- und Schifffahrtspolizei auf Binnengewässern mit Ausnahme der Donau, des Bodensees, des Neusiedlersees und der Grenzstrecken sonstiger Grenzgewässer für das Gebiet einer Gemeinde, in dem die Landespolizeidirektion zugleich Sicherheitsbehörde erster Instanz ist, der Landespolizeidirektion die Vollziehung übertragen wird, wird durch übereinstimmende Gesetze des Bundes und des betreffenden Landes geregelt.

(5) [aufgehoben]

(6) Soweit dem Bund bloß die Gesetzgebung über die Grundsätze vorbehalten ist, obliegt innerhalb des bundesgesetzlich festgelegten Rahmens die nähere Ausführung der Landesgesetzgebung. Das Bundesgesetz kann für die Erlassung der Ausführungsgesetze eine Frist bestimmen, die ohne Zustimmung des Bundesrates nicht kürzer als sechs Monate und nicht länger als ein Jahr sein darf. Wird diese Frist von einem Land nicht eingehalten, so geht die Zuständigkeit zur Erlassung des Ausführungsgesetzes für dieses Land auf den Bund über. Sobald das Land das Ausführungsgesetz erlassen hat, tritt das Ausführungsgesetz des Bundes außer Kraft. Sind vom Bund keine Grundsätze aufgestellt, so kann die Landesgesetzgebung solche Angelegenheiten frei regeln. Sobald der Bund Grundsätze aufgestellt hat, sind die landesgesetzlichen Bestimmungen binnen der bundesgesetzlich zu bestimmenden Frist dem Grundsatzgesetz anzupassen.

(7) Die Kundmachung der im Landesgesetzblatt zu verlautbarenden Rechtsvorschriften (Art. 97 Abs. 1) sowie der Rechtsvorschriften der Gemeinden, der Gemeindeverbände und der sonstigen im Bereich der Vollziehung der Länder eingerichteten Behörden kann im Rahmen des Rechtsinformationssystems des Bundes erfolgen.

(8) In den Angelegenheiten, die nach Art. 11 und 12 der Bundesgesetzgebung vorbehalten sind, steht dem Bund das Recht zu, die Einhaltung der von ihm erlassenen Vorschriften wahrzunehmen.

(9) Die Länder sind im Bereich ihrer Gesetzgebung befugt, die zur Regelung des Gegenstandes erforderlichen Bestimmungen auch auf dem Gebiet des Straf- und Zivilrechtes zu treffen.

(10) In Landesgesetzen, durch die die bestehende Organisation der Behörden der allgemeinen staatlichen Verwaltung in den Ländern geändert oder neu geregelt wird, kann eine sprengelübergreifende Zusammenarbeit von Bezirksverwaltungsbehörden einschließlich der Organe der Städte mit eigenem Statut (Art. 116 Abs. 3), insbesondere auch die Übertragung behördlicher Zuständigkeiten, vorgesehen werden.

(11) Die Sprengel der politischen Bezirke sind durch Verordnung der Landesregierung festzulegen.

Artikel 15a [Bund-Länder-Vereinbarungen; Vereinbarungen der Länder untereinander]

(1) Bund und Länder können untereinander Vereinbarungen über Angelegenheiten ihres jeweiligen Wirkungsbereiches schließen. Der Abschluss solcher Vereinbarungen namens des Bundes obliegt je nach dem Gegenstand der Bundesregierung oder den Bundesministern. Vereinbarungen, die auch die Organe der Bundesgesetzgebung binden sollen, dürfen nur von der Bundesregierung mit Genehmigung des Nationalrates abgeschlossen werden, wobei Art. 50 Abs. 3 auf solche Beschlüsse des Nationalrates sinngemäß anzuwenden ist; sie sind im Bundesgesetzblatt kundzumachen.

(2) Vereinbarungen der Länder untereinander können nur über Angelegenheiten ihres selbständigen Wirkungsbereiches getroffen werden und sind der Bundesregierung unverzüglich zur Kenntnis zu bringen.

(3) Die Grundsätze des völkerrechtlichen Vertragsrechtes sind auf Vereinbarungen im Sinne des Abs. 1 anzuwenden. Das Gleiche gilt auch für Vereinbarungen im Sinne des Abs. 2, soweit nicht durch übereinstimmende Verfassungsgesetze der betreffenden Länder anderes bestimmt ist.

Artikel 16 [Vertragskompetenz der Länder; Durchführung von Staatsverträgen durch die Länder]

(1) Die Länder können in Angelegenheiten, die in ihren selbständigen Wirkungsbereich fallen, Staatsverträge mit an Österreich angrenzenden Staaten oder deren Teilstaaten abschließen.

(2) Der Landeshauptmann hat die Bundesregierung vor der Aufnahme von Verhandlungen über einen solchen Staatsvertrag zu unterrichten. Vor dessen Abschluss ist vom Landeshauptmann die Zustimmung der Bundesregierung einzuholen. Die Zustimmung gilt als erteilt, wenn die Bundesregierung nicht binnen acht Wochen von dem Tage, an dem das Ersuchen um Zustimmung beim Bundeskanzleramt eingelangt ist, dem Landeshauptmann mitgeteilt hat, dass die Zustimmung verweigert wird. Die Bevollmächtigung zur Aufnahme von Verhandlungen und der Abschluss des Staatsvertrages obliegen dem Bundespräsidenten auf Vorschlag der Landesregierung und mit Gegenzeichnung des Landeshauptmannes.

(3) Auf Verlangen der Bundesregierung sind Staatsverträge nach Abs. 1 vom Land zu kündigen. Kommt ein Land dieser Verpflichtung nicht rechtzeitig nach, so geht die Zuständigkeit dazu auf den Bund über.

(4) Die Länder sind verpflichtet, Maßnahmen zu treffen, die in ihrem selbständigen Wirkungsbereich zur Durchführung von Staatsverträgen erforderlich werden; kommt ein Land dieser Verpflichtung nicht rechtzeitig nach, so geht die Zuständigkeit zu solchen Maßnahmen, insbesondere zur Erlassung der notwendigen Gesetze, auf den Bund über. Eine gemäß dieser Bestimmung vom Bund getroffene Maßnahme, insbesondere ein solcherart erlassenes Gesetz oder eine solcherart erlassene Verordnung, tritt außer Kraft, sobald das Land die erforderlichen Maßnahmen getroffen hat.

(5) Ebenso hat der Bund bei Durchführung von Staatsverträgen das Überwachungsrecht auch in solchen Angelegenheiten, die zum selbständigen Wirkungsbereich der Länder gehören. Hiebei stehen dem Bund die glei-

chen Rechte gegenüber den Ländern zu wie bei den Angelegenheiten der mittelbaren Bundesverwaltung (Art. 102).

Artikel 17 [Privatwirtschaftsverwaltung]

Durch die Bestimmungen der Art. 10 bis 15 über die Zuständigkeit in Gesetzgebung und Vollziehung wird die Stellung des Bundes und der Länder als Träger von Privatrechten in keiner Weise berührt.

Artikel 18 [Legalitätsprinzip; Verordnungsrecht; Notverordnung]

(1) Die gesamte staatliche Verwaltung darf nur auf Grund der Gesetze ausgeübt werden.

(2) Jede Verwaltungsbehörde kann auf Grund der Gesetze innerhalb ihres Wirkungsbereiches Verordnungen erlassen.

(3) Wenn die sofortige Erlassung von Maßnahmen, die verfassungsgemäß einer Beschlussfassung des Nationalrates bedürfen, zur Abwehr eines offenkundigen, nicht wieder gutzumachenden Schadens für die Allgemeinheit zu einer Zeit notwendig wird, in der der Nationalrat nicht versammelt ist, nicht rechtzeitig zusammentreten kann oder in seiner Tätigkeit durch höhere Gewalt behindert ist, kann der Bundespräsident auf Vorschlag der Bundesregierung unter seiner und deren Verantwortlichkeit diese Maßnahmen durch vorläufige gesetzändernde Verordnungen treffen. Die Bundesregierung hat ihren Vorschlag im Einvernehmen mit dem vom Hauptausschuss des Nationalrates einzusetzenden ständigen Unterausschuss (Art. 55 Abs. 3) zu erstatten. Eine solche Verordnung bedarf der Gegenzeichnung der Bundesregierung.

(4) Jede nach Abs. 3 erlassene Verordnung ist von der Bundesregierung unverzüglich dem Nationalrat vorzulegen, den der Bundespräsident, falls der Nationalrat in diesem Zeitpunkt keine Tagung hat, während der Tagung aber der Präsident des Nationalrates für einen der der Vorlage folgenden acht Tage einzuberufen hat. Binnen vier Wochen nach der Vorlage hat der Nationalrat entweder an Stelle der Verordnung ein entsprechendes Bundesgesetz zu beschließen oder durch Beschluss das Verlangen zu stellen, dass die Verordnung von der Bundesregierung sofort außer Kraft gesetzt wird. Im letzterwähnten Fall muss die Bundesregierung diesem Verlangen sofort entsprechen. Zum Zweck der rechtzeitigen Beschlussfassung des Nationalrates hat der Präsident die Vorlage spätestens am vorletzten Tag der vierwöchigen Frist zur Abstimmung zu stellen; die näheren Bestimmungen trifft das Bundesgesetz über die Geschäftsordnung des Nationalrates. Wird die Verordnung nach den vorhergehenden Bestimmungen von der Bundesregierung aufgehoben, treten mit dem Tag des Inkrafttretens der Aufhebung die gesetzlichen Bestimmungen wieder in Kraft, die durch die Verordnung aufgehoben worden waren.

(5) Die im Abs. 3 bezeichneten Verordnungen dürfen nicht eine Abänderung bundesverfassungsgesetzlicher Bestimmungen bedeuten und weder eine dauernde finanzielle Belastung des Bundes, noch eine finanzielle Belastung der Länder oder Gemeinden, noch finanzielle Verpflichtungen der Staatsbürger, noch eine Veräußerung von Bundesvermögen, noch Maßnahmen in den im Art. 10 Abs. 1 Z 11 bezeichneten Angelegenheiten, noch endlich solche auf dem Gebiet des Koalitionsrechtes oder des Mieterschutzes zum Gegenstand haben.

Artikel 19 [Oberste Organe der Vollziehung; Unvereinbarkeit]

(1) Die obersten Organe der Vollziehung sind der Bundespräsident, die Bundesminister und Staatssekretäre sowie die Mitglieder der Landesregierungen.

(2) Durch Bundesgesetz kann die Zulässigkeit der Betätigung der im Abs. 1 bezeichneten Organe und von sonstigen öffentlichen Funktionären in der Privatwirtschaft beschränkt werden.

Artikel 20 [Leitungsbefugnis; Verwaltungsorgane; Weisungsbindbarkeit; Amtsverschwiegenheit; Auskunftspflicht]

(1) Unter der Leitung der obersten Organe des Bundes und der Länder führen nach

den Bestimmungen der Gesetze auf Zeit gewählte Organe, ernannte berufsmäßige Organe oder vertraglich bestellte Organe die Verwaltung. Sie sind den ihnen vorgesetzten Organen für ihre amtliche Tätigkeit verantwortlich und, soweit in Gesetzen gemäß Abs. 2 nicht anderes bestimmt ist, an deren Weisungen gebunden. Das nachgeordnete Organ kann die Befolgung einer Weisung ablehnen, wenn die Weisung entweder von einem unzuständigen Organ erteilt wurde oder die Befolgung gegen strafgesetzliche Vorschriften verstoßen würde.

(2) Durch Gesetz können Organe

1. zur sachverständigen Prüfung,

2. zur Kontrolle der Gesetzmäßigkeit der Verwaltung,

3. mit Schieds-, Vermittlungs- und Interessenvertretungsaufgaben,

4. zur Sicherung des Wettbewerbs und zur Durchführung der Wirtschaftsaufsicht,

5. zur Aufsicht und Regulierung elektronischer Medien und zur Förderung der Medien,

6. zur Durchführung einzelner Angelegenheiten des Dienst- und Disziplinarrechts,

7. zur Durchführung und Leitung von Wahlen, oder,

8. soweit dies nach Maßgabe des Rechts der Europäischen Union geboten ist,

von der Bindung an Weisungen der ihnen vorgesetzten Organe freigestellt werden. Durch Landesverfassungsgesetz können weitere Kategorien weisungsfreier Organe geschaffen werden. Durch Gesetz ist ein der Aufgabe des weisungsfreien Organs angemessenes Aufsichtsrecht der obersten Organe vorzusehen, zumindest das Recht, sich über alle Gegenstände der Geschäftsführung der weisungsfreien Organe zu unterrichten, und – soweit es sich nicht um Organe gemäß den Z 2, 5 und 8 handelt – das Recht, weisungsfreie Organe aus wichtigem Grund abzuberufen.

(3) Alle mit Aufgaben der Bundes-, Landes- und Gemeindeverwaltung betrauten Organe sowie die Organe anderer Körperschaften des öffentlichen Rechts sind, soweit gesetzlich nicht anderes bestimmt ist, zur Verschwiegenheit über alle ihnen ausschließlich aus ihrer amtlichen Tätigkeit bekannt gewordenen Tatsachen verpflichtet, deren Geheimhaltung im Interesse der Aufrechterhaltung der öffentlichen Ruhe, Ordnung und Sicherheit, der umfassenden Landesverteidigung, der auswärtigen Beziehungen, im wirtschaftlichen Interesse einer Körperschaft des öffentlichen Rechts, zur Vorbereitung einer Entscheidung oder im überwiegenden Interesse der Parteien geboten ist (Amtsverschwiegenheit). Die Amtsverschwiegenheit besteht für die von einem allgemeinen Vertretungskörper bestellten Funktionäre nicht gegenüber diesem Vertretungskörper, wenn er derartige Auskünfte ausdrücklich verlangt.

(4) Alle mit Aufgaben der Bundes-, Landes- und Gemeindeverwaltung betrauten Organe sowie die Organe anderer Körperschaften des öffentlichen Rechts haben über Angelegenheiten ihres Wirkungsbereiches Auskünfte zu erteilen, soweit eine gesetzliche Verschwiegenheitspflicht dem nicht entgegensteht; berufliche Vertretungen sind nur gegenüber den ihnen jeweils Zugehörigen auskunftspflichtig und dies insoweit, als dadurch die ordnungsgemäße Erfüllung ihrer gesetzlichen Aufgaben nicht verhindert wird. Die näheren Regelungen sind hinsichtlich der Organe des Bundes sowie der durch die Bundesgesetzgebung zu regelnden Selbstverwaltung in Gesetzgebung und Vollziehung Bundessache, hinsichtlich der Organe der Länder und Gemeinden sowie der durch die Landesgesetzgebung zu regelnden Selbstverwaltung in der Grundsatzgesetzgebung Bundessache, in der Ausführungsgesetzgebung und in der Vollziehung Landessache.

Artikel 21 [Dienstrecht]

(1) Den Ländern obliegt die Gesetzgebung und Vollziehung in den Angelegenheiten des Dienstrechtes einschließlich des Dienstvertragsrechtes und des Personalvertretungsrechtes der Bediensteten der Länder, der Gemeinden und der Gemeindeverbände, soweit für alle diese Angelegenheiten in Abs. 2, in

Art. 14 Abs. 2, Abs. 3 lit. c und Abs. 5 lit. c und in Art. 14a Abs. 2 lit. e und Abs. 3 lit. b nicht anderes bestimmt ist. Über Streitigkeiten aus vertraglichen Dienstverhältnissen entscheiden die ordentlichen Gerichte.

(2) Den Ländern obliegt die Gesetzgebung und Vollziehung in den Angelegenheiten des Arbeitnehmerschutzes der Bediensteten (Abs. 1) und der Personalvertretung der Bediensteten der Länder, soweit die Bediensteten nicht in Betrieben tätig sind. Soweit nach dem ersten Satz nicht die Zuständigkeit der Länder gegeben ist, fallen die genannten Angelegenheiten in die Zuständigkeit des Bundes.

(3) Soweit in diesem Gesetz nicht anderes bestimmt ist, wird die Diensthoheit gegenüber den Bediensteten des Bundes von den obersten Organen des Bundes ausgeübt. Die Diensthoheit gegenüber den Bediensteten der Länder wird von den obersten Organen der Länder ausgeübt; soweit dieses Gesetz entsprechende Ausnahmen hinsichtlich der Bediensteten des Bundes vorsieht, kann durch Landesverfassungsgesetz bestimmt werden, dass die Diensthoheit gegenüber den Bediensteten des Landes von gleichartigen Organen ausgeübt wird.

(4) Die Möglichkeit des Wechsels zwischen dem Dienst beim Bund, bei den Ländern, bei den Gemeinden und bei den Gemeindeverbänden bleibt den öffentlichen Bediensteten jederzeit gewahrt. Gesetzliche Bestimmungen, wonach die Anrechnung von Dienstzeiten davon abhängig unterschiedlich erfolgt, ob sie beim Bund, bei einem Land, bei einer Gemeinde oder bei einem Gemeindeverband zurückgelegt worden sind, sind unzulässig. Um eine gleichwertige Entwicklung des Dienstrechtes, des Personalvertretungsrechtes und des Arbeitnehmerschutzes bei Bund, Ländern und Gemeinden zu ermöglichen, haben Bund und Länder einander über Vorhaben in diesen Angelegenheiten zu informieren.

(5) Durch Gesetz kann vorgesehen werden, dass

1. Beamte zur Ausübung bestimmter Leitungsfunktionen oder in den Fällen, in denen

dies auf Grund der Natur des Dienstes erforderlich ist, befristet ernannt werden;

2. nach Ablauf der Befristung oder bei Änderung der Organisation der Behörden oder der dienstrechtlichen Gliederungen durch Gesetz keine Ernennung erforderlich ist;

3. es, soweit die Zuständigkeit zur Ernennung gemäß Art. 66 Abs. 1 übertragen ist, in den Fällen einer Versetzung oder einer Änderung der Verwendung keiner Ernennung bedarf.

(6) In den Fällen des Abs. 5 besteht kein Anspruch auf eine gleichwertige Verwendung.

Artikel 22 [Amtshilfe]

Alle Organe des Bundes, der Länder, der Gemeinden und der Gemeindeverbände sowie der sonstigen Selbstverwaltungskörper sind im Rahmen ihres gesetzmäßigen Wirkungsbereiches zur wechselseitigen Hilfeleistung verpflichtet.

Artikel 23 [Amtshaftung und Organhaftung]

(1) Der Bund, die Länder, die Gemeinden und die sonstigen Körperschaften und Anstalten des öffentlichen Rechts haften für den Schaden, den die als ihre Organe handelnden Personen in Vollziehung der Gesetze durch ein rechtswidriges Verhalten wem immer schuldhaft zugefügt haben.

(2) Personen, die als Organe eines im Abs. 1 bezeichneten Rechtsträgers handeln, sind ihm, soweit ihnen Vorsatz oder grobe Fahrlässigkeit zur Last fällt, für den Schaden haftbar, für den der Rechtsträger dem Geschädigten Ersatz geleistet hat.

(3) Personen, die als Organe eines im Abs. 1 bezeichneten Rechtsträgers handeln, haften für den Schaden, den sie in Vollziehung der Gesetze dem Rechtsträger durch ein rechtswidriges Verhalten unmittelbar zugefügt haben.

(4) Die näheren Bestimmungen zu den Abs. 1 bis 3 werden durch Bundesgesetz getroffen.

(5) Ein Bundesgesetz kann auch bestimmen, inwieweit auf dem Gebiet des Post-

und Fernmeldewesens von den in den Abs. 1 bis 3 festgelegten Grundsätzen abweichende Sonderbestimmungen gelten.

B. Europäische Union

Artikel 23a [Wahlen zum Europäischen Parlament]

(1) Die Mitglieder des Europäischen Parlaments werden in Österreich auf Grund des gleichen, unmittelbaren, persönlichen, freien und geheimen Wahlrechtes der Männer und Frauen, die am Wahltag das 16. Lebensjahr vollendet haben und am Stichtag der Wahl entweder die österreichische Staatsbürgerschaft besitzen und nicht nach Maßgabe des Rechts der Europäischen Union vom Wahlrecht ausgeschlossen sind oder die Staatsangehörigkeit eines anderen Mitgliedstaates der Europäischen Union besitzen und nach Maßgabe des Rechts der Europäischen Union wahlberechtigt sind, nach den Grundsätzen der Verhältniswahl gewählt.

(2) Das Bundesgebiet bildet für die Wahlen zum Europäischen Parlament einen einheitlichen Wahlkörper.

(3) Wählbar sind die in Österreich zum Europäischen Parlament Wahlberechtigten, die am Wahltag das 18. Lebensjahr vollendet haben.

(4) Art. 26 Abs. 5 bis 7 ist sinngemäß anzuwenden.

Artikel 23b [Dienstbefreiung für Mandatsausübung; Inkompatibilität]

(1) Öffentlich Bediensteten ist, wenn sie sich um ein Mandat im Europäischen Parlament bewerben, die für die Bewerbung um das Mandat erforderliche freie Zeit zu gewähren. Öffentlich Bedienstete, die zu Mitgliedern des Europäischen Parlaments gewählt wurden, sind für die Dauer der Mandatsausübung unter Entfall der Dienstbezüge außer Dienst zu stellen. Das Nähere wird durch Gesetz geregelt.

(2) Universitätslehrer können eine Tätigkeit in Forschung und Lehre und die Prüfungstätigkeit auch während der Zugehörigkeit zum Europäischen Parlament fortsetzen.

Die Dienstbezüge für diese Tätigkeit sind entsprechend den tatsächlich erbrachten Leistungen zu bemessen, dürfen aber 25% der Bezüge eines Universitätslehrers nicht übersteigen.

(3) Insoweit dieses Bundesverfassungsgesetz die Unvereinbarkeit von Funktionen mit der Zugehörigkeit oder mit der ehemaligen Zugehörigkeit zum Nationalrat vorsieht, sind diese Funktionen auch mit der Zugehörigkeit oder mit der ehemaligen Zugehörigkeit zum Europäischen Parlament unvereinbar.

Artikel 23c [Vorschläge für Ernennung von Mitgliedern der Organe der EU]

(1) Die Erstellung der österreichischen Vorschläge für die Ernennung von Mitgliedern der Europäischen Kommission, von Mitgliedern des Gerichtshofes der Europäischen Union, von Mitgliedern des Rechnungshofes, von Mitgliedern des Wirtschafts- und Sozialausschusses, von Mitgliedern des Ausschusses der Regionen und deren Stellvertretern und von Mitgliedern des Verwaltungsrates der Europäischen Investitionsbank obliegt der Bundesregierung.

(2) Vor der Erstellung der Vorschläge für die Ernennung von Mitgliedern der Europäischen Kommission, des Gerichtshofes der Europäischen Union, des Rechnungshofes und des Verwaltungsrates der Europäischen Investitionsbank hat die Bundesregierung dem Nationalrat und dem Bundespräsidenten mitzuteilen, wen sie vorzuschlagen beabsichtigt. Die Bundesregierung hat über die Vorschläge das Einvernehmen mit dem Hauptausschuss des Nationalrates herzustellen.

(3) Vor der Erstellung der Vorschläge für die Ernennung von Mitgliedern des Wirtschafts- und Sozialausschusses hat die Bundesregierung Vorschläge der gesetzlichen und sonstigen beruflichen Vertretungen der verschiedenen Gruppen des wirtschaftlichen und sozialen Lebens einzuholen.

(4) Die Vorschläge für die Ernennung von Mitgliedern des Ausschusses der Regionen und deren Stellvertretern hat die Bundesregierung auf Grund von Vorschlä-

gen der Länder sowie des Österreichischen Gemeindebundes und des Österreichischen Städtebundes zu erstellen. Jedes Land hat ein Mitglied und dessen Stellvertreter vorzuschlagen; die sonstigen Mitglieder und deren Stellvertreter sind vom Österreichischen Gemeindebund und vom Österreichischen Städtebund gemeinsam vorzuschlagen.

(5) Die Bundesregierung hat dem Nationalrat mitzuteilen, wen sie nach Abs. 3 und 4 vorgeschlagen hat, und dem Bundesrat mitzuteilen, wen sie nach Abs. 2, 3 und 4 vorgeschlagen hat.

Artikel 23d [Ländermitwirkung]

(1) Der Bund hat die Länder unverzüglich über alle Vorhaben im Rahmen der Europäischen Union, die den selbständigen Wirkungsbereich der Länder berühren oder sonst für sie von Interesse sein könnten, zu unterrichten und ihnen Gelegenheit zur Stellungnahme zu geben. Solche Stellungnahmen sind an das Bundeskanzleramt zu richten. Gleiches gilt für die Gemeinden, soweit der eigene Wirkungsbereich oder sonstige wichtige Interessen der Gemeinden berührt werden. Die Vertretung der Gemeinden obliegt in diesen Angelegenheiten dem Österreichischen Städtebund und dem Österreichischen Gemeindebund (Art. 115 Abs. 3).

(2) Haben die Länder eine einheitliche Stellungnahme zu einem Vorhaben erstattet, das Angelegenheiten betrifft, in denen die Gesetzgebung Landessache ist, so darf der Bund bei Verhandlungen und Abstimmungen in der Europäischen Union nur aus zwingenden integrations- und außenpolitischen Gründen von dieser Stellungnahme abweichen. Der Bund hat den Ländern diese Gründe unverzüglich mitzuteilen.

(3) Betrifft ein Vorhaben auch Angelegenheiten, in denen die Gesetzgebung Landessache ist, so kann die Bundesregierung die Befugnis, an den Tagungen des Rates teilzunehmen und in diesem Rahmen zu diesem Vorhaben die Verhandlungen zu führen und die Stimme abzugeben, einem von den Ländern namhaft gemachten Mitglied einer Landesregierung übertragen. Die Wahrnehmung

dieser Befugnis durch den Vertreter der Länder erfolgt unter Beteiligung des zuständigen Bundesministers und in Abstimmung mit diesem; Abs. 2 gilt auch für ihn. Der Vertreter der Länder ist dabei in Angelegenheiten der Bundesgesetzgebung dem Nationalrat, in Angelegenheiten der Landesgesetzgebung den Landtagen gemäß Art. 142 verantwortlich.

(4) Die näheren Bestimmungen zu den Abs. 1 bis 3 sind in einer Vereinbarung zwischen dem Bund und den Ländern (Art. 15a Abs. 1) festzulegen.

(5) Die Länder sind verpflichtet, Maßnahmen zu treffen, die in ihrem selbständigen Wirkungsbereich zur Durchführung von Rechtsakten im Rahmen der Europäischen Union erforderlich werden; kommt ein Land dieser Verpflichtung nicht rechtzeitig nach und wird dies vom Gerichtshof der Europäischen Union gegenüber Österreich festgestellt, so geht die Zuständigkeit zu solchen Maßnahmen, insbesondere zur Erlassung der notwendigen Gesetze, auf den Bund über. Eine gemäß dieser Bestimmung vom Bund getroffene Maßnahme, insbesondere ein solcherart erlassenes Gesetz oder eine solcherart erlassene Verordnung, tritt außer Kraft, sobald das Land die erforderlichen Maßnahmen getroffen hat.

Artikel 23e [Parlamentsbeteiligung]

(1) Der zuständige Bundesminister hat den Nationalrat und den Bundesrat unverzüglich über alle Vorhaben im Rahmen der Europäischen Union zu unterrichten und ihnen Gelegenheit zur Stellungnahme zu geben.

(2) Der zuständige Bundesminister hat den Nationalrat und den Bundesrat über einen bevorstehenden Beschluss des Europäischen Rates oder des Rates betreffend

1. den Übergang von der Einstimmigkeit zur qualifizierten Mehrheit oder

2. den Übergang von einem besonderen Gesetzgebungsverfahren zum ordentlichen Gesetzgebungsverfahren

ausdrücklich und so rechtzeitig zu unterrichten, dass dem Nationalrat und dem Bundesrat die Wahrnehmung der Zuständigkeiten nach diesem Artikel ermöglicht wird.

(3) Hat der Nationalrat eine Stellungnahme zu einem Vorhaben erstattet, das auf die Erlassung eines verbindlichen Rechtsaktes gerichtet ist, der sich auf die Erlassung von Bundesgesetzen auf dem im Rechtsakt geregelten Gebiet auswirken würde, so darf der zuständige Bundesminister bei Verhandlungen und Abstimmungen in der Europäischen Union nur aus zwingenden integrations- und außenpolitischen Gründen von dieser Stellungnahme abweichen. Beabsichtigt der zuständige Bundesminister, von der Stellungnahme des Nationalrates abzuweichen, so hat er den Nationalrat neuerlich zu befassen. Ist das Vorhaben auf die Erlassung eines verbindlichen Rechtsaktes gerichtet, der entweder die Erlassung bundesverfassungsgesetzlicher Bestimmungen erfordern würde oder Regelungen enthält, die nur durch solche Bestimmungen getroffen werden könnten, so ist eine Abweichung jedenfalls nur zulässig, wenn ihr der Nationalrat innerhalb angemessener Frist nicht widerspricht. Der zuständige Bundesminister hat dem Nationalrat nach der Abstimmung in der Europäischen Union unverzüglich Bericht zu erstatten und ihm gegebenenfalls die Gründe mitzuteilen, aus denen er von der Stellungnahme abgewichen ist.

(4) Hat der Bundesrat eine Stellungnahme zu einem Vorhaben erstattet, das auf die Erlassung eines verbindlichen Rechtsaktes gerichtet ist, der entweder die Erlassung bundesverfassungsgesetzlicher Bestimmungen erfordern würde, durch die die Zuständigkeit der Länder in Gesetzgebung oder Vollziehung gemäß Art. 44 Abs. 2 eingeschränkt wird, oder Regelungen enthält, die nur durch solche Bestimmungen getroffen werden könnten, so darf der zuständige Bundesminister bei Verhandlungen und Abstimmungen in der Europäischen Union nur aus zwingenden integrations- und außenpolitischen Gründen von dieser Stellungnahme abweichen. Eine Abweichung ist jedenfalls nur zulässig, wenn ihr der Bundesrat innerhalb angemessener Frist nicht widerspricht. Der zuständige Bundesminister hat dem Bundesrat nach der Abstimmung in der Europäischen Union unverzüglich Bericht zu erstatten und ihm gegebenenfalls die Gründe mitzuteilen, aus denen er von der Stellungnahme abgewichen ist.

Artikel 23f [Kommunikation zwischen Bundesminister und Parlament]

(1) Der Nationalrat und der Bundesrat üben die im Vertrag über die Europäische Union, im Vertrag über die Arbeitsweise der Europäischen Union und in den diesen Verträgen beigegebenen Protokollen in der jeweils geltenden Fassung vorgesehenen Zuständigkeiten der nationalen Parlamente aus.

(2) Jeder Bundesminister berichtet dem Nationalrat und dem Bundesrat zu Beginn jedes Jahres über die in diesem Jahr zu erwartenden Vorhaben des Rates und der Europäischen Kommission sowie über die voraussichtliche österreichische Position zu diesen Vorhaben.

(3) Weitere Unterrichtungsverpflichtungen sind durch Bundesgesetz vorzusehen.

(4) Der Nationalrat und der Bundesrat können ihren Wünschen über Vorhaben der Europäischen Union in Mitteilungen an die Organe der Europäischen Union Ausdruck geben.

Artikel 23g [Solidaritätsrüge]

(1) Der Nationalrat und der Bundesrat können zu einem Entwurf eines Gesetzgebungsakts im Rahmen der Europäischen Union in einer begründeten Stellungnahme darlegen, weshalb der Entwurf nicht mit dem Subsidiaritätsprinzip vereinbar ist.

(2) Der Nationalrat und der Bundesrat können vom zuständigen Bundesminister eine Äußerung zur Vereinbarkeit von Entwürfen gemäß Abs. 1 mit dem Subsidiaritätsprinzip verlangen, die im Regelfall innerhalb von zwei Wochen nach Einlangen des Verlangens vorzulegen ist.

(3) Der Bundesrat hat die Landtage unverzüglich über alle Entwürfe gemäß Abs. 1 zu unterrichten und ihnen Gelegenheit zur Stellungnahme zu geben. Bei Beschlussfassung einer begründeten Stellungnahme gemäß

Abs. 1 hat der Bundesrat die Stellungnahmen der Landtage zu erwägen und die Landtage über solche Beschlüsse zu unterrichten.

Artikel 23h [Solidaritätsklage]

(1) Der Nationalrat und der Bundesrat können beschließen, dass gegen einen Gesetzgebungsakt im Rahmen der Europäischen Union beim Gerichtshof der Europäischen Union Klage wegen Verstoßes gegen das Subsidiaritätsprinzip erhoben wird.

(2) Das Bundeskanzleramt übermittelt die Klage im Namen des Nationalrates oder des Bundesrates unverzüglich an den Gerichtshof der Europäischen Union.

Artikel 23i [Passerelle; Mitwirkung des Parlaments]

(1) Das österreichische Mitglied im Europäischen Rat darf einer Initiative gemäß Art. 48 Abs. 7 des Vertrags über die Europäische Union in der Fassung des Vertrags von Lissabon nur dann zustimmen, wenn es der Nationalrat mit Zustimmung des Bundesrates auf Grund eines Vorschlages der Bundesregierung dazu ermächtigt hat. Diese Beschlüsse des Nationalrates und des Bundesrates bedürfen jeweils der Anwesenheit von mindestens der Hälfte der Mitglieder und einer Mehrheit von zwei Dritteln der abgegebenen Stimmen.

(2) Soweit nach dem Recht der Europäischen Union für die nationalen Parlamente die Möglichkeit der Ablehnung einer Initiative oder eines Vorschlages betreffend

1. den Übergang von der Einstimmigkeit zur qualifizierten Mehrheit oder

2. den Übergang von einem besonderen Gesetzgebungsverfahren zum ordentlichen Gesetzgebungsverfahren

vorgesehen ist, kann der Nationalrat mit Zustimmung des Bundesrates diese Initiative oder diesen Vorschlag innerhalb der nach dem Recht der Europäischen Union vorgesehenen Fristen ablehnen.

(3) Beschlüsse des Rates, durch die neue Kategorien von Eigenmitteln der Europäischen Union eingeführt werden, bedürfen der Genehmigung des Nationalrates und der Zustimmung des Bundesrates; Art. 50 Abs. 4 zweiter Satz ist sinngemäß anzuwenden. Andere Beschlüsse des Rates, mit denen Bestimmungen über das System der Eigenmittel der Europäischen Union festgelegt werden, bedürfen der Genehmigung des Nationalrates. Art. 23e Abs. 2 gilt sinngemäß.

(4) Auf andere Beschlüsse des Europäischen Rates oder des Rates, die nach dem Recht der Europäischen Union erst nach Zustimmung der Mitgliedstaaten im Einklang mit ihren jeweiligen verfassungsrechtlichen Vorschriften in Kraft treten, ist Art. 50 Abs. 4 sinngemäß anzuwenden.

(5) Beschlüsse des Nationalrates und des Bundesrates nach diesem Artikel sind vom Bundeskanzler im Bundesgesetzblatt kundzumachen.

Artikel 23j [GASP]

(1) Österreich wirkt an der Gemeinsamen Außen- und Sicherheitspolitik der Europäischen Union auf Grund des Titels V Kapitel 1 und 2 des Vertrags über die Europäische Union in der Fassung des Vertrags von Lissabon mit, der in Art. 3 Abs. 5 und in Art. 21 Abs. 1 insbesondere die Wahrung beziehungsweise Achtung der Grundsätze der Charta der Vereinten Nationen vorsieht. Dies schließt die Mitwirkung an Aufgaben gemäß Art. 43 Abs. 1 dieses Vertrags sowie an Maßnahmen ein, mit denen die Wirtschafts- und Finanzbeziehungen zu einem oder mehreren Drittländern ausgesetzt, eingeschränkt oder vollständig eingestellt werden. Auf Beschlüsse des Europäischen Rates über eine gemeinsame Verteidigung ist Art. 50 Abs. 4 sinngemäß anzuwenden.

(2) Für Beschlüsse im Rahmen der Gemeinsamen Außen- und Sicherheitspolitik der Europäischen Union auf Grund des Titels V Kapitel 2 des Vertrags über die Europäische Union in der Fassung des Vertrags von Lissabon gilt Art. 23e Abs. 3 sinngemäß.

(3) Bei Beschlüssen über die Einleitung einer Mission außerhalb der Europäischen Union, die Aufgaben der militärischen Beratung und Unterstützung, Aufgaben der Konfliktverhütung und der Erhaltung des Frie-

dens oder Kampfeinsätze im Rahmen der Krisenbewältigung einschließlich Frieden schaffender Maßnahmen und Operationen zur Stabilisierung der Lage nach Konflikten umfasst, sowie bei Beschlüssen gemäß Art. 42 Abs. 2 des Vertrags über die Europäische Union in der Fassung des Vertrags von Lissabon betreffend die schrittweise Festlegung einer gemeinsamen Verteidigungspolitik ist das Stimmrecht im Einvernehmen zwischen dem Bundeskanzler und dem für auswärtige Angelegenheiten zuständigen Bundesminister auszuüben.

(4) Eine Zustimmung zu Maßnahmen gemäß Abs. 3 darf, wenn der zu fassende Beschluss eine Verpflichtung Österreichs zur Entsendung von Einheiten oder einzelnen Personen bewirken würde, nur unter dem Vorbehalt gegeben werden, dass es diesbezüglich noch der Durchführung des für die Entsendung von Einheiten oder einzelnen Personen in das Ausland verfassungsrechtlich vorgesehenen Verfahrens bedarf.

Artikel 23k [Zuständigkeit im Parlament]

(1) Nähere Bestimmungen zu den Art. 23e, 23f Abs. 1, 2 und 4 sowie 23g bis 23j treffen das Bundesgesetz über die Geschäftsordnung des Nationalrates und die Geschäftsordnung des Bundesrates.

(2) Die Zuständigkeiten des Nationalrates nach den Art. 23e, 23f Abs. 4, 23g und 23j Abs. 2 obliegen dessen Hauptausschuss. Das Bundesgesetz über die Geschäftsordnung des Nationalrates kann vorsehen, dass der Hauptausschuss einen ständigen Unterausschuss wählt, für den Art. 55 Abs. 3 sinngemäß gilt. Der Hauptausschuss kann diesem ständigen Unterausschuss Zuständigkeiten nach dem ersten Satz übertragen. Eine solche Übertragung kann jederzeit ganz oder teilweise widerrufen werden. Durch das Bundesgesetz über die Geschäftsordnung des Nationalrates können Zuständigkeiten des Hauptausschusses nach dem ersten Satz dem Nationalrat oder dem ständigen Unterausschuss des Hauptausschusses gemäß dem zweiten Satz übertragen werden.

(3) Zuständigkeiten des Bundesrates nach den Art. 23e, 23f Abs.4 und 23g können durch die Geschäftsordnung des Bundesrates einem von diesem zu wählenden Ausschuss übertragen werden.

Zweites Hauptstück
GESETZGEBUNG DES BUNDES

A. Nationalrat

Artikel 24 [Gesetzgebungskompetenz]
Die Gesetzgebung des Bundes übt der Nationalrat gemeinsam mit dem Bundesrat aus.

Artikel 25 [Sitz]
(1) Der Sitz des Nationalrates ist die Bundeshauptstadt Wien.

(2) Für die Dauer außerordentlicher Verhältnisse kann der Bundespräsident auf Antrag der Bundesregierung den Nationalrat in einen anderen Ort des Bundesgebietes berufen.

Artikel 26 [Wahl]
(1) Der Nationalrat wird vom Bundesvolk auf Grund des gleichen, unmittelbaren, persönlichen, freien und geheimen Wahlrechtes der Männer und Frauen, die am Wahltag das 16. Lebensjahr vollendet haben, nach den Grundsätzen der Verhältniswahl gewählt.

(2) Das Bundesgebiet wird in räumlich geschlossene Wahlkreise geteilt, deren Grenzen die Landesgrenzen nicht schneiden dürfen; diese Wahlkreise sind in räumlich geschlossene Regionalwahlkreise zu untergliedern. Die Zahl der Abgeordneten wird auf die Wahlberechtigten der Wahlkreise (Wahlkörper) im Verhältnis der Zahl der Staatsbürger, die nach dem Ergebnis der letzten Volkszählung im jeweiligen Wahlkreis den Hauptwohnsitz hatten, vermehrt um die Zahl der Staatsbürger, die am Zähltag im Bundesgebiet zwar nicht den Hauptwohnsitz hatten, aber in einer Gemeinde des jeweiligen Wahlkreises in der Wählerevidenz eingetragen waren, verteilt; in gleicher Weise wird die Zahl der einem Wahlkreis zugeordneten Abgeordneten auf die Regionalwahlkreise

verteilt. Die Wahlordnung zum Nationalrat hat ein abschließendes Ermittlungsverfahren im gesamten Bundesgebiet vorzusehen, durch das sowohl ein Ausgleich der den wahlwerbenden Parteien in den Wahlkreisen zugeteilten als auch eine Aufteilung der noch nicht zugeteilten Mandate nach den Grundsätzen der Verhältniswahl erfolgt. Eine Gliederung der Wählerschaft in andere Wahlkörper ist nicht zulässig.

(3) Der Wahltag muss ein Sonntag oder ein gesetzlicher Feiertag sein. Treten Umstände ein, die den Anfang, die Fortsetzung oder die Beendigung der Wahlhandlung verhindern, so kann die Wahlbehörde die Wahlhandlung auf den nächsten Tag verlängern oder verschieben.

(4) Wählbar sind die zum Nationalrat Wahlberechtigten, die am Stichtag die österreichische Staatsbürgerschaft besitzen und am Wahltag das 18. Lebensjahr vollendet haben.

(5) Ein Ausschluss vom Wahlrecht oder von der Wählbarkeit kann, auch in jeweils unterschiedlichem Umfang, nur durch Bundesgesetz als Folge rechtskräftiger gerichtlicher Verurteilung vorgesehen werden.

(6) Wahlberechtigte, die voraussichtlich am Wahltag verhindert sein werden, ihre Stimme vor der Wahlbehörde abzugeben, etwa wegen Ortsabwesenheit, aus gesundheitlichen Gründen oder wegen Aufenthalts im Ausland, können ihr Wahlrecht auf Antrag unter Angabe des Grundes durch Briefwahl ausüben. Die Identität des Antragstellers ist glaubhaft zu machen. Der Wahlberechtigte hat durch Unterschrift an Eides statt zu erklären, dass die Stimmabgabe persönlich und geheim erfolgt ist.

(7) Die näheren Bestimmungen über das Wahlverfahren werden durch Bundesgesetz getroffen.

Artikel 26a [Wahlbehörden]

(1) Die Durchführung und Leitung der Wahlen zum Europäischen Parlament, der Wahlen zum Nationalrat, der Wahl des Bundespräsidenten, von Volksabstimmungen und Volksbefragungen, die Mitwirkung bei der Überprüfung von Volksbegehren sowie die Mitwirkung bei der Durchführung von Europäischen Bürgerinitiativen obliegt Wahlbehörden, die vor jeder Wahl zum Nationalrat neu gebildet werden. Diesen haben als stimmberechtigte Beisitzer Vertreter der wahlwerbenden Parteien anzugehören, der Bundeswahlbehörde auch Richter des Dienst- oder Ruhestandes; die Zahl der Beisitzer ist in der Wahlordnung zum Nationalrat festzusetzen. Die nichtrichterlichen Beisitzer werden auf Grund von Vorschlägen der wahlwerbenden Parteien entsprechend ihrer bei der letzten Wahl zum Nationalrat festgestellten Stärke berufen. Im zuletzt gewählten Nationalrat vertretene wahlwerbende Parteien, die danach keinen Anspruch auf Berufung von Beisitzern hätten, sind jedoch berechtigt, einen Beisitzer für die Bundeswahlbehörde vorzuschlagen.

(2) Die Führung der Wählerevidenz und die Anlegung der entsprechenden Verzeichnisse bei einer Wahl zum Europäischen Parlament, einer Wahl zum Nationalrat, einer Wahl des Bundespräsidenten, einer Volksabstimmung und einer Volksbefragung obliegt der Gemeinde im übertragenen Wirkungsbereich. Die Speicherung der Daten der Wählerevidenzen erfolgt in einem zentralen Wählerregister, in dem auch Wählerevidenzen aufgrund der Landesgesetzgebung gespeichert werden können; die Länder und Gemeinden können diese Daten für solche Verzeichnisse in ihrem Zuständigkeitsbereich verwenden.

Artikel 27 [Gesetzgebungsperiode; Einberufung nach Neuwahl]

(1) Die Gesetzgebungsperiode des Nationalrates dauert fünf Jahre, vom Tag seines ersten Zusammentrittes an gerechnet, jedenfalls aber bis zu dem Tag, an dem der neue Nationalrat zusammentritt.

(2) Der neugewählte Nationalrat ist vom Bundespräsidenten längstens innerhalb dreißig Tagen nach der Wahl einzuberufen. Diese ist von der Bundesregierung so anzuordnen, dass der neugewählte Nationalrat am Tag nach dem Ablauf des fünften Jahres

der Gesetzgebungsperiode zusammentreten kann.

Artikel 28 [Tagungen und Sitzungen]

(1) Der Bundespräsident beruft den Nationalrat in jedem Jahr zu einer ordentlichen Tagung ein, die nicht vor dem 15. September beginnen und nicht länger als bis zum 15. Juli des folgenden Jahres währen soll.

(2) Der Bundespräsident kann den Nationalrat auch zu außerordentlichen Tagungen einberufen. Wenn es die Bundesregierung oder mindestens ein Drittel der Mitglieder des Nationalrates oder der Bundesrat verlangt, ist der Bundespräsident verpflichtet, den Nationalrat zu einer außerordentlichen Tagung einzuberufen, und zwar so, dass der Nationalrat spätestens binnen zwei Wochen nach Eintreffen des Verlangens beim Bundespräsidenten zusammentritt; die Einberufung bedarf keiner Gegenzeichnung. Zur Einberufung einer außerordentlichen Tagung auf Antrag von Mitgliedern des Nationalrates oder auf Antrag des Bundesrates ist ein Vorschlag der Bundesregierung nicht erforderlich.

(3) Der Bundespräsident erklärt die Tagungen des Nationalrates auf Grund Beschlusses des Nationalrates für beendet.

(4) Bei Eröffnung einer neuen Tagung des Nationalrates innerhalb der gleichen Gesetzgebungsperiode werden die Arbeiten nach dem Stand fortgesetzt, in dem sie sich bei der Beendigung der letzten Tagung befunden haben. Bei Beendigung einer Tagung können einzelne Ausschüsse vom Nationalrat beauftragt werden, ihre Arbeiten fortzusetzen. Mit dem Beginn einer neuen Gesetzgebungsperiode gelten vom Nationalrat der vorangegangenen Gesetzgebungsperiode nicht erledigte Volksbegehren und an den Nationalrat gerichtete Bürgerinitiativen als Verhandlungsgegenstände des neu gewählten Nationalrates. Durch das Bundesgesetz über die Geschäftsordnung des Nationalrates kann dies auch für weitere Verhandlungsgegenstände des Nationalrates bestimmt werden.

(5) Innerhalb einer Tagung beruft der Präsident des Nationalrates die einzelnen Sitzungen ein. Wenn innerhalb einer Tagung die im Bundesgesetz über die Geschäftsordnung des Nationalrates festgesetzte Anzahl der Mitglieder des Nationalrates oder die Bundesregierung es verlangt, ist der Präsident verpflichtet, eine Sitzung einzuberufen. Nähere Bestimmungen trifft das Bundesgesetz über die Geschäftsordnung des Nationalrates, das auch eine Frist festzusetzen hat, innerhalb derer der Nationalrat zusammenzutreten hat.

(6) Für den Fall, dass die gewählten Präsidenten des Nationalrates an der Ausübung ihres Amtes verhindert oder deren Ämter erledigt sind, hat das Bundesgesetz über die Geschäftsordnung des Nationalrates Sonderbestimmungen über die Einberufung des Nationalrates zu treffen.

Artikel 29 [Auflösung und Neuwahl]

(1) Der Bundespräsident kann den Nationalrat auflösen, er darf dies jedoch nur einmal aus dem gleichen Anlass verfügen. Die Neuwahl ist in diesem Fall von der Bundesregierung so anzuordnen, dass der neugewählte Nationalrat längstens am hundertsten Tag nach der Auflösung zusammentreten kann.

(2) Vor Ablauf der Gesetzgebungsperiode kann der Nationalrat durch einfaches Gesetz seine Auflösung beschließen.

(3) Nach einer gemäß Abs. 2 erfolgten Auflösung sowie nach Ablauf der Zeit, für die der Nationalrat gewählt ist, dauert die Gesetzgebungsperiode bis zum Tag, an dem der neugewählte Nationalrat zusammentritt.

Artikel 30 [Präsidenten; Parlamentsdirektion; Verwaltungsangelegenheiten; Personalangelegenheiten]

(1) Der Nationalrat wählt aus seiner Mitte den Präsidenten, den zweiten und dritten Präsidenten.

(2) Die Geschäfte des Nationalrates werden auf Grund eines besonderen Bundesgesetzes geführt. Das Bundesgesetz über die Geschäftsordnung des Nationalrates kann nur bei Anwesenheit von mindestens der Hälfte der Mitglieder und mit einer Mehrheit

von zwei Dritteln der abgegebenen Stimmen beschlossen werden.

(3) Zur Unterstützung der parlamentarischen Aufgaben und zur Besorgung der Verwaltungsangelegenheiten im Bereich der Organe der Gesetzgebung des Bundes sowie gleichartiger Aufgaben und Verwaltungsangelegenheiten, die die in Österreich gewählten Mitglieder des Europäischen Parlaments betreffen, ist die Parlamentsdirektion berufen, die dem Präsidenten des Nationalrates untersteht. Für den Bereich des Bundesrates ist die innere Organisation der Parlamentsdirektion im Einvernehmen mit dem Vorsitzenden des Bundesrates zu regeln, dem bei Besorgung der auf Grund dieses Gesetzes dem Bundesrat übertragenen Aufgaben auch das Weisungsrecht zukommt.

(4) Dem Präsidenten des Nationalrates stehen insbesondere auch die Ernennung der Bediensteten der Parlamentsdirektion und alle übrigen Befugnisse in Personalangelegenheiten dieser Bediensteten zu.

(5) Der Präsident des Nationalrates kann den parlamentarischen Klubs zur Erfüllung parlamentarischer Aufgaben Bedienstete der Parlamentsdirektion zur Dienstleistung zuweisen.

(6) Bei der Vollziehung der nach diesem Artikel dem Präsidenten des Nationalrates zustehenden Verwaltungsangelegenheiten ist dieser oberstes Verwaltungsorgan und übt diese Befugnisse allein aus. Die Erlassung von Verordnungen steht dem Präsidenten des Nationalrates insoweit zu, als diese ausschließlich in diesem Artikel geregelte Verwaltungsangelegenheiten betreffen.

Artikel 30a [Informationsordnung]

Der besondere Schutz und die Geheimhaltung von Informationen im Bereich des Nationalrates und des Bundesrates werden auf Grund eines besonderen Bundesgesetzes geregelt. Das Bundesgesetz über die Informationsordnung des Nationalrates und des Bundesrates kann vom Nationalrat nur in Anwesenheit von mindestens der Hälfte der Mitglieder und mit einer Mehrheit von zwei Dritteln der abgegebenen Stimmen beschlossen werden. Es bedarf überdies der in Anwesenheit von mindestens der Hälfte der Mitglieder und mit einer Mehrheit von zwei Dritteln der abgegebenen Stimmen zu erteilenden Zustimmung des Bundesrates.

Artikel 30b [Disziplinarkommission]

(1) Zur Erlassung von Disziplinarerkenntnissen und zur Entscheidung über Suspendierungen hinsichtlich der Beamten der Parlamentsdirektion, des Rechnungshofes und der Volksanwaltschaft wird bei der Parlamentsdirektion eine Disziplinarkommission eingerichtet.

(2) Die Mitglieder der Disziplinarkommission und die Disziplinaranwälte sind vom Präsidenten des Nationalrates, vom Präsidenten des Rechnungshofes und vom Vorsitzenden der Volksanwaltschaft zu bestellen.

(3) Die näheren Bestimmungen über die Organisation und das Verfahren der Disziplinarkommission sowie die Stellung und Bestellung der Disziplinaranwälte werden durch Bundesgesetz getroffen.

Artikel 31 [Beschlusserfordernis]

Zu einem Beschluss des Nationalrates ist, soweit in diesem Gesetz nicht anderes bestimmt oder im Bundesgesetz über die Geschäftsordnung des Nationalrates für einzelne Angelegenheiten nicht anderes festgelegt ist, die Anwesenheit von mindestens einem Drittel der Mitglieder und die unbedingte Mehrheit der abgegebenen Stimmen erforderlich.

Artikel 32 [Öffentlichkeit der Sitzungen]

(1) Die Sitzungen des Nationalrates sind öffentlich.

(2) Die Öffentlichkeit wird ausgeschlossen, wenn es vom Vorsitzenden oder von der im Bundesgesetz über die Geschäftsordnung des Nationalrates festgesetzten Anzahl der Mitglieder verlangt und vom Nationalrat nach Entfernung der Zuhörer beschlossen wird.

Artikel 33 [Sachliche Immunität]

Wahrheitsgetreue Berichte über die Verhandlungen in den öffentlichen Sitzungen des Nationalrates und seiner Ausschüsse bleiben von jeder Verantwortung frei.

B. Bundesrat

Artikel 34 [Zahl der Mitglieder; Zusammensetzung]

(1) Im Bundesrat sind die Länder im Verhältnis zur Bürgerzahl im Land gemäß den folgenden Bestimmungen vertreten.

(2) Das Land mit der größten Bürgerzahl entsendet zwölf, jedes andere Land so viele Mitglieder, als dem Verhältnis seiner Bürgerzahl zur erstangeführten Bürgerzahl entspricht, wobei Reste über die Hälfte der Verhältniszahl als voll gelten. Jedem Land gebührt jedoch eine Vertretung von wenigstens drei Mitgliedern. Für jedes Mitglied wird ein Ersatzmitglied bestellt.

(3) Die Zahl der demnach von jedem Land zu entsendenden Mitglieder wird vom Bundespräsidenten nach jeder allgemeinen Volkszählung festgesetzt.

Artikel 35 [Wahl und Funktion]

(1) Die Mitglieder des Bundesrates und ihre Ersatzmitglieder werden von den Landtagen für die Dauer ihrer Gesetzgebungsperiode nach dem Grundsatz der Verhältniswahl gewählt, jedoch muss wenigstens ein Mandat der Partei zufallen, die die zweithöchste Anzahl von Sitzen im Landtag oder, wenn mehrere Parteien die gleiche Anzahl von Sitzen haben, die zweithöchste Zahl von Wählerstimmen bei der letzten Landtagswahl aufweist. Bei gleichen Ansprüchen mehrerer Parteien entscheidet das Los.

(2) Die Mitglieder des Bundesrates müssen nicht dem Landtag angehören, der sie entsendet; sie müssen jedoch zu diesem Landtag wählbar sein.

(3) Nach Ablauf der Gesetzgebungsperiode eines Landtages oder nach seiner Auflösung bleiben die von ihm entsendeten Mitglieder des Bundesrates so lange in

Funktion, bis der neue Landtag die Wahl in den Bundesrat vorgenommen hat.

(4) Die Bestimmungen der Art. 34 und 35 können nur abgeändert werden, wenn im Bundesrat – abgesehen von der für seine Beschlussfassung überhaupt erforderlichen Stimmenmehrheit – die Mehrheit der Vertreter von wenigstens vier Ländern die Änderung angenommen hat.

Artikel 36 [Vorsitzender; Einberufung]

(1) Im Vorsitz des Bundesrates wechseln die Länder halbjährlich in alphabetischer Reihenfolge.

(2) Als Vorsitzender fungiert der an erster Stelle entsendete Vertreter des zum Vorsitz berufenen Landes, dessen Mandat auf jene Partei zu entfallen hat, die die höchste Anzahl von Sitzen im Landtag oder, wenn mehrere Parteien die gleiche Anzahl von Sitzen haben, die höchste Zahl von Wählerstimmen bei der letzten Landtagswahl aufweist; bei gleichen Ansprüchen mehrerer Parteien entscheidet das Los. Der Landtag kann jedoch beschließen, dass der Vorsitz von einem anderen Vertreter des Landes geführt werden soll, dessen Mandat im Bundesrat auf diese Partei entfällt; ein solcher Beschluss bedarf jedenfalls der Zustimmung der Mehrheit jener Mitglieder des Landtages, deren Mandate im Landtag auf diese Partei entfallen. Die Bestellung der Stellvertreter des Vorsitzenden wird durch die Geschäftsordnung des Bundesrates geregelt. Der Vorsitzende führt den Titel „Präsident des Bundesrates", seine Stellvertreter führen den Titel „Vizepräsident des Bundesrates".

(3) Der Bundesrat wird von seinem Vorsitzenden an den Sitz des Nationalrates einberufen. Der Vorsitzende ist verpflichtet, den Bundesrat sofort einzuberufen, wenn wenigstens ein Viertel seiner Mitglieder oder die Bundesregierung es verlangt.

(4) Die Landeshauptmänner sind berechtigt, an allen Verhandlungen des Bundesrates teilzunehmen. Sie haben nach den näheren Bestimmungen der Geschäftsordnung des Bundesrates das Recht, auf ihr Verlangen jedes Mal zu Angelegenheiten ihres Landes gehört zu werden.

Artikel 37 [Beschlusserfordernisse; Geschäftsordnung; Öffentlichkeit der Sitzungen]

(1) Zu einem Beschluss des Bundesrates ist, soweit in diesem Gesetz nicht anders bestimmt ist oder in der Geschäftsordnung des Bundesrates für einzelne Angelegenheiten nicht anders festgelegt ist, die Anwesenheit von mindestens einem Drittel der Mitglieder und die unbedingte Mehrheit der abgegebenen Stimmen erforderlich.

(2) Der Bundesrat gibt sich seine Geschäftsordnung durch Beschluss. Dieser Beschluss kann nur bei Anwesenheit der Hälfte der Mitglieder mit einer Mehrheit von mindestens zwei Dritteln der abgegebenen Stimmen gefasst werden. In der Geschäftsordnung können auch über den inneren Bereich des Bundesrates hinauswirkende Bestimmungen getroffen werden, sofern dies für die Regelung der Geschäftsbehandlung im Bundesrat erforderlich ist. Der Geschäftsordnung kommt die Wirkung eines Bundesgesetzes zu; sie ist durch den Bundeskanzler im Bundesgesetzblatt kundzumachen.

(3) Die Sitzungen des Bundesrates sind öffentlich. Die Öffentlichkeit kann jedoch gemäß den Bestimmungen der Geschäftsordnung durch Beschluss aufgehoben werden. Die Bestimmungen des Art. 33 gelten auch für öffentliche Sitzungen des Bundesrates und seiner Ausschüsse.

C. Bundesversammlung

Artikel 38 [Kompetenzen]

Der Nationalrat und der Bundesrat treten als Bundesversammlung in gemeinsamer öffentlicher Sitzung zur Angelobung des Bundespräsidenten, ferner zur Beschlussfassung über eine Kriegserklärung am Sitz des Nationalrates zusammen.

Artikel 39 [Einberufung; Verfahren]

(1) Die Bundesversammlung wird – abgesehen von den Fällen des Art. 60 Abs. 6, des Art. 63 Abs. 2, des Art. 64 Abs. 4 und des Art. 68 Abs. 2 – vom Bundespräsidenten einberufen. Der Vorsitz wird abwechselnd vom Präsidenten des Nationalrates und vom Vorsitzenden des Bundesrates, das erste Mal von jenem, geführt.

(2) In der Bundesversammlung wird das Bundesgesetz über die Geschäftsordnung des Nationalrates sinngemäß angewendet.

(3) Die Bestimmungen des Art. 33 gelten auch für die Sitzungen der Bundesversammlung.

Artikel 40 [Beschlüsse]

(1) Die Beschlüsse der Bundesversammlung werden von ihrem Vorsitzenden beurkundet und vom Bundeskanzler gegengezeichnet.

(2) Die Beschlüsse der Bundesversammlung über eine Kriegserklärung sind vom Bundeskanzler amtlich kundzumachen.

D. Der Weg der Bundesgesetzgebung

Artikel 41 [Gesetzesinitiative; Volksbegehren]

(1) Gesetzesvorschläge gelangen an den Nationalrat als Anträge seiner Mitglieder, des Bundesrates oder eines Drittels der Mitglieder des Bundesrates sowie als Vorlagen der Bundesregierung.

(2) Jedes von 100 000 Stimmberechtigten oder von je einem Sechstel der Stimmberechtigten dreier Länder unterstützte Volksbegehren ist von der Bundeswahlbehörde dem Nationalrat zur Behandlung vorzulegen. Stimmberechtigt ist, wer am letzten Tag des Eintragungszeitraums das Wahlrecht zum Nationalrat besitzt. Das Volksbegehren muss eine durch Bundesgesetz zu regelnde Angelegenheit betreffen und kann in Form eines Gesetzesantrages gestellt werden. Bundesgesetzlich kann eine elektronische Unterstützung eines Volksbegehrens durch die Stimmberechtigten vorgesehen werden, wobei zu gewährleisten ist, dass sie nur persönlich und nur einmal erfolgt.

(3) Die näheren Bestimmungen über das Verfahren für das Volksbegehren werden durch Bundesgesetz getroffen.

Artikel 42 [Mitwirkung des Bundesrates]

(1) Jeder Gesetzesbeschluss des Nationalrates ist unverzüglich von dessen Präsidenten dem Bundesrat zu übermitteln.

(2) Ein Gesetzesbeschluss kann, soweit nicht verfassungsgesetzlich anderes bestimmt ist, nur dann beurkundet und kundgemacht werden, wenn der Bundesrat gegen diesen Beschluss keinen mit Gründen versehenen Einspruch erhoben hat.

(3) Dieser Einspruch muss dem Nationalrat binnen acht Wochen nach Einlangen des Gesetzesbeschlusses beim Bundesrat von dessen Vorsitzenden schriftlich übermittelt werden; er ist dem Bundeskanzler zur Kenntnis zu bringen.

(4) Wiederholt der Nationalrat seinen ursprünglichen Beschluss bei Anwesenheit von mindestens der Hälfte der Mitglieder, so ist dieser zu beurkunden und kundzumachen. Beschließt der Bundesrat, keinen Einspruch zu erheben, oder wird innerhalb der im Abs. 3 festgesetzten Frist kein mit Begründung versehener Einspruch erhoben, so ist der Gesetzesbeschluss zu beurkunden und kundzumachen.

(5) Insoweit Gesetzesbeschlüsse des Nationalrates die Geschäftsordnung des Nationalrates, die Auflösung des Nationalrates, ein Bundesgesetz, mit dem nähere Bestimmungen über die Erstellung des Bundesfinanzrahmengesetzes, des Bundesfinanzgesetzes und über die sonstige Haushaltsführung des Bundes getroffen werden, ein Bundesfinanzrahmengesetz, ein Bundesfinanzgesetz, eine vorläufige Vorsorge im Sinne von Art. 51a Abs. 4 oder eine Verfügung über Bundesvermögen, die Übernahme oder Umwandlung einer Haftung des Bundes, das Eingehen oder die Umwandlung einer Finanzschuld des Bundes oder die Genehmigung eines Bundesrechnungsabschlusses betreffen, steht dem Bundesrat keine Mitwirkung zu.

Artikel 42a [Zustimmung der Länder]

Insoweit ein Gesetzesbeschluss des Nationalrates der Zustimmung der Länder bedarf, ist er unmittelbar nach Beendigung des Verfahrens gemäß Art. 42 vom Bundeskanzler den Ämtern der Landesregierungen der beteiligten Länder bekanntzugeben. Die Zustimmung gilt als erteilt, wenn der Landeshauptmann nicht innerhalb von acht Wochen nach dem Tag, an dem der Gesetzesbeschluss beim Amt der Landesregierung eingelangt ist, dem Bundeskanzler mitgeteilt hat, dass die Zustimmung verweigert wird. Vor Ablauf dieser Frist darf die Kundmachung des Gesetzesbeschlusses nur erfolgen, wenn die Landeshauptmänner der beteiligten Länder die ausdrückliche Zustimmung des Landes mitgeteilt haben.

Artikel 43 [Volksabstimmung]

Einer Volksabstimmung ist jeder Gesetzesbeschluss des Nationalrates nach Beendigung des Verfahrens gemäß Art. 42 beziehungsweise gemäß Art. 42a, jedoch vor seiner Beurkundung durch den Bundespräsidenten, zu unterziehen, wenn der Nationalrat es beschließt oder die Mehrheit der Mitglieder des Nationalrates es verlangt.

Artikel 44 [Verfassungsgesetze; Verfassungsbestimmungen; Gesamtänderung der Bundesverfassung]

(1) Verfassungsgesetze oder in einfachen Gesetzen enthaltene Verfassungsbestimmungen können vom Nationalrat nur in Anwesenheit von mindestens der Hälfte der Mitglieder und mit einer Mehrheit von zwei Dritteln der abgegebenen Stimmen beschlossen werden; sie sind als solche („Verfassungsgesetz", „Verfassungsbestimmung") ausdrücklich zu bezeichnen.

(2) Verfassungsgesetze oder in einfachen Gesetzen enthaltene Verfassungsbestimmungen, durch die die Zuständigkeit der Länder in Gesetzgebung oder Vollziehung eingeschränkt wird, bedürfen überdies der in Anwesenheit von mindestens der Hälfte der Mitglieder und mit einer Mehrheit von zwei Dritteln der abgegebenen Stimmen zu erteilenden Zustimmung des Bundesrates.

(3) Jede Gesamtänderung der Bundesverfassung, eine Teiländerung aber nur, wenn

dies von einem Drittel der Mitglieder des Nationalrates oder des Bundesrates verlangt wird, ist nach Beendigung des Verfahrens gemäß Art. 42, jedoch vor der Beurkundung durch den Bundespräsidenten, einer Abstimmung des gesamten Bundesvolkes zu unterziehen.

Artikel 45 [Ergebnis der Volksabstimmung]

(1) In der Volksabstimmung entscheidet die unbedingte Mehrheit der gültig abgegebenen Stimmen.

(2) Das Ergebnis der Volksabstimmung ist amtlich zu verlautbaren.

Artikel 46 [Verfahren für die Volksabstimmung]

(1) Der Bundespräsident ordnet die Volksabstimmung an.

(2) Stimmberechtigt bei Volksabstimmungen ist, wer am Abstimmungstag das Wahlrecht zum Nationalrat besitzt.

(3) Die näheren Bestimmungen über das Verfahren für die Volksabstimmung werden durch Bundesgesetz getroffen. Art. 26 Abs. 6 ist sinngemäß anzuwenden.

Artikel 47 [Beurkundung des Gesetzesbeschlusses; Gegenzeichnung]

(1) Das verfassungsmäßige Zustandekommen der Bundesgesetze wird durch den Bundespräsidenten beurkundet.

(2) Die Vorlage zur Beurkundung erfolgt durch den Bundeskanzler.

(3) Die Beurkundung ist vom Bundeskanzler gegenzuzeichnen.

Artikel 48 [Kundmachung der Bundesgesetze und Staatsverträge]

Bundesgesetze und gemäß Art. 50 Abs. 1 genehmigte Staatsverträge werden mit Berufung auf den Beschluss des Nationalrates, Bundesgesetze, die auf einer Volksabstimmung beruhen, mit Berufung auf das Ergebnis der Volksabstimmung kundgemacht.

Artikel 49 [Bundesgesetzblatt; Inkrafttreten von Bundesgesetzen und Staatsverträgen]

(1) Die Bundesgesetze sind vom Bundeskanzler im Bundesgesetzblatt kundzumachen. Soweit nicht ausdrücklich anderes bestimmt ist, treten sie mit Ablauf des Tages ihrer Kundmachung in Kraft und gelten für das gesamte Bundesgebiet.

(2) Die Staatsverträge gemäß Art. 50 Abs. 1 sind vom Bundeskanzler im Bundesgesetzblatt kundzumachen. Ist ein Staatsvertrag gemäß Art. 50 Abs. 1 Z 1 in mehr als zwei Sprachen authentisch festgelegt worden, reicht es aus, wenn

1. zwei authentische Sprachfassungen und eine Übersetzung in die deutsche Sprache,

2. wenn jedoch die deutsche Sprachfassung authentisch ist, diese und eine weitere authentische Sprachfassung

kundgemacht werden. Anlässlich der Genehmigung eines Staatsvertrages gemäß Art. 50 Abs. 1 kann der Nationalrat beschließen, auf welche andere Weise als im Bundesgesetzblatt die Kundmachung des Staatsvertrages oder einzelner genau zu bezeichnender Teile desselben zu erfolgen hat; solche Beschlüsse des Nationalrates sind vom Bundeskanzler im Bundesgesetzblatt kundzumachen. Soweit nicht ausdrücklich anderes bestimmt ist, treten Staatsverträge gemäß Art. 50 Abs. 1 mit Ablauf des Tages ihrer Kundmachung – im Fall des dritten Satzes mit Ablauf des Tages der Kundmachung des Beschlusses des Nationalrates – in Kraft und gelten für das gesamte Bundesgebiet; dies gilt nicht für Staatsverträge, die durch Erlassung von Gesetzen zu erfüllen sind (Art. 50 Abs. 2 Z 4).

(3) Verlautbarungen im Bundesgesetzblatt und gemäß Abs. 2 zweiter Satz müssen allgemein zugänglich sein und in ihrer kundgemachten Form vollständig und auf Dauer ermittelt werden können.

(4) Die näheren Bestimmungen über die Kundmachung im Bundesgesetzblatt werden durch Bundesgesetz getroffen.

Artikel 49a [Wiederverlautbarung]

(1) Der Bundeskanzler ist gemeinsam mit den zuständigen Bundesministern ermächtigt, Bundesgesetze, mit Ausnahme dieses Gesetzes, und im Bundesgesetzblatt kundgemachte Staatsverträge in ihrer geltenden Fassung durch Kundmachung im Bundesgesetzblatt wiederzuverlautbaren.

(2) In der Kundmachung über die Wiederverlautbarung können

1. überholte terminologische Wendungen richtiggestellt und veraltete Schreibweisen der neuen Schreibweise angepasst werden;

2. Bezugnahmen auf andere Rechtsvorschriften, die dem Stand der Gesetzgebung nicht mehr entsprechen, sowie sonstige Unstimmigkeiten richtiggestellt werden;

3. Bestimmungen, die durch spätere Rechtsvorschriften aufgehoben oder sonst gegenstandslos geworden sind, als nicht mehr geltend festgestellt werden;

4. Kurztitel und Buchstabenabkürzungen der Titel festgesetzt werden;

5. die Bezeichnungen der Artikel, Paragraphen, Absätze und dergleichen bei Ausfall oder Einbau einzelner Bestimmungen entsprechend geändert und hiebei auch Bezugnahmen darauf innerhalb des Textes der Rechtsvorschrift entsprechend richtiggestellt werden;

6. Übergangsbestimmungen sowie noch anzuwendende frühere Fassungen des Bundesgesetzes (Staatsvertrages) unter Angabe ihres Geltungsbereiches zusammengefasst werden.

(3) Soweit nicht ausdrücklich anderes bestimmt ist, treten das wiederverlautbarte Bundesgesetz (der wiederverlautbarte Staatsvertrag) und die sonstigen in der Kundmachung enthaltenen Anordnungen mit Ablauf des Kundmachungstages in Kraft.

Artikel 49b [Volksbefragung]

(1) Eine Volksbefragung über eine Angelegenheit von grundsätzlicher und gesamtösterreichischer Bedeutung, zu deren Regelung die Bundesgesetzgebung zuständig ist, hat stattzufinden, sofern der Nationalrat dies auf Grund eines Antrages seiner Mitglieder oder der Bundesregierung nach Vorberatung im Hauptausschuss beschließt. Wahlen sowie Angelegenheiten, über die ein Gericht oder eine Verwaltungsbehörde zu entscheiden hat, können nicht Gegenstand einer Volksbefragung sein.

(2) Ein Antrag gemäß Abs. 1 hat einen Vorschlag für die der Volksbefragung zugrunde zu legende Fragestellung zu enthalten. Diese hat entweder aus einer mit „ja" oder „nein" zu beantwortenden Frage oder aus zwei alternativen Lösungsvorschlägen zu bestehen.

(3) Volksbefragungen sind unter sinngemäßer Anwendung von Art. 45 und 46 durchzuführen. Stimmberechtigt bei Volksbefragungen ist, wer am Befragungstag das Wahlrecht zum Nationalrat besitzt. Die Bundeswahlbehörde hat das Ergebnis einer Volksbefragung dem Nationalrat sowie der Bundesregierung vorzulegen.

E. Mitwirkung des Nationalrates und des Bundesrates an der Vollziehung des Bundes

Artikel 50 [Genehmigung von Staatsverträgen]

(1) Der Abschluss von

1. politischen Staatsverträgen und Staatsverträgen, die gesetzändernden oder gesetzesergänzenden Inhalt haben und nicht unter Art. 16 Abs. 1 fallen, sowie

2. Staatsverträgen, durch die die vertraglichen Grundlagen der Europäischen Union geändert werden,

bedarf der Genehmigung des Nationalrates.

(2) Für Staatsverträge gemäß Abs. 1 Z 1 gilt darüber hinaus Folgendes:

1. Sieht ein Staatsvertrag seine vereinfachte Änderung vor, so bedarf eine solche Änderung nicht der Genehmigung nach Abs. 1, sofern sich diese der Nationalrat nicht vorbehalten hat.

2. Insoweit ein Staatsvertrag Angelegenheiten des selbständigen Wirkungsbereiches der Länder regelt, bedarf er der Zustimmung des Bundesrates.

3. Ist ein Staatsvertrag in mehr als zwei Sprachen authentisch festgelegt worden, reicht es aus, wenn die Genehmigung nach Abs. 1

a) auf der Grundlage von zwei authentischen Sprachfassungen und einer Übersetzung in die deutsche Sprache,

b) wenn jedoch die deutsche Sprachfassung authentisch ist, auf der Grundlage dieser und einer weiteren authentischen Sprachfassung erfolgt.

4. Anlässlich der Genehmigung eines Staatsvertrages kann der Nationalrat beschließen, in welchem Umfang dieser Staatsvertrag durch Erlassung von Gesetzen zu erfüllen ist.

(3) Auf Beschlüsse des Nationalrates nach Abs. 1 Z 1 und Abs. 2 Z 4 ist Art. 42 Abs. 1 bis 4 sinngemäß anzuwenden.

(4) Staatsverträge gemäß Abs. 1 Z 2 dürfen unbeschadet des Art. 44 Abs. 3 nur mit Genehmigung des Nationalrates und mit Zustimmung des Bundesrates abgeschlossen werden. Diese Beschlüsse bedürfen jeweils der Anwesenheit von mindestens der Hälfte der Mitglieder und einer Mehrheit von zwei Dritteln der abgegebenen Stimmen.

(5) Der Nationalrat und der Bundesrat sind von der Aufnahme von Verhandlungen über einen Staatsvertrag gemäß Abs. 1 unverzüglich zu unterrichten.

Artikel 50a [Mitwirkung des Nationalrates am Europäischen Stabilitätsmechanismus]

Der Nationalrat wirkt in Angelegenheiten des Europäischen Stabilitätsmechanismus mit.

Artikel 50b [Ermächtigung des österreichischen Vertreters]

Ein österreichischer Vertreter im Europäischen Stabilitätsmechanismus darf

1. einem Vorschlag für einen Beschluss, einem Mitgliedstaat grundsätzlich Stabilitätshilfe zu gewähren,

2. einer Veränderung des genehmigten Stammkapitals und einer Anpassung des maximalen Darlehensvolumens des Europä-

ischen Stabilitätsmechanismus sowie einem Abruf von genehmigtem nicht eingezahltem Stammkapital und

3. Änderungen der Finanzhilfeinstrumente nur zustimmen oder sich bei der Beschlussfassung enthalten, wenn ihn der Nationalrat auf Grund eines Vorschlages der Bundesregierung dazu ermächtigt hat. In Fällen besonderer Dringlichkeit kann der zuständige Bundesminister den Nationalrat befassen. Ohne Ermächtigung des Nationalrates muss der österreichische Vertreter den Vorschlag für einen solchen Beschluss ablehnen.

Artikel 50c [Informationspflichten des zuständigen Bundesministers]

(1) Der zuständige Bundesminister hat den Nationalrat unverzüglich in Angelegenheiten des Europäischen Stabilitätsmechanismus gemäß den Bestimmungen des Bundesgesetzes über die Geschäftsordnung des Nationalrates zu unterrichten. Durch das Bundesgesetz über die Geschäftsordnung des Nationalrates sind Stellungnahmerechte des Nationalrates vorzusehen.

(2) Hat der Nationalrat rechtzeitig eine Stellungnahme in Angelegenheiten des Europäischen Stabilitätsmechanismus erstattet, so hat der österreichische Vertreter im Europäischen Stabilitätsmechanismus diese bei Verhandlungen und Abstimmungen zu berücksichtigen. Der zuständige Bundesminister hat dem Nationalrat nach der Abstimmung unverzüglich Bericht zu erstatten und ihm gegebenenfalls die Gründe mitzuteilen, aus denen der österreichische Vertreter die Stellungnahme nicht berücksichtigt hat.

(3) Der zuständige Bundesminister berichtet dem Nationalrat regelmäßig über die im Rahmen des Europäischen Stabilitätsmechanismus getroffenen Maßnahmen.

Artikel 50d [Zuständigkeitserweiterung; Unterausschüsse im Nationalrat]

(1) Das Nähere zu den Art. 50b und 50c Abs. 2 und 3 bestimmt das Bundesgesetz über die Geschäftsordnung des Nationalrates.

(2) Durch das Bundesgesetz über die Geschäftsordnung des Nationalrates kön-

nen weitere Zuständigkeiten des Nationalrates zur Mitwirkung an der Ausübung des
Stimmrechtes durch österreichische Vertreter im Europäischen Stabilitätsmechanismus
vorgesehen werden.

(3) Zur Mitwirkung in Angelegenheiten
des Europäischen Stabilitätsmechanismus
wählt der mit der Vorberatung von Bundesfinanzgesetzen betraute Ausschuss des
Nationalrates ständige Unterausschüsse. Jedem dieser ständigen Unterausschüsse muss
mindestens ein Mitglied jeder im Hauptausschuss des Nationalrates vertretenen Partei
angehören. Zuständigkeiten des Nationalrates nach Abs. 2, Art. 50b und 50c können
durch das Bundesgesetz über die Geschäftsordnung des Nationalrates diesen ständigen
Unterausschüssen übertragen werden. Das
Bundesgesetz über die Geschäftsordnung
des Nationalrates hat Vorsorge zu treffen,
dass die ständigen Unterausschüsse jederzeit einberufen werden und zusammentreten
können. Wird der Nationalrat nach Art. 29
Abs. 1 vom Bundespräsidenten aufgelöst, so
obliegt den ständigen Unterausschüssen die
Mitwirkung in Angelegenheiten des Europäischen Stabilitätsmechanismus.

**Artikel 51 [Budgetbewilligung; Bundes-
finanzrahmengesetz; Bundesfinanzgesetz;
Doppelbudget; Bundeshaushaltsgesetz]**

(1) Der Nationalrat beschließt das Bundesfinanzrahmengesetz sowie innerhalb dessen Grenzen das Bundesfinanzgesetz; den
Beratungen ist der jeweilige Entwurf der
Bundesregierung zugrunde zu legen.

(2) Die Bundesregierung hat dem Nationalrat jährlich spätestens bis zu einem in
einem Bundesgesetz festgesetzten Zeitpunkt
den Entwurf eines Bundesfinanzrahmengesetzes oder den Entwurf eines Bundesgesetzes, mit dem das Bundesfinanzrahmengesetz
geändert wird, vorzulegen. Das Bundesfinanzrahmengesetz hat für das folgende Finanzjahr und die drei nächstfolgenden Finanzjahre Obergrenzen der vom Nationalrat
im jeweiligen Bundesfinanzgesetz zu geneh-
migenden Mittelverwendung auf der Ebene von Rubriken sowie die Grundzüge des

Personalplanes zu enthalten; ausgenommen
hievon sind die Mittelverwendungen für die
Rückzahlung von Finanzschulden und zur
vorübergehenden Kassenstärkung eingegangene Geldverbindlichkeiten sowie die Mittelverwendungen infolge eines Kapitalaus-
tausches bei Währungstauschverträgen. Für
weitere Untergliederungen sind Obergrenzen für das folgende Finanzjahr und die drei
nächstfolgenden Finanzjahre vorzusehen.

(3) Die Bundesregierung hat dem Nationalrat den Entwurf eines Bundesfinanzgesetzes für das folgende Finanzjahr spätestens
zehn Wochen vor Beginn jenes Finanzjahres
vorzulegen, für das ein Bundesfinanzgesetz
beschlossen werden soll. Ausnahmsweise
kann die Bundesregierung den Entwurf eines
Bundesfinanzgesetzes auch für das folgende
und das nächstfolgende Finanzjahr, nach
Jahren getrennt, dem Nationalrat vorlegen.

(4) Wird ausnahmsweise ein Bundesfinanzgesetz für das folgende und das nächstfolgende Finanzjahr beschlossen, so ist in
der zweiten Hälfte des folgenden Finanzjahres der Entwurf eines Bundesgesetzes, mit
dem das Bundesfinanzgesetz geändert wird,
von der Bundesregierung bis spätestens zehn
Wochen vor Beginn des nächstfolgenden Finanzjahres dem Nationalrat vorzulegen. Die
darin enthaltenen Änderungen des Bundesfinanzgesetzes haben sich jedenfalls auf das
nächstfolgende Finanzjahr zu beziehen. Der
Entwurf ist bis zum Ende des folgenden Finanzjahres vom Nationalrat in Verhandlung
zu nehmen. Art. 51a Abs. 1 und 2 gilt sinngemäß.

(5) Das Bundesfinanzgesetz hat als Anlagen den Bundesvoranschlag und den Perso-
nalplan sowie weitere für die Haushaltsführung wesentliche Grundlagen zu enthalten.

(6) Für die Haushaltsführung des Bundes
gilt:

1. Es dürfen die Obergrenzen der Rubriken des Bundesfinanzrahmengesetzes weder
überschritten werden, noch darf zu einer solchen Überschreitung ermächtigt werden.

2. Es dürfen die Obergrenzen der durch
ein Bundesgesetz gemäß Abs. 9 zu bestimmenden Untergliederungen des Bundesfi-

nanzrahmengesetzes für das folgende Finanzjahr nicht überschritten werden noch darf zu einer solchen Überschreitung ermächtigt werden, es sei denn, es wird durch ein Bundesgesetz gemäß Abs. 9 vorgesehen, dass diese Obergrenzen mit Zustimmung des Bundesministers für Finanzen überschritten werden dürfen.

Wird ausnahmsweise ein Bundesfinanzgesetz für das folgende und nächstfolgende Finanzjahr beschlossen, sind die Bestimmungen der Z 2 mit der Maßgabe anzuwenden, dass die in Abs. 2 letzter Satz genannten Obergrenzen für das folgende und das nächstfolgende Finanzjahr gelten.

(7) Die Obergrenzen des Abs. 6 Z 1 und 2 können in folgenden Fällen überschritten werden:

1. Bei Gefahr im Verzug dürfen auf Grund einer Verordnung der Bundesregierung im Einvernehmen mit dem mit der Vorberatung von Bundesfinanzgesetzen betrauten Ausschuss des Nationalrates unvorhersehbare und unabweisbare zusätzliche Mittel im Ausmaß von höchstens 2 vT der durch Bundesfinanzgesetz vorgesehenen Summe an Mittelverwendungen geleistet werden, wenn die Bedeckung sichergestellt ist. Trifft der mit der Vorberatung von Bundesfinanzgesetzen betraute Ausschuss des Nationalrates innerhalb von zwei Wochen keine Entscheidung, so gilt das Einvernehmen als hergestellt.

2. Im Verteidigungsfall dürfen für Zwecke der umfassenden Landesverteidigung (Art. 9a) unabweisliche zusätzliche Mittel innerhalb eines Finanzjahres bis zur Höhe von insgesamt 10 vH der durch Bundesfinanzgesetz vorgesehenen Summe an Mittelverwendungen auf Grund einer Verordnung der Bundesregierung im Einvernehmen mit dem mit der Vorberatung von Bundesfinanzgesetzen betrauten Ausschuss des Nationalrates geleistet werden. Soweit die Bereitstellung solcher zusätzlicher Mittel nicht durch Mitteleinsparungen oder zusätzlich aufgebrachte Mittel sichergestellt werden kann, hat die Verordnung der Bundesregierung den Bundesminister für Finanzen zu ermächtigen, durch Eingehen oder Umwandlung von

Finanzschulden für die erforderliche Mittelbereitstellung zu sorgen.

(8) Bei der Haushaltsführung des Bundes sind die Grundsätze der Wirkungsorientierung insbesondere auch unter Berücksichtigung des Ziels der tatsächlichen Gleichstellung von Frauen und Männern, der Transparenz, der Effizienz und der möglichst getreuen Darstellung der finanziellen Lage des Bundes zu beachten.

(9) Die näheren Bestimmungen über die Erstellung des Bundesfinanzrahmengesetzes, des Bundesfinanzgesetzes und über die sonstige Haushaltsführung des Bundes sind nach einheitlichen Grundsätzen entsprechend den Bestimmungen des Abs. 8 durch Bundesgesetz zu treffen. In diesem sind insbesondere zu regeln:

1. die Maßnahmen für eine wirkungsorientierte Verwaltung insbesondere auch unter Berücksichtigung des Ziels der tatsächlichen Gleichstellung von Frauen und Männern;

2. die Maßnahmen zur Sicherstellung der Transparenz einschließlich der Pflicht zur Erstattung von Berichten an den mit der Vorberatung von Bundesfinanzgesetzen betrauten Ausschuss des Nationalrates;

3. Erstellung, Gliederung und Bindungswirkung des Bundesfinanzrahmengesetzes;

4. die Gliederung des Bundesvoranschlages;

5. die Bindungswirkung des Bundesfinanzgesetzes insbesondere in zeitlicher und betraglicher Hinsicht;

6. die Begründung von Vorbelastungen einschließlich der Voraussetzungen, bei deren Vorliegen Vorbelastungen einer Verordnung des Bundesministers für Finanzen im Einvernehmen mit dem mit der Vorberatung von Bundesfinanzgesetzen betrauten Ausschuss des Nationalrates oder einer gesetzlichen Ermächtigung bedürfen;

7. die Bildung von positiven und negativen Haushaltsrücklagen;

8. Verfügungen über Bundesvermögen einschließlich der Voraussetzungen, bei deren Vorliegen Verfügungen über Bundesvermögen einer Verordnung des Bundesministers für Finanzen im Einvernehmen mit dem

mit der Vorberatung von Bundesfinanzgesetzen betrauten Ausschuss des Nationalrates oder einer gesetzlichen Ermächtigung bedürfen;

9. die Übernahme von Haftungen durch den Bund;

10. die Eingehung und Umwandlung von Verbindlichkeiten aus Geldmittelbeschaffungen, die nicht innerhalb desselben Finanzjahres getilgt werden, oder aus langfristigen Finanzierungen (Finanzschulden);

11. Anreiz- und Sanktionsmechanismen;

12. das Controlling;

13. die Mitwirkung des Rechnungshofes an der Ordnung des Rechnungswesens.

Artikel 51a [Budgetprovisorium]

(1) Hat die Bundesregierung dem Nationalrat nicht rechtzeitig (Art. 51 Abs. 2 und 3) den Entwurf eines Bundesfinanzrahmengesetzes oder eines Bundesfinanzgesetzes vorgelegt, so kann ein Entwurf eines Bundesfinanzrahmengesetzes oder eines Bundesfinanzgesetzes im Nationalrat auch durch Antrag seiner Mitglieder eingebracht werden.

(2) Legt die Bundesregierung den Entwurf eines Bundesfinanzrahmengesetzes oder eines Bundesfinanzgesetzes nach der Stellung eines solchen Antrages vor, so kann der Nationalrat beschließen, den jeweiligen Entwurf seinen Beratungen zugrunde zu legen.

(3) Hat der Nationalrat in einem Finanzjahr kein Bundesfinanzrahmengesetz beschlossen, so gelten die Obergrenzen des letzten Finanzjahres, für welches Obergrenzen festgelegt wurden, weiter.

(4) Hat der Nationalrat für ein Finanzjahr kein Bundesfinanzgesetz beschlossen und trifft er auch keine vorläufige Vorsorge durch Bundesgesetz, so ist der Bundeshaushalt nach den Bestimmungen des zuletzt beschlossenen Bundesfinanzgesetzes zu führen. Finanzschulden können dann nur bis zur Hälfte der jeweils vorgesehenen Höchstbeträge und kurzfristige Verpflichtungen zur vorübergehenden Kassenstärkung bis zur Höhe der jeweils vorgesehenen Höchstbeträge eingegangen werden.

Artikel 51b [Budgetvollziehung]

(1) Der Bundesminister für Finanzen hat dafür zu sorgen, dass bei der Haushaltsführung zuerst die fälligen Verpflichtungen abgedeckt und sodann die übrigen Mittelverwendungen getätigt werden, diese jedoch nur nach Maßgabe der Bedeckbarkeit und unter Beachtung der Grundsätze gemäß Art. 51 Abs. 8.

(2) Wenn es die Entwicklung des Bundeshaushaltes erfordert oder sich im Verlauf des Finanzjahres eine wesentliche Änderung der gesamtwirtschaftlichen Entwicklung abzeichnet, kann der Bundesminister für Finanzen zur Steuerung des Bundeshaushaltes mit Zustimmung der Bundesregierung oder auf Grund bundesfinanzgesetzlicher Ermächtigung einen bestimmten Anteil der im Bundesfinanzgesetz vorgesehenen Mittelverwendung binden, sofern dadurch die Erfüllung fälliger Verpflichtungen des Bundes nicht berührt wird. Er hat innerhalb von einem Monat nach Verfügung der Bindung dem mit der Vorberatung von Bundesfinanzgesetzen betrauten Ausschuss des Nationalrates zu berichten.

(3) Der Bundesminister für Finanzen hat die Mitglieder der Bundesregierung und die übrigen haushaltsleitenden Organe regelmäßig über den Budgetvollzug zu informieren.

Artikel 51c [Budgetüberschreitung; Mittelverwendung]

(1) Mittelverwendungen, die im Bundesfinanzgesetz nicht vorgesehen sind oder die die vom Nationalrat genehmigten Mittelverwendungen überschreiten, dürfen im Rahmen der Haushaltsführung nur auf Grund bundesfinanzgesetzlicher Ermächtigung geleistet werden.

(2) Der Nationalrat kann im Bundesfinanzgesetz den Bundesminister für Finanzen ermächtigen, der Überschreitung der im Bundesfinanzgesetz vorgesehenen Mittelverwendungen zuzustimmen. Diese Ermächtigung darf nur erteilt werden, sofern die Überschreitung sachlich an Bedingungen geknüpft und ziffernmäßig bestimmt oder errechenbar ist. Darüber hinaus dürfen mit

Zustimmung des Bundesministers für Finanzen Überschreitungen der im Bundesfinanzgesetz vorgesehenen Mittelverwendungen erfolgen, wenn diese

1. auf Grund einer gesetzlichen Verpflichtung,
2. aus einer bestehenden Finanzschuld oder auf Grund von Währungstauschverträgen oder
3. auf Grund einer bereits im Zeitpunkt des Inkrafttretens des Bundesfinanzgesetzes bestehenden sonstigen Verpflichtung

erforderlich werden. Die Zustimmung auf Grund der Bestimmungen dieses Absatzes darf nur im Falle eines unvorhergesehenen Erfordernisses und nur insoweit erteilt werden, als die Bedeckung sichergestellt ist und die jeweils verbindlich geltenden Obergrenzen gemäß Art. 51 Abs. 2 und 6 für das jeweilige Finanzjahr nicht überschritten werden. Der Bundesminister für Finanzen kann die auf Grund der Bestimmungen dieses Absatzes erteilten Ermächtigungen zur Zustimmung zu Überschreitungen vorgesehener Mittelverwendungen – ausgenommen jene gemäß Z 2 – im Einvernehmen mit dem zuständigen haushaltsleitenden Organ an Leiter von Dienststellen übertragen, sofern dies für die Umsetzung einer wirkungsorientierten Verwaltung erforderlich ist.

(3) Der Bundesminister für Finanzen hat dem mit der Vorberatung von Bundesfinanzgesetzen betrauten Ausschuss des Nationalrates über die gemäß Abs. 2 getroffenen Maßnahmen vierteljährlich zu berichten.

Artikel 51d [Mitwirkung des Nationalrates an der Haushaltsführung]

(1) Die Mitwirkung des Nationalrates an der Haushaltsführung obliegt dem mit der Vorberatung von Bundesfinanzgesetzen betrauten Ausschuss des Nationalrates. Dieser kann bestimmte Aufgaben einem ständigen Unterausschuss übertragen, dem auch die Mitwirkung an der Haushaltsführung obliegt, wenn der Nationalrat vom Bundespräsidenten gemäß Art. 29 Abs. 1 aufgelöst wird. Der mit der Vorberatung von Bundesfinanzgesetzen betraute Ausschuss und sein ständiger Unterausschuss sind auch außerhalb der Tagungen des Nationalrates (Art. 28) einzuberufen, wenn sich die Notwendigkeit dazu ergibt. Nähere Bestimmungen trifft das Bundesgesetz über die Geschäftsordnung des Nationalrates.

(2) Weitere über Art. 51b Abs. 2 und 51c Abs. 3 hinausgehende Berichte sind dem mit der Vorberatung von Bundesfinanzgesetzen betrauten Ausschuss des Nationalrates nach Maßgabe besonderer bundesgesetzlicher Vorschriften zu übermitteln.

Artikel 52 [Interpellationsrecht; Fragerecht; Resolutionsrecht]

(1) Der Nationalrat und der Bundesrat sind befugt, die Geschäftsführung der Bundesregierung zu überprüfen, deren Mitglieder über alle Gegenstände der Vollziehung zu befragen und alle einschlägigen Auskünfte zu verlangen sowie ihren Wünschen über die Ausübung der Vollziehung in Entschließungen Ausdruck zu geben.

(1a) Die zuständigen Ausschüsse des Nationalrates und des Bundesrates sind befugt, die Anwesenheit des Leiters eines gemäß Art. 20 Abs. 2 weisungsfreien Organs in den Sitzungen der Ausschüsse zu verlangen und diesen zu allen Gegenständen der Geschäftsführung zu befragen.

(2) Kontrollrechte gemäß Abs. 1 bestehen gegenüber der Bundesregierung und ihren Mitgliedern auch in bezug auf Unternehmungen, an denen der Bund mit mindestens 50 vH des Stamm-, Grund- oder Eigenkapitals beteiligt ist und die der Kontrolle des Rechnungshofes unterliegen. Einer solchen finanziellen Beteiligung ist die Beherrschung von Unternehmungen durch andere finanzielle oder sonstige wirtschaftliche oder organisatorische Maßnahmen gleichzuhalten. Dies gilt auch für Unternehmungen jeder weiteren Stufe, bei denen die Voraussetzungen gemäß diesem Absatz vorliegen.

(3) Jedes Mitglied des Nationalrates und des Bundesrates ist befugt, in den Sitzungen des Nationalrates oder des Bundesrates kurze mündliche Anfragen an die Mitglieder der Bundesregierung zu richten.

(4) Die nähere Regelung hinsichtlich des Fragerechtes wird durch das Bundesgesetz über die Geschäftsordnung des Nationalrates sowie durch die Geschäftsordnung des Bundesrates getroffen.

Artikel 52a [Überprüfung von nachrichtendienstlichen Maßnahmen ua durch ständige Untersuchungsausschüsse]

(1) Zur Überprüfung von Maßnahmen zum Schutz der verfassungsmäßigen Einrichtungen und ihrer Handlungsfähigkeit sowie von nachrichtendienstlichen Maßnahmen zur Sicherung der militärischen Landesverteidigung wählen die zuständigen Ausschüsse des Nationalrates je einen ständigen Unterausschuss. Jedem Unterausschuss muss mindestens ein Mitglied jeder im Hauptausschuss des Nationalrates vertretenen Partei angehören.

(2) Die ständigen Unterausschüsse sind befugt, von den zuständigen Bundesministern alle einschlägigen Auskünfte und Einsicht in die einschlägigen Unterlagen zu verlangen. Dies gilt nicht für Auskünfte und Unterlagen, insbesondere über Quellen, deren Bekanntwerden die nationale Sicherheit oder die Sicherheit von Menschen gefährden würde.

(3) Die ständigen Unterausschüsse können auch außerhalb der Tagungen des Nationalrates zusammentreten, wenn sich die Notwendigkeit hiezu ergibt.

(4) Nähere Bestimmungen trifft das Bundesgesetz über die Geschäftsordnung des Nationalrates.

Artikel 52b [Ständiger Unterausschuss des Rechnungshofausschusses]

(1) Zur Überprüfung eines bestimmten Vorganges in einer der Kontrolle des Rechnungshofes unterliegenden Angelegenheit der Bundesgebarung wählt der Ausschuss gemäß Art. 126d Abs. 2 einen ständigen Unterausschuss. Diesem Unterausschuss muss mindestens ein Mitglied jeder im Hauptausschuss des Nationalrates vertretenen Partei angehören.

(2) Nähere Bestimmungen trifft das Bundesgesetz über die Geschäftsordnung des Nationalrates.

Artikel 53 [Untersuchungsausschüsse]

(1) Der Nationalrat kann durch Beschluss Untersuchungsausschüsse einsetzen. Darüber hinaus ist auf Verlangen eines Viertels seiner Mitglieder ein Untersuchungsausschuss einzusetzen.

(2) Gegenstand der Untersuchung ist ein bestimmter abgeschlossener Vorgang im Bereich der Vollziehung des Bundes. Das schließt alle Tätigkeiten von Organen des Bundes, durch die der Bund, unabhängig von der Höhe der Beteiligung, wirtschaftliche Beteiligungs- und Aufsichtsrechte wahrnimmt, ein. Eine Überprüfung der Rechtsprechung ist ausgeschlossen.

(3) Alle Organe des Bundes, der Länder, der Gemeinden und der Gemeindeverbände sowie der sonstigen Selbstverwaltungskörper haben einem Untersuchungsausschuss auf Verlangen im Umfang des Gegenstandes der Untersuchung ihre Akten und Unterlagen vorzulegen und dem Ersuchen eines Untersuchungsausschusses um Beweiserhebungen im Zusammenhang mit dem Gegenstand der Untersuchung Folge zu leisten. Dies gilt nicht für die Vorlage von Akten und Unterlagen, deren Bekanntwerden Quellen im Sinne des Art. 52a Abs. 2 gefährden würde.

(4) Die Verpflichtung gemäß Abs. 3 besteht nicht, soweit die rechtmäßige Willensbildung der Bundesregierung oder von einzelnen ihrer Mitglieder oder ihre unmittelbare Vorbereitung beeinträchtigt wird.

(5) Nähere Bestimmungen trifft das Bundesgesetz über die Geschäftsordnung des Nationalrates. In diesem können eine Mitwirkung der Mitglieder der Volksanwaltschaft sowie besondere Bestimmungen über die Vertretung des Vorsitzenden und die Vorsitzführung vorgesehen werden. Es hat auch vorzusehen, in welchem Umfang der Untersuchungsausschuss Zwangsmaßnahmen beschließen und um deren Anordnung oder Durchführung ersuchen kann.

Artikel 54 [aufgehoben]

Artikel 55 [Hauptausschuss des Nationalrates; ständiger Unterausschuss]

(1) Der Nationalrat wählt aus seiner Mitte nach dem Grundsatz der Verhältniswahl den Hauptausschuss.

(2) Der Hauptausschuss ist auch außerhalb der Tagungen des Nationalrates (Art. 28) einzuberufen, wenn sich die Notwendigkeit hiezu ergibt.

(3) Der Hauptausschuss wählt einen ständigen Unterausschuss, dem die in diesem Gesetz vorgesehenen Befugnisse obliegen. Die Wahl erfolgt nach dem Grundsatz der Verhältniswahl; bei Bedachtnahme auf diesen Grundsatz muss jedoch dem Unterausschuss mindestens ein Mitglied jeder im Hauptausschuss vertretenen Partei angehören. Das Bundesgesetz über die Geschäftsordnung des Nationalrates hat Vorsorge zu treffen, dass der ständige Unterausschuss jederzeit einberufen werden und zusammentreten kann. Wird der Nationalrat nach Art. 29 Abs. 1 vom Bundespräsidenten aufgelöst, so obliegt dem ständigen Unterausschuss die Mitwirkung an der Vollziehung, die nach diesem Gesetz sonst dem Nationalrat (Hauptausschuss) zusteht.

(4) Durch Bundesgesetz kann festgesetzt werden, dass bestimmte allgemeine Akte der Bundesregierung oder eines Bundesministers des Einvernehmens mit dem Hauptausschuss bedürfen sowie dass dem Hauptausschuss von Seiten der Bundesregierung oder eines Bundesministers Berichte zu erstatten sind. Nähere Bestimmungen, insbesondere für den Fall, dass kein Einvernehmen zustande kommt, trifft das Bundesgesetz über die Geschäftsordnung des Nationalrates.

(5) Für Verordnungen des zuständigen Bundesministers über Lenkungsmaßnahmen zur Sicherung einer ungestörten Produktion oder der Versorgung der Bevölkerung und sonstiger Bedarfsträger mit wichtigen Wirtschafts- und Bedarfsgütern ist die Zustimmung des Hauptausschusses des Nationalrates vorzusehen, wobei für den Fall von Gefahr im Verzug und über die Aufhebung solcher Verordnungen besondere gesetzliche Regelungen getroffen werden können. Beschlüsse des Hauptausschusses, mit denen derartigen Verordnungen die Zustimmung erteilt wird, können nur in Anwesenheit von mindestens der Hälfte seiner Mitglieder und mit einer Mehrheit von zwei Dritteln der abgegebenen Stimmen gefasst werden.

F. Stellung der Mitglieder des Nationalrates und des Bundesrates

Artikel 56 [Freies Mandat; Mandat auf Zeit]

(1) Die Mitglieder des Nationalrates und die Mitglieder des Bundesrates sind bei der Ausübung dieses Berufes an keinen Auftrag gebunden.

(2) Hat ein Mitglied der Bundesregierung oder ein Staatssekretär auf sein Mandat als Mitglied des Nationalrates verzichtet, so ist ihm nach dem Ausscheiden aus diesem Amt, in den Fällen des Art. 71 nach der Enthebung von der Betrauung mit der Fortführung der Verwaltung, von der zuständigen Wahlbehörde das Mandat erneut zuzuweisen, wenn der Betreffende nicht gegenüber der Wahlbehörde binnen acht Tagen auf die Wiederausübung des Mandates verzichtet hat.

(3) Durch diese erneute Zuweisung endet das Mandat jenes Mitgliedes des Nationalrates, welches das Mandat des vorübergehend ausgeschiedenen Mitgliedes innegehabt hat, sofern nicht ein anderes Mitglied des Nationalrates, das später in den Nationalrat eingetreten ist, bei seiner Berufung auf sein Mandat desselben Wahlkreises gegenüber der Wahlbehörde die Erklärung abgegeben hat, das Mandat vertretungsweise für das vorübergehend ausgeschiedene Mitglied des Nationalrates ausüben zu wollen.

(4) Abs. 2 und 3 gelten auch, wenn ein Mitglied der Bundesregierung oder ein Staatssekretär die Wahl zum Mitglied des Nationalrates nicht angenommen hat.

Artikel 57 [Immunität der Mitglieder des Nationalrates]

(1) Die Mitglieder des Nationalrates dürfen wegen der in Ausübung ihres Berufes geschehenen Abstimmungen niemals ver-

antwortlich gemacht werden. Wegen der in diesem Beruf gemachten mündlichen oder schriftlichen Äußerungen dürfen sie nur vom Nationalrat verantwortlich gemacht werden; dies gilt nicht bei behördlicher Verfolgung wegen Verleumdung oder wegen einer nach dem Bundesgesetz über die Informationsordnung des Nationalrates und des Bundesrates strafbaren Handlung.

(2) Die Mitglieder des Nationalrates dürfen wegen einer strafbaren Handlung – den Fall der Ergreifung auf frischer Tat bei Verübung eines Verbrechens ausgenommen – nur mit Zustimmung des Nationalrates verhaftet werden. Desgleichen bedürfen Hausdurchsuchungen bei Mitgliedern des Nationalrates der Zustimmung des Nationalrates.

(3) Ansonsten dürfen Mitglieder des Nationalrates ohne Zustimmung des Nationalrates wegen einer strafbaren Handlung nur dann behördlich verfolgt werden, wenn diese offensichtlich in keinem Zusammenhang mit der politischen Tätigkeit des betreffenden Abgeordneten steht. Die Behörde hat jedoch eine Entscheidung des Nationalrates über das Vorliegen eines solchen Zusammenhanges einzuholen, wenn dies der betreffende Abgeordnete oder ein Drittel der Mitglieder des mit diesen Angelegenheiten betrauten ständigen Ausschusses verlangt. Im Falle eines solchen Verlangens hat jede behördliche Verfolgungshandlung sofort zu unterbleiben oder ist eine solche abzubrechen.

(4) Die Zustimmung des Nationalrates gilt in allen diesen Fällen als erteilt, wenn der Nationalrat über ein entsprechendes Ersuchen der zur Verfolgung berufenen Behörde nicht innerhalb von acht Wochen entschieden hat; zum Zweck der rechtzeitigen Beschlussfassung des Nationalrates hat der Präsident ein solches Ersuchen spätestens am vorletzten Tag dieser Frist zur Abstimmung zu stellen. Die tagungsfreie Zeit wird in diese Frist nicht eingerechnet.

(5) Im Falle der Ergreifung auf frischer Tat bei Verübung eines Verbrechens hat die Behörde dem Präsidenten des Nationalrates sogleich die geschehene Verhaftung be-

kanntzugeben. Wenn es der Nationalrat oder in der tagungsfreien Zeit der mit diesen Angelegenheiten betraute ständige Ausschuss verlangt, muss die Haft aufgehoben oder die Verfolgung überhaupt unterlassen werden.

(6) Die Immunität der Abgeordneten endigt mit dem Tag des Zusammentrittes des neugewählten Nationalrates, bei Organen des Nationalrates, deren Funktion über diesen Zeitpunkt hinausgeht, mit dem Erlöschen dieser Funktion.

(7) Die näheren Bestimmungen trifft das Bundesgesetz über die Geschäftsordnung des Nationalrates.

Artikel 58 [Immunität der Mitglieder des Bundesrates]

Die Mitglieder des Bundesrates genießen während der ganzen Dauer ihrer Funktion die Immunität von Mitgliedern des Landtages, der sie entsendet hat.

Artikel 59 [Inkompatibilität]

Kein Mitglied des Nationalrates, des Bundesrates oder des Europäischen Parlamentes kann gleichzeitig einem der beiden anderen Vertretungskörper angehören.

Artikel 59a [Dienstbefreiung für Mandatsausübung]

(1) Dem öffentlich Bediensteten ist, wenn er sich um ein Mandat im Nationalrat bewirbt, die für die Bewerbung um das Mandat erforderliche freie Zeit zu gewähren.

(2) Der öffentlich Bedienstete, der Mitglied des Nationalrates oder des Bundesrates ist, ist auf seinen Antrag in dem zur Ausübung seines Mandates erforderlichen Ausmaß dienstfrei oder außer Dienst zu stellen. Während der Dienstfreistellung gebühren die Dienstbezüge in dem Ausmaß, das der im Dienstverhältnis tatsächlich erbrachten Arbeitsleistung entspricht, höchstens aber 75 vH der Dienstbezüge; diese Grenze gilt auch, wenn weder die Dienstfreistellung noch die Außerdienststellung in Anspruch genommen wird. Die Außerdienststellung bewirkt den Entfall der Dienstbezüge.

(3) Kann ein öffentlich Bediensteter we-

gen der Ausübung seines Mandates an seinem bisherigen Arbeitsplatz nicht eingesetzt werden, so hat er Anspruch darauf, dass ihm eine zumutbar gleichwertige – mit seiner Zustimmung auch eine nicht gleichwertige – Tätigkeit zugewiesen wird. Die Dienstbezüge richten sich nach der vom Bediensteten tatsächlich ausgeübten Tätigkeit.

Artikel 59b [Bezügekontrollkommission]

(1) Zur Kontrolle der Bezüge von öffentlich Bediensteten, die zu Mitgliedern des Nationalrates oder des Bundesrates gewählt wurden, wird bei der Parlamentsdirektion eine Kommission eingerichtet. Der Kommission gehören an:

1. je ein von jedem Präsidenten des Nationalrates namhaft gemachter Vertreter,
2. zwei vom Vorsitzenden des Bundesrates mit Zustimmung seiner Stellvertreter namhaft gemachte Vertreter,
3. zwei Vertreter der Länder,
4. zwei Vertreter der Gemeinden und
5. ein Mitglied, das früher ein richterliches Amt ausgeübt hat.

Die Mitglieder gemäß Z 3 bis 5 sind vom Bundespräsidenten zu ernennen, wobei die Bundesregierung bei ihren Vorschlägen (Art. 67) im Falle der Z 3 an einen gemeinsamen Vorschlag der Landeshauptleute und im Falle der Z 4 an einen Vorschlag des Österreichischen Gemeindebundes und an einen Vorschlag des Österreichischen Städtebundes gebunden ist. Die Mitglieder der Kommission gemäß Z 1 bis 4 müssen Personen sein, die früher eine Funktion im Sinne des Art. 19 Abs. 2 ausgeübt haben. Mitglied der Kommission kann nicht sein, wer einen Beruf mit Erwerbsabsicht ausübt. Die Mitgliedschaft in der Kommission endet mit einer Gesetzgebungsperiode, jedoch nicht vor der Namhaftmachung oder Ernennung des neuen Mitgliedes.

(2) Die Kommission gibt auf Antrag eines öffentlich Bediensteten, der Mitglied des Nationalrates oder des Bundesrates ist, oder auf Antrag seiner Dienstbehörde eine Stellungnahme zu Meinungsverschiedenheiten ab, die in Vollziehung des Art. 59a oder in dessen Ausführung ergangener gesetzlicher Vorschriften zwischen dem öffentlich Bediensteten und seiner Dienstbehörde entstehen. Die Kommission gibt Stellungnahmen auch zu solchen Meinungsverschiedenheiten zwischen einem Richter und einem Senat oder einer Kommission im Sinne des Art. 87 Abs. 2 sowie zu Meinungsverschiedenheiten zwischen einem Mitglied des Nationalrates oder des Bundesrates und dem Präsidenten des Nationalrates in Vollziehung des Art. 30 Abs. 3 ab.

(3) Das Mitglied des Nationalrates oder des Bundesrates, das öffentlich Bediensteter ist, ist verpflichtet, der Kommission jährlich mitzuteilen, welche Regelung es betreffend seine Dienstfreistellung oder Außerdienststellung gemäß Art. 59a getroffen hat und auf welche Weise die von ihm zu erbringende Arbeitsleistung überprüft wird. Für Erhebungen der Kommission gilt Art. 53 Abs. 3 sinngemäß. Die Kommission gibt sich eine Geschäftsordnung. Die Kommission hat jährlich dem Nationalrat – soweit Mitglieder des Bundesrates betroffen sind, dem Bundesrat – einen Bericht zu erstatten, der zu veröffentlichen ist.

Drittes Hauptstück
VOLLZIEHUNG DES BUNDES

A. Verwaltung

1. Bundespräsident

Artikel 60 [Wahl; Funktionsperiode]

(1) Der Bundespräsident wird vom Bundesvolk auf Grund des gleichen, unmittelbaren, persönlichen, freien und geheimen Wahlrechtes der zum Nationalrat wahlberechtigten Männer und Frauen gewählt; stellt sich nur ein Wahlwerber der Wahl, so ist die Wahl in Form einer Abstimmung durchzuführen. Art. 26 Abs. 5 bis 7 ist sinngemäß anzuwenden.

(2) Gewählt ist, wer mehr als die Hälfte aller gültigen Stimmen für sich hat. Ergibt sich keine solche Mehrheit, so findet ein zweiter

Wahlgang statt. Bei diesem können gültigerweise nur für einen der beiden Wahlwerber, die im ersten Wahlgang die meisten Stimmen erhalten haben, Stimmen abgegeben werden.

(3) Zum Bundespräsidenten kann nur gewählt werden, wer zum Nationalrat wählbar ist und am Wahltag das 35. Lebensjahr vollendet hat.

(4) Das Ergebnis der Wahl des Bundespräsidenten ist vom Bundeskanzler amtlich kundzumachen.

(5) Das Amt des Bundespräsidenten dauert sechs Jahre. Eine Wiederwahl für die unmittelbar folgende Funktionsperiode ist nur einmal zulässig.

(6) Vor Ablauf der Funktionsperiode kann der Bundespräsident durch Volksabstimmung abgesetzt werden. Die Volksabstimmung ist durchzuführen, wenn die Bundesversammlung es verlangt. Die Bundesversammlung ist zu diesem Zweck vom Bundeskanzler einzuberufen, wenn der Nationalrat einen solchen Antrag beschlossen hat. Zum Beschluss des Nationalrates ist die Anwesenheit von mindestens der Hälfte der Mitglieder und eine Mehrheit von zwei Dritteln der abgegebenen Stimmen erforderlich. Durch einen derartigen Beschluss des Nationalrates ist der Bundespräsident an der ferneren Ausübung seines Amtes verhindert. Die Ablehnung der Absetzung durch die Volksabstimmung gilt als neue Wahl und hat die Auflösung des Nationalrates (Art. 29 Abs. 1) zur Folge. Auch in diesem Fall darf die gesamte Funktionsperiode des Bundespräsidenten nicht mehr als zwölf Jahre dauern.

Artikel 61 [Inkompatibilität; Berufsverbot; Amtstitel]

(1) Der Bundespräsident darf während seiner Amtstätigkeit keinem allgemeinen Vertretungskörper angehören, keinen anderen Beruf ausüben und muss zum Nationalrat wählbar sein.

(2) Der Titel „Bundespräsident" darf – auch mit einem Zusatz oder im Zusammenhange mit anderen Bezeichnungen – von niemandem anderen geführt werden. Er ist gesetzlich geschützt.

Artikel 62 [Angelobung]

(1) Der Bundespräsident leistet bei Antritt seines Amtes vor der Bundesversammlung das Gelöbnis:

„Ich gelobe, dass ich die Verfassung und alle Gesetze der Republik getreulich beobachten und meine Pflicht nach bestem Wissen und Gewissen erfüllen werde."

(2) Die Beifügung einer religiösen Beteuerung ist zulässig.

Artikel 63 [Immunität]

(1) Eine behördliche Verfolgung des Bundespräsidenten ist nur zulässig, wenn ihr die Bundesversammlung zugestimmt hat.

(2) Der Antrag auf Verfolgung des Bundespräsidenten ist von der zuständigen Behörde beim Nationalrat zu stellen, der beschließt, ob die Bundesversammlung damit zu befassen ist. Spricht sich der Nationalrat dafür aus, hat der Bundeskanzler die Bundesversammlung sofort einzuberufen.

Artikel 64 [Vertretung]

(1) Wenn der Bundespräsident verhindert ist, gehen alle seine Funktionen zunächst auf den Bundeskanzler über. Ein Aufenthalt in einem anderen Mitgliedstaat der Europäischen Union gilt nicht als Verhinderung. Dauert die Verhinderung jedoch länger als 20 Tage, oder ist der Bundespräsident gemäß Art. 60 Abs. 6 an der ferneren Ausübung seines Amtes verhindert, so üben der Präsident, der zweite Präsident und der dritte Präsident des Nationalrates als Kollegium die Funktionen des Bundespräsidenten aus. Das Gleiche gilt, wenn die Stelle des Bundespräsidenten dauernd erledigt ist.

(2) Das nach Abs. 1 mit der Ausübung der Funktion des Bundespräsidenten betraute Kollegium entscheidet mit Stimmenmehrheit. Der Vorsitz im Kollegium obliegt dem Präsidenten des Nationalrates, ebenso dessen Vertretung in der Öffentlichkeit.

(3) Ist einer oder sind zwei der Präsidenten des Nationalrates verhindert, oder ist deren Stelle dauernd erledigt, so bleibt das Kollegium auch ohne deren Mitwirkung beschlussfähig; entsteht dadurch Stimmen-

gleichheit, so gibt die Stimme des ranghöheren Präsidenten den Ausschlag.

(4) Im Falle der dauernden Erledigung der Stelle des Bundespräsidenten hat die Bundesregierung sofort die Wahl des neuen Bundespräsidenten anzuordnen; das Kollegium hat nach erfolgter Wahl die Bundesversammlung unverzüglich zur Angelobung des Bundespräsidenten einzuberufen.

Artikel 65 [Kompetenzen]

(1) Der Bundespräsident vertritt die Republik nach außen, empfängt und beglaubigt die Gesandten, genehmigt die Bestellung der fremden Konsuln, bestellt die konsularischen Vertreter der Republik im Ausland und schließt die Staatsverträge ab. Er kann anlässlich des Abschlusses eines nicht unter Art. 50 fallenden Staatsvertrages oder eines Staatsvertrages gemäß Art. 16 Abs. 1, der weder gesetzändernd noch gesetzesergänzend ist, anordnen, dass dieser Staatsvertrag durch Erlassung von Verordnungen zu erfüllen ist.

(2) Weiter stehen ihm – außer den ihm nach anderen Bestimmungen dieser Verfassung übertragenen Befugnissen – zu:

a) die Ernennung der Bundesbeamten, einschließlich der Offiziere, und der sonstigen Bundesfunktionäre, die Verleihung von Amtstiteln an solche;

b) die Schaffung und Verleihung von Berufstiteln;

c) für Einzelfälle: die Begnadigung der von den Gerichten rechtskräftig Verurteilten, die Milderung und Umwandlung der von den Gerichten ausgesprochenen Strafen, die Nachsicht von Rechtsfolgen und die Tilgung von Verurteilungen im Gnadenweg, ferner die Niederschlagung des strafgerichtlichen Verfahrens bei den von Amts wegen zu verfolgenden strafbaren Handlungen;

d) die Erklärung unehelicher Kinder zu ehelichen auf Ansuchen der Eltern.

(3) Inwieweit dem Bundespräsidenten außerdem noch Befugnisse hinsichtlich Gewährung von Ehrenrechten, außerordentlichen Zuwendungen, Zulagen und Versorgungsgenüssen, Ernennungs- oder Bestätigungsrechten und sonstigen Befugnissen in Personalangelegenheiten zustehen, bestimmen besondere Gesetze.

Artikel 66 [Übertragung von Kompetenzen]

(1) Der Bundespräsident kann das ihm zustehende Recht der Ernennung von Bundesbeamten bestimmter Kategorien den zuständigen Mitgliedern der Bundesregierung übertragen und sie ermächtigen, ihrerseits diese Befugnis für bestimmte Kategorien von Bundesbeamten an ihnen nachgeordnete Organe weiter zu übertragen.

(2) Der Bundespräsident kann zum Abschluss bestimmter Kategorien von Staatsverträgen, die weder unter Art. 16 Abs. 1 noch unter Art. 50 fallen, die Bundesregierung oder die zuständigen Mitglieder der Bundesregierung ermächtigen; eine solche Ermächtigung erstreckt sich auch auf die Befugnis zur Anordnung, dass diese Staatsverträge durch Erlassung von Verordnungen zu erfüllen sind.

(3) Der Bundespräsident kann zum Abschluss von Staatsverträgen nach Art. 16 Abs. 1, die weder gesetzändernd noch gesetzesergänzend sind, auf Vorschlag der Landesregierung und mit Gegenzeichnung des Landeshauptmannes die Landesregierung ermächtigen; eine solche Ermächtigung erstreckt sich auch auf die Befugnis zur Anordnung, dass dieser Staatsvertrag durch Erlassung von Verordnungen zu erfüllen ist.

Artikel 67 [Vorschlagsrecht; Gegenzeichnung]

(1) Alle Akte des Bundespräsidenten erfolgen, soweit nicht verfassungsmäßig anderes bestimmt ist, auf Vorschlag der Bundesregierung oder des von ihr ermächtigten Bundesministers. Inwieweit die Bundesregierung oder der zuständige Bundesminister hiebei selbst an Vorschläge anderer Stellen gebunden ist, bestimmt das Gesetz.

(2) Alle Akte des Bundespräsidenten bedürfen, soweit nicht verfassungsgesetzlich anderes bestimmt ist, zu ihrer Gültigkeit der Gegenzeichnung des Bundeskanzlers oder der zuständigen Bundesminister.

Artikel 67a [Präsidentschaftskanzlei]

(1) Zur Unterstützung des Bundespräsidenten bei der Besorgung seiner Amtsgeschäfte ist die Präsidentschaftskanzlei berufen, die dem Bundespräsidenten untersteht. Das Nähere über den Geschäftsgang in der Präsidentschaftskanzlei kann durch eine vom Bundespräsidenten zu erlassende Geschäftsordnung geregelt werden.

(2) Art. 67 gilt nicht für die Erlassung der Geschäftsordnung der Präsidentschaftskanzlei, für die Ernennung von Bediensteten der Präsidentschaftskanzlei und die Verleihung von Amtstiteln an diese sowie für Akte des Bundespräsidenten in Ausübung der Diensthoheit diesen gegenüber.

Artikel 68 [Verantwortlichkeit]

(1) Der Bundespräsident ist für die Ausübung seiner Funktionen der Bundesversammlung gemäß Art. 142 verantwortlich.

(2) Zur Geltendmachung dieser Verantwortung ist die Bundesversammlung auf Beschluss des Nationalrates oder des Bundesrates vom Bundeskanzler einzuberufen.

(3) Zu einem Beschluss, mit dem eine Anklage im Sinne des Art. 142 erhoben wird, bedarf es der Anwesenheit von mehr als der Hälfte der Mitglieder jedes der beiden Vertretungskörper und einer Mehrheit von zwei Dritteln der abgegebenen Stimmen.

(4) Auf das Verfahren gemäß Art. 141 Abs. 1 lit. d sind die Abs. 2 und 3 sinngemäß anzuwenden.

2. Bundesregierung

Artikel 69 [Bundeskanzler; Vizekanzler; Bundesminister; Bundesregierung]

(1) Mit den obersten Verwaltungsgeschäften des Bundes sind, soweit diese nicht dem Bundespräsidenten übertragen sind, der Bundeskanzler, der Vizekanzler und die übrigen Bundesminister betraut. Sie bilden in ihrer Gesamtheit die Bundesregierung unter dem Vorsitz des Bundeskanzlers.

(2) Der Vizekanzler ist zur Vertretung des Bundeskanzlers in dessen gesamtem Wirkungsbereich berufen. Sind der Bundeskanzler und der Vizekanzler gleichzeitig verhindert, so wird der Bundeskanzler durch das dienstälteste, bei gleichem Dienstalter durch das an Jahren älteste, nicht verhinderte Mitglied der Bundesregierung vertreten.

(3) Die Bundesregierung fasst ihre Beschlüsse einstimmig. Eine Beschlussfassung im Umlaufweg oder in einer Videokonferenz ist zulässig. Tritt die Bundesregierung in persönlicher Anwesenheit ihrer Mitglieder zusammen, ist sie beschlussfähig, wenn mehr als die Hälfte ihrer Mitglieder anwesend ist.

Artikel 70 [Ernennung und Entlassung]

(1) Der Bundeskanzler und auf seinen Vorschlag die übrigen Mitglieder der Bundesregierung werden vom Bundespräsidenten ernannt. Zur Entlassung des Bundeskanzlers oder der gesamten Bundesregierung ist ein Vorschlag nicht erforderlich; die Entlassung einzelner Mitglieder der Bundesregierung erfolgt auf Vorschlag des Bundeskanzlers. Die Gegenzeichnung erfolgt, wenn es sich um die Ernennung des Bundeskanzlers oder der gesamten Bundesregierung handelt, durch den neubestellten Bundeskanzler; die Entlassung bedarf keiner Gegenzeichnung.

(2) Die Mitglieder der Bundesregierung müssen nicht dem Nationalrat angehören, aber zum Nationalrat wählbar sein.

(3) Wird vom Bundespräsidenten eine neue Bundesregierung zu einer Zeit bestellt, in welcher der Nationalrat nicht tagt, so hat er den Nationalrat zum Zweck der Vorstellung der neuen Bundesregierung zu einer außerordentlichen Tagung (Art. 28 Abs. 2) einzuberufen, und zwar so, dass der Nationalrat binnen einer Woche zusammentritt.

Artikel 71 [Einstweilige Bundesregierung]

Ist die Bundesregierung aus dem Amt geschieden, hat der Bundespräsident bis zur Bildung der neuen Bundesregierung Mitglieder der scheidenden Bundesregierung mit der Fortführung der Verwaltung und einen von ihnen mit dem Vorsitz in der einstweiligen Bundesregierung zu betrauen. Mit der Fortführung der Verwaltung kann auch ein dem ausgeschiedenen Bundesminister beigegebener Staatssekretär oder ein leitender Beamter des betreffenden Bundesministeriums betraut werden. Diese Bestimmung gilt sinngemäß, wenn einzelne Mitglieder aus der Bundesregierung ausgeschieden sind. Der mit der Fortführung der Verwaltung Beauftragte trägt die gleiche Verantwortung wie ein Bundesminister (Art. 76).

Artikel 72 [Angelobung]

(1) Die Mitglieder der Bundesregierung werden vor Antritt ihres Amtes vom Bundespräsidenten angelobt. Die Beifügung einer religiösen Beteuerung ist zulässig.

(2) Die Bestallungsurkunden des Bundeskanzlers, des Vizekanzlers und der übrigen Bundesminister werden vom Bundespräsidenten mit dem Tag der Angelobung ausgefertigt und vom neubestellten Bundeskanzler gegengezeichnet.

(3) Diese Bestimmungen sind auch auf die Fälle des Art. 71 sinngemäß anzuwenden.

Artikel 73 [Zeitweilige Vertretung eines Bundesministers]

(1) Im Falle der zeitweiligen Verhinderung eines Bundesministers beauftragt dieser im Einvernehmen mit einem anderen Bundesminister diesen, einen ihm beigegebenen Staatssekretär oder einen leitenden Beamten des betreffenden Bundesministeriums mit seiner Vertretung; eine solche Beauftragung mit der Vertretung ist dem Bundespräsidenten und dem Bundeskanzler zur Kenntnis zu bringen. Ein Aufenthalt in einem anderen Mitgliedstaat der Europäischen Union gilt nicht als Verhinderung. Ist ein Bundesminister nicht in der Lage, einen Vertretungsauftrag im Sinne des ersten Satzes zu erteilen, so beauftragt der Bundeskanzler im Einvernehmen mit dem Vizekanzler einen anderen Bundesminister, einen dem verhinderten Bundesminister beigegebenen Staatssekretär oder einen leitenden Beamten des betreffenden Bundesministeriums mit dessen Vertretung; eine solche Beauftragung mit der Vertretung ist dem Bundespräsidenten zur Kenntnis zu bringen. Der Vertreter eines Bundesministers trägt die gleiche Verantwortung wie ein Bundesminister (Art. 76).

(2) Der zuständige Bundesminister kann die Befugnis, an den Tagungen des Rates teilzunehmen und in diesem Rahmen zu einem bestimmten Vorhaben die Verhandlungen zu führen und die Stimme abzugeben, einem anderen Bundesminister oder einem Staatssekretär übertragen.

(3) Ein Mitglied der Bundesregierung, das sich in einem anderen Mitgliedstaat der Europäischen Union aufhält, kann seine Angelegenheiten im Nationalrat oder Bundesrat durch einen ihm beigegebenen Staatssekretär oder einen anderen Bundesminister wahrnehmen lassen. Ein Mitglied der Bundesregierung, das nicht vertreten ist, kann sein Stimmrecht in der Bundesregierung einem anderen Bundesminister übertragen; seine Verantwortlichkeit wird dadurch nicht berührt. Das Stimmrecht kann nur einem Mitglied der Bundesregierung übertragen werden, das nicht bereits mit der Vertretung eines anderen Mitgliedes der Bundesregierung betraut ist und dem nicht schon ein Stimmrecht übertragen worden ist.

Artikel 74 [Misstrauensvotum; Amtsenthebung]

(1) Versagt der Nationalrat der Bundesregierung oder einzelnen ihrer Mitglieder durch ausdrückliche Entschließung das Vertrauen, so ist die Bundesregierung oder der betreffende Bundesminister des Amtes zu entheben.

(2) Zu einem Beschluss des Nationalrates, mit dem das Vertrauen versagt wird, ist die Anwesenheit der Hälfte der Mitglieder des Nationalrates erforderlich. Doch ist, wenn es die im Bundesgesetz über die Geschäftsordnung des Nationalrates festgesetzte Anzahl der Mitglieder verlangt, die Abstimmung auf den zweitnächsten Werktag zu vertagen. Eine neuerliche Vertagung der Abstimmung kann nur durch Beschluss des Nationalrates erfolgen.

(3) Unbeschadet der dem Bundespräsidenten nach Art. 70 Abs. 1 sonst zustehenden Befugnis sind die Bundesregierung oder ihre

einzelnen Mitglieder vom Bundespräsidenten in den gesetzlich bestimmten Fällen oder auf ihren Wunsch des Amtes zu entheben.

Artikel 75 [Rechte und Pflichten gegenüber Nationalrat, Bundesrat und Bundesversammlung]

Die Mitglieder der Bundesregierung sowie die Staatssekretäre sind berechtigt, an allen Verhandlungen des Nationalrates, des Bundesrates und der Bundesversammlung sowie der Ausschüsse (Unterausschüsse) dieser Vertretungskörper teilzunehmen, jedoch an Verhandlungen des ständigen Unterausschusses des Hauptausschusses und der Untersuchungsausschüsse des Nationalrates nur auf besondere Einladung. Sie haben nach den näheren Bestimmungen des Bundesgesetzes über die Geschäftsordnung des Nationalrates sowie der Geschäftsordnung des Bundesrates das Recht, auf ihr Verlangen jedes Mal gehört zu werden. Der Nationalrat, der Bundesrat und die Bundesversammlung sowie deren Ausschüsse (Unterausschüsse) können die Anwesenheit der Mitglieder der Bundesregierung verlangen und diese um die Einleitung von Erhebungen ersuchen.

Artikel 76 [Verantwortlichkeit]

(1) Die Mitglieder der Bundesregierung (Art. 69 und 71) sind dem Nationalrat gemäß Art. 142 verantwortlich.

(2) Zu einem Beschluss, mit dem eine Anklage gemäß Art. 142 erhoben wird, bedarf es der Anwesenheit von mehr als der Hälfte der Mitglieder.

Artikel 77 [Bundesministerien; Bundeskanzleramt]

(1) Zur Besorgung der Geschäfte der Bundesverwaltung sind die Bundesministerien und die ihnen unterstellten Ämter berufen.

(2) Die Zahl der Bundesministerien, ihr Wirkungsbereich und ihre Einrichtung werden durch Bundesgesetz bestimmt.

(3) Mit der Leitung des Bundeskanzleramtes ist der Bundeskanzler, mit der Leitung der anderen Bundesministerien je ein Bundesminister betraut. Der Bundespräsident kann die sachliche Leitung bestimmter, zum Wirkungsbereich des Bundeskanzleramtes gehörender Angelegenheiten, und zwar auch einschließlich der Aufgaben der Personalverwaltung und der Organisation, unbeschadet des Fortbestandes ihrer Zugehörigkeit zum Bundeskanzleramt eigenen Bundesministern übertragen; solche Bundesminister haben bezüglich der betreffenden Angelegenheiten die Stellung eines zuständigen Bundesministers.

(4) Der Bundeskanzler und die übrigen Bundesminister können ausnahmsweise auch mit der Leitung eines zweiten Bundesministeriums betraut werden.

Artikel 78 [Bundesminister ohne Portefeuille; Staatssekretäre]

(1) In besonderen Fällen können Bundesminister auch ohne gleichzeitige Betrauung mit der Leitung eines Bundesministeriums bestellt werden.

(2) Den Bundesministern können zur Unterstützung in der Geschäftsführung und zur parlamentarischen Vertretung Staatssekretäre beigegeben werden, die unter denselben Voraussetzungen und in gleicher Weise wie die Bundesminister bestellt werden und aus dem Amt scheiden. Der Bundeskanzler kann seine Angelegenheiten im Nationalrat und im Bundesrat im Einvernehmen mit dem Vizekanzler, der mit der Leitung eines Bundesministeriums betraut ist, durch einen Staatssekretär, der diesem beigegeben ist, wahrnehmen lassen. Der Vizekanzler, der mit der Leitung eines Bundesministeriums betraut ist, kann seine Angelegenheiten im Nationalrat und im Bundesrat im Einvernehmen mit dem Bundeskanzler durch einen Staatssekretär, der diesem beigegeben ist, wahrnehmen lassen.

(3) Der Bundesminister kann den Staatssekretär mit dessen Zustimmung auch mit der Besorgung bestimmter Aufgaben betrauen. Der Staatssekretär ist dem Bundesminister auch bei Erfüllung dieser Aufgaben unterstellt und an seine Weisungen gebunden.

3. Sicherheitsbehörden des Bundes

Artikel 78a [Sicherheitsbehörden; Organisation; Zuständigkeit]

(1) Oberste Sicherheitsbehörde ist der Bundesminister für Inneres. Ihm sind die Landespolizeidirektionen, ihnen wiederum die Bezirksverwaltungsbehörden als Sicherheitsbehörden nachgeordnet.

(2) Sind Leben, Gesundheit, Freiheit oder Eigentum von Menschen gegenwärtig gefährdet oder steht eine solche Gefährdung unmittelbar bevor, so sind die Sicherheitsbehörden, ungeachtet der Zuständigkeit einer anderen Behörde zur Abwehr der Gefahr, bis zum Einschreiten der jeweils zuständigen Behörde zur ersten allgemeinen Hilfeleistung zuständig.

(3) Inwieweit Organe der Gemeinden als Sicherheitsbehörden einzuschreiten haben, bestimmen die Bundesgesetze.

Artikel 78b [Landespolizeidirektion]

(1) Für jedes Land besteht eine Landespolizeidirektion. An ihrer Spitze steht der Landespolizeidirektor. Der Landespolizeidirektor der Landespolizeidirektion Wien trägt die Funktionsbezeichnung „Landespolizeipräsident".

(2) Der Bundesminister für Inneres bestellt den Landespolizeidirektor im Einvernehmen mit dem Landeshauptmann.

(3) Der Bundesminister für Inneres hat jede staatspolitisch wichtige oder für die Aufrechterhaltung der öffentlichen Ruhe, Ordnung und Sicherheit im gesamten Land maßgebliche Weisung, die er einem Landespolizeidirektor erteilt, dem Landeshauptmann mitzuteilen.

Artikel 78c [Landespolizeidirektion als Sicherheitsbehörde erster Instanz]

Inwieweit für das Gebiet einer Gemeinde die Landespolizeidirektion zugleich Sicherheitsbehörde erster Instanz ist, wird durch Bundesgesetz geregelt. Für Wien ist die Landespolizeidirektion zugleich Sicherheitsbehörde erster Instanz.

Artikel 78d [Wachkörper]

(1) Wachkörper sind bewaffnete oder uniformierte oder sonst nach militärischem Muster eingerichtete Formationen, denen Aufgaben polizeilichen Charakters übertragen sind. Zu den Wachkörpern sind insbesondere nicht zu zählen: Das zum Schutz einzelner Zweige der Landeskultur, wie der Land- und Forstwirtschaft (Feld-, Flur- und Forstschutz), des Bergbaues, der Jagd, der Fischerei oder anderer Wasserberechtigungen aufgestellte Wachpersonal, die Organe der Marktaufsicht, der Feuerwehr.

(2) Für das Gebiet einer Gemeinde, in der die Landespolizeidirektion zugleich Sicherheitsbehörde erster Instanz ist, darf von einer anderen Gebietskörperschaft ein Wachkörper nicht errichtet werden.

4. Bundesheer

Artikel 79 [Aufgaben]

(1) Dem Bundesheer obliegt die militärische Landesverteidigung. Es ist nach den Grundsätzen eines Milizsystems einzurichten.

(2) Das Bundesheer ist, soweit die gesetzmäßige zivile Gewalt seine Mitwirkung in Anspruch nimmt, ferner bestimmt

1. auch über den Bereich der militärischen Landesverteidigung hinaus

a) zum Schutz der verfassungsmäßigen Einrichtungen und ihrer Handlungsfähigkeit sowie der demokratischen Freiheiten der Einwohner

b) zur Aufrechterhaltung der Ordnung und Sicherheit im Inneren überhaupt;

2. zur Hilfeleistung bei Elementarereignissen und Unglücksfällen außergewöhnlichen Umfanges.

(3) Weitere Aufgaben des Bundesheeres werden durch Bundesverfassungsgesetz geregelt.

(4) Welche Behörden und Organe die Mitwirkung des Bundesheeres zu den im Abs. 2 genannten Zwecken unmittelbar in Anspruch nehmen können, bestimmt das Wehrgesetz.

(5) Selbständiges militärisches Einschreiten zu den im Abs. 2 genannten Zwecken ist

nur zulässig, wenn entweder die zuständigen Behörden durch höhere Gewalt außerstande gesetzt sind, das militärische Einschreiten herbeizuführen, und bei weiterem Zuwarten ein nicht wieder gutzumachender Schaden für die Allgemeinheit eintreten würde, oder wenn es sich um die Zurückweisung eines tätlichen Angriffes oder um die Beseitigung eines gewalttätigen Widerstandes handelt, die gegen eine Abteilung des Bundesheeres gerichtet sind.

Artikel 80 [Oberbefehl; Befehlsgewalt; Verfügungsrecht]

(1) Den Oberbefehl über das Bundesheer führt der Bundespräsident.

(2) Soweit nicht nach dem Wehrgesetz der Bundespräsident über das Heer verfügt, steht die Verfügung dem zuständigen Bundesminister innerhalb der ihm von der Bundesregierung erteilten Ermächtigung zu.

(3) Die Befehlsgewalt über das Bundesheer übt der zuständige Bundesminister (Art. 76 Abs. 1) aus.

Artikel 81 [Mitwirkung der Länder]

Durch Bundesgesetz wird geregelt, inwieweit die Länder bei der Ergänzung, Verpflegung und Unterbringung des Heeres und der Beistellung seiner sonstigen Erfordernisse mitwirken.

5. Universitäten

Artikel 81c [Universitäten]

(1) Die öffentlichen Universitäten sind Stätten freier wissenschaftlicher Forschung, Lehre und Erschließung der Künste. Sie handeln im Rahmen der Gesetze autonom und können Satzungen erlassen. Die Mitglieder universitärer Kollegialorgane sind weisungsfrei.

(2) Bundesgesetzlich kann vorgesehen werden, dass die Tätigkeit an der Universität sowie die Mitwirkung in Organen der Universität und der Studierendenvertretung von Personen, die nicht die österreichische Staatsbürgerschaft besitzen, zulässig ist.

B. Ordentliche Gerichtsbarkeit

Artikel 82 [Ausschließliche Bundeskompetenz]

(1) Die ordentliche Gerichtsbarkeit geht vom Bund aus.

(2) Die Urteile und Erkenntnisse werden im Namen der Republik verkündet und ausgefertigt.

Artikel 83 [Verfassung und Zuständigkeit der Gerichte; gesetzlicher Richter]

(1) Die Organisation und die Zuständigkeit der ordentlichen Gerichte werden durch Bundesgesetz geregelt. Die Sprengel der Bezirksgerichte sind durch Verordnung der Bundesregierung festzulegen.

(2) Niemand darf seinem gesetzlichen Richter entzogen werden.

Artikel 84 [Aufhebung der Militärgerichtsbarkeit]

Die Militärgerichtsbarkeit ist – außer für Kriegszeiten – aufgehoben.

Artikel 85 [Abschaffung der Todesstrafe]

Die Todesstrafe ist abgeschafft.

Artikel 86 [Ernennung der Richter]

(1) Die Richter werden, sofern nicht in diesem Gesetz anderes bestimmt ist, gemäß dem Antrag der Bundesregierung vom Bundespräsidenten oder auf Grund seiner Ermächtigung vom zuständigen Bundesminister ernannt; die Bundesregierung oder der Bundesminister hat Besetzungsvorschläge der durch Bundesgesetz hiezu berufenen Senate einzuholen.

(2) Der dem zuständigen Bundesminister vorzulegende und der von ihm an die Bundesregierung zu leitende Besetzungsvorschlag hat, wenn genügend Bewerber vorhanden sind, mindestens drei Personen, wenn aber mehr als eine Stelle zu besetzen ist, mindestens doppelt so viele Personen zu umfassen, als Richter zu ernennen sind.

Artikel 87 [Unabhängigkeit der Richter; Justizverwaltung; Geschäftsverteilung]

(1) Die Richter sind in Ausübung ihres richterlichen Amtes unabhängig.

(2) In Ausübung seines richterlichen Amtes befindet sich ein Richter bei Besorgung aller ihm nach dem Gesetz und der Geschäftsverteilung zustehenden gerichtlichen Geschäfte, mit Ausschluss der Justizverwaltungssachen, die nicht nach Vorschrift des Gesetzes durch Senate oder Kommissionen zu erledigen sind.

(3) Die Geschäfte sind auf die Richter des ordentlichen Gerichtes für die durch Bundesgesetz bestimmte Zeit im Voraus zu verteilen. Eine nach dieser Geschäftsverteilung einem Richter zufallende Sache darf ihm nur durch Verfügung des durch Bundesgesetz hiezu berufenen Senates und nur im Fall seiner Verhinderung oder dann abgenommen werden, wenn er wegen des Umfangs seiner Aufgaben an deren Erledigung innerhalb einer angemessenen Frist gehindert ist.

Artikel 87a [Rechtspfleger]

(1) Durch Bundesgesetz kann die Besorgung einzelner, genau zu bezeichnender Arten von Geschäften der Gerichtsbarkeit erster Instanz besonders ausgebildeten nichtrichterlichen Bundesbediensteten übertragen werden.

(2) Der nach der Geschäftsverteilung zuständige Richter kann jedoch jederzeit die Erledigung solcher Geschäfte sich vorbehalten oder an sich ziehen.

(3) Bei der Besorgung der im Abs. 1 bezeichneten Geschäfte sind die nichtrichterlichen Bundesbediensteten nur an die Weisungen des nach der Geschäftsverteilung zuständigen Richters gebunden. Art. 20 Abs. 1 dritter Satz ist anzuwenden.

Artikel 88 [Altersgrenze; Unabsetzbarkeit; Unversetzbarkeit der Richter]

(1) Durch Bundesgesetz wird eine Altersgrenze bestimmt, mit deren Erreichung die Richter in den dauernden Ruhestand treten.

(2) Im Übrigen dürfen Richter nur in den vom Gesetz vorgeschriebenen Fällen und Formen und auf Grund eines förmlichen richterlichen Erkenntnisses ihres Amtes entsetzt oder wider ihren Willen an eine andere Stelle oder in den Ruhestand versetzt werden. Diese Bestimmungen finden jedoch auf Übersetzungen und Versetzungen in den Ruhestand keine Anwendung, die durch eine Änderung der Gerichtsorganisation nötig werden. In einem solchen Fall wird durch das Gesetz festgestellt, innerhalb welchen Zeitraumes Richter ohne die sonst vorgeschriebenen Förmlichkeiten übersetzt und in den Ruhestand versetzt werden können.

(3) Die zeitweise Enthebung der Richter vom Amt darf nur durch Verfügung des Gerichtsvorstehers oder Gerichtspräsidenten oder der übergeordneten Gerichtsbehörde bei gleichzeitiger Verweisung der Sache an das zuständige ordentliche Gericht stattfinden.

Artikel 88a [Sprengelrichter]

Durch Bundesgesetz kann bestimmt werden, dass bei einem übergeordneten ordentlichen Gericht Stellen für Sprengelrichter vorgesehen werden können. Die Zahl der Sprengelrichterstellen darf 3 vH der bei den nachgeordneten ordentlichen Gerichten bestehenden Richterstellen nicht übersteigen. Die Verwendung der Sprengelrichter bei den nachgeordneten ordentlichen Gerichten und gegebenenfalls bei dem übergeordneten ordentlichen Gericht selbst wird von dem durch Bundesgesetz hiezu berufenen Senat des übergeordneten ordentlichen Gerichtes bestimmt. Sprengelrichter dürfen nur mit der Vertretung von Richtern nachgeordneter ordentlicher Gerichte beziehungsweise von Richtern des übergeordneten ordentlichen Gerichtes selbst und nur im Falle der Verhinderung dieser Richter oder dann betraut werden, wenn diese Richter wegen des Umfangs ihrer Aufgaben an deren Erledigung innerhalb einer angemessenen Frist gehindert sind.

Artikel 89 [Gesetzwidrigkeit von Verordnungen; Verfassungswidrigkeit von Gesetzen]

(1) Die Prüfung der Gültigkeit gehörig kundgemachter Verordnungen, Kundmachungen über die Wiederverlautbarung eines Gesetzes (Staatsvertrages), Gesetze und Staatsverträge steht, soweit in den folgenden Absätzen nicht anderes bestimmt ist, den ordentlichen Gerichten nicht zu.

(2) Hat ein ordentliches Gericht gegen die Anwendung einer Verordnung aus dem Grund der Gesetzwidrigkeit, einer Kundmachung über die Wiederverlautbarung eines Gesetzes (Staatsvertrages) aus dem Grund der Gesetzwidrigkeit, eines Gesetzes aus dem Grund der Verfassungswidrigkeit oder eines Staatsvertrages aus dem Grund der Rechtswidrigkeit Bedenken, so hat es den Antrag auf Aufhebung dieser Rechtsvorschrift beim Verfassungsgerichtshof zu stellen.

(3) Ist die vom ordentlichen Gericht anzuwendende Rechtsvorschrift bereits außer Kraft getreten, so hat der Antrag des ordentlichen Gerichtes an den Verfassungsgerichtshof die Entscheidung zu begehren, dass die Rechtsvorschrift gesetzwidrig, verfassungswidrig oder rechtswidrig war.

(4) Durch Bundesgesetz ist zu bestimmen, welche Wirkungen ein Antrag gemäß Abs. 2 oder 3 für das beim ordentlichen Gericht anhängige Verfahren hat.

Artikel 90 [Mündlichkeit und Öffentlichkeit der Gerichtsverhandlung; Anklageprozess]

(1) Die Verhandlungen in Zivil- und Strafrechtssachen vor dem erkennenden ordentlichen Gericht sind mündlich und öffentlich. Ausnahmen bestimmt das Gesetz.

(2) Im Strafverfahren gilt der Anklageprozess.

Artikel 90a [Staatsanwälte]

Staatsanwälte sind Organe der ordentlichen Gerichtsbarkeit. In Verfahren wegen mit gerichtlicher Strafe bedrohter Handlungen nehmen sie Ermittlungs- und Anklagefunktionen wahr. Durch Bundesgesetz werden die näheren Regelungen über ihre Bindung an die Weisungen der ihnen vorgesetzten Organe getroffen.

Artikel 91 [Mitwirkung von Vertretern des Volkes; Geschworene und Schöffen]

(1) Das Volk hat an der Rechtsprechung mitzuwirken.

(2) Bei den mit schweren Strafen bedrohten Verbrechen, die das Gesetz zu bezeichnen hat, sowie bei allen politischen Verbrechen und Vergehen entscheiden Geschworene über die Schuld des Angeklagten.

(3) Im Strafverfahren wegen anderer strafbarer Handlungen nehmen Schöffen an der Rechtsprechung teil, wenn die zu verhängende Strafe ein vom Gesetz zu bestimmendes Maß überschreitet.

Artikel 92 [Oberster Gerichtshof]

(1) Oberste Instanz in Zivil- und Strafrechtssachen ist der Oberste Gerichtshof.

(2) Dem Obersten Gerichtshof können Mitglieder der Bundesregierung, einer Landesregierung, eines allgemeinen Vertretungskörpers oder des Europäischen Parlaments nicht angehören; für Mitglieder eines allgemeinen Vertretungskörpers oder des Europäischen Parlaments, die auf eine bestimmte Gesetzgebungs- oder Funktionsperiode gewählt wurden, dauert die Unvereinbarkeit auch bei vorzeitigem Verzicht auf das Mandat bis zum Ablauf der Gesetzgebungs- oder Funktionsperiode fort. Zum Präsidenten oder Vizepräsidenten des Obersten Gerichtshofes kann nicht ernannt werden, wer eine der eben erwähnten Funktionen in den letzten fünf Jahren ausgeübt hat.

Artikel 93 [Amnestie]

Amnestien wegen gerichtlich strafbarer Handlungen werden durch Bundesgesetz erteilt.

Artikel 94 [Trennung von Justiz und Verwaltung]

(1) Die Justiz ist von der Verwaltung in allen Instanzen getrennt.

(2) Durch Bundes- oder Landesgesetz kann in einzelnen Angelegenheiten anstelle der Erhebung einer Beschwerde beim Verwaltungsgericht ein Instanzenzug von der Verwaltungsbehörde an die ordentlichen Gerichte vorgesehen werden. In den Angelegenheiten der Vollziehung des Bundes, die nicht unmittelbar von Bundesbehörden besorgt werden, sowie in den Angelegenheiten der Art. 11, 12, 14 Abs. 2 und 3 und 14a Abs. 3 und 4 dürfen Bundesgesetze gemäß dem ersten Satz nur mit Zustimmung der Länder kundgemacht werden. Für Landesgesetze gemäß dem ersten Satz gilt Art. 97 Abs. 2 sinngemäß.

Viertes Hauptstück
GESETZGEBUNG UND VOLLZIEHUNG DER LÄNDER

A. Allgemeine Bestimmungen

Artikel 95 [Gesetzgebung durch Landtage; Wahl]

(1) Die Gesetzgebung der Länder wird von den Landtagen ausgeübt. Die Landtage werden auf Grund des gleichen, unmittelbaren, persönlichen, freien und geheimen Wahlrechtes der nach den Landtagswahlordnungen wahlberechtigten männlichen und weiblichen Landesbürger nach den Grundsätzen der Verhältniswahl gewählt. Die Landesverfassung kann vorsehen, dass auch Staatsbürger, die vor Verlegung ihres Hauptwohnsitzes in das Ausland, einen Wohnsitz im Land hatten, für die Dauer ihres Auslandsaufenthalts, längstens jedoch für einen Zeitraum von zehn Jahren, zum Landtag wahlberechtigt sind.

(2) Die Landtagswahlordnungen dürfen die Bedingungen des Wahlrechtes und der Wählbarkeit nicht enger ziehen als die Bundesverfassung für Wahlen zum Nationalrat und die Bedingungen der Wählbarkeit nicht weiter ziehen als die bundesgesetzlichen Bestimmungen für Wahlen zum Nationalrat.

(3) Die Wähler üben ihr Wahlrecht in Wahlkreisen aus, von denen jeder ein geschlossenes Gebiet umfassen muss und die in räumlich geschlossene Regionalwahlkreise unterteilt werden können. Die Zahl der Abgeordneten ist auf die Wahlkreise im Verhältnis zur Bürgerzahl zu verteilen. Die Landtagswahlordnung kann ein abschließendes Ermittlungsverfahren im gesamten Landesgebiet vorsehen, durch das sowohl ein Ausgleich der den wahlwerbenden Parteien in den Wahlkreisen zugeteilten als auch eine Aufteilung der noch nicht zugeteilten Mandate nach den Grundsätzen der Verhältniswahl erfolgt. Eine Gliederung der Wählerschaft in andere Wahlkörper ist nicht zulässig.

(4) Die näheren Bestimmungen über das Wahlverfahren werden durch die Landtagswahlordnungen getroffen. Art. 26 Abs. 6 ist sinngemäß anzuwenden.

(5) Für öffentlich Bedienstete, die sich um ein Mandat im Landtag bewerben oder die zu Abgeordneten eines Landtages gewählt werden, gilt Art. 59a, strengere Regelungen sind zulässig. Durch Landesverfassungsgesetz kann eine Einrichtung mit den gleichen Befugnissen und der gleichen Pflicht zur Veröffentlichung eines Berichtes wie die der Kommission gemäß Art. 59b geschaffen werden.

Artikel 96 [Immunität der Mitglieder; Öffentlichkeit der Sitzungen; Sitzungsberichte]

(1) Die Mitglieder des Landtages genießen die gleiche Immunität wie die Mitglieder des Nationalrates; die Bestimmungen des Art. 57 sind sinngemäß anzuwenden.

(2) Die Bestimmungen der Art. 32 und 33 gelten auch für die Sitzungen der Landtage und ihrer Ausschüsse.

(3) Durch Landesgesetz kann für Mitglieder des Landtages, die aus Anlass ihrer Wahl in den Bundesrat oder in die Landesregierung auf ihr Mandat verzichten, eine dem Art. 56 Abs. 2 bis 4 entsprechende Regelung getroffen werden.

Artikel 97 [Landesgesetze; Notverordnungen]

(1) Zu einem Landesgesetz sind der Beschluss des Landtages, die Beurkundung

und Gegenzeichnung nach den Bestimmungen der Landesverfassung und die Kundmachung durch den Landeshauptmann im Landesgesetzblatt erforderlich.

(2) Insoweit ein Landesgesetz bei der Vollziehung die Mitwirkung von Bundesorganen vorsieht, muss hiezu die Zustimmung der Bundesregierung eingeholt werden.

(3) Wenn die sofortige Erlassung von Maßnahmen, die verfassungsgemäß einer Beschlussfassung des Landtages bedürfen, zur Abwehr eines offenkundigen, nicht wieder gutzumachenden Schadens für die Allgemeinheit zu einer Zeit notwendig wird, in der der Landtag nicht rechtzeitig zusammentreten kann oder in seiner Tätigkeit durch höhere Gewalt behindert ist, kann die Landesregierung im Einvernehmen mit einem nach dem Grundsatz der Verhältniswahl bestellten Ausschuss des Landtages diese Maßnahmen durch vorläufige gesetzändernde Verordnungen treffen. Sie sind von der Landesregierung unverzüglich der Bundesregierung zur Kenntnis zu bringen. Sobald das Hindernis für das Zusammentreten des Landtages weggefallen ist, ist dieser einzuberufen. Art. 18 Abs. 4 gilt sinngemäß.

(4) Die im Abs. 3 bezeichneten Verordnungen dürfen jedenfalls nicht eine Abänderung landesverfassungsgesetzlicher Bestimmungen bedeuten und weder eine dauernde finanzielle Belastung des Landes, noch eine finanzielle Belastung des Bundes oder der Gemeinden, noch finanzielle Verpflichtungen der Staatsbürger, noch eine Veräußerung von Landesvermögen, noch Maßnahmen in Angelegenheiten der Kammern für Arbeiter und Angestellte auf land- und forstwirtschaftlichem Gebiet zum Gegenstand haben.

Artikel 98 [Zustimmung der Bundesregierung]

Insoweit ein Gesetzesbeschluss der Zustimmung der Bundesregierung bedarf, ist er unmittelbar nach der Beschlussfassung des Landtages vom Landeshauptmann dem Bundeskanzleramt bekanntzugeben. Die Zustimmung gilt als erteilt, wenn die Bundesregierung nicht innerhalb von acht Wochen nach dem Tag, an dem der Gesetzesbeschluss beim Bundeskanzleramt eingelangt ist, dem Landeshauptmann mitgeteilt hat, dass die Zustimmung verweigert wird. Vor Ablauf dieser Frist darf die Kundmachung des Gesetzesbeschlusses nur erfolgen, wenn die Bundesregierung die ausdrückliche Zustimmung mitgeteilt hat.

Artikel 99 [Landesverfassung; Landesverfassungsgesetze]

(1) Die durch Landesverfassungsgesetz zu erlassende Landesverfassung kann, insoweit dadurch die Bundesverfassung nicht berührt wird, durch Landesverfassungsgesetz abgeändert werden.

(2) Ein Landesverfassungsgesetz kann nur bei Anwesenheit der Hälfte der Mitglieder des Landtages und mit einer Mehrheit von zwei Dritteln der abgegebenen Stimmen beschlossen werden.

Artikel 100 [Auflösung des Landtages]

(1) Jeder Landtag kann auf Antrag der Bundesregierung mit Zustimmung des Bundesrates vom Bundespräsidenten aufgelöst werden; eine solche Auflösung darf jedoch nur einmal aus dem gleichen Anlass verfügt werden. Die Zustimmung des Bundesrates muss bei Anwesenheit der Hälfte der Mitglieder und mit einer Mehrheit von zwei Dritteln der abgegebenen Stimmen beschlossen werden. An der Abstimmung dürfen die Vertreter des Landes, dessen Landtag aufgelöst werden soll, nicht teilnehmen.

(2) Im Falle der Auflösung sind nach den Bestimmungen der Landesverfassung binnen drei Wochen Neuwahlen auszuschreiben; die Einberufung des neugewählten Landtages hat binnen vier Wochen nach der Wahl zu erfolgen.

Artikel 101 [Landesregierung]

(1) Die Vollziehung jedes Landes übt eine vom Landtag zu wählende Landesregierung aus.

(2) Die Mitglieder der Landesregierung müssen nicht dem Landtag angehören, aber zum Landtag wählbar sein.

(3) Die Landesregierung besteht aus dem Landeshauptmann, der erforderlichen Zahl von Stellvertretern und weiteren Mitgliedern.

(4) Der Landeshauptmann wird vom Bundespräsidenten, die anderen Mitglieder der Landesregierung werden vom Landeshauptmann vor Antritt des Amtes auf die Bundesverfassung angelobt. Die Beifügung einer religiösen Beteuerung ist zulässig.

Artikel 102 [Mittelbare und unmittelbare Bundesverwaltung; Instanzenzug]

(1) Im Bereich der Länder üben die Vollziehung des Bundes, soweit nicht eigene Bundesbehörden bestehen (unmittelbare Bundesverwaltung), der Landeshauptmann und die ihm unterstellten Landesbehörden aus (mittelbare Bundesverwaltung). Soweit in Angelegenheiten, die in mittelbarer Bundesverwaltung besorgt werden, Bundesbehörden mit der Vollziehung betraut sind, unterstehen diese Bundesbehörden in den betreffenden Angelegenheiten dem Landeshauptmann und sind an dessen Weisungen (Art. 20 Abs. 1) gebunden; ob und inwieweit solche Bundesbehörden mit Akten der Vollziehung betraut werden, bestimmen die Bundesgesetze; sie dürfen, soweit es sich nicht um die Betrauung mit der Vollziehung von im Abs. 2 angeführten Angelegenheiten handelt, nur mit Zustimmung der beteiligten Länder kundgemacht werden.

(2) Folgende Angelegenheiten können im Rahmen des verfassungsmäßig festgestellten Wirkungsbereiches unmittelbar von Bundesbehörden besorgt werden:

Grenzvermarkung; Waren- und Viehverkehr mit dem Ausland; Zollwesen; Regelung und Überwachung des Eintrittes in das Bundesgebiet und des Austrittes aus ihm; Aufenthaltsrecht aus berücksichtigungswürdigen Gründen; Passwesen; Aufenthaltsverbot, Ausweisung und Abschiebung; Asyl; Auslieferung; Bundesfinanzen; Monopolwesen; Geld-, Kredit-, Börse- und Bankwesen; Maß- und Gewichts-, Normen- und Punzierungswesen; Justizwesen; Pressewesen; Aufrechterhaltung der öffentlichen Ruhe, Ordnung und Sicherheit einschließlich der ersten allgemeinen Hilfeleistung, jedoch mit Ausnahme der örtlichen Sicherheitspolizei; Vereins- und Versammlungsrecht; Fremdenpolizei und Meldewesen; Waffen-, Munitions- und Sprengmittelwesen, Schießwesen; Kartellrecht; Patentwesen sowie Schutz von Mustern, Marken und anderen Warenbezeichnungen; Verkehrswesen; Strom- und Schifffahrtspolizei; Post- und Fernmeldewesen; Bergwesen; Regulierung und Instandhaltung der Donau; Wildbachverbauung; Bau und Instandhaltung von Wasserstraßen; Vermessungswesen; Arbeitsrecht; Sozial- und Vertragsversicherungswesen; Pflegegeldwesen; Sozialentschädigungsrecht; geschäftlicher Verkehr mit Saat- und Pflanzgut, Futter-, Dünge- und Pflanzenschutzmitteln sowie mit Pflanzenschutzgeräten, einschließlich der Zulassung und bei Saat- und Pflanzgut auch der Anerkennung; Denkmalschutz; allgemeine Angelegenheiten des Schutzes personenbezogener Daten; Organisation und Führung der Bundespolizei; militärische Angelegenheiten; Angelegenheiten des Zivildienstes; Bevölkerungspolitik; land- und forstwirtschaftliches Schul- und Erziehungswesen in den Angelegenheiten des Art. 14a Abs. 2 sowie Zentrallehranstalten; Universitäts- und Hochschulwesen sowie das Erziehungswesen betreffend Studentenheime in diesen Angelegenheiten; Ausbildungspflicht für Jugendliche; öffentliches Auftragswesen.

(3) Dem Bund bleibt es vorbehalten, auch in den im Abs. 2 aufgezählten Angelegenheiten den Landeshauptmann mit der Vollziehung des Bundes zu beauftragen.

(4) Die Errichtung von eigenen Bundesbehörden für andere als die im Abs. 2 bezeichneten Angelegenheiten kann nur mit Zustimmung der beteiligten Länder erfolgen.

(5) Wenn in einem Land in Angelegenheiten der unmittelbaren Bundesverwaltung die sofortige Erlassung von Maßnahmen zur Abwehr eines offenkundigen, nicht wieder gutzumachenden Schadens für die Allgemeinheit zu einer Zeit notwendig wird, zu der die obersten Organe der Verwaltung des Bundes wegen höherer Gewalt dazu nicht in

der Lage sind, hat der Landeshauptmann an deren Stelle die Maßnahmen zu treffen.

Artikel 103 [Weisungen bei mittelbarer Bundesverwaltung; Instanzenzug]

(1) In den Angelegenheiten der mittelbaren Bundesverwaltung ist der Landeshauptmann an die Weisungen der Bundesregierung sowie der einzelnen Bundesminister gebunden (Art. 20) und verpflichtet, um die Durchführung solcher Weisungen zu bewirken, auch die ihm in seiner Eigenschaft als Organ des selbständigen Wirkungsbereiches des Landes zu Gebote stehenden Mittel anzuwenden.

(2) Die Landesregierung kann bei Aufstellung ihrer Geschäftsordnung beschließen, dass einzelne Gruppen von Angelegenheiten der mittelbaren Bundesverwaltung wegen ihres sachlichen Zusammenhanges mit Angelegenheiten des selbständigen Wirkungsbereiches des Landes im Namen des Landeshauptmannes von Mitgliedern der Landesregierung zu führen sind. In diesen Angelegenheiten sind die betreffenden Mitglieder der Landesregierung an die Weisungen des Landeshauptmannes ebenso gebunden (Art. 20) wie dieser an die Weisungen der Bundesregierung oder der einzelnen Bundesminister.

(3) Nach Abs. 1 ergehende Weisungen der Bundesregierung oder der einzelnen Bundesminister sind auch in Fällen des Abs. 2 an den Landeshauptmann zu richten. Dieser ist, wenn er die bezügliche Angelegenheit der mittelbaren Bundesverwaltung nicht selbst führt, unter seiner Verantwortlichkeit (Art. 142 Abs. 2 lit. e) verpflichtet, die Weisung an das in Betracht kommende Mitglied der Landesregierung unverzüglich und unverändert auf schriftlichem Wege weiterzugeben und ihre Durchführung zu überwachen. Wird die Weisung nicht befolgt, trotzdem der Landeshauptmann die erforderlichen Vorkehrungen getroffen hat, so ist auch das betreffende Mitglied der Landesregierung gemäß Art. 142 der Bundesregierung verantwortlich.

Artikel 104 [Privatwirtschaftsverwaltung des Bundes im Bereich der Länder]

(1) Die Bestimmungen des Art. 102 sind auf Einrichtungen zur Besorgung der im Art. 17 bezeichneten Geschäfte des Bundes nicht anzuwenden.

(2) Die mit der Verwaltung des Bundesvermögens betrauten Bundesminister können jedoch die Besorgung solcher Geschäfte dem Landeshauptmann und den ihm unterstellten Behörden im Land übertragen. Eine solche Übertragung kann jederzeit ganz oder teilweise widerrufen werden. Inwieweit in besonderen Ausnahmefällen für die bei Besorgung solcher Geschäfte aufgelaufenen Kosten vom Bund ein Ersatz geleistet wird, wird durch Bundesgesetz bestimmt. Art. 103 Abs. 2 und 3 gilt sinngemäß.

Artikel 105 [Landeshauptmann; Stellvertreter; Mitglieder der Landesregierung; Verantwortlichkeit]

(1) Der Landeshauptmann vertritt das Land. Er trägt in den Angelegenheiten der mittelbaren Bundesverwaltung die Verantwortung gegenüber der Bundesregierung gemäß Art. 142. Der Landeshauptmann wird durch das von der Landesregierung bestimmte Mitglied der Landesregierung (Landeshauptmann-Stellvertreter) vertreten. Diese Bestellung ist dem Bundeskanzler zur Kenntnis zu bringen. Tritt der Fall der Vertretung ein, so ist das zur Vertretung bestellte Mitglied der Landesregierung bezüglich der Angelegenheiten der mittelbaren Bundesverwaltung gleichfalls der Bundesregierung gemäß Art. 142 verantwortlich. Der Geltendmachung einer solchen Verantwortung des Landeshauptmannes oder des ihn vertretenden Mitgliedes der Landesregierung steht die Immunität nicht im Weg. Ebenso steht die Immunität auch nicht der Geltendmachung der Verantwortung eines Mitgliedes der Landesregierung im Falle des Art. 103 Abs. 3 im Weg.

(2) Die Mitglieder der Landesregierung sind dem Landtag gemäß Art. 142 verantwortlich.

(3) Zu einem Beschluss, mit dem eine An-

klage im Sinne des Art. 142 erhoben wird, bedarf es der Anwesenheit der Hälfte der Mitglieder.

Artikel 106 [Landesamtsdirektor]

Zur Leitung des inneren Dienstes des Amtes der Landesregierung wird ein rechtskundiger Bediensteter des Amtes der Landesregierung als Landesamtsdirektor bestellt. Er ist auch in den Angelegenheiten der mittelbaren Bundesverwaltung das Hilfsorgan des Landeshauptmannes.

Artikel 107 [aufgehoben]

B. Die Bundeshauptstadt Wien

Artikel 108 [Gemeindeorgane mit Funktionen von Landesorganen]

Für die Bundeshauptstadt Wien als Land hat der Gemeinderat auch die Funktion des Landtages, der Stadtsenat auch die Funktion der Landesregierung, der Bürgermeister auch die Funktion des Landeshauptmannes, der Magistrat auch die Funktion des Amtes der Landesregierung und der Magistratsdirektor auch die Funktion des Landesamtsdirektors.

Artikel 109 [Unmittelbare und mittelbare Bundesverwaltung]

Art. 102 Abs. 1 gilt für die Bundeshauptstadt Wien mit der Maßgabe, dass die Vollziehung des Bundes, soweit nicht eigene Bundesbehörden bestehen (unmittelbare Bundesverwaltung), der Bürgermeister als Landeshauptmann und der ihm unterstellte Magistrat als Bezirksverwaltungsbehörde ausüben (mittelbare Bundesverwaltung).

Artikel 110 [aufgehoben]

Artikel 111 [aufgehoben]

Artikel 112 [Geltung der Grundsätze des Gemeinderechts]

Nach Maßgabe der Art. 108 und 109 gelten für die Bundeshauptstadt Wien im Übrigen die Bestimmungen des Abschnittes A des sechsten Hauptstückes mit Ausnahme des Art. 117 Abs. 6 zweiter Satz, des Art. 119 Abs. 4 und des Art. 119a. Art. 142 Abs. 2 lit. e findet auch auf die Führung des vom Bund der Bundeshauptstadt Wien übertragenen Wirkungsbereiches Anwendung.

Fünftes Hauptstück
VOLLZIEHUNG AUF DEM GEBIET DES SCHUL- UND ERZIEHUNGS-WESENS

Artikel 113 [Bildungsdirektionen]

(1) Die Vollziehung auf dem Gebiet des Schulwesens und auf dem Gebiet des Erziehungswesens in Angelegenheiten der Schülerheime gemäß Art. 14, jedoch mit Ausnahme des Kindergartenwesens und Hortwesens gemäß Art. 14 Abs. 4 lit. b, ist vom zuständigen Bundesminister und – soweit es sich nicht um Zentrallehranstalten handelt – von den dem zuständigen Bundesminister unterstellten Bildungsdirektionen zu besorgen.

(2) Abweichend von Abs. 1 tritt in den Angelegenheiten der Vollziehung gemäß Art. 14 Abs. 2, Abs. 3 lit. a und b sowie Abs. 4 lit. a nach den näheren Bestimmungen der Landesverfassung die Landesregierung oder einzelne Mitglieder derselben (Art. 101 Abs. 1) an die Stelle des Bundesministers.

(3) Für jedes Land wird eine als Bildungsdirektion zu bezeichnende gemeinsame Behörde des Bundes und des Landes eingerichtet.

(4) Den Bildungsdirektionen obliegen die Vollziehung des Schulrechtes für öffentliche Schulen gemäß Art. 14, einschließlich der Qualitätssicherung, der Schulaufsicht sowie des Bildungscontrollings, und die Vollziehung des Dienstrechtes und des Personalvertretungsrechtes der Lehrer für öffentliche Schulen und der sonstigen Bundesbediensteten an öffentlichen Schulen. Durch Bundesgesetz können sonstige Angelegenheiten der Bundesvollziehung, durch Landesgesetz sonstige Angelegenheiten der Landesvollziehung auf die Bildungsdirektion übertragen werden oder kann die Mitwirkung der Bildungsdirektion bei deren Vollziehung

vorgesehen werden. Diese Angelegenheiten müssen in sachlichem Zusammenhang mit den in Abs. 1 und 2 genannten Angelegenheiten stehen. In den Angelegenheiten der Bundesvollziehung dürfen Bundesgesetze gemäß dem zweiten Satz nur mit Zustimmung der Länder kundgemacht werden. In diesen Angelegenheiten ist die Bildungsdirektion dem Bundesminister unterstellt. Für Landesgesetze gemäß dem zweiten Satz gilt Art. 97 Abs. 2 sinngemäß. In den Angelegenheiten der Landesvollziehung ist die Bildungsdirektion der Landesregierung (oder einem einzelnen Mitglied derselben) unterstellt.

(5) Unbeschadet der Abs. 1 und 2 können Aufgaben auf dem Gebiet der Vollziehung des Dienstrechtes und des Personalvertretungsrechtes der Lehrer, insbesondere Aufgaben auf den Gebieten des Disziplinarrechts, der Leistungsfeststellung, der Gleichbehandlung und des Bedienstetenschutzes durch Gesetz auf andere Organe übertragen werden. Die Erhaltung öffentlicher Pflichtschulen kann auf Gemeinden oder Gemeindeverbände übertragen werden.

(6) An der Spitze der Bildungsdirektion steht der Bildungsdirektor. Der zuständige Bundesminister bestellt den Bildungsdirektor im Einvernehmen mit dem Landeshauptmann auf dessen Vorschlag. Die Bestellung des Bildungsdirektors ist auf fünf Jahre befristet. Wiederbestellungen sind zulässig. Kommt kein Einvernehmen zustande, kann der Landeshauptmann vorläufig eine Person mit der Funktion des Bildungsdirektors betrauen. Nähere Bestimmungen trifft das Bundesgesetz gemäß Abs. 10.

(7) Der Bildungsdirektor ist bei der Erfüllung seiner Aufgaben in den Angelegenheiten der Bundesvollziehung an die Weisungen des zuständigen Bundesministers und in den Angelegenheiten der Landesvollziehung an die Weisungen der Landesregierung (oder eines einzelnen Mitgliedes derselben) gebunden. In übergreifenden Angelegenheiten ist der Bildungsdirektor an die Weisungen des zuständigen Bundesministers im Einvernehmen mit der Landesregierung (oder einem einzelnen Mitglied derselben) gebunden.

(8) Durch Landesgesetz kann vorgesehen werden, dass der Landeshauptmann der Bildungsdirektion als Präsident vorsteht. Der Landeshauptmann kann in diesem Fall das in Betracht kommende Mitglied der Landesregierung durch Verordnung mit der Ausübung dieser Funktion betrauen. Sieht ein Landesgesetz einen Präsidenten vor, gilt Abs. 7 für den Präsidenten. In einem solchen Fall ist der Bildungsdirektor an die Weisungen des Präsidenten gebunden. Weisungen des zuständigen Bundesministers bzw. der Landesregierung (oder eines einzelnen Mitgliedes derselben) können auch unmittelbar an den Bildungsdirektor gerichtet werden. Der Präsident hat Weisungen an den Bildungsdirektor in Angelegenheiten der Bundesvollziehung unverzüglich dem zuständigen Bundesminister zur Kenntnis zu bringen.

(9) Bund und Land haben der Bildungsdirektion die zur Besorgung ihrer Aufgaben erforderliche Zahl an Bediensteten des Bundes bzw. des Landes zuzuweisen. Der Bildungsdirektor übt die Dienst- und Fachaufsicht über alle Bundes- und Landesbediensteten in der Bildungsdirektion aus.

(10) Die näheren Bestimmungen über die Einrichtung, die Organisation und die Kundmachung von Verordnungen der Bildungsdirektion einschließlich der Anforderungen an die persönliche und fachliche Eignung des Bildungsdirektors sowie dessen Bestellung werden durch Bundesgesetz getroffen. Dieses Bundesgesetz kann vorsehen, dass der zuständige Bundesminister in einzelnen Angelegenheiten das Einvernehmen mit der Landesregierung (oder einem einzelnen Mitglied derselben) herzustellen hat. Der Bund hat den Ländern Gelegenheit zu geben, an der Vorbereitung solcher Gesetzesvorhaben mitzuwirken; das Gesetz darf nur mit Zustimmung der Länder kundgemacht werden.

Artikel 114 [aufgehoben]

Sechstes Hauptstück
SELBSTVERWALTUNG

A. Gemeinden

Artikel 115 [Ortsgemeinde; Gesetzgebungskompetenz]

(1) Soweit in den folgenden Artikeln von Gemeinden die Rede ist, sind darunter die Ortsgemeinden zu verstehen.

(2) Soweit nicht ausdrücklich eine Zuständigkeit des Bundes festgesetzt ist, hat die Landesgesetzgebung das Gemeinderecht nach den Grundsätzen der folgenden Artikel dieses Abschnittes zu regeln. Die Zuständigkeit zur Regelung der gemäß den Art. 118, 118a und 119 von den Gemeinden zu besorgenden Angelegenheiten einschließlich eines allfälligen Ausschlusses des Instanzenzuges bestimmt sich nach den allgemeinen Vorschriften dieses Bundesverfassungsgesetzes.

(3) Der Österreichische Gemeindebund und der Österreichische Städtebund sind berufen, die Interessen der Gemeinden zu vertreten.

Artikel 116 [Gebietskörperschaft; Selbstverwaltung; Privatwirtschaftsverwaltung]

(1) Jedes Land gliedert sich in Gemeinden. Die Gemeinde ist Gebietskörperschaft mit dem Recht auf Selbstverwaltung und zugleich Verwaltungssprengel. Jedes Grundstück muss zu einer Gemeinde gehören.

(2) Die Gemeinde ist selbständiger Wirtschaftskörper. Sie hat das Recht, innerhalb der Schranken der allgemeinen Bundes- und Landesgesetze Vermögen aller Art zu besitzen, zu erwerben und darüber zu verfügen, wirtschaftliche Unternehmungen zu betreiben sowie im Rahmen der Finanzverfassung ihren Haushalt selbständig zu führen und Abgaben auszuschreiben.

(3) Einer Gemeinde mit mindestens 20 000 Einwohnern ist, wenn Landesinteressen hiedurch nicht gefährdet werden, auf ihren Antrag durch Landesgesetz ein eigenes Statut (Stadtrecht) zu verleihen. Eine Stadt mit eigenem Statut hat neben den Aufgaben der Gemeindeverwaltung auch die der Bezirksverwaltung zu besorgen.

Artikel 116a [Bildung von Gemeindeverbänden; Genehmigung; Organisation]

(1) Zur Besorgung ihrer Angelegenheiten können sich Gemeinden durch Vereinbarung zu Gemeindeverbänden zusammenschließen. Eine solche Vereinbarung bedarf der Genehmigung der Aufsichtsbehörde. Die Genehmigung ist durch Verordnung zu erteilen, wenn eine dem Gesetz entsprechende Vereinbarung der beteiligten Gemeinden vorliegt und die Bildung des Gemeindeverbandes

1. im Falle der Besorgung von Angelegenheiten der Hoheitsverwaltung die Funktion der beteiligten Gemeinden als Selbstverwaltungskörper nicht gefährdet,

2. im Falle der Besorgung von Angelegenheiten der Gemeinden als Träger von Privatrechten aus Gründen der Zweckmäßigkeit, Wirtschaftlichkeit und Sparsamkeit im Interesse der beteiligten Gemeinden gelegen ist.

(2) Im Interesse der Zweckmäßigkeit kann die zuständige Gesetzgebung (Art. 10 bis 15) zur Besorgung von Angelegenheiten der Wirkungsbereiche der Gemeinde die Bildung von Gemeindeverbänden vorsehen, doch darf dadurch die Funktion der Gemeinden als Selbstverwaltungskörper und Verwaltungssprengel nicht gefährdet werden. Bei der Bildung von Gemeindeverbänden im Wege der Vollziehung sind die beteiligten Gemeinden vorher zu hören.

(3) Die Organe der Gemeindeverbände, die Angelegenheiten des eigenen Wirkungsbereiches der Gemeinde besorgen sollen, sind nach demokratischen Grundsätzen zu bilden.

(4) Die Landesgesetzgebung hat die Organisation der Gemeindeverbände zu regeln, wobei als deren Organe jedenfalls eine Verbandsversammlung, die aus gewählten Vertretern aller verbandsangehörigen Gemeinden zu bestehen hat, und ein Verbandsobmann vorzusehen sind. Für Gemeindeverbände, die durch Vereinbarung gebildet worden sind, sind weiters Bestimmungen

über den Beitritt und Austritt von Gemeinden sowie über die Auflösung des Gemeindeverbandes zu treffen.

(5) Die Zuständigkeit zur Regelung der von den Gemeindeverbänden zu besorgenden Angelegenheiten bestimmt sich nach den allgemeinen Vorschriften dieses Bundesverfassungsgesetzes.

(6) Ein Zusammenschluss von Gemeinden verschiedener Länder zu Gemeindeverbänden ist nach Maßgabe einer Vereinbarung zwischen den betreffenden Ländern gemäß Art. 15a zulässig, in die insbesondere Regelungen über die Genehmigung der Bildung der Gemeindeverbände und die Wahrnehmung der Aufsicht aufzunehmen sind.

Artikel 116b [Vereinbarungen über den jeweiligen Wirkungsbereich]

Gemeinden eines Landes können untereinander Vereinbarungen über ihren jeweiligen Wirkungsbereich abschließen, wenn die Landesgesetzgebung dies vorsieht. Die Landesgesetzgebung hat dabei auch Regelungen über die Kundmachung derartiger Vereinbarungen sowie über die Entscheidung von Meinungsverschiedenheiten zu treffen. Für Vereinbarungen von Gemeinden verschiedener Länder gilt Art. 116a Abs. 6 sinngemäß.

Artikel 117 [Gemeindeorgane; Wahlen; Beschlüsse; Sitzungen; Gemeindeamt]

(1) Als Organe der Gemeinde sind jedenfalls vorzusehen:

a) der Gemeinderat, das ist ein von den Wahlberechtigten der Gemeinde zu wählender allgemeiner Vertretungskörper;

b) der Gemeindevorstand (Stadtrat), bei Städten mit eigenem Statut der Stadtsenat;

c) der Bürgermeister.

(2) Der Gemeinderat wird auf Grund des gleichen, unmittelbaren, persönlichen, freien und geheimen Wahlrechtes der männlichen und weiblichen Staatsbürger, die in der Gemeinde ihren Hauptwohnsitz haben, nach den Grundsätzen der Verhältniswahl gewählt. Die Wahlordnung kann jedoch vorsehen, dass auch Staatsbürger, die in der Gemeinde einen Wohnsitz, nicht aber den Hauptwohnsitz haben, wahlberechtigt sind. Die Wahlordnung darf die Bedingungen des Wahlrechtes und der Wählbarkeit nicht enger ziehen als die Landtagswahlordnung; es kann jedoch bestimmt werden, dass Personen, die sich noch nicht ein Jahr in der Gemeinde aufhalten, dann nicht wahlberechtigt und wählbar sind, wenn ihr Aufenthalt in der Gemeinde offensichtlich nur vorübergehend ist. Unter den in der Wahlordnung festzulegenden Bedingungen sind auch Staatsangehörige anderer Mitgliedstaaten der Europäischen Union wahlberechtigt und wählbar. Die Wahlordnung kann bestimmen, dass die Wähler ihr Wahlrecht in Wahlkreisen ausüben, von denen jeder ein geschlossenes Gebiet umfassen muss. Eine Gliederung der Wählerschaft in andere Wahlkörper ist nicht zulässig. Art. 26 Abs. 6 ist sinngemäß anzuwenden. Für den Fall, dass keine Wahlvorschläge eingebracht werden, kann in der Wahlordnung bestimmt werden, dass Personen als gewählt gelten, deren Namen auf den Stimmzetteln am häufigsten genannt werden.

(3) Zu einem Beschluss des Gemeinderates ist die einfache Mehrheit der in beschlussfähiger Anzahl anwesenden Mitglieder desselben erforderlich; es können jedoch für bestimmte Angelegenheiten andere Beschlusserfordernisse vorgesehen werden. Im Fall außergewöhnlicher Verhältnisse ist eine Beschlussfassung im Umlaufweg oder in einer Videokonferenz zulässig; zu einem solchen Beschluss ist die einfache Mehrheit der Mitglieder des Gemeinderates erforderlich, wenn jedoch für die betreffende Angelegenheit strengere Mehrheitserfordernisse vorgesehen sind, deren Einhaltung.

(4) Die Sitzungen des Gemeinderates sind öffentlich, es können jedoch Ausnahmen vorgesehen werden. Wenn der Gemeindevoranschlag oder der Gemeinderechnungsabschluss behandelt wird, darf die Öffentlichkeit nicht ausgeschlossen werden.

(5) Im Gemeinderat vertretene Wahlparteien haben nach Maßgabe ihrer Stärke Anspruch auf Vertretung im Gemeindevorstand.

(6) Der Bürgermeister wird vom Gemein-

derat gewählt. In der Landesverfassung kann vorgesehen werden, dass die zur Wahl des Gemeinderates Berechtigten den Bürgermeister wählen. In diesem Fall ist Art. 26 Abs. 6 sinngemäß anzuwenden.

(7) Die Geschäfte der Gemeinden werden durch das Gemeindeamt (Stadtamt), jene der Städte mit eigenem Statut durch den Magistrat besorgt. Zum Leiter des inneren Dienstes des Magistrates ist ein rechtskundiger Bediensteter des Magistrates als Magistratsdirektor zu bestellen.

(8) In Angelegenheiten des eigenen Wirkungsbereiches der Gemeinde kann die Landesgesetzgebung die unmittelbare Teilnahme und Mitwirkung der zum Gemeinderat Wahlberechtigten vorsehen.

Artikel 118 [Eigener Wirkungsbereich; ortspolizeiliches Verordnungsrecht]

(1) Der Wirkungsbereich der Gemeinde ist ein eigener und ein vom Bund oder vom Land übertragener.

(2) Der eigene Wirkungsbereich umfasst neben den im Art. 116 Abs. 2 angeführten Angelegenheiten alle Angelegenheiten, die im ausschließlichen oder überwiegenden Interesse der in der Gemeinde verkörperten örtlichen Gemeinschaft gelegen und geeignet sind, durch die Gemeinschaft innerhalb ihrer örtlichen Grenzen besorgt zu werden. Die Gesetze haben derartige Angelegenheiten ausdrücklich als solche des eigenen Wirkungsbereiches der Gemeinde zu bezeichnen.

(3) Der Gemeinde sind zur Besorgung im eigenen Wirkungsbereich die behördlichen Aufgaben insbesondere in folgenden Angelegenheiten gewährleistet:

1. Bestellung der Gemeindeorgane unbeschadet der Zuständigkeit überörtlicher Wahlbehörden; Regelung der inneren Einrichtungen zur Besorgung der Gemeindeaufgaben;

2. Bestellung der Gemeindebediensteten und Ausübung der Diensthoheit unbeschadet der Zuständigkeit überörtlicher Disziplinar-, Qualifikations- und Prüfungskommissionen;

3. örtliche Sicherheitspolizei (Art. 15 Abs. 2), örtliche Veranstaltungspolizei;

4. Verwaltung der Verkehrsflächen der Gemeinde, örtliche Straßenpolizei;

5. Flurschutzpolizei;

6. örtliche Marktpolizei;

7. örtliche Gesundheitspolizei, insbesondere auch auf dem Gebiet des Hilfs- und Rettungswesens sowie des Leichen- und Bestattungswesens;

8. Sittlichkeitspolizei;

9. örtliche Baupolizei; örtliche Feuerpolizei; örtliche Raumplanung;

10. außergerichtliche Vermittlung von Streitigkeiten in den Angelegenheiten des Zivilrechtswesens und des Strafrechtswesens;

11. freiwillige Feilbietungen beweglicher Sachen.

(4) Die Gemeinde hat die Angelegenheiten des eigenen Wirkungsbereiches im Rahmen der Gesetze und Verordnungen des Bundes und des Landes in eigener Verantwortung frei von Weisungen und unter Ausschluss eines Rechtsmittels an Verwaltungsorgane außerhalb der Gemeinde zu besorgen. In den Angelegenheiten des eigenen Wirkungsbereiches besteht ein zweistufiger Instanzenzug; dieser kann gesetzlich ausgeschlossen werden. In den Angelegenheiten des eigenen Wirkungsbereiches kommt dem Bund und dem Land ein Aufsichtsrecht über die Gemeinde (Art. 119a) zu.

(5) Der Bürgermeister, die Mitglieder des Gemeindevorstandes (Stadtrates, Stadtsenates) und allenfalls bestellte andere Organe der Gemeinde sind für die Erfüllung ihrer dem eigenen Wirkungsbereich der Gemeinde zugehörigen Aufgaben dem Gemeinderat verantwortlich.

(6) In den Angelegenheiten des eigenen Wirkungsbereiches hat die Gemeinde das Recht, ortspolizeiliche Verordnungen nach freier Selbstbestimmung zur Abwehr unmittelbar zu erwartender oder zur Beseitigung bestehender, das örtliche Gemeinschaftsleben störender Missstände zu erlassen, sowie deren Nichtbefolgung als Verwaltungsübertretung zu erklären. Solche Verordnungen dürfen nicht gegen bestehende Gesetze und

Verordnungen des Bundes und des Landes verstoßen.

(7) Auf Antrag einer Gemeinde kann die Besorgung einzelner Angelegenheiten des eigenen Wirkungsbereiches nach Maßgabe des Art. 119a Abs. 3 durch Verordnung der Landesregierung beziehungsweise durch Verordnung des Landeshauptmannes auf eine staatliche Behörde übertragen werden. Soweit durch eine solche Verordnung eine Zuständigkeit auf eine Bundesbehörde übertragen werden soll, bedarf sie der Zustimmung der Bundesregierung. Soweit durch eine solche Verordnung des Landeshauptmannes eine Zuständigkeit auf eine Landesbehörde übertragen werden soll, bedarf sie der Zustimmung der Landesregierung. Eine solche Verordnung ist aufzuheben, sobald der Grund für ihre Erlassung weggefallen ist. Die Übertragung erstreckt sich nicht auf das Verordnungsrecht nach Abs. 6.

(8) Die Errichtung eines Gemeindewachkörpers oder eine Änderung seiner Organisation ist der Bundesregierung anzuzeigen.

Artikel 118a [Ermächtigung von Gemeindewachkörpern]

(1) Durch Bundes- oder Landesgesetz kann bestimmt werden, dass die Angehörigen eines Gemeindewachkörpers mit Zustimmung der Gemeinde zur Besorgung des Exekutivdienstes für die zuständige Behörde ermächtigt werden können.

(2) Mit Zustimmung der Gemeinde kann die Bezirksverwaltungsbehörde Angehörige eines Gemeindewachkörpers ermächtigen, an der Handhabung des Verwaltungsstrafgesetzes im selben Umfang mitzuwirken wie die übrigen Organe des öffentlichen Sicherheitsdienstes. Diese Ermächtigung kann nur erteilt werden, soweit die Organe des öffentlichen Sicherheitsdienstes in der den Gegenstand des Verwaltungsstrafverfahrens bildenden Angelegenheit die Einhaltung der Verwaltungsvorschriften zu überwachen haben oder soweit diese Angelegenheit im Wirkungsbereich der Gemeinde zu besorgen ist.

Artikel 119 [Übertragener Wirkungsbereich]

(1) Der übertragene Wirkungsbereich umfasst die Angelegenheiten, die die Gemeinde nach Maßgabe der Bundesgesetze im Auftrag und nach den Weisungen des Bundes oder nach Maßgabe der Landesgesetze im Auftrag und nach den Weisungen des Landes zu besorgen hat.

(2) Die Angelegenheiten des übertragenen Wirkungsbereiches werden vom Bürgermeister besorgt. Er ist hiebei in den Angelegenheiten der Bundesvollziehung an die Weisungen der zuständigen Organe des Bundes, in den Angelegenheiten der Landesvollziehung an die Weisungen der zuständigen Organe des Landes gebunden und nach Abs. 4 verantwortlich.

(3) Der Bürgermeister kann einzelne Gruppen von Angelegenheiten des übertragenen Wirkungsbereiches – unbeschadet seiner Verantwortlichkeit – wegen ihres sachlichen Zusammenhanges mit den Angelegenheiten des eigenen Wirkungsbereiches Mitgliedern des Gemeindevorstandes (Stadtrates, Stadtsenates), anderen nach Art. 117 Abs. 1 geschaffenen Organen oder bei Kollegialorganen deren Mitgliedern zur Besorgung in seinem Namen übertragen. In diesen Angelegenheiten sind die betreffenden Organe oder deren Mitglieder an die Weisungen des Bürgermeisters gebunden und nach Abs. 4 verantwortlich.

(4) Wegen Gesetzesverletzung sowie wegen Nichtbefolgung einer Verordnung oder einer Weisung können die in den Abs. 2 und 3 genannten Organe, soweit ihnen Vorsatz oder grobe Fahrlässigkeit zur Last fällt, wenn sie auf dem Gebiet der Bundesvollziehung tätig waren, vom Landeshauptmann, wenn sie auf dem Gebiet der Landesvollziehung tätig waren, von der Landesregierung ihres Amtes verlustig erklärt werden. Die allfällige Mitgliedschaft einer solchen Person zum Gemeinderat wird hiedurch nicht berührt.

Artikel 119a [Aufsichtsrecht]

(1) Der Bund und das Land üben das Aufsichtsrecht über die Gemeinde dahin aus,

dass diese bei Besorgung des eigenen Wirkungsbereiches die Gesetze und Verordnungen nicht verletzt, insbesondere ihren Wirkungsbereich nicht überschreitet und die ihr gesetzlich obliegenden Aufgaben erfüllt.

(2) Das Land hat ferner das Recht, die Gebarung der Gemeinde auf ihre Sparsamkeit, Wirtschaftlichkeit und Zweckmäßigkeit zu überprüfen. Das Ergebnis der Überprüfung ist dem Bürgermeister zur Vorlage an den Gemeinderat zu übermitteln. Der Bürgermeister hat die auf Grund des Überprüfungsergebnisses getroffenen Maßnahmen innerhalb von drei Monaten der Aufsichtsbehörde mitzuteilen.

(3) Das Aufsichtsrecht und dessen gesetzliche Regelung stehen, insoweit als der eigene Wirkungsbereich der Gemeinde Angelegenheiten aus dem Bereich der Bundesvollziehung umfasst, dem Bund, im Übrigen den Ländern zu; das Aufsichtsrecht ist von den Behörden der allgemeinen staatlichen Verwaltung auszuüben.

(4) Die Aufsichtsbehörde ist berechtigt, sich über jedwede Angelegenheit der Gemeinde zu unterrichten. Die Gemeinde ist verpflichtet, die von der Aufsichtsbehörde im einzelnen Fall verlangten Auskünfte zu erteilen und Prüfungen an Ort und Stelle vornehmen zu lassen.

(5) [aufgehoben]

(6) Die Gemeinde hat im eigenen Wirkungsbereich erlassene Verordnungen der Aufsichtsbehörde unverzüglich mitzuteilen. Die Aufsichtsbehörde hat gesetzwidrige Verordnungen nach Anhörung der Gemeinde durch Verordnung aufzuheben und die Gründe hiefür der Gemeinde gleichzeitig mitzuteilen.

(7) Sofern die zuständige Gesetzgebung (Abs. 3) als Aufsichtsmittel die Auflösung des Gemeinderates vorsieht, kommt diese Maßnahme in Ausübung des Aufsichtsrechtes des Landes der Landesregierung, in Ausübung des Aufsichtsrechtes des Bundes dem Landeshauptmann zu. Die Zulässigkeit der Ersatzvornahme als Aufsichtsmittel ist auf die Fälle unbedingter Notwendigkeit zu beschränken. Die Aufsichtsmittel sind unter möglichster Schonung erworbener Rechte Dritter zu handhaben.

(8) Einzelne von der Gemeinde im eigenen Wirkungsbereich zu treffende Maßnahmen, durch die auch überörtliche Interessen in besonderem Maß berührt werden, insbesondere solche von besonderer finanzieller Bedeutung, können durch die zuständige Gesetzgebung (Abs. 3) an eine Genehmigung der Aufsichtsbehörde gebunden werden. Als Grund für die Versagung der Genehmigung darf nur ein Tatbestand vorgesehen werden, der die Bevorzugung überörtlicher Interessen eindeutig rechtfertigt.

(9) Die Gemeinde ist Partei des aufsichtsbehördlichen Verfahrens und hat das Recht, Beschwerde beim Verwaltungsgericht (Art. 130 bis 132) zu erheben. Sie ist Partei des Verfahrens vor dem Verwaltungsgericht und hat das Recht, Revision beim Verwaltungsgerichtshof (Art. 133) und Beschwerde beim Verfassungsgerichtshof (Art. 144) zu erheben.

(10) Die Bestimmungen dieses Artikels sind auf die Aufsicht über Gemeindeverbände, soweit diese Angelegenheiten des eigenen Wirkungsbereiches der Gemeinde besorgen, entsprechend anzuwenden.

Artikel 120 [Gebietsgemeinden]

Die Zusammenfassung von Ortsgemeinden zu Gebietsgemeinden, deren Einrichtung nach dem Muster der Selbstverwaltung sowie die Festsetzung weiterer Grundsätze für die Organisation der allgemeinen staatlichen Verwaltung in den Ländern ist Sache der Bundesverfassungsgesetzgebung; die Ausführung obliegt der Landesgesetzgebung. Die Regelung der Zuständigkeit in Angelegenheiten des Dienstrechtes und des Personalvertretungsrechtes der Bediensteten der Gebietsgemeinden ist Sache der Bundesverfassungsgesetzgebung.

B. Sonstige Selbstverwaltung

Artikel 120a [Personelle Selbstverwaltung; Sozialpartner]

(1) Personen können zur selbständigen

Wahrnehmung öffentlicher Aufgaben, die in ihrem ausschließlichen oder überwiegenden gemeinsamen Interesse gelegen und geeignet sind, durch sie gemeinsam besorgt zu werden, durch Gesetz zu Selbstverwaltungskörpern zusammengefasst werden.

(2) Die Republik anerkennt die Rolle der Sozialpartner. Sie achtet deren Autonomie und fördert den sozialpartnerschaftlichen Dialog durch die Einrichtung von Selbstverwaltungskörpern.

Artikel 120b [Aufgaben; Aufsichtsrecht; übertragener Wirkungsbereich; Mitwirkung an der staatlichen Vollziehung]

(1) Die Selbstverwaltungskörper haben das Recht, ihre Aufgaben in eigener Verantwortung frei von Weisungen zu besorgen und im Rahmen der Gesetze Satzungen zu erlassen. Dem Bund oder dem Land kommt ihnen gegenüber nach Maßgabe der gesetzlichen Bestimmungen hinsichtlich der Rechtmäßigkeit der Verwaltungsführung ein Aufsichtsrecht zu. Darüber hinaus kann sich das Aufsichtsrecht auch auf die Zweckmäßigkeit der Verwaltungsführung erstrecken, wenn dies auf Grund der Aufgaben des Selbstverwaltungskörpers erforderlich ist.

(2) Den Selbstverwaltungskörpern können Aufgaben staatlicher Verwaltung übertragen werden. Die Gesetze haben derartige Angelegenheiten ausdrücklich als solche des übertragenen Wirkungsbereiches zu bezeichnen und eine Weisungsbindung gegenüber dem zuständigen obersten Verwaltungsorgan vorzusehen.

(3) Durch Gesetz können Formen der Mitwirkung der Selbstverwaltungskörper an der staatlichen Vollziehung vorgesehen werden.

Artikel 120c [Organisation; Wirtschaftstätigkeit]

(1) Die Organe der Selbstverwaltungskörper sind aus dem Kreis ihrer Mitglieder nach demokratischen Grundsätzen zu bilden.

(2) Eine sparsame und wirtschaftliche Erfüllung der Aufgaben der Selbstverwaltungskörper ist nach Maßgabe der gesetz-lichen Bestimmungen durch Beiträge ihrer Mitglieder oder durch sonstige Mittel sicherzustellen.

(3) Die Selbstverwaltungskörper sind selbständige Wirtschaftskörper. Sie können im Rahmen der Gesetze zur Erfüllung ihrer Aufgaben Vermögen aller Art erwerben, besitzen und darüber verfügen.

Siebentes Hauptstück
RECHNUNGS- UND GEBARUNGSKONTROLLE

Artikel 121 [Aufgaben des Rechnungshofes]

(1) Zur Überprüfung der Gebarung des Bundes, der Länder, der Gemeindeverbände, der Gemeinden und anderer durch Gesetz bestimmter Rechtsträger ist der Rechnungshof berufen.

(2) Der Rechnungshof verfasst den Bundesrechnungsabschluss und legt ihn dem Nationalrat vor.

(3) Alle Urkunden über Finanzschulden des Bundes sind, soweit sich aus ihnen eine Verpflichtung des Bundes ergibt, vom Präsidenten des Rechnungshofes, in dessen Verhinderung von seinem Stellvertreter, gegenzuzeichnen. Die Gegenzeichnung gewährleistet lediglich die Gesetzmäßigkeit der Schuldaufnahme und die ordnungsmäßige Eintragung in das Hauptbuch der Staatsschuld.

(4) Der Rechnungshof hat bei Unternehmungen und Einrichtungen, die seiner Kontrolle unterliegen und für die eine Berichterstattungspflicht an den Nationalrat besteht, jedes zweite Jahr die durchschnittlichen Einkommen einschließlich aller Sozial- und Sachleistungen sowie zusätzliche Leistungen für Pensionen von Mitgliedern des Vorstandes und des Aufsichtsrates sowie aller Beschäftigten durch Einholung von Auskünften bei diesen Unternehmungen und Einrichtungen zu erheben und darüber dem Nationalrat zu berichten. Die durchschnittlichen Einkommen der genannten Personenkreise sind hiebei für jede Unternehmung und jede Einrichtung gesondert auszuweisen.

Artikel 122 [Unabhängigkeit; Zusammensetzung des Rechnungshofes]

(1) Der Rechnungshof untersteht unmittelbar dem Nationalrat. Er ist in Angelegenheiten der Bundesgebarung und der Gebarung der gesetzlichen beruflichen Vertretungen, soweit sie in die Vollziehung des Bundes fallen, als Organ des Nationalrates, in Angelegenheiten der Länder-, Gemeindeverbände- und Gemeindegebarung sowie der Gebarung der gesetzlichen beruflichen Vertretungen, soweit sie in die Vollziehung der Länder fallen, als Organ des betreffenden Landtages tätig.

(2) Der Rechnungshof ist von der Bundesregierung und den Landesregierungen unabhängig und nur den Bestimmungen des Gesetzes unterworfen.

(3) Der Rechnungshof besteht aus einem Präsidenten und den erforderlichen Beamten und Hilfskräften.

(4) Der Präsident des Rechnungshofes wird auf Vorschlag des Hauptausschusses vom Nationalrat für eine Funktionsperiode von zwölf Jahren gewählt; eine Wiederwahl ist unzulässig. Er leistet vor Antritt seines Amtes dem Bundespräsidenten die Angelobung.

(5) Der Präsident des Rechnungshofes muss zum Nationalrat wählbar sein, darf weder einem allgemeinen Vertretungskörper noch dem Europäischen Parlament angehören und in den letzten fünf Jahren nicht Mitglied der Bundesregierung oder einer Landesregierung gewesen sein.

Artikel 123 [Verantwortlichkeit des Präsidenten; Abberufung]

(1) Der Präsident des Rechnungshofes ist hinsichtlich der Verantwortlichkeit den Mitgliedern der Bundesregierung oder den Mitgliedern der in Betracht kommenden Landesregierung gleichgestellt, je nachdem der Rechnungshof als Organ des Nationalrates oder eines Landtages tätig ist.

(2) Er kann durch Beschluss des Nationalrates abberufen werden.

Artikel 123a [Teilnahme und Anhörungsrecht im Nationalrat]

(1) Der Präsident des Rechnungshofes ist berechtigt, an den Verhandlungen über die Berichte des Rechnungshofes, die Bundesrechnungsabschlüsse, Anträge betreffend die Durchführung besonderer Akte der Gebarungsüberprüfung durch den Rechnungshof und die den Rechnungshof betreffenden Untergliederungen des Entwurfes des Bundesfinanzgesetzes im Nationalrat sowie in seinen Ausschüssen (Unterausschüssen) teilzunehmen.

(2) Der Präsident des Rechnungshofes hat nach den näheren Bestimmungen des Bundesgesetzes über die Geschäftsordnung des Nationalrates das Recht, auf sein Verlangen in den Verhandlungen zu den in Abs. 1 angeführten Gegenständen jedes Mal gehört zu werden.

Artikel 124 [Vertretung des Präsidenten]

(1) Der Präsident des Rechnungshofes wird im Falle seiner Verhinderung vom rangältesten Beamten des Rechnungshofes vertreten. Dies gilt auch, wenn das Amt des Präsidenten erledigt ist. Die Stellvertretung des Präsidenten des Rechnungshofes im Nationalrat wird durch das Bundesgesetz über die Geschäftsordnung des Nationalrates bestimmt.

(2) Im Falle der Stellvertretung des Präsidenten gelten für den Stellvertreter die Bestimmungen des Art. 123 Abs. 1.

Artikel 125 [Ernennung der Beamten und Hilfskräfte]

(1) Die Beamten des Rechnungshofes ernennt auf Vorschlag und unter Gegenzeichnung des Präsidenten des Rechnungshofes der Bundespräsident; das Gleiche gilt für die Verleihung der Amtstitel. Doch kann der Bundespräsident den Präsidenten des Rechnungshofes ermächtigen, Beamte bestimmter Kategorien zu ernennen.

(2) Die Hilfskräfte ernennt der Präsident des Rechnungshofes.

(3) Die Diensthoheit des Bundes gegenüber den beim Rechnungshof Bediensteten

wird vom Präsidenten des Rechnungshofes ausgeübt.

Artikel 126 [Inkompatibilität]

Kein Mitglied des Rechnungshofes darf an der Leitung und Verwaltung von Unternehmungen beteiligt sein, die der Kontrolle durch den Rechnungshof unterliegen. Ebensowenig darf ein Mitglied des Rechnungshofes an der Leitung und Verwaltung sonstiger auf Gewinn gerichteter Unternehmungen teilnehmen.

Artikel 126a [Meinungsverschiedenheiten über die Zuständigkeit des Rechnungshofes]

Entstehen zwischen dem Rechnungshof und einem Rechtsträger (Art. 121 Abs. 1) Meinungsverschiedenheiten über die Auslegung der gesetzlichen Bestimmungen, die die Zuständigkeit des Rechnungshofes regeln, so entscheidet auf Antrag der Bundesregierung oder einer Landesregierung oder des Rechnungshofes der Verfassungsgerichtshof. Alle Rechtsträger sind verpflichtet, entsprechend der Rechtsanschauung des Verfassungsgerichtshofes eine Überprüfung durch den Rechnungshof zu ermöglichen.

Artikel 126b [Kontrolle der Gebarungen im Bereich des Bundes]

(1) Der Rechnungshof hat die gesamte Staatswirtschaft des Bundes, ferner die Gebarung von Stiftungen, Fonds und Anstalten zu überprüfen, die von Organen des Bundes oder von Personen (Personengemeinschaften) verwaltet werden, die hiezu von Organen des Bundes bestellt sind.

(2) Der Rechnungshof überprüft weiters die Gebarung von Unternehmungen, an denen der Bund allein oder gemeinsam mit anderen der Zuständigkeit des Rechnungshofes unterliegenden Rechtsträgern jedenfalls mit mindestens 50 vH des Stamm-, Grund- oder Eigenkapitals beteiligt ist oder die der Bund allein oder gemeinsam mit anderen solchen Rechtsträgern betreibt. Der Rechnungshof überprüft weiters jene Unternehmungen, die der Bund allein oder gemeinsam mit anderen

der Zuständigkeit des Rechnungshofes unterliegenden Rechtsträgern durch finanzielle oder sonstige wirtschaftliche oder organisatorische Maßnahmen tatsächlich beherrscht. Die Zuständigkeit des Rechnungshofes erstreckt sich auch auf Unternehmungen jeder weiteren Stufe, bei denen die Voraussetzungen gemäß diesem Absatz vorliegen.

(3) Der Rechnungshof ist befugt, die Gebarung öffentlich-rechtlicher Körperschaften mit Mitteln des Bundes zu überprüfen.

(4) Der Rechnungshof hat auf Beschluss des Nationalrates oder auf Verlangen von Mitgliedern des Nationalrates in seinen Wirkungsbereich fallende besondere Akte der Gebarungsüberprüfung durchzuführen. Die nähere Regelung wird durch das Bundesgesetz über die Geschäftsordnung des Nationalrates getroffen. Desgleichen hat der Rechnungshof auf begründetes Ersuchen der Bundesregierung oder eines Bundesministers solche Akte durchzuführen und das Ergebnis der ersuchenden Stelle mitzuteilen.

(5) Die Überprüfung des Rechnungshofes hat sich auf die ziffernmäßige Richtigkeit, die Übereinstimmung mit den bestehenden Vorschriften, ferner auf die Sparsamkeit, Wirtschaftlichkeit und Zweckmäßigkeit zu erstrecken.

Artikel 126c [Kontrolle der Träger der Sozialversicherung]

Der Rechnungshof ist befugt, die Gebarung der Träger der Sozialversicherung zu überprüfen.

Artikel 126d [Berichte des Rechnungshofes]

(1) Der Rechnungshof erstattet dem Nationalrat über seine Tätigkeit im vorausgegangenen Jahr spätestens bis 31. Dezember jeden Jahres Bericht. Überdies kann der Rechnungshof über einzelne Wahrnehmungen jederzeit unter allfälliger Antragstellung an den Nationalrat berichten. Der Rechnungshof hat jeden Bericht gleichzeitig mit der Vorlage an den Nationalrat dem Bundeskanzler mitzuteilen. Die Berichte des Rechnungshofes sind nach Vorlage an den Nationalrat zu veröffentlichen.

(2) Für die Verhandlung der Berichte des Rechnungshofes wird im Nationalrat ein ständiger Ausschuss eingesetzt. Bei der Einsetzung ist der Grundsatz der Verhältniswahl einzuhalten.

Artikel 127 [Kontrolle der Gebarung ein Bereich der Länder]

(1) Der Rechnungshof hat die in den selbständigen Wirkungsbereich der Länder fallende Gebarung sowie die Gebarung von Stiftungen, Fonds und Anstalten zu überprüfen, die von Organen eines Landes oder von Personen (Personengemeinschaften) verwaltet werden, die hiezu von Organen eines Landes bestellt sind. Die Überprüfung hat sich auf die ziffernmäßige Richtigkeit, die Übereinstimmung mit den bestehenden Vorschriften, ferner auf die Sparsamkeit, Wirtschaftlichkeit und Zweckmäßigkeit der Gebarung zu erstrecken; sie umfasst jedoch nicht die für die Gebarung maßgebenden Beschlüsse der verfassungsmäßig zuständigen Vertretungskörper.

(2) Die Landesregierungen haben alljährlich die Voranschläge und Rechnungsabschlüsse dem Rechnungshof zu übermitteln.

(3) Der Rechnungshof überprüft weiter die Gebarung von Unternehmungen, an denen das Land allein oder gemeinsam mit anderen der Zuständigkeit des Rechnungshofes unterliegenden Rechtsträgern mit mindestens 50 vH des Stamm-, Grund- oder Eigenkapitals beteiligt ist oder die das Land allein oder gemeinsam mit anderen solchen Rechtsträgern betreibt. Hinsichtlich der Prüfzuständigkeit bei einer tatsächlichen Beherrschung gilt Art. 126b Abs. 2 sinngemäß. Die Zuständigkeit des Rechnungshofes erstreckt sich auch auf Unternehmungen jeder weiteren Stufe, bei denen die Voraussetzungen gemäß diesem Absatz vorliegen.

(4) Der Rechnungshof ist befugt, die Gebarung öffentlich-rechtlicher Körperschaften mit Mitteln des Landes zu überprüfen.

(5) Das Ergebnis seiner Überprüfung gibt der Rechnungshof der betreffenden Landesregierung bekannt. Diese hat hiezu Stellung zu nehmen und die auf Grund des Prüfungs-

ergebnisses getroffenen Maßnahmen innerhalb von drei Monaten dem Rechnungshof mitzuteilen.

(6) Der Rechnungshof erstattet dem Landtag über seine Tätigkeit im vorausgegangenen Jahr, die sich auf das betreffende Land bezieht, spätestens bis 31. Dezember jeden Jahres Bericht. Überdies kann der Rechnungshof über einzelne Wahrnehmungen jederzeit an den Landtag berichten. Der Rechnungshof hat jeden Bericht gleichzeitig mit der Vorlage an den Landtag der Landesregierung sowie der Bundesregierung mitzuteilen. Die Berichte des Rechnungshofes sind nach Vorlage an den Landtag zu veröffentlichen.

(7) Der Rechnungshof hat auf Beschluss des Landtages oder auf Verlangen einer durch Landesverfassungsgesetz zu bestimmenden Anzahl von Mitgliedern eines Landtages, die ein Drittel nicht übersteigen darf, in seinen Wirkungsbereich fallende besondere Akte der Gebarungsprüfung durchzuführen. Solange der Rechnungshof auf Grund eines solchen Antrages dem Landtag noch keinen Bericht erstattet hat, darf ein weiterer derartiger Antrag nicht gestellt werden. Desgleichen hat der Rechnungshof auf begründetes Ersuchen der Landesregierung solche Akte durchzuführen und das Ergebnis der ersuchenden Stelle mitzuteilen.

(8) Die Bestimmungen dieses Artikels gelten auch für die Überprüfung der Gebarung der Stadt Wien, wobei an die Stelle des Landtages der Gemeinderat und an die Stelle der Landesregierung der Stadtsenat tritt.

Artikel 127a [Kontrolle der Gebarung im Bereich der Gemeinden]

(1) Der Kontrolle durch den Rechnungshof unterliegt die Gebarung der Gemeinden mit mindestens 10 000 Einwohnern sowie die Gebarung von Stiftungen, Fonds und Anstalten, die von Organen einer Gemeinde oder von Personen (Personengemeinschaften) verwaltet werden, die hiezu von Organen einer Gemeinde bestellt sind. Die Überprüfung hat sich auf die ziffernmäßige Richtigkeit, die Übereinstimmung mit den bestehenden Vorschriften, ferner auf die

Sparsamkeit, Wirtschaftlichkeit und Zweckmäßigkeit der Gebarung zu erstrecken.

(2) Die Bürgermeister haben alljährlich die Voranschläge und Rechnungsabschlüsse dem Rechnungshof und gleichzeitig der Landesregierung zu übermitteln.

(3) Der Rechnungshof überprüft weiter die Gebarung von Unternehmungen, an denen eine Gemeinde mit mindestens 10 000 Einwohnern allein oder gemeinsam mit anderen der Zuständigkeit des Rechnungshofes unterliegenden Rechtsträgern mit mindestens 50 vH des Stamm-, Grund- oder Eigenkapitals beteiligt ist oder die die Gemeinde allein oder gemeinsam mit anderen solchen Rechtsträgern betreibt. Hinsichtlich der Prüfzuständigkeit bei einer tatsächlichen Beherrschung gilt Art. 126b Abs. 2 sinngemäß. Die Zuständigkeit des Rechnungshofes erstreckt sich auch auf Unternehmungen jeder weiteren Stufe, bei denen die Voraussetzungen gemäß diesem Absatz vorliegen.

(4) Der Rechnungshof ist befugt, die Gebarung öffentlich-rechtlicher Körperschaften mit Mitteln einer Gemeinde mit mindestens 10 000 Einwohnern zu überprüfen.

(5) Der Rechnungshof gibt das Ergebnis seiner Überprüfung dem Bürgermeister bekannt. Der Bürgermeister hat hiezu Stellung zu nehmen und die auf Grund des Prüfungsergebnisses getroffenen Maßnahmen innerhalb von drei Monaten dem Rechnungshof mitzuteilen. Der Rechnungshof hat das Ergebnis seiner Gebarungsüberprüfung samt einer allenfalls abgegebenen Äußerung des Bürgermeisters der Landesregierung und der Bundesregierung mitzuteilen.

(6) Der Rechnungshof erstattet dem Gemeinderat über seine Tätigkeit im vorausgegangenen Jahr, soweit sie sich auf die betreffende Gemeinde bezieht, spätestens bis 31. Dezember Bericht. Er hat jeden Bericht gleichzeitig mit der Vorlage an den Gemeinderat auch der Landesregierung sowie der Bundesregierung mitzuteilen. Die Berichte des Rechnungshofes sind nach Vorlage an den Gemeinderat zu veröffentlichen.

(7) Der Rechnungshof hat auf begründetes Ersuchen der Landesregierung die Gebarung bestimmter Gemeinden mit weniger als 10 000 Einwohnern zu überprüfen. Die Abs. 1 und 3 bis 6 sind sinngemäß anzuwenden. In jedem Jahr dürfen nur zwei derartige Ersuchen gestellt werden. Solche Ersuchen sind nur hinsichtlich jener Gemeinden zulässig, die im Vergleich mit anderen Gemeinden über eine auffällige Entwicklung bei Schulden oder Haftungen verfügen.

(8) Der Rechnungshof hat auf Beschluss des Landtages die Gebarung bestimmter Gemeinden mit weniger als 10 000 Einwohnern zu überprüfen. Die Abs. 1 und 3 bis 6 sind mit der Maßgabe sinngemäß anzuwenden, dass der Bericht des Rechnungshofes auch dem Landtag mitzuteilen ist. In jedem Jahr dürfen nur zwei derartige Anträge gestellt werden. Solche Anträge sind nur hinsichtlich jener Gemeinden zulässig, die im Vergleich mit anderen Gemeinden über eine auffällige Entwicklung bei Schulden oder Haftungen verfügen.

(9) Die für die Überprüfung der Gebarung der Gemeinden geltenden Bestimmungen sind bei der Überprüfung der Gebarung der Gemeindeverbände sinngemäß anzuwenden.

Artikel 127b [Kontrolle der Gebarung gesetzlicher beruflicher Vertretungen]

(1) Der Rechnungshof ist befugt, die Gebarung der gesetzlichen beruflichen Vertretungen zu überprüfen.

(2) Die gesetzlichen beruflichen Vertretungen haben dem Rechnungshof alljährlich den Voranschlag und den Rechnungsabschluss zu übermitteln.

(3) Die Überprüfung des Rechnungshofes hat sich auf die ziffernmäßige Richtigkeit, die Übereinstimmung mit den bestehenden Vorschriften, ferner auf die Sparsamkeit und Wirtschaftlichkeit der Gebarung zu erstrecken; diese Überprüfung umfasst jedoch nicht die für die Gebarung in Wahrnehmung der Aufgaben als Interessenvertretung maßgeblichen Beschlüsse der zuständigen Organe der gesetzlichen beruflichen Vertretungen.

(4) Der Rechnungshof hat das Ergebnis seiner Überprüfung dem Vorsitzenden des satzungsgebenden Organs (Vertretungskör-

pers) der gesetzlichen beruflichen Vertretung bekanntzugeben. Dieser hat das Ergebnis der Überprüfung samt einer allfälligen Stellungnahme dazu dem satzungsgebenden Organ (Vertretungskörper) der gesetzlichen beruflichen Vertretung vorzulegen. Der Rechnungshof hat das Ergebnis der Überprüfung gleichzeitig auch der zur obersten Aufsicht über die gesetzliche berufliche Vertretung zuständigen Behörde mitzuteilen. Die Berichte des Rechnungshofes sind nach Vorlage an das satzungsgebende Organ (den Vertretungskörper) zu veröffentlichen.

Artikel 127c [Meinungsverschiedenheiten über die Zuständigkeit von Landesrechnungshöfen]

Ist in einem Land ein Landesrechnungshof eingerichtet, können durch Landesverfassungsgesetz folgende Regelungen getroffen werden:

1. eine dem Art. 126a erster Satz entsprechende Bestimmung mit der Maßgabe, dass Art. 126a zweiter Satz auch in diesem Fall gilt;

2. dem Art. 127a Abs. 1 bis 6 entsprechende Bestimmungen betreffend Gemeinden mit weniger als 10 000 Einwohnern;

3. dem Art. 127a Abs. 7 und 8 entsprechende Bestimmungen betreffend Gemeinden mit mindestens 10 000 Einwohnern.

Artikel 128 [Rechnungshofgesetz]

Die näheren Bestimmungen über die Einrichtung und Tätigkeit des Rechnungshofes werden durch Bundesgesetz getroffen.

Achtes Hauptstück
GARANTIEN DER VERFASSUNG UND VERWALTUNG

A. Verwaltungsgerichtsbarkeit

Artikel 129 [Verwaltungsgerichte der Länder; Bundesverwaltungsgericht; Bundesfinanzgericht]

Für jedes Land besteht ein Verwaltungsgericht des Landes. Für den Bund bestehen ein als Bundesverwaltungsgericht zu be-

zeichnendes Verwaltungsgericht des Bundes und ein als Bundesfinanzgericht zu bezeichnendes Verwaltungsgericht des Bundes für Finanzen.

Artikel 130 [Zuständigkeit der Verwaltungsgerichte]

(1) Die Verwaltungsgerichte erkennen über Beschwerden

1. gegen den Bescheid einer Verwaltungsbehörde wegen Rechtswidrigkeit;

2. gegen die Ausübung unmittelbarer verwaltungsbehördlicher Befehls- und Zwangsgewalt wegen Rechtswidrigkeit;

3. wegen Verletzung der Entscheidungspflicht durch eine Verwaltungsbehörde.

(1a) Das Verwaltungsgericht des Bundes erkennt über die Anwendung von Zwangsmitteln gegenüber Auskunftspersonen eines Untersuchungsausschusses des Nationalrates nach Maßgabe des Bundesgesetzes über die Geschäftsordnung des Nationalrates.

(2) Durch Bundes- oder Landesgesetz können sonstige Zuständigkeiten der Verwaltungsgerichte zur Entscheidung über

1. Beschwerden wegen Rechtswidrigkeit eines Verhaltens einer Verwaltungsbehörde in Vollziehung der Gesetze oder

2. Beschwerden wegen Rechtswidrigkeit eines Verhaltens eines Auftraggebers in den Angelegenheiten des öffentlichen Auftragswesens oder

3. Streitigkeiten in dienstrechtlichen Angelegenheiten der öffentlich Bediensteten oder

4. Beschwerden, Streitigkeiten oder Anträge in sonstigen Angelegenheiten

vorgesehen werden. In den Angelegenheiten der Vollziehung des Bundes, die nicht unmittelbar von Bundesbehörden besorgt werden, sowie in den Angelegenheiten der Art. 11, 12, 14 Abs. 2 und 3 und 14a Abs. 3 und 4 dürfen Bundesgesetze gemäß Z 1 und 4 nur mit Zustimmung der Länder kundgemacht werden.

(2a) Die Verwaltungsgerichte erkennen über Beschwerden von Personen, die durch das jeweilige Verwaltungsgericht in Ausübung seiner gerichtlichen Zuständigkeiten in ihren Rechten gemäß der Verordnung (EU) 2016/679 zum Schutz natürlicher Personen bei der Verarbeitung personenbezogener Daten, zum freien Datenverkehr und zur Aufhebung der Richtlinie 95/46/EG (Datenschutz-Grundverordnung) – DSGVO, ABl. Nr. L 119 vom 4. 5. 2016 S. 1, verletzt zu sein behaupten.

(3) Außer in Verwaltungsstrafsachen und in den zur Zuständigkeit des Verwaltungsgerichtes des Bundes für Finanzen gehörenden Rechtssachen liegt Rechtswidrigkeit nicht vor, soweit das Gesetz der Verwaltungsbehörde Ermessen einräumt und sie dieses im Sinne des Gesetzes geübt hat.

(4) Über Beschwerden gemäß Abs. 1 Z 1 in Verwaltungsstrafsachen hat das Verwaltungsgericht in der Sache selbst zu entscheiden. Über Beschwerden gemäß Abs. 1 Z 1 in sonstigen Rechtssachen hat das Verwaltungsgericht dann in der Sache selbst zu entscheiden, wenn

1. der maßgebliche Sachverhalt feststeht oder

2. die Feststellung des maßgeblichen Sachverhaltes durch das Verwaltungsgericht selbst im Interesse der Raschheit gelegen oder mit einer erheblichen Kostenersparnis verbunden ist.

(5) Von der Zuständigkeit der Verwaltungsgerichte ausgeschlossen sind Rechtssachen, die zur Zuständigkeit der ordentlichen Gerichte oder des Verfassungsgerichtshofes gehören sofern nicht in diesem Gesetz anderes bestimmt ist.

Artikel 131 [Zuständigkeitsverteilung]

(1) Soweit sich aus Abs. 2 und 3 nicht anderes ergibt, erkennen über Beschwerden nach Art. 130 Abs. 1 die Verwaltungsgerichte der Länder.

(2) Soweit sich aus Abs. 3 nicht anderes ergibt, erkennt das Verwaltungsgericht des Bundes über Beschwerden gemäß Art. 130 Abs. 1 in Rechtssachen in den Angelegenheiten der Vollziehung des Bundes, die unmittelbar von Bundesbehörden besorgt werden. Sieht ein Gesetz gemäß Art. 130 Abs. 2 Z 2 eine Zuständigkeit der Verwaltungsgerich-

te vor, erkennt das Verwaltungsgericht des Bundes über Beschwerden in Rechtssachen in den Angelegenheiten des öffentlichen Auftragswesens, die gemäß Art. 14b Abs. 2 Z 1 in Vollziehung Bundessache sind. Sieht ein Gesetz gemäß Art. 130 Abs. 2 Z 3 eine Zuständigkeit der Verwaltungsgerichte vor, erkennt das Verwaltungsgericht des Bundes über Streitigkeiten in dienstrechtlichen Angelegenheiten der öffentlich Bediensteten des Bundes.

(3) Das Verwaltungsgericht des Bundes für Finanzen erkennt über Beschwerden gemäß Art. 130 Abs. 1 Z 1 bis 3 in Rechtssachen in Angelegenheiten der öffentlichen Abgaben (mit Ausnahme der Verwaltungsabgaben des Bundes, der Länder und Gemeinden) und des Finanzstrafrechts sowie in sonstigen gesetzlich festgelegten Angelegenheiten, soweit die genannten Angelegenheiten unmittelbar von den Abgaben- oder Finanzstrafbehörden des Bundes besorgt werden.

(4) Durch Bundesgesetz kann

1. eine Zuständigkeit der Verwaltungsgerichte der Länder vorgesehen werden: in Rechtssachen in den Angelegenheiten gemäß Abs. 2 und 3;

2. eine Zuständigkeit der Verwaltungsgerichte des Bundes vorgesehen werden:

a) in Rechtssachen in den Angelegenheiten der Umweltverträglichkeitsprüfung für Vorhaben, bei denen mit erheblichen Auswirkungen auf die Umwelt zu rechnen ist (Art. 10 Abs. 1 Z 9 und Art. 11 Abs. 1 Z 7);

b) in Rechtssachen in den Angelegenheiten des Art. 14 Abs. 1 und 5;

c) in sonstigen Rechtssachen in den Angelegenheiten der Vollziehung des Bundes, die nicht unmittelbar von Bundesbehörden besorgt werden, sowie in den Angelegenheiten der Art. 11, 12, 14 Abs. 2 und 3 und 14a Abs. 3.

Bundesgesetze gemäß Z 1 und Z 2 lit. c dürfen nur mit Zustimmung der Länder kundgemacht werden.

(5) Durch Landesgesetz kann in Rechtssachen in den Angelegenheiten des selbständigen Wirkungsbereiches der Länder eine Zuständigkeit der Verwaltungsgerichte des

Bundes vorgesehen werden. Art. 97 Abs. 2 gilt sinngemäß.

(6) Über Beschwerden in Rechtssachen, in denen ein Gesetz gemäß Art. 130 Abs. 2 Z 1 und 4 eine Zuständigkeit der Verwaltungsgerichte vorsieht, erkennen die in dieser Angelegenheit gemäß den Abs. 1 bis 4 dieses Artikels zuständigen Verwaltungsgerichte. Ist gemäß dem ersten Satz keine Zuständigkeit gegeben, erkennen über solche Beschwerden die Verwaltungsgerichte der Länder.

Artikel 132 [Beschwerdegegenstände]

(1) Gegen den Bescheid einer Verwaltungsbehörde kann wegen Rechtswidrigkeit Beschwerde erheben:

1. wer durch den Bescheid in seinen Rechten verletzt zu sein behauptet;

2. der zuständige Bundesminister in Rechtssachen in einer Angelegenheit der Art. 11, 12, 14 Abs. 2 und 3 und 14a Abs. 3 und 4.

(2) Gegen die Ausübung unmittelbarer verwaltungsbehördlicher Befehls- und Zwangsgewalt kann wegen Rechtswidrigkeit Beschwerde erheben, wer durch sie in seinen Rechten verletzt zu sein behauptet.

(3) Wegen Verletzung der Entscheidungspflicht kann Beschwerde erheben, wer im Verwaltungsverfahren als Partei zur Geltendmachung der Entscheidungspflicht berechtigt zu sein behauptet.

(4) Wer in anderen als den in Abs. 1 und 2 genannten Fällen und in den Fällen, in denen ein Gesetz gemäß Art. 130 Abs. 2 eine Zuständigkeit der Verwaltungsgerichte vorsieht, wegen Rechtswidrigkeit Beschwerde erheben kann, bestimmen die Bundes- oder Landesgesetze.

(5) In den Angelegenheiten des eigenen Wirkungsbereiches der Gemeinde kann Beschwerde beim Verwaltungsgericht erst nach Erschöpfung des Instanzenzuges erhoben werden.

Artikel 133 [Zuständigkeit des Verwaltungsgerichtshofes]

(1) Der Verwaltungsgerichtshof erkennt über

1. Revisionen gegen das Erkenntnis eines Verwaltungsgerichtes wegen Rechtswidrigkeit;

2. Anträge auf Fristsetzung wegen Verletzung der Entscheidungspflicht durch ein Verwaltungsgericht;

3. Kompetenzkonflikte zwischen Verwaltungsgerichten oder zwischen einem Verwaltungsgericht und dem Verwaltungsgerichtshof.

(2) Durch Bundes- oder Landesgesetz können sonstige Zuständigkeiten des Verwaltungsgerichtshofes zur Entscheidung über Anträge eines ordentlichen Gerichtes auf Feststellung der Rechtswidrigkeit eines Bescheides oder eines Erkenntnisses eines Verwaltungsgerichtes vorgesehen werden.

(2a) Der Verwaltungsgerichtshof erkennt über die Beschwerde einer Person, die durch den Verwaltungsgerichtshof in Ausübung seiner gerichtlichen Zuständigkeiten in ihren Rechten gemäß der DSGVO verletzt zu sein behauptet.

(3) Rechtswidrigkeit liegt nicht vor, soweit das Verwaltungsgericht Ermessen im Sinne des Gesetzes geübt hat.

(4) Gegen ein Erkenntnis des Verwaltungsgerichtes ist die Revision zulässig, wenn sie von der Lösung einer Rechtsfrage abhängt, der grundsätzliche Bedeutung zukommt, insbesondere weil das Erkenntnis von der Rechtsprechung des Verwaltungsgerichtshofes abweicht, eine solche Rechtsprechung fehlt oder die zu lösende Rechtsfrage in der bisherigen Rechtsprechung des Verwaltungsgerichtshofes nicht einheitlich beantwortet wird. Hat das Erkenntnis nur eine geringe Geldstrafe zum Gegenstand, kann durch Bundesgesetz vorgesehen werden, dass die Revision unzulässig ist.

(5) Von der Zuständigkeit des Verwaltungsgerichtshofes ausgeschlossen sind Rechtssachen, die zur Zuständigkeit des Verfassungsgerichtshofes gehören.

(6) Gegen das Erkenntnis eines Verwaltungsgerichtes kann wegen Rechtswidrigkeit Revision erheben:

1. wer durch das Erkenntnis in seinen Rechten verletzt zu sein behauptet;

2. die belangte Behörde des Verfahrens vor dem Verwaltungsgericht;

3. der zuständige Bundesminister in den im Art. 132 Abs. 1 Z 2 genannten Rechtssachen.

(7) Wegen Verletzung der Entscheidungspflicht kann einen Antrag auf Fristsetzung stellen, wer im Verfahren vor dem Verwaltungsgericht als Partei zur Geltendmachung der Entscheidungspflicht berechtigt zu sein behauptet.

(8) Wer in anderen als den in Abs. 6 genannten Fällen wegen Rechtswidrigkeit Revision erheben kann, bestimmen die Bundes- oder Landesgesetze.

(9) Auf die Beschlüsse der Verwaltungsgerichte sind die für ihre Erkenntnisse geltenden Bestimmungen dieses Artikels sinngemäß anzuwenden. Inwieweit gegen Beschlüsse der Verwaltungsgerichte Revision erhoben werden kann, bestimmt das die Organisation und das Verfahren des Verwaltungsgerichtshofes regelnde besondere Bundesgesetz.

Artikel 134 [Zusammensetzung der Verwaltungsgerichte und des Verwaltungsgerichtshofes]

(1) Die Verwaltungsgerichte und der Verwaltungsgerichtshof bestehen aus je einem Präsidenten, einem Vizepräsidenten und der erforderlichen Zahl von sonstigen Mitgliedern.

(2) Den Präsidenten, den Vizepräsidenten und die sonstigen Mitglieder des Verwaltungsgerichtes eines Landes ernennt die Landesregierung; diese hat, soweit es sich nicht um die Stelle des Präsidenten oder des Vizepräsidenten handelt, Dreiervorschläge der Vollversammlung des Verwaltungsgerichtes oder eines aus ihrer Mitte zu wählenden Ausschusses, der aus dem Präsidenten, dem Vizepräsidenten und mindestens fünf sonstigen Mitgliedern des Verwaltungsgerichtes des Landes zu bestehen hat, einzuholen. Die Mitglieder der Verwaltungsgerichte der Länder müssen das Studium der Rechtswissenschaften oder die rechts- und staatswissenschaftlichen Studien abgeschlossen haben und über eine fünfjährige juristische Berufserfahrung verfügen.

(3) Den Präsidenten, den Vizepräsidenten und die sonstigen Mitglieder der Verwaltungsgerichte des Bundes ernennt der Bundespräsident auf Vorschlag der Bundesregierung; diese hat, soweit es sich nicht um die Stelle des Präsidenten oder des Vizepräsidenten handelt, Dreiervorschläge der Vollversammlung des Verwaltungsgerichtes oder eines aus ihrer Mitte zu wählenden Ausschusses, der aus dem Präsidenten, dem Vizepräsidenten und mindestens fünf sonstigen Mitgliedern des Verwaltungsgerichtes des Bundes zu bestehen hat, einzuholen. Die Mitglieder des Verwaltungsgerichtes des Bundes müssen das Studium der Rechtswissenschaften oder die rechts- und staatswissenschaftlichen Studien abgeschlossen haben und über eine fünfjährige juristische Berufserfahrung verfügen, die Mitglieder des Verwaltungsgerichtes des Bundes für Finanzen müssen ein einschlägiges Studium abgeschlossen haben und über eine fünfjährige einschlägige Berufserfahrung verfügen.

(4) Den Präsidenten, den Vizepräsidenten und die sonstigen Mitglieder des Verwaltungsgerichtshofes ernennt der Bundespräsident auf Vorschlag der Bundesregierung; diese erstattet ihre Vorschläge, soweit es sich nicht um die Stelle des Präsidenten oder des Vizepräsidenten handelt, auf Grund von Dreiervorschlägen der Vollversammlung des Verwaltungsgerichtshofes oder eines aus ihrer Mitte zu wählenden Ausschusses, der aus dem Präsidenten, dem Vizepräsidenten und mindestens fünf sonstigen Mitgliedern des Verwaltungsgerichtshofes zu bestehen hat. Die Mitglieder des Verwaltungsgerichtshofes müssen das Studium der Rechtswissenschaften oder die rechts- und staatswissenschaftlichen Studien abgeschlossen haben und über eine zehnjährige juristische Berufserfahrung verfügen. Wenigstens der vierte Teil soll aus Berufsstellungen in den Ländern, womöglich aus dem Verwaltungsdienst der Länder, entnommen werden.

(5) Den Verwaltungsgerichten und dem Verwaltungsgerichtshof können Mitglieder

der Bundesregierung, einer Landesregierung, des Nationalrates, des Bundesrates, eines Landtages oder des Europäischen Parlaments nicht angehören, dem Verwaltungsgerichtshof ferner Mitglieder eines sonstigen allgemeinen Vertretungskörpers; für Mitglieder eines allgemeinen Vertretungskörpers oder des Europäischen Parlaments, die auf eine bestimmte Gesetzgebungs- oder Funktionsperiode gewählt wurden, dauert die Unvereinbarkeit auch bei vorzeitigem Verzicht auf das Mandat bis zum Ablauf der Gesetzgebungs- oder Funktionsperiode fort.

(6) Zum Präsidenten oder Vizepräsidenten eines Verwaltungsgerichtes oder des Verwaltungsgerichtshofes kann nicht ernannt werden, wer eine der in Abs. 5 bezeichneten Funktionen in den letzten fünf Jahren ausgeübt hat.

(7) Die Mitglieder der Verwaltungsgerichte und des Verwaltungsgerichtshofes sind Richter. Art. 87 Abs. 1 und 2 und Art. 88 Abs. 1 und 2 sind mit der Maßgabe sinngemäß anzuwenden, dass die Altersgrenze, mit deren Erreichung die Mitglieder der Verwaltungsgerichte der Länder in den dauernden Ruhestand treten oder ihr Dienstverhältnis endet, durch Landesgesetz bestimmt wird.

(8) Die Diensthoheit gegenüber den beim Verwaltungsgerichtshof Bediensteten wird vom Präsidenten ausgeübt.

Artikel 135 [Senate; Geschäftsverteilung]

(1) Die Verwaltungsgerichte erkennen durch Einzelrichter. Im Gesetz über das Verfahren der Verwaltungsgerichte oder in Bundes- oder Landesgesetzen kann vorgesehen werden, dass die Verwaltungsgerichte durch Senate entscheiden. Die Größe der Senate wird durch das Gesetz über die Organisation des Verwaltungsgerichtes festgelegt. Die Senate sind von der Vollversammlung oder einem aus ihrer Mitte zu wählenden Ausschuss, der aus dem Präsidenten, dem Vizepräsidenten und einer gesetzlich zu bestimmenden Zahl von sonstigen Mitgliedern des Verwaltungsgerichtes zu bestehen hat, aus den Mitgliedern des Verwaltungsgerichtes

und, soweit in Bundes- oder Landesgesetzen die Mitwirkung von fachkundigen Laienrichtern an der Rechtsprechung vorgesehen ist, aus einer in diesen zu bestimmenden Anzahl von fachkundigen Laienrichtern zu bilden. Insoweit ein Bundesgesetz vorsieht, dass ein Verwaltungsgericht des Landes in Senaten zu entscheiden hat oder dass fachkundige Laienrichter an der Rechtsprechung mitwirken, muss hiezu die Zustimmung der beteiligten Länder eingeholt werden. Der Verwaltungsgerichtshof erkennt durch Senate, die von der Vollversammlung oder einem aus ihrer Mitte zu wählenden Ausschuss, der aus dem Präsidenten, dem Vizepräsidenten und einer gesetzlich zu bestimmenden Zahl von sonstigen Mitgliedern des Verwaltungsgerichtshofes zu bestehen hat, aus den Mitgliedern des Verwaltungsgerichtshofes zu bilden sind.

(2) Die vom Verwaltungsgericht zu besorgenden Geschäfte sind durch die Vollversammlung oder einen aus ihrer Mitte zu wählenden Ausschuss, der aus dem Präsidenten, dem Vizepräsidenten und einer gesetzlich zu bestimmenden Zahl von sonstigen Mitgliedern des Verwaltungsgerichtes zu bestehen hat, auf die Einzelrichter und die Senate für die gesetzlich bestimmte Zeit im Voraus zu verteilen. Die vom Verwaltungsgerichtshof zu besorgenden Geschäfte sind durch die Vollversammlung oder einen aus ihrer Mitte zu wählenden Ausschuss, der aus dem Präsidenten, dem Vizepräsidenten und einer gesetzlich zu bestimmenden Zahl von sonstigen Mitgliedern des Verwaltungsgerichtshofes zu bestehen hat, auf die Senate für die gesetzlich bestimmte Zeit im Voraus zu verteilen.

(3) Eine nach der Geschäftsverteilung einem Mitglied zufallende Sache darf ihm nur durch das gemäß Abs. 2 zuständige Organ und nur im Fall seiner Verhinderung oder dann abgenommen werden, wenn es wegen des Umfangs seiner Aufgaben an deren Erledigung innerhalb einer angemessenen Frist gehindert ist.

(4) Art. 89 ist auf die Verwaltungsgerichte und den Verwaltungsgerichtshof sinngemäß anzuwenden.

Artikel 135a [Nichtrichterliche Bedienstete]

(1) Im Gesetz über die Organisation des Verwaltungsgerichtes kann die Besorgung einzelner, genau zu bezeichnender Arten von Geschäften besonders ausgebildeten nichtrichterlichen Bediensteten übertragen werden.

(2) Das nach der Geschäftsverteilung zuständige Mitglied des Verwaltungsgerichtes kann jedoch jederzeit die Erledigung solcher Geschäfte sich vorbehalten oder an sich ziehen.

(3) Bei der Besorgung der im Abs. 1 bezeichneten Geschäfte sind die nichtrichterlichen Bediensteten nur an die Weisungen des nach der Geschäftsverteilung zuständigen Mitgliedes des Verwaltungsgerichtes gebunden. Art. 20 Abs. 1 dritter Satz ist anzuwenden.

Artikel 136 [Organisation; Verfahren; Geschäftsordnung]

(1) Die Organisation der Verwaltungsgerichte der Länder wird durch Landesgesetz geregelt, die Organisation der Verwaltungsgerichte des Bundes durch Bundesgesetz.

(2) Das Verfahren der Verwaltungsgerichte mit Ausnahme des Verwaltungsgerichtes des Bundes für Finanzen wird durch ein besonderes Bundesgesetz einheitlich geregelt. Der Bund hat den Ländern Gelegenheit zu geben, an der Vorbereitung solcher Gesetzesvorhaben mitzuwirken. Durch Bundes- oder Landesgesetz können Regelungen über das Verfahren der Verwaltungsgerichte getroffen werden, wenn sie zur Regelung des Gegenstandes erforderlich sind oder soweit das im ersten Satz genannte besondere Bundesgesetz dazu ermächtigt.

(3) Das Verfahren des Verwaltungsgerichtes des Bundes für Finanzen wird durch Bundesgesetz geregelt. Durch Bundesgesetz kann auch das Abgabenverfahren vor den Verwaltungsgerichten der Länder geregelt werden.

(3a) Das Bundesgesetz über die Geschäftsordnung des Nationalrates kann für das Verfahren des Verwaltungsgerichtes des Bundes gemäß Art. 130 Abs. 1a besondere Bestimmungen treffen.

(3b) In den Fällen des Art. 130 Abs. 2 Z 4 können für das Verfahren der Verwaltungsgerichte durch Bundes- oder Landesgesetz besondere Bestimmungen getroffen werden.

(4) Die Organisation und das Verfahren des Verwaltungsgerichtshofes werden durch ein besonderes Bundesgesetz geregelt.

(5) Die Vollversammlungen der Verwaltungsgerichte und des Verwaltungsgerichtshofes beschließen auf Grund der nach den vorstehenden Absätzen erlassenen Gesetze Geschäftsordnungen.

B. Verfassungsgerichtsbarkeit

Artikel 137 [Vermögensrechtliche öffentlich-rechtliche Ansprüche]

Der Verfassungsgerichtshof erkennt über vermögensrechtliche Ansprüche gegen den Bund, die Länder, die Gemeinden und die Gemeindeverbände, die weder im ordentlichen Rechtsweg auszutragen noch durch Bescheid einer Verwaltungsbehörde zu erledigen sind.

Artikel 138 [Kompetenzkonflikte; Kompetenzfeststellung]

(1) Der Verfassungsgerichtshof erkennt über Kompetenzkonflikte

1. zwischen Gerichten und Verwaltungsbehörden;

2. zwischen ordentlichen Gerichten und Verwaltungsgerichten oder dem Verwaltungsgerichtshof sowie zwischen dem Verfassungsgerichtshof selbst und allen anderen Gerichten;

3. zwischen dem Bund und einem Land oder zwischen den Ländern untereinander.

(2) Der Verfassungsgerichtshof stellt weiters auf Antrag der Bundesregierung oder einer Landesregierung fest, ob ein Akt der Gesetzgebung oder Vollziehung in die Zuständigkeit des Bundes oder der Länder fällt.

Artikel 138a [Prüfung von Vereinbarungen iS des Art 15a]

(1) Auf Antrag der Bundesregierung oder

einer beteiligten Landesregierung stellt der Verfassungsgerichtshof fest, ob eine Vereinbarung im Sinne des Art. 15a Abs. 1 vorliegt und ob von einem Land oder dem Bund die aus einer solchen Vereinbarung folgenden Verpflichtungen, soweit es sich nicht um vermögensrechtliche Ansprüche handelt, erfüllt worden sind.

(2) Wenn es in einer Vereinbarung im Sinne des Art. 15a Abs. 2 vorgesehen ist, stellt der Verfassungsgerichtshof ferner auf Antrag einer beteiligten Landesregierung fest, ob eine solche Vereinbarung vorliegt und ob die aus einer solchen Vereinbarung folgenden Verpflichtungen, soweit es sich nicht um vermögensrechtliche Ansprüche handelt, erfüllt worden sind.

Artikel 138b [Prüfung von Untersuchungsausschussangelegenheiten und Informationsklassifizierungen]

(1) Der Verfassungsgerichtshof erkennt über

1. die Anfechtung von Beschlüssen des Geschäftsordnungsausschusses des Nationalrates, mit denen ein Verlangen eines Viertels der Mitglieder des Nationalrates, einen Untersuchungsausschuss einzusetzen, für ganz oder teilweise unzulässig erklärt wird, durch ein dieses Verlangen unterstützendes Viertel seiner Mitglieder wegen Rechtswidrigkeit;

2. den hinreichenden Umfang von grundsätzlichen Beweisbeschlüssen des Geschäftsordnungsausschusses des Nationalrates auf Antrag eines Viertels seiner Mitglieder gemäß Z 1;

3. die Rechtmäßigkeit des Beschlusses eines Untersuchungsausschusses des Nationalrates, mit dem das Bestehen eines sachlichen Zusammenhanges eines Verlangens eines Viertels seiner Mitglieder betreffend die Erhebung weiterer Beweise mit dem Untersuchungsgegenstand bestritten wird, auf Antrag des dieses Verlangen unterstützenden Viertels seiner Mitglieder;

4. Meinungsverschiedenheiten zwischen einem Untersuchungsausschuss des Nationalrates, einem Viertel seiner Mitglieder und

informationspflichtigen Organen über die Verpflichtung, dem Untersuchungsausschuss Informationen zur Verfügung zu stellen, auf Antrag des Untersuchungsausschusses, eines Viertels seiner Mitglieder oder des informationspflichtigen Organs;

5. die Rechtmäßigkeit des Beschlusses eines Untersuchungsausschusses des Nationalrates, mit dem das Bestehen eines sachlichen Zusammenhanges eines Verlangens eines Viertels seiner Mitglieder betreffend die Ladung einer Auskunftsperson mit dem Untersuchungsgegenstand bestritten wird, auf Antrag des dieses Verlangen unterstützenden Viertels seiner Mitglieder;

6. Meinungsverschiedenheiten zwischen einem Untersuchungsausschuss des Nationalrates und dem Bundesminister für Justiz über das Erfordernis und die Auslegung einer Vereinbarung über die Rücksichtnahme auf die Tätigkeit der Strafverfolgungsbehörden auf Antrag des Untersuchungsausschusses oder des Bundesministers für Justiz;

7. Beschwerden einer Person, die durch ein Verhalten

a) eines Untersuchungsausschusses des Nationalrates,

b) eines Mitgliedes eines solchen Ausschusses in Ausübung seines Berufes als Mitglied des Nationalrates oder

c) gesetzlich zu bestimmender Personen in Ausübung ihrer Funktion im Verfahren vor dem Untersuchungsausschuss

in ihren Persönlichkeitsrechten verletzt zu sein behauptet.

(2) Der Verfassungsgerichtshof erkennt ferner über die Anfechtung von Entscheidungen des Präsidenten des Nationalrates und des Vorsitzenden des Bundesrates betreffend die Klassifizierung von Informationen, die dem Nationalrat beziehungsweise dem Bundesrat zur Verfügung stehen, durch das informationspflichtige Organ wegen Rechtswidrigkeit.

Artikel 139 [Verordnungsprüfung]

(1) Der Verfassungsgerichtshof erkennt über Gesetzwidrigkeit von Verordnungen

1. auf Antrag eines Gerichtes;

2. von Amts wegen, wenn er die Verordnung in einer bei ihm anhängigen Rechtssache anzuwenden hätte;

3. auf Antrag einer Person, die unmittelbar durch diese Gesetzwidrigkeit in ihren Rechten verletzt zu sein behauptet, wenn die Verordnung ohne Fällung einer gerichtlichen Entscheidung oder ohne Erlassung eines Bescheides für diese Person wirksam geworden ist;

4. auf Antrag einer Person, die als Partei einer von einem ordentlichen Gericht in erster Instanz entschiedenen Rechtssache wegen Anwendung einer gesetzwidrigen Verordnung in ihren Rechten verletzt zu sein behauptet, aus Anlass eines gegen diese Entscheidung erhobenen Rechtsmittels;

5. einer Bundesbehörde auch auf Antrag einer Landesregierung oder der Volksanwaltschaft;

6. einer Landesbehörde auch auf Antrag der Bundesregierung oder, wenn landesverfassungsgesetzlich die Volksanwaltschaft auch für den Bereich der Verwaltung des betreffenden Landes für zuständig erklärt wurde, der Volksanwaltschaft oder einer Einrichtung gemäß Art. 148i Abs. 2;

7. einer Aufsichtsbehörde nach Art. 119a Abs. 6 auch auf Antrag der Gemeinde, deren Verordnung aufgehoben wurde.

Auf Anträge gemäß Z 3 und 4 ist Art. 89 Abs. 3 sinngemäß anzuwenden.

(1a) Wenn dies zur Sicherung des Zwecks des Verfahrens vor dem ordentlichen Gericht erforderlich ist, kann die Stellung eines Antrages gemäß Abs. 1 Z 4 durch Bundesgesetz für unzulässig erklärt werden. Durch Bundesgesetz ist zu bestimmen, welche Wirkung ein Antrag gemäß Abs. 1 Z 4 hat.

(1b) Der Verfassungsgerichtshof kann die Behandlung eines Antrages gemäß Abs. 1 Z 3 oder 4 bis zur Verhandlung durch Beschluss ablehnen, wenn er keine hinreichende Aussicht auf Erfolg hat.

(2) Wird in einer beim Verfassungsgerichtshof anhängigen Rechtssache, in der der Verfassungsgerichtshof eine Verordnung anzuwenden hat, die Partei klaglos gestellt, so ist ein bereits eingeleitetes Verfahren zur Prüfung der Gesetzmäßigkeit der Verordnung dennoch fortzusetzen.

(3) Der Verfassungsgerichtshof darf eine Verordnung nur insoweit als gesetzwidrig aufheben, als ihre Aufhebung ausdrücklich beantragt wurde oder als er sie in der bei ihm anhängigen Rechtssache anzuwenden hätte. Gelangt der Verfassungsgerichtshof jedoch zur Auffassung, dass die ganze Verordnung

1. der gesetzlichen Grundlage entbehrt,

2. von einer unzuständigen Behörde erlassen wurde oder

3. in gesetzwidriger Weise kundgemacht wurde,

so hat er die ganze Verordnung als gesetzwidrig aufzuheben. Dies gilt nicht, wenn die Aufhebung der ganzen Verordnung offensichtlich den rechtlichen Interessen der Partei zuwiderläuft, die einen Antrag gemäß Abs. 1 Z 3 oder 4 gestellt hat oder deren Rechtssache Anlass für die amtswegige Einleitung des Verordnungsprüfungsverfahrens gegeben hat.

(4) Ist die Verordnung im Zeitpunkt der Fällung des Erkenntnisses des Verfassungsgerichtshofes bereits außer Kraft getreten und wurde das Verfahren von Amts wegen eingeleitet oder der Antrag von einem Gericht oder von einer Person gestellt, die durch die Gesetzwidrigkeit der Verordnung in ihren Rechten verletzt zu sein behauptet, so hat der Verfassungsgerichtshof auszusprechen, ob die Verordnung gesetzwidrig war. Abs. 3 gilt sinngemäß.

(5) Das Erkenntnis des Verfassungsgerichtshofes, mit dem eine Verordnung als gesetzwidrig aufgehoben wird, verpflichtet die zuständige oberste Behörde des Bundes oder des Landes zur unverzüglichen Kundmachung der Aufhebung. Dies gilt sinngemäß für den Fall eines Ausspruches gemäß Abs. 4. Die Aufhebung tritt mit Ablauf des Tages der Kundmachung in Kraft, wenn nicht der Verfassungsgerichtshof für das Außerkrafttreten eine Frist bestimmt, die sechs Monate, wenn aber gesetzliche Vorkehrungen erforderlich sind, 18 Monate nicht überschreiten darf.

(6) Ist eine Verordnung wegen Gesetzwidrigkeit aufgehoben worden oder hat

der Verfassungsgerichtshof gemäß Abs. 4 ausgesprochen, dass eine Verordnung gesetzwidrig war, so sind alle Gerichte und Verwaltungsbehörden an den Spruch des Verfassungsgerichtshofes gebunden. Auf die vor der Aufhebung verwirklichten Tatbestände mit Ausnahme des Anlassfalles ist jedoch die Verordnung weiterhin anzuwenden, sofern der Verfassungsgerichtshof nicht in seinem aufhebenden Erkenntnis anderes ausspricht. Hat der Verfassungsgerichtshof in seinem aufhebenden Erkenntnis eine Frist gemäß Abs. 5 gesetzt, so ist die Verordnung auf alle bis zum Ablauf dieser Frist verwirklichten Tatbestände mit Ausnahme des Anlassfalles anzuwenden.

(7) Für Rechtssachen, die zur Stellung eines Antrages gemäß Abs. 1 Z 4 Anlass gegeben haben, ist durch Bundesgesetz zu bestimmen, dass das Erkenntnis des Verfassungsgerichtshofes, mit dem die Verordnung als gesetzwidrig aufgehoben wird, eine neuerliche Entscheidung dieser Rechtssache ermöglicht. Dies gilt sinngemäß für den Fall eines Ausspruches gemäß Abs. 4.

Artikel 139a [Wiederverlautbarungsprüfung]

Der Verfassungsgerichtshof erkennt über Gesetzwidrigkeit von Kundmachungen über die Wiederverlautbarung eines Gesetzes (Staatsvertrages). Art. 139 ist sinngemäß anzuwenden.

Artikel 140 [Gesetzesprüfung]

(1) Der Verfassungsgerichtshof erkennt über Verfassungswidrigkeit
1. von Gesetzen
a) auf Antrag eines Gerichtes;
b) von Amts wegen, wenn er das Gesetz in einer bei ihm anhängigen Rechtssache anzuwenden hätte;
c) auf Antrag einer Person, die unmittelbar durch diese Verfassungswidrigkeit in ihren Rechten verletzt zu sein behauptet, wenn das Gesetz ohne Fällung einer gerichtlichen Entscheidung oder ohne Erlassung eines Bescheides für diese Person wirksam geworden ist;

d) auf Antrag einer Person, die als Partei einer von einem ordentlichen Gericht in erster Instanz entschiedenen Rechtssache wegen Anwendung eines verfassungswidrigen Gesetzes in ihren Rechten verletzt zu sein behauptet, aus Anlass eines gegen diese Entscheidung erhobenen Rechtsmittels;
2. von Bundesgesetzen auch auf Antrag einer Landesregierung, eines Drittels der Mitglieder des Nationalrates oder eines Drittels der Mitglieder des Bundesrates;
3. von Landesgesetzen auch auf Antrag der Bundesregierung oder, wenn dies landesverfassungsgesetzlich vorgesehen ist, auf Antrag eines Drittels der Mitglieder des Landtages.

Auf Anträge gemäß Z 1 lit. c und d ist Art. 89 Abs. 3 sinngemäß anzuwenden.

(1a) Wenn dies zur Sicherung des Zwecks des Verfahrens vor dem ordentlichen Gericht erforderlich ist, kann die Stellung eines Antrages gemäß Abs. 1 Z 1 lit. d durch Bundesgesetz für unzulässig erklärt werden. Durch Bundesgesetz ist zu bestimmen, welche Wirkung ein Antrag gemäß Abs. 1 Z 1 lit. d hat.

(1b) Der Verfassungsgerichtshof kann die Behandlung eines Antrages gemäß Abs. 1 Z 1 lit. c oder d bis zur Verhandlung durch Beschluss ablehnen, wenn er keine hinreichende Aussicht auf Erfolg hat.

(2) Wird in einer beim Verfassungsgerichtshof anhängigen Rechtssache, in der der Verfassungsgerichtshof ein Gesetz anzuwenden hat, die Partei klaglos gestellt, so ist ein bereits eingeleitetes Verfahren zur Prüfung der Verfassungsmäßigkeit des Gesetzes dennoch fortzusetzen.

(3) Der Verfassungsgerichtshof darf ein Gesetz nur insoweit als verfassungswidrig aufheben, als seine Aufhebung ausdrücklich beantragt wurde oder als der Verfassungsgerichtshof das Gesetz in der bei ihm anhängigen Rechtssache anzuwenden hätte. Gelangt der Verfassungsgerichtshof jedoch zu der Auffassung, dass das ganze Gesetz von einem nach der Kompetenzverteilung nicht berufenen Gesetzgebungsorgan erlassen oder in verfassungswidriger Weise kundgemacht wurde, so hat er das ganze Gesetz

als verfassungswidrig aufzuheben. Dies gilt nicht, wenn die Aufhebung des ganzen Gesetzes offensichtlich den rechtlichen Interessen der Partei zuwiderläuft, die einen Antrag gemäß Abs. 1 Z 1 lit. c oder d gestellt hat oder deren Rechtssache Anlass für die amtswegige Einleitung des Gesetzesprüfungsverfahrens gegeben hat.

(4) Ist das Gesetz im Zeitpunkt der Fällung des Erkenntnisses des Verfassungsgerichtshofes bereits außer Kraft getreten und wurde das Verfahren von Amts wegen eingeleitet oder der Antrag von einem Gericht oder von einer Person gestellt, die durch die Verfassungswidrigkeit des Gesetzes in ihren Rechten verletzt zu sein behauptet, so hat der Verfassungsgerichtshof auszusprechen, ob das Gesetz verfassungswidrig war. Abs. 3 gilt sinngemäß.

(5) Das Erkenntnis des Verfassungsgerichtshofes, mit dem ein Gesetz als verfassungswidrig aufgehoben wird, verpflichtet den Bundeskanzler oder den zuständigen Landeshauptmann zur unverzüglichen Kundmachung der Aufhebung. Dies gilt sinngemäß für den Fall eines Ausspruches gemäß Abs. 4. Die Aufhebung tritt mit Ablauf des Tages der Kundmachung in Kraft, wenn nicht der Verfassungsgerichtshof für das Außerkrafttreten eine Frist bestimmt. Diese Frist darf 18 Monate nicht überschreiten.

(6) Wird durch ein Erkenntnis des Verfassungsgerichtshofes ein Gesetz als verfassungswidrig aufgehoben, so treten mit dem Tag des Inkrafttretens der Aufhebung, falls das Erkenntnis nicht anderes ausspricht, die gesetzlichen Bestimmungen wieder in Kraft, die durch das vom Verfassungsgerichtshof als verfassungswidrig erkannte Gesetz aufgehoben worden waren. In der Kundmachung über die Aufhebung des Gesetzes ist auch zu verlautbaren, ob und welche gesetzlichen Bestimmungen wieder in Kraft treten.

(7) Ist ein Gesetz wegen Verfassungswidrigkeit aufgehoben worden oder hat der Verfassungsgerichtshof gemäß Abs. 4 ausgesprochen, dass ein Gesetz verfassungswidrig war, so sind alle Gerichte und Verwaltungsbehörden an den Spruch des Verfassungsgerichtshofes gebunden. Auf die vor der Aufhebung verwirklichten Tatbestände mit Ausnahme des Anlassfalles ist jedoch das Gesetz weiterhin anzuwenden, sofern der Verfassungsgerichtshof nicht in seinem aufhebenden Erkenntnis anderes ausspricht. Hat der Verfassungsgerichtshof in seinem aufhebenden Erkenntnis eine Frist gemäß Abs. 5 gesetzt, so ist das Gesetz auf alle bis zum Ablauf dieser Frist verwirklichten Tatbestände mit Ausnahme des Anlassfalles anzuwenden.

(8) Für Rechtssachen, die zur Stellung eines Antrages gemäß Abs. 1 Z 1 lit. d Anlass gegeben haben, ist durch Bundesgesetz zu bestimmen, dass das Erkenntnis des Verfassungsgerichtshofes, mit dem das Gesetz als verfassungswidrig aufgehoben wird, eine neuerliche Entscheidung dieser Rechtssache ermöglicht. Dies gilt sinngemäß für den Fall eines Ausspruches gemäß Abs. 4.

Artikel 140a [Prüfung von Staatsverträgen]

Der Verfassungsgerichtshof erkennt über Rechtswidrigkeit von Staatsverträgen. Auf die politischen, gesetzändernden und gesetzesergänzenden Staatsverträge und auf die Staatsverträge, durch die die vertraglichen Grundlagen der Europäischen Union geändert werden, ist Art. 140, auf alle anderen Staatsverträge Art. 139 sinngemäß mit folgenden Maßgaben anzuwenden:

1. Ein Staatsvertrag, dessen Verfassungs- oder Gesetzwidrigkeit der Verfassungsgerichtshof feststellt, ist mit Ablauf des Tages der Kundmachung des Erkenntnisses von den zu seiner Vollziehung berufenen Organen nicht mehr anzuwenden, wenn nicht der Verfassungsgerichtshof eine Frist bestimmt, innerhalb der der Staatsvertrag weiterhin anzuwenden ist; diese Frist darf bei den politischen, gesetzändernden und gesetzesergänzenden Staatsverträgen und bei den Staatsverträgen, durch die die vertraglichen Grundlagen der Europäischen Union geändert werden, zwei Jahre, bei allen anderen Staatsverträgen ein Jahr nicht überschreiten.

2. Ferner treten mit Ablauf des Tages der Kundmachung des Erkenntnisses eine Anordnung, dass der Staatsvertrag durch die Erlassung von Verordnungen zu erfüllen ist, oder ein Beschluss, dass der Staatsvertrag durch die Erlassung von Gesetzen zu erfüllen ist, außer Kraft.

Artikel 141 [Anfechtung von Wahlen und Mandatsvelust]

(1) Der Verfassungsgerichtshof erkennt

a) über die Anfechtung der Wahl des Bundespräsidenten, von Wahlen zu den allgemeinen Vertretungskörpern, zum Europäischen Parlament und zu den satzungsgebenden Organen (Vertretungskörpern) der gesetzlichen beruflichen Vertretungen;

b) über Anfechtungen von Wahlen in die Landesregierung und in die mit der Vollziehung betrauten Organe einer Gemeinde;

c) auf Antrag eines allgemeinen Vertretungskörpers auf Mandatsverlust eines seiner Mitglieder oder – sofern in den das Verfahren des jeweiligen Vertretungskörpers regelnden Rechtsvorschriften vorgesehen – auf Antrag des Vorsitzenden oder eines Drittels der Mitglieder des Vertretungskörpers; auf Antrag von mindestens der Hälfte der in Österreich gewählten Mitglieder des Europäischen Parlaments auf Mandatsverlust eines dieser Mitglieder des Europäischen Parlaments;

d) auf Antrag der Bundesversammlung auf Amtsverlust des Bundespräsidenten;

e) auf Antrag des Nationalrates auf Amtsverlust eines Mitgliedes der Bundesregierung, eines Staatssekretärs, des Präsidenten des Rechnungshofes oder eines Mitgliedes der Volksanwaltschaft;

f) auf Antrag eines Landtages auf Amtsverlust eines Mitgliedes der Landesregierung;

g) auf Antrag eines Gemeinderates auf Mandatsverlust eines Mitgliedes des mit der Vollziehung betrauten Organs der Gemeinde hinsichtlich dieser Funktion und auf Antrag eines satzungsgebenden Organs (Vertretungskörpers) einer gesetzlichen beruflichen Vertretung auf Mandatsverlust eines seiner Mitglieder;

h) über die Anfechtung des Ergebnisses von Volksbegehren, Volksabstimmungen, Volksbefragungen und Europäischen Bürgerinitiativen;

i) über die Aufnahme von Personen in Wählerevidenzen und die Streichung von Personen aus Wählerevidenzen;

j) über die Anfechtung von selbstständig anfechtbaren Bescheiden und Entscheidungen der Verwaltungsbehörden sowie – sofern bundes- oder landesgesetzlich vorgesehen – der Verwaltungsgerichte in den Fällen der lit. a bis c und g bis i.

Die Anfechtung gemäß lit. a, b, h, i und j kann auf die behauptete Rechtswidrigkeit des Verfahrens gegründet werden, der Antrag gemäß lit. c und g auf einen gesetzlich vorgesehenen Grund für den Verlust der Mitgliedschaft in einem allgemeinen Vertretungskörper, im Europäischen Parlament, in einem mit der Vollziehung betrauten Organ einer Gemeinde oder in einem satzungsgebenden Organ (Vertretungskörper) einer gesetzlichen beruflichen Vertretung, der Antrag gemäß lit. d, e und f auf einen gesetzlich vorgesehenen Grund für den Amtsverlust. Der Verfassungsgerichtshof hat einer Anfechtung stattzugeben, wenn die behauptete Rechtswidrigkeit des Verfahrens erwiesen wurde und auf das Verfahrensergebnis von Einfluss war. In einem Verfahren vor der Verwaltungsbehörde haben auch der allgemeine Vertretungskörper und das satzungsgebende Organ (Vertretungskörper) der gesetzlichen beruflichen Vertretung Parteistellung.

(2) Wird einer Anfechtung gemäß Abs. 1 lit. a stattgegeben und dadurch die teilweise oder gänzliche Wiederholung der Wahl zu einem allgemeinen Vertretungskörper, zum Europäischen Parlament oder zu einem satzungsgebenden Organ der gesetzlichen beruflichen Vertretungen erforderlich, so verlieren die betroffenen Mitglieder dieses Vertretungskörpers ihr Mandat im Zeitpunkt der Übernahme desselben durch jene Mitglieder, die bei der innerhalb von 100 Tagen nach der Zustellung des Erkenntnisses des

Verfassungsgerichtshofes durchzuführenden Wiederholungswahl gewählt wurden.

Artikel 142 [Staatsrechtliche Anklage]

(1) Der Verfassungsgerichtshof erkennt über die Anklage, mit der die verfassungsmäßige Verantwortlichkeit der obersten Bundes- und Landesorgane für die durch ihre Amtstätigkeit erfolgten schuldhaften Rechtsverletzungen geltend gemacht wird.

(2) Die Anklage kann erhoben werden:

a) gegen den Bundespräsidenten wegen Verletzung der Bundesverfassung: durch Beschluss der Bundesversammlung;

b) gegen die Mitglieder der Bundesregierung, die ihnen hinsichtlich der Verantwortlichkeit gleichgestellten Organe und die Staatssekretäre wegen Gesetzesverletzung: durch Beschluss des Nationalrates;

c) gegen einen österreichischen Vertreter im Rat wegen Gesetzesverletzung in Angelegenheiten, in denen die Gesetzgebung Bundessache wäre: durch Beschluss des Nationalrates, wegen Gesetzesverletzung in Angelegenheiten, in denen die Gesetzgebung Landessache wäre: durch gleichlautende Beschlüsse aller Landtage;

d) gegen die Mitglieder einer Landesregierung und die ihnen hinsichtlich der Verantwortlichkeit durch dieses Gesetz oder durch die Landesverfassung gleichgestellten Organe wegen Gesetzesverletzung: durch Beschluss des zuständigen Landtages;

e) gegen einen Landeshauptmann, dessen Stellvertreter (Art. 105 Abs. 1) oder ein Mitglied der Landesregierung (Art. 103 Abs. 2 und 3) wegen Gesetzesverletzung sowie wegen Nichtbefolgung der Verordnungen oder sonstigen Anordnungen (Weisungen) des Bundes in Angelegenheiten der mittelbaren Bundesverwaltung, wenn es sich um ein Mitglied der Landesregierung handelt, auch der Weisungen des Landeshauptmannes in diesen Angelegenheiten: durch Beschluss der Bundesregierung;

f) gegen Organe der Bundeshauptstadt Wien, soweit sie Aufgaben aus dem Bereich der Bundesvollziehung im eigenen Wirkungsbereich besorgen, wegen Gesetzesver-letzung: durch Beschluss der Bundesregierung;

g) gegen einen Landeshauptmann wegen Nichtbefolgung einer Weisung gemäß Art. 14 Abs. 8: durch Beschluss der Bundesregierung;

h) gegen einen Präsidenten der Bildungsdirektion oder das mit der Ausübung dieser Funktion betraute Mitglied der Landesregierung wegen Gesetzesverletzung sowie wegen Nichtbefolgung der Verordnungen oder sonstigen Anordnungen (Weisungen) des Bundes: durch Beschluss der Bundesregierung; wegen Nichtbefolgung sonstiger Anordnungen (Weisungen) des Landes: durch Beschluss des zuständigen Landtages;

i) gegen die Mitglieder einer Landesregierung wegen Gesetzesverletzung sowie wegen Behinderung der Befugnisse gemäß Art. 11 Abs. 7, soweit sie Angelegenheiten des Art. 11 Abs. 1 Z 8 betreffen: durch Beschluss des Nationalrates oder der Bundesregierung.

(3) Wird von der Bundesregierung gemäß Abs. 2 lit. e die Anklage nur gegen einen Landeshauptmann oder dessen Stellvertreter erhoben, und erweist es sich, dass einem nach Art. 103 Abs. 2 mit Angelegenheiten der mittelbaren Bundesverwaltung befassten anderen Mitglied der Landesregierung ein Verschulden im Sinne des Abs. 2 lit. e zur Last fällt, so kann die Bundesregierung jederzeit bis zur Fällung des Erkenntnisses ihre Anklage auch auf dieses Mitglied der Landesregierung ausdehnen.

(4) Das verurteilende Erkenntnis des Verfassungsgerichtshofes hat auf Verlust des Amtes, unter besonders erschwerenden Umständen auch auf zeitlichen Verlust der politischen Rechte, zu lauten; bei geringfügigen Rechtsverletzungen in den in Abs. 2 unter c, e, g und h erwähnten Fällen kann sich der Verfassungsgerichtshof auf die Feststellung beschränken, dass eine Rechtsverletzung vorliegt. Der Verlust des Amtes des Präsidenten der Bildungsdirektion hat auch den Verlust jenes Amtes zur Folge, mit dem das Amt des Präsidenten gemäß Art. 113 Abs. 8 verbunden ist.

(5) Der Bundespräsident kann von dem ihm nach Art. 65 Abs. 2 lit. c zustehenden Recht nur auf Antrag des Vertretungskörpers oder der Vertretungskörper, von dem oder von denen die Anklage beschlossen worden ist, wenn aber die Bundesregierung die Anklage beschlossen hat, nur auf deren Antrag Gebrauch machen, und zwar in allen Fällen nur mit Zustimmung des Angeklagten.

Artikel 143 [Anklage auch wegen strafrechtlich zu verfolgender Handlungen]

Die Anklage gegen die in Art. 142 Genannten kann auch wegen strafgerichtlich zu verfolgender Handlungen erhoben werden, die mit der Amtstätigkeit des Anzuklagenden in Verbindung stehen. In diesem Falle wird der Verfassungsgerichtshof allein zuständig; die bei den ordentlichen Strafgerichten etwa bereits anhängige Untersuchung geht auf ihn über. Der Verfassungsgerichtshof kann in solchen Fällen neben dem Art. 142 Abs. 4 auch die strafgesetzlichen Bestimmungen anwenden.

Artikel 144 [Verfassungsbeschwerde gegen Erkenntnisse der Verwaltungsgerichte]

(1) Der Verfassungsgerichtshof erkennt über Beschwerden gegen das Erkenntnis eines Verwaltungsgerichtes, soweit der Beschwerdeführer durch das Erkenntnis in einem verfassungsgesetzlich gewährleisteten Recht oder wegen Anwendung einer gesetzwidrigen Verordnung, einer gesetzwidrigen Kundmachung über die Wiederverlautbarung eines Gesetzes (Staatsvertrages), eines verfassungswidrigen Gesetzes oder eines rechtswidrigen Staatsvertrages in seinen Rechten verletzt zu sein behauptet.

(2) Der Verfassungsgerichtshof kann die Behandlung einer Beschwerde bis zur Verhandlung durch Beschluss ablehnen, wenn sie keine hinreichende Aussicht auf Erfolg hat oder von der Entscheidung die Klärung einer verfassungsrechtlichen Frage nicht zu erwarten ist.

(3) Findet der Verfassungsgerichtshof, dass durch das angefochtene Erkenntnis des Verwaltungsgerichtes ein Recht im Sinne des Abs. 1 nicht verletzt wurde, hat er auf Antrag des Beschwerdeführers die Beschwerde zur Entscheidung darüber, ob der Beschwerdeführer durch das Erkenntnis in einem sonstigen Recht verletzt wurde, dem Verwaltungsgerichtshof abzutreten. Auf Beschlüsse gemäß Abs. 2 ist der erste Satz sinngemäß anzuwenden.

(4) Auf die Beschlüsse der Verwaltungsgerichte sind die für ihre Erkenntnisse geltenden Bestimmungen dieses Artikels sinngemäß anzuwenden. Inwieweit gegen Beschlüsse der Verwaltungsgerichte Beschwerde erhoben werden kann, bestimmt das die Organisation und das Verfahren des Verfassungsgerichtshofes regelnde besondere Bundesgesetz.

(5) Soweit das Erkenntnis oder der Beschluss des Verwaltungsgerichtes die Zulässigkeit der Revision zum Inhalt hat, ist eine Beschwerde gemäß Abs. 1 unzulässig.

Artikel 145 [Verletzung des Völkerrechts]

Der Verfassungsgerichtshof erkennt über Verletzungen des Völkerrechtes nach den Bestimmungen eines besonderen Bundesgesetzes.

Artikel 146 [Exekution der Erkenntnisse]

(1) Die Exekution der Erkenntnisse des Verfassungsgerichtshofes nach Art. 126a, Art. 127c Z 1 und Art. 137 wird von den ordentlichen Gerichten durchgeführt.

(2) Die Exekution der übrigen Erkenntnisse des Verfassungsgerichtshofes liegt dem Bundespräsidenten ob. Sie ist nach dessen Weisungen durch die nach seinem Ermessen hiezu beauftragten Organe des Bundes oder der Länder einschließlich des Bundesheeres durchzuführen. Der Antrag auf Exekution solcher Erkenntnisse ist vom Verfassungsgerichtshof beim Bundespräsidenten zu stellen. Die erwähnten Weisungen des Bundespräsidenten bedürfen, wenn es sich um Exekutionen gegen den Bund oder gegen Bundesor-

gane handelt, keiner Gegenzeichnung nach Art. 67.

Artikel 147 [Zusammensetzung des Verfassungsgerichtshofs]

(1) Der Verfassungsgerichtshof besteht aus einem Präsidenten, einem Vizepräsidenten, zwölf weiteren Mitgliedern und sechs Ersatzmitgliedern.

(2) Den Präsidenten, den Vizepräsidenten, sechs weitere Mitglieder und drei Ersatzmitglieder ernennt der Bundespräsident auf Vorschlag der Bundesregierung; diese Mitglieder und Ersatzmitglieder sind aus dem Kreis der Richter, Verwaltungsbeamten und Professoren eines rechtswissenschaftlichen Faches an einer Universität zu entnehmen. Die übrigen sechs Mitglieder und drei Ersatzmitglieder ernennt der Bundespräsident auf Grund von Vorschlägen, die für drei Mitglieder und zwei Ersatzmitglieder der Nationalrat und für drei Mitglieder und ein Ersatzmitglied der Bundesrat erstatten. Drei Mitglieder und zwei Ersatzmitglieder müssen ihren ständigen Wohnsitz außerhalb der Bundeshauptstadt Wien haben. Verwaltungsbeamte des Dienststandes, die zu Mitgliedern oder Ersatzmitgliedern ernannt werden, sind unter Entfall ihrer Bezüge außer Dienst zu stellen. Dies gilt nicht für zum Ersatzmitglied ernannte Verwaltungsbeamte, die von allen weisungsgebundenen Tätigkeiten befreit worden sind, für die Dauer dieser Befreiung.

(3) Die Mitglieder und die Ersatzmitglieder des Verfassungsgerichtshofes müssen das Studium der Rechtswissenschaften oder die rechts- und staatswissenschaftlichen Studien abgeschlossen haben und über eine zehnjährige juristische Berufserfahrung verfügen.

(4) Dem Verfassungsgerichtshof können Mitglieder der Bundesregierung, einer Landesregierung, eines allgemeinen Vertretungskörpers oder des Europäischen Parlaments nicht angehören; für Mitglieder eines allgemeinen Vertretungskörpers oder des Europäischen Parlaments, die auf eine bestimmte Gesetzgebungs- oder Funktionsperiode gewählt wurden, dauert die Unvereinbarkeit auch bei vorzeitigem Verzicht auf das Mandat bis zum Ablauf der Gesetzgebungs- oder Funktionsperiode fort. Endlich können dem Verfassungsgerichtshof Personen nicht angehören, die Angestellte oder sonstige Funktionäre einer politischen Partei sind.

(5) Zum Präsidenten oder Vizepräsidenten des Verfassungsgerichtshofes kann nicht ernannt werden, wer eine der im Abs. 4 bezeichneten Funktionen in den letzten fünf Jahren ausgeübt hat.

(6) Auf die Mitglieder und die Ersatzmitglieder des Verfassungsgerichtshofes finden Art. 87 Abs. 1 und 2 und Art. 88 Abs. 2 Anwendung; die näheren Bestimmungen werden in dem gemäß Art. 148 ergehenden Bundesgesetz geregelt. Als Altersgrenze, nach deren Erreichung ihr Amt endet, wird der 31. Dezember des Jahres bestimmt, in dem das Mitglied oder das Ersatzmitglied das siebzigste Lebensjahr vollendet hat.

(7) Wenn ein Mitglied oder Ersatzmitglied drei aufeinanderfolgenden Einladungen zu einer Verhandlung des Verfassungsgerichtshofes ohne genügende Entschuldigung keine Folge geleistet hat, so hat dies nach seiner Anhörung der Verfassungsgerichtshof festzustellen. Diese Feststellung hat den Verlust der Mitgliedschaft oder der Eigenschaft als Ersatzmitglied zur Folge.

(8) Die Diensthoheit gegenüber den beim Verfassungsgerichtshof Bediensteten wird vom Präsidenten ausgeübt.

Artikel 148 [Verfassungsgerichtshofgesetz; Geschäftsordnung]

Die näheren Bestimmungen über die Organisation und das Verfahren des Verfassungsgerichtshofes werden durch ein besonderes Bundesgesetz und auf Grund dieses durch eine vom Verfassungsgerichtshof zu beschließende Geschäftsordnung geregelt.

Neuntes Hauptstück
VOLKSANWALTSCHAFT

Artikel 148a [Beschwerderecht; amtswegige Prüfung; Unabhängigkeit]

(1) Jedermann kann sich bei der Volksanwaltschaft wegen behaupteter Missstände in

der Verwaltung des Bundes einschließlich dessen Tätigkeit als Träger von Privatrechten, insbesondere wegen einer behaupteten Verletzung in Menschenrechten, beschweren, sofern er von diesen Missständen betroffen ist und soweit ihm ein Rechtsmittel nicht oder nicht mehr zur Verfügung steht. Jede solche Beschwerde ist von der Volksanwaltschaft zu prüfen. Dem Beschwerdeführer sind das Ergebnis der Prüfung sowie die allenfalls getroffenen Veranlassungen mitzuteilen.

(2) Die Volksanwaltschaft ist berechtigt, von ihr vermutete Missstände in der Verwaltung des Bundes einschließlich dessen Tätigkeit als Träger von Privatrechten, insbesondere von ihr vermutete Verletzungen in Menschenrechten, von Amts wegen zu prüfen.

(3) Zum Schutz und zur Förderung der Menschenrechte obliegt es der Volksanwaltschaft und den von ihr eingesetzten Kommissionen (Art. 148h Abs. 3), im Bereich der Verwaltung des Bundes einschließlich dessen Tätigkeit als Träger von Privatrechten

1. den Ort einer Freiheitsentziehung zu besuchen und zu überprüfen,

2. das Verhalten der zur Ausübung unmittelbarer verwaltungsbehördlicher Befehls- und Zwangsgewalt ermächtigten Organe zu beobachten und begleitend zu überprüfen sowie

3. für Menschen mit Behinderungen bestimmte Einrichtungen und Programme zu überprüfen beziehungsweise zu besuchen.

(4) Unbeschadet des Abs. 1 kann sich jedermann wegen behaupteter Säumnis eines Gerichtes mit der Vornahme einer Verfahrenshandlung bei der Volksanwaltschaft beschweren, sofern er davon betroffen ist. Abs. 2 gilt sinngemäß.

(5) Der Volksanwaltschaft obliegt ferner die Mitwirkung an der Erledigung der an den Nationalrat gerichteten Petitionen und Bürgerinitiativen. Näheres bestimmt das Bundesgesetz über die Geschäftsordnung des Nationalrates.

(6) Die Volksanwaltschaft ist in Ausübung ihres Amtes unabhängig.

Artikel 148b [Amtshilfe; Amtsverschwiegenheit]

(1) Alle Organe des Bundes, der Länder, der Gemeinden und der Gemeindeverbände sowie der sonstigen Selbstverwaltungskörper haben die Volksanwaltschaft bei der Besorgung ihrer Aufgaben zu unterstützen, ihr Akteneinsicht zu gewähren und auf Verlangen die erforderlichen Auskünfte zu erteilen. Amtsverschwiegenheit besteht nicht gegenüber der Volksanwaltschaft.

(2) Die Volksanwaltschaft unterliegt der Amtsverschwiegenheit im gleichen Umfang wie das Organ, an das die Volksanwaltschaft in Erfüllung ihrer Aufgaben herangetreten ist. Bei der Erstattung der Berichte an den Nationalrat ist die Volksanwaltschaft zur Wahrung der Amtsverschwiegenheit aber nur insoweit verpflichtet, als dies im Interesse der Parteien oder der nationalen Sicherheit geboten ist.

(3) Die Abs. 1 und 2 gelten sinngemäß auch für die Mitglieder der Kommissionen und die Mitglieder und Ersatzmitglieder des Menschenrechtsbeirats.

Artikel 148c [Empfehlungen]

Die Volksanwaltschaft kann den mit den obersten Verwaltungsgeschäften des Bundes betrauten Organen Empfehlungen für die in einem bestimmten Fall oder aus Anlass eines bestimmten Falles zu treffenden Maßnahmen erteilen. In Angelegenheiten der Selbstverwaltung oder der Verwaltung durch weisungsfreie Behörden kann die Volksanwaltschaft dem zuständigen Organ der Selbstverwaltung oder der weisungsfreien Behörde Empfehlungen erteilen; derartige Empfehlungen sind auch dem obersten Verwaltungsorgan des Bundes zur Kenntnis zu bringen. Das betreffende Organ hat binnen einer bundesgesetzlich zu bestimmenden Frist entweder diesen Empfehlungen zu entsprechen und dies der Volksanwaltschaft mitzuteilen oder schriftlich zu begründen, warum der Empfehlung nicht entsprochen wurde. Die Volksanwaltschaft kann in einem bestimmten Fall oder aus Anlass eines bestimmten Falles einen auf die Beseitigung der Säumnis eines Gerichtes (Art. 148a Abs. 4) gerichteten Fristsetzungsantrag stellen sowie Maßnahmen der Dienstaufsicht anregen.

Artikel 148d [Tätigkeitsberichte; Teilnahme- und Anhörungsrecht im Nationalrat]

(1) Die Volksanwaltschaft hat dem Nationalrat und dem Bundesrat jährlich über ihre Tätigkeit zu berichten. Überdies kann die Volksanwaltschaft über einzelne Wahrnehmungen jederzeit an den Nationalrat und den Bundesrat berichten. Die Berichte der Volksanwaltschaft sind nach Vorlage an den Nationalrat und den Bundesrat zu veröffentlichen.

(2) Die Mitglieder der Volksanwaltschaft haben das Recht, an den Verhandlungen über die Berichte der Volksanwaltschaft im Nationalrat und im Bundesrat sowie in deren Ausschüssen (Unterausschüssen) teilzunehmen und auf ihr Verlangen jedes Mal gehört zu werden. Dieses Recht steht den Mitgliedern der Volksanwaltschaft auch hinsichtlich der Verhandlungen über die die Volksanwaltschaft betreffenden Untergliederungen des Entwurfes des Bundesfinanzgesetzes im Nationalrat und in seinen Ausschüssen (Unterausschüssen) zu. Näheres bestimmen das Bundesgesetz über die Geschäftsordnung des Nationalrates und die Geschäftsordnung des Bundesrates.

Artikel 148f [Meinungsverschiedenheiten über die Zuständigkeit der Volksanwaltschaft]

Entstehen zwischen der Volksanwaltschaft und der Bundesregierung oder einem Bundesminister Meinungsverschiedenheiten über die Auslegung der gesetzlichen Bestimmungen, die die Zuständigkeit der Volksanwaltschaft regeln, so entscheidet auf Antrag der Bundesregierung oder der Volksanwaltschaft der Verfassungsgerichtshof.

Artikel 148g [Organisation der Volksanwaltschaft]

(1) Die Volksanwaltschaft hat ihren Sitz in Wien. Sie besteht aus drei Mitgliedern, von denen jeweils eines den Vorsitz ausübt. Die Funktionsperiode beträgt sechs Jahre. Eine mehr als einmalige Wiederwahl der Mitglieder der Volksanwaltschaft ist unzulässig.

(2) Die Mitglieder der Volksanwaltschaft werden vom Nationalrat auf Grund eines Gesamtvorschlages des Hauptausschusses gewählt. Der Hauptausschuss erstellt seinen Gesamtvorschlag bei Anwesenheit von mindestens der Hälfte seiner Mitglieder, wobei die drei mandatsstärksten Parteien des Nationalrates das Recht haben, je ein Mitglied für diesen Gesamtvorschlag namhaft zu machen. Bei Mandatsgleichheit gibt die Zahl der bei der letzten Nationalratswahl abgegebenen Stimmen den Ausschlag. Die Mitglieder der Volksanwaltschaft leisten vor Antritt ihres Amtes dem Bundespräsidenten die Angelobung.

(3) Der Vorsitz in der Volksanwaltschaft wechselt jährlich zwischen den Mitgliedern in der Reihenfolge der Mandatsstärke, bei Mandatsgleichheit der Stimmenstärke, der die Mitglieder namhaft machenden Parteien. Diese Reihenfolge wird während der Funktionsperiode der Volksanwaltschaft unverändert beibehalten.

(4) Im Falle des vorzeitigen Ausscheidens eines Mitgliedes der Volksanwaltschaft hat jene im Nationalrat vertretene Partei, die dieses Mitglied namhaft gemacht hat, ein neues Mitglied namhaft zu machen. Die Neuwahl für den Rest der Funktionsperiode ist gemäß Abs. 2 durchzuführen. Bis zur allfälligen Erlassung einer neuen Geschäftsverteilung ist die geltende Geschäftsverteilung auf das neue Mitglied sinngemäß anzuwenden.

(5) Die Mitglieder der Volksanwaltschaft müssen zum Nationalrat wählbar sein und über Kenntnisse der Organisation und Funktionsweise der Verwaltung und Kenntnisse auf dem Gebiet der Menschenrechte verfügen. Sie dürfen während ihrer Amtstätigkeit weder einem allgemeinen Vertretungskörper noch dem Europäischen Parlament angehören, nicht Mitglied der Bundesregierung oder einer Landesregierung sein und keinen anderen Beruf ausüben.

(6) Jedes Mitglied der Volksanwaltschaft ist hinsichtlich der Verantwortlichkeit gemäß Art. 142 den Mitgliedern der Bundesregierung gleichgestellt.

Artikel 148h [Diensthoheit; Geschäftsordnung; Geschäftsverteilung]

(1) Die Beamten der Volksanwaltschaft ernennt auf Vorschlag und unter Gegenzeichnung des Vorsitzenden der Volksanwaltschaft der Bundespräsident; das Gleiche gilt für die Verleihung von Amtstiteln. Der Bundespräsident kann jedoch den Vorsitzenden der Volksanwaltschaft ermächtigen, Beamte bestimmter Kategorien zu ernennen. Die Hilfskräfte ernennt der Vorsitzende der Volksanwaltschaft. Der Vorsitzende der Volksanwaltschaft ist insoweit oberstes Verwaltungsorgan und übt diese Befugnisse allein aus.

(2) Die Diensthoheit des Bundes gegenüber den bei der Volksanwaltschaft Bediensteten wird vom Vorsitzenden der Volksanwaltschaft ausgeübt.

(3) Zur Besorgung der Aufgaben nach Art. 148a Abs. 3 hat die Volksanwaltschaft Kommissionen einzusetzen und einen Menschenrechtsbeirat zu ihrer Beratung einzurichten. Der Menschenrechtsbeirat besteht aus einem Vorsitzenden, einem stellvertretenden Vorsitzenden und sonstigen Mitgliedern und Ersatzmitgliedern, die von der Volksanwaltschaft ernannt werden. Inwieweit die Volksanwaltschaft bei der Ernennung der Mitglieder und Ersatzmitglieder des Menschenrechtsbeirats an Vorschläge anderer Stellen gebunden ist, wird bundesgesetzlich bestimmt. Der Vorsitzende, der stellvertretende Vorsitzende und die sonstigen Mitglieder des Menschenrechtsbeirats sind in Ausübung ihrer Tätigkeit an keine Weisungen gebunden.

(4) Die Volksanwaltschaft beschließt eine Geschäftsordnung und eine Geschäftsverteilung, in der insbesondere zu bestimmen ist, welche Aufgaben von den Mitgliedern der Volksanwaltschaft selbständig wahrzunehmen sind. Die Beschlussfassung über die Geschäftsordnung und die Geschäftsvertei-lung erfordert Einstimmigkeit der Mitglieder der Volksanwaltschaft.

Artikel 148i [Kontrolle der Landesverwaltung]

(1) Durch Landesverfassungsgesetz können die Länder die Volksanwaltschaft auch für den Bereich der Verwaltung des betreffenden Landes für zuständig erklären; diesfalls ist Art. 148f sinngemäß anzuwenden.

(2) Schaffen die Länder für den Bereich der Landesverwaltung Einrichtungen mit gleichartigen Aufgaben wie die Volksanwaltschaft, kann durch Landesverfassungsgesetz eine dem Art. 148f entsprechende Regelung getroffen werden.

(3) Ein Land, das hinsichtlich der Aufgaben nach Art. 148a Abs. 3 von der Ermächtigung des Abs. 1 nicht Gebrauch macht, hat durch Landesverfassungsgesetz eine Einrichtung mit den Aufgaben nach Art. 148a Abs. 3 gleichartigen Aufgaben für den Bereich der Landesverwaltung zu schaffen und zur Besorgung dieser Aufgaben den Art. 148c und Art. 148d entsprechende Regelungen zu treffen.

Artikel 148j [Volksanwaltschaftsgesetz]

Nähere Bestimmungen zur Ausführung dieses Hauptstückes sind bundesgesetzlich zu treffen.

Zehntes Hauptstück
SCHLUSSBESTIMMUNGEN

Artikel 149 [Weitere Verfassungsgesetze]

(1) Neben diesem Gesetz haben im Sinne des Art. 44 Abs. 1 unter Berücksichtigung der durch dieses Gesetz bedingten Änderungen als Verfassungsgesetze zu gelten:

Staatsgrundgesetz vom 21. Dezember 1867, RGBl. Nr. 142, über die allgemeinen Rechte der Staatsbürger für die im Reichsrate vertretenen Königreiche und Länder;

Gesetz vom 27. Oktober 1862, RGBl. Nr. 88, zum Schutze des Hausrechtes;

Beschluss der Provisorischen National-versammlung vom 30. Oktober 1918, StG-Bl. Nr. 3;

Gesetz vom 3. April 1919, StGBl. Nr. 209, betreffend die Landesverweisung und die Übernahme des Vermögens des Hauses Habsburg-Lothringen;

Gesetz vom 3. April 1919, StGBl. Nr. 211, über die Aufhebung des Adels, der weltlichen Ritter- und Damenorden und gewisser Titel und Würden;

Abschnitt V des III. Teiles des Staatsvertrages von Saint-Germain vom 10. September 1919, StGBl. Nr. 303 aus 1920.

(2) Art. 20 des Staatsgrundgesetzes vom 21. Dezember 1867, RGBl. Nr. 142, sowie das auf Grund dieses Artikels erlassene Gesetz vom 5. Mai 1869, RGBl. Nr. 66, treten außer Kraft.

Artikel 150 [Übergangsgesetze; Anpassung]

(1) Der Übergang zu der durch dieses Gesetz eingeführten bundesstaatlichen Verfassung wird durch ein eigenes, zugleich mit diesem Gesetz in Kraft tretendes Verfassungsgesetz geregelt.

(2) Gesetze, die erst einer neuen Fassung bundesverfassungsgesetzlicher Bestimmungen entsprechen, dürfen von der Kundmachung des die Änderung bewirkenden Bundesverfassungsgesetzes an erlassen werden. Sie dürfen jedoch nicht vor dem Inkrafttreten der neuen bundesverfassungsgesetzlichen Bestimmungen in Kraft treten, soweit sie nicht lediglich Maßnahmen vorsehen, die für ihre mit dem Inkrafttreten der neuen bundesverfassungsgesetzlichen Bestimmungen beginnende Vollziehung erforderlich sind.

Artikel 151 [Inkrafttreten; Außerkrafttreten]

[nicht abgedruckt]

Artikel 152 [Vollzugsklausel]

Mit der Vollziehung dieses Bundesverfassungsgesetzes ist die Bundesregierung betraut.

Anlage [nicht abgedruckt]

Staatsgrundgesetz über die allgemeinen Rechte der Staatsbürger[*]

Vom 21. Dezember 1867 (RGBl 1867/142), zuletzt geändert durch BGBl 1988/684

PRÄAMBEL

Mit Zustimmung beider Häuser des Reichsrathes finde Ich das nachstehende Staatsgrundgesetz über die allgemeinen Rechte der Staatsbürger zu erlassen, und anzuordnen, wie folgt:

Artikel 1 [aufgehoben]

Artikel 2 [Gleichheit vor dem Gesetz]
Vor dem Gesetze sind alle Staatsbürger gleich.

Artikel 3 [Zugänglichkeit zu öffentlichen Ämtern]
(1) Die öffentlichen Aemter sind für alle Staatsbürger gleich zugänglich.
(2) Für Ausländer wird der Eintritt in dieselben von der Erwerbung des österreichischen Staatsbürgerrechtes abhängig gemacht.

Artikel 4 [Freizügigkeit]
(1) Die Freizügigkeit der Person und des Vermögens innerhalb des Staatsgebietes unterliegt keiner Beschränkung.
(2) [aufgehoben]
(3) Die Freiheit der Auswanderung ist von Staatswegen nur durch die Wehrpflicht beschränkt.
(4) Abfahrtsgelder dürfen nur in Anwendung der Reciprocität erhoben werden.

Artikel 5 [Eigentumsfreiheit]
Das Eigenthum ist unverletzlich. Eine Enteignung gegen den Willen des Eigenthümers kann nur in den Fällen und in der Art eintreten, welche das Gesetz bestimmt.

Artikel 6 [Aufenthaltsfreiheit, Liegenschaftsfreiheit, Erwerbsfreiheit]
(1) Jeder Staatsbürger kann an jedem Orte des Staatsgebietes seinen Aufenthalt und Wohnsitz nehmen, Liegenschaften jeder Art erwerben und über dieselben frei verfügen, sowie unter den gesetzlichen Bedingungen jeden Erwerbszweig ausüben.
(2) Für die todte Hand sind Beschränkungen des Rechtes, Liegenschaften zu erwerben und über sie zu verfügen, im Wege des Gesetzes aus Gründen des öffentlichen Wohles zulässig.

Artikel 7 [Aufhebung des Untertänigkeits- und Hörigkeitsverbandes]
Jeder Unterthänigkeits- und Hörigkeitsverband ist für immer aufgehoben. Jede aus dem Titel des getheilten Eigenthumes auf Liegenschaften haftende Schuldigkeit oder Leistung ist ablösbar, und es darf in Zukunft keine Liegenschaft mit einer derartigen unablösbaren Leistung belastet werden.

Artikel 8 [aufgehoben]

Artikel 9 [Hausrecht]
(1) Das Hausrecht ist unverletzlich.
(2) Das bestehende Gesetz vom 27. October 1862 (Reichs-Gesetz-Blatt Nr. 88) zum Schutze des Hausrechtes wird hiemit als Bestandtheil dieses Staatsgrundgesetzes erklärt.

Artikel 10 [Briefgeheimnis]
Das Briefgeheimniß darf nicht verletzt und die Beschlagnahme von Briefen, außer dem Falle einer gesetzlichen Verhaftung oder Haussuchung, nur in Kriegsfällen oder

---

[*] Entsprechend dem Rechtsinformationssystem des Bundes (RIS), abrufbar unter https://www.ris.bka.gv.at/GeltendeFassung.wxe?Abfrage=Bundesnormen&Gesetzesnummer=10000006.

auf Grund eines richterlichen Befehles in Gemäßheit bestehender Gesetze vorgenommen werden.

Artikel 10a [Fernmeldegeheimnis]

(1) Das Fernmeldegeheimnis darf nicht verletzt werden.

(2) Ausnahmen von der Bestimmung des vorstehenden Absatzes sind nur auf Grund eines richterlichen Befehles in Gemäßheit bestehender Gesetze zulässig.

Artikel 11 [Petitionsrecht]

(1) Das Petitionsrecht steht Jedermann zu.

(2) Petitionen unter einem Gesammtnamen dürfen nur von gesetzlich anerkannten Körperschaften oder Vereinen ausgehen.

Artikel 12 [Versammlungs- und Vereinsfreiheit]

Die österreichischen Staatsbürger haben das Recht, sich zu versammeln und Vereine zu bilden. Die Ausübung dieser Rechte wird durch besondere Gesetze geregelt.

Artikel 13 [Meinungsfreiheit]

(1) Jedermann hat das Recht, durch Wort, Schrift, Druck oder durch bildliche Darstellung seine Meinung innerhalb der gesetzlichen Schranken frei zu äußern.

(2) Die Presse darf weder unter Censur gestellt, noch durch das Concessions-System beschränkt werden. Administrative Postverbote finden auf inländische Druckschriften keine Anwendung.

Artikel 14 [Glaubens- und Gewissensfreiheit]

(1) Die volle Glaubens- und Gewissensfreiheit ist Jedermann gewährleistet.

(2) Der Genuß der bürgerlichen und politischen Rechte ist von dem Religionsbekenntnisse unabhängig; doch darf den staatsbürgerlichen Pflichten durch das Religionsbekenntniß kein Abbruch geschehen.

(3) Niemand kann zu einer kirchlichen Handlung oder zur Theilnahme an einer kirchlichen Feierlichkeit gezwungen werden, in sofern er nicht der nach dem Geset-

ze hiezu berechtigten Gewalt eines Anderen untersteht.

Artikel 15 [Kirchen und Religionsgesellschaften]

Jede gesetzlich anerkannte Kirche und Religionsgesellschaft hat das Recht der gemeinsamen öffentlichen Religionsübung, ordnet und verwaltet ihre inneren Angelegenheiten selbständig, bleibt im Besitze und Genusse ihrer für Cultus-, Unterrichts- und Wohlthätigkeitszwecke bestimmten Anstalten, Stiftungen und Fonde, ist aber, wie jede Gesellschaft, den allgemeinen Staatsgesetzen unterworfen.

Artikel 16 [Häusliche Religionsausübung]

Den Anhängern eines gesetzlich nicht anerkannten Religionsbekenntnisses ist die häusliche Religionsübung gestattet, in soferne dieselbe weder rechtswidrig, noch sittenverletzend ist.

Artikel 17 [Freiheit der Wissenschaft und Lehre, Unterrichtsfreiheit]

(1) Die Wissenschaft und ihre Lehre ist frei.

(2) Unterrichts- und Erziehungsanstalten zu gründen und an solchen Unterricht zu ertheilen, ist jeder Staatsbürger berechtigt, der seine Befähigung hiezu in gesetzlicher Weise nachgewiesen hat.

(3) Der häusliche Unterricht unterliegt keiner solchen Beschränkung.

(4) Für den Religionsunterricht in den Schulen ist von der betreffenden Kirche oder Religionsgesellschaft Sorge zu tragen.

(5) Dem Staate steht rücksichtlich des gesammten Unterrichts- und Erziehungswesens das Recht der obersten Leitung und Aufsicht zu.

Artikel 17a [Kunstfreiheit]

Das künstlerische Schaffen, die Vermittlung von Kunst sowie deren Lehre sind frei.

Artikel 18 [Beraufsausbildungsfreiheit]

Es steht Jedermann frei, seinen Beruf zu

wählen und sich für denselben auszubilden, wie und wo er will.

Artikel 19 [Rechte der Minderheiten]

(1) Alle Volksstämme des Staates sind gleichberechtigt, und jeder Volksstamm hat ein unverletzliches Recht auf Wahrung und Pflege seiner Nationalität und Sprache.

(2) Die Gleichberechtigung aller landesüblichen Sprachen in Schule, Amt und öffentlichem Leben wird vom Staate anerkannt.

(3) In den Ländern, in welchen mehrere Volksstämme wohnen, sollen die öffentlichen Unterrichtsanstalten derart eingerichtet sein, daß ohne Anwendung eines Zwanges zur Erlernung einer zweiten Landessprache jeder dieser Volksstämme die erforderlichen Mittel zur Ausbildung in seiner Sprache erhält.

Artikel 20. [aufgehoben]

Verfassung von Polen[*]

Vom 2. April 1997 (Dziennik Ustaw 1997, Nr. 78, Pos. 483), zuletzt geändert am 7. Mai 2009 (Dziennik Ustaw 2009, Nr. 114, Pos. 946)

PRÄAMBEL

In der Sorge um unser Vaterland und seine Zukunft,

– nachdem wir im Jahr 1989 die Möglichkeit wiedergewonnen haben, souverän und demokratischüber unser Schicksal zu bestimmen,

– beschließen wir, das Polnische Volk – alle Staatsbürger der Republik,

– sowohl diejenigen, die an Gott als die Quelle der Wahrheit, Gerechtigkeit, des Guten und des Schönen glauben,

– als auch diejenigen, die diesen Glauben nicht teilen,

– sondern diese universellen Werte aus anderen Quellen ableiten,

– wir alle, gleich an Rechten und Pflichten dem gemeinsamen Gut, Polen, gegenüber,

– in Dankbarkeit gegenüber unseren Vorfahren für ihre Arbeit, für ihren Kampf um die unter großen Opfern erlangte Unabhängigkeit, für die Kultur, die im christlichen Erbe des Volkes und in allgemeinen menschlichen Werten verwurzelt ist,

– an die besten Traditionen der Ersten und Zweiten Republik anknüpfend,

verpflichtet, alles Wertvolle aus dem über tausendjährigen Erbe an kommende Generationen weiterzugeben,

– mit unseren über die gesamte Welt verstreuten Landsleuten gemeinschaftlich verbunden,

– im Bewusstsein der Notwendigkeit, mit allen Ländern für das Wohl der Menschheitsfamilie zusammenarbeiten zu müssen,

– im Gedenken an bittere Erfahrungen aus der Zeit, in der die Grundfreiheiten und Grundrechte der Menschen in unserem Vaterland verletzt wurden,

– im Willen, Bürgerrechte stets zu gewährleisten

– sowie die Redlichkeit und die Leistungsfähigkeit der Tätigkeit der öffentlichen Institutionen zu sichern,

– im Bewusstsein der Verantwortung vor Gott oder vor dem eigenen Gewissen,

uns die Verfassung der Republik Polen zu geben

– als grundlegendes Recht des Staates,

– fußend auf der Achtung vor Freiheit und Gerechtigkeit, der Zusammenarbeit der öffentlichen Gewalt, den gesellschaftlichen Dialog sowie auf dem Prinzip, durch Hilfe die Rechte der Staatsbürger und deren Gemeinschaften zu stärken.

Alle, die diese Verfassung zum Wohl der Dritten Republik anwenden werden,

– fordern wir auf, dabei die dem Menschen angeborene Würde, sein Recht auf Freiheit und seine Pflicht zur Solidarität mit anderen Menschen zu beachten,

– und diese Prinzipien als unverletzliche Grundlage der Republik Polen immer einzuhalten.

Kapitel I
DIE REPUBLIK

Artikel 1 [Republik]
Die Republik Polen ist das gemeinsame Gut aller Staatsbürger.

Artikel 2 [Demokratischer Rechtsstaat]
Die Republik Polen ist ein demokratischer Rechtsstaat, der die Grundsätze gesellschaftlicher Gerechtigkeit verwirklicht.

---

[*] Entsprechend der Übersetzung der zweiten polnischen Kammer (Sejm), abrufbar unter: https://www.sejm.gov.pl/prawo/konst/niemiecki/kon1.htm, überarbeitet durch *Armin Stolz* und *Maximilian Zankel*, beide Institut für Öffentliches Recht und Politikwissenschaft, Karl-Franzens-Universität Graz.

Artikel 3 [Einheitlicher Staat]

Die Republik Polen ist ein einheitlicher Staat.

Artikel 4 [Volk]

(1) Die oberste Gewalt in der Republik Polen steht dem Volk zu.

(2) Das Volk übt die Gewalt durch seine Vertreter oder unmittelbar aus.

Artikel 5 [Unabhängigkeit und Integrität]

Die Republik Polen schützt die Unabhängigkeit und Integrität ihres Territoriums, gewährleistet Freiheiten und Rechte der Menschen und der Bürger sowie die Sicherheit der Staatsbürger, schützt das nationale Erbe und gewährleistet den Umweltschutz, wobei sie sich von dem Prinzip der nachhaltigen Entwicklung leiten lässt.

Artikel 6 [Verbreitung und Zugang zur Kultur]

(1) Die Republik Polen schafft die Voraussetzungen für die Verbreitung und den gleichen Zugang zur Kultur, die die Quelle der Identität des polnischen Volkes, seines Bestandes und seiner Entwicklung ist.

(2) Die Republik Polen leistet den außerhalb ihrer Grenzen wohnhaften Polen Hilfe, ihre Verbindung mit dem nationalen kulturellen Erbe aufrechtzuerhalten.

Artikel 7 [Öffentliche Gewalt]

Die Organe der öffentlichen Gewalt handeln auf der Grundlage und in den Grenzen des Rechtes.

Artikel 8 [Verfassung]

(1) Die Verfassung ist das oberste Recht der Republik Polen.

(2) Die Vorschriften der Verfassung sind unmittelbar anzuwenden, es sei denn, die Verfassung bestimmt es anders.

Artikel 9 [Völkerrecht]

Die Republik Polen befolgt das Völkerrecht, das für sie verbindlich ist.

Artikel 10 [Trennung und Gleichgewicht der Gewalten]

(1) Die Ordnung der Republik Polen stützt sich auf die Trennung und das Gleichgewicht der gesetzgebenden, der vollziehenden und der rechtsprechenden Gewalt.

(2) Die gesetzgebende Gewalt üben Sejm und Senat, die vollziehende Gewalt der Präsident der Republik Polen und der Ministerrat, die rechtsprechende Gewalt Gerichte und Gerichtshöfe aus.

Artikel 11 [Politische Parteien]

(1) Die Republik Polen gewährleistet die Freiheit der Bildung und Tätigkeit der politischen Parteien. Politische Parteien vereinigen polnische Staatsangehörige auf der Grundlage der Freiwilligkeit und Gleichheit mit dem Zweck, auf die Gestaltung der Staatspolitik mit demokratischen Methoden einzuwirken.

(2) Die politischen Parteien dürfen ihre Finanzierung nicht verheimlichen.

Artikel 12 [Gewerkschaften und Vereine]

Die Republik Polen gewährleistet die Freiheit der Bildung und Tätigkeit der Gewerkschaften, der gesellschaftlich-beruflichen Bauernorganisationen, der Vereine, der Bürgerbewegungen, anderer freiwilliger Zusammenschlüsse sowie von Stiftungen.

Artikel 13 [Verbotene Parteien]

Verboten ist das Bestehen politischer Parteien und anderer Organisationen, die sich in ihren Programmen auf die totalitären Methoden und Praktiken des Nazismus, Faschismus und Kommunismus berufen. Verboten ist auch das Bestehen solcher Parteien, deren Programm oder Tätigkeit Rassen- und Nationalitätenhass, Gewalt zum Zweck der Machtübernahme oder Einflussausübung auf die Staatspolitik voraussetzt oder zulässt oder das Verheimlichen von Strukturen oder Mitgliedschaft vorsieht.

Artikel 14 [Freiheit der Presse]

Die Republik Polen gewährleistet die

Freiheit der Presse und anderer Mittel der gesellschaftlichen Kommunikation.

Artikel 15 [Dezentralisierung]

(1) Die Gliederung des Staatsgebietes der Republik Polen gewährleistet die Dezentralisierung der öffentlichen Gewalt.

(2) Die grundlegende territoriale Gliederung des Staates, die bestehende gesellschaftliche, wirtschaftliche oder kulturelle Verbindungen berücksichtigt und die gewährleistet, dass die territorialen Einheiten fähig sind, die öffentlichen Aufgaben zu lösen, wird vom Gesetz geregelt.

Artikel 16 [Selbstverwaltungseinheit]

(1) Die Einwohnergesamtheit einer Einheit der örtlichen Grundeinteilung bildet kraft des Rechtes eine Selbstverwaltungseinheit.

(2) Die örtliche Selbstverwaltung nimmt an der Ausübung der öffentlichen Gewalt teil. Den ihr im Rahmen der Gesetze zufallenden wesentlichen Teil der öffentlichen Aufgaben verwirklicht die Selbstverwaltung im eigenen Namen und in eigener Verantwortung.

Artikel 17 [Berufliche Selbstverwaltung]

(1) Auf dem Gesetzesweg können auch berufliche Selbstverwaltungen gebildet werden, welche die Personen vertreten, die Berufe des öffentlichen Vertrauens ausüben und denen in den Grenzen des öffentlichen Interesses und zu dessen Schutz die Sorge für die gebührende Berufsausübung obliegt.

(2) Auf dem Gesetzesweg können auch andere Selbstverwaltungen gebildet werden. Diese Selbstverwaltungen dürfen weder die Freiheit der Berufsausübung verletzen noch die Freiheit, eine wirtschaftliche Tätigkeit aufzunehmen, einschränken.

Artikel 18 [Ehe]

Die Ehe als Verbindung von Frau und Mann, Familie, Mutterschaft und das Elternrecht stehen unter Schutz und in Obhut der Republik Polen.

Artikel 19 [Besondere Obhut von Veteranen]

Die Republik Polen nimmt Veteranen der Unabhängigkeitskämpfe, insbesondere die Kriegsbeschädigten, in besondere Obhut.

Artikel 20 [Soziale Marktwirtschaft]

Die soziale Marktwirtschaft, gestützt auf die Freiheit der wirtschaftlichen Tätigkeit, Privateigentum und Solidarität, Dialog und Zusammenarbeit der sozialen Partner, bildet die Grundlage der wirtschaftlichen Ordnung der Republik Polen.

Artikel 21 [Eigentum und Erbrecht]

(1) Die Republik Polen schützt das Eigentum und das Erbrecht.

(2) Eine Enteignung ist nur dann zulässig, wenn sie zu öffentlichen Zwecken und gegen gerechte Entschädigung durchgeführt wird.

Artikel 22 [Wirtschaftliche Freiheit]

Eine Einschränkung der Freiheit der wirtschaftlichen Tätigkeit ist nur auf dem Gesetzesweg und nur wegen eines wichtigen gesellschaftlichen Interesses zulässig.

Artikel 23 [Landwirtschaftliche Ordnung]

Grundlage der landwirtschaftlichen Ordnung des Staates ist der Familienbetrieb. Diese Regel berührt die Bestimmungen der Artikel 21 und 22 nicht.

Artikel 24 [Arbeit]

Die Arbeit steht unter dem Schutz der Republik Polen. Der Staat überwacht die Arbeitsbedingungen.

Artikel 25 [Kirchen und Religionsgemeinschaften]

(1) Kirchen und andere Religionsgemeinschaften sind gleichberechtigt.

(2) Die öffentliche Gewalt in der Republik Polen wahrt die Unparteilichkeit in Angelegenheiten der religiösen, weltanschaulichen und philosophischen Überzeugung und gewährleistet die Freiheit, diese im öffentlichen Leben zu äußern.

(3) Die Beziehungen zwischen dem Staat und den Kirchen sowie anderen Religionsgemeinschaften werden unter Achtung ihres Selbstbestimmungsrechtes sowie gegenseitiger Unabhängigkeit eines jeden in seinem Gebiet, sowie des Zusammenwirkens zum Wohle des Menschen und der Gesellschaft gestaltet.

(4) Die Beziehungen zwischen der Republik Polen und der Katholischen Kirche werden von einem völkerrechtlichen Abkommen, das mit dem Heiligen Stuhl abgeschlossen worden ist, und von Gesetzen bestimmt.

(5) Die Beziehungen zwischen der Republik Polen und anderen Kirchen sowie Religionsgemeinschaften werden durch Gesetze geregelt, die aufgrund von Abkommen verabschiedet werden, welche vom Ministerrat mit ihren zuständigen Vertretern abgeschlossen worden sind.

Artikel 26 [Streitkräfte]

(1) Die Streitkräfte der Republik Polen dienen dem Schutz der Unabhängigkeit des Staates und der Integrität seines Territoriums sowie der Gewährleistung der Sicherheit und der Unversehrtheit der Grenzen.

(2) Die Streitkräfte wahren in politischen Angelegenheiten ihre Neutralität und unterstehen ziviler demokratischer Kontrolle.

Artikel 27 [Amtssprache]

In der Republik Polen ist die polnische Sprache die Amtssprache. Diese Vorschrift verletzt nicht Rechte der nationalen Minderheiten, die sich aus ratifizierten völkerrechtlichen Verträgen ergeben.

Artikel 28 [Wappen, Farben und Hymne]

(1) Das Wappen der Republik Polen ist das Bild eines weißen Adlers mit Krone auf rotem Feld.

(2) Die Farben der Republik Polen sind weiß und rot.

(3) Die Nationalhymne der Republik Polen ist der „Mazurek Dąbrowskiego".

(4) Wappen, Farben und Hymne der Republik unterstehen dem rechtlichen Schutz.

(5) Das Nähere über Wappen, Farben und Nationalhymne regelt das Gesetz.

Artikel 29 [Hauptstadt]

Die Hauptstadt der Republik Polen ist Warschau.

Kapitel II
FREIHEITEN, RECHTE UND PFLICHTEN DES MENSCHEN UND DES STAATSBÜRGERS

Allgemeine Grundsätze

Artikel 30 [Würde des Menschen]

Die Würde des Menschen ist ihm angeboren und unveräußerlich. Sie bildet die Quelle der Freiheiten und Rechte des Menschen und des Staatsbürgers. Sie ist unverletzlich, ihre Beachtung und ihr Schutz ist Verpflichtung der öffentlichen Gewalt.

Artikel 31 [Freiheit des Menschen]

(1) Die Freiheit des Menschen steht unter dem Schutz des Rechtes.

(2) Jedermann ist verpflichtet, die Freiheiten und Rechte der anderen zu beachten. Niemand darf zu etwas gezwungen werden, was ihm nicht durch das Recht geboten ist.

(3) Einschränkungen, verfassungsrechtliche Freiheiten und Rechte zu genießen, dürfen nur in einem Gesetz beschlossen werden und nur dann, wenn sie in einem demokratischen Staat wegen seiner Sicherheit oder öffentlichen Ordnung oder zum Schutz der Umwelt, Gesundheit, der öffentlichen Moral oder der Freiheiten und Rechte anderer Personen notwendig sind. Diese Einschränkungen dürfen das Wesen der Freiheiten und Rechte nicht verletzen.

Artikel 32 [Gleichheit]

(1) Alle Personen sind vor dem Gesetz gleich. Alle Personen haben das Recht, von der öffentlichen Gewalt gleich behandelt zu werden.

(2) Niemand darf aus welchem Grund auch immer im politischen, gesellschaftlichen oder wirtschaftlichen Leben diskriminiert werden.

Artikel 33 [Gleichheit von Frau und Mann]

(1) Frau und Mann haben in der Republik Polen gleiche Rechte in der Familie und im politischen, gesellschaftlichen und wirtschaftlichen Leben.

(2) Frau und Mann haben insbesondere das gleiche Recht auf Ausbildung, Beschäftigung und beruflichen Aufstieg, auf gleiche Entlohnung für gleichwertige Arbeit, auf soziale Sicherung sowie auf Ausübung der Ämter, Erfüllung von Funktionen und Erhalt öffentlicher Würden und Auszeichnungen.

Artikel 34 [Staatsangehörigkeit]

(1) Die polnische Staatsangehörigkeit erwirbt man durch Geburt von Eltern polnischer Staatsangehörigkeit. Andere Erwerbsfälle der polnischen Staatsangehörigkeit regelt das Gesetz.

(2) Ein polnischer Staatsbürger darf die polnische Staatsangehörigkeit nicht verlieren, es sei denn er verzichtet selbst darauf.

Artikel 35 [Garantie von Kultur, Sprache und Tradition; Minderheiten]

(1) Die Republik Polen gewährleistet den polnischen Staatsangehörigen, die nationalen und ethnischen Minderheiten angehören, die Freiheit der Erhaltung und der Entwicklung der eigenen Sprache, der Erhaltung von Bräuchen und Traditionen sowie der Entwicklung der eigenen Kultur.

(2) Nationale und ethnische Minderheiten haben das Recht auf Bildung eigener Ausbildungs- und Kultureinrichtungen sowie der Einrichtungen, die dem Schutz der religiösen Identität dienen. Sie haben auch das Recht an Entscheidungen in solchen Angelegenheiten beteiligt zu werden, die ihre kulturelle Identität betreffen.

Artikel 36 [Aufenthalt im Ausland]

Während des Aufenthalts im Ausland hat der polnische Staatsbürger das Recht auf Schutz seitens der Republik Polen.

Artikel 37 [Freiheiten und Rechte]

(1) Wer unter der Gewalt der Republik Polen steht, genießt die in der Verfassung gewährleisteten Freiheiten und Rechte.

(2) Ausnahmen von diesem Grundsatz in Bezug auf Ausländer werden vom Gesetz geregelt.

Persönliche Freiheiten und Rechte

Artikel 38 [Schutz des Lebens]

Die Republik Polen gewährleistet jedem Menschen rechtlichen Schutz des Lebens.

Artikel 39 [Wissenschaftliche Experimente]

Ohne freiwillig geäußerte Zustimmung darf niemand wissenschaftlichen einschließlich medizinischen Experimenten unterzogen werden.

Artikel 40 [Folterverbot]

Niemand darf der Folter oder einer grausamen, unmenschlichen oder demütigenden Behandlung oder Bestrafung unterworfen werden. Die Anwendung von Leibesstrafen ist verboten.

Artikel 41 [Unverletzlichkeit und Freiheit]

(1) Die Unverletzlichkeit und die Freiheit der Person werden jedermann gewährleistet. Eine Entziehung oder Einschränkung der Freiheit ist nur aufgrund und gemäß dem im Gesetz bestimmten Verfahren zulässig.

(2) Jede Person, der die Freiheit ausgenommen aufgrund eines gerichtlichen Urteils entzogen worden ist, hat das Recht auf Berufung bei Gericht, um die Gesetzmäßigkeit der Entziehung unverzüglich feststellen zu lassen. Über die Freiheitsentziehung ist die Familie oder die vom Festgehaltenen genannte Person unverzüglich zu benachrichtigen.

(3) Jeder Festgenommene soll unverzüglich und in einer für ihn klaren Form von der

Ursache der Festhaltung unterrichtet werden. Innerhalb von achtundvierzig Stunden nach der Festnahme soll er dem Gericht zur Verfügung überwiesen werden. Der Festgenommene ist freizulassen, wenn ihm nicht innerhalb von vierundzwanzig Stunden nach seiner Überstellung in die Entscheidungsgewalt des Gerichts ein Gerichtsbeschluss über die vorläufige Inhaftierung gleichzeitig mit der Darstellung der Beschuldigung zugestellt worden ist.

(4) Jede Person, der die Freiheit entzogen worden ist, muss menschenwürdig behandelt werden.

(5) Jede Person, der die Freiheit widersetzlich entzogen worden ist, hat ein Recht auf Entschädigung.

Artikel 42 [Rückwirkungsverbot]

(1) Strafrechtlich verantwortlich gemacht werden kann nur, wer eine Tat begeht, die durch ein während deren Begehung geltendes Gesetz mit Strafe bedroht ist. Dieser Grundsatz hindert nicht daran, eine Tat zu bestrafen, die während der Begehung eine Straftat im Sinne des Völkerrechts war.

(2) Jedermann, gegen den ein Strafverfahren geführt wird, hat das Recht auf Verteidigung in allen Abschnitten des Verfahrens. Insbesondere kann er einen Verteidiger wählen oder gemäß den im Gesetz festgelegten Grundsätzen einen Pflichtverteidiger in Anspruch nehmen.

(3) Jedermann gilt als unschuldig, solange seine Schuld nicht durch ein rechtskräftiges Gerichtsurteil festgestellt worden ist.

Artikel 43 [Kriegsverbrechen]

Kriegsverbrechen und Verbrechen gegen die Menschlichkeit unterliegen nicht der Verjährung.

Artikel 44 [Verjährung von Straftaten]

Die Verjährung von Straftaten, die von Trägern öffentlicher Ämter oder in deren Auftrag begangen und aus politischen Gründen nicht verfolgt worden sind, ruht solange diese Gründe andauern.

Artikel 45 [Öffentliche Verhandlung]

(1) Jedermann hat das Recht auf gerechte und öffentliche Verhandlung der Sache ohne unbegründete Verzögerung vor dem zuständigen, unabhängigen, unparteiischen Gericht.

(2) Die Öffentlichkeit kann ausgeschlossen werden aus Gründen der Moral, der Sicherheit des Staates und der öffentlichen Ordnung sowie zum Schutze des Privatlebens der Parteien oder eines anderen wichtigen privaten Interesses. Das Urteil ist öffentlich bekanntzugeben.

Artikel 46 [Einziehung und Verfall]

Die Einziehung oder der Verfall von Sachen darf nur in den im Gesetz bestimmten Fällen und nur aufgrund einer rechtskräftigen Gerichtsentscheidung erfolgen.

Artikel 47 [Schutz des Privat- und Familienlebens]

Jedermann hat das Recht auf rechtlichen Schutz des Privat- und Familienlebens, der Ehre und des guten Rufes sowie das Recht, über sein persönliches Leben zu entscheiden.

Artikel 48 [Erziehung]

(1) Die Eltern haben das Recht, ihre Kinder gemäß den eigenen Anschauungen zu erziehen. Die Erziehung soll die Reife des Kindes, seine Gewissens- und Bekenntnisfreiheit sowie seine Anschauungen berücksichtigen.

(2) Die Einschränkung oder Entziehung der elterlichen Gewalt ist nur in den im Gesetz bestimmten Fällen und nur aufgrund einer rechtskräftigen Gerichtsentscheidung zulässig.

Artikel 49 [Kommunikationsgeheimnis]

Die Freiheit und der Schutz des Kommunikationsgeheimnisses werden gewährleistet. Sie dürfen nur in den vom Gesetz bestimmten Fällen und in einer gesetzlich bestimmten Form eingeschränkt werden.

Artikel 50 [Unverletzlichkeit der Wohnung]

Die Unverletzlichkeit der Wohnung wird gewährleistet. Die Durchsuchung einer Wohnung, anderer Räume oder eines Fahrzeugs darf nur in den im Gesetz bestimmten Fällen und in der gesetzlich bestimmten Weise erfolgen.

Artikel 51 [Offenbarung von Informationen]

(1) Eine Verpflichtung, Informationen über die eigene Person zu offenbaren, besteht nur auf Grundlage eines Gesetzes.

(2) Die öffentliche Gewalt darf nur solche Informationen über Staatsbürger beschaffen, sammeln oder zugänglich machen, deren Erhebung in einem demokratischen Rechtsstaat unentbehrlich ist.

(3) Jedermann hat das Recht auf Zugang zu den ihn betreffenden amtlichen Dokumenten und Datensammlungen. Eine Einschränkung dieses Rechtes darf nur vom Gesetz bestimmt werden.

(4) Jedermann hat einen Anspruch auf Berichtigung oder Löschung falscher, unvollständiger oder in widerrechtlicher Weise beschaffter Informationen.

(5) Grundsätze und Verfahrensweise des Erhebens und Zugänglichmachens von Informationen regelt das Gesetz.

Artikel 52 [Freizügigkeit]

(1) Jedermann wird auf dem Territorium der Republik Polen Freizügigkeit sowie die freie Wahl von Wohn- und Aufenthaltsort gewährleistet.

(2) Jedermann darf das Gebiet der Republik Polen frei verlassen.

(3) Die in Abs. 1 und 2 genannten Freiheiten dürfen nur gesetzlich bestimmten Einschränkungen unterworfen werden.

(4) Ein polnischer Staatsbürger darf nicht des Landes verwiesen werden. Die Rückkehr ins Staatsgebiet darf ihm nicht untersagt werden.

(5) Eine Person, deren polnische Herkunft dem Gesetz gemäß festgestellt worden ist, darf sich im Gebiet der Republik Polen auf Dauer niederlassen.

Artikel 53 [Gewissens- und Religionsfreiheit]

(1) Gewissens- und Religionsfreiheit wird jedermann gewährleistet.

(2) Die Religionsfreiheit umfasst die Freiheit, die Religion eigener Wahl anzunehmen oder zu bekennen sowie die Freiheit, die eigene Religion individuell oder mit anderen Personen, öffentlich oder privat durch Verehrung, Gebet, die Teilnahme an religiösen Handlungen, Praktizieren und Lehren auszudrücken. Die Religionsfreiheit umfasst auch den Besitz von Heiligtümern und anderen den Bedürfnissen der Gläubigen entsprechenden Orten sowie das Recht der Gläubigen, religiöse Hilfe am Aufenthaltsort in Anspruch zu nehmen.

(3) Die Eltern haben das Recht, die moralische und religiöse Erziehung und Unterrichtung ihrer Kinder gemäß ihren Anschauungen sicherzustellen. Die Vorschrift des Art. 48 findet entsprechend Anwendung.

(4) Die Religion einer Kirche oder einer anderen rechtlich anerkannten Glaubensgemeinschaft darf in der Schule unterrichtet werden, wobei die Gewissens- und Religionsfreiheit anderer Personen nicht berührt werden darf.

(5) Die Freiheit, die Religion auszudrücken, kann nur auf dem Gesetzeswege eingeschränkt werden, wenn die Einschränkung zum Schutz der Sicherheit des Staates, der öffentlichen Ordnung, der Gesundheit, der Moral oder der Freiheiten und Rechte eines anderen notwendig ist.

(6) Niemand darf gezwungen werden, an religiösen Praktiken teilzunehmen. Niemand darf an der Teilnahme gehindert werden.

(7) Niemand darf durch die öffentliche Gewalt verpflichtet werden, seine Weltanschauung, seine religiösen Anschauungen oder seine Konfession zu offenbaren.

Artikel 54 [Meinungsfreiheit; Zensurverbot]

(1) Die Freiheit, die Anschauungen zu

äußern sowie Informationen zu beschaffen oder zu verbreiten, wird jedermann gewährleistet.

(2) Vorbeugende Zensur der Medien gesellschaftlicher Kommunikation ist verboten. Die Presse ist nicht genehmigungspflichtig. Durch das Gesetz kann das Betreiben einer Radio- oder Fernsehanstalt von der vorherigen Erlangung einer Genehmigung abhängig gemacht werden.

Artikel 55 [Auslieferung]

(1) Die Auslieferung eines polnischen Bürgers ist mit Ausnahme der in Abs. 2 und 3 beschriebenen Fälle verboten.

(2) Die Auslieferung eines polnischen Bürgers kann auf Antrag eines anderen Staates oder internationalen Gerichtsorgans erfolgen, soweit sich eine solche Möglichkeit aus einem von der Republik Polen ratifizierten internationalen Abkommen bzw. Gesetz ergibt, das eine Umsetzung des von einer internationalen Organisation, deren Mitglied die Republik Polen ist, geschaffenen Rechtes darstellt, vorausgesetzt, dass die den Auslieferungsantrag betreffende Tat

1. außerhalb des Gebietes der Republik Polen begangen wurde und

2. eine Straftat gemäß dem Recht der Republik Polen war oder eine solche gewesen wäre, falls sie auf dem Gebiet der Republik Polen begangen worden wäre, und zwar sowohl zum Zeitpunkt der Straftatbegehung als auch zum Zeitpunkt der Antragstellung.

(3) Eine Auslieferung, die auf Antrag eines internationalen Gerichtsorgans erfolgen soll, das auf der Grundlage eines von der Republik Polen ratifizierten internationalen Abkommens ins Leben gerufen wurde, bedarf nicht der Erfüllung der in Abs. 2, Ziffer 1 und 2 genannten Bedingungen, soweit es sich um einen der Gerichtsbarkeit dieses Organs unterliegenden Völkermord, ein Verbrechen gegen die Menschlichkeit, ein Kriegsverbrechen oder eine Straftat der Aggression handelt.

(4) Die Extradition ist untersagt, wenn sie eine Person betrifft, die der Begehung einer gewaltlosen Straftat aus politischen Gründen

verdächtigt wird, oder wenn sie bürgerliche Freiheiten und Menschenrechte verletzen würde.

(5) Über die Zulässigkeit der Auslieferung entscheidet das Gericht.

Artikel 56 [Asylrecht]

(1) Ausländer genießen in Polen gemäß den im Gesetz bestimmten Grundsätzen das Asylrecht.

(2) Einem Ausländer, der in der Republik Polen Schutz gegen Verfolgung sucht, kann gemäß den für die Republik Polen verbindlichen völkerrechtlichen Verträgen der Flüchtlingsstatus zuerkannt werden.

Politische Freiheiten und Rechte

Artikel 57 [Versammlungsfreiheit]

Jedermann wird die Freiheit, friedliche Versammlungen zu veranstalten und daran teilzunehmen, gewährleistet. Eine Einschränkung dieser Freiheit kann vom Gesetz bestimmt werden.

Artikel 58 [Vereinigungsfreiheit]

(1) Jedermann wird die Vereinigungsfreiheit gewährleistet.

(2) Verboten sind Vereine, deren Ziel oder Tätigkeit verfassungs- oder gesetzwidrig ist. Über die Ablehnung der Eintragung oder ein Tätigkeitsverbot für einen solchen Verein entscheidet das Gericht.

(3) Das Gesetz bestimmt, welche Vereine einer gerichtlichen Eintragung bedürfen, das Verfahren der Eintragung sowie Formen der Überwachung solcher Vereine.

Artikel 59 [Koalitionsfreiheit; Streikrecht]

(1) Die Koalitionsfreiheit, die Freiheit der Bildung von gesellschaftlich-beruflichen Bauernorganisationen sowie von Arbeitgeberorganisationen wird gewährleistet.

(2) Gewerkschaften und Arbeitgeber sowie deren Organisationen haben das Recht zu verhandeln insbesondere um Tarifstreitigkeiten zu lösen oder Tarifverträge und andere Verträge abzuschließen.

(3) Den Gewerkschaften steht das Recht zu, einen Streik der Arbeitnehmer und andere Protestaktionen in den vom Gesetz bestimmten Grenzen zu veranstalten. Im Hinblick auf das Gemeinwohl kann das Gesetz die Durchführung eines Streiks einschränken oder in Bezug auf bestimmte Gruppen von Arbeitnehmern oder in bestimmten Bereichen verbieten.

(4) Die Reichweite der Koalitionsfreiheit sowie der Umfang anderer gewerkschaftlicher Freiheiten darf nur solchen gesetzlichen Einschränkungen unterstehen, welche von den für die Republik Polen verbindlichen völkerrechtlichen Verträgen zugelassen werden.

Artikel 60 [Gleicher Zugang zum öffentlichen Dienst]

Polnische Staatsangehörige, die die vollen bürgerlichen Rechte genießen, haben das Recht auf gleichen Zugang zum öffentlichen Dienst.

Artikel 61 [Zugang zu Informationen]

(1) Der Staatsbürger hat das Recht, Informationen über die Tätigkeit der Organe der öffentlichen Gewalt sowie über die öffentliche Ämter bekleidenden Personen einzuholen. Dieses Recht umfasst auch das Einholen von Informationen über Tätigkeit der wirtschaftlichen und beruflichen Selbstverwaltungsorgane sowie anderer Personen und Organisationen, soweit sie Aufgaben der öffentlichen Gewalt ausüben und Vermögen einer Gemeinde oder des Staates verwalten.

(2) Das Recht, Informationen einzuholen, umfasst auch den Zugang zu Unterlagen und den Zutritt zu Sitzungen der in allgemeinen Wahlen gewählten Kollegialorgane der öffentlichen Gewalt sowie die Möglichkeit, von solchen Sitzungen Ton- oder Bildaufnahmen zu machen.

(3) Eine Einschränkung des in den Absätzen 1 und 2 genannten Rechtes ist nur durch Gesetz und nur zum Schutz der Freiheiten und Rechte anderer Personen und Wirtschaftsteilnehmer, der öffentlichen Ordnung oder Sicherheit oder eines wesentlichen

wirtschaftlichen Interesses des Staates zulässig.

(4) Die Verfahrensweise bei der Erhebung der in den Abs. 1 und 2 genannten Informationen regeln Gesetze, in Bezug auf Sejm und Senat deren Geschäftsordnung.

Artikel 62 [Wahlrecht]

(1) Der polnische Staatsbürger hat das Recht an einer Volksabstimmung teilzunehmen sowie den Präsidenten der Republik Polen, Abgeordnete, Senatoren und Vertreter der Organe der örtlichen Selbstverwaltung zu wählen, wenn er spätestens am Abstimmungstag das achtzehnte Lebensjahr vollendet hat.

(2) Das Recht, an der Volksabstimmung sowie der Wahl teilzunehmen steht solchen Personen nicht zu, die durch eine rechtskräftige Gerichtsentscheidung entmündigt worden oder denen die bürgerlichen Rechte oder das Wahlrecht entzogen worden sind.

Artikel 63 [Petitionen, Anträge und Klagen]

Jedermann hat das Recht, Petitionen, Anträge und Klagen im öffentlichen oder eigenen Interesse sowie im Interesse einer anderen Person mit deren Zustimmung an Organe der öffentlichen Gewalt und an gesellschaftliche Organisationen und Institutionen zu richten, soweit sie im Zusammenhang mit den von diesen auf dem Gebiet der öffentlichen Verwaltung erfüllten Aufgaben stehen. Das Verfahren zur Untersuchung der Petitionen, Anträge und Klagen wird durch Gesetz bestimmt.

Ökonomische, soziale und kulturelle Freiheiten und Rechte

Artikel 64 [Recht auf Eigentum]

(1) Jedermann hat das Recht auf Eigentum und andere Vermögensrechte sowie das Erbrecht.

(2) Das Eigentum, andere Vermögensrechte und das Erbrecht unterstehen dem für alle gleichen rechtlichen Schutz.

(3) Das Eigentum darf nur im Gesetzes-

wege und nur soweit eingeschränkt werden, dass das Wesen des Eigentumsrechts nicht verletzt wird.

Artikel 65 [Berufsfreiheit]

(1) Jedermann hat das Recht auf freie Wahl und Ausübung des Berufes sowie auf freie Wahl des Arbeitsplatzes. Die Ausnahmen regelt das Gesetz.

(2) Eine Arbeitspflicht darf nur durch Gesetz auferlegt werden.

(3) Ständige Beschäftigung von Kindern unter 16 Jahren ist verboten. Formen und Charakter der zugelassenen Beschäftigung regelt das Gesetz.

(4) Die Mindestlöhne oder Verfahren zur Bestimmung von Mindestlöhnen regelt das Gesetz.

(5) Die öffentliche Gewalt verfolgt eine Politik, die auf volle und produktive Beschäftigung zielt, indem sie Programme zur Bekämpfung der Arbeitslosigkeit ausführt, Berufsberatung und -schulung, Beschäftigung bei der öffentlichen Hand und Beschäftigungsmaßnahmen organisiert und fördert.

Artikel 66 [Arbeitsbedingungen]

(1) Jedermann hat das Recht auf sichere und hygienische Arbeitsbedingungen. Wie dieses Recht zu verwirklichen ist sowie Pflichten des Arbeitgebers regelt das Gesetz.

(2) Der Arbeitnehmer hat Recht auf die im Gesetz bestimmten arbeitsfreien Tage und jährlich einen bezahlten Urlaub. Das Gesetz bestimmt eine Höchstarbeitszeit.

Artikel 67 [Soziale Sicherung]

(1) Der Staatsbürger hat das Recht auf soziale Sicherung im Fall der Arbeitsunfähigkeit wegen Krankheit oder Invalidität sowie nach Erreichung des Ruhealters. Umfang und Formen der sozialen Sicherung regelt das Gesetz.

(2) Ein Staatsbürger, der ohne eigene Schuld keine Beschäftigung findet und keine anderen Mittel zum Unterhalt besitzt, hat ein Recht auf soziale Sicherung, deren Umfang und Form das Gesetz regelt.

Artikel 68 [Schutz der Gesundheit]

(1) Jedermann hat das Recht auf Schutz der Gesundheit.

(2) Den Staatsangehörigen, unabhängig von deren materieller Lage, sichert die öffentliche Gewalt gleichen Zutritt zur Gesundheitsfürsorge, die aus den öffentlichen Mitteln finanziert wird. Bedingungen und Umfang der Leistungen regelt das Gesetz.

(3) Die öffentliche Gewalt ist verpflichtet, den besonderen Schutz der Kinder, Schwangeren, Behinderten und Älteren zu sichern.

(4) Die öffentliche Gewalt ist verpflichtet, ansteckende Krankheiten zu bekämpfen und den negativen Auswirkungen der Umweltverschmutzung auf die Gesundheit vorzubeugen.

(5) Die öffentliche Gewalt unterstützt die Entwicklung der sportlichen Betätigung, insbesondere im Fall von Kindern und Jugendlichen.

Artikel 69 [Menschen mit Behinderung]

Gemäß dem Gesetz leistet die öffentliche Gewalt behinderten Personen Hilfe bei der Sicherung des Daseins, der Vorbereitung auf Arbeit und der gesellschaftlichen Kommunikation.

Artikel 70 [Recht auf Schulunterricht]

(1) Jedermann hat das Recht auf Schulunterricht. Bis zum achtzehnten Lebensjahr besteht eine Schulpflicht. Wie die Schulpflicht durchzuführen ist, bestimmt das Gesetz.

(2) Der Unterricht in den öffentlichen Schulen ist unentgeltlich. Das Gesetz darf zulassen, dass bestimmte Bildungsangebote öffentlicher Hochschulen entgeltlich sind.

(3) Eltern haben das Recht, für ihre Kinder andere als öffentliche Schulen zu wählen. Staatsbürger und Institutionen haben das Recht, Grund-, Ober- und Hochschulen sowie Erziehungsanstalten zu gründen. Gründungs- und Tätigkeitsbedingungen der nichtöffentlichen Schulen sowie Teilnahme der öffentlichen Gewalt an deren Finanzierung und Regeln zur pädagogischen Aufsicht über die Schulen und Erziehungsanstalten werden vom Gesetz geregelt.

(4) Die öffentliche Gewalt gewährleistet den Staatsbürgern den allgemeinen und gleichen Zugang zur Bildung. Zu diesem Zweck werden Systeme der individuellen finanziellen und organisatorischen Hilfe für Schüler und Studenten gebildet und gefördert. Die Bedingungen der Hilfeleistung bestimmt das Gesetz.

(5) Das Selbstbestimmungsrecht der Hochschulen wird auf den im Gesetz bestimmten Grundlagen gewährleistet.

Artikel 71 [Wohl der Familie]

(1) Bei seiner Sozial- und Wirtschaftspolitik berücksichtigt der Staat das Wohl der Familie. Familien, die sich in einer schwierigen materiellen und sozialen Lage befinden, insbesondere kinderreiche Familien und solche mit alleinerziehenden Elternteilen, haben das Recht auf besondere öffentliche Hilfe.

(2) Vor und nach Geburt eines Kindes hat die Mutter ein Recht auf besondere öffentliche Hilfe, deren Umfang vom Gesetz bestimmt wird.

Artikel 72 [Rechte der Kinder]

(1) Die Republik Polen gewährleistet den Schutz der Rechte der Kinder. Jedermann hat das Recht, von den Organen der öffentlichen Gewalt den Schutz der Kinder gegen Gewalt, Grausamkeit, Ausbeutung und Unsittlichkeit zu fordern.

(2) Ein Kind, das der elterlichen Pflege entbehrt, hat das Recht auf Pflege und Hilfe der öffentlichen Gewalt.

(3) Die Organe der öffentlichen Gewalt sowie die für das Kind verantwortlichen Personen sind bei der Feststellung der Kinderrechte verpflichtet, die Meinung des Kindes anzuhören und diese möglichst zu berücksichtigen.

(4) Das Gesetz bestimmt die Zuständigkeit und Ernennungsweise des Beauftragten für die Kinderrechte.

Artikel 73 [Kunst, Wissenschaft und Lehre]

Die Freiheit des künstlerischen Schaffens, der wissenschaftlichen Forschung und der Veröffentlichung deren Ergebnisse, Lehrfreiheit sowie die Freiheit, an der Kultur teilzuhaben, wird jedermann gewährleistet.

Artikel 74 [Ökologische Sicherheit]

(1) Die öffentliche Gewalt verfolgt eine Politik, die der gegenwärtigen und den kommenden Generationen ökologische Sicherheit gewährleistet.

(2) Der Umweltschutz ist die Pflicht der öffentlichen Gewalt.

(3) Jedermann hat das Recht auf Information über Zustand und Schutz der Umwelt.

(4) Die öffentliche Gewalt unterstützt die Tätigkeit der Staatsangehörigen zum Schutz und zur Verbesserung der Umwelt.

Artikel 75 [Wohnbedürfnis]

(1) Die öffentliche Gewalt verfolgt eine Politik, die den Wohnbedürfnissen der Staatsbürger entgegenkommt, und insbesondere der Obdachlosigkeit entgegenwirkt, die Entwicklung des sozialen Wohnbaus fördert sowie die Bestrebungen der Staatsangehörigen, eine eigene Wohnung zu erlangen, unterstützt.

(2) Den Schutz der Rechte der Mieter regelt das Gesetz.

Artikel 76 [Gesundheit, Privatsphäre und Sicherheit]

Die öffentliche Gewalt schützt Verbraucher und Mieter vor Handlungen, die ihre Gesundheit, ihre Privatsphäre und Sicherheit bedrohen sowie vor unlauteren Geschäftspraktiken. Der Umfang des Schutzes wird vom Gesetz geregelt.

Mittel zum Schutz der Rechte und Freiheiten

Artikel 77 [Entschädigung]

(1) Jedermann hat das Recht auf Entschädigung des Schadens, der ihm durch unrechtmäßige Maßnahmen eines Organs der öffentlichen Gewalt entstanden ist.

(2) Das Gesetz darf es niemandem unmöglich machen, verletzte Freiheiten oder Rechte auf dem Gerichtsweg geltend zu machen.

Artikel 78 [Anfechtung]

Jede Partei hat das Recht, Entscheidungen und Beschlüsse anzufechten, die im ersten Rechtszug getroffen worden sind. Ausnahmen von diesem Grundsatz sowie die Verfahrensweise regelt das Gesetz.

Artikel 79 [Beschwerde beim Verfassungsgerichtshof]

(1) Gemäß den durch Gesetz geregelten Grundsätzen hat jedermann dessen verfassungsmäßige Freiheiten oder Rechte verletzt worden sind, das Recht, Beschwerde beim Verfassungsgerichtshof einzulegen und die Verfassungsmäßigkeit eines Gesetzes oder eines anderen normativen Aktes prüfen zu lassen, auf dessen Grundlage ein Gericht oder ein Organ der öffentlichen Verwaltung endgültig über seine in der Verfassung bestimmten Freiheiten, Rechte oder Pflichten entschieden hat.

(2) Die Vorschrift des Abs. 1 gilt nicht für die im Art. 56 bestimmten Rechte.

Artikel 80 [Beauftragter für Bürgerrechte]

Jedermann hat das Recht, sich gemäß den im Gesetz bestimmten Grundsätzen an den Beauftragten für Bürgerrechte zu wenden, um ihn um Hilfe beim Schutz seiner Freiheiten oder Rechte, die von einem Organ der öffentlichen Gewalt verletzt worden sind, zu ersuchen.

Artikel 81 [Geltendmachung]

Die in Art. 65 Abs. 4 und 5, Art. 66, Art. 69, Art. 71 und Art. 74 bis 76 bestimmten Rechte können in den im Gesetz bestimmten Grenzen geltend gemacht werden.

Pflichten

Artikel 82 [Treue zur Republik]

Die Pflicht jedes polnischen Staatsbürgers ist die Treue zur Republik Polen und die Sorge um das Gemeinwohl.

Artikel 83 [Beachtung des Rechts]

Jedermann hat die Pflicht, das Recht der Republik Polen zu beachten.

Artikel 84 [Öffentliche Lasten und Pflichten]

Jedermann ist verpflichtet, den im Gesetz bestimmten öffentlichen Lasten und Pflichten, insbesondere seiner Steuerpflicht, nachzukommen.

Artikel 85 [Verteidigung des Vaterlandes]

(1) Die Verteidigung des Vaterlandes ist Pflicht jedes polnischen Staatsangehörigen.

(2) Den Umfang der Wehrpflicht regelt das Gesetz.

(3) Jeder Staatsangehöriger, dessen religiöse Anschauungen oder moralische Überzeugungen die Ableistung des Wehrdienstes nicht zulassen, kann zu einem Ersatzdienst gemäß den im Gesetz bestimmten Grundsätzen verpflichtet werden.

Artikel 86 [Umwelt]

Jedermann ist zu sorgfältigem Umgang mit der Umwelt verpflichtet und trägt die Verantwortung für die von ihm verursachte Verschlechterung ihres Zustandes. Die Grundsätze dieser Verantwortung werden im Gesetz bestimmt.

Kapitel III
RECHTSQUELLEN

Artikel 87 [Allgemein geltendes Recht]

(1) Die Verfassung, Gesetze, ratifizierte völkerrechtliche Verträge und Rechtsverordnungen sind Quellen des allgemein geltenden Rechtes der Republik Polen.

(2) Akte des lokalen Rechtes sind die Quellen des allgemein geltenden Rechtes der Republik Polen für das Tätigkeitsgebiet der Organe, die sie beschlossen haben.

Artikel 88 [Inkrafttreten durch Veröffentlichung]

(1) Bedingung für das Inkrafttreten von Gesetzen, Rechtsverordnungen sowie der

Akte des lokalen Rechtes ist ihre Veröffentlichung.

(2) Die Grundsätze und das Verfahren der Veröffentlichung von normativen Akten werden vom Gesetz geregelt.

(3) Völkerrechtliche Verträge, deren Ratifizierung ein Zustimmungsgesetz vorausgegangen ist, werden gemäß dem für Gesetze bestimmten Verfahren veröffentlicht. Grundsätze der Veröffentlichung anderer völkerrechtlicher Verträge werden vom Gesetz geregelt.

Artikel 89 [Ratifizierung von völkerrechtlichen Verträgen]

(1) Die Ratifizierung eines völkerrechtlichen Vertrages durch die Republik Polen sowie dessen Kündigung bedürfen einer vorherigen Zustimmung durch Gesetz, falls der Vertrag folgende Gegenstände betrifft:

– Frieden, Bündnisse, politische oder militärische Abkommen,

– Freiheiten, Rechte oder Pflichten der Staatsbürger, die in der Verfassung bestimmt worden sind,

– die Mitgliedschaft der Republik Polen in einer internationalen Organisation,

– erhebliche finanzielle Belastung des Staates,

– Angelegenheiten, die im Gesetz geregelt worden sind oder für die die Verfassung ein Gesetz voraussetzt.

(2) Der Vorsitzende des Ministerrates hat den Sejm von der Absicht zu unterrichten, dem Präsidenten der Republik Polen einen völkerrechtlichen Vertrag zur Ratifizierung vorzulegen, der der durch Gesetz geäußerten Zustimmung nicht bedarf.

(3) Grundsätze und Verfahrensweise des Abschlusses, der Ratifizierung und der Kündigung von völkerrechtlichen Verträgen regelt das Gesetz.

Artikel 90 [Übertragung von Kompetenzen]

(1) Aufgrund eines völkerrechtlichen Vertrages kann die Republik Polen einer internationalen Organisation oder einem internationalen Organ die Kompetenz von Organen der staatlichen Gewalt in bestimmten Angelegenheiten übertragen.

(2) Das Zustimmungsgesetz zu einem völkerrechtlichen Vertrag im Sinne des Abs. 1 wird vom Sejm mit einer Mehrheit von zwei Dritteln der Stimmen in Anwesenheit von mindestens der Hälfte der gesetzlichen Abgeordnetenzahl und vom Senat mit einer Mehrheit von zwei Dritteln der Stimmen in Anwesenheit von mindestens der Hälfte der gesetzlichen Zahl der Senatoren angenommen.

(3) Die Zustimmung zur Ratifizierung eines solchen Vertrages kann auch in einer Volksabstimmung gemäß Art. 125 beschlossen werden.

(4) Ein Beschluss über die Weise, in welcher der Ratifizierung zugestimmt werden soll, wird vom Sejm mit absoluter Mehrheit der Stimmen in Anwesenheit von mindestens der Hälfte der gesetzlichen Abgeordnetenzahl angenommen.

Artikel 91 [Unmittelbare Anwendbarkeit]

(1) Nachdem ein ratifizierter völkerrechtlicher Vertrag im Gesetzblatt der Republik Polen veröffentlicht worden ist, bildet er einen Teil der innenstaatlichen Rechtsordnung und wird unmittelbar angewandt, es sei denn seine Anwendung setzt die Verabschiedung eines Gesetzes voraus.

(2) Ein völkerrechtlicher Vertrag, dessen Ratifizierung ein Zustimmungsgesetz vorausgegangen ist, hat den Vorrang einem Gesetz gegenüber, falls das Gesetz mit dem Vertrag unvereinbar ist.

(3) Das von einer internationalen Organisation hervorgebrachte Recht wird unmittelbar angewandt und hat im Fall der Unvereinbarkeit mit dem Gesetz den Vorrang, wenn es sich so aus einem von der Republik Polen ratifizierten Vertrag, durch den eine internationale Organisation gebildet wird, ergibt.

Artikel 92 [Rechtsverordnungen]

(1) Rechtsverordnungen werden durch die in der Verfassung angegebenen Organe auf der Grundlage einer speziellen durch Ge-

setz erteilten Ermächtigung und zum Zweck seiner Durchführung erlassen. Die Ermächtigung soll das für den Erlass der Rechtsverordnung zuständige Organ und den übertragenen Gegenstandsbereich bezeichnen, sowie den Inhalt des Rechtsaktes betreffende Richtlinien enthalten.

(2) Das zum Erlass einer Rechtsverordnung ermächtigte Organ darf die in Abs. 1 bezeichnete Kompetenz nicht auf andere Organe übertragen.

Artikel 93 [Beschlüsse und Anordnungen]

(1) Beschlüsse des Ministerrates sowie Anordnungen des Vorsitzenden des Ministerrates und der Minister sind innere Akte und verpflichten nur die organisatorischen Einheiten, die dem Organ unterstellt sind, das diese Akte erlassen hat.

(2) Anordnungen können nur aufgrund eines Gesetzes erlassen werden. Sie können keine Entscheidungsgrundlage gegenüber den Staatsbürgern, juristischen Personen und anderen Rechtsträgern bilden.

(3) Beschlüsse und Anordnungen unterliegen der Kontrolle bezüglich ihrer Vereinbarkeit mit dem allgemein geltenden Recht.

Artikel 94 [Akte lokalen Rechts]

Die Organe der örtlichen Selbstverwaltung sowie lokale Organe der Staatsverwaltung können auf der Grundlage und in den Grenzen einer durch Gesetz übertragenen Ermächtigung Akte lokalen Rechts erlassen, die auf dem Tätigkeitsgebiet dieser Organe gültig sind. Die Grundsätze und das Verfahren der Erlassung von Akten lokalen Rechts regelt das Gesetz.

Kapitel IV
DER SEJM UND DER SENAT

Artikel 95 [Gesetzgebende Gewalt]

(1) Die gesetzgebende Gewalt in der Republik Polen üben der Sejm und der Senat aus.

(2) Der Sejm übt die Kontrolle über die Tätigkeit des Ministerrates in dem von Verfassungs- und Gesetzesvorschriften bestimmten Umfang aus.

Wahlen und Amtszeit

Artikel 96 [Zusammensetzung und Wahl des Sejm]

(1) Der Sejm besteht aus 460 Abgeordneten.

(2) Die Wahl zum Sejm ist eine allgemeine, gleiche, unmittelbare und geheime Verhältniswahl.

Artikel 97 [Zusammensetzung und Wahl des Senats]

(1) Der Senat besteht aus 100 Senatoren.

(2) Die Wahl zum Senat ist allgemein, unmittelbar und geheim.

Artikel 98 [Amtszeit]

(1) Der Sejm und der Senat werden für eine Amtszeit von vier Jahren gewählt. Die Amtszeit des Sejm und des Senats beginnt an dem Tag, an welchem sich der neugewählte Sejm zu seiner ersten Sitzung versammelt und dauert bis zum Tag vor der Versammlung des Sejm der nächsten Wahlperiode.

(2) Die Wahlen zum Sejm und zum Senat ordnet der Präsident der Republik Polen nicht später als 90 Tage vor Ablauf von vier Jahren nach Beginn der Amtszeit von Sejm und Senat an. Als Wahltag setzt er einen arbeitsfreien Tag fest, der innerhalb einer Frist von dreißig Tagen vor dem Ablauf von vier Jahren nach dem Beginn der Amtszeit des Sejm und des Senats liegt.

(3) Der Sejm kann mit einer Mehrheit von mindestens zwei Dritteln der gesetzlichen Abgeordnetenzahl eine Verkürzung seiner Amtszeit beschließen. Die Verkürzung der Amtszeit des Sejm bedeutet zugleich die Verkürzung der Amtszeit des Senats. Die Vorschrift des Abs. 5 findet entsprechende Anwendung.

(4) In den von der Verfassung bestimmten Fällen kann der Präsident der Republik nach Anhörung der Marschälle des Sejm und des Senats die Verkürzung der Amtszeit des Sejm anordnen. Zugleich mit der Amtszeit

des Sejm wird die Amtszeit des Senats verkürzt.

(5) Ordnet der Präsident der Republik die Verkürzung der Amtszeit des Sejm an, so bestimmt er zugleich Wahlen zu Sejm und Senat und setzt als Wahltag einen Tag nicht später als 45 Tage nach der Anordnung der Verkürzung der Sejmamtszeit fest. Der Präsident der Republik beruft die erste Sitzung des neugewählten Sejm nicht später als für den 15. Tag nach dem Wahltag ein.

(6) Die Vorschrift des Abs. 1 findet entsprechende Anwendung, falls die Amtszeit des Sejm verkürzt wird.

Artikel 99 [Voraussetzung zur Wahl]

(1) In den Sejm kann ein polnischer Staatsbürger gewählt werden, der wahlberechtigt ist und spätestens am Wahltag das einundzwanzigste Lebensjahr vollendet hat.

(2) In den Senat kann ein polnischer Staatsbürger gewählt werden, der wahlberechtigt ist und spätestens am Wahltag das dreißigste Lebensjahr vollendet hat.

(3) Wer wegen eines vorsätzlich begangenen Offizialdelikts rechtskräftig zu einer Freiheitsstrafe verurteilt wurde, darf nicht in den Sejm bzw. den Senat gewählt werden.

Artikel 100 [Aufstellung der Kandidaten]

(1) Kandidaten für das Amt eines Abgeordneten oder Senators können von politischen Parteien oder Wählern aufgestellt werden.

(2) Eine gleichzeitige Kandidatur für Sejm und Senat ist nicht zulässig.

(3) Grundsätze und Verfahrensweise der Aufstellung der Kandidaten und der Durchführung der Wahlen sowie die Bedingungen ihrer Gültigkeit regelt das Gesetz.

Artikel 101 [Gültigkeit der Wahl]

(1) Die Gültigkeit der Sejm- und Senatswahlen stellt das Oberste Gericht fest.

(2) Dem Wähler steht gemäß den im Gesetz bestimmten Grundsätzen das Recht zu, gegen die Gültigkeit der Wahlen einen Einspruch an das Oberste Gericht einzulegen.

Abgeordnete und Senatoren

Artikel 102 [Abgeordnete und Senatoren]

Man darf nicht gleichzeitig Abgeordneter und Senator sein.

Artikel 103 [Unvereinbarkeit]

(1) Das Abgeordnetenmandat ist unvereinbar dem Amt des Präsidenten der Polnischen Nationalbank, des Präsidenten der Obersten Kontrollkammer, des Beauftragten für Bürgerrechte, des Beauftragten für Kinderrechte und deren Stellvertreter, der Mitgliedschaft im Rat für Geldpolitik oder im Landesrat für Rundfunk und Fernsehen, dem Amt eines Botschafters sowie mit der Beschäftigung in der Sejm- oder Senatskanzlei, der Kanzlei des Präsidenten der Republik Polen sowie mit einer Beschäftigung in der Regierungsverwaltung. Dieses Verbot betrifft nicht die Mitglieder des Ministerrates und Staatssekretäre in der Regierungsverwaltung.

(2) Richter, Staatsanwälte, Beamte, Soldaten während des aktiven Militärdienstes, Polizisten, Angehörige der Staatsschutzdienste dürfen das Abgeordnetenmandat nicht ausüben.

(3) Andere Unvereinbarkeiten zwischen Abgeordnetenmandat und der Ausübung öffentlicher Ämter und das Verbot, das Mandat auszuüben, können im Gesetz bestimmt werden.

Artikel 104 [Volksvertreter]

(1) Die Abgeordneten sind Vertreter des Volkes. Sie sind nicht an Weisungen der Wähler gebunden.

(2) Vor Beginn der Mandatsausübung leisten die Abgeordneten folgenden Eid vor dem Sejm:

„Ich schwöre feierlich, meine Pflichten dem Volke gegenüber redlich und gewissenhaft zu erfüllen, Souveränität und Interessen des Staates zu schützen, alles für das Wohl des Vaterlandes und der Staatsbürger zu tun und die Verfassung und anderen Gesetze der Republik Polen zu wahren."

Der Eid kann unter Hinzufügung des Satzes: „So wahr mir Gott helfe" geleistet werden.

(3) Eine Weigerung, den Eid abzulegen, bedeutet den Verzicht auf das Mandat.

Artikel 105 [Immunität der Abgeordneten]

(1) Der Abgeordnete darf für seine Tätigkeit, die in den Bereich der Mandatsausübung fällt, weder während der Mandatsausübung noch nach dem Erlöschen des Mandats zur Verantwortung gezogen werden. Wegen einer solchen Tätigkeit ist der Abgeordnete ausschließlich vor dem Sejm verantwortlich. Hat der Abgeordnete Rechte Dritter verletzt, darf er nur mit Zustimmung des Sejm zur gesetzlichen Verantwortung gezogen werden.

(2) Von dem Tag, an dem die Wahlergebnisse bekanntgegeben werden bis zum Tag, an dem das Mandat erlischt, darf der Abgeordnete ohne Zustimmung des Sejm nicht strafrechtlich belangt werden.

(3) Ein Strafverfahren, das gegen eine Person vor dem Tag ihrer Wahl zum Abgeordneten eingeleitet worden ist, wird auf Verlangen des Sejm bis zum Zeitpunkt des Erlöschens des Mandats eingestellt. In einem solchen Fall ruht die Verjährung bis zu diesem Zeitpunkt.

(4) Der Abgeordnete kann der strafrechtlichen Verfolgung zustimmen. In diesem Fall finden die Vorschriften der Abs. 2 und 3 keine Anwendung.

(5) Der Abgeordnete darf ohne Zustimmung des Sejm weder festgenommen noch verhaftet werden, es sei denn er wird auf frischer Tat betreten und seine Festnahme ist für die Gewährleistung des ordnungsgemäßen Verfahrensablaufes unentbehrlich. Von der Festnahme wird der Sejmmarschall unverzüglich benachrichtigt, der eine sofortige Entlassung des Festgenommenen anordnen kann.

(6) Ausführliche Grundsätze der strafrechtlichen Verfolgung von Abgeordneten sowie die Verfahrensweise regelt das Gesetz.

Artikel 106 [Regelung durch Gesetz]

Die zur erfolgreichen Erfüllung der Abgeordnetenpflichten notwendigen Bedingungen, sowie den Schutz der aus der Mandatsausübung resultierenden Rechte regelt das Gesetz.

Artikel 107 [Wirtschaftliche Betätigung]

(1) In dem vom Gesetz bestimmten Umfang darf der Abgeordnete keine wirtschaftliche Betätigung ausüben, die ihm Vorteile aus dem Vermögen des Staates oder der territorialen Selbstverwaltung verschafft. Er darf solches Vermögen auch nicht erwerben.

(2) Verletzt der Abgeordnete die in Abs. 1 genannten Verbote, kann er aufgrund eines vom Sejmmarschall beantragten Beschlusses des Sejm vor dem Staatsgerichtshof zur Verantwortung gezogen werden. Der Staatsgerichtshof entscheidet, ob dem Abgeordneten das Mandat zu entziehen ist.

Artikel 108 [Senatoren]

Die Vorschriften der Art. 103-107 werden auf Senatoren entsprechend angewandt.

Organisation und Arbeitsweise

Artikel 109 [Arbeitsweise des Sejm]

(1) Der Sejm und der Senat beraten in Sitzungen.

(2) Mit Ausnahme der in Art. 58 Abs. 2 und 5 genannten Fälle wird die erste Sitzung des Sejm und des Senats vom Präsidenten der Republik Polen auf einen Tag nicht später als 30 Tage nach dem Wahltag einberufen.

Artikel 110 [Sejmmarschall]

(1) Der Sejm wählt aus seiner Mitte den Sejmmarschall und dessen Stellvertreter.

(2) Der Sejmmarschall führt den Vorsitz in den Beratungen des Sejm, wacht über die Rechte des Sejm und vertritt den Sejm nach außen.

(3) Der Sejm beruft ständige Ausschüsse. Er kann auch außerordentliche Kommissionen einberufen.

Artikel 111 [Untersuchungsausschuss]

(1) Der Sejm kann zur Untersuchung eines bestimmten Sachverhaltes einen Untersuchungsausschuss einsetzen.

(2) Die Verfahrensweise des Untersuchungsausschusses wird durch Gesetz geregelt.

Artikel 112 [Geschäftsordnung des Sejm]

Die innere Struktur des Sejm, seine Arbeitsweise, das Verfahren bei der Berufung und Geschäftsführung seiner Organe, deren Arbeitsweise sowie die Weise, in der die durch Verfassung oder Gesetz bestimmten Pflichten der staatlichen Organe dem Sejm gegenüber wahrzunehmen sind, regelt die vom Sejm beschlossene Geschäftsordnung des Sejm.

Artikel 113 [Öffentlichkeit der Sitzungen]

Die Sitzungen des Sejm sind öffentlich. Falls das Wohl des Staates es verlangt, kann der Sejm mit absoluter Stimmenmehrheit in Anwesenheit von mindestens der Hälfte der gesetzlichen Abgeordnetenzahl beschließen, geheim zu beraten.

Artikel 114 [Nationalversammlung]

(1) In den von der Verfassung bestimmten Fällen bilden der Sejm und der Senat die Nationalversammlung, indem sie unter Leitung des Sejmmarschalls oder – in dessen Vertretung – des Senatsmarschalls gemeinsam beraten.

(2) Die Nationalversammlung beschließt ihre Geschäftsordnung.

Artikel 115 [Interpellationen und Anfragen]

(1) Der Vorsitzende des Ministerrates und andere Mitglieder des Ministerrates sind verpflichtet innerhalb von 21 Tagen Interpellationen und Anfragen der Abgeordneten zu beantworten.

(2) Der Vorsitzende des Ministerrates und andere Mitglieder des Ministerrates sind verpflichtet, Fragen über laufende Angelegenheiten in jeder Sejmsitzung zu beantworten.

Artikel 116 [Kriegszustand und Frieden]

(1) Der Sejm entscheidet im Namen der Republik Polen über den Kriegszustand und den Friedensschluss.

(2) Der Sejm kann einen Beschluss über den Kriegszustand nur dann annehmen, wenn das Gebiet der Republik Polen mit Waffen angegriffen wird oder wenn aus internationalen Verträgen eine Verpflichtung zur gemeinsamen Verteidigung gegen einen Angriff resultiert. Kann der Sejm sich nicht zu einer Sitzung versammeln, entscheidet der Präsident der Republik Polen über den Kriegszustand.

Artikel 117 [Einsatz von Streitkräften]

Die Grundsätze in Bezug auf den Einsatz der Streitkräfte außerhalb der Republik Polen bestimmt ein ratifizierter völkerrechtlicher Vertrag oder ein Gesetz. Grundsätze in Bezug auf den Aufenthalt und die Verlegung fremder Streitkräfte auf und durch das Gebiet der Republik Polen bestimmen ratifizierte völkerrechtliche Verträge oder Gesetze.

Artikel 118 [Gesetzesvorschlag]

(1) Das Recht, einen Gesetzesvorschlag einzubringen, steht den Abgeordneten, dem Senat, dem Präsidenten der Republik Polen und dem Ministerrat zu.

(2) Dieses Recht steht auch einer Gruppe von mindestens 100.000 Staatsbürgern zu, die das Wahlrecht zum Sejm haben. Die diesbezügliche Verfahrensweise wird vom Gesetz geregelt.

(3) Wer einen Gesetzesvorschlag beim Sejm einbringt, hat die finanziellen Folgen der Durchführung dieses Vorhabens darzustellen.

Artikel 119 [Lesungen des Sejm]

(1) Der Sejm erörtert eine Gesetzesvorlage in drei Lesungen.

(2) Das Recht, während der Erörterung Änderungen in die Vorlage einzuführen,

steht demjenigen, der die Gesetzesvorlage eingebracht hat, den Abgeordneten und dem Ministerrat zu.

(3) Der Sejmmarschall kann verweigern, über eine Änderung abzustimmen, die nicht vorher einem Ausschuss vorgelegt worden ist.

(4) Derjenige, der die Gesetzesvorlage eingebracht hat, kann sie während des Gesetzgebungsverfahrens vor Beendigung der zweiten Lesung zurücknehmen.

Artikel 120 [Quoren des Sejm]

Der Sejm beschließt Gesetze mit einfacher Stimmenmehrheit in Anwesenheit von mindestens der Hälfte der gesetzlichen Abgeordnetenzahl, es sei denn die Verfassung bestimmt eine andere Mehrheit. Entsprechend diesem Verfahren verabschiedet der Sejm auch Beschlüsse, es sei denn ein Gesetz oder ein Beschluss des Sejm bestimmt es anders.

Artikel 121 [Weiterleitung]

(1) Das vom Sejm beschlossene Gesetz wird vom Sejmmarschall an den Senat weitergeleitet.

(2) Innerhalb von dreißig Tagen nach der Weiterleitung des Gesetzes kann der Senat es entweder ohne Änderungen annehmen, Änderungen beschließen oder es insgesamt ablehnen. Fasst der Senat innerhalb von dreißig Tagen nach der Weiterleitung des Gesetzes keinen Beschluss, gilt das Gesetz als in der vom Sejm beschlossenen Fassung angenommen.

(3) Der Senatsbeschluss, durch den das Gesetz abgelehnt oder eine Änderung eingeführt wird, gilt als angenommen, wenn nicht der Sejm ihn mit absoluter Stimmenmehrheit in Anwesenheit von mindestens der Hälfte der gesetzlichen Abgeordnetenzahl ablehnt.

Artikel 122 [Unterzeichnung durch den Präsidenten]

(1) Nach der Beendigung der im Art. 121 bestimmten Verfahrensweise legt der Sejmmarschall das verabschiedete Gesetz dem Präsidenten der Republik Polen zur Unterzeichnung vor.

(2) Der Präsident der Republik Polen unterzeichnet das Gesetz innerhalb von einundzwanzig Tagen nach dem Tage der Vorlage und ordnet dessen Veröffentlichung im Gesetzblatt der Republik Polen an.

(3) Vor der Unterzeichnung des Gesetzes kann der Präsident einen Antrag beim Verfassungsgerichtshof einbringen, die Vereinbarkeit des Gesetzes mit der Verfassung zu prüfen. Der Präsident der Republik Polen darf die Unterzeichnung eines Gesetzes, das vom Verfassungsgerichtshof für verfassungsmäßig erklärt worden ist, nicht verweigern.

(4) Der Präsident der Republik Polen verweigert die Unterzeichnung eines Gesetzes, das vom Verfassungsgerichtshof für verfassungswidrig erklärt wird. Betrifft die Unvereinbarkeit mit der Verfassung nur einige Vorschriften des Gesetzes und stellt der Verfassungsgerichtshof nicht fest, dass diese mit dem Gesetz untrennbar verbunden sind, unterzeichnet der Präsident, nach Anhörung der Meinung des Sejmmarschalls, das Gesetz mit Ausnahme der vom Verfassungsgerichtshof als verfassungswidrig erklärten Vorschriften oder weist das Gesetz an den Sejm zurück, damit dieser die Unvereinbarkeit mit der Verfassung behebt.

(5) Ruft der Präsident der Republik Polen den Verfassungsgerichtshof mit dem Antrag gemäß Abs. 3 nicht an, kann er das Gesetz mit einem begründeten Antrag an den Sejm zur erneuten Beratung zurückverweisen. Nachdem der Sejm das Gesetz mit der Mehrheit von drei Fünfteln der Stimmen in Anwesenheit von mindestens der Hälfte der gesetzlichen Abgeordnetenzahl erneut verabschiedet hat, unterzeichnet der Präsident das Gesetz innerhalb von sieben Tagen und ordnet dessen Verkündung im Gesetzblatt der Republik Polen an. Wird das Gesetz vom Sejm erneut verabschiedet, steht dem Präsidenten das Recht, den Verfassungsgerichtshof gemäß Abs. 3 anzurufen, nicht zu.

(6) Ruft der Präsident den Verfassungsgerichtshof mit einem Antrag bezüglich der Vereinbarkeit eines Gesetzes mit der Verfassung an oder beantragt er beim Sejm eine

erneute Beratung des Gesetzes, hemmt das den Lauf der im Abs. 2 zur Unterzeichnung des Gesetzes bestimmten Frist.

Artikel 123 [Dringlichkeit]

(1) Der Ministerrat kann eine von ihm beschlossene Gesetzesvorlage als dringend bezeichnen. Dieses Recht besteht nicht bei der Vorlage von Steuergesetzen, von Gesetzen über die Wahl des Präsidenten der Republik Polen, des Sejm, des Senats und der Organe der örtlichen Selbstverwaltung, von Gesetzen über die Struktur und Zuständigkeit der öffentlichen Gewalt oder von Gesetzbüchern.

(2) Die Geschäftsordnung des Sejm und des Senats regeln Besonderheiten des Gesetzgebungsverfahrens im Fall einer dringenden Gesetzesvorlage.

(3) Wird ein Gesetz als dringend bezeichnet, beträgt die Frist zur Beratung durch den Senat vierzehn Tage, die Frist zur Unterzeichnung des Gesetzes durch den Präsidenten der Republik Polen sieben Tage.

Artikel 124 [Anwendung auf den Senat]

Die Vorschriften der Art. 110, 112, 113 und 120 finden entsprechende Anwendung auf den Senat.

Volksabstimmung

Artikel 125 [Volksabstimmung]

(1) In Fällen von besonderer Bedeutung für den Staat kann eine landesweite Volksabstimmung durchgeführt werden.

(2) Das Recht, eine landesweite Volksabstimmung anzuordnen, hat der Sejm mit absoluter Stimmenmehrheit in Anwesenheit von mindestens der Hälfte der gesetzlichen Abgeordnetenzahl und der Präsident der Republik Polen mit Zustimmung des Senats, die mit der absoluten Mehrheit der Stimmen in Anwesenheit von mindestens der Hälfte der gesetzlichen Senatorenzahl erteilt werden muss.

(3) Das Ergebnis der Volksabstimmung ist bindend, wenn sich an der landesweiten Volksabstimmung mehr als die Hälfte der Stimmberechtigten beteiligt.

(4) Die Gültigkeit einer landesweiten Volksabstimmung sowie einer Volksabstimmung gemäß Art. 235 Abs. 6 stellt das Oberste Gericht fest.

(5) Grundsätze und Verfahrensweise der Durchführung einer Volksabstimmung regelt das Gesetz.

Kapitel V
DER PRÄSIDENT DER REPUBLIK POLEN

Artikel 126 [Präsident der Republik]

(1) Der Präsident der Republik Polen ist der oberste Vertreter der Republik Polen und der Garant für die Fortdauer der Staatsgewalt.

(2) Der Präsident der Republik Polen wacht über die Einhaltung der Verfassung, hütet die Souveränität und die Sicherheit des Staates sowie die Integrität und Unteilbarkeit des Staatsgebiets.

(3) Der Präsident der Republik Polen übt seine Aufgaben im Umfang und gemäß den in der Verfassung und den Gesetzen bestimmten Grundsätzen aus.

Artikel 127 [Wahl und Amtszeit des Präsidenten]

(1) Der Präsident der Republik Polen wird vom Volk in allgemeiner, gleicher, unmittelbarer und geheimer Wahl gewählt.

(2) Der Präsident der Republik Polen wird für eine Amtszeit von fünf Jahren gewählt. Die Wiederwahl ist nur einmal zulässig.

(3) Zum Präsidenten der Republik Polen kann jeder polnische Staatsangehörige gewählt werden, der spätestens am Wahltag das 35. Lebensjahr vollendet hat und bei den Sejmwahlen das volle Wahlrecht genießt. Der Kandidat wird von mindestens 100.000 Staatsbürgern die das Wahlrecht in den Sejm haben, aufgestellt.

(4) Als Präsident der Republik Polen ist der Kandidat gewählt, der mehr als die Hälfte der abgegebenen gültigen Stimmen erhalten hat. Erhält keiner der Kandidaten die

erforderliche Mehrheit, wird am vierzehnten Tag nach der ersten Wahl erneut eine Wahl durchgeführt.

(5) In der erneuten Wahl wird zwischen den beiden Kandidaten gewählt, die in der ersten Abstimmung die meisten Stimmen erhalten haben. Zieht einer der Kandidaten seine Zustimmung zum Kandidieren zurück, verliert er das Wahlrecht oder stirbt, wird an seiner Stelle der Kandidat zugelassen, der in der ersten Wahl die nachfolgend höchste Stimmenzahl erhalten hat. In diesem Fall verschiebt sich das Datum der erneuten Wahl um weitere vierzehn Tage.

(6) Als Präsident der Republik Polen ist der Kandidat gewählt, der in der erneuten Wahl die meisten Stimmen erhalten hat.

(7) Grundsätze und Verfahrensweise der Aufstellung von Kandidaten zur Präsidentschaftswahl, ihre Durchführung sowie die Bedingungen ihrer Gültigkeit regelt das Gesetz.

Artikel 128 [Beginn der Amtszeit]

(1) Die Amtszeit des Präsidenten beginnt mit dem Tag der Amtsübernahme.

(2) Den Tag der Präsidentschaftswahl setzt der Marschall des Sejm auf einen Tag nicht früher als hundert Tage und nicht später als fünfundsiebzig Tage vor dem Ablauf der Amtszeit des amtierenden Präsidenten fest. Endet die Amtszeit des Präsidenten der Republik Polen vorzeitig, setzt der Marschall des Sejm innerhalb von vierzehn Tagen nach Amtserledigung den Wahltag fest. Der Wahltag ist auf einen arbeitsfreien Tag festzusetzen, der innerhalb eines Zeitraums von sechzig Tagen nach dem Tag der Wahlanordnung liegt.

Artikel 129 [Gültigkeit der Präsidentschaftswahl]

(1) Die Gültigkeit der Präsidentschaftswahl wird vom Obersten Gericht festgestellt.

(2) Dem Wähler steht das Recht zu, beim Obersten Gericht Einspruch gegen die Gültigkeit der Wahl zum Präsidenten der Republik Polen gemäß den im Gesetz bestimmten Grundsätzen einzulegen.

(3) Falls die Wahl des Präsidenten der Republik Polen für ungültig erklärt wird, ist eine neue Wahl gemäß den in Art. 128 Abs. 2 festgesetzten Grundsätzen bei der vorzeitigen Erledigung des Präsidentenamtes durchzuführen.

Artikel 130 [Eid des Präsidenten]

Der Präsident der Republik Polen tritt das Amt an, nachdem er vor der Nationalversammlung den folgenden Eid geleistet hat:

„Gemäß dem Willen des Volkes trete ich das Amt des Präsidenten der Republik Polen an und schwöre feierlich, dass ich den Bestimmungen der Verfassung treu bleiben, die Würde des Volkes, die Unabhängigkeit und die Sicherheit des Staates unbeugsam wahren werde und dass das Wohl des Vaterlandes und das Wohlergehen der Staatsbürger mir immer die höchste Pflicht sein werden."

Der Eid kann auch unter Hinzufügung des Satzes: „so wahr mir Gott helfe" geleistet werden.

Artikel 131 [Verhinderung]

(1) Kann der Präsident der Republik Polen sein Amt vorübergehend nicht ausüben, teilt er das dem Sejmmarschall mit, der vorübergehend die Pflichten des Präsidenten der Republik Polen übernimmt. Ist der Präsident der Republik Polen nicht imstande, dem Sejmmarschall mitzuteilen, dass er zur Amtsausübung unvermögend ist, stellt der Verfassungsgerichtshof auf Antrag des Sejmmarschalls die Hinderung an der Amtsausübung fest. Erklärt er den Präsidenten der Republik Polen für vorübergehend unvermögend, das Präsidentenamt auszuüben, überträgt der Verfassungsgerichtshof die vorübergehende Erfüllung der Pflichten des Präsidenten der Republik Polen dem Sejmmarschall.

(2) Der Sejmmarschall übt in folgenden Fällen bis zur Wahl des neuen Präsidenten der Republik Polen die Pflichten des Präsidenten vorübergehend aus:

Tod des Präsidenten der Republik Polen,

Verzicht auf das Amt des Präsidenten der Republik Polen,

Feststellung der Ungültigkeit der Präsidentschaftswahl oder andere Gründe wegen deren der Präsident das Amt nicht antritt,

Erklärung durch die Nationalversammlung, dass der Präsident der Republik Polen aus gesundheitlichen Gründen dauerhaft zur Amtsausübung unvermögend ist. Diese Erklärung muss mit einer Mehrheit von mindestens zwei Dritteln der gesetzlichen Mitgliederzahl der Nationalversammlung beschlossen werden.

Amtsenthebung durch ein Urteil des Staatsgerichtshofes.

(3) Kann der Sejmmarschall die Pflichten des Präsidenten nicht erfüllen, werden sie vom Senatsmarschall übernommen.

(4) Die Person, die die Pflichten des Präsidenten erfüllt, darf einen Beschluss über die Verkürzung der Amtszeit des Sejm nicht fassen.

Artikel 132 [Unvereinbarkeit mit der Präsidentschaft]

Der Präsident der Republik Polen darf weder ein anderes Amt ausüben noch andere öffentliche Funktionen erfüllen mit Ausnahme derer, die mit dem Präsidentenamt verbunden sind.

Artikel 133 [Äußere Beziehungen]

(1) Der Präsident der Republik Polen als Vertreter des Staates in äußeren Beziehungen ratifiziert und kündigt völkerrechtliche Verträge, wovon er dem Sejm und dem Senat Mitteilung macht,

ernennt bevollmächtigte Vertreter der Republik Polen in anderen Staaten und bei internationalen Organisationen und beruft sie ab,

akzeptiert Beglaubigungs- und Abberufungsschreiben der bei ihm akkreditierten diplomatischen Vertreter anderer Staaten und internationaler Organisationen.

(2) Der Präsident der Republik Polen kann sich vor Ratifizierung eines völkerrechtlichen Vertrages mit einem Antrag bezüglich der Vereinbarkeit des Vertrages mit der Verfassung an den Verfassungsgerichtshof wenden.

(3) Der Präsident der Republik Polen arbeitet im Bereich der Außenpolitik mit dem Vorsitzenden des Ministerrates und dem zuständigen Minister zusammen.

Artikel 134 [Oberster Vorgesetzter der Streitkräfte]

(1) Der Präsident der Republik Polen ist der oberste Vorgesetzte der Streitkräfte der Republik Polen.

(2) In Friedenszeiten übt der Präsident seine Vorgesetztengewalt über die Streitkräfte mittelbar durch den Verteidigungsminister aus.

(3) Der Präsident der Republik Polen ernennt den Chef des Generalstabs und die Befehlshaber der Teilstreitkräfte auf bestimmte Zeit. Amtszeit, Verfahrensweise und Bedingungen der vorzeitigen Abberufung regelt das Gesetz.

(4) Für die Kriegszeit ernennt der Präsident der Republik Polen auf Vorschlag des Vorsitzenden des Ministerrates den Obersten Befehlshaber der Streitkräfte. Gemäß derselben Verfahrensweise kann er den Obersten Befehlshaber abberufen. Die Zuständigkeiten des Obersten Befehlshabers und die Grundsätze seiner Unterstellung unter die verfassungsmäßigen Organe der Republik Polen regelt das Gesetz.

(5) Der Präsident der Republik Polen verleiht auf Vorschlag des Verteidigungsministers die im Gesetz bestimmten Militärdienstgrade.

(6) Die Zuständigkeiten des Präsidenten der Republik Polen, die mit der Vorgesetztengewalt über die Streitkräfte verbunden sind, werden ausführlich vom Gesetz geregelt.

Artikel 135 [Rat der Nationalen Sicherheit]

Der Rat für Nationale Sicherheit ist ein Organ zur Beratung des Präsidenten der Republik Polen im Bereich der inneren und äußeren Sicherheit.

Artikel 136 [Mobilmachung der Streitkräfte]

Im Fall einer unmittelbaren äußeren Bedrohung des Staates ordnet der Präsident der Republik Polen auf Antrag des Vorsitzenden des Ministerrates die volle oder teilweise Mobilmachung der Streitkräfte und deren Einsatz bei der Verteidigung der Republik Polen an.

Artikel 137 [Zuerkennung und Verzicht auf die Staatsangehörigkeit]

Der Präsident der Republik Polen erkennt die polnische Staatsangehörigkeit zu und gibt die Zustimmung zum Verzicht auf die polnische Staatsangehörigkeit.

Artikel 138 [Verleihung von Orden]

Der Präsident der Republik Polen verleiht Orden und Auszeichnungen.

Artikel 139 [Begnadigungsrecht]

Der Präsident der Republik Polen übt das Begnadigungsrecht aus. Das Begnadigungsrecht findet im Fall der vom Staatsgerichtshof verurteilten Personen keine Anwendung.

Artikel 140 [Botschaften des Präsidenten]

Der Präsident der Republik Polen kann sich an den Sejm, an den Senat oder an die Nationalversammlung mit einer Botschaft wenden. Die Botschaft ist nicht Gegenstand einer Debatte.

Artikel 141 [Kabinettsrat]

(1) In den Angelegenheiten von besonderer Bedeutung kann der Präsident den Kabinettsrat einberufen. Den Kabinettsrat bildet der Ministerrat, der unter der Leitung des Präsidenten der Republik Polen berät.

(2) Dem Kabinettsrat stehen die Zuständigkeiten des Ministerrates nicht zu.

Artikel 142 [Rechtsverordnungen und Anordnungen des Präsidenten]

(1) Der Präsident der Republik Polen erlässt Rechtsverordnungen und Anordnungen

gemäß den in den Art. 92 und 93 bestimmten Grundsätzen.

(2) Der Präsident der Republik Polen erlässt Bestimmungen bezüglich der Durchführung seiner übrigen Zuständigkeiten.

Artikel 143 [Hilfsorgane]

Das Hilfsorgan des Präsidenten der Republik Polen ist die Kanzlei des Präsidenten der Republik Polen. Der Präsident der Republik Polen erlässt die Satzung und beruft und entlässt den Chef der Kanzlei des Präsidenten der Republik Polen.

Artikel 144 [Amtsakte des Präsidenten]

(1) In Ausübung seiner verfassungsmäßigen und gesetzlichen Zuständigkeiten erlässt der Präsident der Republik Polen Amtsakte.

(2) Amtsakte des Präsidenten der Republik Polen bedürfen zu ihrer Gültigkeit der Gegenzeichnung des Vorsitzenden des Ministerrates, der infolge der Gegenzeichnung die Verantwortung vor dem Sejm trägt.

(3) Die Vorschrift des Abs. 2 gilt nicht für:

die Anordnung von Wahlen in den Sejm und in den Senat,

die Einberufung der ersten Sitzung des neugewählten Sejm und des Senats,

die Verkürzung der Amtszeit des Sejm in den von der Verfassung bestimmten Fällen,

Gesetzesvorschläge,

die Anordnung einer landesweiten Volksabstimmung,

die Unterzeichnung eines Gesetzes oder die Verweigerung der Unterzeichnung,

die Anordnung über die Veröffentlichung eines Gesetzes oder eines völkerrechtlichen Vertrages im Gesetzblatt der Republik Polen,

eine Botschaft an den Sejm, den Senat oder die Nationalversammlung,

die Anrufung des Verfassungsgerichtshofes,

den Untersuchungsantrag an die Oberste Kontrollkammer,

die Bestimmung und Berufung des Vorsitzenden des Ministerrates,

die Entgegennahme des Rücktritts des Ministerrates sowie dessen Betrauung mit der vorübergehenden Fortführung der Amtsgeschäfte,

den Antrag an den Sejm, ein Mitglied des Ministerrates vor dem Staatsgerichtshof zur Verantwortung zu ziehen,

die Abberufung eines Ministers, dem der Sejm das Misstrauen ausgesprochen hat,

die Einberufung des Kabinettsrates,

die Verleihung von Orden und Auszeichnungen,

die Ernennung von Richtern,

die Ausübung des Begnadigungsrechts,

die Zuerkennung der polnischen Staatsangehörigkeit und die Zustimmung zu dem Verzicht auf diese,

die Ernennung des Ersten Präsidenten des Obersten Gerichts,

die Ernennung des Präsidenten und des stellvertretenden Präsidenten des Verfassungsgerichtshofes,

die Ernennung des Präsidenten des Obersten Verwaltungsgerichts,

die Ernennung der Präsidenten des Obersten Gerichts und der stellvertretenden Präsidenten des Obersten Verwaltungsgerichts,

den Antrag an den Sejm, den Präsidenten der Polnischen Nationalbank zu berufen,

die Ernennung der Mitglieder des Rates für Geldpolitik,

die Ernennung und die Entlassung der Mitglieder des Rates für Nationale Sicherheit,

die Ernennung der Mitglieder des Landesrates für Rundfunk und Fernsehen,

den Erlass der Satzung der Präsidialkanzlei sowie die Ernennung oder Entlassung des Chefs der Präsidialkanzlei,

der Erlass von Anordnungen gemäß den im Art. 93 bestimmten Grundsätzen,

den Verzicht auf das Amt des Präsidenten der Republik Polen.

Artikel 145 [Anklage gegen den Präsidenten]

(1) Wegen Verletzung der Verfassung, des Gesetzes oder wegen Begehung einer Straftat kann der Präsident der Republik Polen vor dem Staatsgerichtshof zur Verantwortung gezogen werden.

(2) Die Anklage gegen den Präsidenten wird durch Beschluss der Nationalversammlung erhoben. Der Beschluss erfordert eine Mehrheit von mindestens zwei Dritteln der Stimmen der gesetzlichen Mitgliederzahl der Nationalversammlung und wird auf Antrag von mindestens 140 Mitgliedern der Nationalversammlung gefasst.

(3) Ab dem Tag, an dem der Beschluss, den Präsidenten der Republik vor dem Staatsgerichtshof anzuklagen, gefasst worden ist, wird der Präsident der Republik von der Ausübung seines Amtes suspendiert. Die Vorschrift des Art. 131 findet entsprechende Anwendung.

Kapitel VI
DER MINISTERRAT UND DIE REGIERUNGSVERWALTUNG

Artikel 146 [Ministerrat]

(1) Der Ministerrat leitet die Innen- und Außenpolitik der Republik Polen.

(2) In die Zuständigkeit des Ministerrates fallen die Angelegenheiten der Staatspolitik, die nicht anderen staatlichen Organen oder der örtlichen Selbstverwaltung vorbehalten sind.

(3) Der Ministerrat leitet die Regierungsverwaltung.

(4) In dem durch die Verfassung und die Gesetze bestimmten Umfang und entsprechend den dort geregelten Grundsätzen hat der Ministerrat insbesondere folgende Aufgaben:

er gewährleistet die Ausführung der Gesetze,

er erlässt Rechtsverordnungen,

er koordiniert und kontrolliert die Arbeit der Organe der Regierungsverwaltung,

er schützt die Interessen des Staatsvermögens,

er beschließt die Vorlage des Staatshaushaltsgesetzes,

er leitet die Ausführung des Staatshaushalts. Er beschließt den staatlichen Rechnungsabschluss und den Bericht zur Haushaltsdurchführung, er gewährleistet die innere Sicherheit des Staates und die öffentliche Ordnung,

er gewährleistet die äußere Sicherheit des Staates,

er übt die allgemeine Leitung bezüglich der Beziehungen zu anderen Staaten und den völkerrechtlichen Organisationen aus,

er schließt völkerrechtliche Verträge ab, die der Ratifizierung bedürfen und bestätigt und kündigt andere völkerrechtliche Verträge,

er übt die allgemeine Leitung im Bereich der Verteidigungsbereitschaft des Staates aus und bestimmt jährlich die Anzahl der zum Militärdienst einzuberufenden Staatsbürger,

er regelt die Organisation und das Verfahren seiner Arbeit.

Artikel 147 [Zusammensetzung des Ministerrats]

(1) Der Ministerrat besteht aus dem Vorsitzenden des Ministerrates und den Ministern.

(2) In den Ministerrat können stellvertretende Vorsitzende des Ministerrates berufen werden.

(3) Der Vorsitzende des Ministerrates und seine Stellvertreter können auch die Funktion eines Ministers ausüben.

(4) In den Ministerrat können darüber hinaus auch Vorsitzende der durch Gesetz bestimmten Komitees berufen werden.

Artikel 148 [Vorsitzender des Ministerrats]

Der Vorsitzende des Ministerrates:

vertritt den Ministerrat,

leitet die Arbeit des Ministerrates,

erlässt Rechtsverordnungen,

gewährleistet die Durchführung der Politik des Ministerrates und bestimmt die Weise ihrer Durchführung,

koordiniert und kontrolliert die Arbeit der Mitglieder des Ministerrates,

übt die Aufsicht über die örtliche Selbstverwaltung in den von der Verfassung und von den Gesetzen bestimmten Grenzen und Formen aus,

ist Dienstvorgesetzter aller Beamten der Regierungsverwaltung.

Artikel 149 [Geschäftsbereich des Ministers]

(1) Die Minister leiten bestimmte Bereiche der Regierungsverwaltung oder erfüllen die ihnen vom Vorsitzenden des Ministerrates übertragenen Aufgaben. Den Geschäftsbereich der Minister innerhalb der Regierungsverwaltung bestimmt das Gesetz.

(2) Der Minister, der einen Bereich der Regierungsverwaltung leitet, erlässt Rechtsverordnungen. Der Ministerrat kann auf Antrag des Vorsitzenden des Ministerrates eine Rechtsverordnung oder eine Anordnung des Ministers aufheben.

(3) Auf die in Art. 147 Abs. 4 genannten Komiteevorsitzenden finden die für einen Minister, der einen Bereich der Regierungsverwaltung leitet, geltenden Vorschriften entsprechende Anwendung.

Artikel 150 [Ausübung weiterer Tätigkeiten]

Ein Mitglied des Ministerrates darf keine Tätigkeit ausüben, die im Widerspruch zu seinen öffentlichen Pflichten steht.

Artikel 151 [Eid der Minister]

Der Vorsitzende des Ministerrates, seine Stellvertreter und die Minister leisten vor dem Präsidenten der Republik Polen folgenden Eid:

„Ich trete das Amt des Vorsitzenden des Ministerrates (des stellvertretenden Vorsitzenden des Ministerrates, des Ministers) an und schwöre feierlich, dass ich den Bestimmungen der Verfassung und dem Recht der Republik Polen treu sein werde und dass das Wohl des Vaterlandes und das Wohlergehen der Staatsbürger mir immer die höchste Pflicht sein werden."

Der Eid kann unter Hinzufügung des Satzes: „so wahr mir Gott helfe" geleistet werden.

Artikel 152 [Wojewoden]

(1) Der Wojewode ist der Vertreter des Ministerrates in einer Wojewodschaft.

(2) Das Verfahren der Ernennung und der Entlassung der Wojewoden sowie deren Geschäftsbereich werden durch Gesetz geregelt.

Artikel 153 [Beamtenschaft]

(1) Die Beamtenschaft in den Behörden der Regierungsverwaltung gewährleistet die berufsmäßige, redliche, unparteiische und politisch neutrale Erfüllung der Staatsaufgaben.

(2) Der Vorsitzende des Ministerrates ist Vorgesetzter der Beamtenschaft.

Artikel 154 [Bildung der Regierung]

(1) Der Präsident der Republik Polen bestimmt einen Vorsitzenden des Ministerrates, der die Mitglieder des Ministerrates vorschlägt. Der Präsident der Republik Polen ernennt den Vorsitzenden des Ministerrates zusammen mit den übrigen Mitgliedern des Ministerrates innerhalb von vierzehn Tagen nach der ersten Sitzung des Sejm oder nach der Annahme des Rücktritts des vorherigen Ministerrates und nimmt den Mitgliedern des neuberufenen Ministerrates den Eid ab.

(2) Innerhalb von vierzehn Tagen nach der Ernennung durch den Präsidenten der Republik Polen stellt der Vorsitzende des Ministerrates dem Sejm das Arbeitsprogramm des Ministerrates vor und beantragt, ihm das Vertrauen auszusprechen. Das Vertrauen wird vom Sejm mit absoluter Stimmenmehrheit in Anwesenheit von mindestens der Hälfte der gesetzlichen Abgeordnetenzahl ausgesprochen.

(3) Wird der Ministerrat nicht gemäß dem im Abs. 1 festgestellten Verfahren ernennt oder erhält er nicht gemäß Abs. 2 das Vertrauen ausgesprochen, wählt der Sejm innerhalb von vierzehn Tagen nach Ablauf der in Abs. 1 oder in Abs. 2 bestimmten Fristen den Vorsitzenden des Ministerrates und die von ihm vorgeschlagenen Mitglieder des Ministerrates mit absoluter Stimmenmehrheit in Anwesenheit von mindestens der Hälfte der gesetzlichen Abgeordnetenzahl. Der Präsident der Republik Polen ernennt den auf diese Weise gewählten Ministerrat und nimmt dessen Mitgliedern den Eid ab.

Artikel 155 [Ernennung durch den Präsidenten]

(1) Wird der Ministerrat nicht gemäß dem in Art. 154 Abs. 3 bestimmten Verfahren ernannt, ernennt der Präsident der Republik Polen innerhalb von vierzehn Tagen den Vorsitzenden des Ministerrates und auf dessen Vorschlag die übrigen Mitglieder des Ministerrates und nimmt ihnen den Eid ab. Innerhalb von vierzehn Tagen nach der Ernennung des Ministerrates durch den Präsidenten der Republik Polen spricht ihm der Sejm das Vertrauen mit der Mehrheit der Stimmen in Anwesenheit von mindestens der Hälfte der gesetzlichen Abgeordnetenzahl aus.

(2) Wird dem Ministerrat das Vertrauen nicht gemäß Abs. 1 ausgesprochen, verkürzt der Präsident der Republik Polen die Amtszeit des Sejm und ordnet Wahlen an.

Artikel 156 [Rechtliche Verantwortlichkeit]

(1) Die Mitglieder des Ministerrates tragen vor dem Staatsgerichtshof die Verantwortung für die Verletzung der Verfassung oder der Gesetze, sowie für im Zusammenhang mit dem bekleideten Amt begangene Straftaten.

(2) Den Beschluss, ein Mitglied des Ministerrates vor dem Staatsgerichtshof zur Verantwortung zu ziehen, fasst der Sejm auf Antrag des Präsidenten der Republik Polen oder von mindestens 115 Abgeordneten mit einer Mehrheit von drei Fünfteln der gesetzlichen Abgeordnetenzahl.

Artikel 157 [Politische Verantwortlichkeit]

(1) Die Mitglieder des Ministerrates sind dem Sejm für die Tätigkeit des Ministerrates kollektiv verantwortlich.

(2) Die Mitglieder des Ministerrates sind zugleich dem Sejm individuell verantwortlich für Angelegenheiten, die in ihren Zu-

ständigkeitsbereich gehören oder mit denen sie vom Vorsitzenden des Ministerrates beauftragt worden sind.

Artikel 158 [Misstrauen gegenüber dem Ministerrat]

(1) Der Sejm spricht dem Ministerrat das Misstrauen mit der Mehrheit der gesetzlichen Abgeordnetenzahl aus. Ein diesbezüglicher Antrag muss von mindestens 46 Abgeordneten gestellt werden und den Kandidaten für das Amt des Vorsitzenden des Ministerrates benennen. Wird der Beschluss vom Sejm angenommen, nimmt der Präsident der Republik Polen den Rücktritt des Ministerrates entgegen und ernennt den neuen vom Sejm gewählten Vorsitzenden des Ministerrates und die übrigen Mitglieder des Ministerrates auf dessen Vorschlag und nimmt ihnen den Eid ab.

(2) Ein Antrag gemäß Abs. 1 kann nicht früher als sieben Tage nach seiner Einbringung zur Abstimmung gebracht werden. Ein erneuter Antrag kann nicht früher als drei Monate nach Vorlage des vorherigen Antrags gestellt werden. Der erneute Antrag darf vor Ablauf von drei Monaten gestellt werden, wenn er von mindestens 115 Abgeordneten eingebracht wird.

Artikel 159 [Misstrauensantrag]

(1) Der Sejm kann einem Minister das Misstrauen aussprechen. Der Misstrauensantrag kann von mindestens 69 Abgeordneten gestellt werden. Die Vorschrift des Art. 158 Abs. 2 findet entsprechende Anwendung.

(2) Der Präsident der Republik Polen entlässt den Minister, dem der Sejm das Misstrauen mit der Stimmenmehrheit der gesetzlichen Abgeordnetenzahl ausgesprochen hat.

Artikel 160 [Ausspruch des Vertrauens]

Der Vorsitzende des Ministerrates kann im Sejm beantragen, dem Ministerrat das Vertrauen auszusprechen. Das Vertrauen wird dem Ministerrat mit der Mehrheit der Stimmen in Anwesenheit von mindestens der Hälfte der gesetzlichen Abgeordnetenzahl ausgesprochen.

Artikel 161 [Änderungen in der Zusammensetzung]

Auf Vorschlag des Vorsitzenden des Ministerrates nimmt der Präsident der Republik Polen Änderungen in der Zusammensetzung des Ministerrates vor.

Artikel 162 [Angebot des Rücktritts]

(1) In der ersten Sitzung des neugewählten Sejm bietet der Vorsitzende des Ministerrates den Rücktritt des Ministerrates an.

(2) Der Vorsitzende des Ministerrates bietet den Rücktritt des Ministerrates auch dann an, wenn:

der Sejm dem Ministerrat das Vertrauen nicht ausspricht,

dem Ministerrat das Misstrauen ausgesprochen wird,

der Vorsitzende des Ministerrates selbst zurückgetreten ist.

(3) Der Präsident der Republik Polen nimmt den Rücktritt des Ministerrates entgegen und verpflichtet ihn, die Amtsgeschäfte bis zur Ernennung des neuen Ministerrates weiterzuführen.

(4) Der Präsident der Republik Polen kann in dem in Abs. 2 Nr. 3 bestimmten Fall die Annahme des Rücktritts des Ministerrates verweigern.

Kapitel VII
DIE ÖRTLICHE SELBSTVERWALTUNG

Artikel 163 [Örtliche Selbstverwaltung]

Die örtliche Selbstverwaltung erfüllt die öffentlichen Aufgaben, die nicht durch die Verfassung oder die Gesetze anderen Organen der öffentlichen Gewalt vorbehalten sind.

Artikel 164 [Gemeinde]

(1) Die grundlegende Einheit der örtlichen Selbstverwaltung ist die Gemeinde.

(2) Andere Einheiten der regionalen und/oder der lokalen Selbstverwaltung bestimmt das Gesetz.

(3) Die Gemeinde erfüllt alle Aufgaben der örtlichen Selbstverwaltung, die nicht an-

deren Einheiten der örtlichen Selbstverwaltung vorbehalten sind.

Artikel 165 [Rechtspersönlichkeit]

(1) Einheiten der örtlichen Selbstverwaltung besitzen Rechtspersönlichkeit. Ihnen stehen das Eigentumsrecht und andere Vermögensrechte zu.

(2) Die Selbstverwaltung der Einheiten der örtlichen Selbstverwaltung steht unter gerichtlichem Schutz.

Artikel 166 [Eigenaufgabe der Selbstverwaltung]

(1) Öffentliche Aufgaben, die der Befriedigung der Bedürfnisse einer Selbstverwaltungsgemeinschaft dienen, werden durch die Einheit der örtlichen Selbstverwaltung als Eigenaufgabe erfüllt.

(2) Wenn es sich aus begründeten Bedürfnissen des Staates ergibt, kann durch Gesetz den Einheiten der örtlichen Selbstverwaltung die Erfüllung anderer öffentlicher Aufgaben übertragen werden. Das Verfahren der Übertragung und die Art und Weise der Ausführung der übertragenen Aufgaben regelt das Gesetz.

(3) Zuständigkeitsstreitigkeiten zwischen den Organen der örtlichen Selbstverwaltung und der Regierungsverwaltung entscheiden die Verwaltungsgerichte.

Artikel 167 [Anteil an öffentlichen Einnahmen]

(1) Den Einheiten der örtlichen Selbstverwaltung wird ein den ihnen zufallenden Aufgaben entsprechender Anteil an den öffentlichen Einnahmen gewährleistet.

(2) Die Einnahmen der Einheiten der örtlichen Selbstverwaltung bestehen aus eigenen Einnahmen sowie allgemeinen und zweckgebundenen Zuwendungen aus dem Staatshaushalt.

(3) Die Einnahmequellen der Einheiten der örtlichen Selbstverwaltung werden durch Gesetz geregelt.

(4) Änderungen der Aufgaben- und Zuständigkeitsbereiche der Einheiten der örtlichen Selbstverwaltung sind mit entsprechenden Änderungen bei der Verteilung der öffentlichen Einnahmen verbunden.

Artikel 168 [Festsetzung lokaler Abgaben und Gebühren]

In dem im Gesetz bestimmten Umfang haben die Einheiten der örtlichen Selbstverwaltung das Recht, die Höhe der lokalen Abgaben und Gebühren festzusetzen.

Artikel 169 [Entscheidende und vollziehende Organe]

(1) Die Einheiten der örtlichen Selbstverwaltung führen ihre Aufgaben mittels entscheidender und vollziehender Organe aus.

(2) Die Wahlen zu den Entscheidungsorganen sind allgemein, gleich, unmittelbar und geheim. Grundsätze und Verfahrensweise der Aufstellung der Kandidaten und der Wahldurchführung sowie Bedingungen der Wahlgültigkeit regelt das Gesetz.

(3) Grundsätze und Verfahrensweise bei Wahlen und Abberufung der vollziehenden Organe der örtlichen Selbstverwaltungseinheiten werden vom Gesetz geregelt.

(4) Die innere Ordnung der Einheiten der örtlichen Selbstverwaltung regeln im Rahmen der Gesetze deren entscheidende Organe.

Artikel 170 [Lokale Volksabstimmung]

Die Mitglieder einer Selbstverwaltungsgemeinschaft können mittels einer Volksabstimmung über diese Gemeinschaft betreffende Angelegenheiten entscheiden, insbesondere über die Abberufung eines in unmittelbarer Wahl gewählten Organs der örtlichen Selbstverwaltung. Grundsätze und Verfahrensweise der Durchführung einer lokalen Volksabstimmung regelt das Gesetz.

Artikel 171 [Aufsicht]

(1) Die Gesetzmäßigkeit der Tätigkeit der örtlichen Selbstverwaltung unterliegt der Rechtsaufsicht.

(2) Aufsichtsorgane über die Tätigkeit der Einheiten der örtlichen Selbstverwaltung sind der Vorsitzende des Ministerrates und

Wojewoden, im Bereich der finanziellen Angelegenheiten regionale Rechnungshöfe.

(3) Auf Antrag des Vorsitzenden des Ministerrates kann der Sejm ein Entscheidungsorgan der örtlichen Selbstverwaltung auflösen, falls dieses die Verfassung oder die Gesetze grob verletzt hat.

Artikel 172 [Zusammenschluss und Vereinigungen]

(1) Die Einheiten der örtlichen Selbstverwaltung haben Recht, sich zusammen zu schließen.

(2) Eine Einheit der örtlichen Selbstverwaltung hat das Recht, sich internationalen Vereinigungen lokaler und regionaler Gemeinschaften anzuschließen. Sie ist berechtigt, mit den lokalen und regionalen Gemeinschaften anderer Staaten zusammenzuarbeiten.

(3) Die Grundsätze, gemäß denen die Einheiten der örtlichen Selbstverwaltung Rechte gemäß den Abs. 1 und 2 in Anspruch nehmen können, regelt das Gesetz.

Kapitel VIII
GERICHTE UND GERICHTSHÖFE

Artikel 173 [Unabhängigkeit]

Gerichte und Gerichtshöfe sind eine eigene und von den anderen Gewalten unabhängige Gewalt.

Artikel 174 [Urteile]

Gerichte und Gerichtshöfe sprechen ihre Urteile im Namen der Republik Polen.

Gerichte

Artikel 175 [Ausübung der Rechtsprechung]

(1) Die Rechtsprechung in der Republik Polen üben das Oberste Gericht, ordentliche Gerichte, Verwaltungs- und Militärgerichte aus.

(2) Sondergerichte und Schnellverfahren dürfen nur in Kriegszeiten eingeführt werden.

Artikel 176 [Instanzen]

(1) Das Gerichtsverfahren umfasst mindestens zwei Instanzen.

(2) Den Aufbau und die Zuständigkeiten der Gerichte sowie das Gerichtsverfahren regeln die Gesetze.

Artikel 177 [Ordentliche Gerichte]

Die ordentlichen Gerichte üben die Rechtsprechung in allen Angelegenheiten mit Ausnahme derer aus, die gesetzlich der Zuständigkeit anderer Gerichte vorbehalten sind.

Artikel 178 [Unabhängigkeit der Richter]

(1) Bei der Ausübung ihres Amtes sind Richter unabhängig und nur der Verfassung und den Gesetzen unterworfen.

(2) Den Richtern werden Arbeitsbedingungen und eine Vergütung gewährleistet, die der Würde ihres Amtes und dem Umfang ihrer Pflichten entsprechen.

(3) Ein Richter darf weder einer politischen Partei oder einer Gewerkschaft angehören noch eine öffentliche Tätigkeit ausüben, die mit den Grundsätzen der Unabhängigkeit der Gerichte und der Richter unvereinbar ist.

Artikel 179 [Berufung der Richter]

Die Richter werden vom Präsidenten der Republik Polen auf Vorschlag des Landesrates für Gerichtswesen auf unbestimmte Zeit berufen.

Artikel 180 [Unabsetzbarkeit der Richter]

(1) Die Richter sind unabsetzbar.

(2) Gegen seinen Willen darf ein Richter nur durch eine gerichtliche Entscheidung und nur in den gesetzlich bestimmten Fällen seines Amtes enthoben werden, von der Amtsausübung suspendiert oder an einen anderen Ort oder auf eine andere Stelle versetzt werden.

(3) Ein Richter kann in den Ruhestand versetzt werden, wenn Krankheit oder Verlust der Kräfte ihm die Amtsausübung unmöglich macht. Das Verfahren sowie die

Weise, in der gegen eine solche Entscheidung Berufung bei Gericht eingelegt werden kann, regelt das Gesetz.

(4) Das Gesetz bestimmt die Altersgrenze, bei deren Erreichung ein Richter in den Ruhestand tritt.

(5) Werden der Aufbau der Gerichte oder die Gerichtsbezirke verändert, kann ein Richter unter Beibehaltung der vollen Bezüge an ein anderes Gericht oder in den Ruhestand versetzt werden.

Artikel 181 [Immunität von Richtern]

Ohne vorherige Zustimmung des gesetzlich bestimmten Gerichtes darf ein Richter weder strafrechtlich zur Verantwortung gezogen werden noch ist ein Freiheitsentzug zulässig. Ein Richter darf weder festgenommen noch verhaftet werden, es sei denn er wird auf frischer Tat betreten und die Festnahme ist zur Gewährleistung des ordnungsgemäßen Verfahrensablaufes unentbehrlich. Von der Festnahme ist der Präsident des örtlich zuständigen Gerichts sofort zu unterrichten, der die unverzügliche Freilassung des Festgenommenen anordnen kann.

Artikel 182 [Teilnahme an der Rechtsprechung]

Die Teilnahme der Staatsbürger an der Ausübung der Rechtsprechung wird im Gesetz geregelt.

Artikel 183 [Aufsicht durch das Oberste Gericht]

(1) Das Oberste Gericht führt die Aufsicht über die Tätigkeit der ordentlichen Gerichte und Militärgerichte im Bereich richterlicher Entscheidungen.

(2) Das Oberste Gericht übt auch andere in der Verfassung und in Gesetzen bestimmte Tätigkeiten aus.

(3) Der Erste Präsident des Obersten Gerichts wird vom Präsidenten der Republik Polen für eine 6-jährige Amtszeit aus der Mitte der Kandidaten ernannt, die von der Generalversammlung der Richter des Obersten Gerichts vorgeschlagen worden sind.

Artikel 184 [Kontrolle der Verwaltung und der örtlichen Selbstverwaltung]

In dem durch Gesetz bestimmten Umfang kontrollieren das Oberste Verwaltungsgericht und die anderen Verwaltungsgerichte die Tätigkeit der öffentlichen Verwaltung. Diese Kontrolle umfasst auch Entscheidungen über die Gesetzmäßigkeit der Beschlüsse der örtlichen Selbstverwaltungsorgane und der Normativakte der lokalen Organe der Regierungsverwaltung.

Artikel 185 [Präsident des Obersten Verwaltungsgerichts]

Den Präsidenten des Obersten Verwaltungsgerichts ernennt der Präsident der Republik Polen für eine 6-jährige Amtszeit aus der Mitte der Kandidaten, die von der Generalversammlung der Richter des Obersten Verwaltungsgerichts vorgeschlagen worden sind.

Artikel 186 [Landesrat für Gerichtswesen]

(1) Der Landesrat für Gerichtswesen schützt die Unabhängigkeit der Gerichte und der Richter.

(2) Soweit Normativakte die Unabhängigkeit der Gerichte und der Richter berühren, kann der Landesrat für Gerichtswesen beim Verfassungsgerichtshof die Überprüfung ihrer Verfassungsmäßigkeit beantragen.

Artikel 187 [Zusammensetzung des Landesrats für Gerichtswesen]

(1) Der Landesrat für Gerichtswesen besteht aus:

dem Ersten Präsidenten des Obersten Gerichtes, dem Justizminister, dem Präsidenten des Obersten Verwaltungsgerichts und einer vom Präsidenten der Republik Polen berufenen Person,

fünfzehn Mitgliedern, die aus der Mitte der Richter des Obersten Gerichts, der ordentlichen Gerichte, der Verwaltungs- und Militärgerichte gewählt worden sind,

vier Mitgliedern, die vom Sejm aus der Mitte der Abgeordneten und zwei Mitgliedern, die vom Senat aus der Mitte der Senatoren gewählt worden sind.

(2) Der Landesrat für Gerichtswesen wählt aus seiner Mitte einen Vorsitzenden und zwei stellvertretende Vorsitzende.

(3) Die Amtszeit der gewählten Mitglieder des Landesrates für Gerichtswesen dauert vier Jahre.

(4) Die Organisation, den Umfang der Tätigkeit und die Arbeitsweise des Landesrates für Gerichtswesen sowie die Wahl seiner Mitglieder regelt ein Gesetz.

Verfassungsgerichtshof

Artikel 188 [Zuständigkeit]

Der Verfassungsgerichtshof entscheidet über

die Vereinbarkeit der Gesetze und der völkerrechtlichen Verträge mit der Verfassung,

die Vereinbarkeit der Gesetze mit den ratifizierten völkerrechtlichen Verträgen, deren Ratifizierung eine vorherige Zustimmung durch Gesetz voraussetzt,

die Vereinbarkeit der Rechtsvorschriften, die von zentralen Staatsorganen erlassen werden, mit der Verfassung, den ratifizierten völkerrechtlichen Verträgen und den Gesetzen,

die Vereinbarkeit der Ziele oder Tätigkeiten der politischen Parteien mit der Verfassung,

die Verfassungsbeschwerde gemäß Art. 79 Abs. 1.

Artikel 189 [Kompetenzstreitigkeiten]

Der Verfassungsgerichtshof entscheidet Kompetenzstreitigkeiten zwischen den zentralen verfassungsmäßigen Staatsorganen.

Artikel 190 [Entscheidung des Verfassungsgerichtshofes]

(1) Die Entscheidungen des Verfassungsgerichtshofes sind allgemein bindend und endgültig.

(2) Die Entscheidungen des Verfassungsgerichtshofes gemäß Art. 188 werden unverzüglich in der amtlichen Veröffentlichung bekannt gemacht, in der der Normativakt

veröffentlicht worden ist. Ist der Akt nicht veröffentlicht worden, ist die Entscheidung im Amtsblatt der Republik Polen „Monitor Polski" bekannt zu machen.

(3) Die Entscheidung des Verfassungsgerichtshofes tritt am Tag der Verkündung in Kraft. Der Verfassungsgerichtshof kann jedoch eine andere Frist bestimmen, mit deren Ablauf der Normativakt seine bindende Kraft verliert. Ist ein Gesetz betroffen, darf diese Frist achtzehn Monate nicht überschreiten. Bei anderen Normativakten darf die Frist nicht länger als 12 Monate sein. Im Falle eines Urteiles, das finanzielle Aufwendungen zur Folge hat, die im Haushaltsgesetz nicht vorgesehen sind, setzt der Verfassungsgerichtshof die Frist für das Außerkrafttreten des entsprechenden Normativaktes nach Anhörung des Ministerrates fest.

(4) Stellt der Verfassungsgerichtshof die Unvereinbarkeit eines Normativaktes mit der Verfassung, einem völkerrechtlichen Vertrag oder einem Gesetz fest und ist auf der Grundlage dieses Normativaktes eine rechtskräftige Gerichtsentscheidung, endgültige Verwaltungsentscheidung oder Entscheidung in anderen Angelegenheiten ergangen, bildet die Entscheidung des Verfassungsgerichtshofes die Grundlage für die Wiederaufnahme des Verfahrens beziehungsweise für die Aufhebung der Entscheidung nach den Grundsätzen und gemäß der Verfahrensweise, die in den auf diese Verfahren anwendbaren Vorschriften geregelt sind.

(5) Der Verfassungsgerichtshof trifft seine Entscheidungen mit Stimmenmehrheit.

Artikel 191 [Antrag auf Verfahren]

(1) Ein Verfahren beim Verfassungsgerichtshof gemäß Art. 188 können beantragen:

der Präsident der Republik, der Sejmmarschall, der Senatsmarschall, der Vorsitzende des Ministerrates, fünfzig Abgeordnete, dreißig Senatoren, der Erste Präsident des Obersten Gerichts, der Präsident des Obersten Verwaltungsgerichts, der Generalstaatsanwalt, der Präsident der Obersten Kontrollkammer und der Beauftragte für Bürgerrechte, der Landesrat für Gerichtswesen in dem in Art. 186 Abs. 2 bezeichneten Umfang,

die Entscheidungsorgane der Einheiten der örtlichen Selbstverwaltung,

Landesorgane der Gewerkschaften und landesweite Führungsorgane der Arbeitgeberorganisationen und der Berufsorganisationen,

Kirchen und andere Religionsgemeinschaften,

die in Art. 79 bezeichneten Rechtsträger, in dem dort bezeichneten Umfang.

(2) Die in Abs. 1 Nr. 3 bis 5 bezeichneten Rechtsträger können nur dann ein Verfahren beantragen, wenn der Normativakt ihren Tätigkeitsbereich betrifft.

Artikel 192 [Antrag auf Verfahren gemäß Art 189]

Ein Verfahren beim Verfassungsgerichtshof gemäß Art 189 können beantragen: Der Präsident der Republik Polen, der Sejmmarschall, der Senatsmarschall, der Vorsitzende des Ministerrates, der Erste Präsident des Obersten Gerichts, der Präsident des Obersten Verwaltungsgerichts und der Präsident der Obersten Kontrollkammer.

Artikel 193 [Vereinbarkeit eines Normativaktes mit der Verfassung]

Jedes Gericht kann dem Verfassungsgerichtshof eine Rechtsfrage bezüglich der Vereinbarkeit eines Normativaktes mit der Verfassung, den ratifizierten völkerrechtlichen Verträgen oder dem Gesetz vorlegen, wenn von der Beantwortung der Rechtsfrage die Entscheidung einer bei dem Gericht anhängigen Sache abhängig ist.

Artikel 194 [Zusammensetzung des Verfassungsgerichtshofes]

(1) Der Verfassungsgerichtshof besteht aus fünfzehn Richtern, die individuell vom Sejm für eine Amtsdauer von 9 Jahren gewählt werden. Die gewählten Personen müssen sich durch Rechtskenntnisse auszeichnen. Eine Wiederwahl ist nicht zulässig.

(2) Der Präsident des Verfassungsgerichtshofes und sein Stellvertreter werden vom Präsidenten der Republik Polen aus der Mitte der Kandidaten ernannt, die von der Generalversammlung der Richter des Verfassungsgerichtshofes vorgeschlagen werden.

Artikel 195 [Unabhängigkeit der Verfassungsrichter]

(1) Die Richter des Verfassungsgerichtshofes sind in der Ausübung ihres Amtes unabhängig und nur der Verfassung unterworfen.

(2) Den Richtern des Verfassungsgerichtshofes werden Arbeitsbedingungen und eine Vergütung gewährleistet, die der Würde ihres Amtes und dem Umfang ihrer Pflichten entsprechen.

(3) Die Richter des Verfassungsgerichtshofes dürfen, solange sie ihr Amt innehaben, weder einer politischen Partei oder einer Gewerkschaft angehören noch eine Tätigkeit ausüben, die sich mit den Grundsätzen der Unabhängigkeit der Gerichte und der Richter nicht vereinbaren lässt.

Artikel 196 [Immunität der Verfassungsrichter]

Ohne vorherige Zustimmung des Verfassungsgerichtshofes darf ein Richter des Verfassungsgerichtshofes weder zur strafrechtlichen Verantwortung gezogen werden, noch ist ein Freiheitsentzug zulässig. Ein Richter darf weder festgenommen noch verhaftet werden, es sei denn, er wird auf frischer Tat betreten und die Festnahme ist zur Gewährleistung des ordnungsgemäßen Verfahrensablaufes unentbehrlich. Die Festnahme ist sofort dem Präsidenten des Verfassungsgerichtshofes mitzuteilen, der die unverzügliche Freilassung des Festgenommenen anordnen kann.

Artikel 197 [Organisation und Verfahrensweise]

Die Organisation des Verfassungsgerichtshofes und die Verfahrensweise vor dem Verfassungsgerichtshof regelt das Gesetz.

Staatsgerichtshof

Artikel 198 [Verantwortung vor dem Staatsgerichtshof]

(1) Die verfassungsrechtliche Verantwortung vor dem Staatsgerichtshof wegen der Verletzung der Verfassung oder eines Gesetzes im Zusammenhang mit dem bekleideten Amt oder im Bereich der Amtsgeschäfte tragen: der Präsident der Republik Polen, der Vorsitzende und die Mitglieder des Ministerrates, der Präsident der Polnischen Nationalbank, der Präsident der Obersten Kontrollkammer, die Mitglieder des Landesrates für Rundfunk und Fernsehen, Personen, die der Vorsitzende des Ministerrates mit der Leitung eines Ministeriums beauftragt hat, und der Oberste Befehlshaber der Streitkräfte.

(2) In dem durch Artikel 107 bestimmten Umfang tragen auch Abgeordnete und Senatoren die verfassungsrechtliche Verantwortung vor dem Staatsgerichtshof.

(3) Welche Arten von Strafen vom Staatsgerichtshof verhängt werden können, bestimmt das Gesetz.

Artikel 199 [Zusammensetzung des Staatsgerichtshofes]

(1) Der Staatsgerichtshof besteht aus einem Vorsitzenden, zwei stellvertretenden Vorsitzenden und sechzehn Mitgliedern, die weder Abgeordnete noch Senatoren sein dürfen und vom Sejm für die laufende Amtszeit gewählt werden. Die stellvertretenden Vorsitzenden des Staatsgerichtshofes und mindestens die Hälfte seiner Mitglieder sollen die Befähigung zum Richteramt haben.

(2) Der Erste Präsident des Obersten Gerichtes ist Vorsitzender des Staatsgerichtshofes.

(3) Die Mitglieder des Staatsgerichtshofes sind in der Ausübung ihres Amtes unabhängig und nur der Verfassung und den Gesetzen unterworfen.

Artikel 200 [Verantwortlichkeit der Richter des Staatsgerichtshofes]

Ohne vorherige Zustimmung des Staatsgerichtshofes darf ein Mitglied des Staats-gerichtshofes weder zur strafrechtlichen Verantwortung gezogen werden, noch ist ein Freiheitsentzug zulässig. Ein Mitglied darf weder festgenommen noch verhaftet werden, es sei denn, es wird auf frischer Tat betreten und die Festnahme ist zur Gewährleistung des ordnungsgemäßen Verfahrensablaufes unentbehrlich. Die Festnahme ist sofort dem Präsidenten des Staatsgerichtshofes mitzuteilen, der die unverzügliche Freilassung des Festgenommenen anordnen kann.

Artikel 201 [Organisation und Verfahrensweise des Staatsgerichtshofes]

Die Organisation des Staatsgerichtshofes und die Verfahrensweise vor dem Gerichtshof regelt das Gesetz.

Kapitel IX
ORGANE DER STAATLICHEN KONTROLLE UND DES RECHTSSCHUTZES

Artikel 202 [Oberste Kontrollkammer]

(1) Die Oberste Kontrollkammer ist das höchste Organ der staatlichen Kontrolle.

(2) Die Oberste Kontrollkammer untersteht dem Sejm.

(3) Die Oberste Kontrollkammer ist nach dem Kollegialitätsprinzip tätig.

Artikel 203 [Überprüfung]

(1) Die Oberste Kontrollkammer überprüft die Tätigkeit der Organe der Regierungsverwaltung, der Polnischen Nationalbank, der staatlichen juristischen Personen und anderer staatlicher Organisationseinheiten unter den Gesichtspunkten der Rechtmäßigkeit, der Wirtschaftlichkeit, der Zweckmäßigkeit und der Redlichkeit.

(2) Die Oberste Kontrollkammer kann die Tätigkeit der örtlichen Selbstverwaltungsorgane, der kommunalen juristischen Personen und anderer kommunaler Organisationseinheiten unter den Gesichtspunkten der Rechtmäßigkeit, der Wirtschaftlichkeit und der Redlichkeit kontrollieren.

(3) Die Oberste Kontrollkammer kann auch unter Rechtmäßigkeits- und Wirt-

schaftlichkeitsgesichtspunkten die Tätigkeit anderer Organisationseinheiten und Wirtschaftsteilnehmer insoweit überprüfen, als sie Mittel und Vermögen des Staates oder der Gemeinden nutzen oder finanzielle Verpflichtungen zugunsten des Staates erfüllen.

Artikel 204 [Vorlage an den Sejm]

(1) Die Oberste Kontrollkammer legt dem Sejm vor:

eine Analyse der Durchführung des Staatshaushaltes und der Grundlagen der Geldpolitik,

ein Gutachten über die Entlastung des Ministerrates für das vorangegangene Haushaltsjahr,

Auskünfte bezüglich der Kontrollergebnisse, Schlussfolgerungen und Berichte, die im Gesetz bestimmt sind.

(2) Die Oberste Kontrollkammer erstattet dem Sejm jährlich Bericht über ihre Tätigkeit.

Artikel 205 [Präsident der Obersten Kontrollkammer]

(1) Der Präsident der Obersten Kontrollkammer wird vom Sejm mit Zustimmung des Senats für sechs Jahre ernannt. Er kann nur einmal wiederernannt werden.

(2) Mit Ausnahme einer Hochschulprofessur darf der Präsident der Obersten Kontrollkammer weder eine andere Stelle innehaben noch eine andere Berufstätigkeit ausüben.

(3) Der Präsident der Obersten Kontrollkammer darf weder einer politischen Partei oder einer Gewerkschaft angehören noch eine öffentliche Tätigkeit ausüben, die sich mit der Würde seines Amtes nicht vereinbaren lässt.

Artikel 206 [Verantwortlichkeit des Präsidenten der Obersten Kontrollkammer]

Ohne vorherige Zustimmung des Sejm darf der Präsident der Obersten Kontrollkammer weder zur strafrechtlichen Verantwortung gezogen werden, noch ist ein Freiheitsentzug zulässig. Der Präsident der Obersten Kontrollkammer darf weder fest-genommen noch verhaftet werden, es sei denn, er wird auf frischer Tat betreten und die Festnahme ist zur Gewährleistung des ordnungsgemäßen Verfahrensablaufes unentbehrlich. Die Festnahme ist sofort dem Sejmmarschall mitzuteilen, der die unverzügliche Freilassung des Festgenommenen anordnen kann.

Artikel 207 [Aufbau und Verfahrensweise der Oberster Kontrollkammer]

Den Aufbau der Obersten Kontrollkammer und ihre Verfahrensweise regelt das Gesetz.

Beauftragter für Bürgerrechte

Artikel 208 [Beauftragter für Bürgerrechte]

(1) Der Beauftragte für Bürgerrechte hütet die in der Verfassung und in anderen Normativakten festgelegten Rechte und Freiheiten der Menschen und Staatsbürger.

(2) Den Umfang und die Arbeitsweise des Beauftragten für Bürgerrechte regelt das Gesetz.

Artikel 209 [Ernennung des Beauftragten für Bürgerrechte]

(1) Der Beauftragte für Bürgerrechte wird vom Sejm mit Zustimmung des Senats auf fünf Jahre ernannt.

(2) Mit Ausnahme einer Hochschulprofessur darf der Beauftragte für Bürgerrechte weder eine andere Stelle innehaben noch eine andere Berufstätigkeit ausüben.

(3) Der Beauftragte für Bürgerrechte darf weder einer politischen Partei oder einer Gewerkschaft angehören noch eine öffentliche Tätigkeit ausüben, die sich mit der Würde seines Amtes nicht vereinbaren lässt.

Artikel 210 [Unabhängigkeit des Beauftragten für Bürgerrechte]

Der Beauftragte für Bürgerrechte ist in seiner Tätigkeit unabhängig, insbesondere von anderen staatlichen Organen. Er ist allein dem Sejm gemäß den im Gesetz bestimmten Grundsätzen verantwortlich.

Artikel 211 [Verantwortlichkeit des Beauftragten für Bürgerrechte]

Ohne vorherige Zustimmung des Sejm darf der Beauftragte für Bürgerrechte weder zur strafrechtlichen Verantwortung gezogen werden, noch ist ein Freiheitsentzug zulässig. Der Beauftragte für Bürgerrechte darf weder festgenommen noch verhaftet werden, es sei denn, er wird auf frischer Tat betreten und die Festnahme ist zur Gewährleistung des ordnungsgemäßen Verfahrensablaufes unentbehrlich. Die Festnahme ist sofort dem Sejmmarschall mitzuteilen, der die unverzügliche Freilassung des Festgenommenen anordnen kann.

Artikel 212 [Information]

Der Beauftragte für Bürgerrechte informiert den Sejm und den Senat jährlich über seine Tätigkeit sowie darüber, inwieweit die Rechte und Freiheiten der Menschen und Staatsbürger eingehalten werden.

Landesrat für Rundfunk und Fernsehen

Artikel 213 [Landesrat für Rundfunk und Fernsehen]

(1) Der Landesrat für Rundfunk und Fernsehen hütet die Freiheit des Wortes, das Informationsrecht sowie das öffentliche Interesse an Rundfunk und Fernsehen.

(2) Der Landesrat für Rundfunk und Fernsehen erlässt Rechtsverordnungen. Bei individuellen Sachverhalten fasst er Beschlüsse.

Artikel 214 [Ernennung des Landesrats für Rundfunk und Fernsehen]

(1) Die Mitglieder des Landesrates für Rundfunk und Fernsehen werden vom Sejm, dem Senat und dem Präsidenten der Republik Polen ernannt.

(2) Ein Mitglied des Landesrates für Rundfunk und Fernsehen darf weder einer politischen Partei oder einer Gewerkschaft angehören noch eine öffentliche Tätigkeit ausüben, die sich mit der Würde seines Amtes nicht vereinbaren lässt.

Artikel 215 [Grundsätze und Verfahren des Landesrats für Rundfunk und Fernsehen]

Grundsätze und Arbeitsweise des Landesrates für Rundfunk und Fernsehen, seinen Aufbau und ausführliche Grundsätze der Ernennung seiner Mitglieder regelt das Gesetz.

Kapitel X
ÖFFENTLICHE FINANZEN

Artikel 216 [Öffentliche Finanzen]

(1) Die für öffentliche Zwecke bestimmten Finanzmittel werden gemäß der im Gesetz bestimmten Weise gesammelt und ausgegeben.

(2) Der Erwerb, das Veräußern und Belasten von Liegenschaften, Anteilen oder Aktien und die Ausgabe von Wertpapieren der Staatskasse, der Polnischen Nationalbank oder anderer staatlicher juristischer Personen erfolgt gemäß den gesetzlich geregelten Grundsätzen und Verfahren.

(3) Die Einführung eines Monopols erfolgt auf dem Gesetzesweg.

(4) Die Aufnahme von Darlehen und die Gewährung von Garantien und Finanzbürgschaften durch den Staat erfolgt gemäß den Grundsätzen und der Verfahrensweise, die im Gesetz geregelt sind.

(5) Es ist nicht gestattet, Darlehen aufzunehmen oder Garantien und Finanzbürgschaften zu gewähren, infolge derer die öffentliche Schuld des Staates drei Fünftel des Wertes des jährlichen Bruttoinlandsprodukts übersteigt. Die Weise, in der der Wert des jährlichen Bruttoinlandsproduktes sowie die öffentliche Schuld berechnet werden, regelt das Gesetz.

Artikel 217 [Festlegung im Gesetzeswege]

Das Auferlegen von Steuern und anderen öffentlichen Abgaben, die Festlegung der Grundlagen der Besteuerung und der Steuersätze erfolgt auf dem Gesetzeswege. Das gleiche gilt für die Grundsätze der Zuerkennung von Steuervergünstigungen und -erlässen sowie die Festlegung von Personengruppen, die von der Steuer befreit sind.

Artikel 218 [Aufbau der Staatskasse]

Den Aufbau der Staatskasse und die Weise, in der das Staatsvermögen zu verwalten ist, regelt das Gesetz.

Artikel 219 [Staatshaushalt]

(1) Der Sejm beschließt den Staatshaushalt für ein Haushaltsjahr in Form eines Haushaltsgesetzes.

(2) Grundsätze und Verfahrensweise der Ausarbeitung der Haushaltsgesetzesvorlage, die Anforderungen, insbesondere an ihre Ausführlichkeit, denen diese Vorlage genügen muss, sowie die Grundsätze und Verfahrensweise der Ausführung des Haushaltsgesetzes regelt das Gesetz.

(3) Ausnahmsweise können durch ein Gesetz zur provisorischen Ausgabenermächtigung die Einnahmen und Ausgaben des Staates für einen Zeitraum kürzer als ein Jahr beschlossen werden. Die die Haushaltsgesetzesvorlage betreffenden Vorschriften werden entsprechend auf die Vorlage des Gesetzes zur provisorischen Ausgabenermächtigung angewandt.

(4) Tritt das Haushaltsgesetz oder das Gesetz zur provisorischen Ausgabenermächtigung nicht am Eröffnungstag des Haushaltsjahres in Kraft, führt der Ministerrat die öffentlichen Finanzen aufgrund der eingebrachten Gesetzesvorlage.

Artikel 220 [Verbot der Vergrößerung des Haushaltsdefizits]

(1) Die Vergrößerung der Ausgaben oder die Einschränkung der vom Ministerrat geplanten Einkünfte darf nicht dazu führen, dass der Sejm ein größeres Haushaltsdefizit als das in der Vorlage des Haushaltsgesetzes vorgesehene beschließt.

(2) Das Haushaltsgesetz darf nicht vorsehen, dass das Haushaltsdefizit durch die Eingehung von Verbindlichkeiten der zentralen Staatsbank gedeckt wird.

Artikel 221 [Vorschlagsrecht]

Das Vorschlagsrecht in Bezug auf ein Haushaltsgesetz, ein Gesetz zur provisorischen Ausgabenermächtigung, ein Haushaltsänderungsgesetz oder ein Gesetz über die Aufnahme einer öffentlichen Schuld sowie in Bezug auf ein Gesetz über die Gewährung einer Finanzgarantie durch den Staat steht ausschließlich dem Ministerrat zu.

Artikel 222 [Haushaltsgesetzesvorlage]

Der Ministerrat legt dem Sejm die Haushaltsgesetzesvorlage für das kommende Jahr spätestens drei Monate vor Beginn des Haushaltsjahres vor. In Ausnahmefällen ist eine spätere Vorlage des Entwurfes zulässig.

Artikel 223 [Änderungen des Haushaltsgesetzes]

Der Senat kann Änderungen des Haushaltsgesetzes innerhalb von 20 Tagen nach der Weiterleitung an ihn beschließen.

Artikel 224 [Unterzeichnung des Haushaltsgesetzes]

(1) Der Präsident der Republik Polen unterzeichnet das Haushaltsgesetz oder das Gesetz zur provisorischen Ausgabenermächtigung innerhalb von sieben Tagen, nachdem ihm das Gesetz vom Sejmmarschall vorgelegt worden ist und ordnet seine Veröffentlichung im Gesetzblatt der Republik Polen an. Die Vorschrift des Art. 122 Abs. 5 findet auf das Haushaltsgesetz und das Gesetz zur provisorischen Ausgabenermächtigung keine Anwendung.

(2) Ruft der Präsident der Republik Polen vor der Unterzeichnung des Haushaltsgesetzes oder des Gesetzes zur provisorischen Ausgabenermächtigung den Verfassungsgerichtshof wegen der Vereinbarkeit dieses Gesetzes mit der Verfassung an, so hat der Verfassungsgerichtshof in dieser Angelegenheit nicht später als innerhalb von zwei Monaten nach der Antragstellung zu entscheiden.

Artikel 225 [Verkürzung der Sejmamtszeit]

Wird die Haushaltsgesetzesvorlage nicht innerhalb von vier Monaten nach der Einbringung beim Sejm beschlossen oder dem Präsidenten der Republik Polen zur Unterzeichnung vorgelegt, kann der Präsident innerhalb von vierzehn Tagen die Verkürzung der Sejmamtszeit anordnen.

Artikel 226 [Bericht über die Ausführung des Haushaltsgesetzes]

(1) Innerhalb von fünf Monaten nach dem Abschluss des Haushaltsjahres legt der Ministerrat dem Sejm einen Bericht über die Ausführung des Haushaltsgesetzes zusammen mit einer Unterrichtung über die Staatsverschuldung vor.

(2) Der Sejm erörtert den vorgelegten Bericht und beschließt, nachdem er sich mit dem Gutachten der Obersten Kontrollkammer vertraut gemacht hat, innerhalb von neunzig Tagen die Entlastung oder die Verweigerung der Entlastung des Ministerrates.

Artikel 227 [Nationalbank]

(1) Die Polnische Nationalbank ist die zentrale Staatsbank. Ausschließlich ihr steht das Recht zu, Geld auszugeben sowie die Geldpolitik zu bestimmen und durchzuführen. Die Polnische Nationalbank ist für den Wert des polnischen Geldes verantwortlich.

(2) Die Organe der Polnischen Nationalbank sind der Präsident der Polnischen Nationalbank, der Rat für Geldpolitik und der Vorstand der Polnischen Nationalbank.

(3) Der Präsident der Polnischen Nationalbank wird vom Sejm auf Vorschlag des Präsidenten der Republik Polen für sechs Jahre ernannt.

(4) Der Präsident der Polnischen Nationalbank darf weder einer politischen Partei oder einer Gewerkschaft angehören noch eine öffentliche Tätigkeit ausüben, die sich mit der Würde seines Amtes nicht vereinbaren lässt.

(5) Die Mitglieder des Rates für Geldpolitik sind der Präsident der Polnischen Nationalbank als sein Vorsitzender und Personen, die sich durch Kenntnisse im Bereich des Finanzwesens auszeichnen und die in gleicher Anzahl vom Präsidenten der Republik Polen, dem Sejm und dem Senat für sechs Jahre ernannt werden.

(6) Der Rat für Geldpolitik bestimmt jedes Jahr die Grundlagen der Geldpolitik und legt sie dem Sejm zur Kenntnisnahme vor. Diese Vorlage erfolgt gleichzeitig mit der Einbringung der Haushaltsgesetzesvorlage durch den Ministerrat. Der Rat für Geldpolitik erstattet dem Sejm innerhalb von fünf Monaten nach dem Abschluss des Haushaltsjahres Bericht über die Durchführung der Grundkonzeptionen der Geldpolitik.

(7) Den Aufbau und Zwecke der Polnischen Nationalbank sowie ausführliche Grundsätze für die Ernennung und die Entlassung ihrer Organe regelt das Gesetz.

**Kapitel XI
AUSNAHMEZUSTÄNDE**

Artikel 228 [Ausnahmezustände]

(1) In besonderen Bedrohungssituationen, wenn die gewöhnlichen verfassungsrechtlichen Mittel nicht genügen, kann ein entsprechender Ausnahmezustand eingeführt werden: Kriegszustand, Notstand oder Katastrophenzustand.

(2) Der Ausnahmezustand darf nur durch eine auf der Grundlage des Gesetzes ergangene Rechtsverordnung eingeführt werden. Die Rechtsverordnung ist zusätzlich öffentlich bekannt zu machen.

(3) Die Grundsätze der Tätigkeit der öffentlichen Gewalt sowie der Umfang, in dem die Rechte und Freiheiten der Menschen und Bürger eingeschränkt werden können, regelt das Gesetz.

(4) Das Gesetz kann die Grundsätze, den Umfang und die Verfahrensweise des Ausgleichs von Vermögensschäden regeln, die als Folge der Einschränkung der Freiheiten und Rechte der Menschen und Bürger während eines Ausnahmezustandes eingetreten sind.

(5) Die infolge der Einführung eines Ausnahmezustandes getroffenen Maßnahmen müssen verhältnismäßig gegenüber dem

Bedrohungsgrad sein. Sie müssen auf die schnellstmögliche Wiederherstellung einer normalen Staatstätigkeit zielen.

(6) Während eines Ausnahmezustandes dürfen folgende Gesetze nicht verändert werden: die Verfassung, die Wahlordnungen in den Sejm und in den Senat und in die örtlichen Selbstverwaltungsorgane, das Gesetz über die Wahl des Präsidenten der Republik Polen sowie die Gesetze über Ausnahmezustände.

(7) Während des Ausnahmezustandes und innerhalb von neunzig Tagen nach seiner Beendigung darf weder die Sejmamtszeit verkürzt noch eine das ganze Land betreffende Volksabstimmung durchgeführt werden. Ebenso wenig dürfen Wahlen in den Sejm, in den Senat, in die örtlichen Selbstverwaltungsorgane oder zum Präsidenten der Republik Polen abgehalten werden. Die Amtszeit dieser Organe ist entsprechend zu verlängern. Die Durchführung von Wahlen in die örtlichen Selbstverwaltungsorgane ist in den Gebieten möglich, in denen der Ausnahmezustand nicht verhängt wurde.

Artikel 229 [Einführung des Kriegszustandes]

Im Fall einer Bedrohung des Staates von außen, eines bewaffneten Angriffs auf das Gebiet der Republik Polen oder wenn sich aus einem völkerrechtlichen Vertrag eine Verpflichtung zur gemeinsamen Abwehr eines Angriffes ergibt, kann der Präsident der Republik Polen auf Antrag des Ministerrates den Kriegszustand in einem Teil des Staatsgebiets oder für das gesamte Staatsgebiet einführen.

Artikel 230 [Einführung des Notstands]

(1) Im Fall der Bedrohung der verfassungsmäßigen Ordnung des Staates, der Sicherheit der Staatsbürger oder der öffentlichen Ordnung kann der Präsident der Republik Polen auf Antrag des Ministerrates den Notstand in einem Teil des Staatsgebiets oder für das gesamte Staatsgebiet einführen. Der Notstand ist für eine bestimmte Zeit einzuführen, die neunzig Tage nicht überschreiten darf.

(2) Der Notstand darf nur einmal mit Zustimmung des Sejm für eine Periode von nicht mehr als sechzig Tagen verlängert werden.

Artikel 231 [Vorlage an den Sejm]

Die Rechtsverordnung über die Einführung des Kriegszustandes oder Notstandes legt der Präsident der Republik Polen dem Sejm innerhalb von achtundvierzig Stunden nach deren Unterzeichnung vor. Der Sejm erörtert unverzüglich die Rechtsverordnung des Präsidenten der Republik Polen. Der Sejm kann sie mit absoluter Stimmenmehrheit in Anwesenheit von mindestens der Hälfte der gesetzlichen Abgeordnetenzahl aufheben.

Artikel 232 [Katastrophenzustand]

Um den Folgen von Naturkatastrophen oder denen von technischen Unfällen, die die Merkmale einer elementaren Katastrophe haben, entgegenzuwirken oder deren Folgen zu beseitigen, kann der Ministerrat den Katastrophenzustand in einem Teil des Staatsgebiets oder für das gesamte Staatsgebiet einführen. Der Katastrophenzustand ist für eine bestimmte Zeit einzuführen, die 30 Tage nicht überschreiten darf. Eine Verlängerung des Zustandes kann nur mit der Zustimmung des Sejm erfolgen.

Artikel 233 [Nicht einschränkbare Rechte]

(1) Das Gesetz, das den Umfang der Einschränkung der Freiheiten und Rechte der Menschen und Bürger während eines Kriegszustandes oder eines Notstandes bestimmt, darf die Freiheiten und Rechte, die in den Art. 30 [Würde des Menschen], 34 [Staatsangehörigkeit] und 36 [Aufenthalt im Ausland], 38 [Schutz des Lebens], 39 [Wissenschaftliche Experimente], 40 [Folterverbot] und 41 Abs. 4 [Unverletzlichkeit und Freiheit], 42 [Rückwirkungsverbot], 45 [Öffentliche Verhandlung], 47 [Schutz des Privat- und Familienlebens], 53 [Gewissens- und Religionsfreiheit], 63 [Petitionen, Anträge und Klagen], 48 [Erziehung] und

72 [Rechte der Kinder] normiert sind nicht einschränken.

(2) Unzulässig ist eine Einschränkung der Freiheiten und Rechte der Menschen und Bürger ausschließlich wegen der Rasse, des Geschlechts, der Sprache, der Konfession oder deren Fehlens, der Zugehörigkeit zu einer gesellschaftlichen Schicht, der Abstammung oder des Vermögens.

(3) Das Gesetz, das den Umfang der Einschränkung der Freiheiten und Rechte der Menschen und Bürger während eines Katastrophenzustandes bestimmt, darf die in den Art. 22 [Wirtschaftliche Freiheit], 41 Abs. 1, 3 und 5 [Unverletzlichkeit und Freiheit], 50 [Unverletzlichkeit der Wohnung], 52 Abs. 1 [Freizügigkeit], 59 Abs. 3 [Koalitionsfreiheit; Streikrecht], 64 [Recht auf Eigentum], 65 Abs. 1 [Berufsfreiheit], 66 Abs. 1 und Abs. 2 [Arbeitsbedingungen] ausgeführten Freiheiten und Rechte einschränken.

Artikel 234 [Rechtsverordnungen mit Gesetzeskraft]

(1) Kann der Sejm während des Kriegszustandes nicht zu Sitzungen zusammenkommen, erlässt der Präsident der Republik Polen auf Antrag des Ministerrates Rechtsverordnungen mit Gesetzeskraft in dem Umfang und in den Grenzen, die im Art. 228 Abs. 3 bis 5 bestimmt sind. Diese Rechtsverordnungen unterliegen der Bestätigung durch den Sejm in dessen nächster Sitzung.

(2) Die in Abs. 1 bezeichneten Rechtsverordnungen haben den Charakter allgemeingeltenden Rechts.

Kapitel XII
VERFASSUNGSÄNDERUNG

Artikel 235 [Verfassungsänderung]

(1) Eine Gesetzesvorlage über eine Änderung der Verfassung kann von mindestens einem Fünftel der gesetzlichen Abgeordnetenzahl, dem Senat oder dem Präsidenten der Republik Polen vorgelegt werden.

(2) Die Verfassungsänderung erfolgt über ein Gesetz, das zunächst vom Sejm und dann wortgleich vom Senat innerhalb einer Frist von nicht mehr als sechzig Tagen verabschiedet wird.

(3) Zwischen der Einbringung der Gesetzesvorlage zur Änderung der Verfassung beim Sejm und der ersten Lesung dieser Vorlage müssen mindestens dreißig Tage liegen.

(4) Ein Gesetz über eine Verfassungsänderung wird vom Sejm mit einer Mehrheit von mindestens zwei Dritteln der Stimmen in Anwesenheit von mindestens der Hälfte der gesetzlichen Abgeordnetenzahl beschlossen. Der Senat beschließt es mit absoluter Mehrheit der Stimmen in Anwesenheit von mindestens der Hälfte der gesetzlichen Senatorenzahl.

(5) Der Sejm kann ein Gesetz, das die Vorschriften der Kapitel I, II oder XII der Verfassung ändert, nicht früher als am sechzigsten Tag nach der ersten Lesung der Gesetzesvorlage beschließen.

(6) Betrifft das Verfassungsänderungsgesetz die Vorschriften der Kapitel I, II oder XII, können die im Abs. 1 genannten Rechtsträger innerhalb einer Frist von fünfundvierzig Tagen nach der Verabschiedung des Gesetzes durch den Senat eine bestätigende Volksabstimmung über das Gesetz verlangen. Mit einem diesbezüglichen Antrag wenden sich die Rechtsträger an den Sejmmarschall, der unverzüglich die Durchführung der Volksabstimmung innerhalb von sechzig Tagen nach Entgegennahme des Antrages anordnet. Die Verfassungsänderung gilt als angenommen, wenn sie von der Mehrheit der abgegebenen Stimmen befürwortet wird.

(7) Nach der Beendigung des in den Abs. 4 und 6 bestimmten Verfahrens legt der Sejmmarschall dem Präsidenten der Republik Polen das verabschiedete Gesetz zur Unterzeichnung vor. Der Präsident der Republik Polen unterzeichnet das Gesetz innerhalb von einundzwanzig Tagen nach dem Vorlagetag und ordnet dessen Verkündung im Gesetzblatt der Republik Polen an.

Kapitel XIII
ÜBERGANGS- UND SCHLUSS-
VORSCHRIFTEN

Artikel 236 [Unentbehrliche Gesetzes-vorlagen]

(1) Die Vorlagen der Gesetze, die unentbehrlich zur Anwendung der Verfassung sind, bringt der Ministerrat innerhalb von zwei Jahren nach dem Tag des Inkrafttretens der Verfassung im Sejm ein.

(2) Die zur Verwirklichung des Art. 176 Abs. 1 in Bezug auf das Verfahren vor den Verwaltungsgerichten erforderlichen Gesetze werden vor Ablauf von fünf Jahren nach dem Tag des Inkrafttretens der Verfassung verabschiedet. Bis diese Gesetze in Kraft treten, gelten die Vorschriften, die für die außerordentliche Revision gegen Beschlüsse des Obersten Verwaltungsgerichts anzuwenden sind.

Artikel 237 [Zuständigkeit der Ausschüsse für Ordnungswidrigkeiten]

(1) Innerhalb eines Zeitraumes von vier Jahren nach dem Tag des Inkrafttretens der Verfassung sind die Ausschüsse für Ordnungswidrigkeiten bei den Bezirksgerichten zur Verhandlung und Entscheidung wegen Ordnungswidrigkeiten zuständig, wobei über eine Haftstrafe das Gericht entscheidet.

(2) Die Berufung gegen einen Beschluss des Ausschusses untersucht das Gericht.

Artikel 238 [Amtszeiten]

(1) Die Amtszeit der verfassungsmäßigen Organe der öffentlichen Gewalt und der Personen, die in diese vor dem Inkrafttreten der Verfassung gewählt oder ernannt worden sind, endet mit dem Ablauf der Frist, die in den vor dem Tag des Inkrafttretens der Verfassung geltenden Vorschriften bestimmt worden ist.

(2) Ist die Amtszeit in den vor dem Tag des Inkrafttretens der Verfassung geltenden Vorschriften nicht festgesetzt, und ist seit dem Tag der Wahl oder Ernennung eine längere Zeit als die von der Verfassung bestimmte vergangen, endet die Amtszeit der Organe der öffentlichen Gewalt oder der sie bildenden Personen mit dem Ablauf eines Jahres nach dem Tag des Inkrafttretens der Verfassung.

(3) Ist die Amtszeit in den vor dem Tag des Inkrafttretens der Verfassung geltenden Vorschriften nicht festgesetzt, und ist seit dem Tag der Wahl oder Ernennung eine kürzere Zeit vergangen, als von der Verfassung für verfassungsmäßige Organe der öffentlichen Gewalt oder die sie bildenden Personen bestimmt wird, ist die Periode, in der die Organe oder die Personen ihre Funktion gemäß den bisher geltenden Vorschriften ausgeübt haben, in die von der Verfassung festgesetzte Amtszeit einzurechnen.

Artikel 239 [Nicht endgültige Entscheidungen]

(1) Innerhalb eines Zeitraumes von zwei Jahren nach dem Tag des Inkrafttretens der Verfassung sind Entscheidungen des Verfassungsgerichtshofes über die Verfassungswidrigkeit der vor dem Inkrafttreten der Verfassung verabschiedeten Gesetze nicht endgültig und werden vom Sejm erörtert, der die Entscheidung des Verfassungsgerichtshofes mit der Mehrheit von zwei Dritteln der Stimmen in Anwesenheit von mindestens der Hälfte der gesetzlichen Abgeordnetenzahl ablehnen kann. Das gilt nicht für Entscheidungen, die infolge von an den Verfassungsgerichtshof gerichteten Rechtsfragen erlassen worden sind.

(2) Ein Verfahren wegen der Festlegung einer allgemeingültigen Auslegung eines Gesetzes, das vor dem Inkrafttreten der Verfassung eingeleitet worden ist, ist einzustellen.

(3) Am Tag des Inkrafttretens der Verfassung verlieren die Beschlüsse des Verfassungsgerichtshofes über die Auslegung der Gesetze ihre allgemeine Verbindlichkeit. In Kraft bleiben die rechtskräftigen Gerichtsurteile und andere rechtskräftige Entscheidungen der Organe der öffentlichen Gewalt, die unter Berücksichtigung der vom Verfassungsgerichtshof für allgemein verbindlich erklärten Auslegung gefällt worden sind.

Artikel 240 [Defizit im Jahr des Inkrafttretens]

Während des ersten Jahres nach dem Inkrafttreten der Verfassung kann das Haushaltsgesetz vorsehen, dass ein Defizit durch die Eingehung von Verpflichtungen der zentralen Staatsbank gedeckt wird.

Artikel 241 [Geltung völkerrechtlicher Verträge]

(1) Die völkerrechtlichen Verträge, die bisher von der Republik Polen aufgrund der zur Zeit ihrer Ratifizierung geltenden verfassungsrechtlichen Vorschriften ratifiziert und im Gesetzblatt veröffentlicht worden sind, gelten als Verträge, die durch ein vorhergehendes Zustimmmungsgesetz ratifiziert worden sind. Die Vorschriften des Art. 91 werden auf sie angewandt, wenn der Vertrag seinem Inhalt nach die in Art. 89 Abs. 1 genannten Gegenstandsbereiche betrifft.

(2) Innerhalb von zwei Jahren nach dem Inkrafttreten der Verfassung legt der Ministerrat dem Sejm ein Verzeichnis der völkerrechtlichen Verträge vor, die mit der Verfassung unvereinbare Bestimmungen enthalten.

(3) Die vor dem Inkrafttreten der Verfassung gewählten Senatoren, welche das 30. Lebensjahr nicht vollendet haben, behalten ihre Mandate bis zum Ende der Amtszeit, für die sie gewählt worden sind.

(4) Das Verbinden des Abgeordneten- oder Senatorenmandats mit einer Funktion oder einer Beschäftigung, für die das im Art. 103 bestimmte Verbot gilt, hat zur Folge, dass das Mandat nach Ablauf eines Monats nach dem Inkrafttreten der Verfassung erlischt, es sei denn der Abgeordnete oder Senator verzichtet auf die Funktion oder die Beschäftigung wird beendet.

(5) Angelegenheiten, die der Gegenstand eines Gesetzgebungsverfahrens oder eines Verfahrens vor dem Verfassungs- oder dem Staatsgerichtshof sind und die vor dem Inkrafttreten der Verfassung eingeleitet worden sind, werden gemäß den verfassungsrechtlichen Vorschriften fortgeführt, die am Tage ihrer Einleitung gegolten haben.

(6) Innerhalb von zwei Jahren nach dem Inkrafttreten der Verfassung stellt der Ministerrat fest, welche Beschlüsse des Ministerrates und Anordnungen der Minister oder anderer Regierungsverwaltungsorgane, die vor dem Inkrafttreten der Verfassung beschlossen oder erlassen worden sind, gemäß den im Art. 87 Abs. 1 und Art. 92 der Verfassung bestimmten Bedingungen durch Rechtsverordnungen zu ersetzen sind, die aufgrund einer gesetzlichen Ermächtigung erlassen worden sind. Den Vorschlag solcher Gesetze legt der Ministerrat dem Sejm in angemessener Zeit vor. Ebenfalls innerhalb von zwei Jahren nach dem Inkrafttreten der Verfassung legt der Ministerrat dem Sejm eine Gesetzesvorlage vor, die bestimmt, welche Normativakte der Regierungsverwaltungsorgane, die vor dem Inkrafttreten der Verfassung erlassen worden sind, Beschlüsse oder Anordnungen im Sinne des Art. 93 der Verfassung werden.

(7) Die am Tag des Inkrafttretens der Verfassung geltenden Akte des lokalen Rechtes und die Gemeindevorschriften werden Akte des lokalen Rechts im Sinne des Art. 87 Abs. 2 der Verfassung.

Artikel 242 [Außerkrafttreten]

Außer Kraft treten:

das Verfassungsgesetz vom 17. Oktober 1992 über die gegenseitigen Beziehungen zwischen der gesetzgebenden und der vollziehenden Gewalt der Republik Polen und über die örtliche Selbstverwaltung (Dz. U. 1992 Nr. 84, Pos. 426, Dz. U. 1995 Nr. 38, Pos. 184, Nr. 150 Pos .729 und Dz. U. 1996, Nr. 106, Pos. 488)

das Verfassungsgesetz vom 23. April 1992 über die Verfahrensweise bei der Vorbereitung und der Verabschiedung der Verfassung der Republik Polen (Dz. U. 1992 Nr. 67, Pos. 336 und Dz.U. 1994 Nr. 61, Pos. 251).

Artikel 243 [Inkrafttreten]

Die Verfassung der Republik Polen tritt drei Monate nach dem Tage ihrer Verkündung in Kraft.

Verfassung von Rumänien[*]

Vom 8. Dezember 1991 (Monitorul Oficial, Partea I nr. 233 vom 21. November 1991), zuletzt geändert am 29. Oktober 2003 (Legea de revizuire a Constituţiei României nr. 429/2003, Monitorul Oficial, Partea I nr. 758)

Titel I
ALLGEMEINE PRINZIPIEN

Artikel 1 (Der Rumänische Staat)

(1) Rumänien ist ein souveräner und unabhängiger, einheitlicher und unteilbarer Nationalstaat.

(2) Die Regierungsform des rumänischen Staates ist die Republik.

(3) Der rumänische Staat ist ein sozialer und demokratischer Rechtsstaat, in dem die Würde des Menschen, die Rechte und Freiheiten der Bürger, die freie Entwicklung der menschlichen Persönlichkeit, die Gerechtigkeit und der politische Pluralismus, im Geiste der demokratischen Traditionen des rumänischen Volkes und den Idealen der Revolution vom Dezember 1989, höchste Werte darstellen und gewährleistet sind.

(4) Die Organisation des Staates basiert auf dem Prinzip der Gewaltentrennung und der Ausgewogenheit der der Gewalten – Legislative, Exekutive und Judikative – im Rahmen der Verfassungsdemokratie.

(5) In Rumänien sind die Beachtung der Verfassung, ihre Vorherrschaft und die Gesetze zwingend.

Artikel 2 (Souveränität)

(1) Die nationale Souveränität liegt beim rumänischen Volk, welches sie durch ihre Vertretungskörper, die sich aus freien, regelmäßigen und fairen Wahlen ergeben, sowie durch Referenden ausübt.

(2) Weder eine Gruppe noch eine Person können die Souveränität im eigenen Namen ausüben.

Artikel 3 (Territorium)

(1) Das Territorium Rumäniens ist unveräußerlich.

(2) Die Grenzen des Landes sind durch Organgesetz, unter Beachtung der Prinzipien und anderer allgemeiner Normen des Völkerrechts, verankert.

(3) Das Territorium ist verwaltungsmäßig in Gemeinden, Städte und Kreise gegliedert. Gemäß dem Gesetz sind einige Städte zu Munizipien erklärt.

(4) Auf dem Territorium des rumänischen Staates können keine fremden Bevölkerungen verlegt oder angesiedelt werden.

Artikel 4 (Einheit des Volkes und Gleichheit der Bürger)

(1) Die Grundlage des Staates beruht auf der Einheit des rumänischen Volkes und der Solidarität ihrer Bürger.

(2) Rumänien ist das gemeinsame und unteilbare Vaterland aller seiner Bürger, ohne Unterschied der Rasse, der Nationalität, der ethnischen Herkunft, der Sprache, der Religion, des Geschlechts, der Meinung, der politischen Zugehörigkeit, des Vermögens oder der sozialen Herkunft.

Artikel 5 (Staatsbürgerschaft)

(1) Die rumänische Staatsbürgerschaft wird unter den im Organgesetz vorgesehenen Bedingungen erworben, bewahrt oder eingebüßt.

(2) Die rumänische Staatsbürgerschaft kann jenem, der sie durch Geburt erworben hat, nicht entzogen werden.

---

[*] Entsprechend der Übersetzung der Fassung von 1991 der rumänischen Abgeordnetenkammer, abrufbar unter: http://www.cdep.ro/pls/dic/act_show?ida=1&tit=0&idl=4), unter Einarbeitung der Reform von 2003 und der ausführlichen sprachlichen Überarbeitung durch *Armin Stolz* und *Maximilian Zankel*, beide Institut für Öffentliches Recht und Politikwissenschaft, Karl-Franzens-Universität Graz.

Artikel 6 (Recht auf Identität)

(1) Der Staat anerkennt und garantiert den Personen, die den nationalen Minderheiten angehören, das Recht auf Wahrung, Entwicklung und Äußerung ihrer ethnischen, kulturellen, sprachlichen und religiösen Identität.

(2) Die Schutzmaßnahmen des Staates für die Wahrung, Entwicklung und Äußerung der Identität der den nationalen Minderheiten angehörenden Personen müssen im Einklang sein mit den Prinzipien der Gleichheit und der Nichtdiskriminierung gegenüber den anderen rumänischen Bürgern stehen.

Artikel 7 (Rumänen im Ausland)

Der Staat unterstützt die Festigung der Verbindungen zu den Rumänen, die außerhalb der Landesgrenzen leben, und wirkt auf die Wahrung, Entwicklung und Äußerung ihrer ethnischen, kulturellen, sprachlichen und religiösen Identität, unter Beachtung der Gesetzgebung des Staates, dessen Bürger sie sind, ein.

Artikel 8 (Pluralismus und politische Parteien)

(1) Der Pluralismus in der rumänischen Gesellschaft ist eine Voraussetzung und eine Garantie der verfassungsrechtlichen Demokratie.

(2) Die politischen Parteien werden gebildet und entfalten ihre Tätigkeit unter den Bedingungen des Gesetzes. Sie tragen zur Bildung und Äußerung des politischen Willens der Bürger bei, indem sie die nationale Souveränität, die territoriale Integrität, die Rechtsordnung und die Prinzipien der Demokratie achten.

Artikel 9 (Gewerkschaften, Arbeitgeberverbände und Berufsverbände)

Gewerkschaften, Arbeitgeberverbände und Berufsverbände werden eingerichtet und üben ihre Aktivitäten entsprechend deren Statuten und gemäß der Gesetze aus. Sie tragen zum Schutz der Rechte und zur Förderung der beruflichen, wirtschaftlichen und sozialen Interessen ihrer Mitglieder bei.

Artikel 10 (Internationale Beziehungen)

Rumänien unterhält und entwickelt friedliche Beziehungen zu allen Staaten und, in diesem Zusammenhang, gute nachbarschaftliche Beziehungen, gegründet auf den Prinzipien und den anderen allgemein zu beachtenden Normen des Völkerrechts.

Artikel 11 (Völkerrecht und nationales Recht)

(1) Der rumänische Staat verpflichtet sich, die ihm aus Verträgen, an denen er beteiligt ist, zukommenden Verbindlichkeiten genau und mit Gutgläubigkeit zu erfüllen.

(2) Die vom Parlament ratifizierten Verträge sind gemäß dem Gesetz Bestandteil des nationalen Rechts.

(3) Wenn Rumänien sich an einem Vertrag beteiligen soll, der Bestimmungen enthält, die der Verfassung widersprechen, kann eine Ratifizierung erst nach der Revision der Verfassung stattfinden.

Artikel 12 (Nationale Symbole)

(1) Die Flagge Rumäniens ist die Trikolore, mit den Farben an der Fahnenstange in folgender senkrechter Anordnung: blau, gelb, rot.

(2) Der Nationalfeiertag Rumäniens ist der 1. Dezember.

(3) Die Nationalhymne Rumäniens ist „Erwache Rumäne".

(4) Das Landeswappen und das Siegel des Staates sind durch Organgesetz festzulegen.

Artikel 13 (Amtssprache)

In Rumänien ist die Amtssprache die rumänische Sprache.

Artikel 14 (Hauptstadt)

Die Hauptstadt des Landes ist das Munizipium Bukarest.

Titel II
DIE FUNDAMENTALEN RECHTE, FREIHEITEN UND PFLICHTEN

Kapitel I
Gemeinsame Bestimmungen

Artikel 15 (Universalität)

(1) Die Bürger genießen die in der Verfassung und in anderen Gesetzen verankerten Rechte und Freiheiten und haben die in diesen vorgesehenen Pflichten.

(2) Das Gesetz hat Wirkungen nur für die Zukunft, mit Ausnahme des günstigeren Straf- oder Verwaltungsgesetzes.

Artikel 16 (Gleichheit der Rechte)

(1) Die Bürger sind vor dem Gesetz und vor den öffentlichen Behörden gleich, ohne Privilegien und ohne Diskriminierungen.

(2) Niemand kann über dem Gesetz stehen.

(3) Die öffentlichen zivilen oder militärischen Ämter und Würden können, nach Maßgabe der Gesetze, nur von Personen bekleidet werden, die die rumänische Staatsbürgerschaft und den Wohnsitz im Lande haben. Der rumänische Staat hat gleiche Chancen für Männer und Frauen bei der Besetzung dieser Ämter und Würden zu garantieren.

(4) Nach dem Beitritt Rumäniens zur Europäischen Union haben Unionsbürger, die die Anforderungen des Organgesetzes erfüllen, das Recht, bei der Wahl zu den lokalen öffentlichen Verwaltungsorganen zu wählen und gewählt zu werden.

Artikel 17 (Rumänische Bürger im Ausland)

Die rumänischen Staatsbürger erfreuen sich im Ausland des Schutzes des rumänischen Staates und müssen ihre Verpflichtungen erfüllen, mit Ausnahme jener, die mit ihrer Abwesenheit aus dem Lande unvereinbar sind.

Artikel 18 (Ausländer und Staatenlose)

(1) Die Ausländer und die Staatenlosen, die in Rumänien wohnen, erfreuen sich des allgemeinen Schutzes der Person und des Vermögens, der durch die Verfassung und durch andere Gesetze garantiert ist.

(2) Das Asylrecht wird im Rahmen des Gesetzes gewährt und entzogen, unter Einhaltung der Verträge und der interrationalen Abkommen, an denen Rumänien beteiligt ist.

Artikel 19 (Auslieferung und Ausweisung)

(1) Der rumänische Staatsbürger kann aus Rumänien nicht ausgeliefert oder ausgewiesen werden.

(2) Abweichend von Absatz 1 können rumänische Staatsbürger auf Basis von internationalen Abkommen, bei welchen Rumänien Vertragspartei ist, im Einklang mit dem Gesetz und nach dem Grundsatz der Gegenseitigkeit ausgeliefert werden.

(3) Die Ausländer und die Staatenlosen können nur auf Grund eines internationalen Abkommens oder unter den Bedingungen der Gegenseitigkeit ausgeliefert werden.

(4) Ausweisung und Auslieferung werden durch die Gerichte beschlossen.

Artikel 20 (Internationale Menschenrechtsverträge)

(1) Die verfassungsrechtlichen Bestimmungen hinsichtlich der Rechte und Freiheiten der Bürger werden in Einklang mit der Allgemeinen Erklärung der Menschenrechte, mit den Pakten und anderen Verträgen, an denen Rumänien beteiligt ist, ausgelegt und angewendet.

(2) Wenn zwischen den Pakten und den Verträgen hinsichtlich der fundamentalen Rechte des Menschen bei denen Rumänien Vertragspartei ist, und den nationalen Gesetzen Unstimmigkeiten bestehen, so haben die internationalen Regelungen Vorrang, außer die Verfassung oder das nationale Recht sehen günstigere Bestimmungen vor.

Artikel 21 (Freier Zugang zur Justiz)

(1) Jede Person kann sich um die Verteidigung ihre legitimen Rechte, Freiheiten und Interessen an die Gerichte wenden.

(2) Kein Gesetz kann die Ausübung dieses Rechts einschränken.

(3) Alle Parteien haben das Recht auf ein faires Verfahren und eine Entscheidung ihres Falles in einer angemessenen Zeit.

(4) Die speziellen Verwaltungsgerichte sind auswählbar und kostenlos.

Kapitel II
Die fundamentalen Rechte und Freiheiten

Artikel 22 (Recht auf Leben und auf physische und psychische Unversehrtheit)

(1) Das Recht auf Leben sowie das Recht auf physische und psychische Unversehrtheit der Person sind garantiert.

(2) Niemand darf gefoltert oder einer Art von unmenschlicher oder erniedrigender Strafe oder Behandlung unterzogen werden.

(3) Die Todesstrafe ist untersagt.

Artikel 23 (Individuelle Freiheit)

(1) Die individuelle Freiheit und die Sicherheit der Person sind unverletzlich.

(2) Die Durchsuchung, Festnahme oder Verhaftung einer Person ist nur in den Fällen und mit dem im Gesetz vorgesehenen Verfahren erlaubt.

(3) Die Dauer der Festnahme darf 24 Stunden nicht überschreiten.

(4) Die Untersuchungshaft wird von einem Richter und nur im Rahmen einer strafrechtlichen Verfolgung angeordnet.

(5) Die Untersuchungshaft darf während einer strafrechtlichen Verfolgung nur für maximal 30 Tage angeordnet werden und jeweils um 30 Tage verlängert werden, wobei die Gesamtdauer eine angemessene Frist und 180 Tage nicht überschreiten darf.

(6) Nach Beginn des Prozesses ist das Gericht nach dem Gesetz verpflichtet in regelmäßigen Abständen und spätestens innerhalb von 60 Tagen die Rechtmäßigkeit und die Gründe der Untersuchungshaft zu prüfen und unverzüglich die Freilassung des Angeklagten anzuordnen, wenn die Gründe für die Untersuchungshaft weggefallen sind oder wenn das Gericht feststellt, dass es keine neuen Gründe gibt, die Untersuchungshaft fortzusetzen.

(7) Die Entscheidung des Gerichts über die Untersuchungshaft kann Gegenstand von gesetzlich vorgesehenen Verfahren sein.

(8) Dem Festgehaltenen oder Verhafteten werden die Gründe seiner Festnahme oder Verhaftung, in der Sprache, die er versteht, unverzüglich zur Kenntnis gebracht, und die Anschuldigung zum ersten möglichen Zeitpunkt mitgeteilt; die Anschuldigung wird nur in Anwesenheit eines gewählten oder von Amts wegen bestellten Rechtsanwalts zur Kenntnis gebracht.

(9) Die Freilassung einer festgehaltenen oder verhafteten Person ist zwingend, wenn die Gründe für solch eine Maßnahme weggefallen sind oder aus anderen gesetzlich vorgesehenen Umständen.

(10) Der sich in Untersuchungshaft Befindende hat das Recht, seine provisorische Freiheit unter Gerichtskontrolle oder auf Kaution zu verlangen.

(11) Bis zum endgültigen Gerichtsurteil wird die Person als unschuldig betrachtet.

(12) Strafen können nur unter den Bedingungen und auf Grund des Gesetzes festgelegt oder angewendet werden.

(13) Der Freiheitsentzug darf nur auf strafrechtliche Gründe gestützt werden.

Artikel 24 (Recht auf Verteidigung)

(1) Das Recht auf Verteidigung ist gewährleistet.

(2) Im ganzen Verlauf des Prozesses haben die Parteien das Recht, von einem gewählten oder von Amts wegen bestellten Rechtsanwalt vertreten zu werden.

Artikel 25 (Freizügigkeit)

(1) Das Recht auf freien Verkehr im Lande und im Ausland ist garantiert. Das Gesetz bestimmt die Bedingungen der Ausübung dieses Rechts.

(2) Jedem Bürger ist das Recht gewährleistet, seinen Wohnsitz oder Sitz in jeder Ortschaft im Lande festzulegen, auszuwandern sowie in das Land zurückzukehren.

Artikel 26 (Intim-, Familien- und Privatleben)

(1) Die öffentlichen Behörden respektieren und schützen das Intim-, Familien- und Privatleben.

(2) Die natürliche Person hat das Recht, über sich selbst zu verfügen, insofern sie nicht die Rechte und Freiheiten anderer, die öffentliche Ordnung oder die guten Sitten verletzt.

Artikel 27 (Unverletzlichkeit des Wohnsitzes)

(1) Der Wohnsitz und Sitz sind unverletzlich. Niemand darf in den Wohnsitz oder Sitz einer Person ohne deren Einwilligung eindringen oder dort verbleiben.

(2) Von den Bestimmungen des Absatzes 1 kann durch Gesetz in folgenden Situationen abgewichen werden:

a) für die Vollstreckung eines Haftbefehls oder eines Gerichtsurteils;

b) für die Beseitigung einer Gefahr hinsichtlich des Lebens, der physischen Integrität oder der Güter einer Person;

c) für die Verteidigung der nationalen Sicherheit oder der öffentlichen Ordnung;

d) für die Verhütung der Ausbreitung einer Epidemie.

(3) Durchsuchungen können ausschließlich durch einen Richter angeordnet werden und können nur unter den vom Gesetz vorgesehenen Bedingungen und Formen durchgeführt werden.

(4) Durchsuchungen während der Nacht sind untersagt, außer in dem Falle, dass der Täter auf frischer Tat ertappt wird.

Artikel 28 (Briefgeheimnis)

Das Geheimnis der Briefe, Telegramme, anderer Postsendungen, der Telefongespräche und der anderen gesetzlichen Kommunikationsmittel ist unverletzlich.

Artikel 29 (Gewissensfreiheit)

(1) Die Gedanken-, Meinungs- sowie die religiöse Glaubensfreiheit können unter keiner Form eingeschränkt werden. Niemand kann gezwungen werden, eine bestimmte Meinung zu vertreten oder entgegen seinen Überzeugungen einem religiösen Glauben beizutreten.

(2) Die Gewissensfreiheit ist gewährleistet; die Äußerung der Gewissensfreiheit ist im Geiste der Toleranz und des gegenseitigen Respekts erlaubt.

(3) Die religiösen Kulte sind frei und organisieren sich gemäß den eigenen Statuten, im Rahmen des Gesetzes.

(4) In den Beziehungen zwischen den Kulten ist jede Form, Mittel, Handlung oder Tat religiöser Anfeindung untersagt.

(5) Die Glaubensgemeinschaften sind dem Staat gegenüber selbständig und erfreuen sich seiner Unterstützung, einschließlich durch die Ermöglichung des religiösen Beistands in der Armee, in Krankenhäusern, in Strafanstalten, in Altersheimen und in Waisenhäusern.

(6) Die Eltern oder Vormunde haben das Recht, die Erziehung der minderjährigen Kinder, deren Verantwortung ihnen zukommt, gemäß ihren eigenen Überzeugungen zu sichern.

Artikel 30 (Meinungsfreiheit)

(1) Die Freiheit der Äußerung von Gedanken, Meinungen, Glaubensbekenntnissen und die Freiheit des Schaffens jeder Art, mündlicher, schriftlicher oder anderer öffentlicher Kommunikationsmittel sowie durch Bilder und Ton sind unverletzlich.

(2) Die Zensur jeder Art ist verboten.

(3) Die Pressefreiheit schließt auch die Freiheit mit ein, Publikationen zu schaffen.

(4) Keine Publikation darf unterdrückt werden.

(5) Das Gesetz kann die Massenkommunikationsmittel verpflichten, die Finanzierungsquellen bekanntzugeben.

(6) Die freie Meinungsäußerung darf weder die Würde, die Ehre, das Privatleben der Person noch das Recht am eigenen Bild schädigen.

(7) Die Verleumdung des Landes und der Nation, die Anstiftung zum Aggressionskrieg, zum nationalen, rassistischen, klassenbezogenen und religiösen Hass, die

Anstiftung zur Diskriminierung, zum territorialen Separatismus, zur öffentlichen Gewalt sowie unzüchtige Äußerungen, die den guten Sitten widersprechen, sind gesetzlich verboten.

(8) Die zivile Verantwortung für die Information oder das öffentlich zur Kenntnis gebrachte Werk trägt der Herausgeber oder der Hersteller, der Autor, der Organisator der künstlerischen Darbietungen, der Eigentümer der Vervielfältigungsmittel, der Radio- oder Fernsehsender im Rahmen des Gesetzes. Pressedelikte werden durch Gesetz festgelegt.

Artikel 31 (Recht auf Information)

(1) Das Recht der Bürger, zu allen Öffentlichen Informationen Zugang zu haben, kann nicht eingeschränkt werden.

(2) Die öffentlichen Behörden sind, gemäß den ihnen zukommenden Zuständigkeiten, verpflichtet, eine korrekte Information der Bürger über die öffentlichen Angelegenheiten und über die Anliegen von persönlichem Interesse zu gewährleisten.

(3) Das Recht auf Information soll die Maßnahmen zum Schutze der Jugendlichen oder die nationale Sicherheit nicht beeinträchtigen.

(4) Die öffentlichen oder privaten Medien sind verpflichtet, eine korrekte Information der Öffentlichkeit zu gewährleisten.

(5) Die öffentlichen Rundfunk- und Fernsehdienste sind autonom. Sie müssen den bedeutenden gesellschaftlichen und politischen Gruppen das Recht auf Medienzugang garantieren. Die Organisation dieser Medien und die parlamentarische Kontrolle über ihre Tätigkeit wird durch das Organgesetz geregelt.

Artikel 32 (Recht auf Unterricht)

(1) Das Recht auf Unterricht ist durch den allgemeinen Pflichtschulunterricht und den beruflichen Unterricht, durch den Hochschulunterricht sowie durch andere Bildungs- und Ausbildungsformen gewährleistet.

(2) Der Unterricht aller Stufen wird in rumänischer Sprache angeboten. Laut Gesetz kann der Unterricht auch in einer internationalen Sprache angeboten werden.

(3) Das Recht der den nationalen Minderheiten angehörenden Personen, ihre Muttersprache zu lernen, und das Recht, in dieser Sprache unterrichtet zu werden, sind garantiert; die Modalitäten zur Ausübung dieser Rechte werden durch Gesetz festgelegt.

(4) Der staatliche Unterricht ist gemäß dem Gesetz frei. Der Staat vergibt Sozialstipendien an Kinder oder Jugendliche aus benachteiligten Familien und an Heimkinder, wie im Gesetz vorgesehen.

(5) Die Ausbildung erfolgt auf allen Ebenen in staatlichen, privaten oder konfessionellen Einrichtungen entsprechend dem Gesetz.

(6) Die Autonomie der Universitäten ist garantiert.

(7) Der Staat gewährleistet die Freiheit des religiösen Unterrichts gemäß den spezifischen Erfordernissen eines jeden Glaubensbekenntnisses. In den Staatsschulen ist der religiöse Unterricht gesetzlich organisiert und garantiert.

Artikel 33 (Zugang zur Kultur)

(1) Der Zugang zur Kultur ist gesetzlich garantiert.

(2) Die Freiheit des Einzelnen seine/ihre Spiritualität zu entwickeln und der Zugang zu den Werten der nationalen und universellen Kultur dürfen nicht eingeschränkt werden.

(3) Der Staat hat sicherzustellen, dass die spirituelle Identität geschützt ist, die nationale Kultur unterstützt wird, Künste angeregt werden, das kulturelle Erbe geschützt und bewahrt wird, gegenwärtige Kreativität entfaltet wird und Rumäniens kulturelle und künstlerische Werke in der Welt beworben werden.

Artikel 34 (Recht auf Gesundheitsfürsorge)

(1) Das Recht auf Gesundheitsfürsorge ist garantiert.

(2) Der Staat ist verpflichtet, Maßnahmen zur Gewährleistung der Hygiene und der öffentlichen Gesundheit zu ergreifen.

(3) Die Organisationsweise des ärztlichen Beistands und des Systems der Sozialversicherungen im Falle von Krankheiten, Unfällen, Mutterschaft und Wiederherstellung, die Kontrolle der Ausübung der ärztlichen Berufe und der paraärztlichen Tätigkeiten sowie auch andere Schutzmaßnahmen der körperlichen und geistigen Gesundheit der Person werden gemäß dem Gesetz festgelegt.

Artikel 35 (Recht auf eine gesunde Umwelt)

(1) Der Staat hat das Recht jeder Person auf eine gesunde, gut erhaltene und ausgeglichene Umwelt anzuerkennen.

(2) Der Staat hat die rechtlichen Grundlagen zur Ausübung dieses Rechts zu schaffen.

(3) Natürliche und juristische Personen sind verpflichtet, die Umwelt zu schützen und zu verbessern.

Artikel 36 (Wahlrecht)

(1) Die Bürger haben das Wahlrecht ab dem einschließlich bis zum Tag der Wahlen vollendeten 18. Lebensjahr.

(2) Nicht wahlberechtigt sind Geistesschwache und Geisteskranke, die für unmündig erklärt wurden, sowie verurteilte Personen, denen durch ein rechtskräftiges Gerichtsurteil die Wahlrechte entzogen wurden.

Artikel 37 (Recht, gewählt zu werden)

(1) Das Recht, gewählt zu werden, haben wahlberechtigte Bürger, die die im Artikel 16 Absatz 3 vorgesehenen Bedingungen erfüllen, falls ihnen nicht, gemäß Artikel 40 Absatz 3, untersagt ist, sich in politischen Parteien zu vereinigen.

(2) Die Kandidaten müssen bis zum oder am Tag der Wahlen das Alter von mindestens 23 Jahren erreicht haben, um in die Abgeordnetenkammer oder Körperschaften der Lokalverwaltung gewählt zu werden, und das Alter von mindestens 33 Jahren erreicht haben, um in den Senat, sowie das Alter von mindestens 35 Jahren erreicht haben, um in das Amt des Präsidenten von Rumänien gewählt zu werden.

Artikel 38 (Recht, zum Europäischen Parlament gewählt zu werden)

Nach dem Beitritt Rumäniens zur Europäischen Union haben die Bürger Rumäniens das Recht bei der Wahl zum Europäischen Parlament zu wählen und gewählt zu werden.

Artikel 39 (Versammlungsfreiheit)

Öffentliche Treffen, Demonstrationen, Prozessionen oder jede andere Versammlung sind frei und können nur in friedlicher Weise, ohne jede Art von Waffen organisiert und durchgeführt werden.

Artikel 40 (Vereinigungsrecht)

(1) Die Bürger können sich frei in politischen Parteien, Gewerkschaften, Arbeitgeberverbänden und anderen Formen vereinigen.

(2) Die Parteien oder Organisationen, die durch ihre Zwecke oder Tätigkeit gegen den politischen Pluralismus, die Prinzipien des Rechtsstaates oder die Souveränität, Integrität oder die Unabhängigkeit Rumäniens wirken, sind verfassungswidrig.

(3) Die Richter des Verfassungsgerichtshofes, die Volksanwälte, die Richter, die aktiven Mitglieder der Armee, die Polizisten und andere Kategorien von öffentlichen Beamten, die durch das Organgesetz festgelegt sind, können den politischen Parteien nicht beitreten.

(4) Vereinigungen mit geheimen Charakter sind verboten.

Artikel 41 (Arbeit und Sozialschutz der Arbeit)

(1) Das Recht auf Arbeit kann nicht eingeschränkt werden. Jeder hat die freie Wahl seines/ihres Berufs, Handwerks oder Beschäftigung sowie des Arbeitsplatzes.

(2) Alle Angestellten haben das Recht auf sozialen Arbeitsschutz. Die Schutzmaßnahmen betreffen die Arbeitssicherheit und -gesundheit, die Arbeitsbedingungen von Frauen und Jugendlichen, den Mindestlohn in der Wirtschaft, die Wochenenden, den bezahlten Erholungsurlaub, die Arbeitsleistung

unter schweren Bedingungen sowie andere spezifische Situationen, wie im Gesetz vorgesehen.

(3) Die normale Dauer des Arbeitstages beträgt im Durchschnitt höchstens 8 Stunden.

(4) Bei gleicher Arbeit haben Frauen den gleichen Lohn wie Männer.

(5) Das Recht auf Kollektivverhandlungen im Bereich der Arbeit und der obligatorische Charakter der Kollektivabkommen sind garantiert.

Artikel 42 (Verbot der Zwangsarbeit)

(1) Die Zwangsarbeit ist untersagt.

(2) Nicht als Zwangsarbeit gelten:

a) Der Wehrdienst oder die an seiner Stelle von jenen, die nach Maßgabe des Gesetzes aus religiösen Gründen oder Gewissensgründen keinen Militärdienst leisten, ausgeführten Tätigkeiten;

b) die Arbeit einer verurteilten Person, geleistet unter normalen Bedingungen, in der Zeit der Haft oder der Freiheit auf Bewährung;

c) Leistungen, die in Situationen verlangt werden, die ihrerseits von Katastrophen oder anderen Gefahren geschaffen wurden, sowie jene, die zu den vom Gesetz festgelegten normalen Zivilpflichten gehören.

Artikel 43 (Streikrecht)

(1) Die Angestellten haben das Recht auf Streiks für die Verteidigung ihrer beruflichen, wirtschaftlichen und sozialen Interessen.

(2) Das Gesetz legt die Bedingungen und die Grenzen der Ausübung dieses Rechts fest sowie die erforderlichen Garantien zur Sicherstellung der wichtigsten Dienste für die Gesellschaft.

Artikel 44 (Recht auf Privateigentum)

(1) Das Recht auf Eigentum sowie die Forderungen gegenüber dem Staat sind garantiert. Der Inhalt und die Grenzen dieser Rechte sind durch Gesetz festgelegt.

(2) Das Privateigentum ist in gleicher Weise durch das Gesetz garantiert und ge-

schützt, unabhängig vom Inhaber. Ausländer und Staatenlose können Eigentumsrechte an Grundstücken nur aufgrund von Bedingungen, die sich aus dem Beitritt Rumäniens zur Europäischen Union und anderen internationalen Abkommen, bei denen Rumänien Vertragspartei ist ergeben, auf dem Prinzip der Gegenseitigkeit, sowie aufgrund der Bedingungen in einem Organgesetz und im Fall einer rechtmäßigen Erbschaft erwerben.

(3) Niemand kann enteignet werden, es sei denn im Falle einer gemäß dem Gesetz festgelegten öffentlichen Notwendigkeit, mit gerechter und vorheriger Entschädigung.

(4) Die Verstaatlichung oder jede andere Maßnahme des gewaltsamen Übergangs von Gütern in staatliches Eigentum auf Grundlage der sozialen, ethischen, religiösen, politischen oder anderen diskriminierenden Zugehörigkeit des Eigentümers sind verboten.

(5) Für Arbeiten von allgemeinem Interesse kann die öffentliche Behörde den Untergrund eines jeden Immobiliareigentums nutzen, mit der Verpflichtung, den Eigentümer für die Schäden, die dem Grund, den Pflanzen oder den Gebäuden zugefügt wurden sowie für andere der Behörde zugeschriebene Schäden zu entschädigen.

(6) Die in den Absätzen 3 und 5 vorgesehenen Entschädigungen werden im Einvernehmen mit dem Eigentümer, oder im Falle der Uneinigkeit, durch die Justiz festgelegt.

(7) Das Eigentumsrecht verpflichtet zur Einhaltung der Aufgaben hinsichtlich des Umweltschutzes und zur Gewährleistung einer guten Nachbarschaft sowie zur Einhaltung der anderen Aufgaben, die laut Gesetz oder Brauch dem Eigentümer zukommen.

(8) Das auf erlaubte Weise erworbene Vermögen kann nicht eingezogen werden. Der erlaubte Charakter der Erwerbung wird vermutet.

(9) Die zwecks Begehung einer Straftat oder einer Ordnungswidrigkeit bestimmten oder benützten Sachen sowie jene, die sich aus diesen ergeben, können nur im Rahmen des Gesetzes eingezogen werden.

Artikel 45 (Wirtschaftliche Freiheit)

Der freie Zugang einer Person zu wirtschaftlichen Tätigkeiten, der freie Zugang zu Unternehmen und ihre Ausübung ist nach Maßgabe des Gesetzes gewährleistet.

Artikel 46 (Erbrecht)

Das Erbrecht ist garantiert.

Artikel 47 (Lebensniveau)

(1) Der Staat ist verpflichtet, den Bürgern durch ökonomische Entwicklungsmaßnahmen und Sozialschutz ein anständiges Lebensniveau zu gewährleisten.

(2) Die Bürger haben das Recht auf Rente, auf bezahlten Schwangerschaftsurlaub, auf medizinische Versorgung in den öffentlichen Gesundheitszentren, auf Arbeitslosenunterstützung und andere im Gesetz vorgesehene Formen sozialer Sicherheit. Die Bürger haben nach dem Gesetz das Recht auf Sozialhilfe.

Artikel 48 (Familie)

(1) Die Familie gründet sich auf die frei eingegangene Ehe zwischen den Ehegatten, auf ihre Gleichheit und auf das Recht und die Pflicht der Eltern, die Erziehung und Ausbildung der Kinder zu gewährleisten.

(2) Die Bedingungen der Eheschließung, der Auflösung und Nichtigkeit der Ehe werden durch Gesetz festgelegt. Die religiöse Ehe kann erst nach der zivilen Eheschließung zelebriert werden.

(3) Die Kinder außerhalb der Ehe sind vor dem Gesetz gleich mit jenen aus der Ehe.

Artikel 49 (Schutz der Kinder und Jugendlichen)

(1) Die Kinder und Jugendlichen erfreuen sich eines Sonderregimes des Schutzes und des Beistands in der Verwirklichung ihrer Rechte.

(2) Der Staat gewährt Kinderbeihilfe und Hilfe für die Versorgung von kranken oder behinderten Kindern. Andere Formen des sozialen Schutzes für Kinder und Jugendliche werden durch Gesetz festgelegt.

(3) Die Ausbeutung der Minderjährigen, ihre Nutzung in Tätigkeiten, die ihrer Gesundheit oder Moral schaden könnten oder die ihr Leben oder normale Entwicklung einer Gefahr aussetzen würden, sind verboten.

(4) Die Minderjährigen unter 15 Jahren können nicht als Lohnempfänger eingestellt werden.

(5) Die öffentlichen Behörden haben die Pflicht, zur Sicherstellung der Bedingungen für die freie Teilnahme der Jugendlichen am politischen, gesellschaftlichen, ökonomischen, kulturellen und sportlichen Leben des Landes beizutragen.

Artikel 50 (Schutz von Menschen mit Behinderung)

Menschen mit Behinderung genießen einen besonderen Schutz. Der Staat sorgt für die Durchführung einer nationalen Politik der Chancengleichheit, der Vorbeugung und Behandlung von Behinderungen, sodass Menschen mit Behinderung effektiv am Gemeinschaftsleben teilhaben können, während die Rechte und Pflichten ihrer Eltern oder rechtlichen Vertreter beachtet werden.

Artikel 51 (Petitionsrecht)

(1) Die Bürger haben das Recht, sich an die öffentlichen Behörden mit Petitionen zu wenden, die nur im Namen der Unterzeichnenden formuliert sind.

(2) Die legal gebildeten Organisationen haben das Recht, Eingaben ausschließlich im Namen des Kollektivs, welches sie vertreten, einzureichen.

(3) Die Ausübung des Petitionsrechts ist gebührenfrei.

(4) Die öffentlichen Behörden sind verpflichtet, auf die Petitionen in der Frist und unter den vom Gesetz vorgesehenen Bedingungen zu antworten.

Artikel 52 (Recht der von einer öffentlichen Behörde verletzten Person)

(1) Jede Person, deren berechtigte Rechte oder Interessen durch eine Behörde, durch einen Verwaltungsakt oder durch das Versäumnis einer Behörde, über ihren Antrag innerhalb der gesetzlichen Frist zu entschei-

den, verletzt worden sind, hat Anspruch auf Anerkennung des geltend gemachten Rechts oder berechtigten Interesses, auf Annullierung des Rechtsaktes und auf Ersatz des Schadens.

(2) Die Bedingungen und Grenzen der Ausübung dieses Rechts werden durch ein Organgesetz festgelegt.

(3) Der Staat trägt die vermögensrechtliche Haftung für Schäden, die durch Justizirrtümer entstanden sind. Die Haftung des Staates wird nach dem Gesetz beurteilt und schließt die Haftung der Richter, die ihr Mandat vorsätzlich oder grob fahrlässig ausgeübt haben, nicht aus.

Artikel 53 (Einschränkung der Ausübung bestimmter Rechte oder Freiheiten)

(1) Die Ausübung bestimmter Rechte und Freiheiten darf nur durch Gesetz eingeschränkt werden und nur, wenn dies erforderlich ist, je nach Fall zur Verteidigung der nationalen Sicherheit, der öffentlichen Ordnung, Gesundheit, Moral oder der Rechte und Freiheiten der Bürger, zur Durchführung strafrechtlicher Ermittlungen, zur Verhinderung der Folgen von Naturkatastrophen, Unglücken oder extrem schweren Katastrophen.

(2) Derartige Einschränkungen können nur verhängt werden, wenn dies in einer demokratischen Gesellschaft nötig ist. Die Maßnahme muss verhältnismäßig zur Situation sein, die die Maßnahme erforderlich gemacht hat, sie muss ohne Diskriminierung gelten und ohne die Existenz dieser Rechte und Freiheiten zu verletzen.

Kapitel III
Fundamentale Pflichten

Artikel 54 (Treue gegenüber dem Land)
(1) Die Treue gegenüber dem Land ist heilig.

(2) Die Bürger, denen öffentliche Ämter anvertraut werden, sowie Armeeangehörige sind für die redliche Erfüllung der Verpflichtungen verantwortlich die ihnen zukommen

und leisten zu diesem Zweck den gesetzlich vorgegebenen Eid.

Artikel 55 (Verteidigung des Landes)
(1) Die Bürger haben das Recht und die Pflicht, Rumänien zu verteidigen.

(2) Die Bedingungen zur Ausübung der Wehrpflicht werden in einem Organgesetze festgelegt.

(3) Bürger können ab dem Alter von 20 Jahren und bis zum Alter von 35 Jahren, mit der Ausnahme von Freiwilligen, unter den Bedingungen des anwendbaren Organgesetzes, einberufen werden.

Artikel 56 (Finanzielle Beiträge)
(1) Die Bürger haben die Pflicht, durch Steuern und durch Gebühren zu den öffentlichen Ausgaben beizutragen.

(2) Das gesetzliche Besteuerungssystem muss eine gerechte Verteilung der Fiskalaufgaben gewährleisten.

(3) Jede andere Leistung ist verboten, mit Ausnahme jener, die durch Gesetz in außergewöhnlichen Situationen festgelegt sind.

Artikel 57 (Ausübung der Rechte und der Freiheiten)
Die rumänischen Bürger, Ausländer und Staatenlosen müssen ihre verfassungsmäßigen Rechte und Freiheiten mit Gutgläubigkeit ausüben, ohne die Rechte und Freiheiten anderer zu verletzen.

Kapitel IV
Der Volksanwalt

Artikel 58 (Ernennung und Rolle)
(1) Der Volksanwalt wird für eine Amtszeit von 5 Jahren ernannt, um die Rechte und Freiheiten von natürlichen Personen zu verteidigen. Die Stellvertreter des Volksanwalts sind auf einzelne Tätigkeitsbereiche spezialisiert.

(2) Der Volksanwalt und seine/ihre Stellvertreter üben kein anderes öffentliches oder privates Amt, mit Ausnahme von Lehrpositionen in höheren Bildungseinrichtungen aus.

(3) Die Organisation und Funktion der

Einrichtung des Volksanwalts ist durch Organgesetz zu regeln.

Artikel 59 (Ausübung und Befugnisse)

(1) Der Volksanwalt übt seine Befugnisse von Amts wegen oder auf Ersuchen der in ihren Rechten und Freiheiten verletzten Personen, innerhalb der vom Gesetz festgelegten Grenzen, aus.

(2) Die öffentlichen Behörden sind verpflichtet, dem Volksanwalt den erforderlichen Beistand in der Ausübung seiner Befugnisse zu gewährleisten.

Artikel 60 (Bericht an das Parlament)

Der Volksanwalt unterbreitet den beiden Parlamentskammern jährlich oder auf deren Ersuchen Berichte. Die Berichte können Empfehlungen hinsichtlich der Gesetzgebung oder Maßnahmen anderer Natur für den Schutz der Rechte und Freiheiten der Bürger enthalten.

Titel III
DIE ÖFFENTLICHEN BEHÖRDEN

Kapitel I
Das Parlament

Abschnitt 1
Organisation und Funktion

Artikel 61 (Rolle und Aufbau)

(1) Das Parlament ist das höchste Vertretungsorgan des rumänischen Volkes und das einzige Gesetzgebungsorgan des Landes.

(2) Das Parlament besteht aus der Abgeordnetenkammer und dem Senat.

Artikel 62 (Wahl der Kammern)

(1) Die Abgeordnetenkammer und der Senat werden durch allgemeine, gleiche, direkte, geheime und freie Wahl gemäß dem Wahlgesetz gewählt.

(2) Die Organisationen der den nationalen Minderheiten angehörenden Bürger, welche bei den Wahlen nicht die Zahl der Stimmen vereinigen, um im Parlament vertreten zu sein, haben das Recht auf je ein Abgeordnetenmandat gemäß dem Wahlgesetz. Die

Bürger einer nationalen Minderheit können nur von einer einzigen Organisation repräsentiert sein.

(3) Die Zahl der Abgeordneten und Senatoren wird durch das Wahlgesetz, im Verhältnis zur Landesbevölkerung, festgelegt.

Artikel 63 (Dauer des Mandats)

(1) Die Abgeordnetenkammer und der Senat werden für eine Amtszeit von 4 Jahren gewählt, welche von Gesetzes wegen im Fall einer Mobilisierung, eines Krieges, einer Belagerung oder eines Notstandes ausgedehnt werden kann, bis das jeweilige Ereignis endet.

(2) Die Wahlen für die Abgeordnetenkammer und für den Senat werden spätestens 3 Monate nach Ablauf des Mandats oder nach deren Auflösung abgehalten.

(3) Das neugewählte Parlament tritt auf Einberufung des Präsidenten Rumäniens in höchstens 20 Tagen nach den Wahlen zusammen.

(4) Das Mandat der Kammern wird verlängert bis zum gesetzlichen Zusammentreten des neuen Parlaments. In dieser Periode kann die Verfassung nicht abgeändert und es können keine Organgesetze angenommen, abgeändert oder aufgehoben werden.

(5) Hinsichtlich der Gesetzesvorlagen oder Gesetzgebungsvorschlägen, die auf der Tagesordnung des vorigen Parlaments gestanden sind, wird das Verfahren im neuen Parlament fortgesetzt.

Artikel 64 (Interne Organisation)

(1) Die Organisations- und Funktionsweise einer jeden Kammer werden durch die eigene Geschäftsordnung festgelegt. Die finanziellen Mittel der Kammern sind in den von diesen genehmigten Budgets vorgesehen.

(2) Jede Kammer wählt sich ein ständiges Büro. Der Präsident der Abgeordnetenkammer und der Präsident des Senats werden für die Dauer des Mandats der Kammern gewählt. Die übrigen Mitglieder der ständigen Büros werden am Anfang einer jeden Tagung gewählt. Die Mitglieder der ständi-

gen Büros können vor Ablauf des Mandats abberufen werden.

(3) Die Abgeordneten und Senatoren können sich, gemäß der Geschäftsordnung einer jeden Kammer, in parlamentarische Gruppen organisieren.

(4) Jede Kammer bildet ständige Kommissionen und kann Untersuchungskommissionen oder andere Sonderkommissionen konstituieren. Die Kammern können gemeinsame Kommissionen bilden.

(5) Die ständigen Büros und die parlamentarischen Kommissionen bilden sich nach der politischen Konfiguration einer jeden Kammer.

Artikel 65 (Sitzungen der Kammern)

(1) Die Abgeordnetenkammer und der Senat treten in separaten Sitzungen zusammen.

(2) Die Kammern können auch in gemeinsamen Sitzungen, auf Basis der von der Mehrheit der Abgeordneten und Senatoren beschlossenen Geschäftsordnung, zusammentreten, betreffend:

a) die Entgegennahme der Botschaft des Präsidenten Rumäniens;

b) die Genehmigung des Staatsbudgets und des Budgets der staatlichen Sozialfürsorge;

c) die Erklärung der allgemeinen oder teilweisen Mobilisierung;

d) die Erklärung des Kriegszustands;

e) die Aufschiebung oder Einstellung von militärischen Feindseligkeiten;

f) die Genehmigung der nationalen Strategie zur Landesverteidigung;

g) die Prüfung der Berichte des obersten Rats der Landesverteidigung;

h) die Ernennung der Direktoren der Nachrichtendienste, auf Vorschlag des Präsidenten Rumäniens, und der Ausübung der Kontrolle über ihre Tätigkeit;

i) die Ernennung des Volksanwalts;

j) die Festlegung des Status der Abgeordneten und Senatoren, ihrer Bezüge und anderer Rechte;

k) die Erfüllung anderer Befugnisse, die gemäß der Verfassung und der Geschäfts-

ordnung in gemeinsamer Sitzung ausgeübt werden.

Artikel 66 (Tagungen)

(1) Die Abgeordnetenkammer und der Senat treten jährlich zu zwei ordentlichen Tagungen zusammen. Die erste Tagung beginnt im Februar und kann das Ende des Monats Juni nicht überschreiten. Die zweite Tagung beginnt im Monat September und kann das Ende des Monats Dezember nicht überschreiten.

(2) Die Abgeordnetenkammer und der Senat treten, auf Ersuchen des Präsidenten Rumäniens, des ständigen Büros einer jeden Kammer oder von mindestens einem Drittel der Zahl der Abgeordneten oder der Senatoren, zu außerordentlichen Tagungen zusammen.

(3) Die Einberufung der Kammern erfolgt durch deren Präsidenten.

Artikel 67 (Normativakte und Quorum)

Die Abgeordnetenkammer und der Senat verabschieden Gesetze, Beschlüsse und Anträge in der Anwesenheit der Mehrheit der jeweiligen Mitglieder.

Artikel 68 (Öffentlicher Charakter der Sitzungen)

(1) Die Sitzungen der beiden Kammern sind öffentlich.

(2) Die Kammern können beschließen, dass einige Sitzungen geheimen Charakter haben.

Abschnitt 2
Der Status der Abgeordneten und der Senatoren

Artikel 69 (Repräsentatives Mandat)

(1) In Ausübung des Mandats sind die Abgeordneten und die Senatoren im Dienste des Volkes.

(2) Jedes imperative Mandat ist nichtig.

Artikel 70 (Mandat der Abgeordneten und der Senatoren)

(1) Die Abgeordneten und Senatoren be-

ginnen die Ausübung des Mandats am Tag des gesetzmäßigen Zusammentritts der Kammer, der sie angehören, unter der Bedingung, dass die Wahl gültig ist und der Eid abgelegt wurde. Die Form des Eids ist durch Organgesetz zu regeln.

(2) Die Eigenschaft des Abgeordneten oder des Senators erlischt mit dem Tag des gesetzmäßigen Zusammentritts der neugewählten Kammern oder im Falle des Rücktritts, des Verlustes des Wahlrechts, der Inkompatibilität oder des Todes.

Artikel 71 (Inkompatibilitäten)

(1) Niemand kann zu gleicher Zeit Abgeordneter und Senator sein.

(2) Die Eigenschaft des Abgeordneten oder des Senators ist unvereinbar mit der Ausübung jeder öffentlichen Funktion in einer Behörde, mit Ausnahme jener des Mitglieds der Regierung.

(3) Andere Inkompatibilitäten werden durch das Organgesetz festgelegt.

Artikel 72 (Parlamentarische Immunität)

(1) Kein Abgeordneter oder Senator darf für sein Abstimmungsverhalten oder die Äußerung politischer Meinungen in Ausübung seines Amtes juristisch verantwortlich gemacht werden.

(2) Abgeordnete und Senatoren dürfen das Ziel einer strafrechtlichen Untersuchung oder Verfolgung für Handlungen sein, die nicht im Zusammenhang mit ihrem Abstimmungsverhalten oder der Äußerung politischer Meinungen in Ausübung ihres politischen Amtes stehen, dürfen jedoch nicht durchsucht, festgehalten oder festgenommen werden, ohne die Zustimmung der Kammer, welcher sie angehören, und nachdem sie angehört wurden. Die Ermittlungen und die Strafverfolgung werden ausschließlich von der Staatsanwaltschaft durchgeführt, die dem Obersten Gerichts- und Kassationshof angegliedert ist. Der Oberste Gerichts- und Kassationshof ist für diesen Fall zuständig.

(3) Abgeordnete und Senatoren dürfen festgehalten und durchsucht werden, wenn sie auf frischer Tat ertappt werden. Das Justizministerium informiert den Präsidenten der jeweiligen Kammer unverzüglich über die Festnahme und Durchsuchung. Wenn die Kammer nach ihrer Benachrichtigung feststellt, dass keine Gründe für die Festnahme vorliegen, so ordnet sie unverzüglich die Aufhebung der Maßnahme an.

Abschnitt 3
Das Gesetzgebungsverfahren

Artikel 73 (Gesetzeskategorien)

(1) Das Parlament verabschiedet Verfassungsgesetze, Organgesetze und ordentliche Gesetze.

(2) Die Revision der Verfassung erfolgt durch Verfassungsgesetze.

(3) Durch Organgesetz werden geregelt:

a) das Wahlsystem; die Organisation und Funktion der ständigen Wahlbehörde;

b) die Organisation, Funktion und Finanzierung der politischen Parteien;

c) der Status der Abgeordneten und Senatoren, die Einrichtung ihrer Bezüge und sonstiger Rechte;

d) die Organisation und Durchführung des Referendums;

e) die Organisation der Regierung und des Obersten Rates der Landesverteidigung;

f) der Zustand der teilweisen oder vollständigen Mobilisierung der Streitkräfte und der Kriegszustand;

g) der Zustand der Belagerung und des Notstands;

h) die Straftaten, die Strafen und ihre Vollstreckung;

i) die Gewährung von Amnestien oder Begnadigungen;

j) der Status der öffentlich Bediensteten;

k) die Streitangelegenheiten, die in die Zuständigkeit der Verwaltungsgerichte fallen;

l) die Organisation und Funktion des Obersten Rats der Magistratur, der Gerichte, der Staatsanwaltschaft und des Rechnungshofes;

m) der allgemeine Rechtsstatus des Eigentums und des Erbrechts;

n) die allgemeine Organisation der Ausbildung;

o) die Organisation der Lokalverwaltung, ihres Territoriums sowie die allgemeinen Regeln hinsichtlich der Lokalautonomie;

p) die allgemeinen Regeln hinsichtlich der Arbeitsverhältnisse, der Gewerkschaften, der Arbeitgeberverbände und des sozialen Schutzes;

r) der Status von nationalen Minderheiten in Rumänien;

s) die allgemeinen Statusregeln bezüglich religiöser Gemeinschaften;

t) die anderen Angelegenheiten, für welche die Verfassung den Erlass von Organgesetzen vorsieht.

Artikel 74 (Gesetzesinitiative)

(1) Die Gesetzesinitiative geht von der Regierung, den Abgeordneten, den Senatoren sowie einer Anzahl von mindestens 100 000 wahlberechtigten Bürgern aus. Die Gesetzesinitiative der Bürger muss wenigstens aus einem Viertel der Landkreise herrühren, während in jedem dieser Kreise oder im Munizipium Bukarest wenigstens 5 000 Unterschriften zugunsten dieser Initiative registriert sein müssen.

(2) Durch eine Gesetzesinitiative der Bürger können die Materien der Steuern, der internationalen Beziehungen, der Amnestie und der Begnadigung nicht berührt werden.

(3) Die Regierung übt ihre Gesetzesinitiative aus, indem sie Gesetzesvorlagen bei der für ihre Annahme zuständigen Kammer als zuerst verständigte Kammer einbringt.

(4) Die Abgeordneten, die Senatoren und die Bürger, die das Recht auf Gesetzesinitiative ausüben, können Gesetzgebungsvorschläge nur in der für die Gesetzentwürfe erforderlichen Form einbringen.

(5) Gesetzgebungsvorschläge werden zuerst der für ihre Annahme zuständigen Kammer als zuerst verständigte Kammer vorgelegt.

Artikel 75 (Mitteilung an die Kammern)

(1) Die Abgeordnetenkammer erörtert und verabschiedet als zuerst verständigte Kammer die Gesetzesvorlagen und Gesetzgebungsvorschläge zur Ratifizierung von Verträgen oder anderen internationalen Abkommen und die Gesetzgebungsmaßnahmen, die sich aus der Durchführung solcher Verträge und Abkommen ergeben, sowie die Gesetzesvorlagen zu den in Artikel 31 (5), Artikel 40 (3), Artikel 55 (2), Artikel 58 (3), Artikel 73 (3) e), k), l), n), o), Artikel 79 (2), Artikel 102 (3), Artikel 105 (2), Artikel 117 (3), Artikel 118 (2) und (3), Artikel 120 (2), Artikel 126 (4) und (5) und Artikel 142 (5) genannten Organgesetzen. Die übrigen Gesetzesvorlagen oder Gesetzgebungsvorschläge sind zur Erörterung und Verabschiedung dem Senat als zuerst verständigte Kammer zu übermitteln.

(2) Die zuerst verständigte Kammer soll innerhalb von 45 Tagen entscheiden. Für Gesetzbücher und andere extrem komplexe Gesetze beträgt die Frist 60 Tage. Bei Überschreitung dieser Fristen gilt die Gesetzesvorlage oder der Gesetzgebungsvorschlag als angenommen.

(3) Nachdem die zuerst verständigte Kammer die Gesetzesvorlage oder Gesetzgebungsvorschlag angenommen oder abgelehnt hat, ist dieser an die andere Kammer zu übermitteln, welche die endgültige Entscheidung trifft.

(4) Wenn die zuerst verständigte Kammer eine Bestimmung annimmt, welche nach Absatz (1) in ihre Entscheidungszuständigkeit fällt, gilt diese Bestimmung als endgültig angenommen, wenn sie auch von der anderen Kammer angenommen wird. Andernfalls ist nur die in Frage stehende Bestimmung an die zuerst verständigte Kammer zu übermitteln, die in einem Eilverfahren die endgültige Entscheidung trifft.

(5) Die Bestimmung des Absatz (4) über die Rückübermittlung gilt auch dann entsprechend, wenn die entscheidungstreffende Kammer eine Bestimmung annimmt, für welche die Entscheidungskompetenz bei der ersten Kammer liegt.

Artikel 76 (Annahme von Gesetzen und Beschlüssen)

(1) Die Organgesetze und Beschlüsse über die Geschäftsordnungen der Kammern werden mit Stimmenmehrheit der Mitglieder jeder Kammer angenommen.

(2) Die ordentlichen Gesetze und Beschlüsse werden mit Stimmenmehrheit der anwesenden Mitglieder einer jeden Kammer angenommen.

(3) Auf Ersuchen der Regierung oder aus eigener Initiative kann das Parlament gemäß der festgelegten Geschäftsordnung einer jeden Kammer Gesetzesvorlagen oder Gesetzgebungsvorschläge im Eilverfahren annehmen.

Artikel 77 (Gesetzesverkündung)

(1) Das Gesetz wird zur Verkündung dem Präsidenten Rumäniens geschickt. Die Gesetzesverkündung erfolgt in einer Frist von höchstens 20 Tagen nach dem Empfang.

(2) Vor der Verkündung kann der Präsident das Gesetz ein einziges Mal dem Parlament zur Überprüfung retournieren.

(3) Im Falle, in dem der Präsident die Überprüfung des Gesetzes oder die Verifikation seiner Verfassungsmäßigkeit verlangt hat, erfolgt die Verkündung innerhalb von zehn Tagen nach Eingang des nach seiner Überprüfung erlassenen Gesetzes oder der Entscheidung des Verfassungsgerichts, mit der seine Verfassungsmäßigkeit bestätigt wird.

Artikel 78 (Inkrafttreten des Gesetzes)

Das Gesetz wird im offiziellen Amtsblatt von Rumänien veröffentlicht und tritt 3 Tage nach der Veröffentlichung oder zu einem späteren im Gesetz genannten Datum in Kraft.

Artikel 79 (Legislativrat)

(1) Der Legislativrat ist beratendes Fachorgan des Parlaments, der die Entwürfe zu den Normativakten, im Hinblick auf die Systematisierung, Vereinheitlichung und Koordinierung der gesamten Gesetzgebung, begutachtet. Er hält die offizielle Evidenz der Gesetzgebung Rumäniens.

(2) Die Gründung, Organisation und Funktion des Legislativrates werden durch Organgesetz festgelegt.

Kapitel II
Der Präsident Rumäniens

Artikel 80 (Rolle des Präsidenten)

(1) Der Präsident Rumäniens repräsentiert den rumänischen Staat und ist der Garant der nationalen Unabhängigkeit, der Einheit und der territorialen Integrität des Landes.

(2) Der Präsident Rumäniens überwacht die Einhaltung der Verfassung und die gute Funktionsweise der öffentlichen Behörden. Zu diesem Zweck übt der Präsident die Vermittlungsfunktion zwischen den Staatsgewalten sowie zwischen Staat und Gesellschaft aus.

Artikel 81 (Wahl des Präsidenten)

(1) Der Präsident Rumäniens wird durch allgemeine, gleiche, direkte, geheime und freie Wahl gewählt.

(2) Es wird derjenige als gewählter Kandidat erklärt, der beim ersten Wahlgang die Stimmenmehrheit der in den Wählerlisten eingetragenen Wähler auf sich vereinigt.

(3) In dem Falle, dass keiner der Kandidaten diese Mehrheit auf sich vereinigt hat, wird ein zweiter Wahlgang zwischen den ersten zwei Kandidaten, in der Reihenfolge der beim ersten Wahlgang erhaltenen Stimmen, organisiert. Es wird der Kandidat als gewählt erklärt, der die größte Zahl der Stimmen erhalten hat.

(4) Niemand kann öfter als höchstens zweimal zum Präsidenten Rumäniens gewählt werden. Die Wahlmandate können auch aufeinanderfolgen.

Artikel 82 (Gültigkeitserklärung des Mandats und Eidesleistung)

(1) Das Ergebnis der Wahlen für das Amt des Präsidenten Rumäniens wird vom Verfassungsgerichtshof für gültig erklärt.

(2) Der Kandidat, dessen Wahl für gültig erklärt wurde, leistet vor der Abgeordnetenkammer und dem Senat in gemeinsamer

Sitzung folgenden Eid: „Ich schwöre, meine ganze Kraft und mein ganzes Können dem geistigen und materiellen Gedeihen des rumänischen Volkes zu widmen, die Verfassung und die Gesetze des Landes einzuhalten, die Demokratie, die fundamentalen Rechte und Freiheiten der Bürger, die Souveränität, die Einheit und territoriale Integrität Rumäniens zu verteidigen. So wahr mir Gott helfe!"

Artikel 83 (Dauer des Mandats)

(1) Das Mandat des Präsidenten Rumäniens wird für die Dauer von 5 Jahren und vom Tage der Eidesleistung an ausgeübt.

(2) Der Präsident Rumäniens übt das Mandat bis zur Ablegung des Eides durch den neugewählten Präsidenten aus.

(3) Das Mandat des Präsidenten Rumäniens kann im Falle des Krieges oder der Katastrophen durch Organgesetz verlängert werden.

Artikel 84 (Inkompatibilitäten und Immunitäten)

(1) Der Präsident Rumäniens kann während seiner Amtszeit nicht Mitglied einer Partei sein und kann keine andere öffentliche oder private Funktion ausüben.

(2) Der Präsident Rumäniens genießt Immunität. Die Vorschriften des Artikels 72 (1) werden entsprechend angewandt.

Artikel 85 (Ernennung der Regierung)

(1) Der Präsident Rumäniens bestimmt einen Kandidaten für das Amt des Premierministers und ernennt die Regierung auf Grund der durch das Parlament gewahrten Vertrauensabstimmung.

(2) Im Falle der Regierungsumbildung oder der Vakanz eines Ministerpostens beruft und ernennt der Präsident auf Vorschlag des Premierministers einzelne Mitglieder der Regierung.

(3) Ändert sich die politische Struktur oder die Zusammensetzung der Regierung durch den Umbildungsvorschlag, so ist der Präsident Rumäniens nur auf der Grundlage der Zustimmung des Parlaments, welche

dem Vorschlag des Premierministers folgt, berechtigt, die in Absatz 2 genannte Befugnis auszuüben.

Artikel 86 (Befragung der Regierung)

Der Präsident Rumäniens kann die Regierung bezüglich dringender Angelegenheiten von besonderer Bedeutung befragen.

Artikel 87 (Teilnahme an den Sitzungen der Regierung)

(1) Der Präsident Rumäniens kann an den Sitzungen der Regierung, in denen Angelegenheiten von nationalem Interesse hinsichtlich der Außenpolitik, der Landesverteidigung, der Gewährleistung der öffentlichen Ordnung erörtert werden, und auf Ersuchen des Premierministers in anderen Situationen, teilnehmen.

(2) Der Präsident Rumäniens führt den Vorsitz in den Sitzungen der Regierung, an denen er teilnimmt.

Artikel 88 (Botschaften)

Der Präsident Rumäniens richtet Botschaften an das Parlament hinsichtlich der wichtigsten politischen Agenden der Nation.

Artikel 89 (Auflösung des Parlaments)

(1) Nach Befragung der Präsidenten der beiden Kammern und der Vorsitzenden der Parlamentsclubs kann der Präsident Rumäniens das Parlament auflösen, wenn innerhalb von 60 Tagen nach dem ersten Antrag kein Vertrauensvotum zur Bildung einer Regierung erzielt wurde, und erst nach Ablehnung von mindestens zwei Anträgen auf Amtseinsetzung.

(2) Im Laufe eines Jahres kann das Parlament nur ein einziges Mal aufgelöst werden.

(3) Das Parlament kann in den letzten 6 Monaten der Amtszeit des Präsidenten Rumäniens sowie im Status der Mobilisierung, des Krieges, der Belagerung oder des Notstands nicht aufgelöst werden.

Artikel 90 (Referendum)

Der Präsident Rumäniens kann nach Befragung des Parlaments das Volk auffordern, durch Referendum seinen Willen hinsichtlich der Probleme von nationalem Interesse auszudrücken.

Artikel 91 (Befugnisse im außenpolitischen Bereich)

(1) Der Präsident schließt im Namen Rumäniens die von der Regierung ausgehandelten völkerrechtlichen Verträge ab und legt sie dann innerhalb einer angemessenen Frist dem Parlament zur Ratifizierung vor. Die übrigen Verträge und internationalen Übereinkünfte werden nach dem gesetzlich vorgesehenen Verfahren geschlossen, genehmigt oder ratifiziert.

(2) Auf Vorschlag der Regierung beglaubigt der Präsident die diplomatischen Vertreter Rumäniens und beruft sie ab, genehmigt die Errichtung, Auflösung oder Änderung des Ranges der diplomatischen Missionen.

(3) Die diplomatischen Vertreter anderer Staaten werden vom Präsidenten Rumäniens beglaubigt.

Artikel 92 (Befugnisse im Verteidigungsbereich)

(1) Der Präsident Rumäniens ist der Befehlshaber der Armee und erfüllt die Funktion des Vorsitzenden des Obersten Rates für Landesverteidigung.

(2) Er kann mit vorheriger Genehmigung des Parlaments die teilweise oder allgemeine Mobilisierung der Armee erklären. Nur in Ausnahmefällen wird der Beschluss des Präsidenten spätestens 5 Tage nach Annahme nachträglich dem Parlament zur Genehmigung unterbreitet.

(3) Im Falle der gegen das Land gerichteten bewaffneten Aggression ergreift der Präsident Rumäniens Maßnahmen zur Abwehr der Aggression und bringt diese unverzüglich dem Parlament durch eine Botschaft zur Kenntnis. Wenn das Parlament nicht tagt, wird es von Gesetzes wegen in 24 Stunden nach Auslösung der Aggression einberufen.

(4) Im Fall der Mobilisierung oder des Krieges übt das Parlament seine Tätigkeit während der gesamten Dauer dieses Zustands aus und wenn es nicht bereits tagt, wird es von Gesetzes wegen innerhalb von 24 Stunden nach der Erklärung dieses Zustands einberufen.

Artikel 93 (Sondermaßnahmen)

(1) Der Präsident Rumäniens verhängt laut Gesetz den Belagerungszustand oder den Notzustand im ganzen Land oder in einzelnen territorialen Verwaltungseinheiten und ersucht spätestens 5 Tage nach der Verhängung das Parlament um Genehmigung der ergriffenen Maßnahme.

(2) Falls das Parlament nicht tagt, wird es von Gesetzes wegen binnen 48 Stunden nach der Ausrufung des Belagerungszustands oder des Notzustands einberufen und arbeitet während ihrer ganzen Dauer durch.

Artikel 94 (Andere Befugnisse)

Der Präsident Rumäniens übt auch folgende Befugnisse aus:

a) er verleiht Auszeichnungen und Ehrentitel;

b) er verleiht den Grad eines Marschalls, eines Generals und eines Admirals;

c) er ernennt öffentliche Amtsträger unter den im Gesetz vorgesehenen Bedingungen;

d) er gewährt die individuelle Begnadigung.

Artikel 95 (Außeramtssetzung)

(1) Im Falle der Verübung einiger schwerwiegender Handlungen, durch die er die Verfassungsbestimmungen verletzt, kann der Präsident Rumäniens von der Abgeordnetenkammer und dem Senat in gemeinsamer Sitzung mit Stimmenmehrheit der Abgeordneten und Senatoren, nach Befragung des Verfassungsgerichtshofes von seinem Amt suspendiert werden. Der Präsident kann dem Parlament Erläuterungen hinsichtlich der Handlungen, die ihm vorgeworfen werden, geben.

(2) Der Vorschlag zur Außeramtssetzung kann von wenigstens einem Drittel der Zahl der Abgeordneten und der Senatoren initiiert werden und wird unverzüglich dem Präsidenten zur Kenntnis gebracht.

(3) Wenn der Vorschlag zur Außeramtsset-

zung genehmigt ist, wird in höchstens 30 Tagen ein Referendum über die Absetzung des Präsidenten aus dem Amte organisiert.

Artikel 96 (Amtsenthebung)

(1) Die Abgeordnetenkammer und der Senat entscheiden in einer gemeinsamen Sitzung über die Amtsenthebung des Präsidenten Rumäniens wegen Hochverrats mit den Stimmen von mindestens zwei Dritteln der Anzahl der Abgeordneten und Senatoren.

(2) Der Amtsenthebungsvorschlag kann von der Mehrheit der Abgeordneten und Senatoren initiiert werden und ist dem Präsidenten Rumäniens unverzüglich bekanntzugeben, sodass dieser eine Erklärung über die Tatsachen geben kann, die ihm vorgeworfen werden.

(3) Vom Tag der Amtsenthebung bis zum Tag der Entlassung ist der Präsident von Gesetzes wegen suspendiert.

(4) Die Zuständigkeit über diese Fälle zu urteilen liegt beim Obersten Gerichts- und Kassationshof. Der Präsident wird von Gesetzes wegen mit der Rechtskraft des Urteils über die Amtsenthebung entlassen.

Artikel 97 (Amtsvakanz)

(1) Die Vakanz des Amtes des Präsidenten Rumäniens erfolgt im Falle des Rücktritts, der Amtsenthebung, der endgültigen Unmöglichkeit der Ausübung der Befugnisse oder im Falle des Todes.

(2) In einer Frist von drei Monaten, vom Datum, an dem die Vakanz des Amtes des Präsidenten Rumäniens eintrat, organisiert die Regierung Wahlen für einen neuen Präsidenten.

Artikel 98 (Zwischenzeitfunktion)

(1) Wenn das Amt des Präsidenten vakant wird, wenn der Präsident von dem Amt suspendiert ist, oder wenn er sich in vorübergehender Unmöglichkeit befindet, seine Befugnisse auszuüben, so wird das Interim in der Reihenfolge, vom Präsidenten des Senats oder vom Präsidenten der Abgeordnetenkammer gesichert.

(2) Die in Artikel 88-90 vorgesehenen Befugnisse können für die Dauer des Interims des Präsidentenamtes nicht ausgeübt werden.

Artikel 99 (Verantwortlichkeit des interimistischen Präsidenten)

Wenn die Person, die das Interim des Amtes des Präsidenten Rumäniens sicherstellt, schwerwiegende Handlungen begeht, durch welche die Verfassungsbestimmungen verletzt werden, so kommen die Artikel 95 und 98 zur Anwendung.

Artikel 100 (Erlässe des Präsidenten)

(1) In Ausübung seiner Befugnisse erlässt der Präsident Rumäniens Dekrete, die im Amtsblatt Rumäniens veröffentlicht werden. Die Nichtveröffentlichung zieht das Nichtvorhandensein des Dekrets nach sich.

(2) Die Dekrete, die der Präsident Rumäniens in Ausübung seiner in Artikel 91 Absatz (1) und (2), Artikel 92 (2) und (3), Artikel 93 Absatz (1), und Artikel 94 Buchstabe a, b, und d vorgesehenen Befugnisse erlässt, werden vom Premierminister gegengezeichnet.

Artikel 101 (Vergütung und andere Rechte)

Die Vergütung und andere Rechte des Präsidenten Rumäniens werden durch Gesetz festgelegt.

Kapitel III
Die Regierung

Artikel 102 (Rolle und Aufbau)

(1) Die Regierung gewährleistet, gemäß ihres vom Parlament bewilligten Regierungsprogramms, die Verwirklichung der Innen- und Außenpolitik des Landes und übt die allgemeine Leitung der öffentlichen Verwaltung aus.

(2) In der Erfüllung ihrer Befugnisse kooperiert die Regierung mit den interessierten gesellschaftlichen Gruppen.

(3) Die Regierung besteht aus dem Premierminister, den Ministern sowie auch aus anderen durch das Organgesetz festgelegten Mitgliedern.

Artikel 103 (Investitur)

(1) Der Präsident Rumäniens bestimmt einen Kandidaten für das Amt des Premierministers, nach Befragung der Partei, die die absolute Mehrheit im Parlament hat oder, wenn eine solche Mehrheit nicht besteht, der im Parlament repräsentierten Parteien.

(2) Der Kandidat für das Amt des Premierministers ersucht in der Frist von 10 Tagen nach der Ernennung um das Vertrauensvotum des Parlaments zum Programm und zur gesamten Regierungsliste.

(3) Das Programm und die Regierungsliste werden von der Abgeordnetenkammer und vom Senat in gemeinsamer Sitzung erörtert. Das Parlament gewährt der Regierung das Vertrauen mit Stimmenmehrheit der Abgeordneten und der Senatoren.

Artikel 104 (Treueid)

(1) Der Premierminister, die Minister und die anderen Mitglieder der Regierung leisten individuell vor dem Präsidenten Rumäniens den in Artikel 82 vorgesehenen Eid.

(2) Die Regierung in ihrer Gesamtheit und jedes Mitglied für sich übt das Mandat vom Datum der Eidablegung aus.

Artikel 105 (Inkompatibilitäten)

(1) Das Amt des Regierungsmitglieds ist unvereinbar mit der Ausübung eines anderen öffentlichen Behördenamtes, mit Ausnahme jenes des Abgeordneten oder des Senators. Ebenso ist es mit der Ausübung einer von einer Handelsgesellschaft bezahlten beruflichen Leitungsfunktion unvereinbar.

(2) Andere Inkompatibilitäten werden durch das Organgesetz festgelegt.

Artikel 106 (Amtseinstellung des Mitglieds der Regierung)

Das Amt des Regierungsmitglieds erlischt infolge von Rücktritt, Abberufung, Verlust der Wahlrechte, des Zustands der Unvereinbarkeit, des Ablebens sowie in anderen vom Gesetz vorgesehenen Fällen.

Artikel 107 (Premierminister)

(1) Der Premierminister leitet die Regierung und koordiniert die Tätigkeit von deren Mitgliedern, wobei er die ihnen zukommenden Befugnisse achtet. Desgleichen unterbreitet er der Abgeordnetenkammer und dem Senat Berichte und Erklärungen im Hinblick auf die Politik der Regierung, die vorrangig erörtert werden.

(2) Der Präsident Rumäniens kann den Premierminister nicht entlassen.

(3) Falls der Premierminister sich in einer der in Artikel 106 vorgesehenen Situationen befindet, mit Ausnahme der Entlassung, oder es ihm unmöglich ist, seine Befugnisse auszuüben, hat der Präsident Rumäniens ein anderes Regierungsmitglied als interimistischen Premierminister zu bestimmen, um die Befugnisse des Premierministers bis zur Bildung einer neuen Regierung zu erfüllen. Das Interim für die Periode der Unmöglichkeit der Ausübung der Befugnisse endet, wenn der Premierminister seine Tätigkeit in der Regierung wiederaufnimmt.

(4) Die Bestimmungen des Absatzes 3 werden auf Vorschlag des Premierministers für eine Periode von höchstens 45 Tagen in entsprechender Weise auch bei den anderen Mitgliedern der Regierung angewendet.

Artikel 108 (Erlässe der Regierung)

(1) Die Regierung fasst Beschlüsse und beschließt Verordnungen.

(2) Die Beschlüsse werden für die Organisation des Gesetzesvollzugs angenommen.

(3) Die Verordnungen werden auf Grund eines zeitlichen Befähigungsgesetzes angenommen, in den Grenzen und unter den von diesem vorgesehenen Bedingungen.

(4) Die von der Regierung angenommenen Beschlüsse und Verordnungen werden vom Premierminister unterzeichnet, von den Ministern, die verpflichtet sind sie zur Anwendung zu bringen gegengezeichnet und im Amtsblatt Rumäniens veröffentlicht. Die Nichtveröffentlichung bewirkt die Nichtigkeit des Beschlusses oder der Verordnung. Die Beschlüsse, die Militärcharakter haben, werden nur den zuständigen Institutionen zu Kenntnis gebracht.

Artikel 109 (Verantwortlichkeit der Regierungsmitglieder)

(1) Die Regierung ist vor dem Parlament für ihre gesamte Tätigkeit politisch verantwortlich. Jedes Regierungsmitglied ist solidarisch mit den anderen Mitgliedern für die Tätigkeit der Regierung und deren Handlungen politisch verantwortlich.

(2) Die Abgeordnetenkammer, der Senat und der Präsident Rumäniens haben das Recht, die Strafverfolgung der Regierungsmitglieder für die in der Amtsausübung begangenen Taten zu verlangen. Falls die strafgerichtliche Verfolgung verlangt wurde, so kann der Präsident Rumäniens die Außeramtssetzung verfügen. Die gerichtliche Anklage eines Regierungsmitglieds zieht dessen Außeramtssetzung nach sich. Die Gerichtszuständigkeit liegt beim Obersten Gerichts- und Kassationshof.

(3) Die Fälle der Verantwortlichkeit und die auf Regierungsmitglieder anwendbaren Strafen sind durch das Gesetz über die Ministerverantwortlichkeit geregelt.

Artikel 110 (Mandatsbeendigung)

(1) Die Regierung übt ihr Mandat bis zum Datum der Gültigerklärung der allgemeinen Parlamentswahlen aus.

(2) Die Regierung ist entlassen ab dem Datum der Zurückziehung des gewährten Vertrauens durch das Parlament oder falls der Premierminister sich in einer der in Artikel 106 vorgesehenen Situationen befindet, mit der Ausnahme der Entlassung, oder es ihm unmöglich ist, seine Befugnisse mehr als 45 Tage auszuüben.

(3) In den im Absatz 2 vorgesehenen Situationen kommen die Vorschriften des Artikels 103 zur Anwendung.

(4) Die Regierung, deren Mandat gemäß den Absätzen 1 und 2 beendet ist, erledigt nur die erforderlichen Geschäfte für die Verwaltung der öffentlichen Angelegenheiten bis zur Eidablegung durch die Mitglieder der neuen Regierung.

**Kapitel IV
Die Beziehungen zwischen Parlament und Regierung**

Artikel 111 (Benachrichtigung des Parlaments)

(1) Die Regierung und die anderen Organe der öffentlichen Verwaltung sind im Rahmen der parlamentarischen Kontrolle ihrer Tätigkeit verpflichtet, die von der Abgeordnetenkammer, dem Senat oder den parlamentarischen Kommissionen durch ihren Präsidenten angeforderten Informationen und Dokumente vorzulegen. In dem Falle, dass eine Gesetzesinitiative die Änderung der Bestimmungen des Staatsbudgets oder des Budgets der staatlichen Sozialversicherungen erforderlich macht, ist die Anforderung der Information obligatorisch.

(2) Die Regierungsmitglieder haben Zugang zu den Arbeiten des Parlaments. Falls ihre Anwesenheit verlangt wird, ist ihre Teilnahme verpflichtend.

Artikel 112 (Fragen, Interpellationen und einfache Anträge)

(1) Die Regierung und jedes ihrer Mitglieder ist verpflichtet, unter den Bedingungen der Geschäftsordnung der beiden Kammern, Fragen und Interpellationen, die von den Abgeordneten oder den Senatoren vorgebracht werden, zu beantworten.

(2) Die Abgeordnetenkammer oder der Senat können einen einfachen Antrag einbringen, in dem sie ihren Standpunkt zu einer innenpolitischen oder außenpolitischen Angelegenheit oder einer Angelegenheit, die Gegenstand einer Interpellation war, darlegen.

Artikel 113 (Misstrauensantrag)

(1) Die Abgeordnetenkammer und der Senat können in gemeinsamer Sitzung, durch Annahme eines Misstrauensantrags mit Stimmenmehrheit der Abgeordneten und der Senatoren, das der Regierung gewährte Vertrauen zurückziehen.

(2) Der Misstrauensantrag kann von mindestens einem Viertel der Zahl der Abgeord-

neten und der Senatoren beantragt werden und wird der Regierung am Tag der Hinterlegung mitgeteilt.

(3) Der Misstrauensantrag wird nach drei Tagen, vom Tag, an dem er eingebracht wurde, in gemeinsamer Sitzung der beiden Kammern erörtert.

(4) Falls der Misstrauensantrag zurückgewiesen wurde, können die Abgeordneten und Senatoren, die ihn unterzeichnet haben, während der gleichen Tagung keinen neuen Misstrauensantrag mehr initiieren, mit Ausnahme des Falles, dass die Regierung ihre Verantwortung, gemäß Artikel 114 übernimmt.

Artikel 114 (Übernahme der Verantwortung durch die Regierung)

(1) Die Regierung kann vor der Abgeordnetenkammer und dem Senat in gemeinsamer Sitzung ihre Verantwortung hinsichtlich eines Programms, einer Erklärung der allgemeinen Politik oder einer Gesetzesvorlage übernehmen.

(2) Die Regierung ist entlassen, falls nach der Vorstellung des Programms, der Erklärung über die allgemeine Politik oder einer Gesetzesvorlage über einen in der Frist von drei Tagen eingebrachten Misstrauensantrag unter den Bedingungen des Artikels 113 abgestimmt wurde.

(3) Wird die Regierung nicht entsprechend Absatz 2 entlassen, so gilt die eingebrachte, geänderte oder gegebenenfalls mit den von der Regierung angenommenen Änderungen vervollständigte Gesetzesvorlage als angenommen und die Erfüllung des Programms oder der allgemeinen politischen Erklärung wird für die Regierung verbindlich.

(4) In dem Falle, dass der Präsident Rumäniens die Überprüfung des gemäß Absatz 3 angenommenen Gesetzes verlangt, erfolgt seine Erörterung in gemeinsamer Sitzung der beiden Kammern.

Artikel 115 (Legislative Delegation)

(1) Das Parlament kann ein Sondergesetz zur Befähigung der Regierung verabschieden, damit sie Verordnungen in den Berei-chen annehmen kann, die nicht den Gegenstand von Organgesetzen bilden.

(2) Das Ermächtigungsgesetz legt zwingend den Bereich und das Datum fest, bis zu welchem Verordnungen beschlossen werden können.

(3) Falls das Ermächtigungsgesetz es verlangt, werden die Verordnungen dem Parlament, gemäß dem Gesetzgebungsverfahren, zur Genehmigung, bis zum Ablauf der Ermächtigungsfrist, unterbreitet. Die Nichteinhaltung der Frist hebt die Rechtswirkungen der Verordnungen auf.

(4) Die Regierung kann Notverordnungen nur in Ausnahmefällen erlassen, wenn deren Erlass nicht aufgeschoben werden kann und hat die Pflicht in diesen die Gründe für den Notzustand anzugeben.

(5) Eine Notverordnung tritt erst in Kraft, wenn sie der zuständigen Kammer zur Erörterung in einem Eilverfahren vorgelegt und im offiziellen Amtsblatt Rumäniens kundgemacht wurde. Wenn die Kammern nicht tagen, sollen diese auf jeden Fall binnen 5 Tagen nach der Vorlage oder gegebenenfalls nach der Versendung, zusammentreten. Hat die verständigte Kammer nicht binnen 30 Tagen nach der Vorlage einen Beschluss über die Notverordnung gefasst, so gilt diese als angenommen und wird der anderen Kammer übermittelt, die ebenfalls eine Entscheidung im Eilverfahren treffen soll. Eine Notverordnung, die Angelegenheiten von Organgesetzen regelt, muss mit der in Artikel 76 (1) geregelten Mehrheit angenommen werden.

(6) Notverordnungen können im Bereich von Verfassungsgesetzen, nicht angenommen werden und dürfen den Status von fundamentalen Einrichtungen des Staates, die Rechte, Freiheiten und Pflichten, die in der Verfassung geregelt sind und die Wahlrechte nicht berühren und dürfen auch keine Schritte vorsehen, um Güter gewaltsam in staatliches Eigentum zu bringen.

(7) Die dem Parlament zur Kenntnis gebrachten Verordnungen sind durch Gesetz zu billigen oder abzulehnen, das auch die Ver-

ordnung enthalten muss, die nach Absatz 3 unwirksam geworden ist.

(8) Das Gesetz, mit welchem eine Verordnung gebilligt oder abgelehnt wird, hat gegebenenfalls die nötigen Schritte zu regeln, die die rechtlichen Auswirkungen der Verordnung für die Zeit ihrer Geltung betreffen.

Kapitel V
Die öffentliche Verwaltung

Abschnitt 1
Die zentrale öffentliche Fachverwaltung

Artikel 116 (Aufbau)
(1) Die Ministerien werden nur in Unterordnung der Regierung organisiert.

(2) Andere Fachorgane können sich in Unterordnung der Regierung oder der Ministerien oder als autonome Verwaltungsbehörden organisieren.

Artikel 117 (Gründung)
(1) Die Ministerien werden errichtet, organisiert und funktionieren nach Maßgabe der Gesetze.

(2) Die Regierung und die Ministerien können mit einem Gutachten des Rechnungshofes Fachorgane in ihrer Unterordnung gründen, jedoch nur wenn das Gesetz ihnen diese Zuständigkeit zubilligt.

(3) Autonome Verwaltungsbehörden können durch das Organgesetz errichtet werden.

Artikel 118 (Streitkräfte)
(1) Die Armee ist ausschließlich dem Willen des Volkes untergeordnet, zur Gewährleistung der Souveränität, der Unabhängigkeit und der Einheit des Staates, der territorialen Integrität des Landes und der verfassungsmäßigen Demokratie. Nach den Gesetzen und den völkerrechtlichen Verträgen, bei denen Rumäninnen Vertragspartei ist, hat die Armee zu der kollektiven Verteidigung in militärischen Allianzen beizutragen und an Missionen zur Friedenserhaltung oder zur Wiederherstellung des Friedens teilzuhaben.

(2) Die Struktur des nationalen Verteidigungssystems, die Vorbereitung der Bevölkerung, der Wirtschaft und des Territoriums für die Verteidigung sowie der Status des Militärs werden durch Organgesetz festgelegt.

(3) Die Absätze 1 und 2 gelten entsprechend für die übrigen nach dem Gesetz geschaffenen Bestandteile der Streitkräfte.

(4) Die Organisation von militärischen oder paramilitärischen Tätigkeiten außerhalb einer staatlichen Behörde ist untersagt.

(5) Ausländische Streitkräfte dürfen das rumänische Territorium nur betreten, dort stationiert sein, Operationen ausführen oder durchqueren, wenn dies aufgrund der Bestimmungen des Gesetzes oder der völkerrechtlichen Verträge geschieht, bei denen Rumänien Vertragspartei ist.

Artikel 119 (Oberster Rat für Landesverteidigung)
Der Oberste Rat für Landesverteidigung organisiert und koordiniert einheitlich die Tätigkeiten, die die Verteidigung des Landes und die nationale Sicherheit betreffen, die Teilnahme an der Erhaltung der internationalen Sicherheit und an der kollektiven Verteidigung in militärischen Allianzen sowie an Missionen zur Friedenserhaltung oder zur Wiederherstellung des Friedens.

Abschnitt 2
Die lokale öffentliche Verwaltung

Artikel 120 (Grundprinzipien)
(1) Die öffentliche Verwaltung in territorialen Verwaltungseinheiten basiert auf den Prinzipien der Dezentralisation, der lokalen Autonomie und der Dezentralisation der öffentlichen Dienste.

(2) In territorialen Verwaltungseinheiten, wo Bürger, die einer nationalen Minderheit angehören einen erheblichen Anteil ausmachen, sind Maßnahmen zu treffen um die Sprache der Minderheiten im Kontakt mit der lokalen öffentlichen Verwaltung und dezentralisierten öffentlichen Diensten in Schrift und Sprache, entsprechend den Be-

dingungen in den Organgesetzen, zu nutzen.

Artikel 121 (Gemeinde- und Stadtbehörden)

(1) Die Behörden der öffentlichen Verwaltung, durch welche die Lokalautonomie in den Gemeinden und Städten verwirklicht wird, sind die gemäß dem Gesetz gewählten Lokalräte und die gewählten Bürgermeister.

(2) Die Lokalräte und die Bürgermeister arbeiten als autonome Verwaltungsbehörden und erledigen die öffentlichen Angelegenheiten in den Gemeinden und Städten gemäß dem Gesetz.

(3) Die in Absatz 1 vorgesehenen Behörden können sich auch in den administrativterritorialen Untereinteilungen der Munizipien konstituieren.

Artikel 122 (Kreisrat)

(1) Der Kreisrat ist die öffentliche Verwaltungsbehörde für die Koordinierung der Tätigkeit der Lokalräte der Städte und Gemeinden im Hinblick auf die Realisierung der öffentlichen Dienste, die auf Kreisebene von Interesse sind.

(2) Der Kreisrat wird gewählt und funktioniert im Rahmen des Gesetzes.

Artikel 123 (Präfekt)

(1) Die Regierung ernennt je einen Präfekten in jedem Kreis und im Munizipium Bukarest.

(2) Der Präfekt ist der Vertreter der Regierung auf Lokalebene und leitet die dezentralisierten öffentlichen Dienste der Ministerien und der anderen Zentralorgane in den territorialen Verwaltungseinheiten.

(3) Die Befugnisse des Präfekten werden durch Organgesetz festgelegt.

(4) Zwischen den Präfekten auf der einen Seite, den Lokalräten und Bürgermeistern sowie den Kreisräten und deren Präsidenten auf der anderen Seite, besteht kein Verhältnis der Unterordnung.

(5) Der Präfekt kann einen Akt des Kreisrates, des Lokalrates oder des Bürgermeisters vor der Instanz für Verwaltungsstreitsa-

chen anfechten, im Falle, dass er den Akt für gesetzeswidrig erachtet. Der angefochtene Akt ist von Gesetzes wegen suspendiert.

Kapitel VI
Die richterlichen Behörden

Abschnitt 1
Die Gerichtsinstanzen

Artikel 124 (Rechtspflege)

(1) Die Rechtspflege wird im Namen des Gesetzes verwirklicht.

(2) Die Justiz ist für alle einheitlich, unparteiisch und gleich.

(3) Die Richter sind unabhängig und nur dem Gesetz unterworfen.

Artikel 125 (Rechtsstellung der Richter)

(1) Die vom Präsidenten Rumäniens ernannten Richter sind nach Maßgabe des Gesetzes unabsetzbar.

(2) Die Ernennungsvorschläge sowie die Beförderung, Versetzung von Richtern und die Sanktionen gegen Richter fallen, unter den Vorgaben seines Organgesetzes, ausschließlich in die Kompetenz des Obersten Rates der Magistratur.

(3) Das Richteramt ist unvereinbar mit jeder anderen öffentlichen oder privaten Funktion, mit Ausnahme der didaktischen Funktion im Hochschulunterricht.

Artikel 126 (Gerichtsinstanzen)

(1) Die Justiz wird vom Obersten Gerichts- und Kassationshof und den anderen vom Gesetz festgelegten Gerichten ausgeführt.

(2) Die Rechtsprechung der Gerichte und die Verfahrensabläufe werden ausschließlich durch das Gesetz vorgegeben.

(3) Der Oberste Gerichts- und Kassationshof hat, entsprechend seiner Kompetenz, eine einheitliche Interpretation und Umsetzung des Rechts durch die anderen Gerichte zu gewährleisten.

(4) Die Zusammensetzung des Obersten Gerichts- und Kassationshofes und die Re-

gelungen seiner Arbeitsweise werden durch ein Organgesetz festgelegt.

(5) Es ist untersagt außerordentliche Gerichte einzurichten. Durch Organgesetz können spezialisierte Gerichte in bestimmten Bereichen geschaffen werden, an denen gegebenenfalls die Teilnahme von Personen außerhalb der Richterschaft erlaubt ist.

(6) Die juristische Kontrolle von Verwaltungsakten der öffentlichen Behörden, über den Weg strittiger Angelegenheiten die in die Kompetenz der Verwaltungsgerichte fallen, ist garantiert, mit Ausnahme von jenen, die die Beziehungen zum Parlament betreffen sowie militärischer Befehlsakte. Die Verwaltungsgerichte, die über strittige Angelegenheiten entschieden, sind für Entscheidungen über Klagen von Personen zuständig, die durch gesetzlich festgelegte Verfügungen und gegebenenfalls durch Bestimmungen in gesetzlich festgelegten Verfügungen, die für verfassungswidrig erklärt wurden, geschädigt sind.

Artikel 127 (Öffentlichkeitscharakter der Verhandlungen)

Die Gerichtsverhandlungen sind, außer in den vom Gesetz vorgesehenen Fallen, öffentlich.

Artikel 128 (Gebrauch der Muttersprache und Dolmetscher bei Gericht)

(1) Das Gerichtsverfahren wird in rumänischer Sprache durchgeführt.

(2) Rumänische Bürger, die nationalen Minderheiten angehören, haben entsprechend den Regelungen des Organgesetzes das Recht sich vor den Gerichten in ihrer Muttersprache auszudrücken.

(3) Die Ausübung des Rechts nach Absatz 2, einschließlich der Beiziehung von Dolmetschern oder er Gebrauch von Übersetzungen, ist so zu regeln, dass der geordnete Ablauf der Rechtspflege nicht behindert wird und für die Betroffenen keine weiteren Kosten entstehen.

(4) Ausländische Bürger und Staatenlose, die die rumänische Sprache nicht verstehen oder sprechen, sind berechtigt durch einen Dolmetscher Kenntnis von allen Akten zu nehmen, vor Gericht zu sprechen und Schlussfolgerungen zu ziehen; in strafrechtlichen Verfahren ist dieses Recht unentgeltlich gewährleistet.

Artikel 129 (Gebrauch der Rechtsmittel)

Gegen die Gerichtsurteile können die betroffenen Parteien und die Staatsanwaltschaft nach Maßgabe der Gesetze Rechtsmittel erheben.

Artikel 130 (Gerichtspolizei)

Die Gerichte verfügen über Polizeikräfte.

Abschnitt 2
Die Staatsanwaltschaft

Artikel 131 (Rolle der Staatsanwaltschaft)

(1) In der Gerichtstätigkeit vertritt die Staatsanwaltschaft die allgemeinen Interessen der Gesellschaft und verteidigt die Rechtsordnung sowie die Rechte und Freiheiten der Bürger.

(2) Die Staatsanwaltschaft übt ihre Befugnisse gemäß dem Gesetz durch die Staatsanwälte, die bei den Gerichtsinstanzen als Anklagebehörden konstituiert sind, aus.

(3) Die den Gerichten zugeordneten Staatsanwaltschaften leiten und überwachen die strafrechtliche Ermittlungsarbeit der Polizei nach Maßgabe der Gesetze.

Artikel 132 (Rechtsstellung der Staatsanwälte)

(1) Die Staatsanwälte entfalten ihre Tätigkeit gemäß den Prinzipien der Gesetzlichkeit, Unparteilichkeit und der hierarchischen Kontrolle unter der Autorität des Justizministers.

(2) Das Amt des Staatsanwalts ist unvereinbar mit jeder anderen öffentlichen oder privaten Funktion, mit Ausnahme der didaktischen Funktion im Hochschulunterricht.

Abschnitt 3
Der Oberste Rat der Magistratur

Artikel 133 (Rolle und Struktur)

(1) Der Oberste Rat der Magistratur garantiert die Unabhängigkeit der Justiz.

(2) Der Oberste Rat der Magistratur besteht aus 19 Mitgliedern, von denen:

a) 14 von der Generalversammlung der Richter gewählt und vom Senat bestätigt werden; Sie gehören zwei Sektionen an, einer für Richter und einer für Staatsanwälte; die erste besteht aus 9 Richtern und die zweite aus 5 Staatsanwälten;

b) 2 Vertreter der Zivilgesellschaft, die Fachleute des Rechts sind und ein hohes fachliches und moralisches Ansehen genieße und vom Senat gewählt werden; diese nehmen nur an Plenartagungen teil;

c) der Justizminister, der Präsident des Obersten Gerichts- und Kassationshofs und der Generalstaatsanwalt der Staatsanwaltschaft, die dem Obersten Gerichts- und Kassationshof zugeordnet ist.

(3) Der Präsident des Obersten Rats der Magistratur wird für eine nicht verlängerbare Amtszeit von einem Jahr aus den unter Absatz 2 a) genannten Mitgliedern gewählt.

(4) Die Amtszeit der Mitglieder des Obersten Rats der Magistratur beträgt 6 Jahre.

(5) Der Oberste Rat der Magistratur trifft seine Entscheidungen durch geheime Abstimmung.

(6) Der Präsident Rumäniens übernimmt den Vorsitz der Sitzungen des Obersten Rats der Magistratur, an welchen er teilnimmt.

(7) Entscheidungen des Obersten Rats der Magistratur sind, mit Ausnahme der in Artikel 134 (2) genannten, endgültig und unwiderruflich.

Artikel 134 (Befugnisse)

(1) Der Oberste Rat der Magistratur schlägt dem Präsidenten Rumäniens, nach Maßgabe des Gesetzes, die Ernennung von Richtern und Staatsanwälten, mit Ausnahme von Anwärtern, vor.

(2) Der Oberste Rat der Magistratur übt, auf Grundlage des in seinem Organgesetz

festgelegten Verfahrens, durch seine Sektionen die Rolle eines Gerichts aus, insoweit es sich um die disziplinäre Verantwortlichkeit von Richtern und Staatsanwälten handelt. In solchen Fällen sind der Justizminister, der Präsident des Obersten Gerichts- und Kassationshofs und der Generalstaatsanwalt der Staatsanwaltschaft, die dem Obersten Gerichts- und Kassationshof zugeordnet ist, nicht stimmberechtigt.

(3) Disziplinarentscheidungen des Obersten Rats der Magistratur können vor dem Obersten Gerichts- und Kassationshof angefochten werden.

(4) Der Oberste Rat der Magistratur erfüllt darüber hinaus weitere, in seinem Organgesetz festgelegte Pflichten, um seine Rolle als Garant der Unabhängigkeit der Justiz zu erfüllen.

Titel IV
DIE WIRTSCHAFT UND DIE ÖFFENTLICHEN FINANZEN

Artikel 135 (Wirtschaft)

(1) Die rumänische Wirtschaft ist eine freie Marktwirtschaft, auf Grundlage von freien Unternehmen und freiem Wettbewerb.

(2) Der Staat muss gewährleisten:

a) die Handelsfreiheit, den Schutz des lauteren Wettbewerbes, die Schaffung eines günstigen Rahmens für die Verwertung aller Produktionsfaktoren;

b) den Schutz der nationalen Interessen in der Wirtschafts-, Finanz- und Währungstätigkeit;

c) die Förderung der nationalen wissenschaftlichen und technologischen Forschungstätigkeit, der Künste und des Schutzes des Urheberrechts;

d) die Ausbeutung der Naturressourcen im Einklang mit dem Nationalinteresse;

e) die Wiederherstellung und den Schutz der Umwelt sowie die Erhaltung des ökologischen Gleichgewichts;

f) die Schaffung der erforderlichen Bedingungen für das Ansteigen der Lebensqualität;

g) die Umsetzung der Regionalentwicklungspolitik im Einklang mit den Zielen der Europäischen Union.

Artikel 136 (Eigentum)

(1) Das Eigentum ist öffentlich oder privat.

(2) Öffentliches Eigentum ist gewährleistet und vom Gesetz geschützt und gehört entweder dem Staat oder territorialen Verwaltungseinheiten.

(3) Die mineralischen Ressourcen von öffentlichem Interesse, die Luft, die Gewässer mit Potenzial zur Energiegewinnung, die im nationalen Interesse genutzt werden können, die Strände, die Küstenmeere, die natürlichen Ressourcen der Wirtschaftszone und des Festlandsockels sowie andere durch Organgesetz begründete Besitztümer sind ausschließlich öffentliches Eigentum.

(4) Öffentliches Eigentum ist unveräußerlich. Nach den Bestimmungen des Organgesetzes kann das öffentliche Eigentum von autonomen Regien oder öffentlichen Einrichtungen verwaltet, verliehen oder vermietet werden; es kann auch gemeinnützigen Einrichtungen zur unentgeltlichen Nutzung überlassen werden.

(5) Privates Eigentum ist nach Maßgabe des Organgesetzes unantastbar.

Artikel 137 (Finanzsystem)

(1) Bildung, Verwaltung, Verwendung und Kontrolle der finanziellen Ressourcen des Staates, der territorialen Verwaltungseinheiten und der öffentlichen Institutionen sind durch das Gesetz geregelt.

(2) Die Landeswährung ist der Leu, und seine Unterteilung die Ban. In Anbetracht eines Beitritts Rumäniens zur Europäischen Union kann der Umlauf und die Ersetzung der Landeswährung durch die Währung der Europäischen Union durch ein Organgesetz eingeräumt werden.

Artikel 138 (Öffentliches Nationalbudget)

(1) Das öffentliche Nationalbudget umfasst das Staatsbudget, das Budget der staatlichen Sozialversicherungen und die Lokalbudgets der Gemeinden, der Städte und der Kreise.

(2) Die Regierung erstellt jährlich den Entwurf des Staatsbudgets und jenen der staatlichen Sozialversicherungen, die sie separat dem Parlament zur Genehmigung unterbreitet.

(3) Falls das Gesetz über das Staatbudget und das Budget der staatlichen Sozialversicherungen nicht wenigstens 3 Tage vor Ablauf der Budgetgebarung verabschiedet wurde, wird weiterhin das Staatsbudget und das Budget der staatlichen Sozialversicherungen des vorigen Jahres bis zur Annahme des neuen Budgets angewendet.

(4) Die Lokalbudgets werden erstellt, genehmigt und im Rahmen des Gesetzes durchgeführt.

(5) Keine einzige budgetäre Ausgabe kann ohne die Festsetzung der Finanzierungsquelle gebilligt werden.

Artikel 139 (Steuern, Zölle und sonstige Abgaben)

(1) Die Steuern und jede andere Einnahme des Staatsbudgets und des Budgets der staatlichen Sozialversicherungen werden nur durch Gesetz festgelegt.

(2) Die lokalen Steuern und Gebühren werden von den Lokalräten und von den Kreisräten in den Grenzen und unter den Bedingungen des Gesetzes festgelegt.

(3) Die Beträge, die Beiträge zur Einrichtung von Fonds darstellen, dürfen nach dem Gesetz nur für ihren eigentlichen Zweck verwendet werden.

Artikel 140 (Rechnungshof)

(1) Der Rechnungshof übt die Kontrolle über die Bildung, Verwaltung und Verwendung der Finanzmittel des Staates und des öffentlichen Sektors aus. Nach den Bestimmungen des Organgesetzes werden Streitigkeiten, die aus der Tätigkeit des Rechnungshofes entstehen, von spezialisierten Gerichten behandelt.

(2) Der Rechnungshof unterbreitet dem Parlament jährlich einen Bericht über die Geschäftsführungskonten des nationalen

öffentlichen Budgets aus der abgelaufenen Budgetgebarung, wobei auch die festgestellten Unregelmäßigkeiten umfasst sind.

(3) Auf Ersuchen der Abgeordnetenkammer oder des Senats kontrolliert der Rechnungshof die Art der Verwaltung der öffentlichen Ressourcen und berichtet dem Parlament über die gemachten Feststellungen.

(4) Die Mitglieder des Rechnungshofs werden vom Parlament für eine Amtszeit von 9 Jahren ernannt, die weder verlängert noch erneuert werden kann. Die Mitglieder des Rechnungshofs üben ihr Amt unabhängig aus und sind während der gesamten Amtszeit nicht absetzbar. Sie unterliegen den Unvereinbarkeiten, die das Gesetz für Richter vorsieht.

(5) Ein Drittel der Mitglieder des Rechnungshofes wird alle 3 Jahre, entsprechend den Bestimmungen im Organgesetz für die Gerichte, durch vom Parlament ernannte Mitglieder neu besetzt.

(6) Das Parlament kann die Mitglieder des Rechnungshofs in den Fällen und unter den Bedingungen, die das Gesetz vorsieht, abberufen.

Artikel 141 (Wirtschafts- und Sozialrat)
Der Wirtschafts- und Sozialrat ist ein beratendes Gremium des Parlaments und der Regierung in den Fachgebieten, die das Organgesetz für seine Einrichtung, Organisation und Arbeitsweise vorsieht.

Titel V
DER VERFASSUNGSGERICHTSHOF

Artikel 142 (Aufbau)
(1) Der Verfassungsgerichtshof ist Garant für den Vorrang der Verfassung.

(2) Der Verfassungsgerichtshof setzt sich aus neun Richtern zusammen, die für ein Mandat von neun Jahren ernannt werden und das nicht verlängert oder erneuert werden kann.

(3) Drei Richter werden von der Abgeordnetenkammer, drei vom Senat und drei vom Präsidenten Rumäniens ernannt.

(4) Die Richter des Verfassungsgerichtshofes wählen in geheimer Wahl ihren Präsidenten für eine Amtszeit von 3 Jahren.

(5) Der Verfassungsgerichtshof erneuert sich um ein Drittel seiner Mitglieder alle 3 Jahre, unter den im Organgesetz vorgesehenen Bedingungen.

Artikel 143 (Bedingungen für die Ernennung)
Die Richter des Verfassungsgerichtshofes müssen juristische Hochschulbildung, eine hohe berufliche Kompetenz und ein Dienstalter von mindestens 18 Jahren in der juristischen Tätigkeit oder im juristischen Hochschulunterricht aufweisen.

Artikel 144 (Inkompatibilitäten)
Das Richteramt des Verfassungsgerichtshofes ist unvereinbar mit jedem anderen öffentlichen oder privaten Amt, mit Ausnahme der didaktischen Funktionen im juristischen Hochschulunterricht.

Artikel 145 (Unabhängigkeit und Unabsetzbarkeit)
Die Richter des Verfassungsgerichtshofes sind unabhängig in der Ausübung ihres Mandats und unabsetzbar für dessen Dauer.

Artikel 146 (Befugnisse)
Der Verfassungsgerichtshof hat folgende Befugnisse:

a) er entscheidet über die Verfassungsmäßigkeit von Gesetzen, bevor diese verkündet werden, auf Anrufung des Präsidenten Rumäniens, einem der Präsidenten von einer der beiden Kammern, der Regierung, dem Obersten Gerichts- und Kassationshof, dem Volksanwalt, einer Anzahl von zumindest 50 Abgeordneten oder zumindest 25 Senatoren, sowie von Amts wegen über Initiativen zur Verfassungsänderung;

b) er entscheidet über die Verfassungsmäßigkeit von völkerrechtlichen Verträgen oder anderen internationalen Abkommen, auf Anrufung von einem der Präsidenten von einer der beiden Kammern, einer Anzahl von zumindest 50 Abgeordneten oder zumindest 25 Senatoren;

c) er äußert sich über die Verfassungsmäßigkeit der Geschäftsordnungen der Parlamentskammern, nach Anrufung eines der Präsidenten der beiden Kammern, einer parlamentarischen Gruppe oder einer Anzahl von mindestens 50 Abgeordneten oder mindestens 25 Senatoren;

d) er entscheidet über Einwände bezüglich der Verfassungswidrigkeit von Gesetzen und Verordnungen, die vor Gerichten oder Handelsschiedsgerichten erhoben wurden; der Einwand der Verfassungswidrigkeit kann auch unmittelbar vom Volksanwalt erhoben werden;

e) er entscheidet über die Beilegung von Rechtsstreitigkeiten verfassungsrechtlicher Art zwischen Behörden, auf Antrag des Präsidenten Rumäniens, eines der Präsidenten einer der beiden Kammern, des Premierministers oder des Präsidenten des Obersten Rates der Magistratur;

f) er wacht über die Einhaltung des Verfahrens für die Wahl des Präsidenten Rumäniens und bestätigt die Ergebnisse des Wahlgangs;

g) er stellt die Umstände fest, die ein Interim in der Ausübung des Präsidentenamtes Rumäniens rechtfertigen, und teilt seine Feststellungen dem Parlament und der Regierung mit;

h) er begutachtet und berät über den Vorschlag zur Außeramtssetzung des Präsidenten Rumäniens;

i) er wacht über die Einhaltung des Verfahrens für die Organisation und Durchführung des Referendums und bestätigt dessen Ergebnisse;

j) er überprüft die Erfüllung der Bedingungen für die Ausübung der Gesetzesinitiative vonseiten der Bürger;

k) er entscheidet über die Einwände, die als Gegenstand die Verfassungsmäßigkeit einer politischen Partei haben;

l) er nimmt andere Aufgaben wahr, die ihm durch das Organgesetz über den Gerichtshof zugeschrieben werden.

Artikel 147 (Entscheidungen des Verfassungsgerichtshofes)

(1) Die Bestimmungen der in Kraft stehenden Gesetze und Verordnungen sowie der Vorschriften, die für verfassungswidrig befunden wurden, treten 45 Tage nach der Veröffentlichung der Entscheidung des Verfassungsgerichtshofes außer Kraft, wenn das Parlament oder die Regierung die verfassungswidrigen Bestimmungen in der Zwischenzeit nicht mit der Verfassung in Einklang bringen können. Für diesen begrenzten Zeitraum werden die für verfassungswidrig befundenen Bestimmungen von Gesetzes wegen ausgesetzt.

(2) Im Fall der Verfassungswidrigkeit eines Gesetzes vor dessen Veröffentlichung ist das Parlament verpflichtet seine Bestimmungen zu überarbeiten um sie mit der Entscheidung des Verfassungsgerichtshofes in Einklang zu bringen.

(3) Wird die Verfassungsgemäßheit eines völkerrechtlichen Vertrags oder internationalen Abkommens gemäß Artikel 146 b) erkannt, so können diese nicht Gegenstand eines Einwandes der Verfassungswidrigkeit sein. Der völkerrechtliche Vertrag oder das internationale Übereinkommen, welche als verfassungswidrig erkannt wurden, dürfen nicht ratifiziert werden.

(4) Die Entscheidungen des Verfassungsgerichtshofs sind im offiziellen Amtsblatt Rumäniens zu veröffentlichen. Von der Veröffentlichung an sind die Entscheidungen generell verbindlich und wirken nur in die Zukunft.

Titel VI
EURO-ATLANTISCHE INTEGRATION

Artikel 148 (Eingliederung in die Europäische Union)

(1) Der Beitritt Rumänien zu den Gründungsverträgen der Europäischen Union, in Hinblick auf die Übertragung bestimmter Befugnisse an die Gemeinschaftsorgane sowie die gemeinsame Ausübung der in diesen Verträgen vorgesehenen Befugnisse mit anderen

Mitgliedsstaaten erfolgt durch ein Gesetz, das in gemeinsamer Sitzung der Abgeordnetenkammer und des Senats mit einer Mehrheit von zwei Dritteln der Zahl der Abgeordneten und Senatoren angenommen wird.

(2) Infolge des Beitritts haben die Bestimmungen der Gründungsverträge der Europäischen Union sowie die sonstigen verbindlichen Gemeinschaftsregelungen im Einklang mit den Bestimmungen des Beitrittsaktes Vorrang vor entgegenstehenden Bestimmungen des nationalen Rechts.

(3) Die Absätze 1 und 2 gelten entsprechend für den Beitritt zu den Rechtsakten zur Änderung der Gründungsverträge der Europäischen Union.

(4) Das Parlament, der Präsident Rumäniens, die Regierung und die Justizbehörden gewährleisten, dass die Verpflichtungen, die sich aus dem Beitrittsakt und aus Absatz 2 ergeben, erfüllt werden.

(5) Die Regierung übermittelt den beiden Kammern des Parlaments die Entwürfe verbindlicher Rechtsakte, bevor sie den Organen der Europäischen Union zur Annahme vorgelegt werden.

Artikel 149 (Beitritt zum Nordatlantikvertrag)

Der Beitritt Rumäniens zum Nordatlantikvertrag erfolgt durch ein Gesetz, das in gemeinsamer Sitzung der Abgeordnetenkammer und des Senats mit einer Mehrheit von zwei Dritteln der Zahl der Abgeordneten und Senatoren angenommen wird.

Titel VII
DIE ÄNDERUNG DER VERFASSUNG

Artikel 150 (Initiative zur Änderung)

(1) Die Änderung der Verfassung kann vom Präsidenten Rumäniens auf Vorschlag der Regierung, von mindestens einem Viertel der Zahl der Abgeordneten oder der Senatoren sowie von mindestens 500 000 wahlberechtigten Bürgern, eingeleitet werden.

(2) Die Bürger, die die Änderung der Verfassung anregen, müssen mindestens aus der Hälfte der Landkreise kommen, wobei in jedem dieser Kreise oder im Munizipium Bukarest mindestens 20.000 Unterschriften zur Unterstützung dieser Initiative registriert sein müssen.

Artikel 151 (Änderungsverfahren)

(1) Der Änderungsentwurf oder der Änderungsvorschlag muss von der Abgeordnetenkammer und dem Senat mit mindestens einer Zweidrittelmehrheit der Zahl der Mitglieder einer jeden Kammer angenommen wenden.

(2) Falls durch das Vermittlungsverfahren keine Einigung erreicht wird, entscheiden die Abgeordnetenkammer und der Senat in gemeinsamer Sitzung mit mindestens einer Dreiviertelmehrheit der Zahl der Abgeordneten und der Senatoren.

(3) Die Änderung ist endgültig, wenn sie spätestens 30 Tage nach Annahme Revisionsentwurfs oder Revisionsvorschlags durch eine Volksabstimmung gebilligt wird.

Artikel 152 (Grenzen der Änderung)

(1) Die Bestimmungen dieser Verfassung hinsichtlich des nationalen, unabhängigen, einheitlichen und unteilbaren Charakters des rumänischen Staates, der republikanischen Regierungsform, der Integrität des Territoriums, der Unabhängigkeit der Justiz, des politischen Pluralismus und der Amtssprache können nicht Gegenstand einer Änderung sein.

(2) Außerdem kann keine Änderung durchgeführt werden, wenn diese als Ziel die Unterdrückung der fundamentalen Rechte und Freiheiten der Bürger oder deren Garantien hat.

(3) Die Verfassung kann während des Belagerungs- oder Notzustands und auch in Kriegszeiten nicht geändert werden.

Titel VIII
SCHLUSS- UND ÜBERGANGSBESTIMMUNGEN

Artikel 153 (Inkrafttreten)

Vorliegende Verfassung tritt mit dem Datum ihrer Genehmigung durch das Referendum in Kraft. Mit dem gleichen Datum ist und bleibt die Verfassung vom 21. August 1965 zur Gänze aufgehoben.

Artikel 154 (Zeitliche Normenkollision)

(1) Die Gesetze und alle anderen Normativakte bleiben in dem Maße in Kraft, in dem sie der vorliegenden Verfassung nicht widersprechen.

(2) Der Legislativrat prüft in der Frist von 12 Monaten ab dem Datum des Inkrafttretens seines Organisationsgesetzes die Übereinstimmung der Gesetzgebung mit der vorliegenden Verfassung und macht dem Parlament oder gegebenenfalls der Regierung entsprechende Vorschläge.

Artikel 155 (Übergangsbestimmungen)

(1) Die Gesetzesvorlagen und Gesetzgebungsvorschläge, die noch nicht verabschiedet sind, werden unter Beachtung der vor Inkrafttreten des Revisionsgesetzes bestehenden verfassungsrechtlichen Bestimmungen erörtert und verabschiedet.

(2) Die in der Verfassung vorgesehenen Organe, die zum Zeitpunkt des Inkrafttretens des Revisionsgesetzes bestehen, bleiben bis zur Errichtung der neuen Organe tätig.

(3) Artikel 83 Absatz 1 gilt ab der nächsten Amtszeit des Präsidenten.

(4) Die Bestimmungen über den Obersten Gerichts- und Kassationshof werden spätestens innerhalb von zwei Jahren nach Inkrafttreten des Revisionsgesetzes umgesetzt.

(5) Die amtierenden Richter des Obersten Gerichtshofs und die vom Parlament ernannten Mitglieder des Rechnungshofes setzen ihre Tätigkeit bis zum Ablauf der Amtszeit fort, für die sie ernannt wurden. Um die Neubesetzung des Rechnungshofs alle drei Jahre zu gewährleisten, können die derzeitigen Mitglieder des Rechnungshofes nach Ablauf ihrer Amtszeit für eine weitere Amtszeit von drei oder sechs Jahren ernannt werden.

(6) Bis zur Einrichtung spezialisierter Gerichte werden Streitigkeiten, die sich aus der Tätigkeit des Rechnungshofs ergeben, von ordentlichen Gerichten entschieden.

Artikel 156 (Wiederverlautbarung der Verfassung)

Das Gesetz über die Revision der Verfassung wird im Amtsblatt von Rumänien innerhalb von 5 Tagen ab dem Datum seiner Verabschiedung veröffentlicht. Die Verfassung in der geänderten und ergänzten Form wird nach ihrer Annahme durch ein Referendum vom Legislativrat wiederverlautbart, indem die Bezeichnungen aktualisiert und die Texte neu durchnummeriert werden.

Verfassung der Russländischen Föderation[*]

Vom 12. Dezember 1993, zuletzt geändert am 14. März 2020 (Sobranie Zakonodatel'stva Rossijskoj Federacii 2020, Nr. 11, Pos. 1416)

PRÄAMBEL

Wir, das multinationale Volk der Russländischen Föderation, vereint durch das gemeinsame Schicksal auf unserem Boden, die Rechte und Freiheiten des Menschen, den inneren Frieden und die Eintracht bekräftigend, die historisch entstandene staatliche Einheit wahrend, ausgehend von den allgemein anerkannten Prinzipien der Gleichberechtigung und Selbstbestimmung der Völker, das Ansehen der Vorfahren ehrend, die uns Liebe und Achtung gegenüber dem Vaterland sowie den Glauben an das Gute und an die Gerechtigkeit überliefert haben, die souveräne Staatlichkeit Russlands wiederbelebend und die Unerschütterlichkeit seiner demokratischen Grundlagen bekräftigend, danach strebend, das Wohlergehen und das Gedeihen Russlands zu gewährleisten, ausgehend von der Verantwortung für unsere Heimat vor der jetzigen und vor künftigen Generationen, im Bewusstsein, Teil der Weltgemeinschaft zu sein, geben uns die VERFASSUNG DER RUSSLÄNDISCHEN FÖDERATION.

Erster Abschnitt

Kapitel 1.
GRUNDLAGEN DER VERFASSUNGSORDNUNG

Artikel 1 [Grundprinzipien]
(1) Die Russländische Föderation – Russland ist ein demokratischer föderativer Rechtsstaat mit republikanischer Regierungsform.

(2) Die Bezeichnungen Russländische Föderation und Russland sind gleichbedeutend.

Artikel 2 [Grundrechtsbindung]
Der Mensch, seine Rechte und Freiheiten bilden die höchsten Werte. Anerkennung, Wahrung und Schutz der Rechte und Freiheiten des Menschen und Bürgers sind Verpflichtung des Staates.

Artikel 3 [Volksmacht]
(1) Träger der Souveränität und einzige Quelle der Macht in der Russländischen Föderation ist ihr multinationales Volk.

(2) Das Volk übt seine Macht unmittelbar sowie durch die Organe der Staatsgewalt und die Organe der örtlichen Selbstverwaltung aus.

(3) Höchster unmittelbarer Ausdruck der Volksmacht sind Referendum und freie Wahlen.

(4) Niemand darf die Macht in der Russländischen Föderation an sich reißen. Die Machtergreifung und die Anmaßung von hoheitlichen Befugnissen werden aufgrund Bundesgesetzes verfolgt.

Artikel 4 [Souveränität, Verfassungsvorrang, territoriale Integrität]
(1) Die Souveränität der Russländischen Föderation erstreckt sich auf ihr ganzes Territorium.

(2) Die Verfassung der Russländischen Föderation und die Bundesgesetze haben auf dem ganzen Territorium der Russländischen Föderation Vorrang.

---

[*] Übersetzt von *Martin Fincke*, aktualisiert durch *Bernd Wieser*, Institut für Öffentliches Recht und Politikwissenschaft sowie Zentrum für osteuropäisches Recht, Karl-Franzens-Universität Graz, Übersetzung der Änderungen 2020 durch *Rainer Wedde*, Wiesbaden Business School, Hochschule RheinMain, überarbeitet durch *Bernd Wieser*.

(3) Die Russländische Föderation gewährleistet die Integrität und die Unverletzlichkeit ihres Territoriums.

Artikel 5 [Bundesstaatlichkeit]

(1) Die Russländische Föderation besteht aus Republiken, Regionen, Gebieten, Städten mit föderaler Bedeutung, einem Autonomen Gebiet und Autonomen Bezirken als den gleichberechtigten Subjekten der Russländischen Föderation.

(2) Die Republik ist ein Staat und hat ihre eigene Verfassung und Gesetzgebung. Die Region, das Gebiet, die Stadt mit föderaler Bedeutung, das Autonome Gebiet und der Autonome Bezirk haben ihr Statut und ihre Gesetzgebung.

(3) Die Bundesstaatlichkeit der Russländischen Föderation gründet auf ihrer staatlichen Integrität, auf der Einheit des Systems der Staatsgewalt, auf der Abgrenzung der Zuständigkeitsbereiche und Befugnisse zwischen den Organen der Staatsgewalt der Russländischen Föderation und den Organen der Staatsgewalt der Subjekte der Russländischen Föderation sowie auf der Gleichberechtigung und Selbstbestimmung der Völker in der Russländischen Föderation.

(4) In den Beziehungen zu den Bundesorganen der Staatsgewalt sind alle Subjekte der Russländischen Föderation untereinander gleichberechtigt.

Artikel 6 [Staatsangehörigkeit]

(1) Die Staatsangehörigkeit der Russländischen Föderation wird erworben und endet gemäß Bundesgesetz; sie ist einheitlich und gleich, unabhängig von den Gründen ihres Erwerbs.

(2) Jeder Bürger der Russländischen Föderation genießt auf ihrem Territorium alle Rechte und Freiheiten und trägt die gleichen durch die Verfassung der Russländischen Föderation vorgesehenen Pflichten.

(3) Dem Bürger der Russländischen Föderation dürfen seine Staatsangehörigkeit oder sein Recht, sie zu wechseln, nicht entzogen werden.

Artikel 7 [Sozialstaat]

(1) Die Russländische Föderation ist ein Sozialstaat, dessen Politik darauf gerichtet ist, Bedingungen zu schaffen, die ein würdiges Leben und die freie Entwicklung des Menschen gewährleisten.

(2) In der Russländischen Föderation werden Arbeit und Gesundheit der Menschen geschützt, ein garantierter Mindestlohn festgelegt, die staatliche Unterstützung von Familie, Mutterschaft, Vaterschaft und Kindheit, Invaliden und älteren Bürgern gewährleistet, ein System sozialer Dienste entwickelt sowie staatliche Renten, Beihilfen und andere Garantien des sozialen Schutzes festgelegt.

Artikel 8 [Wirtschaftsfreiheit, Eigentumsformen]

(1) In der Russländischen Föderation werden die Einheit des Wirtschaftsraums, der freie Verkehr von Waren, Dienstleistungen und Finanzmitteln, die Unterstützung des Wettbewerbs und die Freiheit der wirtschaftlichen Betätigung garantiert.

(2) In der Russländischen Föderation werden private, staatliche, kommunale und andere Formen des Eigentums gleichermaßen anerkannt und geschützt.

Artikel 9 [Grund und Boden, Naturvorräte]

(1) Grund und Boden und die anderen Naturvorräte werden in der Russländischen Föderation als Grundlage des Lebens und Wirkens der Völker, die auf dem entsprechenden Territorium leben, genutzt und geschützt.

(2) Grund und Boden und die anderen Naturvorräte können sich in privater, staatlicher, kommunaler oder anderer Form des Eigentums befinden.

Artikel 10 [Horizontale Gewaltenteilung]

Die Staatsgewalt in der Russländischen Föderation wird auf der Grundlage der Aufteilung in gesetzgebende, vollziehende und rechtsprechende Gewalt ausgeübt. Die Organe der gesetzgebenden, vollziehenden und rechtsprechenden Gewalt sind selbstständig.

Artikel 11 [Vertikale Gewaltenteilung]

(1) Die Staatsgewalt in der Russländischen Föderation wird vom Präsidenten der Russländischen Föderation, der Bundesversammlung (dem Bundesrat und der Staatsduma), der Regierung der Russländischen Föderation und den Gerichten der Russländischen Föderation ausgeübt.

(2) Die Staatsgewalt in den Subjekten der Russländischen Föderation üben die von diesen gebildeten Organe der Staatsgewalt aus.

(3) Die Abgrenzung der Zuständigkeitsbereiche und Befugnisse zwischen den Organen der Staatsgewalt der Russländischen Föderation und den Organen der Staatsgewalt der Subjekte der Russländischen Föderation erfolgt durch diese Verfassung, den Föderationsvertrag und andere Verträge über die Abgrenzung der Zuständigkeitsbereiche und Befugnisse.

Artikel 12 [Örtliche Selbstverwaltung]

In der Russländischen Föderation wird die örtliche Selbstverwaltung anerkannt und garantiert. Die örtliche Selbstverwaltung ist im Rahmen ihrer Befugnisse selbstständig. Die Organe der örtlichen Selbstverwaltung gehören nicht zum System der Organe der Staatsgewalt.

Artikel 13 [Ideologische und politische Vielfalt]

(1) In der Russländischen Föderation ist die ideologische Vielfalt anerkannt.

(2) Keine Ideologie darf als staatliche oder verbindliche festgelegt werden.

(3) In der Russländischen Föderation sind die politische Vielfalt und das Mehrparteiensystem anerkannt.

(4) Die gesellschaftlichen Vereinigungen sind vor dem Gesetz gleich.

(5) Die Bildung und die Tätigkeit gesellschaftlicher Vereinigungen, deren Ziele oder Handlungen auf gewaltsame Änderung der Grundlagen der Verfassungsordnung und auf Verletzung der Integrität der Russländischen Föderation, auf Untergrabung der Sicherheit des Staates, auf Bildung von bewaffneten Formationen oder auf Entfachen sozialer, rassischer, nationaler und religiöser Zwietracht gerichtet sind, sind verboten.

Artikel 14 [Kirche und Staat]

(1) Die Russländische Föderation ist ein weltlicher Staat. Keine Religion darf als staatliche oder verbindliche festgelegt werden.

(2) Die religiösen Vereinigungen sind vom Staat getrennt und vor dem Gesetz gleich.

Artikel 15 [Vorrang der Verfassung, Kundmachungspflicht, Völkerrecht]

(1) Die Verfassung der Russländischen Föderation hat die höchste juristische Kraft, gilt unmittelbar und findet auf dem gesamten Territorium der Russländischen Föderation Anwendung. Gesetze und andere Rechtsakte, die in der Russländischen Föderation verabschiedet werden, dürfen der Verfassung der Russländischen Föderation nicht widersprechen.

(2) Die Organe der Staatsgewalt, die Organe der örtlichen Selbstverwaltung, Amtsträger, Bürger und ihre Vereinigungen sind verpflichtet, die Verfassung der Russländischen Föderation und die Gesetze zu beachten.

(3) Die Gesetze müssen amtlich veröffentlicht werden. Nicht veröffentlichte Gesetze werden nicht angewandt. Jegliche normative Rechtsakte, die die Rechte, Freiheiten und Pflichten des Menschen und Bürgers berühren, dürfen nicht angewandt werden, sofern sie nicht zur allgemeinen Kenntnisnahme amtlich veröffentlicht worden sind.

(4) Die allgemein anerkannten Prinzipien und Normen des Völkerrechts und die völkerrechtlichen Verträge der Russländischen Föderation sind Bestandteil ihres Rechtssystems. Legt ein völkerrechtlicher Vertrag der Russländischen Föderation andere Regeln fest als die gesetzlich vorgesehenen, so werden die Regeln des völkerrechtlichen Vertrages angewandt.

Artikel 16 [Grundlagen der Verfassungsordnung]

(1) Die Bestimmungen dieses Kapitels der Verfassung bilden die Grundlagen der Verfassungsordnung der Russländischen Föderation und können nicht anders geändert werden als in dem durch diese Verfassung festgelegten Verfahren.

(2) Keine anderen Bestimmungen dieser Verfassung dürfen den Grundlagen der Verfassungsordnung der Russländischen Föderation widersprechen.

Kapitel 2.
RECHTE UND FREIHEITEN DES MENSCHEN UND BÜRGERS

Artikel 17 [Anerkennung der Grundrechte]

(1) In der Russländischen Föderation werden die Rechte und Freiheiten des Menschen und Bürgers entsprechend den allgemein anerkannten Prinzipien und Normen des Völkerrechts und in Übereinstimmung mit dieser Verfassung anerkannt und garantiert.

(2) Die Grundrechte und -freiheiten des Menschen sind unveräußerlich und stehen jedem von Geburt an zu.

(3) Die Wahrnehmung der Rechte und Freiheiten des Menschen und Bürgers darf die Rechte und Freiheiten anderer nicht verletzen.

Artikel 18 [Unmittelbare Geltung der Grundrechte]

Die Rechte und Freiheiten des Menschen und Bürgers gelten unmittelbar. Sie bestimmen den Sinn, den Inhalt und die Anwendung der Gesetze, die Tätigkeit der gesetzgebenden und der vollziehenden Gewalt sowie der örtlichen Selbstverwaltung und werden durch die Rechtsprechung gewährleistet.

Artikel 19 [Gleichheitsgarantie]

(1) Alle sind vor dem Gesetz und vor Gericht gleich.

(2) Der Staat garantiert die Gleichheit der Rechte und Freiheiten des Menschen und Bürgers unabhängig von Geschlecht, Rasse,

Nationalität, Sprache, Herkunft, Vermögensverhältnissen und Amtsstellung, Wohnort, religiöser Einstellung, Überzeugungen, Zugehörigkeit zu gesellschaftlichen Vereinigungen oder von anderen Umständen. Jede Form der Einschränkung der Bürgerrechte aus Gründen der sozialen, rassischen, nationalen, sprachlichen oder religiösen Zugehörigkeit ist verboten.

(3) Mann und Frau haben gleiche Rechte und Freiheiten und gleiche Möglichkeiten, sie zu verwirklichen.

Artikel 20 [Recht auf Leben]

(1) Jeder hat das Recht auf Leben.

(2) Bis zu ihrer Abschaffung kann ein Bundesgesetz die Todesstrafe als außerordentliche Strafmaßnahme für besonders schwere Straftaten gegen das Leben festlegen, wobei dem Beschuldigten das Recht auf Verhandlung seiner Sache durch ein Gericht unter Mitwirkung von Geschworenen gewährt wird.

Artikel 21 [Menschenwürde, Folterverbot]

(1) Die Würde der Person wird vom Staat geschützt. Nichts kann ihre Schmälerung begründen.

(2) Niemand darf der Folter, Gewalt oder einer anderen grausamen oder die Menschenwürde erniedrigenden Behandlung oder Strafe unterworfen werden. Niemand darf ohne sein freiwilliges Einverständnis medizinischen, wissenschaftlichen oder anderen Versuchen unterworfen werden.

Artikel 22 [Persönliche Freiheit]

(1) Jeder hat das Recht auf Freiheit und persönliche Unverletzlichkeit.

(2) Arrest, Verhaftung und Aufrechterhaltung der Untersuchungshaft sind nur aufgrund einer gerichtlichen Entscheidung zulässig. Bis zu einer gerichtlichen Entscheidung darf eine Person nicht länger als 48 Stunden festgehalten werden.

Artikel 23 [Recht auf Privatsphäre]

(1) Jeder hat das Recht auf Unverletzlich-

keit des Privatlebens, auf Personen- und Familiengeheimnis, auf Schutz seiner Ehre und seines guten Rufes.

(2) Jeder hat das Recht auf das Geheimnis des Schriftverkehrs, von Telefongesprächen, postalischen, telegraphischen und anderen Mitteilungen. Eine Einschränkung dieses Rechts ist nur aufgrund einer gerichtlichen Entscheidung zulässig.

Artikel 24 [Informationsfreiheit]

(1) Das Sammeln, Aufbewahren, Verwenden und Verbreiten von Informationen über das Privatleben einer Person sind ohne deren Einwilligung unzulässig.

(2) Die Organe der Staatsgewalt und die Organe der örtlichen Selbstverwaltung sowie ihre Amtsträger sind verpflichtet, jedem die Möglichkeit zur Einsicht in Dokumente und Materialien, die unmittelbar seine Rechte und Freiheiten berühren, zu gewährleisten, wenn anderes nicht durch Gesetz vorgesehen ist.

Artikel 25 [Unverletzlichkeit der Wohnung]

Die Wohnung ist unverletzlich. Niemand hat das Recht, in eine Wohnung gegen den Willen der dort lebenden Personen einzudringen, außer in den durch Bundesgesetz festgelegten Fällen oder aufgrund einer gerichtlichen Entscheidung.

Artikel 26 [Nationale Bekenntnisfreiheit, Sprachenrechte]

(1) Jeder ist berechtigt, seine nationale Zugehörigkeit zu bestimmen und anzugeben. Niemand darf zur Bestimmung und Angabe seiner nationalen Zugehörigkeit gezwungen werden.

(2) Jeder hat das Recht auf Gebrauch der Muttersprache sowie auf freie Wahl der Umgangs-, Erziehungs-, Ausbildungssprache und des künstlerischen Ausdrucks.

Artikel 27 [Freizügigkeit, Ausreise- und Rückkehrfreiheit]

(1) Jeder, der sich rechtmäßig auf dem Territorium der Russländischen Föderation aufhält, hat das Recht, sich frei zu bewegen und seinen Aufenthalts- und Wohnort zu wählen.

(2) Jeder kann frei aus der Russländischen Föderation ausreisen. Der Bürger der Russländischen Föderation hat das Recht, ungehindert in die Russländische Föderation zurückzukehren.

Artikel 28 [Gewissens- und Glaubensbekenntnisfreiheit]

Jedem wird die Gewissensfreiheit und die Glaubensbekenntnisfreiheit garantiert einschließlich des Rechts, sich allein oder gemeinsam mit anderen zu einer beliebigen Religion zu bekennen oder sich zu keiner zu bekennen, religiöse und andere Überzeugungen frei zu wählen, zu haben und zu verbreiten sowie nach ihnen zu handeln.

Artikel 29 [Meinungs-, Informations- und Medienfreiheit]

(1) Jedem wird die Freiheit des Gedankens und des Wortes garantiert.

(2) Unzulässig sind Propaganda und Agitation, die zu sozialem, rassenbedingtem, nationalem oder religiösem Hass und Feindschaft aufstacheln. Verboten ist das Propagieren sozialer, rassenbedingter, nationaler, religiöser oder sprachlicher Überlegenheit.

(3) Niemand darf gezwungen werden, seine Meinungen und Überzeugungen zu äußern oder sich von ihnen loszusagen.

(4) Jeder hat das Recht, auf beliebige gesetzliche Weise Informationen frei zu beschaffen, entgegenzunehmen, weiterzugeben, hervorzubringen und zu verbreiten. Eine Liste der Nachrichten, die ein Staatsgeheimnis darstellen, wird durch Bundesgesetz bestimmt.

(5) Die Freiheit der Masseninformation wird garantiert. Zensur ist verboten.

Artikel 30 [Vereinigungsfreiheit]

(1) Jeder hat das Recht auf Vereinigung einschließlich des Rechts, Gewerkschaften zum Schutz seiner Interessen zu gründen. Die Betätigungsfreiheit gesellschaftlicher Vereinigungen wird garantiert.

(2) Niemand darf zum Eintritt in irgendeine Vereinigung oder zum Verbleib in ihr gezwungen werden.

Artikel 31 [Versammlungsfreiheit]
Die Bürger der Russländischen Föderation haben das Recht, sich friedlich und ohne Waffen zu versammeln, Versammlungen, Kundgebungen, Demonstrationen, Aufzüge und Mahnwachen durchzuführen.

Artikel 32 [Politische Teilhaberechte]
(1) Die Bürger der Russländischen Föderation haben das Recht, an der Verwaltung von Angelegenheiten des Staates sowohl unmittelbar als auch durch ihre Vertreter teilzuhaben.

(2) Die Bürger der Russländischen Föderation haben das Recht, die Organe der Staatsgewalt und die Organe der örtlichen Selbstverwaltung zu wählen, in sie gewählt zu werden sowie am Referendum teilzunehmen.

(3) Bürger, die gerichtlich für geschäftsunfähig erklärt worden sind oder aufgrund eines Gerichtsurteils in Haftanstalten einsitzen, haben nicht das Recht zu wählen und gewählt zu werden.

(4) Die Bürger der Russländischen Föderation haben gleichen Zugang zum Staatsdienst.

(5) Die Bürger der Russländischen Föderation haben das Recht, sich an der Ausübung der Rechtsprechung zu beteiligen.

Artikel 33 [Eingaberecht]
Die Bürger der Russländischen Föderation haben das Recht, sich persönlich an die Organe der Staatsgewalt und an die Organe der örtlichen Selbstverwaltung zu wenden sowie individuelle und kollektive Eingaben an sie zu richten.

Artikel 34 [Wirtschaftliche Betätigungsfreiheit]
(1) Jeder hat das Recht auf freie Nutzung seiner Fähigkeiten und seines Vermögens zu unternehmerischer und zu anderer nicht durch Gesetz verbotener wirtschaftlicher Tätigkeit.

(2) Unzulässig ist die auf Monopolisierung und unlauteren Wettbewerb gerichtete wirtschaftliche Tätigkeit.

Artikel 35 [Privateigentum und Erbrecht]
(1) Das Recht des Privateigentums wird durch Gesetz geschützt.

(2) Jeder ist berechtigt, Vermögen allein oder gemeinsam mit anderen zu Eigentum zu haben, zu besitzen, zu nutzen und darüber zu verfügen.

(3) Niemandem darf sein Vermögen entzogen werden, es sei denn auf Entscheidung eines Gerichts. Zwangsenteignung für staatliche Bedürfnisse darf nur bei vorheriger und gleichwertiger Entschädigung durchgeführt werden.

(4) Das Erbrecht wird garantiert.

Artikel 36 [Bodennutzung]
(1) Die Bürger und ihre Vereinigungen sind berechtigt, Grund und Boden zu Privateigentum zu haben.

(2) Besitz und Nutzung des Bodens und anderer Naturvorräte sowie die Verfügung über sie werden durch ihre Eigentümer frei ausgeübt, sofern dies nicht der Umwelt Schaden zufügt und nicht die Rechte und gesetzlich geschützten Interessen anderer verletzt.

(3) Bedingungen und Verfahren der Bodennutzung werden aufgrund Bundesgesetzes bestimmt.

Artikel 37 [Recht auf Arbeit]
(1) Die Arbeit ist frei. Jeder hat das Recht, frei über seine Arbeitsfähigkeiten zu verfügen und die Art der Tätigkeit und den Beruf frei zu wählen.

(2) Zwangsarbeit ist verboten.

(3) Jeder hat das Recht auf Arbeit unter Bedingungen, die den Sicherheits- und Hygieneerfordernissen entsprechen, auf Arbeitsentgelt ohne wie auch immer geartete Diskriminierung und nicht unter dem Maß des durch Bundesgesetz festgelegten Mindestlohns sowie auf Schutz vor Arbeitslosigkeit.

(4) Das Recht auf individuelle und kollektive Arbeitsstreitigkeiten unter Anwendung der durch Bundesgesetz festgelegten Mittel zu ihrer Entscheidung, einschließlich des Streikrechts, wird anerkannt.

(5) Jeder hat das Recht auf Erholung. Dem arbeitsvertraglich Beschäftigten werden die bundesgesetzlichen Festlegungen der Arbeitszeit, der wöchentlichen Ruhetage, der Feiertage und des bezahlten Jahresurlaubs garantiert.

Artikel 38 [Kinder und Familie]

(1) Mutter und Kind sowie die Familie stehen unter dem Schutz des Staates.

(2) Die Sorge um die Kinder und ihre Erziehung sind gleiches Recht und Pflicht der Eltern.

(3) Erwerbsfähige Kinder, die das 18. Lebensjahr vollendet haben, müssen für ihre nicht erwerbsfähigen Eltern sorgen.

Artikel 39 [Soziale Sicherung]

(1) Jedem wird soziale Sicherung im Alter, bei Krankheit, Invalidität und Verlust des Ernährers, für die Erziehung der Kinder und in anderen gesetzlich festgelegten Fällen garantiert.

(2) Die staatlichen Renten und die sozialen Beihilfen werden durch Gesetz festgelegt.

(3) Die freiwillige Sozialversicherung, die Schaffung zusätzlicher Formen der sozialen Sicherung und die freie Wohlfahrtspflege werden gefördert.

Artikel 40 [Recht auf Wohnung]

(1) Jeder hat das Recht auf Wohnung. Niemandem darf willkürlich die Wohnung entzogen werden.

(2) Die Organe der Staatsgewalt und die Organe der örtlichen Selbstverwaltung fördern den Wohnungsbau und schaffen die Bedingungen für die Verwirklichung des Rechts auf Wohnung.

(3) Bedürftigen und anderen durch Gesetz bezeichneten Bürgern, die eine Wohnung benötigen, wird diese unentgeltlich oder zu einem erschwinglichen Preis aus staatlichen, kommunalen oder anderen Wohnungsbeständen nach gesetzlich festgelegten Normen bereitgestellt.

Artikel 41 [Recht auf Gesundheitsschutz]

(1) Jeder hat das Recht auf Schutz der Gesundheit und auf medizinische Hilfe. Medizinische Hilfe in staatlichen und kommunalen Einrichtungen des Gesundheitsschutzes wird den Bürgern unentgeltlich zu Lasten des entsprechenden Haushalts, von Versicherungsbeiträgen und anderen Einnahmen geleistet.

(2) In der Russländischen Föderation werden Bundesprogramme zum Schutz und zur Verbesserung der Gesundheit der Bevölkerung finanziert, Maßnahmen zur Entwicklung des staatlichen, kommunalen und privaten Systems des Gesundheitsschutzes ergriffen und die Tätigkeit, die die Stärkung der Gesundheit des Menschen, die Entwicklung von Körperkultur und Sport sowie die ökologische und hygienisch-epidemiologische Wohlfahrt unterstützt, gefördert.

(3) Amtsträger, die Tatsachen und Umstände verheimlichen, die eine Gefahr für Leben und Gesundheit von Menschen darstellen, haften gemäß Bundesgesetz.

Artikel 42 [Recht auf Umweltschutz]

Jeder hat das Recht auf eine intakte Umwelt, auf verlässliche Informationen über ihren Zustand sowie auf Ersatz des Schadens, der seiner Gesundheit oder seinem Vermögen durch Verstöße gegen die Umweltgesetzgebung zugefügt worden ist.

Artikel 43 [Recht auf Bildung]

(1) Jeder hat das Recht auf Bildung.

(2) Die allgemeine Zugänglichkeit und die Unentgeltlichkeit der Vorschul-, der grundlegenden Allgemein- und der mittleren Berufsbildung in staatlichen oder kommunalen Bildungseinrichtungen und in Betrieben wird garantiert.

(3) Jeder ist berechtigt, aufgrund eines Auswahlverfahrens mit Wettbewerbscharakter unentgeltlich eine Hochschulbildung in einer staatlichen oder kommunalen Bil-

dungseinrichtung oder in einem Betrieb zu erhalten.

(4) Die grundlegende Allgemeinbildung ist obligatorisch. Die Eltern oder die sie ersetzenden Personen gewährleisten, dass die Kinder die grundlegende Allgemeinbildung erhalten.

(5) Die Russländische Föderation legt bundeseinheitliche staatliche Bildungsstandards fest und unterstützt die unterschiedlichen Formen der Bildung und der Selbstbildung.

Artikel 44 [Kulturelle Rechte und Pflichten]

(1) Jedem wird die Freiheit literarischer, künstlerischer, wissenschaftlicher, technischer und anderer Arten schöpferischer Tätigkeit sowie die Freiheit der Lehre garantiert. Das geistige Eigentum wird gesetzlich geschützt.

(2) Jeder hat das Recht auf Teilnahme am kulturellen Leben, auf Nutzung kultureller Einrichtungen und auf Zugang zu kulturellen Werten.

(3) Jeder ist verpflichtet, für den Erhalt des historischen und des kulturellen Erbes zu sorgen und die Geschichts- und Kulturdenkmäler zu bewahren.

Artikel 45 [Grundrechtsschutz, Selbsthilferecht]

(1) Der staatliche Schutz der Rechte und Freiheiten des Menschen und Bürgers in der Russländischen Föderation wird garantiert.

(2) Jeder ist berechtigt, seine Rechte und Freiheiten mit allen Mitteln, die nicht gesetzlich verboten sind, zu verteidigen.

Artikel 46 [Rechtswegegarantie]

(1) Jedem wird der gerichtliche Schutz seiner Rechte und Freiheiten garantiert.

(2) Entscheidungen und Handlungen (oder die Untätigkeit) der Organe der Staatsgewalt, der Organe der örtlichen Selbstverwaltung, der gesellschaftlichen Vereinigungen und Amtsträger können bei Gericht angefochten werden.

(3) Jeder ist berechtigt, sich gemäß den völkerrechtlichen Verträgen der Russländischen Föderation an die zwischenstaatlichen Organe zum Schutz der Menschenrechte und -freiheiten zu wenden, wenn alle bestehenden innerstaatlichen Mittel des Rechtsschutzes ausgeschöpft sind.

Artikel 47 [Recht auf das gesetzliche Gericht, Geschworenengericht]

(1) Niemandem darf das Recht auf Verhandlung seiner Sache vor dem Gericht und durch die Richter, die gesetzlich für sie zuständig sind, entzogen werden.

(2) Der einer Straftat Beschuldigte hat in den durch Bundesgesetz vorgesehenen Fällen das Recht auf Verhandlung seiner Sache durch ein Gericht unter Mitwirkung von Geschworenen.

Artikel 48 [Rechtsbeistand und Verteidiger]

(1) Jedem wird das Recht garantiert, qualifizierten juristischen Beistand zu erhalten. In den durch Gesetz vorgesehenen Fällen wird der juristische Beistand unentgeltlich geleistet.

(2) Jeder Festgenommene, Verhaftete oder einer Straftat Beschuldigte hat das Recht, sich des Beistands eines Rechtsanwalts (Verteidigers) vom Moment seiner Festnahme, Verhaftung oder Beschuldigung an zu bedienen.

Artikel 49 [Unschuldsvermutung]

(1) Jeder einer Straftat Beschuldigte gilt als unschuldig, solange seine Schuld nicht in dem durch Bundesgesetz vorgesehenen Verfahren bewiesen und durch rechtskräftiges Gerichtsurteil festgestellt worden ist.

(2) Der Beschuldigte ist nicht verpflichtet, seine Unschuld zu beweisen.

(3) Unüberwindliche Zweifel an der Schuld einer Person werden zugunsten des Beschuldigten ausgelegt.

Artikel 50 [Doppelbestrafungsverbot, Beweisverwertungsverbot, Rechtsschutzgarantie]

(1) Niemand darf wegen ein und derselben Straftat mehrmals verurteilt werden.

(2) Bei der Ausübung der Rechtsprechung sind Beweise, die unter Verletzung eines Bundesgesetzes erlangt worden sind, nicht verwertbar.

(3) Jeder wegen einer Straftat Verurteilte hat das Recht auf Überprüfung des Urteils durch ein höheres Gericht in dem durch Bundesgesetz festgelegten Verfahren sowie das Recht, um Begnadigung oder Strafmilderung nachzusuchen.

Artikel 51 [Zeugnisverweigerungsrechte]

(1) Niemand ist verpflichtet, gegen sich selbst, gegen seinen Ehegatten oder gegen nahe Verwandte, deren Kreis durch Bundesgesetz bestimmt wird, auszusagen.

(2) Durch Bundesgesetz können andere Fälle des Zeugnisverweigerungsrechts festgelegt werden.

Artikel 52 [Rechte der Opfer]

Die Rechte der Opfer von Straftaten oder von Machtmissbrauch werden durch Gesetz geschützt. Der Staat gewährleistet den Opfern den Zugang zur Gerichtsbarkeit und den Ersatz des zugefügten Schadens.

Artikel 53 [Staatshaftung]

Jeder hat das Recht auf staatlichen Ersatz des Schadens, der durch ungesetzliches Handeln (oder Unterlassen) der Organe der Staatsgewalt oder ihrer Amtsträger verursacht wurde.

Artikel 54 [Rückwirkung von Gesetzen]

(1) Ein Gesetz, das Haftung begründet oder verschärft, hat keine rückwirkende Kraft.

(2) Niemand haftet für eine Handlung, die im Zeitpunkt ihrer Begehung nicht als Rechtsverletzung galt. Wird nach der Begehung der Rechtsverletzung die Haftung für sie aufgehoben oder gemildert, so gilt das neue Gesetz.

Artikel 55 [Grundrechtseinschränkungen]

(1) Die Aufzählung der Grundrechte und Grundfreiheiten in der Verfassung der Russländischen Föderation darf nicht als Verneinung oder Schmälerung anderer allgemein anerkannter Rechte und Freiheiten des Menschen und Bürgers ausgelegt werden.

(2) In der Russländischen Föderation dürfen keine Gesetze erlassen werden, die die Rechte und Freiheiten des Menschen und Bürgers aufheben oder schmälern.

(3) Die Rechte und Freiheiten des Menschen und Bürgers können durch Bundesgesetz nur in dem Maße eingeschränkt werden, wie dies zum Schutz der Grundlagen der Verfassungsordnung, der Moral, der Gesundheit, der Rechte und gesetzlichen Interessen anderer sowie zur Gewährleistung der Landesverteidigung und Staatssicherheit notwendig ist.

Artikel 56 [Grundrechte im Ausnahmezustand]

(1) Unter den Bedingungen des Ausnahmezustandes können zur Gewährleistung der Sicherheit der Bürger und zum Schutz der Verfassungsordnung in Übereinstimmung mit einem Bundesverfassungsgesetz einzelne Beschränkungen der Rechte und Freiheiten unter Angabe ihrer Grenzen und ihrer Geltungsfrist festgelegt werden.

(2) Der Ausnahmezustand auf dem gesamten Territorium der Russländischen Föderation und in einzelnen ihrer Gegenden kann unter den Umständen und nach dem Verfahren verhängt werden, die durch Bundesverfassungsgesetz festgelegt sind.

(3) Die in den Artikeln 20, 21, 23 Absatz 1, 24, 28, 34 Absatz 1, 40 Absatz 1, 46-54 der Verfassung der Russländischen Föderation vorgesehenen Rechte und Freiheiten unterliegen keiner Einschränkung.

Artikel 57 [Steuerzahlungspflicht]

Jeder ist verpflichtet, die gesetzlich festgesetzten Steuern und Abgaben zu zahlen. Gesetze, die neue Steuern einführen oder die Lage der Steuerzahler verschlechtern, haben keine rückwirkende Kraft.

Artikel 58 [Pflicht zum Umweltschutz]
Jeder ist verpflichtet, die Natur und die Umwelt zu erhalten und sorgsam mit den Naturreichtümern umzugehen.

Artikel 59 [Militärdienst, ziviler Ersatzdienst]
(1) Der Schutz des Vaterlandes ist Schuldigkeit und Pflicht des Bürgers der Russländischen Föderation.

(2) Der Bürger der Russländischen Föderation leistet Militärdienst gemäß dem Bundesgesetz.

(3) Der Bürger der Russländischen Föderation hat das Recht, falls die Ableistung des Militärdienstes seinen Überzeugungen oder seinem Glaubensbekenntnis widerspricht, und ebenso in anderen durch Bundesgesetz festgelegten Fällen statt dessen einen zivilen Ersatzdienst zu leisten.

Artikel 60 [Handlungsfähigkeit]
Von seinem 18. Lebensjahr an kann der Bürger der Russländischen Föderation selbstständig in vollem Umfang seine Rechte und Pflichten wahrnehmen.

Artikel 61 [Ausweisungs- und Auslieferungsverbot]
(1) Der Bürger der Russländischen Föderation darf nicht aus der Russländischen Föderation ausgewiesen oder an einen anderen Staat ausgeliefert werden.

(2) Die Russländische Föderation garantiert ihren Bürgern Fürsorge und Schutz über ihre Grenzen hinaus.

Artikel 62 [Doppelstaatsangehörigkeit]
(1) Der Bürger der Russländischen Föderation kann in Übereinstimmung mit Bundesgesetz oder völkerrechtlichem Vertrag die Staatsangehörigkeit eines anderen Staates besitzen (doppelte Staatsangehörigkeit).

(2) Besitzt ein Bürger der Russländischen Föderation die Staatsangehörigkeit eines ausländischen Staates, so schmälert dies nicht seine Rechte und Freiheiten und befreit ihn nicht von den sich aus der russländischen Staatsangehörigkeit ergebenden Pflichten,

wenn nicht ein anderes durch Bundesgesetz oder völkerrechtlichen Vertrag der Russländischen Föderation vorgesehen ist.

(3) Ausländer und Staatenlose genießen in der Russländischen Föderation die gleichen Rechte und tragen die gleichen Pflichten wie die Bürger der Russländischen Föderation, außer in den durch Bundesgesetz oder völkerrechtlichen Vertrag der Russländischen Föderation festgelegten Fällen.

Artikel 63 [Asyl, Auslieferung]
(1) Die Russländische Föderation gewährt Ausländern und Staatenlosen politisches Asyl entsprechend den allgemein anerkannten Normen des Völkerrechts.

(2) In der Russländischen Föderation ist die Auslieferung von Personen, die wegen ihrer politischen Überzeugung sowie wegen in der Russländischen Föderation nicht als Straftaten angesehenen Handlungen (oder Unterlassung) verfolgt werden, an andere Staaten unzulässig. Die Auslieferung von Personen, die einer Straftat beschuldigt sind, und ebenso von Verurteilten, die ihre Strafe in anderen Staaten verbüßen sollen, richtet sich nach Bundesgesetz oder völkerrechtlichem Vertrag der Russländischen Föderation.

Artikel 64 [Änderung der Grundrechte]
Die Bestimmungen dieses Kapitels bilden die Grundlagen der Rechtsstellung des Einzelnen in der Russländischen Föderation und dürfen nur in dem durch die vorliegende Verfassung festgelegten Verfahren geändert werden.

Kapitel 3.
FÖDERATIVER AUFBAU

Artikel 65 [Territoriale Gliederung]
(1) Die Russländische Föderation bilden folgende Subjekte der Russländischen Föderation:
Republik Adygeja (Adygeja), Republik Altaj, Republik Baškortostan, Republik Burjatija, Republik Dagestan, Republik Ingušetija, Kabardino-Balkarische

Republik, Republik Kalmykija, Karačaevo-Čerkessische Republik, Republik Karelija, Republik Komi, Republik Krym, Republik Marij Ėl, Republik Mordovija, Republik Sacha (Jakutija), Republik Nordosetija – Alanija, Republik Tatarstan (Tatarstan), Republik Tyva, Udmurtische Republik, Republik Chakasija, Čečenische Republik, Čuvašische Republik – Čuvašija;

Region Altaj, Region Zabajkal'e, Region Kamčatka, Region Krasnodar, Region Krasnojarsk, Region Perm', Region Primor'je, Region Stavropol', Region Chabarovsk;

Gebiet Amur, Gebiet Archangel'sk, Gebiet Astrachan', Gebiet Belgorod, Gebiet Brjansk, Gebiet Vladimir, Gebiet Volgograd, Gebiet Vologda, Gebiet Voronež, Gebiet Ivanovo, Gebiet Irkutsk, Gebiet Kaliningrad, Gebiet Kaluga, Gebiet Kemerovo, Gebiet Kirov, Gebiet Kostroma, Gebiet Kurgan, Gebiet Kursk, Gebiet Leningrad, Gebiet Lipeck, Gebiet Magadan, Gebiet Moskau, Gebiet Murmansk, Nižegorodsker Gebiet, Gebiet Novgorod, Gebiet Novosibirsk, Gebiet Omsk, Gebiet Orenburg, Gebiet Orel, Gebiet Penza, Gebiet Pskov, Gebiet Rostov, Gebiet Rjazan', Gebiet Samara, Gebiet Saratov, Gebiet Sachalin, Gebiet Sverdlovsk, Gebiet Smolensk, Gebiet Tambov, Gebiet Tver', Gebiet Tomsk, Gebiet Tula, Gebiet Tjumen', Gebiet Ul'janovsk, Gebiet Čeljabinsk, Gebiet Jaroslavl';

Moskau, St. Petersburg, Sevastopol' – Städte mit föderaler Bedeutung;

Jüdisches Autonomes Gebiet;

Autonomer Bezirk der Nencen, Autonomer Bezirk der Chanten und Mansen – Jugra, Autonomer Bezirk der Čukčen, Autonomer Bezirk der Jamal-Nencen.

(2) Ein neues Subjekt wird in dem durch Bundesverfassungsgesetz festgelegten Verfahren in die Russländische Föderation aufgenommen oder innerhalb der Russländischen Föderation gebildet.

Artikel 66 [Rechtsstatus der Subjekte]

(1) Der Status einer Republik wird durch die Verfassung der Russländischen Föderation und die Verfassung der Republik bestimmt.

(2) Der Status einer Region, eines Gebiets, einer Stadt mit föderaler Bedeutung, eines Autonomen Gebiets und eines Autonomen Bezirks wird bestimmt durch die Verfassung der Russländischen Föderation und das Statut der Region, des Gebiets, der Stadt mit föderaler Bedeutung, des Autonomen Gebiets, des Autonomen Bezirks, das von dem Gesetzgebungs- (Vertretungs-)organ des entsprechenden Subjekts der Russländischen Föderation angenommen wird.

(3) Auf Vorschlag der gesetzgebenden und vollziehenden Organe des Autonomen Gebiets oder eines Autonomen Bezirks kann ein Bundesgesetz über das Autonome Gebiet beziehungsweise den Autonomen Bezirk verabschiedet werden.

(4) Die Beziehungen der innerhalb einer Region oder eines Gebiets gelegenen Autonomen Bezirke können durch Bundesgesetz und Vertrag zwischen den Organen der Staatsgewalt des Autonomen Bezirks und den Organen der Staatsgewalt der Region beziehungsweise des Gebiets geregelt werden.

(5) Der Status eines Subjekts der Russländischen Föderation kann in gegenseitigem Einvernehmen zwischen der Russländischen Föderation und dem Subjekt der Russländischen Föderation in Übereinstimmung mit einem Bundesverfassungsgesetz geändert werden.

Artikel 67 [Staatsgebiet]

(1) Das Staatsgebiet der Russländischen Föderation umfasst die Territorien ihrer Subjekte, die Binnengewässer, das Küstenmeer und den darüber liegenden Luftraum. Auf dem Territorium der Russländischen Föderation können gemäß Bundesgesetz Bundesterritorien gebildet werden. Die Organisation der öffentlichen Gewalt in den Bundesterritorien wird durch das genannte Bundesgesetz festgelegt.

(2) Die Russländische Föderation verfügt über die souveränen Rechte und übt die Jurisdiktion über den Festlandsockel und die ausschließliche Wirtschaftszone der Russländischen Föderation gemäß der durch

Bundesgesetz und Völkerrechtsnormen bestimmten Ordnung aus.

(2.1) Die Russländische Föderation stellt den Schutz ihrer Souveränität und territorialen Integrität sicher. Handlungen (mit Ausnahme einer Abgrenzung, Demarkation und Neufestlegung der Staatsgrenze der Russländischen Föderation mit Nachbarstaaten), die auf eine Abtretung eines Teils des Territoriums der Russländischen Föderation gerichtet sind, sowie Aufrufe zu solchen Handlungen werden nicht zugelassen.

(3) Die Grenzen zwischen den Subjekten der Russländischen Föderation können bei deren gegenseitigem Einvernehmen geändert werden.

Artikel 67.1 [Historische Kontinuität, Kinder]

(1) Die Russländische Föderation ist Rechtsnachfolgerin der UdSSR auf ihrem Territorium sowie Rechtsnachfolgerin der UdSSR in Bezug auf die Mitgliedschaft in internationalen Organisationen, deren Organen, der Teilnahme an völkerrechtlichen Verträgen sowie hinsichtlich der durch völkerrechtliche Verträge vorgesehenen Verpflichtungen und Aktiva der UdSSR außerhalb der Grenzen des Territoriums der Russländischen Föderation.

(2) Die Russländische Föderation, vereint durch eine tausendjährige Geschichte, das Andenken an die Vorfahren bewahrend, die uns Ideale, den Glauben an Gott und die Kontinuität in der Entwicklung des russländischen Staates überliefert haben, erkennt die historisch gewachsene staatliche Einheit an.

(3) Die Russländische Föderation ehrt das Andenken an die Verteidiger des Vaterlandes und gewährleistet den Schutz der historischen Wahrheit. Eine Schmälerung der Bedeutung der Heldentat des Volkes bei der Verteidigung des Vaterlandes wird nicht zugelassen.

(4) Kinder sind die wichtigste Priorität der staatlichen Politik Russlands. Der Staat schafft Bedingungen, die eine allseitige geistige, sittliche, intellektuelle und körperliche

Entwicklung der Kinder sowie ihre Erziehung zu Patriotismus, Staatsbürgerlichkeit und Achtung vor den Älteren ermöglichen. Der Staat, der den Vorrang der familiären Erziehung gewährleistet, übernimmt die Verpflichtungen der Eltern in Bezug auf die Kinder, die ohne Fürsorge geblieben sind.

Artikel 68 [Staatssprache, Muttersprachen]

(1) Staatssprache der Russländischen Föderation auf ihrem gesamten Territorium ist die russische Sprache als die Sprache des staatsbildenden Volkes, welches zur multinationalen Union gleichberechtigter Völker der Russländischen Föderation gehört.

(2) Die Republiken sind berechtigt, ihre eigenen Staatssprachen festzulegen. Diese werden in den Organen der Staatsgewalt, den Organen der örtlichen Selbstverwaltung und den staatlichen Einrichtungen der Republiken gleichberechtigt neben der Staatssprache der Russländischen Föderation verwendet.

(3) Die Russländische Föderation garantiert allen ihren Völkern das Recht auf Erhalt ihrer Muttersprache sowie die Schaffung von Bedingungen für deren Erlernen und deren Entwicklung.

(4) Die Kultur in der Russländischen Föderation stellt ein einzigartiges Erbe ihres multinationalen Volkes dar. Die Kultur wird vom Staat gefördert und geschützt.

Artikel 69 [Kleine Urvölker, kulturelle Identität]

(1) Die Russländische Föderation garantiert die Rechte der kleinen Urvölker in Übereinstimmung mit den allgemein anerkannten Prinzipien und Normen des Völkerrechts und den völkerrechtlichen Verträgen der Russländischen Föderation.

(2) Der Staat schützt die kulturelle Eigenart aller Völker und ethnischen Gemeinschaften der Russländischen Föderation und garantiert die Erhaltung der ethno-kulturellen und sprachlichen Vielfalt.

(3) Die Russländische Föderation erweist den im Ausland lebenden Landsleuten Unterstützung bei der Ausübung ihrer Rechte,

bei der Gewährleistung des Schutzes ihrer Interessen und bei der Bewahrung der gesamtrussländischen kulturellen Identität.

Artikel 70 [Staatssymbole, Hauptstadt]

(1) Staatsflagge, -wappen und -hymne der Russländischen Föderation, ihre Beschreibung und das Verfahren ihrer offiziellen Verwendung werden durch Bundesverfassungsgesetz festgelegt.

(2) Hauptstadt der Russländischen Föderation ist die Stadt Moskau. Der Status der Hauptstadt wird durch Bundesgesetz festgelegt. Der ständige Sitz einzelner Bundesorgane der Staatsgewalt kann eine andere Stadt sein, die durch Bundesverfassungsgesetz bestimmt wird.

Artikel 71 [Ausschließliche Bundeskompetenz]

Zur Zuständigkeit der Russländischen Föderation gehören:

a) die Verabschiedung und Änderung der Verfassung der Russländischen Föderation und der Bundesgesetze sowie die Kontrolle über ihre Einhaltung;

b) der föderative Staatsaufbau und das Territorium der Russländischen Föderation;

c) die Regelung und der Schutz der Rechte und Freiheiten des Menschen und Bürgers; die Staatsangehörigkeit in der Russländischen Föderation; die Regelung und der Schutz der Rechte der nationalen Minderheiten;

d) die Organisation der öffentlichen Gewalt; die Festlegung des Systems der Bundesorgane der gesetzgebenden, vollziehenden und rechtsprechenden Gewalt sowie der Ordnung ihrer Organisation und Tätigkeit; die Bildung von Bundesorganen der Staatsgewalt;

e) das Bundeseigentum und dessen Verwaltung;

f) die Festlegung der Grundlagen der Bundespolitik sowie Bundesprogramme auf dem Gebiet der staatlichen, wirtschaftlichen, ökologischen, wissenschaftlich-technologischen, sozialen, kulturellen und nationalen Entwicklung der Russländischen Föderati-

on; die Festlegung einheitlicher rechtlicher Grundlagen des Gesundheitssystems, der Erziehungs- und Bildungssysteme, einschließlich der Weiterbildung;

g) die Festlegung der rechtlichen Grundlagen eines einheitlichen Marktes; die Regelung des Finanz-, Währungs-, Kredit- und Zollwesens, die Geldemission, die Grundlagen der Preispolitik; die Bundeswirtschaftsdienste einschließlich der Banken des Bundes;

h) der Bundeshaushalt; die Bundessteuern und -abgaben; die Bundesfonds für Regionalentwicklung;

i) die Bundes-Energiesysteme, Kernenergie, spaltbare Materialien; der Bundesverkehr, die Bundesverkehrsverbindungen, Informationen, Informationstechnologien und das Post- und Fernmeldewesen des Bundes; Weltraumaktivitäten;

j) die Außenpolitik und die internationalen Beziehungen der Russländischen Föderation, völkerrechtliche Verträge der Russländischen Föderation; Fragen von Krieg und Frieden;

k) die außenwirtschaftlichen Beziehungen der Russländischen Föderation;

l) Verteidigung und Sicherheit; Rüstungsproduktion; die Bestimmung des Verfahrens für Verkauf und Kauf von Waffen, Munition, Militärtechnik und anderem Militärgut; die Produktion von Giftstoffen und Betäubungsmitteln sowie die Ordnung ihres Gebrauchs; die Gewährleistung der Sicherheit des Einzelnen, der Gesellschaft und des Staates bei der Anwendung von Informationstechnologien und dem Datenverkehr;

m) die Bestimmung des Status und der Schutz der Staatsgrenze, des Küstenmeers, des Luftraums, der ausschließlichen Wirtschaftszone und des Festlandsockels der Russländischen Föderation;

n) die Gerichtsverfassung; die Staatsanwaltschaft; die Straf-, und Strafvollzugsgesetzgebung; Amnestie und Begnadigung; die Gesetzgebung zum Zivilrecht; Prozessrechtsgesetzgebung; die rechtliche Regelung des geistigen Eigentums;

o) das Bundeskollisionsrecht;

p) der messtechnische Dienst, Industriestandards, Eichmaße, metrisches System und Zeitberechnung; Vermessungswesen und Kartographie; Benennungen geographischer Objekte, der meteorologische Dienst; amtliche Statistik und Buchführung;

q) die staatlichen Auszeichnungen und Ehrentitel der Russländischen Föderation;

r) der Staatsdienst des Bundes; die Festlegung von Beschränkungen für die Besetzung staatlicher oder kommunaler Ämter und von Ämtern im staatlichen oder kommunalen Dienst, einschließlich Beschränkungen wegen der Staatsangehörigkeit eines ausländischen Staates, einer Aufenthaltserlaubnis oder eines anderen Dokuments, welches einem Bürger der Russländischen Föderation ein Recht des ständigen Aufenthalts auf dem Territorium eines ausländischen Staats verleiht, sowie Beschränkungen für die Eröffnung oder das Innehaben von Konten (Einlagen) oder das Verwahren von Bargeldmitteln und Wertgegenständen bei außerhalb des Territoriums der Russländischen Föderation gelegenen ausländischen Banken.

Artikel 72 [Gemeinsame Kompetenz von Bund und Subjekten]

(1) Zur gemeinsamen Zuständigkeit der Russländischen Föderation und der Subjekte der Russländischen Föderation gehören:

a) die Gewährleistung der Übereinstimmung der Verfassungen und Gesetze der Republiken, der Statute, Gesetze und anderen normativen Rechtsakte der Regionen, der Gebiete, der Städte von föderaler Bedeutung, des Autonomen Gebiets und der Autonomen Bezirke mit der Verfassung der Russländischen Föderation und den Bundesgesetzen;

b) der Schutz der Rechte und Freiheiten des Menschen und Bürgers; der Schutz der Rechte der nationalen Minderheiten; die Gewährleistung der Gesetzlichkeit, der Rechtsordnung und der öffentlichen Sicherheit; das Regime der Grenzzonen;

c) Fragen des Besitzes, der Nutzung und der Verfügung über Grund und Boden, Bo-

denschätze, Wasser- und andere Naturvorräte;

d) die Abgrenzung des Staatseigentums;

e) Naturnutzung; Landwirtschaft; Umweltschutz und Gewährleistung der ökologischen Sicherheit; besonders geschützte Naturgebiete; Schutz von Geschichts- und Kulturdenkmälern;

f) allgemeine Fragen der Erziehung, der Bildung, der Wissenschaft, der Kultur, der Körperkultur und des Sports sowie der Jugendpolitik;

g) Koordination von Fragen des Gesundheitsschutzes, einschließlich der Gewährleistung der Erbringung einer zugänglichen und hochwertigen medizinischen Hilfe, Bewahrung und Stärkung der Volksgesundheit, Schaffung der Bedingungen für die Führung einer gesunden Lebensweise und der Entwicklung einer Kultur des verantwortlichen Umgangs der Bürger mit ihrer Gesundheit; sozialer Schutz einschließlich der sozialen Sicherung;

g.1) Schutz von Familie, Mutterschaft, Vaterschaft und Kindheit; Schutz des Instituts der Ehe als Verbindung von Mann und Frau; die Schaffung der Bedingungen für eine würdige Erziehung der Kinder in der Familie sowie für die Verwirklichung der Verpflichtung volljähriger Kinder, für ihre Eltern zu sorgen;

h) die Durchführung von Maßnahmen zur Bekämpfung von Katastrophen, Naturkatastrophen und Epidemien sowie die Beseitigung ihrer Folgen;

i) die Festlegung allgemeiner Prinzipien der Besteuerung und Abgaben in der Russländischen Föderation;

j) die Gesetzgebung auf den Gebieten des Verwaltungsrechts, des Verwaltungsprozessrechts, des Arbeitsrechts, des Familienrechts, des Wohnungsrechts, des Bodenrechts, des Wasser- und des Forstrechts; die Gesetzgebung über Bodenschätze und Umweltschutz;

k) das Personal der Gerichts- und Rechtsschutzorgane; Rechtsanwaltschaft, Notariat;

l) der Schutz des angestammten Lebensraums und der traditionellen Lebensform kleiner ethnischer Gemeinschaften;

m) die Festlegung der allgemeinen Organisationsprinzipien des Systems der Organe der Staatsgewalt und der örtlichen Selbstverwaltung;

n) die Koordinierung der internationalen und außenwirtschaftlichen Beziehungen der Subjekte der Russländischen Föderation und die Erfüllung der völkerrechtlichen Verträge der Russländischen Föderation.

(2) Die Bestimmungen dieses Artikels gelten gleichermaßen für die Republiken, Regionen, Gebiete, Städte von föderaler Bedeutung, das Autonome Gebiet und die Autonomen Bezirke.

Artikel 73 [Ausschließliche Kompetenz der Subjekte]

Außerhalb der Zuständigkeit der Russländischen Föderation und der Befugnisse der Russländischen Föderation im Bereich der gemeinsamen Zuständigkeit der Russländischen Föderation und der Subjekte der Russländischen Föderation verfügen die Subjekte der Russländischen Föderation über die gesamte Fülle der Staatsgewalt.

Artikel 74 [Einheitlicher Wirtschaftsraum]

(1) Auf dem Territorium der Russländischen Föderation ist die Einführung von Zollgrenzen, -gebühren und -abgaben oder von irgendwelchen anderen Behinderungen des freien Verkehrs von Waren, Dienstleistungen und Finanzmitteln unzulässig.

(2) Beschränkungen des Waren- und Dienstleistungsverkehrs können in Übereinstimmung mit einem Bundesgesetz eingeführt werden, wenn dies für die Gewährleistung der Sicherheit, des Schutzes des Lebens und der Gesundheit von Menschen, des Naturschutzes und des Schutzes kultureller Werte notwendig ist.

Artikel 75 [Geldeinheit, Zentralbank, Steuern, soziale Garantien]

(1) Die Geldeinheit in der Russländischen Föderation ist der Rubel. Die Geldemission erfolgt ausschließlich durch die Zentralbank der Russländischen Föderation. Die Einfüh-rung und die Emission anderen Geldes in der Russländischen Föderation ist unzulässig.

(2) Der Schutz und die Gewährleistung der Stabilität des Rubels ist die Grundfunktion der Zentralbank der Russländischen Föderation, die sie unabhängig von anderen Organen der Staatsgewalt ausübt.

(3) Das System der Steuern, die an den Bundeshaushalt abgeführt werden, sowie die allgemeinen Prinzipien der Besteuerung und Abgaben in der Russländischen Föderation werden durch Bundesgesetz festgelegt.

(4) Staatsanleihen werden in einem durch Bundesgesetz bestimmten Verfahren emittiert und auf freiwilliger Basis untergebracht.

(5) Die Russländische Föderation achtet die Arbeit der Bürger und gewährleistet den Schutz ihrer Rechte. Durch den Staat wird ein Mindestarbeitslohn nicht unterhalb der Höhe des Existenzminimums der gesamten arbeitsfähigen Bevölkerung in der Russländischen Föderation garantiert.

(6) In der Russländischen Föderation wird ein System der Rentenversorgung der Bürger auf der Grundlage der Prinzipien der Allgemeinheit, der Gerechtigkeit und der Generationensolidarität geschaffen und dessen effektives Funktionieren unterstützt sowie mindestens einmal im Jahr eine Indexierung der Renten in einem durch Bundesgesetz festgelegten Verfahren verwirklicht.

(7) In der Russländischen Föderation werden entsprechend einem Bundesgesetz eine verpflichtende Sozialversicherung, die gezielte soziale Unterstützung der Bürger und eine Indexierung der sozialen Beihilfen und der sonstigen sozialen Zahlungen garantiert.

Artikel 75.1 [Staat, Gesellschaft und Bürger]

In der Russländischen Föderation werden die Bedingungen für ein stabiles wirtschaftliches Wachstum des Landes und eine Erhöhung der Wohlfahrt der Bürger sowie für gegenseitiges Vertrauen zwischen Staat und Gesellschaft geschaffen, es werden der Schutz der Würde des Bürgers und die Achtung des arbeitenden Menschen garantiert, es werden die Balance der Rechte und Pflichten der Bürger, die soziale Partnerschaft sowie die wirtschaftliche, politische und soziale Solidarität gewährleistet.

Artikel 76 [Rechtsquellen, Normenhierarchie]

(1) Im Zuständigkeitsbereich der Russländischen Föderation werden Bundesverfassungsgesetze und Bundesgesetze verabschiedet, die auf dem gesamten Territorium der Russländischen Föderation unmittelbar gelten.

(2) Im gemeinsamen Zuständigkeitsbereich der Russländischen Föderation und der Subjekte der Russländischen Föderation werden Bundesgesetze sowie in Einklang mit diesen verabschiedete Gesetze und andere normative Rechtsakte der Subjekte der Russländischen Föderation erlassen.

(3) Bundesgesetze dürfen Bundesverfassungsgesetzen nicht widersprechen.

(4) Außerhalb des Zuständigkeitsbereichs der Russländischen Föderation und des gemeinsamen Zuständigkeitsbereichs der Russländischen Föderation und der Subjekte der Russländischen Föderation treffen die Republiken, die Regionen, die Gebiete, die Städte mit föderaler Bedeutung, das Autonome Gebiet und die Autonomen Bezirke ihre eigenen rechtlichen Regelungen, einschließlich der Verabschiedung von Gesetzen und anderer normativer Rechtsakte.

(5) Die Gesetze und anderen normativen Rechtsakte der Subjekte der Russländischen Föderation dürfen den Bundesgesetzen nicht widersprechen, die in Übereinstimmung mit den Absätzen 1 und 2 dieses Artikels verabschiedet wurden. Widersprechen ein Bundesgesetz und ein anderer in der Russländischen Föderation erlassener Akt einander, so gilt das Bundesgesetz.

(6) Wenn ein Bundesgesetz und ein normativer Rechtsakt eines Subjekts der Russländischen Föderation, der in Übereinstimmung mit Absatz 4 dieses Artikels erlassen wurde, einander widersprechen, so gilt der normative Rechtsakt des Subjekts der Russländischen Föderation.

Artikel 77 [Organe der Subjekte]

(1) Das System der Organe der Staatsgewalt der Republiken, Regionen, Gebiete, Städte mit föderaler Bedeutung, des Autonomen Gebiets und der Autonomen Bezirke wird von den Subjekten der Russländischen Föderation selbständig, in Übereinstimmung mit den Grundlagen der Verfassungsordnung der Russländischen Föderation und den allgemeinen Prinzipien der Organisation der Vertretungs- und der Vollzugsorgane der Staatsgewalt, die durch Bundesgesetz bestimmt sind, festgelegt.

(2) In den Grenzen der Zuständigkeit der Russländischen Föderation und der Befugnisse der Russländischen Föderation im gemeinsamen Zuständigkeitsbereich der Russländischen Föderation und der Subjekte der Russländischen Föderation bilden die Bundesvollzugsorgane und die Vollzugsorgane der Subjekte der Russländischen Föderation ein einheitliches System der vollziehenden Gewalt in der Russländischen Föderation.

(3) Höchster Amtsträger eines Subjekts der Russländischen Föderation (Leiter des höchsten Vollzugsorgans der Staatsgewalt eines Subjekts der Russländischen Föderation) kann jeder Bürger der Russländischen Föderation sein, der das 30. Lebensjahr erreicht hat, ständig in der Russländischen Föderation lebt und nicht die Staatsangehörigkeit eines ausländischen Staates oder eine Aufenthaltserlaubnis oder ein anderes Dokument hat, welches einem Bürger der Russländischen Föderation ein Recht des ständigen Aufenthalts auf dem Territorium eines ausländischen Staats verleiht. Dem höchsten Amtsträger eines Subjekts der Russländischen Föderation (Leiter des höchsten Vollzugsorgans der Staatsgewalt eines Subjekts der Russländischen Föderation) ist es in dem durch Bundesgesetz festgelegten Verfahren untersagt, bei ausländischen Banken außerhalb des Territoriums der Russländischen Föderation Konten (Einlagen) zu eröffnen und zu halten sowie Bargeldmittel und Wertgegenstände zu verwahren. Ein Bundesgesetz kann zusätzliche Anforderungen an

den höchsten Amtsträger eines Subjekts der Russischen Föderation (Leiter des höchsten Vollzugsorgans der Staatsgewalt eines Subjekts der Russischen Föderation) aufstellen.

Artikel 78 [Vollziehung des Bundes]

(1) Die Bundesvollzugsorgane können zur Ausübung ihrer Befugnisse eigene territoriale Organe bilden und entsprechende Amtsträger ernennen.

(2) Die Bundesvollzugsorgane können in Übereinkunft mit den Vollzugsorganen der Subjekte der Russländischen Föderation diesen die Ausübung eines Teils ihrer Befugnisse übertragen, sofern dies nicht der Verfassung der Russländischen Föderation und den Bundesgesetzen widerspricht.

(3) Die Vollzugsorgane der Subjekte der Russländischen Föderation können in Übereinkunft mit den Bundesvollzugsorganen diesen die Ausübung eines Teils ihrer Befugnisse übertragen.

(4) Der Präsident der Russländischen Föderation und die Regierung der Russländischen Föderation gewährleisten in Übereinstimmung mit der Verfassung der Russländischen Föderation die Ausübung der Befugnisse der Bundesstaatsgewalt auf dem gesamten Territorium der Russländischen Föderation.

(5) Leiter eines staatlichen Bundesorgans kann ein Bürger der Russländischen Föderation sein, der das 30. Lebensjahr erreicht und nicht die Staatsangehörigkeit eines ausländischen Staates oder eine Aufenthaltserlaubnis oder ein anderes Dokument hat, welches dem Bürger der Russländischen Föderation ein Recht des ständigen Aufenthalts auf dem Territorium eines ausländischen Staats verleiht. Dem Leiter eines staatlichen Bundesorgans ist es in dem durch Bundesgesetz festgelegten Verfahren untersagt, bei ausländischen Banken außerhalb des Territoriums der Russländischen Föderation Konten (Einlagen) zu eröffnen und zu halten sowie Bargeldmittel und Wertgegenstände zu verwahren.

Artikel 79 [Internationale Organisationen]

Die Russländische Föderation kann sich in Übereinstimmung mit völkerrechtlichen Verträgen der Russländischen Föderation an zwischenstaatlichen Vereinigungen beteiligen und diesen einen Teil ihrer Befugnisse übertragen, soweit dies keine Beschränkung der Rechte und Freiheiten des Menschen und Bürgers nach sich zieht und nicht den Grundlagen der Verfassungsordnung der Russländischen Föderation widerspricht. Entscheidungen zwischenstaatlicher Organe, die auf der Grundlage von Bestimmungen völkerrechtlicher Verträge der Russländischen Föderation in einer der Verfassung der Russländischen Föderation widersprechenden Auslegung getroffen werden, kommen in der Russländischen Föderation nicht zur Anwendung.

Artikel 79.1 [Internationale Zusammenarbeit]

Die Russländische Föderation trifft Maßnahmen zur Unterstützung und Stärkung des internationalen Friedens und der Sicherheit, zur Gewährleistung des friedlichen Zusammenlebens von Staaten und Völkern und zur Nichtzulassung der Einmischung in die inneren Angelegenheiten eines Staates.

Kapitel 4.
DER PRÄSIDENT DER RUSSLÄNDISCHEN FÖDERATION

Artikel 80 [Staatsoberhaupt, Garantenfunktionen]

(1) Der Präsident der Russländischen Föderation ist das Staatsoberhaupt.

(2) Der Präsident der Russländischen Föderation ist Garant der Verfassung der Russländischen Föderation sowie der Rechte und Freiheiten des Menschen und Bürgers. Gemäß dem durch die Verfassung der Russländischen Föderation festgelegten Verfahren ergreift er Maßnahmen zum Schutz der Souveränität der Russländischen Föderation, ihrer Unabhängigkeit und staatlichen Integrität, hält den zivilen Frieden und die Ein-

tracht im Land aufrecht und gewährleistet das aufeinander abgestimmte Funktionieren und Zusammenwirken der zum einheitlichen System der öffentlichen Gewalt gehörenden Organe.

(3) Der Präsident der Russländischen Föderation bestimmt in Übereinstimmung mit der Verfassung der Russländischen Föderation und den Bundesgesetzen die Hauptrichtungen der Innen- und Außenpolitik des Staates.

(4) Der Präsident der Russländischen Föderation vertritt als Staatsoberhaupt die Russländische Föderation innerhalb des Landes und in den internationalen Beziehungen.

Artikel 81 [Wahl]

(1) Der Präsident der Russländischen Föderation wird von den Bürgern der Russländischen Föderation auf der Grundlage des allgemeinen, gleichen und unmittelbaren Wahlrechts in geheimer Abstimmung auf sechs Jahre gewählt.

(2) Zum Präsidenten der Russländischen Föderation kann ein Bürger der Russländischen Föderation gewählt werden, der nicht jünger als 35 Jahre ist und seit mindestens 25 Jahren ständig in der Russländischen Föderation lebt und keine Staatsangehörigkeit eines ausländischen Staats oder eine Aufenthaltserlaubnis oder ein anderes Dokument hat oder früher hatte, welches dem Bürger der Russländischen Föderation ein Recht des ständigen Aufenthalts auf dem Territorium eines ausländischen Staats verleiht. Die Anforderung an eine Kandidatur für das Amt des Präsidenten der Russländischen Föderation über das Fehlen der Staatsangehörigkeit eines ausländischen Staats erstreckt sich nicht auf Bürger der Russländischen Föderation, die früher die Staatsangehörigkeit eines Staats hatten, der oder ein Teil dessen gemäß Bundesverfassungsgesetz in die Russländische Föderation aufgenommen wurde, und die ständig auf dem Territorium des in die Russländische Föderation aufgenommenen Staats oder dem in die Russländische Föderation aufgenommenen Teil des Staats gelebt

haben. Dem Präsidenten der Russländischen Föderation ist es in dem durch Bundesgesetz bestimmten Verfahren untersagt, bei außerhalb des Territoriums der Russländischen Föderation gelegenen ausländischen Banken Konten (Einlagen) zu eröffnen und zu halten sowie Bargeldmittel und Wertgegenstände zu verwahren.

(3) Ein und dieselbe Person kann das Präsidentenamt nicht länger als zwei Amtsperioden innehaben.

(3.1) Die Bestimmung in Artikel 81 Absatz 3 der Verfassung der Russländischen Föderation, welche die Zahl der Amtszeiten begrenzt, während derer dieselbe Person das Amt des Präsidenten der Russländischen Föderation ausüben kann, gilt für eine Person, die das Amt des Präsidenten der Russländischen Föderation ausübte und (oder) ausübt, ohne Berücksichtigung der Zahl der Amtszeiten, während derer sie dieses Amt zum Zeitpunkt des In-Kraft-Tretens der Änderung der Verfassung der Russländischen Föderation, mit der die entsprechende Beschränkung eingeführt wird, ausübte und (oder) ausübt, und schließt die Möglichkeit nicht aus, dass sie das Amt des Präsidenten der Russländischen Föderation für die in dieser Bestimmung erlaubte Dauer ausübt.

(4) Das Verfahren der Wahl des Präsidenten der Russländischen Föderation wird durch Bundesgesetz bestimmt.

Artikel 82 [Amtseid]

(1) Bei Amtsantritt leistet der Präsident der Russländischen Föderation dem Volk folgenden Eid:

„Ich schwöre, bei der Ausübung der Befugnisse des Präsidenten der Russländischen Föderation die Rechte und Freiheiten des Menschen und Bürgers zu achten und zu schützen, die Verfassung der Russländischen Föderation einzuhalten und zu verteidigen, die Souveränität, Unabhängigkeit, Sicherheit und Integrität des Staates zu verteidigen und dem Volk treu zu dienen".

(2) Der Eid wird in feierlichem Rahmen in Anwesenheit der Senatoren Russlands, der Abgeordneten der Staatsduma und der

Richter des Verfassungsgerichts der Russländischen Föderation geleistet.

Artikel 83 [Vorschlags-, Ernennungs- und Abberufungsrechte]

Der Präsident der Russländischen Föderation:

a) ernennt den Vorsitzenden der Regierung der Russländischen Föderation, dessen Kandidatur von der Staatsduma auf Vorschlag des Präsidenten der Russländischen Föderation bestätigt wurde, und enthebt den Vorsitzenden der Regierung der Russländischen Föderation des Amtes;

b) übt die allgemeine Leitung der Regierung der Russländischen Föderation aus; ist berechtigt, bei Sitzungen der Regierung der Russländischen Föderation den Vorsitz zu führen;

b.1) bestätigt auf Vorschlag des Vorsitzenden der Regierung der Russländischen Föderation die Struktur der Bundesorgane der vollziehenden Gewalt, nimmt darin Änderungen vor; legt in der Struktur der Bundesorgane der vollziehenden Gewalt die Organe fest, deren Tätigkeit der Präsident der Russländischen Föderation leitet, und die Organe, deren Tätigkeit die Regierung der Russländischen Föderation leitet. Wenn der Vorsitzende der Regierung der Russländischen Föderation vom Präsidenten der Russländischen Föderation seines Amtes enthoben wurde, unterbreitet der neu ernannte Vorsitzende der Regierung der Russländischen Föderation dem Präsidenten der Russländischen Föderation keine Vorschläge über die Struktur der Bundesorgane der vollziehenden Gewalt;

c) entscheidet über die Frage des Rücktritts der Regierung der Russländischen Föderation;

c.1) nimmt den Rücktritt des Vorsitzenden der Regierung der Russländischen Föderation, der Stellvertreter des Vorsitzenden der Regierung der Russländischen Föderation, der Bundesminister sowie der Leiter von Bundesorganen der vollziehenden Gewalt an, deren Tätigkeit der Präsident der Russländischen Föderation leitet;

d) präsentiert der Staatsduma die Kandidatur für das Amt des Vorsitzenden der Zentralbank der Russländischen Föderation; legt der Staatsduma die Frage der Entlassung des Vorsitzenden der Zentralbank der Russländischen Föderation vor;

e) ernennt die Stellvertreter des Vorsitzenden der Regierung der Russländischen Föderation und die Bundesminister, deren Kandidaturen die Staatsduma bestätigt hat (mit Ausnahme der in Punkt e.1) dieses Artikels genannten Bundesminister), und enthebt sie ihres Amtes;

e.1) ernennt nach Konsultation mit dem Bundesrat und enthebt des Amtes die Leiter der Bundesorgane der vollziehenden Gewalt (einschließlich der Bundesminister), die für Fragen der Verteidigung, der Staatssicherheit, der inneren Angelegenheiten, der Justiz, der auswärtigen Angelegenheiten, der Verhinderung von Ausnahmesituationen und der Liquidierung von Katastrophenfolgen sowie der öffentlichen Sicherheit zuständig sind;

f) präsentiert dem Bundesrat die Kandidaturen für die Ernennung zum Vorsitzenden des Verfassungsgerichts der Russländischen Föderation, zum Stellvertreter des Vorsitzenden des Verfassungsgerichts der Russländischen Föderation und zu Richtern des Verfassungsgerichts der Russländischen Föderation, zum Vorsitzenden des Obersten Gerichts der Russländischen Föderation, zu Stellvertretern des Vorsitzenden des Obersten Gerichts der Russländischen Föderation und zu Richtern des Obersten Gerichts der Russländischen Föderation; ernennt die Vorsitzenden, die Stellvertreter der Vorsitzenden und die Richter der anderen Bundesgerichte;

f.1) ernennt nach Konsultation mit dem Bundesrat und entlässt den Generalstaatsanwalt der Russländischen Föderation, die Stellvertreter des Generalstaatsanwalts der Russländischen Föderation, die Staatsanwälte der Subjekte der Russländischen Föderation, die Staatsanwälte der Militärstaatsanwaltschaften und anderer den Staatsanwaltschaften der Subjekte der Russländischen Föderation gleichgestellter spezialisierter Staatsanwaltschaften; ernennt und entlässt andere Staatsanwälte, für die ein solches Verfahren zur Ernennung und Entlassung durch Bundesgesetz festgelegt ist;

f.2) ernennt und entlässt die Vertreter der Russländischen Föderation im Bundesrat;

f.3) übermittelt dem Bundesrat einen Antrag auf Beendigung der Befugnisse des Vorsitzenden des Verfassungsgerichts der Russländischen Föderation, des Stellvertreters des Vorsitzenden des Verfassungsgerichts der Russländischen Föderation und der Richter des Verfassungsgerichts der Russländischen Föderation, des Vorsitzenden des Obersten Gerichts der Russländischen Föderation, der Stellvertreter des Vorsitzenden des Obersten Gerichts der Russländischen Föderation und der Richter des Obersten Gerichts der Russländischen Föderation, der Vorsitzenden, der Stellvertreter der Vorsitzenden und der Richter von Kassations- und Appellationsgerichten in Übereinstimmung mit einem Bundesverfassungsgesetz, wenn sie Handlungen begehen, welche die Ehre und Würde eines Richters beflecken, sowie in anderen durch Bundesverfassungsgesetz vorgesehenen Fällen, die eine Unfähigkeit zur Ausübung der richterlichen Befugnisse bezeugen;

f.4) präsentiert dem Bundesrat die Kandidaturen für das Amt des Vorsitzenden des Rechnungshofs und der Hälfte der Gesamtzahl der Prüfer des Rechnungshofes; präsentiert der Staatsduma die Kandidaturen für das Amt des Stellvertreters des Vorsitzenden des Rechnungshofs und der Hälfte der Gesamtzahl der Prüfer des Rechnungshofes;

f.5) bildet den Staatsrat der Russländischen Föderation zum Zweck der Gewährleistung eines aufeinander abgestimmten Funktionierens und Zusammenwirkens der Organe der öffentlichen Gewalt, der Bestimmung der Hauptrichtungen der Innen- und Außenpolitik der Russländischen Föderation sowie der vorrangigen Richtungen der sozioökonomischen Entwicklung des Staates; der Status des Staatsrats der Russländischen Föderation wird durch ein Bundesgesetz bestimmt;

g) bildet den Sicherheitsrat der Russländischen Föderation zum Zweck der Unterstützung des Staatsoberhauptes bei der Ausübung seiner Befugnisse in Fragen der Sicherung der nationalen Interessen und der Sicherheit der Person, der Gesellschaft und des Staates sowie der Aufrechterhaltung des zivilen Friedens und der Eintracht im Land, des Schutzes der Souveränität der Russländischen Föderation, ihrer Unabhängigkeit und staatlichen Integrität sowie zur Abwendung innerer und äußerer Bedrohungen; leitet den Sicherheitsrat der Russländischen Föderation. Der Status des Sicherheitsrats der Russländischen Föderation wird durch ein Bundesgesetz bestimmt;

h) bestätigt die Militärdoktrin der Russländischen Föderation;

i) bildet die Administration des Präsidenten der Russländischen Föderation zum Zweck der Gewährleistung der Verwirklichung seiner Befugnisse;

j) ernennt und entlässt die bevollmächtigten Vertreter des Präsidenten der Russländischen Föderation;

k) ernennt und entlässt das Oberkommando der Streitkräfte der Russländischen Föderation;

l) ernennt und beruft ab nach Konsultierung der entsprechenden Komitees oder Kommissionen der Kammern der Bundesversammlung die diplomatischen Vertreter der Russländischen Föderation in ausländischen Staaten und bei internationalen Organisationen.

Artikel 84 [Befugnisse gegenüber der Legislative]

Der Präsident der Russländischen Föderation:

a) beraumt im Übereinstimmung mit der Verfassung der Russländischen Föderation und dem Bundesgesetz die Wahlen zur Staatsduma an;

b) löst die Staatsduma in den Fällen und nach dem Verfahren auf, die in der Verfassung der Russländischen Föderation vorgesehen sind;

c) beraumt ein Referendum an in dem Verfahren, das durch Bundesverfassungsgesetz festgelegt ist;

d) bringt Gesetzentwürfe in die Staatsduma ein;

e) unterzeichnet und verkündet die Bundesgesetze;

f) wendet sich an die Bundesversammlung mit alljährlichen Botschaften über die Lage im Lande und über die Grundrichtungen der Innen- und Außenpolitik des Staates.

Artikel 85 [Schlichtungsverfahren, Suspendierungsrecht]

(1) Der Präsident der Russländischen Föderation kann Schlichtungsverfahren anwenden zur Klärung von Meinungsverschiedenheiten zwischen Organ der Staatsgewalt der Russländischen Föderation und Organen der Staatsgewalt von Subjekten der Russländischen Föderation, ebenso wie zwischen Organen der Staatsgewalt von Subjekten der Russländischen Föderation. Wird keine einvernehmliche Lösung erreicht, so kann er die Entscheidung des Streits dem entsprechenden Gericht zur Prüfung vorlegen.

(2) Der Präsident der Russländischen Föderation ist berechtigt, den Vollzug von Akten der Vollzugsorgane der Subjekte der Russländischen Föderation, die der Verfassung der Russländischen Föderation, Bundesgesetzen oder völkerrechtlichen Verpflichtungen der Russländischen Föderation widersprechen oder die Rechte und Freiheiten des Menschen und Bürgers verletzen, bis zur Klärung dieser Frage durch das entsprechende Gericht auszusetzen.

Artikel 86 [Außenpolitische Befugnisse]

Der Präsident der Russländischen Föderation:

a) hat die Leitung der Außenpolitik der Russländischen Föderation inne;

b) führt Verhandlungen und unterzeichnet die völkerrechtlichen Verträge der Russländischen Föderation;

c) unterzeichnet die Ratifikationsurkunden;

d) nimmt die Beglaubigungs- und Abberufungsurkunden der bei ihm akkreditierten diplomatischen Vertreter entgegen.

Artikel 87 [Oberbefehlshaber, Kriegszustand]

(1) Der Präsident der Russländischen Föderation ist Oberbefehlshaber der Streitkräfte der Russländischen Föderation.

(2) Im Falle eines Angriffs gegen die Russländische Föderation oder eines unmittelbar drohenden Angriffs verhängt der Präsident der Russländischen Föderation unter unverzüglicher Benachrichtigung des Bundesrates und der Staatsduma den Kriegszustand über das Territorium der Russländischen Föderation oder einzelne ihrer Gegenden.

(3) Das Regime des Kriegszustands wird durch Bundesverfassungsgesetz bestimmt.

Artikel 88 [Ausnahmezustand]

Der Präsident der Russländischen Föderation verhängt unter sofortiger Benachrichtigung des Bundesrates und der Staatsduma unter den Umständen und in dem Verfahren, die durch Bundesverfassungsgesetz vorgesehen sind, über das Territorium der Russländischen Föderation oder einzelne ihrer Gegenden den Ausnahmezustand.

Artikel 89 [Statusbefugnisse]

Der Präsident der Russländischen Föderation:

a) entscheidet Fragen der Staatsangehörigkeit der Russländischen Föderation und der Gewährung politischen Asyls;

b) verleiht die staatlichen Auszeichnungen der Russländischen Föderation, die Ehrentitel der Russländischen Föderation sowie die höchsten militärischen Ränge und die höchsten Dienstränge;

c) übt das Begnadigungsrecht aus.

Artikel 90 [Dekrete und Verfügungen]

(1) Der Präsident der Russländischen Föderation erlässt Dekrete und Verfügungen.

(2) Dekrete und Verfügungen des Präsidenten der Russländischen Föderation müssen auf dem gesamten Territorium der Russländischen Föderation ausgeführt werden.

(3) Dekrete und Verfügungen des Präsidenten der Russländischen Föderation dürfen der Verfassung der Russländischen

Föderation und den Bundesgesetzen nicht widersprechen.

Artikel 91 [Immunität]

Der Präsident der Russländischen Föderation genießt Immunität.

Artikel 92 [Vorzeitige Amtsbeendigung, Stellvertretung]

(1) Der Präsident der Russländischen Föderation beginnt die Ausübung seiner Amtsbefugnisse mit seiner Eidesleistung und beendet sie nach dem Ablauf seiner Amtsperiode mit der Eidesleistung des neu gewählten Präsidenten der Russländischen Föderation.

(2) Der Präsident der Russländischen Föderation beendet die Ausübung seiner Amtsbefugnisse vorzeitig im Fall seines Rücktritts, im Fall der aufgrund seines Gesundheitszustandes fortdauernden Unfähigkeit, die ihm zukommenden Amtsbefugnisse wahrzunehmen, oder im Fall der Amtsenthebung. Dabei müssen Wahlen zum Präsidenten der Russländischen Föderation spätestens drei Monate ab vorzeitiger Amtsbeendigung stattfinden.

(3) In allen Fällen, in denen der Präsident der Russländischen Föderation nicht in der Lage ist, seine Pflichten wahrzunehmen, erfüllt sie vorübergehend der Vorsitzende der Regierung der Russländischen Föderation. Der geschäftsführende Präsident der Russländischen Föderation hat nicht das Recht, die Staatsduma aufzulösen, ein Referendum anzusetzen und Vorlagen über Änderungen oder eine Revision von Bestimmungen der Verfassung der Russländischen Föderation einzubringen.

Artikel 92.1 [Immunität nach Amtsbeendigung]

(1) Ein Präsident der Russländischen Föderation, der die Ausübung seiner Befugnisse wegen des Ablaufs seiner Amtszeit oder vorzeitig im Falle seines Rücktritts oder einer gesundheitsbedingten dauerhaften Unfähigkeit zur Wahrnehmung seiner Befugnisse beendet hat, genießt Immunität.

(2) Andere Garantien für einen Präsidenten der Russländischen Föderation, der die Ausübung seiner Befugnisse wegen des Ablaufs seiner Amtzeit oder vorzeitig im Falle seines Rücktritts oder einer gesundheitsbedingten dauerhaften Unfähigkeit zur Wahrnehmung seiner Befugnisse beendet hat, werden durch Bundesgesetz festgelegt.

(3) Einem Präsidenten der Russländischen Föderation, der die Ausübung seiner Befugnisse beendet hat, kann die Immunität in dem in Artikel 93 der Verfassung der Russländischen Föderation vorgesehenen Verfahren entzogen werden.

Artikel 93 [Amtsenthebung]

(1) Der Präsident der Russländischen Föderation kann durch den Bundesrat nur dann seines Amtes enthoben und einem Präsidenten der Russländischen Föderation, der die Ausübung seiner Befugnisse beendet hat, die Immunität entzogen werden, wenn die Staatsduma die Anklage des Staatsverrats oder der Begehung einer anderen schweren Straftat erhoben hat, die durch ein Gutachten des Obersten Gerichts der Russländischen Föderation über das Vorliegen von Straftatmerkmalen in Handlungen des Präsidenten der Russländischen Föderation, sei es des amtierenden oder des die Ausübung seiner Befugnisse beendet habenden, und durch ein Gutachten des Verfassungsgerichts der Russländischen Föderation darüber, dass die Anklageerhebung dem vorgeschriebenen Verfahren entspricht, bestätigt worden ist.

(2) Die Entscheidung der Staatsduma über eine Anklageerhebung und die Entscheidung des Bundesrates über die Amtsenthebung des Präsidenten der Russländischen Föderation oder die Aufhebung der Immunität eines Präsidenten der Russländischen Föderation, der die Ausübung seiner Befugnisse beendet hat, muss mit zwei Dritteln der Gesamtstimmenanzahl der Senatoren der Russländischen Föderation beziehungsweise der Abgeordneten der Staatsduma auf Initiative von mindestens einem Drittel der Abgeordneten der Staatsduma und unter Vorliegen eines Gutachtens einer von der Staatsduma

gebildeten Sonderkommission angenommen werden.

(3) Die Entscheidung des Bundesrates über die Amtsenthebung des Präsidenten der Russländischen Föderation beziehungsweise die Aufhebung der Immunität eines Präsidenten der Russländischen Föderation, der die Ausübung seiner Befugnisse beendet hat, muss spätestens drei Monate nach Anklageerhebung der Staatsduma gegen den Präsidenten der Russländischen Föderation erfolgen. Wenn in dieser Frist keine Entscheidung des Bundesrates angenommen wird, gilt die Anklage gegen den Präsidenten der Russländischen Föderation beziehungsweise einen Präsidenten der Russländischen Föderation, der die Ausübung seiner Befugnisse beendet hat, als abgewiesen.

Kapitel 5.
DIE BUNDESVERSAMMLUNG

Artikel 94 [Vertretungs- und Gesetzgebungsorgan]

Die Bundesversammlung – das Parlament der Russländischen Föderation – ist das Vertretungs- und Gesetzgebungsorgan der Russländischen Föderation.

Artikel 95 [Bundesrat und Staatsduma]

(1) Die Bundesversammlung besteht aus zwei Kammern: dem Bundesrat und der Staatsduma.

(2) Der Bundesrat besteht aus den Senatoren der Russländischen Föderation. Dem Bundesrat gehören an:

a) jeweils zwei Vertreter von jedem Subjekt der Russländischen Föderation – je einer von dem Gesetzgebungs- (Vertretungs-) und von dem Vollzugsorgan der Staatsgewalt – für die Dauer der Vollmachten des entsprechenden Organs;

b) ein Präsident der Russländischen Föderation, der die Ausübung seiner Befugnisse wegen des Ablaufs seiner Amtszeit oder vorzeitig wegen seines Rücktritts beendet hat – lebenslang. Ein Präsident der Russländischen Föderation, der die Ausübung seiner Befugnisse wegen des Ablaufs seiner Amts-

zeit oder vorzeitig wegen seines Rücktritts beendet hat, ist berechtigt, auf die Befugnisse als Senator der Russländischen Föderation verzichten;

c) nicht mehr als 30 vom Präsidenten der Russländischen Föderation ernannte Vertreter der Russländischen Föderation, von denen nicht mehr als sieben lebenslang ernannt werden dürfen.

(3) Die Gesamtzahl der Senatoren der Russländischen Föderation bestimmt sich ausgehend von der Zahl der Vertreter der in Artikel 65 der Verfassung der Russländischen Föderation aufgezählten Subjekte der Russländischen Föderation und der Zahl der in Absatz 2 Punkte b) und c) dieses Artikels genannten Personen, welche die Befugnisse als Senatoren der Russländischen Föderation ausüben;

(4) Senator der Russländischen Föderation kann ein Bürger der Russländischen Föderation sein, der mindestens 30 Jahre alt ist, ständig in der Russländischen Föderation lebt und keine Staatsangehörigkeit eines ausländischen Staats oder eine Aufenthaltserlaubnis oder ein anderes Dokument hat, welches dem Bürger der Russländischen Föderation ein Recht des ständigen Aufenthalts auf dem Territorium eines ausländischen Staats verleiht. Senatoren der Russländischen Föderation ist es in dem durch Bundesgesetz bestimmten Verfahren untersagt, bei außerhalb des Territoriums der Russländischen Föderation gelegenen ausländischen Banken Konten (Einlagen) zu eröffnen und zu halten sowie Bargeldmittel und Wertgegenstände zu verwahren.

(5) Zu Vertretern der Russländischen Föderation im Bundesrat, welche die Befugnisse als Senatoren der Russländischen Föderation lebenslang ausüben, können Bürger bestellt werden, die herausragende Verdienste für das Land im Bereich der staatlichen und gesellschaftlichen Tätigkeit aufweisen.

(6) Die Vertreter der Russländischen Föderation im Bundesrat werden mit Ausnahme der Vertreter der Russländischen Föderation, welche die Befugnisse als Senatoren

der Russländischen Föderation lebenslang ausüben, für sechs Jahre bestellt.

(7) Die Staatsduma besteht aus 450 Abgeordneten.

Artikel 96 [Bestellmodus]

(1) Die Staatsduma wird auf fünf Jahre gewählt.

(2) Das Verfahren der Bildung des Bundesrates und das Verfahren der Wahl der Abgeordneten der Staatsduma werden durch Bundesgesetze festgelegt.

Artikel 97 [Abgeordnetenstatus]

(1) Zum Abgeordneten der Staatsduma kann ein Bürger der Russländischen Föderation gewählt werden, der das 21. Lebensjahr vollendet hat und das aktive Wahlrecht besitzt, ständig in der Russländischen Föderation lebt und keine Staatsangehörigkeit eines ausländischen Staats oder eine Aufenthaltserlaubnis oder ein anderes Dokument hat, welches dem Bürger der Russländischen Föderation ein Recht des ständigen Aufenthalts auf dem Territorium eines ausländischen Staats verleiht. Abgeordneten der Staatsduma ist es in dem durch Bundesgesetz bestimmten Verfahren untersagt, bei außerhalb des Territoriums der Russländischen Föderation gelegenen ausländischen Banken Konten (Einlagen) zu eröffnen und zu halten sowie Bargeldmittel und Wertgegenstände zu verwahren.

(2) Ein und dieselbe Person kann nicht gleichzeitig Senator der Russländischen Föderation und Abgeordneter der Staatsduma sein. Ein Abgeordneter der Staatsduma kann nicht Abgeordneter anderer Vertretungsorgane der Staatsgewalt oder örtlicher Selbstverwaltungsorgane sein.

(3) Die Abgeordneten der Staatsduma arbeiten hauptberuflich. Die Abgeordneten der Staatsduma dürfen weder im Staatsdienst stehen noch eine andere bezahlte Tätigkeit ausüben, ausgenommen eine lehrende, wissenschaftliche oder sonstige schöpferische Tätigkeit.

Artikel 98 [Abgeordnetenimmunität]

(1) Senatoren der Russländischen Föderation und Abgeordnete der Staatsduma genießen während der gesamten Dauer ihres Mandates Immunität. Sie dürfen nicht festgenommen, verhaftet oder durchsucht werden, außer bei Festnahme am Tatort, und keiner Leibesvisitation unterzogen werden, es sei denn, dass dies in einem Bundesgesetz zur Gewährleistung der Sicherheit anderer Menschen vorgesehen ist.

(2) Über die Aufhebung der Immunität entscheidet auf Vorlage des Generalstaatsanwalts der Russländischen Föderation die entsprechende Kammer der Bundesversammlung.

Artikel 99 [Konstituierung der Staatsduma]

(1) Die Bundesversammlung ist ein ständig tätiges Organ.

(2) Die Staatsduma tritt am 30. Tag nach der Wahl zur ersten Sitzung zusammen. Der Präsident der Russländischen Föderation ist berechtigt, die Sitzung der Staatsduma zu einem früheren Zeitpunkt einzuberufen.

(3) Die erste Sitzung der Staatsduma eröffnet der nach Lebensalter älteste Abgeordnete.

(4) Mit dem Beginn der Arbeit der Staatsduma der neuen Legislaturperiode erlöschen die Befugnisse der Staatsduma der vorherigen Legislaturperiode.

Artikel 100 [Sitzungen]

(1) Bundesrat und Staatsduma tagen getrennt.

(2) Die Sitzungen des Bundesrates und der Staatsduma sind öffentlich. In von der Geschäftsordnung einer Kammer vorgesehenen Fällen ist diese berechtigt, geschlossene Sitzungen abzuhalten.

(3) Zum Anhören von Botschaften des Präsidenten der Russländischen Föderation dürfen die Kammern gemeinsam zusammentreten.

Artikel 101 [Innere Organisation, Rechnungshof]

(1) Der Bundesrat wählt aus seiner Mitte den Vorsitzenden des Bundesrates und dessen Stellvertreter. Die Staatsduma wählt aus ihrer Mitte den Vorsitzenden der Staatsduma und dessen Stellvertreter.

(2) Der Vorsitzende des Bundesrates und dessen Stellvertreter sowie der Vorsitzende der Staatsduma und dessen Stellvertreter leiten die Sitzungen und sind für die innere Ordnung der Kammer zuständig.

(3) Bundesrat und Staatsduma bilden Ausschüsse und Kommissionen und führen zu Fragen, die in ihre Zuständigkeit fallen, parlamentarische Anhörungen durch.

(4) Jede der Kammern verabschiedet ihre Geschäftsordnung und entscheidet Fragen der inneren Ordnung ihrer Tätigkeit.

(5) Zur Ausübung der Kontrolle über den Vollzug des Bundeshaushaltes bilden Bundesrat und Staatsduma einen Rechnungshof, dessen Zusammensetzung und Verfahrensordnung durch Bundesgesetz bestimmt werden.

Artikel 102 [Kompetenzen des Bundesrates]

(1) Zur Zuständigkeit des Bundesrates gehören:

a) die Bestätigung der Änderung von Grenzen zwischen Subjekten der Russländischen Föderation;

b) die Bestätigung eines Dekrets des Präsidenten der Russländischen Föderation über die Verhängung des Kriegszustandes;

c) die Bestätigung eines Dekrets des Präsidenten der Russländischen Föderation über die Verhängung des Ausnahmezustandes;

d) die Entscheidung über die Möglichkeit eines Einsatzes der Streitkräfte der Russländischen Föderation außerhalb des Territoriums der Russländischen Föderation;

e) die Ausschreibung der Wahlen zum Präsidenten der Russländischen Föderation;

f) die Amtsenthebung des Präsidenten der Russländischen Föderation; der Entzug der Immunität eines Präsidenten der Russländi-

schen Föderation, der die Ausübung seiner Befugnisse beendet hat;

g) auf Vorschlag des Präsidenten der Russländischen Föderation die Ernennung des Vorsitzenden des Verfassungsgerichts der Russländischen Föderation, des Stellvertreters des Vorsitzenden des Verfassungsgerichts der Russländischen Föderation und der Richter des Verfassungsgerichts der Russländischen Föderation, des Vorsitzenden des Obersten Gerichts der Russländischen Föderation, der Stellvertreter des Vorsitzenden des Obersten Gerichts der Russländischen Föderation und der Richter des Obersten Gerichts der Russländischen Föderation;

h) die Durchführung von Konsultationen über die vom Präsidenten der Russländischen Föderation vorgeschlagenen Kandidaturen für das Amt des Generalstaatsanwalts der Russländischen Föderation, der Stellvertreter des Generalstaatsanwalts der Russländischen Föderation, der Staatsanwälte der Subjekte der Russländischen Föderation, der Militärstaatsanwälte und anderer den Staatsanwälten der Subjekte der Russländischen Föderation gleichgestellter spezialisierter Staatsanwälte;

i) die Ernennung und Entlassung des Vorsitzenden des Rechnungshofes und der Hälfte der Gesamtzahl der Prüfer des Rechnungshofes auf Vorschlag des Präsidenten der Russländischen Föderation;

j) die Durchführung von Konsultationen über die vom Präsidenten der Russländischen Föderation vorgeschlagenen Kandidaturen für das Amt der Leiter der Bundesorgane der vollziehenden Gewalt (einschließlich der Bundesminister), die für Fragen der Verteidigung, der Staatssicherheit, der inneren Angelegenheiten, der Justiz, der auswärtigen Angelegenheiten, der Verhinderung von Ausnahmesituationen und der Liquidierung von Katastrophenfolgen sowie der öffentlichen Sicherheit zuständig sind;

k) auf Vorschlag des Präsidenten der Russländischen Föderation in Übereinstimmung mit einem Bundesverfassungsgesetz die Beendigung der Befugnisse des Vorsitzenden des Verfassungsgerichts der Russländischen Föderation, des Stellvertreters des Vorsitzenden des Verfassungsgerichts der Russländischen Föderation und der Richter des Verfassungsgerichts der Russländischen Föderation, des Vorsitzenden des Obersten Gerichts der Russländischen Föderation, der Stellvertreter des Vorsitzenden des Obersten Gerichts der Russländischen Föderation und der Richter des Obersten Gerichts der Russländischen Föderation, der Vorsitzenden, der Stellvertreter der Vorsitzenden und der Richter der Kassations- und der Appellationsgerichte, wenn sie Handlungen begehen, welche die Ehre und Würde eines Richters beflecken, sowie in anderen durch Bundesverfassungsgesetz vorgesehenen Fällen, die eine Unfähigkeit zur Ausübung der richterlichen Befugnisse bezeugen;

l) die Anhörung der Jahresberichte des Generalstaatsanwalts der Russländischen Föderation über den Zustand der Gesetzlichkeit und der Rechtsordnung in der Russländischen Föderation.

(2) Der Bundesrat fasst Beschlüsse zu Fragen, für die er nach der Verfassung der Russländischen Föderation zuständig ist.

(3) Beschlüsse des Bundesrates werden mit der Stimmenmehrheit der Gesamtzahl der Senatoren der Russländischen Föderation gefasst, sofern die Verfassung der Russländischen Föderation kein anderes Beschlussverfahren vorsieht.

Artikel 103 [Kompetenzen der Staatsduma]

(1) Zur Zuständigkeit der Staatsduma gehören:

a) die Bestätigung der Kandidatur für den Vorsitzenden der Regierung der Russländischen Föderation auf Vorschlag des Präsidenten der Russländischen Föderation;

a.1) die Bestätigung der Kandidaturen für die Stellvertreter des Vorsitzenden der Regierung der Russländischen Föderation und der Bundesminister, mit Ausnahme der in Artikel 83 Punkt e.1) der Verfassung der Russländischen Föderation genannten Bundesminister, auf Vorschlag des Vorsitzenden der Regierung der Russländischen Föderation;

b) die Entscheidung der Vertrauensfrage der Regierung der Russländischen Föderation;

c) die Anhörung der Jahresberichte der Regierung der Russländischen Föderation über die Resultate ihrer Tätigkeit, darunter über Fragen, die von der Staatsduma gestellt wurden;

d) die Ernennung und Entlassung des Vorsitzenden der Zentralbank der Russländischen Föderation;

d.1) die Anhörung der Jahresberichte der Zentralbank der Russländischen Föderation;

e) die Ernennung und Entlassung des Stellvertreters des Vorsitzenden des Rechnungshofes und der Hälfte der Gesamtzahl der Prüfer des Rechnungshofes auf Vorschlag des Präsidenten der Russländischen Föderation;

f) die Ernennung und Entlassung des Menschenrechtsbeauftragten, der gemäß einem Bundesverfassungsgesetz tätig ist. Menschenrechtsbeauftragter kann ein Bürger der Russländischen Föderation sein, der ständig in der Russländischen Föderation lebt und nicht die Staatsangehörigkeit eines ausländischen Staates oder eine Aufenthaltserlaubnis oder ein anderes Dokument hat, welches dem Bürger der Russländischen Föderation ein Recht des ständigen Aufenthalts auf dem Territorium eines ausländischen Staats verleiht. Dem Menschenrechtsbeauftragten ist es in dem durch Bundesgesetz festgelegten Verfahren untersagt, bei ausländischen Banken außerhalb des Territoriums der Russländischen Föderation Konten (Einlagen) zu eröffnen und zu halten sowie Bargeldmittel und Wertgegenstände zu verwahren.

g) die Verkündung einer Amnestie;

h) die Anklageerhebung gegen den Präsidenten der Russländischen Föderation zur Amtsenthebung oder gegen einen Präsidenten der Russländischen Föderation, der die Ausübung seiner Befugnisse beendet hat, zur Entziehung seiner Immunität.

(2) Die Staatsduma fasst Beschlüsse zu Fragen, für die sie nach der Verfassung der Russländischen Föderation zuständig ist.

(3) Beschlüsse der Staatsduma werden mit

der Stimmenmehrheit der Gesamtabgeordnetenzahl der Staatsduma gefasst, sofern die Verfassung der Russländischen Föderation kein anderes Beschlussverfahren vorsieht.

Artikel 103.1 [Parlamentarische Kontrolle]

Der Bundesrat und die Staatsduma sind berechtigt parlamentarische Kontrolle auszuüben, darunter parlamentarische Anfragen an die Leiter von staatlichen Organen und von Organen der örtlichen Selbstverwaltung zu Fragen zu richten, die in die Kompetenz dieser Organe und Amtspersonen fallen. Das Verfahren zur Durchführung der parlamentarischen Kontrolle wird durch Bundesgesetze und die Geschäftsordnungen der Kammern der Bundesversammlung bestimmt.

Artikel 104 [Gesetzesinitiative]

(1) Das Recht der Gesetzesinitiative steht dem Präsidenten der Russländischen Föderation, dem Bundesrat, den Senatoren der Russländischen Föderation, den Abgeordneten der Staatsduma, der Regierung der Russländischen Föderation und den gesetzgebenden (Vertretungs-) Organen der Subjekte der Russländischen Föderation zu. Das Recht zur Gesetzesinitiative steht ferner dem Verfassungsgericht der Russländischen Föderation und dem Obersten Gericht der Russländischen Föderation in Fragen ihrer Zuständigkeit zu.

(2) Gesetzesentwürfe werden in der Staatsduma eingebracht.

(3) Gesetzesentwürfe über die Einführung oder Abschaffung von Steuern, Steuerbefreiungen, die Auflage von Staatsanleihen, die Änderung finanzieller Verpflichtungen des Staates und andere Gesetzesentwürfe, die Ausgaben zu Lasten des Bundeshaushaltes vorsehen, können nur bei Vorliegen eines Gutachtens der Regierung der Russländischen Föderation eingebracht werden.

Artikel 105 [Gesetzesbeschluss Staatsduma und Bundesrat]

(1) Bundesgesetze beschließt die Staatsduma.

(2) Bundesgesetze werden mit Stimmenmehrheit der Gesamtabgeordnetenzahl der Staatsduma beschlossen, sofern die Verfassung der Russländischen Föderation nichts anderes vorsieht.

(3) Von der Staatsduma beschlossene Bundesgesetze werden innerhalb von fünf Tagen dem Bundesrat zur Behandlung zugeleitet.

(4) Ein Bundesgesetz gilt als vom Bundesrat gebilligt, wenn mehr als die Hälfte der Gesamtzahl der Mitglieder dieser Kammer dafür gestimmt hat oder wenn es binnen vierzehn Tagen vom Bundesrat nicht verhandelt worden ist. Wird das Bundesgesetz vom Bundesrat abgelehnt, so können die Kammern einen Vermittlungsausschuss zur Überwindung der entstandenen Meinungsverschiedenheiten bilden, wonach das Bundesgesetz erneuter Verhandlung durch die Staatsduma unterliegt.

(5) Ist die Staatsduma mit der Entscheidung des Bundesrats nicht einverstanden, so ist das Bundesgesetz beschlossen, wenn bei der erneuten Abstimmung mindestens zwei Drittel der Gesamtabgeordnetenzahl der Staatsduma dafür stimmen.

Artikel 106 [Im Bundesrat behandlungspflichtige Gesetze]

Der notwendigen Verhandlung im Bundesrat unterliegen durch die Staatsduma beschlossene Gesetze über Fragen:

a) des Bundeshaushalts;

b) der Bundessteuern und -abgaben;

c) der Regelung von Finanz-, Währungs-, Kredit- und Zollangelegenheiten sowie der Geldemission;

d) der Ratifizierung und Kündigung völkerrechtlicher Verträge der Russländischen Föderation;

e) des Status und Schutzes der Staatsgrenze der Russländischen Föderation;

f) von Krieg und Frieden.

Artikel 107 [Mitwirkung des Präsidenten im Gesetzgebungsverfahren]

(1) Das beschlossene Bundesgesetz ist innerhalb von fünf Tagen dem Präsidenten der

Russländischen Föderation zur Unterzeichnung und Verkündung zuzuleiten.

(2) Der Präsident der Russländischen Föderation unterzeichnet das Bundesgesetz innerhalb von vierzehn Tagen und verkündet es.

(3) Lehnt der Präsident der Russländischen Föderation innerhalb von vierzehn Tagen ab Eingang des Bundesgesetzes es ab, so behandeln Staatsduma und Bundesrat das betreffende Gesetz erneut in dem von der Verfassung der Russländischen Föderation vorgesehenen Verfahren. Wird das Bundesgesetz bei erneuter Verhandlung in der vorher beschlossenen Fassung mit einer Mehrheit von mindestens zwei Dritteln der Stimmen der Gesamtzahl der Senatoren der Russländischen Föderation und der Abgeordneten der Staatsduma gebilligt, so unterliegt es der Unterzeichnung durch den Präsidenten der Russländischen Föderation innerhalb von sieben Tagen und der Verkündung. Wenn der Präsident der Russländischen Föderation sich innerhalb der genannten Frist an das Verfassungsgericht der Russländischen Föderation mit dem Ersuchen um Prüfung der Verfassungsmäßigkeit des Bundesgesetzes wendet, wird die Frist für die Unterzeichnung eines solchen Gesetzes für die Zeit der Prüfung des Ersuchens durch das Verfassungsgericht der Russländischen Föderation ausgesetzt. Wenn das Verfassungsgericht der Russländischen Föderation die Verfassungsmäßigkeit des Bundesgesetzes bestätigt, unterzeichnet der Präsident der Russländischen Föderation es innerhalb einer dreitägigen Frist ab dem Moment des Erlasses der entsprechenden Entscheidung durch das Verfassungsgericht der Russländischen Föderation. Wenn das Verfassungsgericht der Russländischen Föderation die Verfassungsmäßigkeit des Bundesgesetzes nicht bestätigt, reicht der Präsident der Russländischen Föderation es ohne Unterzeichnung an die Staatsduma zurück.

Artikel 108 [Bundesverfassungsgesetze]

(1) Bundesverfassungsgesetze werden zu den von der Verfassung der Russländischen Föderation vorgesehenen Fragen verabschiedet.

(2) Ein Bundesverfassungsgesetz ist beschlossen, wenn es mit einer Mehrheit von mindestens drei Vierteln der Stimmen der Gesamtzahl der Senatoren der Russländischen Föderation und mindestens zwei Dritteln der Stimmen der Gesamtzahl der Abgeordneten der Staatsduma gebilligt worden ist. Das beschlossene Bundesverfassungsgesetz unterliegt innerhalb von vierzehn Tagen der Unterzeichnung durch den Präsidenten der Russländischen Föderation und der Verkündung. Wenn der Präsident der Russländischen Föderation sich innerhalb der genannten Frist an das Verfassungsgericht der Russländischen Föderation mit dem Ersuchen um Prüfung der Verfassungsmäßigkeit des Bundesverfassungsgesetzes wendet, wird die Frist für die Unterzeichnung eines solchen Gesetzes für die Zeit der Prüfung des Ersuchens durch das Verfassungsgericht der Russländischen Föderation ausgesetzt. Wenn das Verfassungsgericht der Russländischen Föderation die Verfassungsmäßigkeit des Bundesverfassungsgesetzes bestätigt, unterzeichnet der Präsident der Russländischen Föderation es innerhalb einer dreitägigen Frist ab dem Moment des Erlasses der entsprechenden Entscheidung durch das Verfassungsgericht der Russländischen Föderation. Wenn das Verfassungsgericht der Russländischen Föderation die Verfassungsmäßigkeit des Bundesverfassungsgesetzes nicht bestätigt, reicht der Präsident der Russländischen Föderation es ohne Unterzeichnung an die Staatsduma zurück.

Artikel 109 [Auflösung der Staatsduma]

(1) Die Staatsduma kann in den Fällen, die in den Artikeln 111, 112 und 117 der Verfassung der Russländischen Föderation vorgesehen sind, vom Präsidenten der Russländischen Föderation aufgelöst werden.

(2) Im Fall der Auflösung der Staatsduma bestimmt der Präsident der Russländischen Föderation das Datum für Neuwahlen so, dass die neu gewählte Staatsduma spätestens

vier Monate nach der Auflösung zusammentritt.

(3) Die Staatsduma kann innerhalb des ersten Jahres nach ihrer Wahl nicht aus den in Artikel 117 der Verfassung der Russländischen Föderation vorgesehenen Gründen aufgelöst werden.

(4) Die Staatsduma kann vom Zeitpunkt, in dem sie Anklage gegen den Präsidenten der Russländischen Föderation erhoben hat, bis zur Verabschiedung einer entsprechenden Entscheidung durch den Bundesrat nicht aufgelöst werden.

(5) Während des Kriegs- oder Ausnahmezustandes auf dem gesamten Territorium der Russländischen Föderation sowie während der letzten sechs Monate vor Ablauf der Amtsperiode des Präsidenten der Russländischen Föderation kann die Staatsduma nicht aufgelöst werden.

Kapitel 6.
DIE REGIERUNG DER RUSS-LÄNDISCHEN FÖDERATION

Artikel 110 [Vollziehende Gewalt, Zusammensetzung]

(1) Die vollziehende Gewalt der Russländischen Föderation übt die Regierung der Russländischen Föderation unter der allgemeinen Leitung des Präsidenten der Russländischen Föderation aus.

(2) Die Regierung der Russländischen Föderation besteht aus dem Vorsitzenden der Regierung der Russländischen Föderation, den Stellvertretern des Vorsitzenden der Regierung der Russländischen Föderation und den Bundesministern.

(3) Die Regierung der Russländischen Föderation leitet die Tätigkeit der Bundesorgane der vollziehenden Gewalt, mit Ausnahme der Bundesorgane der vollziehenden Gewalt, deren Leitung der Präsident der Russländischen Föderation ausübt.

(4) Vorsitzender der Regierung der Russländischen Föderation, Stellvertreter des Vorsitzenden der Regierung der Russländischen Föderation, Bundesminister und anderer Leiter eines Bundesorgans der vollziehenden Gewalt kann ein Bürger der Russländischen Föderation sein, der das 30. Lebensjahr erreicht hat, nicht die Staatsangehörigkeit eines ausländischen Staates oder eine Aufenthaltserlaubnis oder ein anderes Dokument hat, welches einem Bürger der Russländischen Föderatur ein Recht des ständigen Aufenthalts auf dem Territorium eines ausländischen Staats verleiht. Dem Vorsitzenden der Regierung der Russländischen Föderation, den Stellvertretern des Vorsitzenden der Regierung der Russländischen Föderation, den Bundesministern und den anderen Leitern von Bundesorganen der vollziehenden Gewalt ist es in dem durch Bundesgesetz festgelegten Verfahren untersagt, bei ausländischen Banken außerhalb des Territoriums der Russländischen Föderation Konten (Einlagen) zu eröffnen und zu halten sowie Bargeldmittel und Wertgegenstände zu verwahren.

Artikel 111 [Bestellung des Vorsitzenden der Regierung]

(1) Der Vorsitzende der Regierung der Russländischen Föderation wird vom Präsidenten der Russländischen Föderation nach Bestätigung seiner Kandidatur durch die Staatsduma ernannt.

(2) Der Kandidatenvorschlag für das Amt des Vorsitzenden der Regierung der Russländischen Föderation wird vom Präsidenten der Russländischen Föderation spätestens zwei Wochen nach Amtsantritt des neu gewählten Präsidenten der Russländischen Föderation oder nach Rücktritt der Regierung der Russländischen Föderation oder binnen einer Woche ab dem Tage der Ablehnung einer Kandidatur für den Vorsitzenden der Regierung der Russländischen Föderation durch die Staatsduma oder der Entlassung durch den Präsidenten der Russländischen Föderation oder des Rücktritts des Vorsitzenden der Regierung der Russländischen Föderation in die Staatsduma eingebracht.

(3) Die Staatsduma erörtert die vom Präsidenten der Russländischen Föderation vorgeschlagene Kandidatur für das Amt des Vorsitzenden der Regierung der Russländi-

schen Föderation binnen einer Woche nach Einbringung des Kandidatenvorschlags.

(4) Nach dreimaliger Ablehnung der vorgeschlagenen Kandidaturen für das Amt des Vorsitzenden der Regierung der Russländischen Föderation durch die Staatsduma ernennt der Präsident der Russländischen Föderation den Vorsitzenden der Regierung der Russländischen Föderation. In diesem Fall ist der Präsident der Russländischen Föderation berechtigt, die Staatsduma aufzulösen und Neuwahlen anzusetzen.

Artikel 112 [Bundesvollzugsorgane, Regierungsbildung]

(1) Der Vorsitzende der Regierung der Russländischen Föderation macht dem Präsidenten der Russländischen Föderation spätestens eine Woche nach seiner Ernennung Vorschläge über die Struktur der Bundesorgane der vollziehenden Gewalt, außer wenn der vorhergehende Vorsitzende der Regierung der Russländischen Föderation vom Präsidenten der Russländischen Föderation entlassen wurde.

(2) Der Vorsitzende der Regierung der Russländischen Föderation schlägt der Staatsduma Kandidaturen für die Stellvertreter des Vorsitzenden der Regierung der Russländischen Föderation und die Bundesminister (mit Ausnahme der in Artikel 83 Punkt e.1) der Verfassung der Russländischen Föderation genannten Bundesminister) zur Bestätigung vor. Die Staatsduma beschließt spätestens innerhalb einer Woche über die vorgelegten Kandidaturen.

(3) Die Stellvertreter des Vorsitzenden der Regierung der Russländischen Föderation und die Bundesminister, deren Kandidaturen von der Staatsduma bestätigt worden sind, werden vom Präsidenten der Russländischen Föderation ernannt. Der Präsident der Russländischen Föderation ist nicht berechtigt, die Ernennung von Stellvertretern des Vorsitzenden der Regierung der Russländischen Föderation und von Bundesministern abzulehnen, deren Kandidaturen von der Staatsduma bestätigt worden sind.

(4) Nach dreimaliger Ablehnung der nach Absatz 2 dieses Artikels vorgeschlagenen Kandidaturen für die Stellvertreter des Vorsitzenden der Regierung der Russländischen Föderation und für die Bundesminister durch die Staatsduma ist der Präsident der Russländischen Föderation berechtigt, die Stellvertreter des Vorsitzenden der Regierung der Russländischen Föderation und die Bundesminister aus den vom Vorsitzenden der Regierung der Russländischen Föderation vorgelegten Kandidaturen zu ernennen. Wenn nach dreimaliger Ablehnung der gemäß Absatz 2 dieses Artikels vorgeschlagenen Kandidaturen durch die Staatsduma mehr als ein Drittel der Ämter von Mitgliedern der Regierung der Russländischen Föderation (mit Ausnahme der in Artikel 83 Punkt e.1) der Verfassung der Russländischen Föderation genannten Ämter von Bundesministern) unbesetzt bleibt, ist der Präsident der Russländischen Föderation berechtigt, die Staatsduma aufzulösen und Neuwahlen anzusetzen.

(5) In dem in Artikel 111 Absatz 4 der Verfassung der Russländischen Föderation vorgesehenen Fall sowie im Falle der Auflösung der Staatsduma gemäß der Verfassung der Russländischen Föderation ernennt der Präsident der Russländischen Föderation die Stellvertreter des Vorsitzenden der Regierung der Russländischen Föderation und die Bundesminister (mit Ausnahme der in Artikel 83 Punkt e.1) der Verfassung der Russländischen Föderation genannten Bundesminister) auf Vorschlag des Vorsitzenden der Regierung der Russländischen Föderation.

Artikel 113 [Vorsitzender der Regierung]

Der Vorsitzende der Regierung der Russländischen Föderation organisiert in Übereinstimmung mit der Verfassung der Russländischen Föderation, den Bundesgesetzen, den Dekreten, den Verfügungen und den Anordnungen des Präsidenten der Russländischen Föderation die Arbeit der Regierung der Russländischen Föderation. Der Vorsitzende der Regierung der Russländischen Föderation trägt gegenüber dem Präsidenten der Russländischen Föderation die persönliche Verantwortung für die Ausübung der der Regierung der Russischen Föderation übertragenen Kompetenzen.

Artikel 114 [Befugnisse, Verfahren]

(1) Die Regierung der Russländischen Föderation:

a) arbeitet den Bundeshaushalt aus, legt ihn der Staatsduma vor und gewährleistet seinen Vollzug; legt der Staatsduma einen Rechenschaftsbericht über den Vollzug des Bundeshaushalts vor; legt der Staatsduma Jahresberichte über die Resultate ihrer Tätigkeit vor, darunter über Fragen, die von der Staatsduma gestellt wurden;

b) gewährleistet die Durchführung einer einheitlichen Finanz-, Kredit- und Geldpolitik in der Russländischen Föderation;

c) gewährleistet die Durchführung einer einheitlichen sozial ausgerichteten staatlichen Politik auf dem Gebiet der Kultur, der Wissenschaft, der Bildung, des Gesundheitsschutzes, der sozialen Sicherung, der Unterstützung, der Stärkung und des Schutzes der Familie, der Bewahrung der traditionellen Familienwerte und des Umweltschutzes in der Russländischen Föderation;

c.1) gewährleistet die staatliche Unterstützung der wissenschaftlich-technischen Entwicklung der Russländischen Föderation sowie der Erhaltung und Entwicklung ihres wissenschaftlichen Potentials;

c.2) gewährleistet das Funktionieren eines Systems des sozialen Schutzes für Invaliden auf der Grundlage der vollen und gleichberechtigten Verwirklichung der Rechte und Freiheiten des Menschen und Bürgers, ihre soziale Integration ohne jede Diskriminierung, die Schaffung einer für Invaliden zugänglichen Umgebung und eine Verbesserung ihrer Lebensqualität;

d) verwaltet das Bundeseigentum;

e) trifft Maßnahmen, um die Landesverteidigung und die Staatssicherheit zu gewährleisten und die Außenpolitik der Russländischen Föderation zu verwirklichen;

f) trifft Maßnahmen, um die Gesetzlichkeit und die Rechte und Freiheiten der Bürger zu gewährleisten, das Eigentum zu

schützen, die öffentliche Ordnung zu wahren und die Kriminalität zu bekämpfen;

f.1) trifft Maßnahmen zur Unterstützung zivilgesellschaftlicher Institutionen, darunter nichtkommerzieller Organisationen, gewährleistet ihre Beteiligung an der Ausarbeitung und Umsetzung der staatlichen Politik;

f.2) trifft Maßnahmen zur Unterstützung freiwilliger (ehrenamtlicher) Tätigkeiten;

f.3) wirkt an der Entwicklung von Unternehmertum und Privatinitiative mit;

f.4) gewährleistet die Verwirklichung der Prinzipien der Sozialpartnerschaft bei der Regulierung von Arbeitsbeziehungen und anderen damit unmittelbar verbundenen Beziehungen;

f.5) trifft Maßnahmen zur Schaffung günstiger Lebensbedingungen für die Bevölkerung, zur Reduzierung der negativen Auswirkungen wirtschaftlicher und anderer Tätigkeiten auf die Umwelt, zur Bewahrung der einzigartigen natürlichen und biologischen Vielfalt des Landes und zur Entwicklung einer verantwortungsvollen Haltung gegenüber Tieren in der Gesellschaft;

f.6) schafft Bedingungen für die Entwicklung eines Systems der ökologischen Bildung der Bürger und der Erziehung zu einer ökologischen Kultur;

g) übt weitere Befugnisse aus, die ihr von der Verfassung der Russländischen Föderation, den Bundesgesetzen und den Dekreten des Präsidenten der Russländischen Föderation übertragen worden sind.

(2) Ein Verfassungsgesetz des Bundes bestimmt das Verfahren, in dem die Regierung der Russischen Föderation tätig wird.

Artikel 115 [Verordnungen und Verfügungen]

(1) Die Regierung der Russländischen Föderation erlässt auf der Grundlage und in Ausführung der Verfassung der Russländischen Föderation, der Bundesgesetze und der Dekrete, Verfügungen und Anordnungen des Präsidenten der Russländischen Föderation Verordnungen und Verfügungen und gewährleistet deren Vollzug.

(2) Verordnungen und Verfügungen der

Regierung der Russländischen Föderation unterliegen in der Russländischen Föderation der verbindlichen Ausführung.

(3) Verordnungen und Verfügungen der Regierung der Russländischen Föderation können, falls sie der Verfassung der Russländischen Föderation, Bundesgesetzen oder Dekreten und Verfügungen des Präsidenten der Russländischen Föderation widersprechen, vom Präsidenten der Russländischen Föderation aufgehoben werden.

Artikel 116 [Amtsniederlegung]

Vor einem neu gewählten Präsidenten der Russländischen Föderation legt die Regierung ihre Ämter nieder.

Artikel 117 [Amtsverlust]

(1) Die Regierung der Russländischen Föderation kann ihren Rücktritt einreichen, der vom Präsidenten der Russländischen Föderation angenommen oder abgelehnt wird.

(2) Der Präsident der Russländischen Föderation kann eine Entscheidung über die Entlassung der Regierung der Russländischen Föderation treffen.

(3) Die Staatsduma kann der Regierung der Russländischen Föderation das Misstrauen aussprechen. Ein Misstrauensvotum gegenüber der Regierung der Russländischen Föderation wird mit der Stimmenmehrheit der Gesamtabgeordnetenzahl der Staatsduma angenommen. Hat die Staatsduma der Regierung der Russländischen Föderation das Misstrauen ausgesprochen, so ist der Präsident der Russländischen Föderation berechtigt, die Entlassung der Regierung der Russländischen Föderation zu erklären oder der Entscheidung der Staatsduma die Zustimmung zu verweigern. Spricht die Staatsduma der Regierung der Russländischen Föderation binnen drei Monaten erneut das Misstrauen aus, so erklärt der Präsident der Russländischen Föderation entweder die Entlassung der Regierung der Russländischen Föderation oder die Auflösung der Staatsduma und setzt Neuwahlen an.

(4) Der Vorsitzende der Regierung der Russländischen Föderation ist berechtigt, vor der Staatsduma die Vertrauensfrage gegenüber der Regierung der Russländischen Föderation zu stellen, die innerhalb von sieben Tagen zu behandeln ist. Verweigert die Staatsduma der Regierung der Russländischen Föderation das Vertrauen, so ist der Präsident der Russländischen Föderation berechtigt, binnen sieben Tagen eine Entscheidung über die Entlassung der Regierung der Russländischen Föderation oder die Auflösung der Staatsduma und die Anberaumung von Neuwahlen zu treffen. Wenn die Regierung der Russländischen Föderation innerhalb von drei Monaten der Staatsduma erneut die Vertrauensfrage stellt, die Staatsduma aber der Regierung der Russländischen Föderation das Vertrauen verweigert, entscheidet der Präsident der Russländischen Föderation über die Entlassung der Regierung der Russländischen Föderation oder die Auflösung der Staatsduma und die Anberaumung von Neuwahlen.

(4.1) Der Vorsitzende der Regierung der Russländischen Föderation, ein Stellvertreter des Vorsitzenden der Regierung der Russländischen Föderation oder ein Bundesminister ist berechtigt, seinen Rücktritt einzureichen, den der Präsident der Russländischen Föderation annimmt oder ablehnt.

(5) Im Falle des Rücktritts, der Entlassung oder der Niederlegung der Ämter führt die Regierung der Russländischen Föderation im Auftrag des Präsidenten der Russländischen Föderation bis zur Bildung einer neuen Regierung der Russländischen Föderation ihre Amtsgeschäfte fort. Im Falle der Entlassung durch den Präsidenten der Russländischen Föderation oder des Rücktritts des Vorsitzenden der Regierung der Russländischen Föderation, eines Stellvertreters des Vorsitzenden der Regierung der Russländischen Föderation oder eines Bundesministers ist der Präsident der Russländischen Föderation berechtigt, diese Person zu beauftragen, ihre Amtspflichten fortzusetzen oder deren Erfüllung einer anderen Person bis zur entsprechenden Neubestellung zu übertragen.

(6) Die Staatsduma kann in den in Artikel 109 Absätze 3–5 der Verfassung der

Russländischen Föderation vorgesehenen Fällen sowie innerhalb eines Jahres nach der Bestellung des Vorsitzenden der Regierung der Russländischen Verfassung gemäß Artikel 111 Absatz 4 der Verfassung der Russländischen Föderation der Regierung der Russländischen Föderation kein Misstrauen aussprechen und der Vorsitzende der Regierung der Russländischen Föderation kann der Staatsduma nicht die Vertrauensfrage gegenüber der Regierung der Russländischen Föderation stellen.

Kapitel 7.
DIE RECHTSPRECHENDE GEWALT UND DIE STAATSANWALTSCHAFT

Artikel 118 [Gerichtssystem]

(1) Die Rechtsprechung wird in der Russländischen Föderation nur durch das Gericht ausgeübt.

(2) Die rechtsprechende Gewalt wird im Wege des Verfassungs-, Zivil-, Wirtschafts-, Verwaltungs- und Strafgerichtsverfahrens ausgeübt.

(3) Das Gerichtssystem der Russländischen Föderation wird durch die Verfassung der Russländischen Föderation und ein Bundesverfassungsgesetz festgelegt. Das Gerichtssystem der Russländischen Föderation bilden das Verfassungsgericht der Russländischen Föderation, das Oberste Gericht der Russländischen Föderation, die Bundesgerichte der ordentlichen Gerichtsbarkeit, die Wirtschaftsgerichte und die Friedensgerichte der Subjekte der Russländischen Föderation. Die Errichtung von Ausnahmegerichten ist unzulässig.

Artikel 119 [Ernennungsvoraussetzungen für Richter]

Richter können Bürger der Russländischen Föderation sein, die das 25. Lebensjahr vollendet haben sowie über eine juristische Hochschulausbildung und eine juristische Berufspraxis von mindestens fünf Jahren verfügen, ständig in der Russländischen Föderation leben und nicht die Staatsangehörigkeit eines ausländischen Staates

oder eine Aufenthaltserlaubnis oder ein anderes Dokument haben, welches dem Bürger der Russländischen Föderation ein Recht des ständigen Aufenthalts auf dem Territorium eines ausländischen Staats verleiht. Richtern an Gerichten der Russländischen Föderation ist es in dem durch Bundesgesetz festgelegten Verfahren untersagt, bei ausländischen Banken außerhalb des Territoriums der Russländischen Föderation Konten (Einlagen) zu eröffnen und zu halten sowie Bargeldmittel und Wertgegenstände zu verwahren. Durch ein Bundesgesetz können zusätzliche Anforderungen an Richter an Gerichten der Russländischen Föderation gestellt werden.

Artikel 120 [Richterliche Unabhängigkeit, Normenkontrollbefugnis]

(1) Die Richter sind unabhängig und nur der Verfassung der Russländischen Föderation und dem Bundesgesetz unterworfen.

(2) Hat ein Gericht bei der Verhandlung einer Sache festgestellt, dass ein Akt eines staatlichen oder anderen Organs nicht mit dem Gesetz übereinstimmt, so entscheidet es gemäß dem Gesetz.

Artikel 121 [Unabsetzbarkeit der Richter, Suspendierung]

(1) Die Richter sind nicht absetzbar.

(2) Die Amtsbefugnisse eines Richters können nur aus den Gründen und in dem Verfahren aufgehoben oder suspendiert werden, die bundesgesetzlich festgelegt sind.

Artikel 122 [Immunität der Richter]

(1) Richter genießen Immunität.

(2) Ein Richter darf nur in dem durch ein Bundesgesetz bestimmten Verfahren strafrechtlich zur Verantwortung gezogen werden.

Artikel 123 [Gerichtsverfahren]

(1) Die Verhandlung ist in allen Gerichten öffentlich. Verhandlungen unter Ausschluss der Öffentlichkeit sind in den durch ein Bundesgesetz vorgesehenen Fällen zulässig.

(2) Eine gerichtliche Verhandlung von Strafsachen in Abwesenheit des Angeklag-

ten ist außer in den durch ein Bundesgesetz vorgesehenen Fällen unzulässig.

(3) Das Gerichtsverfahren wird auf der Grundlage des kontradiktorischen Prinzips und der Gleichberechtigung der Seiten durchgeführt.

(4) In den durch ein Bundesgesetz vorgesehenen Fällen findet das Gerichtsverfahren unter Mitwirkung von Geschworenen statt.

Artikel 124 [Finanzierung der Gerichte]

Die Finanzierung der Gerichte erfolgt ausschließlich aus dem Bundeshaushalt und soll die Möglichkeit einer vollständigen und unabhängigen Ausübung der Rechtsprechung in Übereinstimmung mit dem Bundesgesetz gewährleisten.

Artikel 125 [Verfassungsgericht]

(1) Das Verfassungsgericht der Russländischen Föderation ist das höchste Gerichtsorgan der Verfassungskontrolle in der Russländischen Föderation, welches die richterliche Gewalt vermittels des Verfassungsgerichtsverfahrens ausübt mit dem Ziel, die Grundlagen der Verfassungordnung und die Grundrechte und -freiheiten des Menschen und Bürgers zu schützen sowie den Vorrang und die unmittelbare Geltung der Verfassung der Russländischen Föderation auf dem gesamten Territorium der Russländischen Föderation zu gewährleisten. Das Verfassungsgericht der Russländischen Föderation besteht aus 11 Richtern, einschließlich des Vorsitzenden des Verfassungsgerichts der Russländischen Föderation und seines Stellvertreters.

(2) Das Verfassungsgericht der Russländischen Föderation entscheidet auf Ersuchen des Präsidenten der Russländischen Föderation, des Bundesrates, der Staatsduma, eines Fünftels der Senatoren der Russländischen Föderation oder der Abgeordneten der Staatsduma, der Regierung der Russländischen Föderation, des Obersten Gerichts der Russländischen Föderation und der Organe der gesetzgebenden und vollziehenden Gewalt der Subjekte der Russländischen Föderation über die Vereinbarkeit mit der Verfassung der Russländischen Föderation von

a) Bundesverfassungsgesetzen, Bundesgesetzen und Normativakten des Präsidenten der Russländischen Föderation, des Bundesrates, der Staatsduma und der Regierung der Russländischen Föderation;

b) Verfassungen der Republiken, Statuten sowie Gesetzen und anderen Normativakten der Subjekte der Russländischen Föderation, die zu Fragen erlassen wurden, die in die Zuständigkeit der Organe der Staatsgewalt der Russländischen Föderation und in die gemeinsame Zuständigkeit der Organe der Staatsgewalt der Russländischen Föderation und der Organe der Staatsgewalt der Subjekte der Russländischen Föderation fallen;

c) Verträgen zwischen den Organen der Staatsgewalt der Russländischen Föderation und den Organen der Staatsgewalt der Subjekte der Russländischen Föderation sowie Verträgen zwischen den Organen der Staatsgewalt der Subjekte der Russländischen Föderation;

d) nicht in Kraft getretenen völkerrechtlichen Verträgen der Russländischen Föderation.

(3) Das Verfassungsgericht entscheidet Kompetenzstreitigkeiten

a) zwischen Organen der Staatsgewalt des Bundes;

b) zwischen Organen der Staatsgewalt der Russländischen Föderation und Organen der Staatsgewalt der Subjekte der Russländischen Föderation;

c) zwischen den höchsten Staatsorganen der Subjekte der Russländischen Föderation.

(4) Das Verfassungsgericht überprüft in dem durch ein Bundesverfassungsgesetz festgelegten Verfahren:

a) auf Beschwerden gegen die Verletzung verfassungsmäßiger Rechte und Freiheiten der Bürger die Verfassungsmäßigkeit von in einem konkreten Fall angewendeten Gesetzen und anderen in Absatz 2 Punkte a) und b) dieses Artikels genannten Normativakten, wenn alle anderen innerstaatlichen Rechtsbehelfe erschöpft sind;

b) auf Ersuchen von Gerichten die Verfassungsmäßigkeit von Gesetzen und anderen in Absatz 2 Punkte a) und b) dieses Artikels genannten Normativakten, die in einem konkreten Fall angewendet werden sollen.

(5) Das Verfassungsgericht der Russländischen Föderation legt auf Ersuchen des Präsidenten der Russländischen Föderation, des Bundesrates, der Staatsduma, der Regierung der Russländischen Föderation und der Gesetzgebungsorgane der Subjekte der Russländischen Föderation die Verfassung der Russländischen Föderation aus.

(5.1) Das Verfassungsgericht der Russländischen Föderation:

a) prüft auf Ersuchen des Präsidenten der Russländischen Föderation die Verfassungsmäßigkeit der Entwürfe von Gesetzen der Russländischen Föderation zu Änderungen der Verfassung der Russländischen Föderation, von Entwürfen von Bundesverfassungsgesetzen und Bundesgesetzen sowie von anderen im Verfahren nach Artikel 107 Absätze 2 und 3 und Artikel 108 Absatz 2 der Verfassung der Russländischen Föderation verabschiedeten Gesetzen vor ihrer Unterzeichnung durch den Präsidenten der Russländischen Föderation;

b) entscheidet in dem durch Bundesverfassungsgesetz festgelegten Verfahren über die Möglichkeit der Vollstreckung von Entscheidungen zwischenstaatlicher Organe, die auf Grundlage von Bestimmungen völkerrechtlicher Verträge der Russländischen Föderation zu ihrer Auslegung ergangen sind und der Verfassung der Russländischen Föderation widersprechen, sowie über die Möglichkeit der Vollstreckung der Entscheidung eines ausländischen oder internationalen (zwischenstaatlichen) Gerichts, eines ausländischen oder internationalen Schiedsgerichts (Arbitragegerichts), das der Russländischen Föderation Verpflichtungen auferlegt, wenn diese Entscheidung den Grundlagen der öffentlichen Rechtsordnung der Russländischen Föderation widerspricht;

c) überprüft auf Ersuchen des Präsidenten der Russländischen Föderation in dem durch Bundesverfassungsgesetz festgelegten Verfahren die Verfassungsmäßigkeit von Gesetzen der Subjekte der Russländischen

Föderation vor ihrer Veröffentlichung durch den höchsten Amtsträger des Subjekts der Russländischen Föderation (den Leiter des obersten Vollzugsorgans der Staatsgewalt des Subjekts der Russländischen Föderation).

(6) Akte oder einzelne ihrer Bestimmungen, die für verfassungswidrig erklärt werden, treten außer Kraft; völkerrechtliche Verträge der Russländischen Föderation, die der Verfassung der Russländischen Föderation widersprechen, dürfen nicht in Kraft gesetzt und angewendet werden. Akte oder einzelne ihrer Bestimmungen, die in einer Auslegung des Verfassungsgerichts der Russländischen Föderation für verfassungsmäßig erklärt werden, dürfen nicht in einer anderen Auslegung angewandt werden.

(7) Das Verfassungsgericht der Russländischen Föderation erstattet auf Ersuchen des Bundesrates ein Gutachten darüber, ob bei der Erhebung einer Anklage gegen den Präsidenten der Russländischen Föderation oder einen Präsidenten, der die Ausübung seiner Befugnisse beendet hat, wegen Staatsverrats oder wegen der Begehung einer anderen schweren Straftat das dafür festgelegte Verfahren eingehalten worden ist.

(8) Das Verfassungsgericht der Russländischen Föderation übt andere durch Bundesverfassungsgericht festgelegte Befugnisse aus.

Artikel 126 [Oberstes Gericht]

Das Oberste Gericht der Russländischen Föderation ist das höchste Gerichtsorgan für Zivilsachen, die Entscheidung wirtschaftlicher Streitigkeiten, Straf-, Verwaltungs- und andere Sachen, für die die Gerichte der ordentlichen Gerichtsbarkeit und die Wirtschaftsgerichte zuständig sind, die in Übereinstimmung mit einem Bundesverfassungsgesetz gebildet werden und die gerichtliche Gewalt in Zivil-, Wirtschafts-, Verwaltungs- und Strafverfahren ausüben. Das Oberste Gericht führt die Aufsicht über die Tätigkeit der Gerichte der ordentlichen Gerichtsbarkeit und der Wirtschaftsgerichte in den durch ein Bundesgesetz vorgesehenen prozessualen Formen und gibt Erläuterungen zu Fragen der Rechtsprechung.

Artikel 127 [aufgehoben]

Artikel 128 [Ernennung der Richter, Gerichtsverfassung]

(1) Der Vorsitzende des Verfassungsgerichts der Russländischen Föderation, der Stellvertreter des Vorsitzenden des Verfassungsgerichts der Russländischen Föderation und die Richter des Verfassungsgerichts der Russländischen Föderation, der Vorsitzende des Obersten Gerichts der Russländischen Föderation, die Stellvertreter des Vorsitzenden des Obersten Gerichts der Russländischen Föderation und die Richter des Obersten Gerichts der Russländischen Föderation werden vom Bundesrat auf Vorschlag des Präsidenten der Russländischen Föderation ernannt.

(2) Die Vorsitzenden, die Stellvertreter der Vorsitzenden und die Richter der anderen Bundesgerichte werden durch den Präsidenten der Russländischen Föderation in dem durch ein Bundesverfassungsgesetz festgelegten Verfahren ernannt.

(3) Die Zuständigkeiten sowie das Verfahren der Bildung und der Tätigkeit des Verfassungsgerichts der Russländischen Föderation, des Obersten Gerichts der Russländischen Föderation und der anderen Bundesgerichte werden durch die Verfassung der Russländischen Föderation und Bundesverfassungsgesetz festgelegt. Das Verfahren zur Verwirklichung der Zivil-, Wirtschafts-, Verwaltungs- und Strafgerichtsbarkeit richtet sich auch nach der entsprechenden Prozessgesetzgebung.

Artikel 129 [Staatsanwaltschaft]

(1) Die Staatsanwaltschaft der Russländischen Föderation stellt ein einheitliches föderales zentralisiertes System von Organen dar, welche die Aufsicht über die Einhaltung der Verfassung der Russländischen Föderation und die Erfüllung der Gesetze, die Aufsicht über die Einhaltung der Rechte und Freiheiten des Menschen und Bürgers und die Strafverfolgung in Übereinstimmung mit ihren Befugnissen sowie andere Funktionen wahrnimmt. Die Befugnisse und Funktionen der Staatsanwaltschaft der Russländischen Föderation, ihre Organisation sowie die Art und Weise der Tätigkeit werden durch ein Bundesgesetz festgelegt.

(2) Staatsanwälte können Bürger der Russländischen Föderation sein, die keine Staatsangehörigkeit eines ausländischen Staates oder eine Aufenthaltserlaubnis oder ein anderes Dokument haben, welches dem Bürger der Russländischen Föderation ein Recht des ständigen Aufenthalts auf dem Territorium eines ausländischen Staats verleiht. Den Staatsanwälten ist es in dem durch Bundesgesetz festgelegten Verfahren untersagt, bei ausländischen Banken außerhalb des Territoriums der Russländischen Föderation Konten (Einlagen) zu eröffnen und zu halten sowie Bargeldmittel und Wertgegenstände zu verwahren.

(3) Der Generalstaatsanwalt der Russländischen Föderation und die Stellvertreter des Generalstaatsanwalts der Russländischen Föderation werden nach Konsultation mit dem Bundesrat vom Präsidenten der Russländischen Föderation in ihr Amt eingesetzt und aus ihrem Amt entlassen.

(4) Die Staatsanwälte der Subjekte der Russländischen Föderation und die den Staatsanwälten der Subjekte der Russländischen Föderation gleichgestellten Staatsanwälte der Militär- und anderer spezialisierter Staatsanwaltschaften werden nach Konsultation mit dem Bundesrat vom Präsidenten der Russländischen Föderation in ihr Amt eingesetzt und aus ihrem Amt entlassen.

(5) Die anderen Staatsanwälte können vom Präsidenten der Russländischen Föderation in ihr Amt eingesetzt und aus ihrem Amt entlassen werden, wenn dieses Verfahren der Einsetzung in das Amt und Entlassung aus dem Amt durch Bundesgesetz festgelegt ist.

(6) Wenn durch Bundesgesetz nichts anderes vorgesehen ist, werden die Staatsanwälte der Städte, der Rayons und die ihnen gleichgestellten Staatsanwälte vom Generalstaatsanwalt der Russländischen Föderation

in ihr Amt ernannt und aus ihrem Amt entlassen.

Kapitel 8.
DIE ÖRTLICHE SELBSTVERWALTUNG

Artikel 130 [Örtliche Demokratie]
(1) Die örtliche Selbstverwaltung in der Russländischen Föderation gewährleistet, dass die Bevölkerung Fragen von örtlicher Bedeutung selbständig entscheidet und das kommunale Eigentum besitzt, nutzt und darüber verfügt.

(2) Die örtliche Selbstverwaltung wird von den Bürgern durch Referendum, Wahlen und andere Formen der unmittelbaren Willensäußerung sowie durch gewählte und andere Organe der örtlichen Selbstverwaltung ausgeübt.

Artikel 131 [Gebiet]
(1) Die örtliche Selbstverwaltung verwirklicht sich in kommunalen Gebilden, deren Arten durch Bundesgesetz festgelegt werden. Die Territorien der kommunalen Gebilde werden unter Berücksichtigung der historischen und sonstigen örtlichen Traditionen festgelegt. Die Struktur der Organe der örtlichen Selbstverwaltung wird von der Bevölkerung in Übereinstimmung mit den durch Bundesgesetz festgelegten allgemeinen Grundsätzen der Organisation der örtlichen Selbstverwaltung in der Russländischen Föderation selbstständig bestimmt.

(1.1) Die Organe der Staatsgewalt können an der Bildung der Organe der örtlichen Selbstverwaltung sowie der Bestellung und Entlassung der Amtsträger der örtlichen Selbstverwaltung in den durch Bundesgesetz festgelegten Verfahren und Fällen teilnehmen.

(2) Eine Änderung der Grenzen von Gebieten, in denen die örtliche Selbstverwaltung ausgeübt wird, ist unter Berücksichtigung der Meinung der Bevölkerung der betreffenden Gebiete in dem durch Bundesgesetz festgelegten Verfahren zulässig.

(3) Besonderheiten der Ausübung der öffentlichen Gewalt auf den Territorien von Städten mit föderaler Bedeutung, Verwaltungszentren (Hauptstädten) der Subjekte der Russländischen Föderation und auf anderen Territorien können durch Bundesgesetz festgelegt werden.

Artikel 132 [Aufgaben]
(1) Die Organe der örtlichen Selbstverwaltung verwalten selbstständig das kommunale Eigentum, stellen den örtlichen Haushalt auf, bestätigen und vollziehen ihn, führen örtliche Steuern und sonstige Abgaben ein, entscheiden sonstige Fragen von örtlicher Bedeutung und stellen in Übereinstimmung mit einem Bundesgesetz im Rahmen ihrer Kompetenzen den Zugang zur medizinischen Versorgung sicher.

(2) Den Organen der örtlichen Selbstverwaltung können durch Bundesgesetz oder das Gesetz eines Subjektes der Russländischen Föderation einzelne staatliche Zuständigkeiten übertragen werden unter der Bedingung der Ausstattung mit den zur Wahrnehmung dieser Befugnisse erforderlichen sachlichen und finanziellen Mitteln. Die Ausübung der übertragenen Zuständigkeiten unterliegt der Kontrolle des Staates.

(3) Die Organe der örtlichen Selbstverwaltung und die Organe der Staatsgewalt gehören zu einem einheitlichen System der öffentlichen Gewalt in der Russländischen Föderation und arbeiten zur möglichst effektiven Erfüllung der Aufgaben im Interesse der auf dem entsprechenden Gebiet lebenden Bevölkerung zusammen.

Artikel 133 [Garantien]
Die örtliche Selbstverwaltung wird in der Russländischen Föderation garantiert durch das Recht auf gerichtlichen Schutz und auf die Erstattung zusätzlicher Ausgaben, die durch die Erfüllung öffentlicher Funktionen durch Organe der örtlichen Selbstverwaltung im Zusammenwirken mit Organen der Staatsgewalt entstanden sind, sowie durch das Verbot einer Einschränkung der durch die Verfassung der Russländischen Födera-

tion und durch Bundesgesetze festgelegten Rechte der örtlichen Selbstverwaltung.

Kapitel 9.
VERFASSUNGSÄNDERUNGEN UND REVISION DER VERFASSUNG

Artikel 134 [Verfassungsänderungsinitiative]

Vorlagen über Änderungen oder eine Revision von Bestimmungen der Verfassung der Russländischen Föderation können der Präsident der Russländischen Föderation, der Bundesrat, die Staatsduma, die Regierung der Russländischen Föderation, die Gesetzgebungs-(Vertretungs-)organe der Subjekte der Russländischen Föderation sowie eine Gruppe von mindestens einem Fünftel der Mitglieder des Bundesrates oder der Abgeordneten der Staatsduma einbringen.

Artikel 135 [Revision der Kapitel 1, 2 und 9]

(1) Die Bestimmungen der Kapitel 1, 2 und 9 der Verfassung der Russländischen Föderation können von der Bundesversammlung nicht revidiert werden.

(2) Wird eine Vorlage zur Revision von Bestimmungen der Kapitel 1, 2 und 9 der Verfassung der Russländischen Föderation mit drei Fünfteln der Stimmen der Gesamtzahl der Mitglieder des Bundesrates und der Abgeordneten der Staatsduma unterstützt, so wird in Übereinstimmung mit einem Bundesverfassungsgesetz eine Verfassungsversammlung einberufen.

(3) Die Verfassungsversammlung bestätigt entweder die Unverändertheit der Verfassung der Russländischen Föderation oder arbeitet den Entwurf einer neuen Verfassung der Russländischen Föderation aus, der von der Verfassungsversammlung mit zwei Dritteln der Stimmen der Gesamtzahl ihrer Mitglieder angenommen oder zum Gegenstand einer Volksabstimmung gemacht wird. Bei Durchführung einer Volksabstimmung gilt die Verfassung der Russländischen Föderation als angenommen, wenn mehr als die Hälfte der Wähler für sie gestimmt hat, die

an der Abstimmung teilgenommen haben, unter der Voraussetzung, dass an ihr mehr als die Hälfte der Wähler teilgenommen hat.

Artikel 136 [Änderungen der Kapitel 3-8]

Änderungen an den Kapiteln 3-8 der Verfassung der Russländischen Föderation werden nach dem Verfahren verabschiedet, das für die Verabschiedung eines Bundesverfassungsgesetzes vorgesehen ist, und treten nach ihrer Billigung durch die Gesetzgebungsorgane von mindestens zwei Dritteln der Subjekte der Russländischen Föderation in Kraft.

Artikel 137 [Änderungen in der Zusammensetzung der Russländischen Föderation]

(1) Änderungen in Artikel 65 der Verfassung der Russländischen Föderation, der die Zusammensetzung der Russländischen Föderation bestimmt, erfolgen auf der Grundlage eines Bundesverfassungsgesetzes über die Aufnahme in die Russländische Föderation und die Bildung eines neuen Subjekts der Russländischen Föderation innerhalb derselben beziehungsweise über die Änderung des verfassungsrechtlichen Status eines Subjekts der Russländischen Föderation.

(2) Im Falle der Änderung des Namens einer Republik, einer Region, eines Gebiets, einer Stadt mit föderaler Bedeutung, des Autonomen Gebiets oder eines Autonomen Bezirks ist der neue Name des Subjekts der Russländischen Föderation in Artikel 65 der Verfassung der Russländischen Föderation aufzunehmen.

Zweiter Abschnitt. Schluss- und Übergangsbestimmungen

(1) Die Verfassung der Russländischen Föderation tritt mit dem Tage in Kraft, an dem sie entsprechend den Ergebnissen der Volksabstimmung offiziell veröffentlicht wird.

Der Tag der Volksabstimmung, der 12. Dezember 1993, gilt als der Tag der Annahme der Verfassung der Russländischen Föderation.

Gleichzeitig verliert die am 12. April 1978 verabschiedete Verfassung (das Grundgesetz) der Russländischen Föderation – Russlands mitsamt den nachfolgend vorgenommenen Änderungen und Ergänzungen ihre Gültigkeit.

Falls die Bestimmungen des Föderationsvertrages – des Vertrages über die Abgrenzung der Zuständigkeiten und Befugnisse zwischen den Bundesorganen der Staatsgewalt der Russländischen Föderation und den Organen der Staatsgewalt der souveränen Republiken innerhalb der Russländischen Föderation, des Vertrages über die Abgrenzung der Zuständigkeiten und Befugnisse zwischen den Bundesorganen der Staatsgewalt der Russländischen Föderation und den Organen der Staatsgewalt der Regionen, der Gebiete sowie der Städte Moskau und St. Petersburg der Russländischen Föderation, des Vertrages über die Abgrenzung der Zuständigkeiten und Befugnisse zwischen den Bundesorganen der Staatsgewalt der Russländischen Föderation und den Organen der Staatsgewalt des Autonomen Gebietes und der Autonomen Bezirke innerhalb der Russländischen Föderation sowie sonstiger Verträge zwischen den Bundesorganen der Staatsgewalt der Russländischen Föderation und Organen der Staatsgewalt der Subjekte der Russländischen Föderation und der Verträge zwischen den Organen der Staatsgewalt der Subjekte der Russländischen Föderation – nicht in Einklang mit Bestimmungen der Verfassung der Russländischen Föderation stehen, gelten die Bestimmungen der Verfassung der Russländischen Föderation.

(2) Die Gesetze und sonstigen Rechtsakte, die bis zum In-Kraft-Treten dieser Verfassung auf dem Territorium der Russländischen Föderation gegolten haben, werden angewandt, soweit sie der Verfassung der Russländischen Föderation nicht widersprechen.

[Die weiteren Bestimmungen sind wegen Zeitablaufs überholt]

Verfassung der Schweiz[*]

Vom 18. April 1999 (Amtliche Sammlung 1999 2556), zuletzt geändert am 7. März 2021 (Amtliche Sammlung 2021 310)

PRÄAMBEL

Im Namen Gottes des Allmächtigen!
Das Schweizervolk und die Kantone,
in der Verantwortung gegenüber der Schöpfung,
im Bestreben, den Bund zu erneuern, um Freiheit und Demokratie, Unabhängigkeit und Frieden in Solidarität und Offenheit gegenüber der Welt zu stärken,
im Willen, in gegenseitiger Rücksichtnahme und Achtung ihre Vielfalt in der Einheit zu leben,
im Bewusstsein der gemeinsamen Errungenschaften und der Verantwortung gegenüber den künftigen Generationen,
gewiss, dass frei nur ist, wer seine Freiheit gebraucht, und dass die Stärke des Volkes sich misst am Wohl der Schwachen,
geben sich folgende Verfassung:

1. Titel:
ALLGEMEINE BESTIMMUNGEN

Artikel 1 (Schweizerische Eidgenossenschaft)

Das Schweizervolk und die Kantone Zürich, Bern, Luzern, Uri, Schwyz, Obwalden und Nidwalden, Glarus, Zug, Freiburg, Solothurn, Basel-Stadt und Basel-Landschaft, Schaffhausen, Appenzell Ausserrhoden und Appenzell Innerrhoden, St. Gallen, Graubünden, Aargau, Thurgau, Tessin, Waadt, Wallis, Neuenburg, Genf und Jura bilden die Schweizerische Eidgenossenschaft.

Artikel 2 (Zweck)

(1) Die Schweizerische Eidgenossenschaft schützt die Freiheit und die Rechte des Volkes und wahrt die Unabhängigkeit und die Sicherheit des Landes.

(2) Sie fördert die gemeinsame Wohlfahrt, die nachhaltige Entwicklung, den inneren Zusammenhalt und die kulturelle Vielfalt des Landes.

(3) Sie sorgt für eine möglichst grosse Chancengleichheit unter den Bürgerinnen und Bürgern.

(4) Sie setzt sich ein für die dauerhafte Erhaltung der natürlichen Lebensgrundlagen und für eine friedliche und gerechte internationale Ordnung.

Artikel 3 (Kantone)

Die Kantone sind souverän, soweit ihre Souveränität nicht durch die Bundesverfassung beschränkt ist; sie üben alle Rechte aus, die nicht dem Bund übertragen sind.

Artikel 4 (Landessprachen)

Die Landessprachen sind Deutsch, Französisch, Italienisch und Rätoromanisch.

Artikel 5 (Grundsätze rechtsstaatlichen Handelns)

(1) Grundlage und Schranke staatlichen Handelns ist das Recht.

(2) Staatliches Handeln muss im öffentlichen Interesse liegen und verhältnismässig sein.

(3) Staatliche Organe und Private handeln nach Treu und Glauben.

(4) Bund und Kantone beachten das Völkerrecht.

Artikel 5a (Subsidiarität)

Bei der Zuweisung und Erfüllung staatlicher Aufgaben ist der Grundsatz der Subsidiarität zu beachten.

---

[*] Entsprechend der Fassung Fedlex, der Publikationsplattform des Bundesrechts, abrufbar unter: https://www.fedlex.admin.ch/eli/cc/1999/404/de.

Artikel 6 (Individuelle und gesellschaftliche Verantwortung)

Jede Person nimmt Verantwortung für sich selber wahr und trägt nach ihren Kräften zur Bewältigung der Aufgaben in Staat und Gesellschaft bei.

2. Titel:
GRUNDRECHTE, BÜRGERRECHTE UND SOZIALZIELE

1. Kapitel: Grundrechte

Artikel 7 (Menschenwürde)

Die Würde des Menschen ist zu achten und zu schützen.

Artikel 8 (Rechtsgleichheit)

(1) Alle Menschen sind vor dem Gesetz gleich.

(2) Niemand darf diskriminiert werden, namentlich nicht wegen der Herkunft, der Rasse, des Geschlechts, des Alters, der Sprache, der sozialen Stellung, der Lebensform, der religiösen, weltanschaulichen oder politischen Überzeugung oder wegen einer körperlichen, geistigen oder psychischen Behinderung.

(3) Mann und Frau sind gleichberechtigt. Das Gesetz sorgt für ihre rechtliche und tatsächliche Gleichstellung, vor allem in Familie, Ausbildung und Arbeit. Mann und Frau haben Anspruch auf gleichen Lohn für gleichwertige Arbeit.

(4) Das Gesetz sieht Massnahmen zur Beseitigung von Benachteiligungen der Behinderten vor.

Artikel 9 (Schutz vor Willkür und Wahrung von Treu und Glauben)

Jede Person hat Anspruch darauf, von den staatlichen Organen ohne Willkür und nach Treu und Glauben behandelt zu werden.

Artikel 10 (Recht auf Leben und auf persönliche Freiheit)

(1) Jeder Mensch hat das Recht auf Leben. Die Todesstrafe ist verboten.

(2) Jeder Mensch hat das Recht auf persönliche Freiheit, insbesondere auf körperliche und geistige Unversehrtheit und auf Bewegungsfreiheit.

(3) Folter und jede andere Art grausamer, unmenschlicher oder erniedrigender Behandlung oder Bestrafung sind verboten.

Artikel 10a (Verbot der Verhüllung des eigenen Gesichtes)

(1) Niemand darf sein Gesicht im öffentlichen Raum und an Orten verhüllen, die öffentlich zugänglich sind oder an denen grundsätzlich von jedermann beanspruchbare Dienstleistungen angeboten werden; das Verbot gilt nicht für Sakralstätten.

(2) Niemand darf eine Person zwingen, ihr Gesicht aufgrund ihres Geschlechts zu verhüllen.

(3) Das Gesetz sieht Ausnahmen vor. Diese umfassen ausschliesslich Gründe der Gesundheit, der Sicherheit, der klimatischen Bedingungen und des einheimischen Brauchtums.

Artikel 11 (Schutz der Kinder und Jugendlichen)

(1) Kinder und Jugendliche haben Anspruch auf besonderen Schutz ihrer Unversehrtheit und auf Förderung ihrer Entwicklung.

(2) Sie üben ihre Rechte im Rahmen ihrer Urteilsfähigkeit aus.

Artikel 12 (Recht auf Hilfe in Notlagen)

Wer in Not gerät und nicht in der Lage ist, für sich zu sorgen, hat Anspruch auf Hilfe und Betreuung und auf die Mittel, die für ein menschenwürdiges Dasein unerlässlich sind.

Artikel 13 (Schutz der Privatsphäre)

(1) Jede Person hat Anspruch auf Achtung ihres Privat- und Familienlebens, ihrer Wohnung sowie ihres Brief-, Post- und Fernmeldeverkehrs.

(2) Jede Person hat Anspruch auf Schutz vor Missbrauch ihrer persönlichen Daten.

Artikel 14 (Recht auf Ehe und Familie)

Das Recht auf Ehe und Familie ist gewährleistet.

Artikel 15 (Glaubens- und Gewissensfreiheit)

(1) Die Glaubens- und Gewissensfreiheit ist gewährleistet.

(2) Jede Person hat das Recht, ihre Religion und ihre weltanschauliche Überzeugung frei zu wählen und allein oder in Gemeinschaft mit anderen zu bekennen.

(3) Jede Person hat das Recht, einer Religionsgemeinschaft beizutreten oder anzugehören und religiösem Unterricht zu folgen.

(4) Niemand darf gezwungen werden, einer Religionsgemeinschaft beizutreten oder anzugehören, eine religiöse Handlung vorzunehmen oder religiösem Unterricht zu folgen.

Artikel 16 (Meinungs- und Informationsfreiheit)

(1) Die Meinungs- und Informationsfreiheit ist gewährleistet.

(2) Jede Person hat das Recht, ihre Meinung frei zu bilden und sie ungehindert zu äussern und zu verbreiten.

(3) Jede Person hat das Recht, Informationen frei zu empfangen, aus allgemein zugänglichen Quellen zu beschaffen und zu verbreiten.

Artikel 17 (Medienfreiheit)

(1) Die Freiheit von Presse, Radio und Fernsehen sowie anderer Formen der öffentlichen fernmeldetechnischen Verbreitung von Darbietungen und Informationen ist gewährleistet.

(2) Zensur ist verboten.

(3) Das Redaktionsgeheimnis ist gewährleistet.

Artikel 18 (Sprachenfreiheit)

Die Sprachenfreiheit ist gewährleistet.

Artikel 19 (Anspruch auf Grundschulunterricht)

Der Anspruch auf ausreichenden und unentgeltlichen Grundschulunterricht ist gewährleistet.

Artikel 20 (Wissenschaftsfreiheit)

Die Freiheit der wissenschaftlichen Lehre und Forschung ist gewährleistet.

Artikel 21 (Kunstfreiheit)

Die Freiheit der Kunst ist gewährleistet.

Artikel 22 (Versammlungsfreiheit)

(1) Die Versammlungsfreiheit ist gewährleistet.

(2) Jede Person hat das Recht, Versammlungen zu organisieren, an Versammlungen teilzunehmen oder Versammlungen fernzubleiben.

Artikel 23 (Vereinigungsfreiheit)

(1) Die Vereinigungsfreiheit ist gewährleistet.

(2) Jede Person hat das Recht, Vereinigungen zu bilden, Vereinigungen beizutreten oder anzugehören und sich an den Tätigkeiten von Vereinigungen zu beteiligen.

(3) Niemand darf gezwungen werden, einer Vereinigung beizutreten oder anzugehören.

Artikel 24 (Niederlassungsfreiheit)

(1) Schweizerinnen und Schweizer haben das Recht, sich an jedem Ort des Landes niederzulassen.

(2) Sie haben das Recht, die Schweiz zu verlassen oder in die Schweiz einzureisen.

Artikel 25 (Schutz vor Ausweisung, Auslieferung und Ausschaffung)

(1) Schweizerinnen und Schweizer dürfen nicht aus der Schweiz ausgewiesen werden; sie dürfen nur mit ihrem Einverständnis an eine ausländische Behörde ausgeliefert werden.

(2) Flüchtlinge dürfen nicht in einen Staat ausgeschafft oder ausgeliefert werden, in dem sie verfolgt werden.

(3) Niemand darf in einen Staat ausgeschafft werden, in dem ihm Folter oder eine andere Art grausamer und unmenschlicher Behandlung oder Bestrafung droht.

Artikel 26 (Eigentumsgarantie)

(1) Das Eigentum ist gewährleistet.

(2) Enteignungen und Eigentumsbeschränkungen, die einer Enteignung gleichkommen, werden voll entschädigt.

Artikel 27 (Wirtschaftsfreiheit)

(1) Die Wirtschaftsfreiheit ist gewährleistet.

(2) Sie umfasst insbesondere die freie Wahl des Berufes sowie den freien Zugang zu einer privatwirtschaftlichen Erwerbstätigkeit und deren freie Ausübung.

Artikel 28 (Koalitionsfreiheit)

(1) Die Arbeitnehmerinnen und Arbeitnehmer, die Arbeitgeberinnen und Arbeitgeber sowie ihre Organisationen haben das Recht, sich zum Schutz ihrer Interessen zusammenzuschliessen, Vereinigungen zu bilden und solchen beizutreten oder fernzubleiben.

(2) Streitigkeiten sind nach Möglichkeit durch Verhandlung oder Vermittlung beizulegen.

(3) Streik und Aussperrung sind zulässig, wenn sie Arbeitsbeziehungen betreffen und wenn keine Verpflichtungen entgegenstehen, den Arbeitsfrieden zu wahren oder Schlichtungsverhandlungen zu führen.

(4) Das Gesetz kann bestimmten Kategorien von Personen den Streik verbieten.

Artikel 29 (Allgemeine Verfahrensgarantien)

(1) Jede Person hat in Verfahren vor Gerichts- und Verwaltungsinstanzen Anspruch auf gleiche und gerechte Behandlung sowie auf Beurteilung innert angemessener Frist.

(2) Die Parteien haben Anspruch auf rechtliches Gehör.

(3) Jede Person, die nicht über die erforderlichen Mittel verfügt, hat Anspruch auf unentgeltliche Rechtspflege, wenn ihr Rechtsbegehren nicht aussichtslos erscheint. Soweit es zur Wahrung ihrer Rechte notwendig ist, hat sie ausserdem Anspruch auf unentgeltlichen Rechtsbeistand.

Artikel 29a (Rechtsweggarantie)

Jede Person hat bei Rechtsstreitigkeiten Anspruch auf Beurteilung durch eine richterliche Behörde. Bund und Kantone können durch Gesetz die richterliche Beurteilung in Ausnahmefällen ausschliessen.

Artikel 30 (Gerichtliche Verfahren)

(1) Jede Person, deren Sache in einem gerichtlichen Verfahren beurteilt werden muss, hat Anspruch auf ein durch Gesetz geschaffenes, zuständiges, unabhängiges und unparteiisches Gericht. Ausnahmegerichte sind untersagt.

(2) Jede Person, gegen die eine Zivilklage erhoben wird, hat Anspruch darauf, dass die Sache vom Gericht des Wohnsitzes beurteilt wird. Das Gesetz kann einen anderen Gerichtsstand vorsehen.

(3) Gerichtsverhandlung und Urteilsverkündung sind öffentlich. Das Gesetz kann Ausnahmen vorsehen.

Artikel 31 (Freiheitsentzug)

(1) Die Freiheit darf einer Person nur in den vom Gesetz selbst vorgesehenen Fällen und nur auf die im Gesetz vorgeschriebene Weise entzogen werden.

(2) Jede Person, der die Freiheit entzogen wird, hat Anspruch darauf, unverzüglich und in einer ihr verständlichen Sprache über die Gründe des Freiheitsentzugs und über ihre Rechte unterrichtet zu werden. Sie muss die Möglichkeit haben, ihre Rechte geltend zu machen. Sie hat insbesondere das Recht, ihre nächsten Angehörigen benachrichtigen zu lassen.

(3) Jede Person, die in Untersuchungshaft genommen wird, hat Anspruch darauf, unverzüglich einer Richterin oder einem Richter vorgeführt zu werden; die Richterin oder der Richter entscheidet, ob die Person weiterhin in Haft gehalten oder freigelassen wird. Jede Person in Untersuchungshaft hat Anspruch auf ein Urteil innert angemessener Frist.

(4) Jede Person, der die Freiheit nicht von einem Gericht entzogen wird, hat das Recht, jederzeit ein Gericht anzurufen. Dieses

entscheidet so rasch wie möglich über die Rechtmässigkeit des Freiheitsentzugs.

Artikel 32 (Strafverfahren)

(1) Jede Person gilt bis zur rechtskräftigen Verurteilung als unschuldig.

(2) Jede angeklagte Person hat Anspruch darauf, möglichst rasch und umfassend über die gegen sie erhobenen Beschuldigungen unterrichtet zu werden. Sie muss die Möglichkeit haben, die ihr zustehenden Verteidigungsrechte geltend zu machen.

(3) Jede verurteilte Person hat das Recht, das Urteil von einem höheren Gericht überprüfen zu lassen. Ausgenommen sind die Fälle, in denen das Bundesgericht als einzige Instanz urteilt.

Artikel 33 (Petitionsrecht)

(1) Jede Person hat das Recht, Petitionen an Behörden zu richten; es dürfen ihr daraus keine Nachteile erwachsen.

(2) Die Behörden haben von Petitionen Kenntnis zu nehmen.

Artikel 34 (Politische Rechte)

(1) Die politischen Rechte sind gewährleistet.

(2) Die Garantie der politischen Rechte schützt die freie Willensbildung und die unverfälschte Stimmabgabe.

Artikel 35 (Verwirklichung der Grundrechte)

(1) Die Grundrechte müssen in der ganzen Rechtsordnung zur Geltung kommen.

(2) Wer staatliche Aufgaben wahrnimmt, ist an die Grundrechte gebunden und verpflichtet, zu ihrer Verwirklichung beizutragen.

(3) Die Behörden sorgen dafür, dass die Grundrechte, soweit sie sich dazu eignen, auch unter Privaten wirksam werden.

Artikel 36 (Einschränkungen von Grundrechten)

(1) Einschränkungen von Grundrechten bedürfen einer gesetzlichen Grundlage. Schwerwiegende Einschränkungen müssen im Gesetz selbst vorgesehen sein. Ausgenommen sind Fälle ernster, unmittelbarer und nicht anders abwendbarer Gefahr.

(2) Einschränkungen von Grundrechten müssen durch ein öffentliches Interesse oder durch den Schutz von Grundrechten Dritter gerechtfertigt sein.

(3) Einschränkungen von Grundrechten müssen verhältnismässig sein.

(4) Der Kerngehalt der Grundrechte ist unantastbar.

2. Kapitel: Bürgerrecht und politische Rechte

Artikel 37 (Bürgerrechte)

(1) Schweizerbürgerin oder Schweizerbürger ist, wer das Bürgerrecht einer Gemeinde und das Bürgerrecht des Kantons besitzt.

(2) Niemand darf wegen seiner Bürgerrechte bevorzugt oder benachteiligt werden. Ausgenommen sind Vorschriften über die politischen Rechte in Bürgergemeinden und Korporationen sowie über die Beteiligung an deren Vermögen, es sei denn, die kantonale Gesetzgebung sehe etwas anderes vor.

Artikel 38 (Erwerb und Verlust der Bürgerrechte)

(1) Der Bund regelt Erwerb und Verlust der Bürgerrechte durch Abstammung, Heirat und Adoption. Er regelt zudem den Verlust des Schweizer Bürgerrechts aus anderen Gründen sowie die Wiedereinbürgerung.

(2) Er erlässt Mindestvorschriften über die Einbürgerung von Ausländerinnen und Ausländern durch die Kantone und erteilt die Einbürgerungsbewilligung.

(3) Er erleichtert die Einbürgerung von:

a. Personen der dritten Ausländergeneration;

b. staatenlosen Kindern.

Artikel 39 (Ausübung der politischen Rechte)

(1) Der Bund regelt die Ausübung der politischen Rechte in eidgenössischen, die Kantone regeln sie in kantonalen und kommunalen Angelegenheiten.

(2) Die politischen Rechte werden am Wohnsitz ausgeübt. Bund und Kantone können Ausnahmen vorsehen.

(3) Niemand darf die politischen Rechte in mehr als einem Kanton ausüben.

(4) Die Kantone können vorsehen, dass Neuzugezogene das Stimmrecht in kantonalen und kommunalen Angelegenheiten erst nach einer Wartefrist von höchstens drei Monaten nach der Niederlassung ausüben dürfen.

Artikel 40 (Auslandschweizerinnen und Auslandschweizer)

(1) Der Bund fördert die Beziehungen der Auslandschweizerinnen und Auslandschweizer untereinander und zur Schweiz. Er kann Organisationen unterstützen, die dieses Ziel verfolgen.

(2) Er erlässt Vorschriften über die Rechte und Pflichten der Auslandschweizerinnen und Auslandschweizer, namentlich in Bezug auf die Ausübung der politischen Rechte im Bund, die Erfüllung der Pflicht, Militär- oder Ersatzdienst zu leisten, die Unterstützung sowie die Sozialversicherungen.

3. Kapitel: Sozialziele

Artikel 41

(1) Bund und Kantone setzen sich in Ergänzung zu persönlicher Verantwortung und privater Initiative dafür ein, dass:

a. jede Person an der sozialen Sicherheit teilhat;

b. jede Person die für ihre Gesundheit notwendige Pflege erhält;

c. Familien als Gemeinschaften von Erwachsenen und Kindern geschützt und gefördert werden;

d. Erwerbsfähige ihren Lebensunterhalt durch Arbeit zu angemessenen Bedingungen bestreiten können;

e. Wohnungssuchende für sich und ihre Familie eine angemessene Wohnung zu tragbaren Bedingungen finden können;

f. Kinder und Jugendliche sowie Personen im erwerbsfähigen Alter sich nach ihren Fähigkeiten bilden, aus- und weiterbilden können;

g. Kinder und Jugendliche in ihrer Entwicklung zu selbstständigen und sozial verantwortlichen Personen gefördert und in ihrer sozialen, kulturellen und politischen Integration unterstützt werden.

(2) Bund und Kantone setzen sich dafür ein, dass jede Person gegen die wirtschaftlichen Folgen von Alter, Invalidität, Krankheit, Unfall, Arbeitslosigkeit, Mutterschaft, Verwaisung und Verwitwung gesichert ist.

(3) Sie streben die Sozialziele im Rahmen ihrer verfassungsmässigen Zuständigkeiten und ihrer verfügbaren Mittel an.

(4) Aus den Sozialzielen können keine unmittelbaren Ansprüche auf staatliche Leistungen abgeleitet werden.

3. Titel: BUND, KANTONE UND GEMEINDEN

1. Kapitel: Verhältnis von Bund und Kantonen

1. Abschnitt: Aufgaben von Bund und Kantonen

Artikel 42 (Aufgaben des Bundes)

(1) Der Bund erfüllt die Aufgaben, die ihm die Bundesverfassung zuweist.

(2) Er übernimmt die Aufgaben, die einer einheitlichen Regelung bedürfen.

Artikel 43 (Aufgaben der Kantone)

Die Kantone bestimmen, welche Aufgaben sie im Rahmen ihrer Zuständigkeiten erfüllen.

Artikel 43a (Grundsätze für die Zuweisung und Erfüllung staatlicher Aufgaben)

(1) Der Bund übernimmt nur die Aufgaben, welche die Kraft der Kantone übersteigen oder einer einheitlichen Regelung durch den Bund bedürfen.

(2) Das Gemeinwesen, in dem der Nutzen einer staatlichen Leistung anfällt, trägt deren Kosten.

(3) Das Gemeinwesen, das die Kosten einer staatlichen Leistung trägt, kann über diese Leistung bestimmen.

(4) Leistungen der Grundversorgung müssen allen Personen in vergleichbarer Weise offen stehen.

(5) Staatliche Aufgaben müssen bedarfsgerecht und wirtschaftlich erfüllt werden.

2. Abschnitt: Zusammenwirken von Bund und Kantonen

Artikel 44 (Grundsätze)

(1) Bund und Kantone unterstützen einander in der Erfüllung ihrer Aufgaben und arbeiten zusammen.

(2) Sie schulden einander Rücksicht und Beistand. Sie leisten einander Amts- und Rechtshilfe.

(3) Streitigkeiten zwischen Kantonen oder zwischen Kantonen und dem Bund werden nach Möglichkeit durch Verhandlung und Vermittlung beigelegt.

Artikel 45 (Mitwirkung an der Willensbildung des Bundes)

(1) Die Kantone wirken nach Massgabe der Bundesverfassung an der Willensbildung des Bundes mit, insbesondere an der Rechtsetzung.

(2) Der Bund informiert die Kantone rechtzeitig und umfassend über seine Vorhaben; er holt ihre Stellungnahmen ein, wenn ihre Interessen betroffen sind.

Artikel 46 (Umsetzung des Bundesrechts)

(1) Die Kantone setzen das Bundesrecht nach Massgabe von Verfassung und Gesetz um.

(2) Bund und Kantone können miteinander vereinbaren, dass die Kantone bei der Umsetzung von Bundesrecht bestimmte Ziele erreichen und zu diesem Zweck Programme ausführen, die der Bund finanziell unterstützt.

(3) Der Bund belässt den Kantonen möglichst grosse Gestaltungsfreiheit und trägt den kantonalen Besonderheiten Rechnung.

Artikel 47 (Eigenständigkeit der Kantone)

(1) Der Bund wahrt die Eigenständigkeit der Kantone.

(2) Er belässt den Kantonen ausreichend eigene Aufgaben und beachtet ihre Organisationsautonomie. Er belässt den Kantonen ausreichende Finanzierungsquellen und trägt dazu bei, dass sie über die notwendigen finanziellen Mittel zur Erfüllung ihrer Aufgaben verfügen.

Artikel 48 (Verträge zwischen Kantonen)

(1) Die Kantone können miteinander Verträge schliessen sowie gemeinsame Organisationen und Einrichtungen schaffen. Sie können namentlich Aufgaben von regionalem Interesse gemeinsam wahrnehmen.

(2) Der Bund kann sich im Rahmen seiner Zuständigkeiten beteiligen.

(3) Verträge zwischen Kantonen dürfen dem Recht und den Interessen des Bundes sowie den Rechten anderer Kantone nicht zuwiderlaufen. Sie sind dem Bund zur Kenntnis zu bringen.

(4) Die Kantone können interkantonale Organe durch interkantonalen Vertrag zum Erlass rechtsetzender Bestimmungen ermächtigen, die einen interkantonalen Vertrag umsetzen, sofern der Vertrag:

a. nach dem gleichen Verfahren, das für die Gesetzgebung gilt, genehmigt worden ist;

b. die inhaltlichen Grundzüge der Bestimmungen festlegt.

(5) Die Kantone beachten das interkantonale Recht.

Artikel 48a (Allgemeinverbindlicherklärung und Beteiligungspflicht)

(1) Auf Antrag interessierter Kantone kann der Bund in folgenden Aufgabenbereichen interkantonale Verträge allgemein verbindlich erklären oder Kantone zur Beteiligung an interkantonalen Verträgen verpflichten:

a. Straf- und Massnahmenvollzug;

b. Schulwesen hinsichtlich der in Artikel 62 Absatz 4 genannten Bereiche;

c. kantonale Hochschulen;

d. Kultureinrichtungen von überregionaler Bedeutung;

e. Abfallbewirtschaftung;

f. Abwasserreinigung;

g. Agglomerationsverkehr;

h. Spitzenmedizin und Spezialkliniken;

i. Institutionen zur Eingliederung und Betreuung von Invaliden.

(2) Die Allgemeinverbindlicherklärung erfolgt in der Form eines Bundesbeschlusses.

(3) Das Gesetz legt die Voraussetzungen für die Allgemeinverbindlicherklärung und für die Beteiligungsverpflichtung fest und regelt das Verfahren.

Artikel 49 (Vorrang und Einhaltung des Bundesrechts)

(1) Bundesrecht geht entgegenstehendem kantonalem Recht vor.

(2) Der Bund wacht über die Einhaltung des Bundesrechts durch die Kantone.

3. Abschnitt: Gemeinden

Artikel 50

(1) Die Gemeindeautonomie ist nach Massgabe des kantonalen Rechts gewährleistet.

(2) Der Bund beachtet bei seinem Handeln die möglichen Auswirkungen auf die Gemeinden.

(3) Er nimmt dabei Rücksicht auf die besondere Situation der Städte und der Agglomerationen sowie der Berggebiete.

4. Abschnitt: Bundesgarantien

Artikel 51 (Kantonsverfassungen)

(1) Jeder Kanton gibt sich eine demokratische Verfassung. Diese bedarf der Zustimmung des Volkes und muss revidiert werden können, wenn die Mehrheit der Stimmberechtigten es verlangt.

(2) Die Kantonsverfassungen bedürfen der Gewährleistung des Bundes. Der Bund gewährleistet sie, wenn sie dem Bundesrecht nicht widersprechen.

Artikel 52 (Verfassungsmässige Ordnung)

(1) Der Bund schützt die verfassungsmässige Ordnung der Kantone.

(2) Er greift ein, wenn die Ordnung in einem Kanton gestört oder bedroht ist und der betroffene Kanton sie nicht selber oder mit Hilfe anderer Kantone schützen kann.

Artikel 53 (Bestand und Gebiet der Kantone)

(1) Der Bund schützt Bestand und Gebiet der Kantone.

(2) Änderungen im Bestand der Kantone bedürfen der Zustimmung der betroffenen Bevölkerung, der betroffenen Kantone sowie von Volk und Ständen.

(3) Gebietsveränderungen zwischen den Kantonen bedürfen der Zustimmung der betroffenen Bevölkerung und der betroffenen Kantone sowie der Genehmigung durch die Bundesversammlung in der Form eines Bundesbeschlusses.

(4) Grenzbereinigungen können Kantone unter sich durch Vertrag vornehmen.

2. Kapitel: Zuständigkeiten

1. Abschnitt: Beziehungen zum Ausland

Artikel 54 (Auswärtige Angelegenheiten)

(1) Die auswärtigen Angelegenheiten sind Sache des Bundes.

(2) Der Bund setzt sich ein für die Wahrung der Unabhängigkeit der Schweiz und für ihre Wohlfahrt; er trägt namentlich bei zur Linderung von Not und Armut in der Welt, zur Achtung der Menschenrechte und zur Förderung der Demokratie, zu einem friedlichen Zusammenleben der Völker sowie zur Erhaltung der natürlichen Lebensgrundlagen.

(3) Er nimmt Rücksicht auf die Zuständigkeiten der Kantone und wahrt ihre Interessen.

Artikel 55 (Mitwirkung der Kantone an aussenpolitischen Entscheiden)

(1) Die Kantone wirken an der Vorberei-

tung aussenpolitischer Entscheide mit, die ihre Zuständigkeiten oder ihre wesentlichen Interessen betreffen.

(2) Der Bund informiert die Kantone rechtzeitig und umfassend und holt ihre Stellungnahmen ein.

(3) Den Stellungnahmen der Kantone kommt besonderes Gewicht zu, wenn sie in ihren Zuständigkeiten betroffen sind. In diesen Fällen wirken die Kantone in geeigneter Weise an internationalen Verhandlungen mit.

Artikel 56 (Beziehungen der Kantone mit dem Ausland)

(1) Die Kantone können in ihren Zuständigkeitsbereichen mit dem Ausland Verträge schliessen.

(2) Diese Verträge dürfen dem Recht und den Interessen des Bundes sowie den Rechten anderer Kantone nicht zuwiderlaufen. Die Kantone haben den Bund vor Abschluss der Verträge zu informieren.

(3) Mit untergeordneten ausländischen Behörden können die Kantone direkt verkehren; in den übrigen Fällen erfolgt der Verkehr der Kantone mit dem Ausland durch Vermittlung des Bundes.

2. Abschnitt: Sicherheit, Landesverteidigung, Zivilschutz

Artikel 57 (Sicherheit)

(1) Bund und Kantone sorgen im Rahmen ihrer Zuständigkeiten für die Sicherheit des Landes und den Schutz der Bevölkerung.

(2) Sie koordinieren ihre Anstrengungen im Bereich der inneren Sicherheit.

Artikel 58 (Armee)

(1) Die Schweiz hat eine Armee. Diese ist grundsätzlich nach dem Milizprinzip organisiert.

(2) Die Armee dient der Kriegsverhinderung und trägt bei zur Erhaltung des Friedens; sie verteidigt das Land und seine Bevölkerung. Sie unterstützt die zivilen Behörden bei der Abwehr schwerwiegender Bedrohungen der inneren Sicherheit und bei der Bewältigung anderer ausserordentlicher

Lagen. Das Gesetz kann weitere Aufgaben vorsehen.

(3) Der Einsatz der Armee ist Sache des Bundes.

Artikel 59 (Militär- und Ersatzdienst)

(1) Jeder Schweizer ist verpflichtet, Militärdienst zu leisten. Das Gesetz sieht einen zivilen Ersatzdienst vor.

(2) Für Schweizerinnen ist der Militärdienst freiwillig.

(3) Schweizer, die weder Militär- noch Ersatzdienst leisten, schulden eine Abgabe. Diese wird vom Bund erhoben und von den Kantonen veranlagt und eingezogen.

(4) Der Bund erlässt Vorschriften über den angemessenen Ersatz des Erwerbsausfalls.

(5) Personen, die Militär- oder Ersatzdienst leisten und dabei gesundheitlichen Schaden erleiden oder ihr Leben verlieren, haben für sich oder ihre Angehörigen Anspruch auf angemessene Unterstützung des Bundes.

Artikel 60 (Organisation, Ausbildung und Ausrüstung der Armee)

(1) Die Militärgesetzgebung sowie Organisation, Ausbildung und Ausrüstung der Armee sind Sache des Bundes.

(2) [aufgehoben]

(3) Der Bund kann militärische Einrichtungen der Kantone gegen angemessene Entschädigung übernehmen.

Artikel 61 (Zivilschutz)

(1) Die Gesetzgebung über den zivilen Schutz von Personen und Gütern vor den Auswirkungen bewaffneter Konflikte ist Sache des Bundes.

(2) Der Bund erlässt Vorschriften über den Einsatz des Zivilschutzes bei Katastrophen und in Notlagen.

(3) Er kann den Schutzdienst für Männer obligatorisch erklären. Für Frauen ist dieser freiwillig.

(4) Der Bund erlässt Vorschriften über den angemessenen Ersatz des Erwerbsausfalls.

(5) Personen, die Schutzdienst leisten und dabei gesundheitlichen Schaden erleiden

oder ihr Leben verlieren, haben für sich oder ihre Angehörigen Anspruch auf angemessene Unterstützung des Bundes.

3. Abschnitt: Bildung, Forschung und Kultur

Artikel 61a (Bildungsraum Schweiz)

(1) Bund und Kantone sorgen gemeinsam im Rahmen ihrer Zuständigkeiten für eine hohe Qualität und Durchlässigkeit des Bildungsraumes Schweiz.

(2) Sie koordinieren ihre Anstrengungen und stellen ihre Zusammenarbeit durch gemeinsame Organe und andere Vorkehren sicher.

(3) Sie setzen sich bei der Erfüllung ihrer Aufgaben dafür ein, dass allgemein bildende- und berufsbezogene Bildungswege eine gleichwertige gesellschaftliche Anerkennung finden.

Artikel 62 (Schulwesen)

(1) Für das Schulwesen sind die Kantone zuständig.

(2) Sie sorgen für einen ausreichenden Grundschulunterricht, der allen Kindern offen steht. Der Grundschulunterricht ist obligatorisch und untersteht staatlicher Leitung oder Aufsicht. An öffentlichen Schulen ist er unentgeltlich.

(3) Die Kantone sorgen für eine ausreichende Sonderschulung aller behinderten Kinder und Jugendlichen bis längstens zum vollendeten 20. Altersjahr.

(4) Kommt auf dem Koordinationsweg keine Harmonisierung des Schulwesens im Bereich des Schuleintrittsalters und der Schulpflicht, der Dauer und Ziele der Bildungsstufen und von deren Übergängen sowie der Anerkennung von Abschlüssen zustande, so erlässt der Bund die notwendigen Vorschriften.

(5) Der Bund regelt den Beginn des Schuljahres.

(6) Bei der Vorbereitung von Erlassen des Bundes, welche die Zuständigkeit der Kantone betreffen, kommt der Mitwirkung der Kantone besonderes Gewicht zu.

Artikel 63 (Berufsbildung)

(1) Der Bund erlässt Vorschriften über die Berufsbildung.

(2) Er fördert ein breites und durchlässiges Angebot im Bereich der Berufsbildung.

Artikel 63a (Hochschulen)

(1) Der Bund betreibt die Eidgenössischen Technischen Hochschulen. Er kann weitere Hochschulen und andere Institutionen des Hochschulbereichs errichten, übernehmen oder betreiben.

(2) Er unterstützt die kantonalen Hochschulen und kann an weitere von ihm anerkannte Institutionen des Hochschulbereichs Beiträge entrichten.

(3) Bund und Kantone sorgen gemeinsam für die Koordination und für die Gewährleistung der Qualitätssicherung im schweizerischen Hochschulwesen. Sie nehmen dabei Rücksicht auf die Autonomie der Hochschulen und ihre unterschiedlichen Trägerschaften und achten auf die Gleichbehandlung von Institutionen mit gleichen Aufgaben.

(4) Zur Erfüllung ihrer Aufgaben schliessen Bund und Kantone Verträge ab und übertragen bestimmte Befugnisse an gemeinsame Organe. Das Gesetz regelt die Zuständigkeiten, die diesen übertragen werden können, und legt die Grundsätze von Organisation und Verfahren der Koordination fest.

(5) Erreichen Bund und Kantone auf dem Weg der Koordination die gemeinsamen Ziele nicht, so erlässt der Bund Vorschriften über die Studienstufen und deren Übergänge, über die Weiterbildung und über die Anerkennung von Institutionen und Abschlüssen. Zudem kann der Bund die Unterstützung der Hochschulen an einheitliche Finanzierungsgrundsätze binden und von der Aufgabenteilung zwischen den Hochschulen in besonders kostenintensiven Bereichen abhängig machen.

Artikel 64 (Forschung)

(1) Der Bund fördert die wissenschaftliche Forschung und die Innovation.

(2) Er kann die Förderung insbesondere davon abhängig machen, dass die Qualitäts-

sicherung und die Koordination sichergestellt sind.

(3) Er kann Forschungsstätten errichten, übernehmen oder betreiben.

Artikel 64a (Weiterbildung)

(1) Der Bund legt Grundsätze über die Weiterbildung fest.

(2) Er kann die Weiterbildung fördern.

(3) Das Gesetz legt die Bereiche und die Kriterien fest.

Artikel 65 (Statistik)

(1) Der Bund erhebt die notwendigen statistischen Daten über den Zustand und die Entwicklung von Bevölkerung, Wirtschaft, Gesellschaft, Bildung, Forschung, Raum und Umwelt in der Schweiz.

(2) Er kann Vorschriften über die Harmonisierung und Führung amtlicher Register erlassen, um den Erhebungsaufwand möglichst gering zu halten.

Artikel 66 (Ausbildungsbeiträge)

(1) Der Bund kann den Kantonen Beiträge an ihre Aufwendungen für Ausbildungsbeiträge an Studierende von Hochschulen und anderen Institutionen des höheren Bildungswesens gewähren. Er kann die interkantonale Harmonisierung der Ausbildungsbeiträge fördern und Grundsätze für die Ausrichtung von Ausbildungsbeiträgen festlegen.

(2) Er kann zudem in Ergänzung zu den kantonalen Massnahmen und unter Wahrung der kantonalen Schulhoheit eigene Massnahmen zur Förderung der Ausbildung ergreifen.

Artikel 67 (Förderung von Kindern und Jugendlichen)

(1) Bund und Kantone tragen bei der Erfüllung ihrer Aufgaben den besonderen Förderungs- und Schutzbedürfnissen von Kindern und Jugendlichen Rechnung.

(2) Der Bund kann in Ergänzung zu kantonalen Massnahmen die ausserschulische Arbeit mit Kindern und Jugendlichen unterstützen.

Artikel 67a (Musikalische Bildung)

(1) Bund und Kantone fördern die musikalische Bildung, insbesondere von Kindern und Jugendlichen.

(2) Sie setzen sich im Rahmen ihrer Zuständigkeiten für einen hochwertigen Musikunterricht an Schulen ein. Erreichen die Kantone auf dem Koordinationsweg keine Harmonisierung der Ziele des Musikunterrichts an Schulen, so erlässt der Bund die notwendigen Vorschriften.

(3) Der Bund legt unter Mitwirkung der Kantone Grundsätze fest für den Zugang der Jugend zum Musizieren und die Förderung musikalisch Begabter.

Artikel 68 (Sport)

(1) Der Bund fördert den Sport, insbesondere die Ausbildung.

(2) Er betreibt eine Sportschule.

(3) Er kann Vorschriften über den Jugendsport erlassen und den Sportunterricht an Schulen obligatorisch erklären.

Artikel 69 (Kultur)

(1) Für den Bereich der Kultur sind die Kantone zuständig.

(2) Der Bund kann kulturelle Bestrebungen von gesamtschweizerischem Interesse unterstützen sowie Kunst und Musik, insbesondere im Bereich der Ausbildung, fördern.

(3) Er nimmt bei der Erfüllung seiner Aufgaben Rücksicht auf die kulturelle und die sprachliche Vielfalt des Landes.

Artikel 70 (Sprachen)

(1) Die Amtssprachen des Bundes sind Deutsch, Französisch und Italienisch. Im Verkehr mit Personen rätoromanischer Sprache ist auch das Rätoromanische Amtssprache des Bundes.

(2) Die Kantone bestimmen ihre Amtssprachen. Um das Einvernehmen zwischen den Sprachgemeinschaften zu wahren, achten sie auf die herkömmliche sprachliche Zusammensetzung der Gebiete und nehmen Rücksicht auf die angestammten sprachlichen Minderheiten.

(3) Bund und Kantone fördern die Verständigung und den Austausch zwischen den Sprachgemeinschaften.

(4) Der Bund unterstützt die mehrsprachigen Kantone bei der Erfüllung ihrer besonderen Aufgaben.

(5) Der Bund unterstützt Massnahmen der Kantone Graubünden und Tessin zur Erhaltung und Förderung der rätoromanischen und der italienischen Sprache.

Artikel 71 (Film)

(1) Der Bund kann die Schweizer Filmproduktion und die Filmkultur fördern.

(2) Er kann Vorschriften zur Förderung der Vielfalt und der Qualität des Filmangebots erlassen.

Artikel 72 (Kirche und Staat)

(1) Für die Regelung des Verhältnisses zwischen Kirche und Staat sind die Kantone zuständig.

(2) Bund und Kantone können im Rahmen ihrer Zuständigkeit Massnahmen treffen zur Wahrung des öffentlichen Friedens zwischen den Angehörigen der verschiedenen Religionsgemeinschaften.

(3) Der Bau von Minaretten ist verboten.

4. Abschnitt: Umwelt und Raumplanung

Artikel 73 (Nachhaltigkeit)

Bund und Kantone streben ein auf Dauer ausgewogenes Verhältnis zwischen der Natur und ihrer Erneuerungsfähigkeit einerseits und ihrer Beanspruchung durch den Menschen anderseits an.

Artikel 74 (Umweltschutz)

(1) Der Bund erlässt Vorschriften über den Schutz des Menschen und seiner natürlichen Umwelt vor schädlichen oder lästigen Einwirkungen.

(2) Er sorgt dafür, dass solche Einwirkungen vermieden werden. Die Kosten der Vermeidung und Beseitigung tragen die Verursacher.

(3) Für den Vollzug der Vorschriften sind die Kantone zuständig, soweit das Gesetz ihn nicht dem Bund vorbehält.

Artikel 75 (Raumplanung)

(1) Der Bund legt Grundsätze der Raumplanung fest. Diese obliegt den Kantonen und dient der zweckmässigen und haushälterischen Nutzung des Bodens und der geordneten Besiedlung des Landes.

(2) Der Bund fördert und koordiniert die Bestrebungen der Kantone und arbeitet mit den Kantonen zusammen.

(3) Bund und Kantone berücksichtigen bei der Erfüllung ihrer Aufgaben die Erfordernisse der Raumplanung.

Artikel 75a (Vermessung)

(1) Die Landesvermessung ist Sache des Bundes.

(2) Der Bund erlässt Vorschriften über die amtliche Vermessung.

(3) Er kann Vorschriften erlassen über die Harmonisierung amtlicher Informationen, welche Grund und Boden betreffen.

Artikel 75b (Zweitwohnungen)

(1) Der Anteil von Zweitwohnungen am Gesamtbestand der Wohneinheiten und der für Wohnzwecke genutzten Bruttogeschossfläche einer Gemeinde ist auf höchstens 20 Prozent beschränkt.

(2) Das Gesetz verpflichtet die Gemeinden, ihren Erstwohnungsanteilplan und den detaillierten Stand seines Vollzugs alljährlich zu veröffentlichen.

Artikel 76 (Wasser)

(1) Der Bund sorgt im Rahmen seiner Zuständigkeiten für die haushälterische Nutzung und den Schutz der Wasservorkommen sowie für die Abwehr schädigender Einwirkungen des Wassers.

(2) Er legt Grundsätze fest über die Erhaltung und die Erschliessung der Wasservorkommen, über die Nutzung der Gewässer zur Energieerzeugung und für Kühlzwecke sowie über andere Eingriffe in den Wasserkreislauf.

(3) Er erlässt Vorschriften über den Gewässerschutz, die Sicherung angemessener Restwassermengen, den Wasserbau, die Sicherheit der Stauanlagen und die Beeinflussung der Niederschläge.

(4) Über die Wasservorkommen verfügen die Kantone. Sie können für die Wassernutzung in den Schranken der Bundesgesetzgebung Abgaben erheben. Der Bund hat das Recht, die Gewässer für seine Verkehrsbetriebe zu nutzen; er entrichtet dafür eine Abgabe und eine Entschädigung.

(5) Über Rechte an internationalen Wasservorkommen und damit verbundene Abgaben entscheidet der Bund unter Beizug der betroffenen Kantone. Können sich Kantone über Rechte an interkantonalen Wasservorkommen nicht einigen, so entscheidet der Bund.

(6) Der Bund berücksichtigt bei der Erfüllung seiner Aufgaben die Anliegen der Kantone, aus denen das Wasser stammt.

Artikel 77 (Wald)

(1) Der Bund sorgt dafür, dass der Wald seine Schutz-, Nutz- und Wohlfahrtsfunktionen erfüllen kann.

(2) Er legt Grundsätze über den Schutz des Waldes fest.

(3) Er fördert Massnahmen zur Erhaltung des Waldes.

Artikel 78 (Natur- und Heimatschutz)

(1) Für den Natur- und Heimatschutz sind die Kantone zuständig.

(2) Der Bund nimmt bei der Erfüllung seiner Aufgaben Rücksicht auf die Anliegen des Natur- und Heimatschutzes. Er schont Landschaften, Ortsbilder, geschichtliche Stätten sowie Natur- und Kulturdenkmäler; er erhält sie ungeschmälert, wenn das öffentliche Interesse es gebietet.

(3) Er kann Bestrebungen des Natur- und Heimatschutzes unterstützen und Objekte von gesamtschweizerischer Bedeutung vertraglich oder durch Enteignung erwerben oder sichern.

(4) Er erlässt Vorschriften zum Schutz der Tier- und Pflanzenwelt und zur Erhaltung ihrer Lebensräume in der natürlichen Vielfalt. Er schützt bedrohte Arten vor Ausrottung.

(5) Moore und Moorlandschaften von besonderer Schönheit und gesamtschweizerischer Bedeutung sind geschützt. Es dürfen darin weder Anlagen gebaut noch Bodenveränderungen vorgenommen werden. Ausgenommen sind Einrichtungen, die dem Schutz oder der bisherigen landwirtschaftlichen Nutzung der Moore und Moor-landschaften dienen.

Artikel 79 (Fischerei und Jagd)

Der Bund legt Grundsätze fest über die Ausübung der Fischerei und der Jagd, insbesondere zur Erhaltung der Artenvielfalt der Fische, der wild lebenden Säugetiere und der Vögel.

Artikel 80 (Tierschutz)

(1) Der Bund erlässt Vorschriften über den Schutz der Tiere.

(2) Er regelt insbesondere:

a. die Tierhaltung und die Tierpflege;

b. die Tierversuche und die Eingriffe am lebenden Tier;

c. die Verwendung von Tieren;

d. die Einfuhr von Tieren und tierischen Erzeugnissen;

e. den Tierhandel und die Tiertransporte;

f. das Töten von Tieren.

(3) Für den Vollzug der Vorschriften sind die Kantone zuständig, soweit das Gesetz ihn nicht dem Bund vorbehält.

5. Abschnitt: Öffentliche Werke und Verkehr

Artikel 81 (Öffentliche Werke)

Der Bund kann im Interesse des ganzen oder eines grossen Teils des Landes öffentliche Werke errichten und betreiben oder ihre Errichtung unterstützen.

Artikel 81a (Öffentlicher Verkehr)

(1) Bund und Kantone sorgen für ein ausreichendes Angebot an öffentlichem Verkehr auf Schiene, Strasse, Wasser und mit Seilbahnen in allen Landesgegenden. Die Be-

lange des Schienengüterverkehrs sind dabei angemessen zu berücksichtigen.

(2) Die Kosten des öffentlichen Verkehrs werden zu einem angemessenen Teil durch die von den Nutzerinnen und Nutzern bezahlten Preise gedeckt.

Artikel 82 (Strassenverkehr)

(1) Der Bund erlässt Vorschriften über den Strassenverkehr.

(2) Er übt die Oberaufsicht über die Strassen von gesamtschweizerischer Bedeutung aus; er kann bestimmen, welche Durchgangsstrassen für den Verkehr offen bleiben müssen.

(3) Die Benützung öffentlicher Strassen ist gebührenfrei. Die Bundesversammlung kann Ausnahmen bewilligen.

Artikel 83 (Strasseninfrastruktur)

(1) Bund und Kantone sorgen für eine ausreichende Strasseninfrastruktur in allen Landesgegenden.

(2) Der Bund stellt die Errichtung eines Netzes von Nationalstrassen und dessen Benutzbarkeit sicher. Er baut, betreibt und unterhält die Nationalstrassen. Er trägt die Kosten dafür. Er kann die Aufgabe ganz oder teilweise öffentlichen, privaten oder gemischten Trägerschaften übertragen.

Artikel 84 (Alpenquerender Transitverkehr)

(1) Der Bund schützt das Alpengebiet vor den negativen Auswirkungen des Transitverkehrs. Er begrenzt die Belastungen durch den Transitverkehr auf ein Mass, das für Menschen, Tiere und Pflanzen sowie ihre Lebensräume nicht schädlich ist.

(2) Der alpenquerende Gütertransitverkehr von Grenze zu Grenze erfolgt auf der Schiene. Der Bundesrat trifft die notwendigen Massnahmen. Ausnahmen sind nur zulässig, wenn sie unumgänglich sind. Sie müssen durch ein Gesetz näher bestimmt werden.

(3) Die Transitstrassen-Kapazität im Alpengebiet darf nicht erhöht werden. Von dieser Beschränkung ausgenommen sind Umfahrungsstrassen, die Ortschaften vom Durchgangsverkehr entlasten.

Artikel 85 (Schwerverkehrsabgabe)

(1) Der Bund kann auf dem Schwerverkehr eine leistungs- oder verbrauchsabhängige Abgabe erheben, soweit der Schwerverkehr der Allgemeinheit Kosten verursacht, die nicht durch andere Leistungen oder Abgaben gedeckt sind.

(2) Der Reinertrag der Abgabe wird zur Deckung von Kosten verwendet, die im Zusammenhang mit dem Landverkehr stehen.

(3) Die Kantone werden am Reinertrag beteiligt. Bei der Bemessung der Anteile sind die besonderen Auswirkungen der Abgabe in Berg- und Randgebieten zu berücksichtigen.

Artikel 85a (Abgabe für die Benützung der Nationalstrassen)

Der Bund erhebt eine Abgabe für die Benützung der Nationalstrassen durch Motorfahrzeuge und Anhänger, die nicht der Schwerverkehrsabgabe unterstehen.

Artikel 86 (Verwendung von Abgaben für Aufgaben und Aufwendungen im Zusammenhang mit dem Strassenverkehr)

(1) Die Nationalstrassen sowie die Beiträge an Massnahmen zur Verbesserung der Verkehrsinfrastruktur in Städten und Agglomerationen im Zusammenhang mit dem Strassenverkehr werden über einen Fonds finanziert.

(2) Dem Fonds werden die folgenden Mittel zugewiesen:

a. der Reinertrag der Nationalstrassenabgabe nach Artikel 85a;

b. der Reinertrag der besonderen Verbrauchssteuer nach Artikel 131 Absatz 1 Buchstabe d;

c. der Reinertrag des Zuschlags nach Artikel 131 Absatz 2 Buchstabe a;

d. der Reinertrag der Abgabe nach Artikel 131 Absatz 2 Buchstabe b;

e. ein Anteil des Reinertrags der Verbrauchssteuer auf allen Treibstoffen, ausser den Flugtreibstoffen, nach Artikel 131

Absatz 1 Buchstabe e; der Anteil beträgt je 9 Prozent der Mittel nach Buchstabe c und der Hälfte des Reinertrags der Verbrauchssteuer auf allen Treibstoffen, ausser den Flugtreibstoffen, höchstens aber 310 Millionen Franken pro Jahr; das Gesetz regelt die Indexierung dieses Betrags;

f. in der Regel 10 Prozent des Reinertrags der Verbrauchssteuer auf allen Treibstoffen, ausser den Flugtreibstoffen, nach Artikel 131 Absatz 1 Buchstabe e;

g. die Erträge zur Kompensation von Mehraufwendungen für neu ins Nationalstrassennetz aufgenommene Strecken aus der Spezialfinanzierung nach Absatz 3 Buchstabe g und aus Beiträgen der Kantone

h. weitere vom Gesetz zugewiesene Mittel, die im Zusammenhang mit dem Strassenverkehr stehen.

(3) Für folgende Aufgaben und Aufwendungen im Zusammenhang mit dem Strassenverkehr wird eine Spezialfinanzierung geführt:

a. Beiträge an Massnahmen zur Förderung des kombinierten Verkehrs und des Transports begleiteter Motorfahrzeuge;

b. Beiträge an die Kosten für Hauptstrassen;

c. Beiträge an Schutzbauten gegen Naturgewalten und an Massnahmen des Umwelt- und Landschaftsschutzes, die der Strassenverkehr nötig macht;

d. allgemeine Beiträge an die kantonalen Kosten für Strassen, die dem Motorfahrzeugverkehr geöffnet sind;

e. Beiträge an Kantone ohne Nationalstrassen;

f. Forschung und Verwaltung;

g. Beiträge an den Fonds nach Absatz 2 Buchstabe g.

(4) Der Spezialfinanzierung wird die Hälfte des Reinertrags der Verbrauchssteuer auf allen Treibstoffen, ausser den Flugtreibstoffen, nach Artikel 131 Absatz 1 Buchstabe e abzüglich der Mittel nach Absatz 2 Buchstabe e gutgeschrieben.

(5) Ist der Bedarf in der Spezialfinanzierung ausgewiesen und soll in der Spezialfinanzierung eine angemessene Rückstellung gebildet werden, so sind Erträge aus der Verbrauchssteuer nach Artikel 131 Absatz 1 Buchstabe d, statt dem Fonds zuzuweisen, der Spezialfinanzierung gutzuschreiben.

Artikel 87 (Eisenbahnen und weitere Verkehrsträger)

Die Gesetzgebung über den Eisenbahnverkehr, die Seilbahnen, die Schifffahrt sowie über die Luft- und Raumfahrt ist Sache des Bundes.

Artikel 87a (Eisenbahninfrastruktur)

(1) Der Bund trägt die Hauptlast der Finanzierung der Eisenbahninfrastruktur.

(2) Die Eisenbahninfrastruktur wird über einen Fonds finanziert. Dem Fonds werden folgende Mittel zugewiesen:

a. höchstens zwei Drittel des Ertrags der Schwerverkehrsabgabe nach Artikel 85;

b. der Ertrag aus der Mehrwertsteuererhöhung nach Artikel 130 Absatz 3bis;

c. 2,0 Prozent der Einnahmen aus der direkten Bundessteuer der natürlichen Personen;

d. 2300 Millionen Franken pro Jahr aus dem allgemeinen Bundeshaushalt; das Gesetz regelt die Indexierung dieses Betrags.

(3) Die Kantone beteiligen sich angemessen an der Finanzierung der Eisenbahninfrastruktur. Das Gesetz regelt die Einzelheiten.

(4) Das Gesetz kann eine ergänzende Finanzierung durch Dritte vorsehen.

Artikel 87b (Verwendung von Abgaben für Aufgaben und Aufwendungen im Zusammenhang mit dem Luftverkehr)

Für die folgenden Aufgaben und Aufwendungen im Zusammenhang mit dem Luftverkehr werden die Hälfte des Reinertrags der Verbrauchssteuer auf Flugtreibstoffen und der Zuschlag auf der Verbrauchssteuer auf Flugtreibstoffen verwendet:

a. Beiträge an Umweltschutzmassnahmen, die der Luftverkehr nötig macht;

b. Beiträge an Sicherheitsmassnahmen zur Abwehr widerrechtlicher Handlungen gegen den Luftverkehr, namentlich von Terroranschlägen und Entführungen, soweit diese

Massnahmen nicht staatlichen Behörden obliegen;

c. Beiträge an Massnahmen zur Förderung eines hohen technischen Sicherheitsniveaus im Luftverkehr.

Artikel 88 (Fuss-, Wander- und Velowege)

(1) Der Bund legt Grundsätze über Fuss-, Wander- und Velowegnetze fest.

(2) Er kann Massnahmen der Kantone und Dritter zur Anlage und Erhaltung solcher Netze sowie zur Information über diese unterstützen und koordinieren. Dabei wahrt er die Zuständigkeiten der Kantone.

(3) Er nimmt bei der Erfüllung seiner Aufgaben Rücksicht auf solche Netze. Er ersetzt Wege, die er aufheben muss.

6. Abschnitt: Energie und Kommunikation

Artikel 89 (Energiepolitik)

(1) Bund und Kantone setzen sich im Rahmen ihrer Zuständigkeiten ein für eine ausreichende, breit gefächerte, sichere, wirtschaftliche und umweltverträgliche Energieversorgung sowie für einen sparsamen und rationellen Energieverbrauch.

(2) Der Bund legt Grundsätze fest über die Nutzung einheimischer und erneuerbarer Energien und über den sparsamen und rationellen Energieverbrauch.

(3) Der Bund erlässt Vorschriften über den Energieverbrauch von Anlagen, Fahrzeugen und Geräten. Er fördert die Entwicklung von Energietechniken, insbesondere in den Bereichen des Energiesparens und der erneuerbaren Energien.

(4) Für Massnahmen, die den Verbrauch von Energie in Gebäuden betreffen, sind vor allem die Kantone zuständig.

(5) Der Bund trägt in seiner Energiepolitik den Anstrengungen der Kantone und Gemeinden sowie der Wirtschaft Rechnung; er berücksichtigt die Verhältnisse in den einzelnen Landesgegenden und die wirtschaftliche Tragbarkeit.

Artikel 90 (Kernenergie)

Die Gesetzgebung auf dem Gebiet der Kernenergie ist Sache des Bundes.

Artikel 91 (Transport von Energie)

(1) Der Bund erlässt Vorschriften über den Transport und die Lieferung elektrischer Energie.

(2) Die Gesetzgebung über Rohrleitungsanlagen zur Beförderung flüssiger oder gasförmiger Brenn- oder Treibstoffe ist Sache des Bundes.

Artikel 92 (Post- und Fernmeldewesen)

(1) Das Post- und Fernmeldewesen ist Sache des Bundes.

(2) Der Bund sorgt für eine ausreichende und preiswerte Grundversorgung mit Post- und Fernmeldediensten in allen Landesgegenden. Die Tarife werden nach einheitlichen Grundsätzen festgelegt.

Artikel 93 (Radio und Fernsehen)

(1) Die Gesetzgebung über Radio und Fernsehen sowie über andere Formen der öffentlichen fernmeldetechnischen Verbreitung von Darbietungen und Informationen ist Sache des Bundes.

(2) Radio und Fernsehen tragen zur Bildung und kulturellen Entfaltung, zur freien Meinungsbildung und zur Unterhaltung bei. Sie berücksichtigen die Besonderheiten des Landes und die Bedürfnisse der Kantone. Sie stellen die Ereignisse sachgerecht dar und bringen die Vielfalt der Ansichten angemessen zum Ausdruck.

(3) Die Unabhängigkeit von Radio und Fernsehen sowie die Autonomie in der Programmgestaltung sind gewährleistet.

(4) Auf die Stellung und die Aufgabe anderer Medien, vor allem der Presse, ist Rücksicht zu nehmen.

(5) Programmbeschwerden können einer unabhängigen Beschwerdeinstanz vorgelegt werden.

7. Abschnitt: Wirtschaft

Artikel 94 (Grundsätze der Wirtschaftsordnung)

(1) Bund und Kantone halten sich an den Grundsatz der Wirtschaftsfreiheit.

(2) Sie wahren die Interessen der schweizerischen Gesamtwirtschaft und tragen mit der privaten Wirtschaft zur Wohlfahrt und zur wirtschaftlichen Sicherheit der Bevölkerung bei.

(3) Sie sorgen im Rahmen ihrer Zuständigkeiten für günstige Rahmenbedingungen für die private Wirtschaft.

(4) Abweichungen vom Grundsatz der Wirtschaftsfreiheit, insbesondere auch Massnahmen, die sich gegen den Wettbewerb richten, sind nur zulässig, wenn sie in der Bundesverfassung vorgesehen oder durch kantonale Regalrechte begründet sind.

Artikel 95 (Privatwirtschaftliche Erwerbstätigkeit)

(1) Der Bund kann Vorschriften erlassen über die Ausübung der privatwirtschaftlichen Erwerbstätigkeit.

(2) Er sorgt für einen einheitlichen schweizerischen Wirtschaftsraum. Er gewährleistet, dass Personen mit einer wissenschaftlichen Ausbildung oder mit einem eidgenössischen, kantonalen oder kantonal anerkannten Ausbildungsabschluss ihren Beruf in der ganzen Schweiz ausüben können.

(3) Zum Schutz der Volkswirtschaft, des Privateigentums und der Aktionärinnen und Aktionäre sowie im Sinne einer nachhaltigen Unternehmensführung regelt das Gesetz die im In- oder Ausland kotierten Schweizer Aktiengesellschaften nach folgenden Grundsätzen:

a. Die Generalversammlung stimmt jährlich über die Gesamtsumme aller Vergütungen (Geld und Wert der Sachleistungen) des Verwaltungsrates, der Geschäftsleitung und des Beirates ab. Sie wählt jährlich die Verwaltungsratspräsidentin oder den Verwaltungsratspräsidenten und einzeln die Mitglieder des Verwaltungsrates und des Vergütungsausschusses sowie die unab-

hängige Stimmrechtsvertreterin oder den unabhängigen Stimmrechtsvertreter. Die Pensionskassen stimmen im Interesse ihrer Versicherten ab und legen offen, wie sie gestimmt haben. Die Aktionärinnen und Aktionäre können elektronisch fernabstimmen; die Organ- und Depotstimmrechtsvertretung ist untersagt.

b. Die Organmitglieder erhalten keine Abgangs- oder andere Entschädigung, keine Vergütung im Voraus, keine Prämie für Firmenkäufe und -verkäufe und keinen zusätzlichen Berater- oder Arbeitsvertrag von einer anderen Gesellschaft der Gruppe. Die Führung der Gesellschaft kann nicht an eine juristische Person delegiert werden.

c. Die Statuten regeln die Höhe der Kredite, Darlehen und Renten an die Organmitglieder, deren Erfolgs- und Beteiligungspläne und deren Anzahl Mandate ausserhalb des Konzerns sowie die Dauer der Arbeitsverträge der Geschäftsleitungsmitglieder.

d. Widerhandlung gegen die Bestimmungen nach den Buchstaben a–c wird mit Freiheitsstrafe bis zu drei Jahren und Geldstrafe bis zu sechs Jahresvergütungen bestraft.

Artikel 96 (Wettbewerbspolitik)

(1) Der Bund erlässt Vorschriften gegen volkswirtschaftlich oder sozial schädliche Auswirkungen von Kartellen und anderen Wettbewerbsbeschränkungen.

(2) Er trifft Massnahmen:

a. zur Verhinderung von Missbräuchen in der Preisbildung durch marktmächtige Unternehmen und Organisationen des privaten und des öffentlichen Rechts;

b. gegen den unlauteren Wettbewerb.

Artikel 97 (Schutz der Konsumentinnen und Konsumenten)

(1) Der Bund trifft Massnahmen zum Schutz der Konsumentinnen und Konsumenten.

(2) Er erlässt Vorschriften über die Rechtsmittel, welche die Konsumentenorganisationen ergreifen können. Diesen Organisationen stehen im Bereich der Bundesgesetzgebung über den unlauteren Wettbewerb

die gleichen Rechte zu wie den Berufs- und Wirtschaftsverbänden.

(3) Die Kantone sehen für Streitigkeiten bis zu einem bestimmten Streitwert ein Schlichtungsverfahren oder ein einfaches und rasches Gerichtsverfahren vor. Der Bundesrat legt die Streitwertgrenze fest.

Artikel 98 (Banken und Versicherungen)

(1) Der Bund erlässt Vorschriften über das Banken- und Börsenwesen; er trägt dabei der besonderen Aufgabe und Stellung der Kantonalbanken Rechnung.

(2) Er kann Vorschriften erlassen über Finanzdienstleistungen in anderen Bereichen.

(3) Er erlässt Vorschriften über das Privatversicherungswesen.

Artikel 99 (Geld- und Währungspolitik)

(1) Das Geld- und Währungswesen ist Sache des Bundes; diesem allein steht das Recht zur Ausgabe von Münzen und Banknoten zu.

(2) Die Schweizerische Nationalbank führt als unabhängige Zentralbank eine Geld- und Währungspolitik, die dem Gesamtinteresse des Landes dient; sie wird unter Mitwirkung und Aufsicht des Bundes verwaltet.

(3) Die Schweizerische Nationalbank bildet aus ihren Erträgen ausreichende Währungsreserven; ein Teil dieser Reserven wird in Gold gehalten.

(4) Der Reingewinn der Schweizerischen Nationalbank geht zu mindestens zwei Dritteln an die Kantone.

Artikel 100 (Konjunkturpolitik)

(1) Der Bund trifft Massnahmen für eine ausgeglichene konjunkturelle Entwicklung, insbesondere zur Verhütung und Bekämpfung von Arbeitslosigkeit und Teuerung.

(2) Er berücksichtigt die wirtschaftliche Entwicklung der einzelnen Landesgegenden. Er arbeitet mit den Kantonen und der Wirtschaft zusammen.

(3) Im Geld- und Kreditwesen, in der Aussenwirtschaft und im Bereich der öffentlichen Finanzen kann er nötigenfalls vom Grundsatz der Wirtschaftsfreiheit abweichen.

(4) Bund, Kantone und Gemeinden berücksichtigen in ihrer Einnahmen- und Ausgabenpolitik die Konjunkturlage.

(5) Der Bund kann zur Stabilisierung der Konjunktur vorübergehend auf bundesrechtlichen Abgaben Zuschläge erheben oder Rabatte gewähren. Die abgeschöpften Mittel sind stillzulegen; nach der Freigabe werden direkte Abgaben individuell zurückerstattet, indirekte zur Gewährung von Rabatten oder zur Arbeitsbeschaffung verwendet.

(6) Der Bund kann die Unternehmen zur Bildung von Arbeitsbeschaffungsreserven verpflichten; er gewährt dafür Steuererleichterungen und kann dazu auch die Kantone verpflichten. Nach der Freigabe der Reserven entscheiden die Unternehmen frei über deren Einsatz im Rahmen der gesetzlichen Verwendungszwecke.

Artikel 101 (Aussenwirtschaftspolitik)

(1) Der Bund wahrt die Interessen der schweizerischen Wirtschaft im Ausland.

(2) In besonderen Fällen kann er Massnahmen treffen zum Schutz der inländischen Wirtschaft. Er kann nötigenfalls vom Grundsatz der Wirtschaftsfreiheit abweichen.

Artikel 102 (Landesversorgung)

(1) Der Bund stellt die Versorgung des Landes mit lebenswichtigen Gütern und Dienstleistungen sicher für den Fall machtpolitischer oder kriegerischer Bedrohungen sowie in schweren Mangellagen, denen die Wirtschaft nicht selbst zu begegnen vermag. Er trifft vorsorgliche Massnahmen.

(2) Er kann nötigenfalls vom Grundsatz der Wirtschaftsfreiheit abweichen.

Artikel 103 (Strukturpolitik)

Der Bund kann wirtschaftlich bedrohte Landesgegenden unterstützen sowie Wirtschaftszweige und Berufe fördern, wenn zumutbare Selbsthilfemassnahmen zur Sicherung ihrer Existenz nicht ausreichen. Er kann nötigenfalls vom Grundsatz der Wirtschaftsfreiheit abweichen.

Artikel 104 (Landwirtschaft)

(1) Der Bund sorgt dafür, dass die Landwirtschaft durch eine nachhaltige und auf den Markt ausgerichtete Produktion einen wesentlichen Beitrag leistet zur:

a. sicheren Versorgung der Bevölkerung;

b. Erhaltung der natürlichen Lebensgrundlagen und zur Pflege der Kulturlandschaft;

c. dezentralen Besiedlung des Landes.

(2) Ergänzend zur zumutbaren Selbsthilfe der Landwirtschaft und nötigenfalls abweichend vom Grundsatz der Wirtschaftsfreiheit fördert der Bund die bodenbewirtschaftenden bäuerlichen Betriebe.

(3) Er richtet die Massnahmen so aus, dass die Landwirtschaft ihre multifunktionalen Aufgaben erfüllt. Er hat insbesondere folgende Befugnisse und Aufgaben:

a. Er ergänzt das bäuerliche Einkommen durch Direktzahlungen zur Erzielung eines angemessenen Entgelts für die erbrachten Leistungen, unter der Voraussetzung eines ökologischen Leistungsnachweises.

b. Er fördert mit wirtschaftlich lohnenden Anreizen Produktionsformen, die besonders naturnah, umwelt- und tierfreundlich sind.

c. Er erlässt Vorschriften zur Deklaration von Herkunft, Qualität, Produktionsmethode und Verarbeitungsverfahren für Lebensmittel.

d. Er schützt die Umwelt vor Beeinträchtigungen durch überhöhten Einsatz von Düngstoffen, Chemikalien und anderen Hilfsstoffen.

e. Er kann die landwirtschaftliche Forschung, Beratung und Ausbildung fördern sowie Investitionshilfen leisten.

f. Er kann Vorschriften zur Festigung des bäuerlichen Grundbesitzes erlassen.

(4) Er setzt dafür zweckgebundene Mittel aus dem Bereich der Landwirtschaft und allgemeine Bundesmittel ein.

Artikel 104a (Ernährungssicherheit)

Zur Sicherstellung der Versorgung der Bevölkerung mit Lebensmitteln schafft der Bund Voraussetzungen für:

a. die Sicherung der Grundlagen für die landwirtschaftliche Produktion, insbesondere des Kulturlandes;

b. eine standortangepasste und ressourceneffiziente Lebensmittelproduktion;

c. eine auf den Markt ausgerichtete Land- und Ernährungswirtschaft;

d. grenzüberschreitende Handelsbeziehungen, die zur nachhaltigen Entwicklung der Land- und Ernährungswirtschaft beitragen;

e. einen ressourcenschonenden Umgang mit Lebensmitteln.

Artikel 105 (Alkohol)

Die Gesetzgebung über Herstellung, Einfuhr, Reinigung und Verkauf gebrannter Wasser ist Sache des Bundes. Der Bund trägt insbesondere den schädlichen Wirkungen des Alkoholkonsums Rechnung.

Artikel 106 (Geldspiele)

(1) Der Bund erlässt Vorschriften über die Geldspiele; er trägt dabei den Interessen der Kantone Rechnung.

(2) Für die Errichtung und den Betrieb von Spielbanken ist eine Konzession des Bundes erforderlich. Der Bund berücksichtigt bei der Konzessionserteilung die regionalen Gegebenheiten. Er erhebt eine ertragsabhängige Spielbankenabgabe; diese darf 80 Prozent der Bruttospielerträge nicht übersteigen. Diese Abgabe ist für die Alters-, Hinterlassenen- und Invalidenversicherung bestimmt.

(3) Die Kantone sind zuständig für die Bewilligung und die Beaufsichtigung:

a. der Geldspiele, die einer unbegrenzten Zahl Personen offenstehen, an mehreren Orten angeboten werden und derselben Zufallsziehung oder einer ähnlichen Prozedur unterliegen; ausgenommen sind die Jackpotsysteme der Spielbanken;

b. der Sportwetten;

c. der Geschicklichkeitsspiele.

(4) Die Absätze 2 und 3 finden auch auf die telekommunikationsgestützt durchgeführten Geldspiele Anwendung.

(5) Bund und Kantone tragen den Gefahren der Geldspiele Rechnung. Sie stellen durch Gesetzgebung und Aufsichtsmassnahmen einen angemessenen Schutz sicher und

berücksichtigen dabei die unterschiedlichen Merkmale der Spiele sowie Art und Ort des Spielangebots.

(6) Die Kantone stellen sicher, dass die Reinerträge aus den Spielen gemäss Absatz 3 Buchstaben a und b vollumfänglich für gemeinnützige Zwecke, namentlich in den Bereichen Kultur, Soziales und Sport, verwendet werden.

(7) Der Bund und die Kantone koordinieren sich bei der Erfüllung ihrer Aufgaben. Das Gesetz schafft zu diesem Zweck ein gemeinsames Organ, das hälftig aus Mitgliedern der Vollzugsorgane des Bundes und der Kantone zusammengesetzt ist.

Artikel 107 (Waffen und Kriegsmaterial)

(1) Der Bund erlässt Vorschriften gegen den Missbrauch von Waffen, Waffenzubehör und Munition.

(2) Er erlässt Vorschriften über die Herstellung, die Beschaffung und den Vertrieb sowie über die Ein-, Aus- und Durchfuhr von Kriegsmaterial.

8. Abschnitt: Wohnen, Arbeit, soziale Sicherheit und Gesundheit

Artikel 108 (Wohnbau- und Wohneigentumsförderung)

(1) Der Bund fördert den Wohnungsbau, den Erwerb von Wohnungs- und Hauseigentum, das dem Eigenbedarf Privater dient, sowie die Tätigkeit von Trägern und Organisationen des gemeinnützigen Wohnungsbaus.

(2) Er fördert insbesondere die Beschaffung und Erschliessung von Land für den Wohnungsbau, die Rationalisierung und die Verbilligung des Wohnungsbaus sowie die Verbilligung der Wohnkosten.

(3) Er kann Vorschriften erlassen über die Erschliessung von Land für den Wohnungsbau und die Baurationalisierung.

(4) Er berücksichtigt dabei namentlich die Interessen von Familien, Betagten, Bedürftigen und Behinderten.

Artikel 109 (Mietwesen)

(1) Der Bund erlässt Vorschriften gegen Missbräuche im Mietwesen, namentlich gegen missbräuchliche Mietzinse, sowie über die Anfechtbarkeit missbräuchlicher Kündigungen und die befristete Erstreckung von Mietverhältnissen.

(2) Er kann Vorschriften über die Allgemeinverbindlicherklärung von Rahmenmietverträgen erlassen. Solche dürfen nur allgemeinverbindlich erklärt werden, wenn sie begründeten Minderheitsinteressen sowie regionalen Verschiedenheiten angemessen Rechnung tragen und die Rechtsgleichheit nicht beeinträchtigen.

Artikel 110 (Arbeit)

(1) Der Bund kann Vorschriften erlassen über:

a. den Schutz der Arbeitnehmerinnen und Arbeitnehmer;

b. das Verhältnis zwischen Arbeitgeber- und Arbeitnehmerseite, insbesondere über die gemeinsame Regelung betrieblicher und beruflicher Angelegenheiten;

c. die Arbeitsvermittlung;

d. die Allgemeinverbindlicherklärung von Gesamtarbeitsverträgen.

(2) Gesamtarbeitsverträge dürfen nur allgemeinverbindlich erklärt werden, wenn sie begründeten Minderheitsinteressen und regionalen Verschiedenheiten angemessen Rechnung tragen und die Rechtsgleichheit sowie die Koalitionsfreiheit nicht beeinträchtigen.

(3) Der 1. August ist Bundesfeiertag. Er ist arbeitsrechtlich den Sonntagen gleichgestellt und bezahlt.

Artikel 111 (Alters-, Hinterlassenen- und Invalidenvorsorge)

(1) Der Bund trifft Massnahmen für eine ausreichende Alters-, Hinterlassenen- und Invalidenvorsorge. Diese beruht auf drei Säulen, nämlich der eidgenössischen Alters-, Hinterlassenen- und Invalidenversicherung, der beruflichen Vorsorge und der Selbstvorsorge.

(2) Der Bund sorgt dafür, dass die eidgenössische Alters-, Hinterlassenen- und Inva-

lidenversicherung sowie die berufliche Vorsorge ihren Zweck dauernd erfüllen können.

(3) Er kann die Kantone verpflichten, Einrichtungen der eidgenössischen Alters-, Hinterlassenen- und Invalidenversicherung sowie der beruflichen Vorsorge von der Steuerpflicht zu befreien und den Versicherten und ihren Arbeitgeberinnen und Arbeitgebern auf Beiträgen und anwartschaftlichen Ansprüchen Steuererleichterungen zu gewähren.

(4) Er fördert in Zusammenarbeit mit den Kantonen die Selbstvorsorge namentlich durch Massnahmen der Steuer- und Eigentumspolitik.

Artikel 112 (Alters-, Hinterlassenen- und Invalidenversicherung)

(1) Der Bund erlässt Vorschriften über die Alters-, Hinterlassenen- und Invalidenversicherung.

(2) Er beachtet dabei folgende Grundsätze:
a. Die Versicherung ist obligatorisch.
abis. Sie gewährt Geld- und Sachleistungen.
b. Die Renten haben den Existenzbedarf angemessen zu decken.
c. Die Höchstrente beträgt maximal das Doppelte der Mindestrente.
d. Die Renten werden mindestens der Preisentwicklung angepasst.

(3) Die Versicherung wird finanziert:
a. durch Beiträge der Versicherten, wobei die Arbeitgeberinnen und Arbeitgeber für ihre Arbeitnehmerinnen und Arbeitnehmer die Hälfte der Beiträge bezahlen;
b. durch Leistungen des Bundes.

(4) Die Leistungen des Bundes betragen höchstens die Hälfte der Ausgaben.

(5) Die Leistungen des Bundes werden in erster Linie aus dem Reinertrag der Tabaksteuer, der Steuer auf gebrannten Wassern und der Abgabe aus dem Betrieb von Spielbanken gedeckt.

(6) [aufgehoben]

Artikel 112a (Ergänzungsleistungen)

(1) Bund und Kantone richten Ergänzungsleistungen aus an Personen, deren Existenzbedarf durch die Leistungen der Alters-, Hinterlassenen- und Invalidenversicherung nicht gedeckt ist.

(2) Das Gesetz legt den Umfang der Ergänzungsleistungen sowie die Aufgaben und Zuständigkeiten von Bund und Kantonen fest.

Artikel 112b (Förderung der Eingliederung Invalider)

(1) Der Bund fördert die Eingliederung Invalider durch die Ausrichtung von Geld- und Sachleistungen. Zu diesem Zweck kann er Mittel der Invalidenversicherung verwenden.

(2) Die Kantone fördern die Eingliederung Invalider, insbesondere durch Beiträge an den Bau und den Betrieb von Institutionen, die dem Wohnen und dem Arbeiten dienen.

(3) Das Gesetz legt die Ziele der Eingliederung und die Grundsätze und Kriterien fest.

Artikel 112c (Betagten- und Behindertenhilfe)

(1) Die Kantone sorgen für die Hilfe und Pflege von Betagten und Behinderten zu Hause.

(2) Der Bund unterstützt gesamtschweizerische Bestrebungen zu Gunsten Betagter und Behinderter. Zu diesem Zweck kann er Mittel aus der Alters-, Hinterlassenen- und Invalidenversicherung verwenden.

Artikel 113 (Berufliche Vorsorge)

(1) Der Bund erlässt Vorschriften über die berufliche Vorsorge.

(2) Er beachtet dabei folgende Grundsätze:
a. Die berufliche Vorsorge ermöglicht zusammen mit der Alters-, Hinterlassenen- und Invalidenversicherung die Fortsetzung der gewohnten Lebenshaltung in angemessener Weise.
b. Die berufliche Vorsorge ist für Arbeitnehmerinnen und Arbeitnehmer obligatorisch; das Gesetz kann Ausnahmen vorsehen.
c. Die Arbeitgeberinnen und Arbeitgeber versichern ihre Arbeitnehmerinnen und Ar-

beitnehmer bei einer Vorsorgeeinrichtung; soweit erforderlich, ermöglicht ihnen der Bund, die Arbeitnehmerinnen und Arbeitnehmer in einer eidgenössischen Vorsorgeeinrichtung zu versichern.

d. Selbstständigerwerbende können sich freiwillig bei einer Vorsorgeeinrichtung versichern.

e. Für bestimmte Gruppen von Selbstständigerwerbenden kann der Bund die berufliche Vorsorge allgemein oder für einzelne Risiken obligatorisch erklären.

(3) Die berufliche Vorsorge wird durch die Beiträge der Versicherten finanziert, wobei die Arbeitgeberinnen und Arbeitgeber mindestens die Hälfte der Beiträge ihrer Arbeitnehmerinnen und Arbeitnehmer bezahlen.

(4) Vorsorgeeinrichtungen müssen den bundesrechtlichen Mindestanforderungen genügen; der Bund kann für die Lösung besonderer Aufgaben gesamtschweizerische Massnahmen vorsehen.

Artikel 114 (Arbeitslosenversicherung)

(1) Der Bund erlässt Vorschriften über die Arbeitslosenversicherung.

(2) Er beachtet dabei folgende Grundsätze:

a. Die Versicherung gewährt angemessenen Erwerbersatz und unterstützt Massnahmen zur Verhütung und Bekämpfung der Arbeitslosigkeit.

b. Der Beitritt ist für Arbeitnehmerinnen und Arbeitnehmer obligatorisch; das Gesetz kann Ausnahmen vorsehen.

c. Selbstständigerwerbende können sich freiwillig versichern.

(3) Die Versicherung wird durch die Beiträge der Versicherten finanziert, wobei die Arbeitgeberinnen und Arbeitgeber für ihre Arbeitnehmerinnen und Arbeitnehmer die Hälfte der Beiträge bezahlen.

(4) Bund und Kantone erbringen bei ausserordentlichen Verhältnissen finanzielle Leistungen.

(5) Der Bund kann Vorschriften über die Arbeitslosenfürsorge erlassen.

Artikel 115 (Unterstützung Bedürftiger)

Bedürftige werden von ihrem Wohnkanton unterstützt. Der Bund regelt die Ausnahmen und Zuständigkeiten.

Artikel 116 (Familienzulagen und Mutterschaftsversicherung)

(1) Der Bund berücksichtigt bei der Erfüllung seiner Aufgaben die Bedürfnisse der Familie. Er kann Massnahmen zum Schutz der Familie unterstützen.

(2) Er kann Vorschriften über die Familienzulagen erlassen und eine eidgenössische Familienausgleichskasse führen.

(3) Er richtet eine Mutterschaftsversicherung ein. Er kann auch Personen zu Beiträgen verpflichten, die nicht in den Genuss der Versicherungsleistungen gelangen können.

(4) Der Bund kann den Beitritt zu einer Familienausgleichskasse und die Mutterschaftsversicherung allgemein oder für einzelne Bevölkerungsgruppen obligatorisch erklären und seine Leistungen von angemessenen Leistungen der Kantone abhängig machen.

Artikel 117 (Kranken- und Unfallversicherung)

(1) Der Bund erlässt Vorschriften über die Kranken- und die Unfallversicherung.

(2) Er kann die Kranken- und die Unfallversicherung allgemein oder für einzelne Bevölkerungsgruppen obligatorisch erklären.

Artikel 117a (Medizinische Grundversorgung)

(1) Bund und Kantone sorgen im Rahmen ihrer Zuständigkeiten für eine ausreichende, allen zugängliche medizinische Grundversorgung von hoher Qualität. Sie anerkennen und fördern die Hausarztmedizin als einen wesentlichen Bestandteil dieser Grundversorgung.

(2) Der Bund erlässt Vorschriften über:

a. die Aus- und Weiterbildung für Berufe der medizinischen Grundversorgung und über die Anforderungen zur Ausübung dieser Berufe;

b. die angemessene Abgeltung der Leistungen der Hausarztmedizin.

Artikel 118 (Schutz der Gesundheit)

(1) Der Bund trifft im Rahmen seiner Zuständigkeiten Massnahmen zum Schutz der Gesundheit.

(2) Er erlässt Vorschriften über:

a. den Umgang mit Lebensmitteln sowie mit Heilmitteln, Betäubungsmitteln, Organismen, Chemikalien und Gegenständen, welche die Gesundheit gefährden können;

b. die Bekämpfung übertragbarer, stark verbreiteter oder bösartiger Krankheiten von Menschen und Tieren;

c. den Schutz vor ionisierenden Strahlen.

Artikel 118a (Komplementärmedizin)

Bund und Kantone sorgen im Rahmen ihrer Zuständigkeiten für die Berücksichtigung der Komplementärmedizin.

Artikel 118b (Forschung am Menschen)

(1) Der Bund erlässt Vorschriften über die Forschung am Menschen, soweit der Schutz seiner Würde und seiner Persönlichkeit es erfordert. Er wahrt dabei die Forschungsfreiheit und trägt der Bedeutung der Forschung für Gesundheit und Gesellschaft Rechnung.

(2) Für die Forschung in Biologie und Medizin mit Personen beachtet er folgende Grundsätze:

a. Jedes Forschungsvorhaben setzt voraus, dass die teilnehmenden oder gemäss Gesetz berechtigten Personen nach hinreichender Aufklärung ihre Einwilligung erteilt haben. Das Gesetz kann Ausnahmen vorsehen. Eine Ablehnung ist in jedem Fall verbindlich.

b. Die Risiken und Belastungen für die teilnehmenden Personen dürfen nicht in einem Missverhältnis zum Nutzen des Forschungsvorhabens stehen.

c. Mit urteilsunfähigen Personen darf ein Forschungsvorhaben nur durchgeführt werden, wenn gleichwertige Erkenntnisse nicht mit urteilsfähigen Personen gewonnen werden können. Lässt das Forschungsvorhaben keinen unmittelbaren Nutzen für die urteilsunfähigen Personen erwarten, so dürfen die Risiken und Belastungen nur minimal sein.

d. Eine unabhängige Überprüfung des Forschungsvorhabens muss ergeben haben, dass der Schutz der teilnehmenden Personen gewährleistet ist.

Artikel 119 (Fortpflanzungsmedizin und Gentechnologie im Humanbereich)

(1) Der Mensch ist vor Missbräuchen der Fortpflanzungsmedizin und der Gentechnologie geschützt.

(2) Der Bund erlässt Vorschriften über den Umgang mit menschlichem Keim- und Erbgut. Er sorgt dabei für den Schutz der Menschenwürde, der Persönlichkeit und der Familie und beachtet insbesondere folgende Grundsätze:

a. Alle Arten des Klonens und Eingriffe in das Erbgut menschlicher Keimzellen und Embryonen sind unzulässig.

b. Nichtmenschliches Keim- und Erbgut darf nicht in menschliches Keimgut eingebracht oder mit ihm verschmolzen werden.

c. Die Verfahren der medizinisch unterstützten Fortpflanzung dürfen nur angewendet werden, wenn die Unfruchtbarkeit oder die Gefahr der Übertragung einer schweren Krankheit nicht anders behoben werden kann, nicht aber um beim Kind bestimmte Eigenschaften herbeizuführen oder um Forschung zu betreiben; die Befruchtung menschlicher Eizellen ausserhalb des Körpers der Frau ist nur unter den vom Gesetz festgelegten Bedingungen erlaubt; es dürfen nur so viele menschliche Eizellen ausserhalb des Körpers der Frau zu Embryonen entwickelt werden, als für die medizinisch unterstützte Fortpflanzung notwendig sind.

d. Die Embryonenspende und alle Arten von Leihmutterschaft sind unzulässig.

e. Mit menschlichem Keimgut und mit Erzeugnissen aus Embryonen darf kein Handel getrieben werden.

f. Das Erbgut einer Person darf nur untersucht, registriert oder offenbart werden, wenn die betroffene Person zustimmt oder das Gesetz es vorschreibt.

g. Jede Person hat Zugang zu den Daten über ihre Abstammung.

Artikel 119a (Transplantationsmedizin)

(1) Der Bund erlässt Vorschriften auf dem Gebiet der Transplantation von Organen, Geweben und Zellen. Er sorgt dabei für den Schutz der Menschenwürde, der Persönlichkeit und der Gesundheit.

(2) Er legt insbesondere Kriterien für eine gerechte Zuteilung von Organen fest.

(3) Die Spende von menschlichen Organen, Geweben und Zellen ist unentgeltlich. Der Handel mit menschlichen Organen ist verboten.

Artikel 120 (Gentechnologie im Ausserhumanbereich)

(1) Der Mensch und seine Umwelt sind vor Missbräuchen der Gentechnologie geschützt.

(2) Der Bund erlässt Vorschriften über den Umgang mit Keim- und Erbgut von Tieren, Pflanzen und anderen Organismen. Er trägt dabei der Würde der Kreatur sowie der Sicherheit von Mensch, Tier und Umwelt Rechnung und schützt die genetische Vielfalt der Tier- und Pflanzenarten.

9. Abschnitt:
Aufenthalt und Niederlassung von Ausländerinnen und Ausländern

Artikel 121 (Gesetzgebung im Ausländer- und Asylbereich)

(1) Die Gesetzgebung über die Ein- und Ausreise, den Aufenthalt und die Niederlassung von Ausländerinnen und Ausländern sowie über die Gewährung von Asyl ist Sache des Bundes.

(2) Ausländerinnen und Ausländer können aus der Schweiz ausgewiesen werden, wenn sie die Sicherheit des Landes gefährden.

(3) Sie verlieren unabhängig von ihrem ausländerrechtlichen Status ihr Aufenthaltsrecht sowie alle Rechtsansprüche auf Aufenthalt in der Schweiz, wenn sie:

a. wegen eines vorsätzlichen Tötungsdelikts, wegen einer Vergewaltigung oder eines anderen schweren Sexualdelikts, wegen eines anderen Gewaltdelikts wie Raub, wegen Menschenhandels, Drogenhandels oder eines Einbruchsdelikts rechtskräftig verurteilt worden sind; oder

b. missbräuchlich Leistungen der Sozialversicherungen oder der Sozialhilfe bezogen haben.

(4) Der Gesetzgeber umschreibt die Tatbestände nach Absatz 3 näher. Er kann sie um weitere Tatbestände ergänzen.

(5) Ausländerinnen und Ausländer, die nach den Absätzen 3 und 4 ihr Aufenthaltsrecht sowie alle Rechtsansprüche auf Aufenthalt in der Schweiz verlieren, sind von der zuständigen Behörde aus der Schweiz auszuweisen und mit einem Einreiseverbot von 5–15 Jahren zu belegen. Im Wiederholungsfall ist das Einreiseverbot auf 20 Jahre anzusetzen.

(6) Wer das Einreiseverbot missachtet oder sonstwie illegal in die Schweiz einreist, macht sich strafbar. Der Gesetzgeber erlässt die entsprechenden Bestimmungen.

Artikel 121a (Steuerung der Zuwanderung)

(1) Die Schweiz steuert die Zuwanderung von Ausländerinnen und Ausländern eigenständig.

(2) Die Zahl der Bewilligungen für den Aufenthalt von Ausländerinnen und Ausländern in der Schweiz wird durch jährliche Höchstzahlen und Kontingente begrenzt. Die Höchstzahlen gelten für sämtliche Bewilligungen des Ausländerrechts unter Einbezug des Asylwesens. Der Anspruch auf dauerhaften Aufenthalt, auf Familiennachzug und auf Sozialleistungen kann beschränkt werden.

(3) Die jährlichen Höchstzahlen und Kontingente für erwerbstätige Ausländerinnen und Ausländer sind auf die gesamtwirtschaftlichen Interessen der Schweiz unter Berücksichtigung eines Vorranges für Schweizerinnen und Schweizer auszurichten; die Grenzgängerinnen und Grenzgänger sind einzubeziehen. Massgebende Kriterien für die Erteilung von Aufenthaltsbewilligungen sind insbesondere das Gesuch eines

Arbeitgebers, die Integrationsfähigkeit und eine ausreichende, eigenständige Existenzgrundlage.

(4) Es dürfen keine völkerrechtlichen Verträge abgeschlossen werden, die gegen diesen Artikel verstossen.

(5) Das Gesetz regelt die Einzelheiten.

10. Abschnitt: Zivilrecht, Strafrecht, Messwesen

Artikel 122 (Zivilrecht)

(1) Die Gesetzgebung auf dem Gebiet des Zivilrechts und des Zivilprozessrechts ist Sache des Bundes.

(2) Für die Organisation der Gerichte und die Rechtsprechung in Zivilsachen sind die Kantone zuständig, soweit das Gesetz nichts anderes vorsieht.

Artikel 123 (Strafrecht)

(1) Die Gesetzgebung auf dem Gebiet des Strafrechts und des Strafprozessrechts ist Sache des Bundes.

(2) Für die Organisation der Gerichte, die Rechtsprechung in Strafsachen sowie den Straf- und Massnahmenvollzug sind die Kantone zuständig, soweit das Gesetz nichts anderes vorsieht.

(3) Der Bund kann Vorschriften zum Straf- und Massnahmenvollzug erlassen. Er kann den Kantonen Beiträge gewähren:

a. für die Errichtung von Anstalten;

b. für Verbesserungen im Straf- und Massnahmenvollzug;

c. an Einrichtungen, die erzieherische Massnahmen an Kindern, Jugendlichen und jungen Erwachsenen vollziehen.

Artikel 123a

(1) Wird ein Sexual- oder Gewaltstraftäter in den Gutachten, die für das Gerichtsurteil nötig sind, als extrem gefährlich erachtet und nicht therapierbar eingestuft, ist er wegen des hohen Rückfallrisikos bis an sein Lebensende zu verwahren. Frühzeitige Entlassung und Hafturlaub sind ausgeschlossen.

(2) Nur wenn durch neue, wissenschaftliche Erkenntnisse erwiesen wird, dass der Täter geheilt werden kann und somit keine Gefahr mehr für die Öffentlichkeit darstellt, können neue Gutachten erstellt werden. Sollte auf Grund dieser neuen Gutachten die Verwahrung aufgehoben werden, so muss die Haftung für einen Rückfall des Täters von der Behörde übernommen werden, die die Verwahrung aufgehoben hat.

(3) Alle Gutachten zur Beurteilung der Sexual- und Gewaltstraftäter sind von mindestens zwei voneinander unabhängigen, erfahrenen Fachleuten unter Berücksichtigung aller für die Beurteilung wichtigen Grundlagen zu erstellen.

Artikel 123b (Unverjährbarkeit der Strafverfolgung und der Strafe bei sexuellen und bei pornografischen Straftaten an Kindern vor der Pubertät)

Die Verfolgung sexueller oder pornografischer Straftaten an Kindern vor der Pubertät und die Strafe für solche Taten sind unverjährbar.

Artikel 123c (Massnahme nach Sexualdelikten an Kindern oder an zum Widerstand unfähigen oder urteilsunfähigen Personen)

Personen, die verurteilt werden, weil sie die sexuelle Unversehrtheit eines Kindes oder einer abhängigen Person beeinträchtigt haben, verlieren endgültig das Recht, eine berufliche oder ehrenamtliche Tätigkeit mit Minderjährigen oder Abhängigen auszuüben.

Artikel 124 (Opferhilfe)

Bund und Kantone sorgen dafür, dass Personen, die durch eine Straftat in ihrer körperlichen, psychischen oder sexuellen Unversehrtheit beeinträchtigt worden sind, Hilfe erhalten und angemessen entschädigt werden, wenn sie durch die Straftat in wirtschaftliche Schwierigkeiten geraten.

Artikel 125 (Messwesen)

Die Gesetzgebung über das Messwesen ist Sache des Bundes.

3. Kapitel: Finanzordnung

Artikel 126 (Haushaltführung)

(1) Der Bund hält seine Ausgaben und Einnahmen auf Dauer im Gleichgewicht.

(2) Der Höchstbetrag der im Voranschlag zu bewilligenden Gesamtausgaben richtet sich unter Berücksichtigung der Wirtschaftslage nach den geschätzten Einnahmen.

(3) Bei ausserordentlichem Zahlungsbedarf kann der Höchstbetrag nach Absatz 2 angemessen erhöht werden. Über eine Erhöhung beschliesst die Bundesversammlung nach Artikel 159 Absatz 3 Buchstabe c.

(4) Überschreiten die in der Staatsrechnung ausgewiesenen Gesamtausgaben den Höchstbetrag nach Absatz 2 oder 3, so sind die Mehrausgaben in den Folgejahren zu kompensieren.

(5) Das Gesetz regelt die Einzelheiten.

Artikel 127 (Grundsätze der Besteuerung)

(1) Die Ausgestaltung der Steuern, namentlich der Kreis der Steuerpflichtigen, der Gegenstand der Steuer und deren Bemessung, ist in den Grundzügen im Gesetz selbst zu regeln.

(2) Soweit es die Art der Steuer zulässt, sind dabei insbesondere die Grundsätze der Allgemeinheit und der Gleichmässigkeit der Besteuerung sowie der Grundsatz der Besteuerung nach der wirtschaftlichen Leistungsfähigkeit zu beachten.

(3) Die interkantonale Doppelbesteuerung ist untersagt. Der Bund trifft die erforderlichen Massnahmen.

Artikel 128 (Direkte Steuern)

(1) Der Bund kann eine direkte Steuer erheben:

a. von höchstens 11,5 Prozent auf dem Einkommen der natürlichen Personen;

b. von höchstens 8,5 Prozent auf dem Reinertrag der juristischen Personen;

c. [aufgehoben]

(2) Der Bund nimmt bei der Festsetzung der Tarife auf die Belastung durch die direkten Steuern der Kantone und Gemeinden Rücksicht.

(3) Bei der Steuer auf dem Einkommen der natürlichen Personen werden die Folgen der kalten Progression periodisch ausgeglichen.

(4) Die Steuer wird von den Kantonen veranlagt und eingezogen. Vom Rohertrag der Steuer fallen ihnen mindestens 17 Prozent zu. Der Anteil kann bis auf 15 Prozent gesenkt werden, sofern die Auswirkungen des Finanzausgleichs dies erfordern.

Artikel 129 (Steuerharmonisierung)

(1) Der Bund legt Grundsätze fest über die Harmonisierung der direkten Steuern von Bund, Kantonen und Gemeinden; er berücksichtigt die Harmonisierungsbestrebungen der Kantone.

(2) Die Harmonisierung erstreckt sich auf Steuerpflicht, Gegenstand und zeitliche Bemessung der Steuern, Verfahrensrecht und Steuerstrafrecht. Von der Harmonisierung ausgenommen bleiben insbesondere die Steuertarife, die Steuersätze und die Steuerfreibeträge.

(3) Der Bund kann Vorschriften gegen ungerechtfertigte steuerliche Vergünstigungen erlassen.

Artikel 130 (Mehrwertsteuer)

(1) Der Bund kann auf Lieferungen von Gegenständen und auf Dienstleistungen einschliesslich Eigenverbrauch sowie auf Einfuhren eine Mehrwertsteuer mit einem Normalsatz von höchstens 6,5 Prozent und einem reduzierten Satz von mindestens 2,0 Prozent erheben.

(2) Das Gesetz kann für die Besteuerung der Beherbergungsleistungen einen Satz zwischen dem reduzierten Satz und dem Normalsatz festlegen.

(3) Ist wegen der Entwicklung des Altersaufbaus die Finanzierung der Alters-, Hinterlassenen- und Invalidenversicherung nicht mehr gewährleistet, so kann in der Form eines Bundesgesetzes der Normalsatz um höchstens 1 Prozentpunkt und der reduzierte

Satz um höchstens 0,3 Prozentpunkte erhöht werden.

(3bis) Zur Finanzierung der Eisenbahninfrastruktur werden die Sätze um 0,1 Prozentpunkte erhöht.

(4) 5 Prozent des nicht zweckgebundenen Ertrags werden für die Prämienverbilligung in der Krankenversicherung zu Gunsten unterer Einkommensschichten verwendet, sofern nicht durch Gesetz eine andere Verwendung zur Entlastung unterer Einkommensschichten festgelegt wird.

Artikel 131 (Besondere Verbrauchssteuern)

(1) Der Bund kann besondere Verbrauchssteuern erheben auf:

a. Tabak und Tabakwaren;

b. gebrannten Wassern;

c. Bier;

d. Automobilen und ihren Bestandteilen;

e. Erdöl, anderen Mineralölen, Erdgas und den aus ihrer Verarbeitung gewonnenen Produkten sowie auf Treibstoffen.

(2) Er kann zudem erheben:

a. einen Zuschlag auf der Verbrauchssteuer auf allen Treibstoffen, ausser den Flugtreibstoffen;

b. eine Abgabe, wenn für das Motorfahrzeug andere Antriebsmittel als Treibstoffe nach Absatz 1 Buchstabe e verwendet werden.

(2bis) Reichen die Mittel für die Erfüllung der in Artikel 87b vorgesehenen Aufgaben im Zusammenhang mit dem Luftverkehr nicht aus, so erhebt der Bund auf den Flugtreibstoffen einen Zuschlag auf der Verbrauchssteuer.

(3) Die Kantone erhalten 10 Prozent des Reinertrags aus der Besteuerung der gebrannten Wasser. Diese Mittel sind zur Bekämpfung der Ursachen und Wirkungen von Suchtproblemen zu verwenden.

Artikel 132 (Stempelsteuer und Verrechnungssteuer)

(1) Der Bund kann auf Wertpapieren, auf Quittungen von Versicherungsprämien und auf anderen Urkunden des Handelsverkehrs eine Stempelsteuer erheben; ausgenommen von der Stempelsteuer sind Urkunden des Grundstück- und Grundpfandverkehrs.

(2) Der Bund kann auf dem Ertrag von beweglichem Kapitalvermögen, auf Lotteriegewinnen und auf Versicherungsleistungen eine Verrechnungssteuer erheben. Vom Steuerertrag fallen 10 Prozent den Kantonen zu.

Artikel 133 (Zölle)

Die Gesetzgebung über Zölle und andere Abgaben auf dem grenzüberschreitenden Warenverkehr ist Sache des Bundes.

Artikel 134 (Ausschluss kantonaler und kommunaler Besteuerung)

Was die Bundesgesetzgebung als Gegenstand der Mehrwertsteuer, der besonderen Verbrauchssteuern, der Stempelsteuer und der Verrechnungssteuer bezeichnet oder für steuerfrei erklärt, dürfen die Kantone und Gemeinden nicht mit gleichartigen Steuern belasten.

Artikel 135 (Finanz- und Lastenausgleich)

(1) Der Bund erlässt Vorschriften über einen angemessenen Finanz- und Lastenausgleich zwischen Bund und Kantonen sowie zwischen den Kantonen.

(2) Der Finanz- und Lastenausgleich soll insbesondere:

a. die Unterschiede in der finanziellen Leistungsfähigkeit zwischen den Kantonen verringern;

b. den Kantonen minimale finanzielle Ressourcen gewährleisten;

c. übermässige finanzielle Lasten der Kantone auf Grund ihrer geografischtopografischen oder soziodemografischen Bedingungen ausgleichen;

d. die interkantonale Zusammenarbeit mit Lastenausgleich fördern;

e. die steuerliche Wettbewerbsfähigkeit der Kantone im nationalen und internationalen Verhältnis erhalten.

(3) Die Mittel für den Ausgleich der Ressourcen werden durch die ressourcenstarken Kantone und den Bund zur Verfügung ge-

stellt. Die Leistungen der ressourcenstarken Kantone betragen mindestens zwei Drittel und höchstens 80 Prozent der Leistungen des Bundes.

4. Titel: VOLK UND STÄNDE

1. Kapitel: Allgemeine Bestimmungen

Artikel 136 (Politische Rechte)

(1) Die politischen Rechte in Bundessachen stehen allen Schweizerinnen und Schweizern zu, die das 18. Altersjahr zurückgelegt haben und die nicht wegen Geisteskrankheit oder Geistesschwäche entmündigt sind. Alle haben die gleichen politischen Rechte und Pflichten.

(2) Sie können an den Nationalratswahlen und an den Abstimmungen des Bundes teilnehmen sowie Volksinitiativen und Referenden in Bundesangelegenheiten ergreifen und unterzeichnen.

Artikel 137 (Politische Parteien)

Die politischen Parteien wirken an der Meinungs- und Willensbildung des Volkes mit.

2. Kapitel: Initiative und Referendum

Artikel 138 (Volksinitiative auf Totalrevision der Bundesverfassung)

(1) 100 000 Stimmberechtigte können innert 18 Monaten seit der amtlichen Veröffentlichung ihrer Initiative eine Totalrevision der Bundesverfassung vorschlagen.

(2) Dieses Begehren ist dem Volk zur Abstimmung zu unterbreiten.

Artikel 139 (Volksinitiative auf Teilrevision der Bundesverfassung)

(1) 100 000 Stimmberechtigte können innert 18 Monaten seit der amtlichen Veröffentlichung ihrer Initiative eine Teilrevision der Bundesverfassung verlangen.

(2) Die Volksinitiative auf Teilrevision der Bundesverfassung kann die Form der allgemeinen Anregung oder des ausgearbeiteten Entwurfs haben.

(3) Verletzt die Initiative die Einheit der Form, die Einheit der Materie oder zwingende Bestimmungen des Völkerrechts, so erklärt die Bundesversammlung sie für ganz oder teilweise ungültig.

(4) Ist die Bundesversammlung mit einer Initiative in der Form der allgemeinen Anregung einverstanden, so arbeitet sie die Teilrevision im Sinn der Initiative aus und unterbreitet sie Volk und Ständen zur Abstimmung. Lehnt sie die Initiative ab, so unterbreitet sie diese dem Volk zur Abstimmung; das Volk entscheidet, ob der Initiative Folge zu geben ist. Stimmt es zu, so arbeitet die Bundesversammlung eine entsprechende Vorlage aus.

(5) Eine Initiative in der Form des ausgearbeiteten Entwurfs wird Volk und Ständen zur Abstimmung unterbreitet. Die Bundesversammlung empfiehlt die Initiative zur Annahme oder zur Ablehnung. Sie kann der Initiative einen Gegenentwurf gegen-überstellen.

Artikel 139a [aufgehoben]

Artikel 139b (Verfahren bei Initiative und Gegenentwurf)

(1) Die Stimmberechtigten stimmen gleichzeitig über die Initiative und den Gegenentwurf ab.

(2) Sie können beiden Vorlagen zustimmen. In der Stichfrage können sie angeben, welcher Vorlage sie den Vorrang geben, falls beide angenommen werden.

(3) Erzielt bei angenommenen Verfassungsänderungen in der Stichfrage die eine Vorlage mehr Volks- und die andere mehr Standesstimmen, so tritt die Vorlage in Kraft, bei welcher der prozentuale Anteil der Volksstimmen und der prozentuale Anteil der Standesstimmen in der Stichfrage die grössere Summe ergeben.

Artikel 140 (Obligatorisches Referendum)

(1) Volk und Ständen werden zur Abstimmung unterbreitet:

a. die Änderungen der Bundesverfassung;

b. der Beitritt zu Organisationen für kollektive Sicherheit oder zu supranationalen Gemeinschaften;

c. die dringlich erklärten Bundesgesetze, die keine Verfassungsgrundlage haben und deren Geltungsdauer ein Jahr übersteigt; diese Bundesgesetze müssen innerhalb eines Jahres nach Annahme durch die Bundesversammlung zur Abstimmung unterbreitet werden.

(2) Dem Volk werden zur Abstimmung unterbreitet:

a. die Volksinitiativen auf Totalrevision der Bundesverfassung;

abis. ...

b. die Volksinitiativen auf Teilrevision der Bundesverfassung in der Form der allgemeinen Anregung, die von der Bundesversammlung abgelehnt worden sind;

c. die Frage, ob eine Totalrevision der Bundesverfassung durchzuführen ist, bei Uneinigkeit der beiden Räte.

Artikel 141 (Fakultatives Referendum)

(1) Verlangen es 50 000 Stimmberechtigte oder acht Kantone innerhalb von 100 Tagen seit der amtlichen Veröffentlichung des Erlasses, so werden dem Volk zur Abstimmung vorgelegt:

a. Bundesgesetze;

b. dringlich erklärte Bundesgesetze, deren Geltungsdauer ein Jahr übersteigt;

c. Bundesbeschlüsse, soweit Verfassung oder Gesetz dies vorsehen;

d. völkerrechtliche Verträge, die:

1. unbefristet und unkündbar sind,

2. den Beitritt zu einer internationalen Organisation vorsehen,

3. wichtige rechtsetzende Bestimmungen enthalten oder deren Umsetzung den Erlass von Bundesgesetzen erfordert.

(2) [aufgehoben]

Artikel 141a (Umsetzung von völkerrechtlichen Verträgen)

(1) Untersteht der Genehmigungsbeschluss eines völkerrechtlichen Vertrags dem obligatorischen Referendum, so kann die Bundesversammlung die Verfassungsän-

derungen, die der Umsetzung des Vertrages dienen, in den Genehmigungsbeschluss aufnehmen.

(2) Untersteht der Genehmigungsbeschluss eines völkerrechtlichen Vertrags dem fakultativen Referendum, so kann die Bundesversammlung die Gesetzesänderungen, die der Umsetzung des Vertrages dienen, in den Genehmigungsbeschluss aufnehmen.

Artikel 142 (Erforderliche Mehrheiten)

(1) Die Vorlagen, die dem Volk zur Abstimmung unterbreitet werden, sind angenommen, wenn die Mehrheit der Stimmenden sich dafür ausspricht.

(2) Die Vorlagen, die Volk und Ständen zur Abstimmung unterbreitet werden, sind angenommen, wenn die Mehrheit der Stimmenden und die Mehrheit der Stände sich dafür aussprechen.

(3) Das Ergebnis der Volksabstimmung im Kanton gilt als dessen Standesstimme.

(4) Die Kantone Obwalden, Nidwalden, Basel-Stadt, Basel-Landschaft, Appenzell Ausserrhoden und Appenzell Innerrhoden haben je eine halbe Standesstimme.

5. Titel: BUNDESBEHÖRDEN

1. Kapitel: Allgemeine Bestimmungen

Artikel 143 (Wählbarkeit)

In den Nationalrat, in den Bundesrat und in das Bundesgericht sind alle Stimmberechtigten wählbar.

Artikel 144 (Unvereinbarkeiten)

(1) Die Mitglieder des Nationalrates, des Ständerates, des Bundesrates sowie die Richterinnen und Richter des Bundesgerichts können nicht gleichzeitig einer anderen dieser Behörden angehören.

(2) Die Mitglieder des Bundesrates und die vollamtlichen Richterinnen und Richter des Bundesgerichts dürfen kein anderes Amt des Bundes oder eines Kantons bekleiden und keine andere Erwerbstätigkeit ausüben.

(3) Das Gesetz kann weitere Unvereinbarkeiten vorsehen.

Artikel 145 (Amtsdauer)

Die Mitglieder des Nationalrates und des Bundesrates sowie die Bundeskanzlerin oder der Bundeskanzler werden auf die Dauer von vier Jahren gewählt. Für die Richterinnen und Richter des Bundesgerichts beträgt die Amtsdauer sechs Jahre.

Artikel 146 (Staatshaftung)

Der Bund haftet für Schäden, die seine Organe in Ausübung amtlicher Tätigkeiten widerrechtlich verursachen.

Artikel 147 (Vernehmlassungsverfahren)

Die Kantone, die politischen Parteien und die interessierten Kreise werden bei der Vorbereitung wichtiger Erlasse und anderer Vorhaben von grosser Tragweite sowie bei wichtigen völkerrechtlichen Verträgen zur Stellungnahme eingeladen.

2. Kapitel: Bundesversammlung

1. Abschnitt: Organisation

Artikel 148 (Stellung)

(1) Die Bundesversammlung übt unter Vorbehalt der Rechte von Volk und Ständen die oberste Gewalt im Bund aus.

(2) Die Bundesversammlung besteht aus zwei Kammern, dem Nationalrat und dem Ständerat; beide Kammern sind einander gleichgestellt.

Artikel 149 (Zusammensetzung und Wahl des Nationalrates)

(1) Der Nationalrat besteht aus 200 Abgeordneten des Volkes.

(2) Die Abgeordneten werden vom Volk in direkter Wahl nach dem Grundsatz des Proporzes bestimmt. Alle vier Jahre findet eine Gesamterneuerung statt.

(3) Jeder Kanton bildet einen Wahlkreis.

(4) Die Sitze werden nach der Bevölkerungszahl auf die Kantone verteilt. Jeder Kanton hat mindestens einen Sitz.

Artikel 150 (Zusammensetzung und Wahl des Ständerates)

(1) Der Ständerat besteht aus 46 Abgeordneten der Kantone.

(2) Die Kantone Obwalden, Nidwalden, Basel-Stadt, Basel-Landschaft, Appenzell Ausserrhoden und Appenzell Innerrhoden wählen je eine Abgeordnete oder einen Abgeordneten; die übrigen Kantone wählen je zwei Abgeordnete.

(3) Die Wahl in den Ständerat wird vom Kanton geregelt.

Artikel 151 (Sessionen)

(1) Die Räte versammeln sich regelmässig zu Sessionen. Das Gesetz regelt die Einberufung.

(2) Ein Viertel der Mitglieder eines Rates oder der Bundesrat können die Einberufung der Räte zu einer ausserordentlichen Session verlangen.

Artikel 152 (Vorsitz)

Jeder Rat wählt aus seiner Mitte für die Dauer eines Jahres eine Präsidentin oder einen Präsidenten sowie die erste Vizepräsidentin oder den ersten Vizepräsidenten und die zweite Vizepräsidentin oder den zweiten Vizepräsidenten. Die Wiederwahl für das folgende Jahr ist ausgeschlossen.

Artikel 153 (Parlamentarische Kommissionen)

(1) Jeder Rat setzt aus seiner Mitte Kommissionen ein.

(2) Das Gesetz kann gemeinsame Kommissionen vorsehen.

(3) Das Gesetz kann einzelne Befugnisse, die nicht rechtsetzender Natur sind, an Kommissionen übertragen.

(4) Zur Erfüllung ihrer Aufgaben stehen den Kommissionen Auskunftsrechte, Einsichtsrechte und Untersuchungsbefugnisse zu. Deren Umfang wird durch das Gesetz geregelt.

Artikel 154 (Fraktionen)

Die Mitglieder der Bundesversammlung können Fraktionen bilden.

Artikel 155 (Parlamentsdienste)

Die Bundesversammlung verfügt über Parlamentsdienste. Sie kann Dienststellen der Bundesverwaltung beiziehen. Das Gesetz regelt die Einzelheiten.

2. Abschnitt: Verfahren

Artikel 156 (Getrennte Verhandlung)

(1) Nationalrat und Ständerat verhandeln getrennt.

(2) Für Beschlüsse der Bundesversammlung ist die Übereinstimmung beider Räte erforderlich.

(3) Das Gesetz sieht Bestimmungen vor, um sicherzustellen, dass bei Uneinigkeit der Räte Beschlüsse zu Stande kommen über:

a. die Gültigkeit oder Teilungültigkeit einer Volksinitiative;

b. die Umsetzung einer vom Volk angenommenen Volksinitiative in Form der allgemeinen Anregung;

c. die Umsetzung eines vom Volk gutgeheissenen Bundesbeschlusses zur Einleitung einer Totalrevision der Bundesverfassung;

d. den Voranschlag oder einen Nachtrag.

Artikel 157 (Gemeinsame Verhandlung)

(1) Nationalrat und Ständerat verhandeln gemeinsam als Vereinigte Bundesversammlung unter dem Vorsitz der Nationalratspräsidentin oder des Nationalratspräsidenten, um:

a. Wahlen vorzunehmen;

b. Zuständigkeitskonflikte zwischen den obersten Bundesbehörden zu entscheiden;

c. Begnadigungen auszusprechen.

(2) Die Vereinigte Bundesversammlung versammelt sich ausserdem bei besonderen Anlässen und zur Entgegennahme von Erklärungen des Bundesrates.

Artikel 158 (Öffentlichkeit der Sitzungen)

Die Sitzungen der Räte sind öffentlich. Das Gesetz kann Ausnahmen vorsehen.

Artikel 159 (Verhandlungsfähigkeit und erforderliches Mehr)

(1) Die Räte können gültig verhandeln, wenn die Mehrheit ihrer Mitglieder anwesend ist.

(2) In beiden Räten und in der Vereinigten Bundesversammlung entscheidet die Mehrheit der Stimmenden.

(3) Der Zustimmung der Mehrheit der Mitglieder jedes der beiden Räte bedürfen jedoch:

a. die Dringlicherklärung von Bundesgesetzen;

b. Subventionsbestimmungen sowie Verpflichtungskredite und Zahlungsrahmen, die neue einmalige Ausgaben von mehr als 20 Millionen Franken oder neue wiederkehrende Ausgaben von mehr als 2 Millionen Franken nach sich ziehen;

c. die Erhöhung der Gesamtausgaben bei ausserordentlichem Zahlungsbedarf nach Artikel 126 Absatz 3.

(4) Die Bundesversammlung kann die Beträge nach Absatz 3 Buchstabe b mit einer Verordnung der Teuerung anpassen.

Artikel 160 (Initiativrecht und Antragsrecht)

(1) Jedem Ratsmitglied, jeder Fraktion, jeder parlamentarischen Kommission und jedem Kanton steht das Recht zu, der Bundesversammlung Initiativen zu unterbreiten.

(2) Die Ratsmitglieder und der Bundesrat haben das Recht, zu einem in Beratung stehenden Geschäft Anträge zu stellen.

Artikel 161 (Instruktionsverbot)

(1) Die Mitglieder der Bundesversammlung stimmen ohne Weisungen.

(2) Sie legen ihre Interessenbindungen offen.

Artikel 162 (Immunität)

(1) Die Mitglieder der Bundesversammlung und des Bundesrates sowie die Bundeskanzlerin oder der Bundeskanzler können für ihre Äusserungen in den Räten und in deren Organen rechtlich nicht zur Verantwortung gezogen werden.

(2) Das Gesetz kann weitere Arten der Immunität vorsehen und diese auf weitere Personen ausdehnen.

3. Abschnitt: Zuständigkeiten

Artikel 163 (Form der Erlasse der Bundesversammlung)

(1) Die Bundesversammlung erlässt rechtsetzende Bestimmungen in der Form des Bundesgesetzes oder der Verordnung.

(2) Die übrigen Erlasse ergehen in der Form des Bundesbeschlusses; ein Bundesbeschluss, der dem Referendum nicht untersteht, wird als einfacher Bundesbeschluss bezeichnet.

Artikel 164 (Gesetzgebung)

(1) Alle wichtigen rechtsetzenden Bestimmungen sind in der Form des Bundesgesetzes zu erlassen. Dazu gehören insbesondere die grundlegenden Bestimmungen über:

a. die Ausübung der politischen Rechte;

b. die Einschränkungen verfassungsmässiger Rechte;

c. die Rechte und Pflichten von Personen;

d. den Kreis der Abgabepflichtigen sowie den Gegenstand und die Bemessung von Abgaben;

e. die Aufgaben und die Leistungen des Bundes;

f. die Verpflichtungen der Kantone bei der Umsetzung und beim Vollzug des Bundesrechts;

g. die Organisation und das Verfahren der Bundesbehörden.

(2) Rechtsetzungsbefugnisse können durch Bundesgesetz übertragen werden, soweit dies nicht durch die Bundesverfassung ausgeschlossen wird.

Artikel 165 (Gesetzgebung bei Dringlichkeit)

(1) Ein Bundesgesetz, dessen Inkrafttreten keinen Aufschub duldet, kann von der Mehrheit der Mitglieder jedes Rates dringlich erklärt und sofort in Kraft gesetzt werden. Es ist zu befristen.

(2) Wird zu einem dringlich erklärten Bundesgesetz die Volksabstimmung verlangt, so tritt dieses ein Jahr nach Annahme durch die Bundesversammlung ausser Kraft, wenn es nicht innerhalb dieser Frist vom Volk angenommen wird.

(3) Ein dringlich erklärtes Bundesgesetz, das keine Verfassungsgrundlage hat, tritt ein Jahr nach Annahme durch die Bundesversammlung ausser Kraft, wenn es nicht innerhalb dieser Frist von Volk und Ständen angenommen wird. Es ist zu befristen.

(4) Ein dringlich erklärtes Bundesgesetz, das in der Abstimmung nicht angenommen wird, kann nicht erneuert werden.

Artikel 166 (Beziehungen zum Ausland und völkerrechtliche Verträge)

(1) Die Bundesversammlung beteiligt sich an der Gestaltung der Aussenpolitik und beaufsichtigt die Pflege der Beziehungen zum Ausland.

(2) Sie genehmigt die völkerrechtlichen Verträge; ausgenommen sind die Verträge, für deren Abschluss auf Grund von Gesetz oder völkerrechtlichem Vertrag der Bundesrat zuständig ist.

Artikel 167 (Finanzen)

Die Bundesversammlung beschliesst die Ausgaben des Bundes, setzt den Voranschlag fest und nimmt die Staatsrechnung ab.

Artikel 168 (Wahlen)

(1) Die Bundesversammlung wählt die Mitglieder des Bundesrates, die Bundeskanzlerin oder den Bundeskanzler, die Richterinnen und Richter des Bundesgerichts sowie den General.

(2) Das Gesetz kann die Bundesversammlung ermächtigen, weitere Wahlen vorzunehmen oder zu bestätigen.

Artikel 169 (Oberaufsicht)

(1) Die Bundesversammlung übt die Oberaufsicht aus über den Bundesrat und die Bundesverwaltung, die eidgenössischen Gerichte und die anderen Träger von Aufgaben des Bundes.

(2) Den vom Gesetz vorgesehenen besonderen Delegationen von Aufsichtskommissionen können keine Geheimhaltungspflichten entgegengehalten werden.

Artikel 170 (Überprüfung der Wirksamkeit)

Die Bundesversammlung sorgt dafür, dass die Massnahmen des Bundes auf ihre Wirksamkeit überprüft werden.

Artikel 171 (Aufträge an den Bundesrat)

Die Bundesversammlung kann dem Bundesrat Aufträge erteilen. Das Gesetz regelt die Einzelheiten, insbesondere die Instrumente, mit welchen die Bundesversammlung auf den Zuständigkeitsbereich des Bundesrates einwirken kann.

Artikel 172 (Beziehungen zwischen Bund und Kantonen)

(1) Die Bundesversammlung sorgt für die Pflege der Beziehungen zwischen Bund und Kantonen.

(2) Sie gewährleistet die Kantonsverfassungen.

(3) Sie genehmigt die Verträge der Kantone unter sich und mit dem Ausland, wenn der Bundesrat oder ein Kanton Einsprache erhebt.

Artikel 173 (Weitere Aufgaben und Befugnisse)

(1) Die Bundesversammlung hat zudem folgende Aufgaben und Befugnisse:

a. Sie trifft Massnahmen zur Wahrung der äusseren Sicherheit, der Unabhängigkeit und der Neutralität der Schweiz.

b. Sie trifft Massnahmen zur Wahrung der inneren Sicherheit.

c. Wenn ausserordentliche Umstände es erfordern, kann sie zur Erfüllung der Aufgaben nach den Buchstaben a und b Verordnungen oder einfache Bundesbeschlüsse erlassen.

d. Sie ordnet den Aktivdienst an und bietet dafür die Armee oder Teile davon auf.

e. Sie trifft Massnahmen zur Durchsetzung des Bundesrechts.

f. Sie befindet über die Gültigkeit zu Stande gekommener Volksinitiativen.

g. Sie wirkt bei den wichtigen Planungen der Staatstätigkeit mit.

h. Sie entscheidet über Einzelakte, soweit ein Bundesgesetz dies ausdrücklich vorsieht.

i. Sie entscheidet Zuständigkeitskonflikte zwischen den obersten Bundesbehörden.

k. Sie spricht Begnadigungen aus und entscheidet über Amnestie.

(2) Die Bundesversammlung behandelt ausserdem Geschäfte, die in die Zuständigkeit des Bundes fallen und keiner anderen Behörde zugewiesen sind.

(3) Das Gesetz kann der Bundesversammlung weitere Aufgaben und Befugnisse übertragen.

3. Kapitel: Bundesrat und Bundesverwaltung

1. Abschnitt: Organisation und Verfahren

Artikel 174 (Bundesrat)

Der Bundesrat ist die oberste leitende und vollziehende Behörde des Bundes.

Artikel 175 (Zusammensetzung und Wahl)

(1) Der Bundesrat besteht aus sieben Mitgliedern.

(2) Die Mitglieder des Bundesrates werden von der Bundesversammlung nach jeder Gesamterneuerung des Nationalrates gewählt.

(3) Sie werden aus allen Schweizerbürgerinnen und Schweizerbürgern, welche als Mitglieder des Nationalrates wählbar sind, auf die Dauer von vier Jahren gewählt.

(4) Dabei ist darauf Rücksicht zu nehmen, dass die Landesgegenden und Sprachregionen angemessen vertreten sind.

Artikel 176 (Vorsitz)

(1) Die Bundespräsidentin oder der Bundespräsident führt den Vorsitz im Bundesrat.

(2) Die Bundespräsidentin oder der Bundespräsident und die Vizepräsidentin oder der Vizepräsident des Bundesrates werden von der Bundesversammlung aus den Mitgliedern des Bundesrates auf die Dauer eines Jahres gewählt.

(3) Die Wiederwahl für das folgende Jahr ist ausgeschlossen. Die Bundespräsidentin oder der Bundespräsident kann nicht zur Vizepräsidentin oder zum Vizepräsidenten des folgenden Jahres gewählt werden.

Artikel 177 (Kollegial- und Departementalprinzip)

(1) Der Bundesrat entscheidet als Kollegium.

(2) Für die Vorbereitung und den Vollzug werden die Geschäfte des Bundesrates nach Departementen auf die einzelnen Mitglieder verteilt.

(3) Den Departementen oder den ihnen unterstellten Verwaltungseinheiten werden Geschäfte zur selbstständigen Erledigung übertragen; dabei muss der Rechtsschutz sichergestellt sein.

Artikel 178 (Bundesverwaltung)

(1) Der Bundesrat leitet die Bundesverwaltung. Er sorgt für ihre zweckmässige Organisation und eine zielgerichtete Erfüllung der Aufgaben.

(2) Die Bundesverwaltung wird in Departemente gegliedert; jedem Departement steht ein Mitglied des Bundesrates vor.

(3) Verwaltungsaufgaben können durch Gesetz Organisationen und Personen des öffentlichen oder des privaten Rechts übertragen werden, die ausserhalb der Bundesverwaltung stehen.

Artikel 179 (Bundeskanzlei)

Die Bundeskanzlei ist die allgemeine Stabsstelle des Bundesrates. Sie wird von einer Bundeskanzlerin oder einem Bundeskanzler geleitet.

2. Abschnitt: Zuständigkeiten

Artikel 180 (Regierungspolitik)

(1) Der Bundesrat bestimmt die Ziele und die Mittel seiner Regierungspolitik. Er plant und koordiniert die staatlichen Tätigkeiten.

(2) Er informiert die Öffentlichkeit rechtzeitig und umfassend über seine Tätigkeit, soweit nicht überwiegende öffentliche oder private Interessen entgegenstehen.

Artikel 181 (Initiativrecht)

Der Bundesrat unterbreitet der Bundesversammlung Entwürfe zu ihren Erlassen.

Artikel 182 (Rechtsetzung und Vollzug)

(1) Der Bundesrat erlässt rechtsetzende Bestimmungen in der Form der Verordnung, soweit er durch Verfassung oder Gesetz dazu ermächtigt ist.

(2) Er sorgt für den Vollzug der Gesetzgebung, der Beschlüsse der Bundesversammlung und der Urteile richterlicher Behörden des Bundes.

Artikel 183 (Finanzen)

(1) Der Bundesrat erarbeitet den Finanzplan, entwirft den Voranschlag und erstellt die Staatsrechnung.

(2) Er sorgt für eine ordnungsgemässe Haushaltführung.

Artikel 184 (Beziehungen zum Ausland)

(1) Der Bundesrat besorgt die auswärtigen Angelegenheiten unter Wahrung der Mitwirkungsrechte der Bundesversammlung; er vertritt die Schweiz nach aussen.

(2) Er unterzeichnet die Verträge und ratifiziert sie. Er unterbreitet sie der Bundesversammlung zur Genehmigung.

(3) Wenn die Wahrung der Interessen des Landes es erfordert, kann der Bundesrat Verordnungen und Verfügungen erlassen. Verordnungen sind zu befristen.

Artikel 185 (Äussere und innere Sicherheit)

(1) Der Bundesrat trifft Massnahmen zur Wahrung der äusseren Sicherheit, der Unabhängigkeit und der Neutralität der Schweiz.

(2) Er trifft Massnahmen zur Wahrung der inneren Sicherheit.

(3) Er kann, unmittelbar gestützt auf diesen Artikel, Verordnungen und Verfügungen erlassen, um eingetretenen oder unmittelbar drohenden schweren Störungen der öffentlichen Ordnung oder der inneren oder äusseren Sicherheit zu begegnen. Solche Verordnungen sind zu befristen.

(4) In dringlichen Fällen kann er Truppen aufbieten. Bietet er mehr als 4000 Angehörige der Armee für den Aktivdienst auf oder dauert dieser Einsatz voraussichtlich länger als drei Wochen, so ist unverzüglich die Bundesversammlung einzuberufen.

Artikel 186 (Beziehungen zwischen Bund und Kantonen)

(1) Der Bundesrat pflegt die Beziehungen des Bundes zu den Kantonen und arbeitet mit ihnen zusammen.

(2) Er genehmigt die Erlasse der Kantone, wo es die Durchführung des Bundesrechts verlangt.

(3) Er kann gegen Verträge der Kantone unter sich oder mit dem Ausland Einsprache erheben.

(4) Er sorgt für die Einhaltung des Bundesrechts sowie der Kantonsverfassungen und der Verträge der Kantone und trifft die erforderlichen Massnahmen.

Artikel 187 (Weitere Aufgaben und Befugnisse)

(1) Der Bundesrat hat zudem folgende Aufgaben und Befugnisse:

a. Er beaufsichtigt die Bundesverwaltung und die anderen Träger von Aufgaben des Bundes.

b. Er erstattet der Bundesversammlung regelmässig Bericht über seine Geschäftsführung sowie über den Zustand der Schweiz.

c. Er nimmt die Wahlen vor, die nicht einer anderen Behörde zustehen.

d. Er behandelt Beschwerden, soweit das Gesetz es vorsieht.

(2) Das Gesetz kann dem Bundesrat weitere Aufgaben und Befugnisse übertragen.

4. Kapitel: Bundesgericht und andere richterliche Behörden

Artikel 188 (Stellung des Bundesgerichts)

(1) Das Bundesgericht ist die oberste rechtsprechende Behörde des Bundes.

(2) Das Gesetz bestimmt die Organisation und das Verfahren.

(3) Das Gericht verwaltet sich selbst.

Artikel 189 (Zuständigkeiten des Bundesgerichts)

(1) Das Bundesgericht beurteilt Streitigkeiten wegen Verletzung:

a. von Bundesrecht;

b. von Völkerrecht;

c. von interkantonalem Recht;

d. von kantonalen verfassungsmässigen Rechten;

e. der Gemeindeautonomie und anderer Garantien der Kantone zu Gunsten von öffentlich-rechtlichen Körperschaften;

f. von eidgenössischen und kantonalen Bestimmungen über die politischen Rechte.

(1bis) [aufgehoben]

(2) Es beurteilt Streitigkeiten zwischen Bund und Kantonen oder zwischen Kantonen.

(3) Das Gesetz kann weitere Zuständigkeiten des Bundesgerichts begründen.

(4) Akte der Bundesversammlung und des Bundesrates können beim Bundesgericht nicht angefochten werden. Ausnahmen bestimmt das Gesetz.

Artikel 190 (Massgebendes Recht)

Bundesgesetze und Völkerrecht sind für das Bundesgericht und die anderen rechtsanwendenden Behörden massgebend.

Artikel 191 (Zugang zum Bundesgericht)

(1) Das Gesetz gewährleistet den Zugang zum Bundesgericht.

(2) Für Streitigkeiten, die keine Rechtsfrage von grundsätzlicher Bedeutung betreffen, kann es eine Streitwertgrenze vorsehen.

(3) Für bestimmte Sachgebiete kann das

Gesetz den Zugang zum Bundesgericht ausschliessen.

(4) Für offensichtlich unbegründete Beschwerden kann das Gesetz ein vereinfachtes Verfahren vorsehen.

Artikel 191a (Weitere richterliche Behörden des Bundes)

(1) Der Bund bestellt ein Strafgericht; dieses beurteilt erstinstanzlich Straffälle, die das Gesetz der Gerichtsbarkeit des Bundes zuweist. Das Gesetz kann weitere Zuständigkeiten des Bundesstrafgerichts begründen.

(2) Der Bund bestellt richterliche Behörden für die Beurteilung von öffentlich-rechtlichen Streitigkeiten aus dem Zuständigkeitsbereich der Bundesverwaltung.

(3) Das Gesetz kann weitere richterliche Behörden des Bundes vorsehen.

Artikel 191b (Richterliche Behörden der Kantone)

(1) Die Kantone bestellen richterliche Behörden für die Beurteilung von zivilrechtlichen und öffentlich-rechtlichen Streitigkeiten sowie von Straffällen.

(2) Sie können gemeinsame richterliche Behörden einsetzen.

Artikel 191c (Richterliche Unabhängigkeit)

Die richterlichen Behörden sind in ihrer rechtsprechenden Tätigkeit unabhängig und nur dem Recht verpflichtet.

6. Titel: REVISION DER BUNDES-VERFASSUNG UND ÜBERGANGS-BESTIMMUNGEN

1. Kapitel: Revision

Artikel 192 (Grundsatz)

(1) Die Bundesverfassung kann jederzeit ganz oder teilweise revidiert werden.

(2) Wo die Bundesverfassung und die auf ihr beruhende Gesetzgebung nichts anderes bestimmen, erfolgt die Revision auf dem Weg der Gesetzgebung.

Artikel 193 (Totalrevision)

(1) Eine Totalrevision der Bundesverfassung kann vom Volk oder von einem der beiden Räte vorgeschlagen oder von der Bundesversammlung beschlossen werden.

(2) Geht die Initiative vom Volk aus oder sind sich die beiden Räte uneinig, so entscheidet das Volk über die Durchführung der Totalrevision.

(3) Stimmt das Volk der Totalrevision zu, so werden die beiden Räte neu gewählt.

(4) Die zwingenden Bestimmungen des Völkerrechts dürfen nicht verletzt werden.

Artikel 194 (Teilrevision)

(1) Eine Teilrevision der Bundesverfassung kann vom Volk verlangt oder von der Bundesversammlung beschlossen werden.

(2) Die Teilrevision muss die Einheit der Materie wahren und darf die zwingenden Bestimmungen des Völkerrechts nicht verletzen.

(3) Die Volksinitiative auf Teilrevision muss zudem die Einheit der Form wahren.

Artikel 195 (Inkrafttreten)

Die ganz oder teilweise revidierte Bundesverfassung tritt in Kraft, wenn sie von Volk und Ständen angenommen ist.

2. Kapitel: Übergangsbestimmungen

Artikel 196 (Übergangsbestimmungen gemäss Bundesbeschluss vom 18. Dezember 1998 über eine neue Bundesverfassung)

1. Übergangsbestimmung zu Artikel 84 (Alpenquerender Transitverkehr)

Die Verlagerung des Gütertransitverkehrs auf die Schiene muss zehn Jahre nach der Annahme der Volksinitiative zum Schutz des Alpengebietes vor dem Transitverkehr abgeschlossen sein.

2. Übergangsbestimmung zu Artikel 85 (Pauschale Schwerverkehrsabgabe)

(1) Der Bund erhebt für die Benützung der dem allgemeinen Verkehr geöffneten Strassen auf in- und ausländischen Motorfahrzeugen und Anhängern mit einem Ge-

samtgewicht von je über 3,5 t eine jährliche Abgabe.

(2) Diese Abgabe beträgt:

	Fr.
a. für Lastwagen und Sattelmotorfahrzeuge von	
– über 3,5 bis 12 t	650
– über 12 bis 18 t	2000
– über 18 bis 26 t	3000
– über 26 t	4000
b. für Anhänger von	
– über 3,5 bis 8 t	650
– über 8 bis 10 t	1500
– über 10 t	2000
c. für Gesellschaftswagen	650

(3) Die Abgabesätze können in der Form eines Bundesgesetzes angepasst werden, sofern die Strassenverkehrskosten dies rechtfertigen.

(4) Ausserdem kann der Bundesrat die Tarifkategorie ab 12 t nach Absatz 2 auf dem Verordnungsweg an allfällige Änderungen der Gewichtskategorien im Strassenverkehrsgesetz vom 19. Dezember 1958 anpassen.

(5) Der Bundesrat bestimmt für Fahrzeuge, die nicht das ganze Jahr in der Schweiz im Verkehr stehen, entsprechend abgestufte Abgabesätze; er berücksichtigt den Erhebungsaufwand.

(6) Der Bundesrat regelt den Vollzug. Er kann für besondere Fahrzeugkategorien die Ansätze im Sinne von Absatz 2 festlegen, bestimmte Fahrzeuge von der Abgabe befreien und Sonderregelungen treffen, insbesondere für Fahrten im Grenzbereich. Dadurch dürfen im Ausland immatrikulierte Fahrzeuge nicht besser gestellt werden als schweizerische. Der Bundesrat kann für Übertretungen Bussen vorsehen. Die Kantone ziehen die Abgabe für die im Inland immatrikulierten Fahrzeuge ein.

(7) Auf dem Weg der Gesetzgebung kann ganz oder teilweise auf diese Abgabe verzichtet werden.

(8) Diese Bestimmung gilt bis zum In-krafttreten des Schwerverkehrsabgabegesetzes vom 19. Dezember 1997.

3. Übergangsbestimmungen zu Artikel 86 (Verwendung von Abgaben für Aufgaben und Aufwendungen im Zusammenhang mit dem Strassenverkehr), Artikel 87 (Eisenbahnen und weitere Verkehrsträger) und Artikel 87a (Eisenbahninfrastruktur)

(1) Die Eisenbahngrossprojekte umfassen die Neue Eisenbahn-Alpentransversale (NEAT), BAHN 2000, den Anschluss der Ost- und Westschweiz an das europäische Eisenbahn-Hochleistungsnetz sowie die Verbesserung des Lärmschutzes entlang der Eisenbahnstrecken durch aktive und passive Massnahmen.

(2) Bis zum Abschluss von Verzinsung und Rückzahlung der Bevorschussung des Fonds nach Artikel 87a Absatz 2 werden die Mittel nach Artikel 86 Absatz 2 Buchstabe e statt dem Fonds nach Artikel 86 Absatz 2 der Spezialfinanzierung Strassenverkehr nach Artikel 86 Absatz 4 gutgeschrieben.

(2bis) Der Bundesrat kann die Mittel nach Absatz 2 bis zum 31. Dezember 2018 zur Finanzierung der Eisenbahninfrastruktur und anschliessend zur Verzinsung und zur Rückzahlung der Bevorschussung des Fonds nach Artikel 87a Absatz 2 verwenden. Die Mittel berechnen sich nach Artikel 86 Absatz 2 Buchstabe e.

(2ter) Der Prozentsatz nach Artikel 86 Absatz 2 Buchstabe f gilt zwei Jahre nach Inkrafttreten dieser Bestimmung. Davor beträgt er 5 Prozent.

(3) Die Eisenbahngrossprojekte nach Absatz 1 werden über den Fonds nach Artikel 87a Absatz 2 finanziert.

(4) Die vier Eisenbahngrossprojekte gemäss Absatz 1 werden in der Form von Bundesgesetzen beschlossen. Für jedes Grossprojekt als Ganzes sind Bedarf und Ausführungsreife nachzuweisen. Beim NEAT-Projekt bilden die einzelnen Bauphasen Bestandteil des Bundesgesetzes. Die Bundesversammlung bewilligt die erforderlichen Mittel mit Verpflichtungskrediten. Der Bundesrat genehmigt die Bauetappen und bestimmt den Zeitplan.

(5) Diese Bestimmung gilt bis zum Abschluss der Bauarbeiten und der Finanzierung (Rückzahlung der Bevorschussung) der in Absatz 1 erwähnten Eisenbahngrossprojekte.

4. Übergangsbestimmung zu Artikel 90 (Kernenergie)

Bis zum 23. September 2000 werden keine Rahmen-, Bau-, Inbetriebnahme- oder Betriebsbewilligungen für neue Einrichtungen zur Erzeugung von Kernenergie erteilt.

5. Übergangsbestimmung zu Artikel 95 (Privatwirtschaftliche Erwerbstätigkeit)

Bis zum Erlass einer Bundesgesetzgebung sind die Kantone zur gegenseitigen Anerkennung von Ausbildungsabschlüssen verpflichtet.

6. Übergangsbestimmung zu Artikel 102 (Landesversorgung)

(1) Der Bund stellt die Versorgung des Landes mit Brotgetreide und Backmehl sicher.

(2) Diese Übergangsbestimmung bleibt längstens bis zum 31. Dezember 2003 in Kraft.

7. Übergangsbestimmung zu Artikel 103 (Strukturpolitik)

Die Kantone können während längstens zehn Jahren ab Inkrafttreten der Verfassung bestehende Regelungen beibehalten, welche zur Sicherung der Existenz bedeutender Teile eines bestimmten Zweigs des Gastgewerbes die Eröffnung von Betrieben vom Bedürfnis abhängig machen.

8. [aufgehoben]

9. Übergangsbestimmung zu Artikel 110 Abs. 3 (Bundesfeiertag)

(1) Bis zum Inkrafttreten der geänderten Bundesgesetzgebung regelt der Bundesrat die Einzelheiten.

(2) Der Bundesfeiertag wird der Zahl der Feiertage nach Artikel 18 Absatz 2 des Arbeitsgesetzes vom 13. März 1964 nicht angerechnet.

10. [aufgehoben]

11. Übergangsbestimmung zu Artikel 113 (Berufliche Vorsorge)

Versicherte, die zur Eintrittsgeneration gehören und deswegen nicht über die volle Beitragszeit verfügen, sollen je nach Höhe ihres Einkommens innert 10 bis 20 Jahren nach Inkrafttreten des Gesetzes den gesetzlich vorgeschriebenen Mindestschutz erhalten.

12. [aufgehoben]

13. Übergangsbestimmung zu Artikel 128 (Dauer der Steuererhebung)

Die Befugnis zur Erhebung der direkten Bundessteuer ist bis Ende 2035 befristet.

14. Übergangsbestimmung zu Artikel 130 (Mehrwertsteuer)

(1) Die Befugnis zur Erhebung der Mehrwertsteuer ist bis Ende 2035 befristet.

(2) Zur Sicherung der Finanzierung der Invalidenversicherung hebt der Bundesrat die Mehrwertsteuersätze vom 1. Januar 2011 bis 31. Dezember 2017 wie folgt an: […]

(3) Der Ertrag aus der Anhebung nach Absatz 2 wird vollumfänglich dem Ausgleichsfonds der Invalidenversicherung zugewiesen.

(4) Zur Sicherung der Finanzierung der Eisenbahninfrastruktur hebt der Bundesrat die Steuersätze nach Artikel 25 des Mehrwertsteuergesetzes vom 12. Juni 2009 ab 1. Januar 2018 um 0,1 Prozentpunkt an, im Fall einer Verlängerung der Frist gemäss Absatz 1 bis längstens 31. Dezember 2030.

(5) Der Ertrag aus der Anhebung nach Absatz 4 wird vollumfänglich dem Fonds nach Artikel 87a zugewiesen.

15. [aufgehoben]

16. [aufgehoben]

Artikel 197 (Übergangsbestimmungen nach Annahme der Bundesverfassung vom 18. April 1999)

1. Beitritt der Schweiz zur UNO

(1) Die Schweiz tritt der Organisation der Vereinten Nationen bei.

(2) Der Bundesrat wird ermächtigt, an den Generalsekretär der Organisation der Vereinten Nationen (UNO) ein Gesuch der Schweiz um Aufnahme in diese Organisation und eine Erklärung zur Erfüllung der in der UN-Charta enthaltenen Verpflichtungen zu richten.

2. Übergangsbestimmung zu Artikel 62 (Schulwesen)

Die Kantone übernehmen ab Inkrafttreten des Bundesbeschlusses vom 3. Oktober 2003 zur Neugestaltung des Finanzausgleichs und der Aufgabenteilung zwischen Bund und Kantonen die bisherigen Leistungen der Invalidenversicherung an die Sonderschulung (einschliesslich der heilpädagogischen Früherziehung gemäss Artikel 19 des BG vom 19. Juni 1959 über die Invalidenversicherung), bis sie über kantonal genehmigte Sonderschulkonzepte verfügen, mindestens jedoch während drei Jahren.

3. Übergangsbestimmung zu Artikel 83 (Nationalstrassen)

Die Kantone erstellen die im Bundesbeschluss vom 21. Juni 1960 über das Nationalstrassennetz aufgeführten Nationalstrassen (Stand bei Inkrafttreten des BB vom 3. Okt. 2003 zur Neugestaltung des Finanzausgleichs und der Aufgabenteilung zwischen Bund und Kantonen) nach den Vorschriften und unter der Oberaufsicht des Bundes fertig. Bund und Kantone tragen die Kosten gemeinsam. Der Kostenanteil der einzelnen Kantone richtet sich nach ihrer Belastung durch die Nationalstrassen, nach ihrem Interesse an diesen Strassen und nach ihrer finanziellen Leistungsfähigkeit.

4. Übergangsbestimmung zu Artikel 112b (Förderung der Eingliederung Invalider)

Die Kantone übernehmen ab Inkrafttreten des Bundesbeschlusses vom 3. Oktober 2003 zur Neugestaltung des Finanzausgleichs und der Aufgabenteilung zwischen Bund und Kantonen die bisherigen Leistungen der Invalidenversicherung an Anstalten, Werkstätten und Wohnheime, bis sie über genehmigte Behindertenkonzepte verfügen, welche auch die Gewährung kantonaler Beiträge an Bau und Betrieb von Institutionen mit ausserkantonalen Platzierungen regeln, mindestens jedoch während drei Jahren.

5. Übergangsbestimmung zu Artikel 112c (Betagten- und Behindertenhilfe)

Die bisherigen Leistungen gemäss Artikel 101bis des Bundesgesetzes vom 20. Dezember 1946 über die Alters- und Hinterlassenenversicherung an die Hilfe und Pflege zu Hause für Betagte und Behinderte werden durch die Kantone weiter ausgerichtet bis zum Inkrafttreten einer kantonalen Finanzierungsregelung für die Hilfe und Pflege zu Hause.

7. Übergangsbestimmung zu Artikel 120 (Gentechnologie im Ausserhumanbereich)

Die schweizerische Landwirtschaft bleibt für die Dauer von fünf Jahren nach Annahme dieser Verfassungsbestimmung gentechnikfrei. Insbesondere dürfen weder eingeführt noch in Verkehr gebracht werden:

a. gentechnisch veränderte vermehrungsfähige Pflanzen, Pflanzenteile und Saatgut, welche für die landwirtschaftliche, gartenbauliche oder forstwirtschaftliche Anwendung in der Umwelt bestimmt sind;

b. gentechnisch veränderte Tiere, welche für die Produktion von Lebensmitteln und anderen landwirtschaftlichen Erzeugnissen bestimmt sind.

8. Übergangsbestimmung zu Artikel 121 (Aufenthalt und Niederlassung von Ausländerinnen und Ausländern)

Der Gesetzgeber hat innert fünf Jahren seit Annahme von Artikel 121 Absätze 3–6 durch Volk und Stände die Tatbestände nach Artikel 121 Absatz 3 zu definieren und zu ergänzen und die Strafbestimmungen bezüglich illegaler Einreise nach Artikel 121 Absatz 6 zu erlassen.

9. Übergangsbestimmungen zu Artikel 75b (Zweitwohnungen)

(1) Tritt die entsprechende Gesetzgebung nach Annahme von Artikel 75b nicht innerhalb von zwei Jahren in Kraft, so erlässt der Bundesrat die nötigen Ausführungsbestimmungen über Erstellung, Verkauf und Registrierung im Grundbuch durch Verordnung.

(2) Baubewilligungen für Zweitwohnungen, die zwischen dem 1. Januar des auf die Annahme von Artikel 75b folgenden Jahres und dem Inkrafttreten der Ausführungsbestimmungen erteilt werden, sind nichtig.

10. Übergangsbestimmung zu Artikel 95 Abs. 3

Bis zum Inkrafttreten der gesetzlichen Bestimmungen erlässt der Bundesrat innerhalb eines Jahres nach Annahme von Artikel 95

Absatz 3 durch Volk und Stände die erforderlichen Ausführungsbestimmungen.

11. Übergangsbestimmung zu Artikel 121a (Steuerung der Zuwanderung)

(1) Völkerrechtliche Verträge, die Artikel 121a widersprechen, sind innerhalb von drei Jahren nach dessen Annahme durch Volk und Stände neu zu verhandeln und anzupassen.

(2) Ist die Ausführungsgesetzgebung zu Artikel 121a drei Jahre nach dessen Annahme durch Volk und Stände noch nicht in Kraft getreten, so erlässt der Bundesrat auf diesen Zeitpunkt hin die Ausführungsbestimmungen vorübergehend auf dem Verordnungsweg.

Datum des Inkrafttretens: 1. Januar 2000

Schlussbestimmungen des Bundesbeschlusses vom 18. Dezember 1998

II

(1) Die Bundesverfassung der Schweizerischen Eidgenossenschaft vom 29. Mai 1874 wird aufgehoben.

(2) Die folgenden Bestimmungen der Bundesverfassung, die in Gesetzesrecht zu überführen sind, gelten weiter bis zum Inkrafttreten der entsprechenden gesetzlichen Bestimmungen:

a. Artikel 32quater Abs. 6

Das Hausieren mit geistigen Getränken sowie ihr Verkauf im Umherziehen sind untersagt.

b. Artikel 36quinquies Abs. 1 erster Satz, 2 zweiter–letzter Satz und 4 zweiter Satz

(1) Der Bund erhebt für die Benützung der Nationalstrassen erster und zweiter Klasse auf in- und ausländischen Motorfahrzeugen und Anhängern bis zu einem Gesamtgewicht von je 3,5 Tonnen eine jährliche Abgabe von 40 Franken. ...

(2) ... Der Bundesrat kann bestimmte Fahrzeuge von der Abgabe befreien und Sonderregelungen treffen, insbesondere für Fahrten im Grenzbereich. Dadurch dürfen im Ausland immatrikulierte Fahrzeuge nicht besser gestellt werden als schweizerische. Der Bundesrat kann für Übertretungen Bussen vorsehen. Die Kantone ziehen die Abgabe für die im Inland immatrikulierten Fahrzeuge ein und überwachen die Einhaltung der Vorschriften bei allen Fahrzeugen.

(4) ... Das Gesetz kann die Abgabe auf weitere Fahrzeugkategorien, die nicht der Schwerverkehrsabgabe unterstehen, ausdehnen.

c. Artikel 121bis Abs. 1, 2 und Abs. 3 erster und zweiter Satz

(1) Beschliesst die Bundesversammlung einen Gegenentwurf, so werden den Stimmberechtigten auf dem gleichen Stimmzettel drei Fragen vorgelegt. Jeder Stimmberechtigte kann uneingeschränkt erklären:

1. ob er das Volksbegehren dem geltenden Recht vorziehe;

2. ob er den Gegenentwurf dem geltenden Recht vorziehe;

3. welche der beiden Vorlagen in Kraft treten soll, falls Volk und Stände beide Vorlagen dem geltenden Recht vorziehen sollten.

(2) Das absolute Mehr wird für jede Frage getrennt ermittelt. Unbeantwortete Fragen fallen ausser Betracht.

(3) Werden sowohl das Volksbegehren als auch der Gegenentwurf angenommen, so entscheidet das Ergebnis der dritten Frage. In Kraft tritt die Vorlage, die bei dieser Frage mehr Volks- und mehr Standesstimmen erzielt. ...

III

Änderungen der Bundesverfassung vom 29. Mai 1874 werden von der Bundesversammlung formal an die neue Bundesverfassung angepasst. Der entsprechende Beschluss untersteht nicht dem Referendum.

IV

(1) Dieser Beschluss wird Volk und Ständen zur Abstimmung unterbreitet.

(2) Die Bundesversammlung bestimmt das Inkrafttreten.

Verfassung der Slowakischen Republik[*]

Vom 1. September 1992 Verfassungsgesetz Nr. 460/1992 Zbierka zakonov, zuletzt geändert durch Nr. 422/2020 Zbierka zakonov

PRÄAMBEL

Wir, die slowakische Nation,

sich erinnernd an das politische und kulturelle Erbe unserer Vorfahren und die jahrhundertealten Erfahrungen aus den Kämpfen um das nationale Dasein und die eigene Staatlichkeit,

im Sinne des geistigen Erbes Kyrills und Methods und dem historischen Vermächtnis des Großmährischen Reichs,

ausgehend vom natürlichen Recht der Nationen auf Selbstbestimmung,

gemeinsam mit den auf dem Gebiet der Slowakischen Republik lebenden Angehörigen der nationalen Minderheiten und der ethnischen Gruppen,

im Interesse der dauerhaften friedlichen Zusammenarbeit mit den übrigen demokratischen Staaten,

sich bemühend um die Verwirklichung einer demokratischen Regierungsform, die Gewährleistungen eines freien Lebens, die Entfaltung der geistigen Kultur und der wirtschaftlichen Prosperität,

also wir, die Bürger der Slowakischen Republik,

beschließen

durch unsere Vertreter

diese Verfassung:

Erster Titel

Erster Abschnitt
Grundlegende Bestimmungen

Artikel 1 [Staatsstrukturprinzipien]
(1) Die Slowakische Republik ist ein souveräner, demokratischer Rechtsstaat. Sie bindet sich weder an eine Ideologie noch eine Religion.

(2) Die Slowakische Republik erkennt die allgemeinen Regeln des Völkerrechts, völkerrechtliche Verträge, durch die sie gebunden ist, und ihre weiteren völkerrechtlichen Verpflichtungen an und hält diese ein.

Artikel 2 [Ursprung und Ausübung der Staatsgewalt]
(1) Die Staatsgewalt geht von den Bürgern aus, die sie durch ihre gewählten Vertreter oder direkt ausüben.

(2) Die Staatsorgane können nur auf Grundlage der Verfassung, in ihren Grenzen sowie im Umfang und auf die Art und Weise, die ein Gesetz bestimmt, handeln.

(3) Jeder kann tun, was nicht durch Gesetz verboten ist, und niemand kann gezwungen werden, etwas zu tun, was ihm das Gesetz nicht auferlegt.

Artikel 3 [Staatsgebiet der Slowakischen Republik]
(1) Das Gebiet der Slowakischen Republik ist einheitlich und unteilbar.

(2) Die Grenzen der Slowakischen Republik können nur durch Verfassungsgesetz geändert werden.

Artikel 4 [Bodenschätze und Wasser]
(1) Bodenschätze, Höhlen, Grundwasser, Heilquellen und Wasserläufe stehen im Eigentum der Slowakischen Republik. Die Slowakische Republik schützt und fördert diese Schätze, sie nutzt die Bodenschätze und das Naturerbe schonend und effektiv zugunsten ihrer Bürger und der nachfolgenden Generationen.

(2) Die Beförderung von aus auf dem Ge-

---

[*] Übersetzt von *Jan Sommerfeld*, Rechtsanwalt in Deutschland und der Tschechischen Republik, Institut für Ostrecht München/Regensburg.

biet der Slowakischen Republik befindlichen Wasserkörpern gewonnenen Wasser über die Grenze der Slowakischen Republik mit Verkehrsmitteln oder durch Leitungsrohre wird verboten; das Verbot bezieht sich nicht auf Wasser für den persönlichen Verbrauch, in Verbrauchsverpackungen auf dem Gebiet der Slowakischen Republik verpacktes Trinkwasser und in Verbrauchsverpackungen auf dem Gebiet der Slowakischen Republik verpacktes natürliches Mineralwasser und zur Leistung humanitärer Hilfe und Hilfe während Notständen. Die Einzelheiten über die Bedingungen der Beförderung von Wasser für den persönlichen Verbrauch und Wasser zur Leistung humanitärer Hilfe und Hilfe während Notständen bestimmt ein Gesetz.

Artikel 5 [Staatsbürgerschaft]

(1) Den Erwerb und Verlust der Staatsbürgerschaft der Slowakischen Republik bestimmt ein Gesetz.

(2) Niemandem kann die Staatsbürgerschaft der Slowakischen Republik gegen seinen Willen entzogen werden.

Artikel 6 [Staatssprache]

(1) Auf dem Gebiet der Slowakischen Republik ist die Staatssprache die slowakische Sprache.

(2) Die Verwendung anderer Sprachen als der Staatssprache im Amtsverkehr bestimmt ein Gesetz.

Artikel 7 [Verhältnis des slowakischen Rechts zum Völkerrecht, Beitritt zur EU]

(1) Die Slowakische Republik kann auf Grundlage einer freien Entscheidung einem Staatenbund mit anderen Staaten beitreten. Über den Beitritt zu einem Staatenbund mit anderen Staaten oder über den Austritt aus einem solchen wird durch Verfassungsgesetz entschieden, das durch ein Referendum bestätigt wird.

(2) Die Slowakische Republik kann durch völkerrechtlichen Vertrag, der ratifiziert und auf die durch Gesetz bestimmte Art und Weise verkündet wurde, oder auf Grundlage eines solchen Vertrags die Ausübung einnes Teils ihrer Rechte auf die Europäischen Gemeinschaften und die Europäische Union übertragen. Rechtsverbindliche Akte der Europäischen Gemeinschaften und der Europäischen Union haben Vorrang vor den Gesetzen der Slowakischen Republik. Übernommene rechtsverbindliche Akte, die der Implementierung bedürfen, werden durch Gesetz oder Regierungsverordnung gemäß Artikel 120 Abs. 2 vollzogen.

(3) Die Slowakische Republik kann sich mit dem Ziel der Erhaltung des Friedens, der Sicherheit und der demokratischen Ordnung zu den durch völkerrechtlichen Vertrag bestimmten Bedingungen in eine Organisation der gegenseitigen kollektiven Sicherheit eingliedern.

(4) Zur Gültigkeit bedürfen völkerrechtliche Verträge über Menschenrechte und Grundfreiheiten, völkerrechtliche politische Verträge, völkerrechtliche Verträge militärischer Art, völkerrechtliche Verträge, durch die der Slowakischen Republik eine Mitgliedschaft in internationalen Organisationen entsteht, völkerrechtliche wirtschaftliche Verträge, völkerrechtliche Verträge, zu deren Vollziehung ein Gesetz erforderlich ist und völkerrechtliche Verträge, die unmittelbar Rechte oder Pflichten natürlicher Personen oder juristischer Personen begründen, vor der Ratifizierung der Zustimmung des Nationalrats der Slowakischen Republik.

(5) Völkerrechtliche Verträge über Menschenrechte und Grundfreiheiten, völkerrechtliche Verträge, zu deren Vollziehung kein Gesetz erforderlich ist, und völkerrechtliche Verträge, die unmittelbar Rechte oder Pflichten natürlicher Personen oder juristischer Personen begründen und die ratifiziert und auf die durch Gesetz bestimmte Art und Weise verkündet wurden, haben Vorrang vor den Gesetzen.

Artikel 7a [Förderung des Nationalbewusstseins von Auslandsslowaken]

Die Slowakische Republik fördert das Nationalbewusstsein und die kulturelle Identität im Ausland lebender Slowaken, fördert die von ihnen zur Erreichung dieses Zwecks eingerichteten Institutionen und die Beziehung zum mütterlichen Land.

Zweiter Abschnitt
Staatssysmbole

Artikel 8 [Benennung der Staatssymbole]

Die Staatssymbole der Slowakischen Republik sind das Staatswappen, die Staatsflagge, das Staatssiegel und die Staatshymne.

Artikel 9 [Ausgestaltung der Staatssymbole]

(1) Das Staatswappen der Slowakischen Republik bildet ein auf einem roten frühgotischen Schild auf der mittleren erhöhten Erhebung eines blauen Dreibergs errichtetes silbernes Doppelkreuz.

(2) Die Staatsflagge der Slowakischen Republik setzt sich aus drei länglichen Streifen zusammen – einem weißen, blauen und roten. Auf der vorderen Hälfte des Bogens der Staatsflagge der Slowakischen Republik ist das Staatswappen der Slowakischen Republik.

(3) Das Staatssiegel der Slowakischen Republik bildet das Staatswappen der Slowakischen Republik, um das im Kreis die Aufschrift Slowakischen Republik angebracht ist.

(4) Die Staatshymne der Slowakischen Republik sind die ersten zwei Strophen des Lieds „Nad Tatrou sa blýska"[1].

(5) Die Einzelheiten über die Staatssymbole der Slowakischen Republik und ihre Verwendung bestimmt ein Gesetz.

Dritter Abschnitt
Hauptstadt der Slowakischen Republik

Artikel 10 [Hauptstadt Bratislava]

(1) Die Hauptstadt der Slowakischen Republik ist Bratislava.

(2) Die Stellung der Stadt Bratislava als Hauptstadt der Slowakischen Republik bestimmt ein Gesetz.

---

1   Auf Deutsch: „*Über der Tatra blitzt es*".

Zweiter Titel
GRUNDRECHTE UND -FREIHEITEN

Erster Abschnitt
Allgemeine Bestimmungen

Artikel 11 [aufgehoben]

Artikel 12 [Gleichheitsgrundsatz, Diskriminierungsverbot]

(1) Die Menschen sind frei und gleich an Würde und Rechten. Die Grundrechte und -freiheiten sind unentziehbar, unveräußerlich, unverjährbar und unaufhebbar.

(2) Die Grundrechte und -freiheiten werden auf dem Gebiet der Slowakischen Republik allen ohne Rücksicht auf das Geschlecht, Rasse, Hautfarbe, Sprache, Glauben und Religion, politische oder andere Gesinnung, nationale oder soziale Herkunft, Zugehörigkeit zu einer nationalen oder ethnischen Gruppe, Vermögen, Abstammung oder eine andere Stellung gewährleistet. Niemand darf aus diesen Gründen geschädigt, bevorzugt oder benachteiligt werden.

(3) Jeder hat das Recht, frei über seine Nationalität zu entscheiden. Verboten werden jegliche Beeinflussungen dieser Entscheidung und alle Arten des auf Entnationalisierung gerichteten Drucks.

(4) Niemandem darf ein Nachteil an seinen Rechten dafür verursacht werden, dass er seine Grundrechte und -freiheiten geltend macht.

Artikel 13 [Vorbehalt des Gesetzes]

(1) Pflichten können auferlegt werden
a) durch Gesetz oder auf Grundlage eines Gesetzes, in dessen Grenzen und bei Wahrung der Grundrechte und -freiheiten,
b) durch völkerrechtlichen Vertrag gemäß Artikel 7 Abs. 4, der unmittelbar Rechte und Pflichten natürlicher Personen oder juristischer Person begründet, oder
c) durch Regierungsverordnung gemäß Artikel 120 Abs. 2.

(2) Die Grenzen der Grundrechte und -freiheiten können unter den durch diese

Verfassung bestimmten Bedingungen nur durch Gesetz geregelt werden.

(3) Gesetzliche Beschränkungen der Grundrechte und -freiheiten müssen für alle Fälle gleichermaßen gelten, die die bestimmten Bedingungen erfüllen.

(4) Bei der Beschränkung von Grundrechten und -freiheiten ist auf deren Wesen und Bedeutung zu achten. Solche Beschränkungen können nur zur Erreichung eines bestimmten Ziels angewendet werden.

Zweiter Abschnitt
Grundlegende Menschenrechte und Freiheiten

Artikel 14 [Rechtsfähigkeit]
Jeder ist rechtsfähig.

Artikel 15 [Recht auf Leben, Verbot der Todesstrafe]
(1) Jeder hat das Recht auf Leben. Das Menschenleben ist bereits vor der Geburt schutzwürdig.

(2) Niemandem darf das Leben genommen werden.

(3) Die Todesstrafe wird nicht zugelassen.

(4) Gemäß diesem Artikel ist es keine Verletzung von Rechten, wenn jemandem sein Leben im Zusammenhang mit einem Handeln genommen wurde, das nach dem Gesetz nicht strafbar ist.

Artikel 16 [Unantastbarkeit der Person und Privatsphäre, Verbot von Folter]
(1) Die Unantastbarkeit der Person und ihrer Privatsphäre wird gewährleistet. Eingeschränkt werden kann sie nur in den durch Gesetz bestimmten Fällen.

(2) Niemand darf gefoltert oder einer grausamen, unmenschlichen oder erniedrigenden Behandlung oder Strafe unterzogen werden.

Artikel 17 [Freiheit der Person]
(1) Die persönliche Freiheit wird gewährleistet.

(2) Niemand darf verfolgt oder seiner Freiheit entzogen werden, außer aus einem Grund und auf eine Art und Weise, die durch Gesetz bestimmt werden. Niemandem darf die Freiheit nur wegen dem Unvermögen, eine vertragliche Verpflichtung einzuhalten, entzogen werden.

(3) Der Beschuldigte oder der einer Straftat Verdächtige kann nur in den durch Gesetz bestimmten Fällen festgehalten werden. Die festgehaltene Person muss sofort mit den Gründen des Festhaltens bekannt gemacht, vernommen und spätestens innerhalb von 48 Stunden und bei terroristischen Straftaten innerhalb von 96 Stunden freigelassen oder dem Gericht übergeben werden. Der Richter muss die festgehaltene Person innerhalb 48 Stunden und bei besonders schwerwiegenden Straftaten innerhalb von 72 Stunden ab der Übergabe vernehmen und über die Haft entscheiden oder sie freilassen.

(4) Der Beschuldigte kann nur aufgrund eines begründeten schriftlichen Befehls eines Richters festgenommen werden. Die festgenommene Person muss innerhalb von 24 Stunden dem Gericht übergeben werden. Der Richter muss die festgenommene Person innerhalb von 48 Stunden und bei besonders schwerwiegenden Straftaten innerhalb von 72 Stunden ab der Übergabe vernehmen und über die Haft entscheiden oder sie freilassen.

(5) Die Verhaftung ist nur aus den Gründen für die Dauer, die durch Gesetz bestimmt sind, und auf Grundlage einer Entscheidung des Gerichts zulässig.

(6) Ein Gesetz bestimmt, in welchen Fällen eine Person in stationäre Gesundheitspflege genommen oder in dieser ohne ihre Zustimmung festgehalten werden kann. Eine solche Maßnahme muss innerhalb von 24 Stunden dem Gericht bekannt gemacht werden, das über diese Unterbringung innerhalb von fünf Tagen entscheidet.

(7) Die Untersuchung des Geisteszustands einer Person, die einer Straftat beschuldigt wird, ist nur auf schriftlichen Befehl des Gerichts zulässig.

Artikel 18 [Verbot von Zwangsarbeit und Zwangsdienst]
(1) Niemand darf zu Zwangsarbeit oder Zwangsdienst herangezogen werden.

(2) Die Bestimmung des Absatz 1 bezieht sich nicht auf

a) Arbeit, die Personen im Vollzug einer Freiheitsstrafe oder Personen, die im Vollzug einer anderen Strafe, die eine Freiheitsstrafe ersetzt, sind, gemäß einem Gesetz auferlegt wurde,

b) Wehrdienst oder einen anderen durch Gesetz bestimmten Dienst anstelle des verpflichtenden Wehrdiensts,

c) einen auf Grundlage eines Gesetzes eingeforderten Dienst im Falle von Naturkatastrophen, Unfällen oder anderen Gefahren, die Leben, Gesundheit oder bedeutende Vermögenswerte gefährden,

d) ein durch Gesetz auferlegtes Handeln zum Schutz des Lebens, der Gesundheit oder Rechte anderer,

e) kleinere allgemeine Dienste auf Grundlage eines Gesetzes.

Artikel 19 [Schutz der Menschenwürde und der Privatsphäre]

(1) Jeder hat das Recht auf Wahrung der Menschenwürde, der persönlichen Ehre, des guten Rufs und auf den Schutz des Namens.

(2) Jeder hat das Recht auf Schutz vor unberechtigten Eingriffen ins Privat- und Familienleben.

(3) Jeder hat das Recht auf Schutz vor unberechtigtem Sammeln, Veröffentlichen oder anderem Missbrauch seiner personenbezogenen Daten.

Artikel 20 [Eigentumsrecht]

(1) Jeder hat das Recht, Vermögen zu Eigen zu haben. Das Eigentumsrecht aller Eigentümer hat denselben gesetzlichen Inhalt und Schutz. Im Widerspruch mit der Rechtsordnung erworbenes Vermögen genießt keinen Schutz. Das Erbrecht wird gewährleistet.

(2) Das Gesetz bestimmt, welches weitere außer dem in Artikel 4 dieser Verfassung aufgeführten zur Gewährleistung der Bedürfnisse der Gesellschaft, der Ernährungssicherheit des Staats, der Entwicklung der Volkswirtschaft und des öffentlichen Interesses unerlässliche Vermögen nur im Eigentum des Staats, der Gemeinde, hierzu be-

stimmten juristischen Personen oder hierzu bestimmten natürlichen Person stehen kann.

(3) Eigentum verpflichtet. Es darf nicht zum Nachteil der Rechte anderer oder in Widerspruch mit allgemeinen gesetzlich geschützten Interessen missbraucht werden. Die Ausübung des Eigentumsrechts darf nicht die menschliche Gesundheit, Natur, Kulturdenkmäler und die Umwelt über das durch Gesetz bestimmte Maß hinaus schädigen.

(4) Enteignungen oder notwendige Beschränkungen des Eigentumsrechts sind nur im unerlässlichen Umfang und im öffentlichen Interesse zulässig, und das auf Grundlage eines Gesetzes bei angemessener Entschädigung.

(5) Andere Eingriffe in das Eigentumsrecht können nur dann erlaubt werden, wenn es sich um auf gesetzeswidrige Art und Weise erworbenes Vermögen oder um solches aus illegalen Einkünften handelt und es sich um eine unerlässliche Maßnahme in einer demokratischen Gesellschaft für die Sicherheit des Staats, den Schutz der öffentlichen Ordnung, der Moral oder der Rechte und Freiheiten anderer handelt. Die Bedingungen bestimmt ein Gesetz.

Artikel 21 [Unantastbarkeit der Wohnung]

(1) Die Wohnung ist unantastbar. Es ist nicht erlaubt, sie ohne Zustimmung desjenigen, der sie bewohnt, zu betreten.

(2) Eine Hausdurchsuchung ist nur im Zusammenhang mit einem Strafverfahren zulässig, und das auf schriftlichen und begründeten Befehl eines Richters. Die Art und Weise der Durchführung einer Hausdurchsuchung bestimmt ein Gesetz.

(3) Andere Eingriffe in die Unantastbarkeit der Wohnung können durch Gesetz nur dann erlaubt werden, wenn dies in einer demokratischen Gesellschaft zum Schutz des Lebens, der Gesundheit oder dem Vermögen von Personen, zum Schutz der Rechte und Freiheiten anderer oder zur Abwendung einer ernsthaften Gefahr für die öffentliche Ordnung unerlässlich ist. Wenn die Woh-

nung auch für Unternehmungen oder die Ausübung anderer wirtschaftlicher Aktivitäten genutzt wird, können durch Gesetz Eingriffe auch dann erlaubt werden, wenn dies zur Erfüllung der Aufgaben der öffentlichen Verwaltung unerlässlich ist.

Artikel 22 [Brief- und Fernmeldegeheimnis]

(1) Das Briefgeheimnis, das Geheimnis übermittelter Nachrichten und anderer Schriftstücke und der Schutz personenbezogener Daten werden gewährleistet.

(2) Niemand darf das Briefgeheimnis oder das Geheimnis anderer Schriftstücke und Aufzeichnungen, seien sie schon im Privaten aufbewahrt, oder mit der Post oder auf andere Art und Weise versendet, verletzen; Ausnahmen sind die Fälle, die ein Gesetz bestimmt. Ebenso wird das Geheimnis per Telefon, Telegraf oder einer anderen ähnlichen Einrichtung übermittelter Nachrichten gewährleistet.

Artikel 23 [Freizügigkeit]

(1) Die Freiheit der Bewegung und des Aufenthalts wird gewährleistet.

(2) Jeder, der sich berechtigterweise auf dem Gebiet der Slowakischen Republik aufhält, hat das Recht, dieses Gebiet frei zu verlassen.

(3) Die Freiheiten gemäß Absatz 1 und 2 können durch Gesetz eingeschränkt werden, wenn dies für die Sicherheit des Staats, die Wahrung der öffentlichen Ordnung, den Schutz der Gesundheit oder den Schutz der Rechte und Freiheiten anderer und in ausgewiesenen Gebieten auch im Interesse des Naturschutzes unerlässlich ist.

(4) Jeder Bürger hat das Recht auf freie Einreise in das Gebiet der Slowakischen Republik. Ein Bürger kann nicht gezwungen werden, die Heimat zu verlassen, und er kann nicht ausgewiesen werden.

(5) Ein Ausländer kann nur in den durch Gesetz bestimmten Fällen ausgewiesen werden.

Artikel 24 [Religions- und Bekenntnisfreiheit]

(1) Die Freiheit des Denkens, des Gewissens, des religiösen Bekenntnisses und Glaubens wird gewährleistet. Dieses Recht umfasst auch die Möglichkeit, sein religiöses Bekenntnis oder seinen Glauben zu wechseln. Jeder hat das Recht, ohne religiöses Bekenntnis zu sein. Jeder hat das Recht, seine Gesinnung öffentlich zum Ausdruck zu bringen.

(2) Jeder hat das Recht, seine Religion oder seinen Glauben entweder allein oder gemeinsam mit anderen, privat oder öffentlich, durch Gottesdienst, religiöse Handlungen, die Abhaltung von Zeremonien oder der Teilnahme am Religionsunterricht auszuüben.

(3) Die Kirchen und Religionsgemeinschaften verwalten ihre Angelegenheiten selbst, insbesondere richten sie ihre Organe ein, bestimmen ihre Geistlichen, stellen den Religionsunterricht sicher und gründen Ordens- und andere Kircheninstitutionen unabhängig von Staatsorganen.

(4) Die Bedingungen der Ausübung der Rechte gemäß Absatz 1 bis 3 können nur durch Gesetz eingeschränkt werden, wenn es sich um unerlässliche Maßnahmen in einer demokratischen Gesellschaft zur Wahrung der öffentlichen Ordnung, Gesundheit und Moral oder der Rechte und Freiheiten anderer handelt.

Artikel 25 [Wehrpflicht]

(1) Die Verteidigung der Slowakischen Republik ist die Pflicht und Ehrensache der Bürger. Ein Gesetz bestimmt den Umfang der Wehrpflicht.

(2) Niemand kann gezwungen werden, Wehrdienst zu leisten, wenn dies im Widerspruch zu seinem Gewissen oder seinem religiösen Bekenntnis steht. Die Einzelheiten bestimmt ein Gesetz.

Dritter Abschnitt
Politische Rechte

Artikel 26 [Meinungs- und Informationsfreiheit]

(1) Die Freiheit der Rede und das Recht auf Informationen werden gewährleistet.

(2) Jeder hat das Recht, seine Meinungen durch Wort, Schrift, Presse, Bilder oder auf andere Art und Weise auszudrücken, ebenso wie Ideen und Informationen frei herauszusuchen, zu empfangen und zu verbreiten ohne Rücksicht auf die Grenzen des Staats. Das Herausgeben eines Druckwerks unterliegt keinem Genehmigungsverfahren. Unternehmungen im Bereich Rundfunk und Fernsehen können von einer Erlaubnis des Staats abhängig gemacht werden. Die Bedingungen bestimmt ein Gesetz.

(3) Die Zensur wird verboten.

(4) Die Freiheit der Rede und das Recht, Information herauszusuchen und zu verbreiten, können durch Gesetz eingeschränkt werden, wenn es sich um unerlässliche Maßnahmen in einer demokratischen Gesellschaft zum Schutz der Rechte und Freiheiten anderer, der Sicherheit des Staats, der öffentlichen Ordnung, zum Schutz der öffentlichen Gesundheit und der Moral handelt.

(5) Die Organe der öffentlichen Gewalt haben die Pflicht, auf angemessene Art und Weise Information über ihre Tätigkeiten in der Staatssprache bereitzustellen. Die Bedingungen und die Art und Weise der Durchführung bestimmt ein Gesetz.

Artikel 27 [Petitionsrecht]

(1) Das Petitionsrecht wird gewährleistet. Jeder hat das Recht, sich allein oder gemeinsam mit anderen in Angelegenheiten des öffentlichen oder einem anderen gemeinsamen Interesses an die Staatsorgane und die Organe der Gebietsselbstverwaltung mit Anträgen, Vorschlägen und Beschwerden zu wenden.

(2) Durch eine Petition kann nicht zur Verletzung von Grundrechten und -freiheiten aufgerufen werden.

(3) Durch eine Petition kann nicht in die Unabhängigkeit der Gerichte eingegriffen werden.

Artikel 28 [Versammlungsfreiheit]

(1) Das Recht, sich friedlich zu versammeln, wird gewährleistet.

(2) Die Bedingungen der Ausübung dieses Rechts bestimmt im Falle von Versammlungen auf öffentlichen Plätzen ein Gesetz, wenn es sich um unerlässliche Maßnahmen in einer demokratischen Gesellschaft zum Schutz der Rechte und Freiheiten anderer, den Schutz der öffentlichen Ordnung, Gesundheit und der Moral, Vermögen oder wegen der Sicherheit des Staats handelt. Eine Versammlung darf nicht von der Genehmigung eines Organs der öffentlichen Verwaltung abhängig gemacht werden.

Artikel 29 [Vereinigungsfreiheit, Recht zur Gründung von politischen Parteien]

(1) Das Recht, sich frei zu vereinigen, wird gewährleistet. Jeder hat das Recht, sich gemeinsam mit anderen in Vereinen, Gesellschaften oder anderen Vereinigungen zu vereinigen.

(2) Die Bürger haben das Recht, politische Parteien und politische Bewegungen zu gründen und sich in diesen zu vereinigen.

(3) Die Ausübung der Rechte gemäß Absatz 1 und 2 kann nur in den durch Gesetz bestimmten Fällen beschränkt werden, wenn dies in einer demokratischen Gesellschaft für die Sicherheit des Staats, zum Schutz der öffentlichen Ordnung, zur Vermeidung von Straftaten oder zum Schutz der Rechte und Freiheiten anderer unerlässlich ist.

(4) Politische Parteien und politische Bewegungen, ebenso Vereine, Gesellschaften oder andere Vereinigungen sind vom Staat getrennt.

Artikel 30 [Recht auf Teilhabe an der kommunalen Selbstverwaltung]

(1) Die Bürger haben das Recht, sich an der Verwaltung der öffentlichen Angelegenheiten direkt oder durch freie Wahl ihrer Vertreter zu beteiligen. Ausländer mit ständigem Wohnsitz auf dem Gebiet der Slowakischen Republik haben das Recht, bei den Wahlen zu den Organen der Selbstverwaltung der Gemeinden oder den Organen der Selbstverwaltung der höheren Gebietseinheiten zu wählen und gewählt zu werden.

(2) Die Wahlen müssen innerhalb der Fristen, die die durch Gesetz bestimmte re-

gelmäßige Wahlperiode nicht überschreiten, stattfinden.

(3) Das Wahlrecht ist allgemein, gleich und direkt und wird in geheimer Abstimmung ausgeübt. Die Bedingungen der Ausübung des Wahlrechts bestimmt ein Gesetz.

(4) Die Bürger haben zu gleichen Bedingungen Zugang zu Wahl- und anderen öffentlichen Funktionen.

Artikel 31 [Auslegung und Anwendung der politischen Grundrechte und -freiheiten]

Die gesetzliche Ausgestaltung sämtlicher politischer Rechte und Freiheiten und ihre Auslegung und Anwendung muss den freien Wettbewerb der politischen Kräfte in einer demokratischen Gesellschaft ermöglichen und schützen.

Artikel 32 [Widerstandsrecht]

Die Bürger haben das Recht, gegen jeden Widerstand zu leisten, der die demokratische Ordnung der in dieser Verfassung aufgeführten grundlegenden Menschenrechte und Freiheiten zu beseitigen versucht, wenn ein Tätigwerden der Verfassungsorgane und eine wirksame Anwendung der gesetzlichen Mittel unmöglich gemacht worden sind.

Vierter Abschnitt
Rechte der nationalen Minderheiten und ethnischen Gruppen

Artikel 33 [Diskriminierungsverbot]

Die Zugehörigkeit zu gleichwelcher nationalen Minderheit oder ethnischen Gruppe darf niemandem zum Nachteil sein.

Artikel 34 [Rechte der nationalen Minderheiten und ethnischen Gruppen]

(1) Bürgern, die in der Slowakischen Republik eine nationale Minderheit oder ethnische Gruppe bilden, wird die allseitige Entfaltung, insbesondere das Recht, gemeinsam mit anderen Angehörigen der Minderheit oder Gruppe die eigene Kultur zu entfalten, das Recht, Informationen in ihrer Muttersprache zu verbreiten und zu empfangen,

sich in nationalen Vereinigungen zu vereinigen, Bildungs- und Kulturinstitutionen zu gründen und aufrechtzuerhalten, gewährleistet. Die Einzelheiten bestimmt ein Gesetz.

(2) Bürgern, die zu nationalen Minderheiten oder ethnischen Gruppen gehören, wird unter den durch Gesetz bestimmten Bedingungen neben dem Recht auf Aneignung der Staatssprache auch

a) das Recht auf Bildung in ihrer Sprache,

b) das Recht, ihre Sprache im Amtsverkehr zu verwenden,

c) das Recht, sich an der Klärung von Angelegenheiten, die nationale Minderheiten und ethnischen Gruppen betreffen, zu beteiligen

gewährleistet.

(3) Die Ausübung der in dieser Verfassung gewährleisteten Rechte der Bürger, die zu nationalen Minderheiten oder ethnischen Gruppen gehören, darf nicht zur Gefährdung der Souveränität und der territorialen Einheit der Slowakischen Republik und zur Diskriminierung der übrigen Bevölkerung führen.

Fünfter Abschnitt
Wirtschaftliche, soziale und kulturelle Rechte

Artikel 35 [Berufsfreiheit, Recht auf Arbeit und materielle Absicherung]

(1) Jeder hat das Recht auf freie Wahl des Berufs und die Vorbereitung hierauf, ebenso wie das Recht, unternehmerisch tätig zu sein und eine andere Erwerbstätigkeit zu verwirklichen.

(2) Ein Gesetz kann die Bedingungen und Beschränkungen der Ausübung bestimmter Berufe oder Tätigkeiten bestimmen.

(3) Die Bürger haben ein Recht auf Arbeit. Der Staat sichert die Bürger im angemessenen Umfang materiell ab, die ohne eigenes Verschulden nicht in der Lage sind, dieses Recht auszuüben. Die Bedingungen bestimmt ein Gesetz.

(4) Das Gesetz kann abweichende Regelungen der in Absatz 1 bis 3 aufgeführten Rechte für Ausländer bestimmten.

Artikel 36 [Arbeitnehmerrechte]

(1) Arbeitnehmer haben das Recht auf gerechte und zufriedenstellende Arbeitsbedingungen. Das Gesetz stellt ihnen mindestens

a) das Recht auf Vergütung für geleistete Arbeit, die dafür ausreichend ist, ihnen ein würdevolles Lebensniveau zu ermöglichen,

b) den Schutz vor willkürlicher Entlassung aus der Anstellung und Diskriminierung in der Anstellung,

c) den Sicherheits- und Gesundheitsschutz bei der Arbeit,

d) die zulässige Höchstdauer der Arbeitszeit,

e) angemessene Ruhezeiten nach der Arbeit,

f) die zulässige Mindestdauer des bezahlten Erholungsurlaubs,

g) das Recht auf kollektive Verhandlung sicher.

(2) Der Angestellte hat das Recht darauf, dass sein Lohn für geleistete Arbeit nicht niedriger als der Mindestlohn ist. Die Einzelheiten über die Regelung des Mindestlohns bestimmt ein Gesetz.

Artikel 37 [Koalitionsfreiheit und Streikrecht]

(1) Jeder hat das Recht, sich frei mit anderen zum Schutz seiner wirtschaftlichen und sozialen Interessen zu vereinigen.

(2) Gewerkschaften entstehen unabhängig vom Staat. Die Anzahl der Gewerkschaften zu beschränken, ebenso wie bestimmte von ihnen in einem Unternehmen oder einer Branche zu begünstigen, ist unzulässig.

(3) Die Tätigkeit von Gewerkschaften und die Entstehung und die Tätigkeit anderer Vereinigungen zum Schutz wirtschaftlicher und sozialer Interessen kann durch Gesetz beschränkt werden, wenn es sich um in einer demokratischen Gesellschaft zum Schutz der Sicherheit des Staats, der öffentlichen Ordnung oder der Rechte und Freiheiten anderer unerlässliche Maßnahmen handelt.

(4) Das Streikrecht wird gewährleistet. Die Bedingungen bestimmt ein Gesetz. Dieses Recht haben nicht Richter, Staatsanwälte, Angehörige der Streitkräfte und bewaffneten Korps und Angehörige und Angestellte der Feuerwehr- und Rettungskorps.

Artikel 38 [Schutz von Frauen, Jugendlichen und Personen mit Behinderungen in Arbeitsbeziehungen]

(1) Frauen, Jugendliche und Personen mit Behinderungen haben das Recht auf einen erhöhten Gesundheitsschutz bei der Arbeit und besondere Arbeitsbedingungen.

(2) Jugendliche und Personen mit Behinderungen haben das Recht auf besonderen Schutz in Arbeitsbeziehungen und auf Hilfe bei der Vorbereitung auf einen Beruf.

(3) Die Einzelheiten über die Rechte gemäß Absatz 1 und 2 bestimmt ein Gesetz.

Artikel 39 [Recht auf materielle Absicherung im Alter und bei Arbeitsunfähigkeit][2]

(1) Die Bürger haben ein Recht auf angemessene materielle Absicherung im Alter und bei Arbeitsunfähigkeit sowie bei Verlust des Ernährers.

(2) Eine angemessene materielle Absicherung im Alter wird durch das laufend finanzierte Rentensystem und das System des Altersrentensparens realisiert. Der Staat unterstützt freiwilliges Sparen für die Rente.

(3) Das erforderliche Alter für das Entstehen des Anspruchs auf angemessene materielle Absicherung im Alter darf nicht 64 Jahre überschreiten. Eine Frau hat das Recht auf eine angemessene Absenkung des erforderlichen Höchstalters für die Entstehung des Anspruchs auf angemessene materielle Absicherung im Alter um

a) sechs Monate, wenn sie ein Kind großgezogen hat,

b) zwölf Monate, wenn sie zwei Kinder großgezogen hat,

c) achtzehn Monate, wenn sie drei und mehr Kinder großgezogen hat.

(4) Jeder, der in materieller Not ist, hat ein Recht auf solche Hilfe, die zur Sicherstellung der grundlegenden Lebensbedingungen unerlässlich ist.

---

2   Bis zum 31.12.2022 gültige Fassung.

(5) Die Einzelheiten über die Rechte gemäß Absatz 1 bis 4 bestimmt ein Gesetz.

Artikel 39 [Recht auf materielle Absicherung im Alter und bei Arbeitsunfähigkeit][3]

(1) Die Bürger haben ein Recht auf angemessene materielle Absicherung im Alter und bei Arbeitsunfähigkeit sowie bei Verlust des Ernährers.

(2) Eine angemessene materielle Absicherung im Alter wird durch das laufend finanzierte Rentensystem und das System des Altersrentensparen realisiert. Der Staat unterstützt freiwilliges Sparen für die Rente.

(3) Nach Erreichen der festgelegten Dauer der Teilnahme an dem System der angemessenen materiellen Absicherung im Alter, hat die Person, die das festgelegte Alter erreicht hat, einen Anspruch auf angemessene materielle Absicherung im Alter.

(4) Die Unmöglichkeit, eine Erwerbstätigkeit aufgrund einer langfristigen Betreuung eines Kinds für während der durch Gesetz bestimmten Dauer nach dessen Geburt auszuüben, darf nicht eine negative Auswirkung auf die angemessene materielle Absicherung im Alter haben.

(5) Jeder hat das Recht, zu entscheiden, dass ein Teil der gezahlten Steuer oder ein Teil der mit der Teilnahme am System der angemessenen materiellen Absicherung im Alter geleisteten Zahlungen der Person gewährt wird, die ihn großgezogen hat und der materielle Absicherung im Alter gewährt wird. Die Ausübung des Rechts gemäß dem ersten Satz darf nicht eine negative Auswirkung auf die angemessene materielle Absicherung im Alter haben.

(6) Jeder, der in materieller Not ist, hat ein Recht auf solche Hilfe, die zur Sicherstellung der grundlegenden Lebensbedingungen unerlässlich ist.

(7) Die Einzelheiten über die Rechte gemäß Absatz 1 bis 6 bestimmt ein Gesetz.

---

3 Geändert durch das Verfassungsgesetz Nr. 422/2020 Z. z., ab dem 1.1.2023 gültige Fassung.

Artikel 40 [Krankenversicherung]

Jeder hat das Recht auf Schutz der Gesundheit. Auf Grundlage der Krankenversicherung haben die Bürger ein Recht auf unentgeltliche gesundheitliche Fürsorge und medizinische Hilfsmittel unter den Bedingungen, die ein Gesetz bestimmt.

Artikel 41 [Schutz der Ehe und Familie]

(1) Die Ehe ist eine einzigartige Verbindung zwischen Mann und Frau. Die Slowakische Republik schützt allseitig die Ehe und fördert ihr Wohl. Die Ehe, Elternschaft und Familie stehen unter dem Schutz des Gesetzes. Gewährleistet wird der besondere Schutz von Kindern und Jugendlichen.

(2) Der Frau wird in der Schwangerschaft besondere Sorge, Schutz in Arbeitsbeziehungen und dementsprechende Arbeitsbedingungen gewährleistet.

(3) Sowohl in einer als auch außerhalb einer Ehe geborene Kinder haben die gleichen Rechte.

(4) Die Sorge um Kinder und ihre Erziehung ist das Recht der Eltern; Kinder haben ein Recht auf elterliche Erziehung und Sorge. Nur durch Entscheidung eines Gerichts auf Grundlage eines Gesetzes können die Rechte der Eltern beschränkt und minderjährige Kinder von ihren Eltern gegen den Willen der Eltern getrennt werden.

(5) Eltern, die sich um Kinder sorgen, haben das Recht auf Hilfe des Staats.

(6) Die Einzelheiten hinsichtlich der Rechte gemäß Absatz 1 bis 5 bestimmt ein Gesetz.

Artikel 42 [Recht auf Bildung]

(1) Jeder hat das Recht auf Bildung. Der Schulbesuch ist verpflichtend. Dessen Dauer bis zur Altersgrenze bestimmt ein Gesetz.

(2) Die Bürger haben das Recht auf unentgeltliche Bildung in Grundschulen, Mittelschulen, entsprechend den Fähigkeiten des Bürgers und den Möglichkeiten der Gesellschaft auch an Hochschulen.

(3) Die Errichtung anderer als staatlicher Schulen und die Erteilung von Unterricht an diesen ist nur unter den durch Gesetz be-

stimmten Bedingungen möglich; in solchen Schulen kann Bildung entgeltlich erbracht werden.

(4) Ein Gesetz bestimmt, unter welchen Bedingungen Bürger während des Studiums ein Recht auf Hilfe des Staats haben.

Artikel 43 [Freiheit der Wissenschaft und Kunst]

(1) Das Recht der wissenschaftlichen Forschung und Kunst wird gewährleistet. Die Rechte an den Ergebnissen der schöpferischen geistigen Tätigkeiten schützt ein Gesetz.

(2) Das Recht auf Zugang zu dem kulturellen Reichtum wird unter den durch Gesetz bestimmten Bedingungen gewährleistet

Sechster Abschnitt
Recht auf Schutz der Umwelt und des kulturellen Erbes

Artikel 44 [Recht auf Schutz der Umwelt und des kulturellen Erbes]

(1) Jeder hat das Recht auf eine günstige Umwelt.

(2) Jeder ist dazu verpflichtet, die Umwelt und das kulturelle Erbe zu schützen und zu fördern.

(3) Niemand darf über das durch Gesetz bestimmte Maß hinaus die Umwelt, natürliche Ressourcen und Kulturdenkmäler gefährden oder schädigen.

(4) Der Staat achtet auf die schonende Nutzung natürlicher Ressourcen, den Schutz der landwirtschaftlichen Flächen und des Waldbodens, das ökologische Gleichgewicht und eine wirksame Sorge um die Umwelt und stellt den Schutz bestimmter Arten wildwachsender Pflanzen und wildlebender Tiere sicher.

(5) Die landwirtschaftlichen Flächen und der Waldboden als nicht erneuerbare natürliche Ressourcen genießen besonderen Schutz von Seiten des Staats und der Gesellschaft.

(6) Die Einzelheiten über die Rechte und Pflichten gemäß der Absätze 1 bis 5 bestimmt ein Gesetz.

Artikel 45 [Recht auf Informationen über den Zustand der Umwelt]

Jeder hat das Recht auf rechtzeitige und vollständige Informationen über den Zustand der Umwelt und über die Ursachen und Folgen dieses Zustands.

Siebenter Abschnitt
Recht auf gerichtlichen und anderen Rechtsschutz

Artikel 46 [Anspruch auf Zugang zu Gerichten]

(1) Jeder kann auf die durch Gesetz bestimmte Verfahrensweise seine Rechte bei einem unabhängigen und unparteiischen Gericht und in den durch Gesetz bestimmten Fällen bei einem anderen Organ der Slowakische Republik geltend machen.

(2) Wer behauptet, dass seine Rechte durch die Entscheidung eines Organs der öffentlichen Verwaltung verkürzt wurden, kann sich an ein Gericht wenden, damit dieses die Rechtmäßigkeit einer solchen Entscheidung überprüft, wenn ein Gesetz nicht etwas anderes bestimmt. Aus der Kompetenz des Gerichts darf jedoch nicht die Überprüfung der Entscheidung bezüglich der Grundrechte und -freiheiten ausgeschlossen werden.

(3) Jeder hat das Recht auf Ersatz des Schadens, der durch eine unrechtmäßige Entscheidung eines Gerichts, eines anderen Staatsorgans oder eines Organs der öffentlichen Verwaltung oder durch eine unrichtige behördliche Verfahrensweise entstanden ist.

(4) Die Bedingungen und Einzelheiten bezüglich des gerichtlichen und anderen Rechtsschutzes bestimmt ein Gesetz.

Artikel 47 [Aussageverweigerung, Recht auf rechtlichen Beistand und einen Dolmetscher]

(1) Jeder hat das Recht, die Aussage zu verweigern, wenn er dadurch sich selbst oder eine nahestehende Person der Gefahr der Strafverfolgung aussetzen würde.

(2) Jeder hat das Recht auf rechtlichen Beistand im Verfahren vor Gerichten, anderen Staatsorgan oder Organen der öffentli-

chen Verwaltung von Beginn des Verfahrens an, und das unter den durch Gesetz bestimmten Bedingungen.

(3) Alle Beteiligten sind sich in Verfahren gemäß Absatz 2 gleich.

(4) Wer erklärt, dass er die Sprache nicht beherrscht, in der das Verfahren gemäß Absatz 2 geführt wird, hat das Recht auf einen Dolmetscher.

Artikel 48 [Recht auf den gesetzlichen Richter, Verfahrensgrundsätze]

(1) Niemand darf seinem gesetzlichen Richter entzogen werden. Die Zuständigkeit des Gerichts bestimmt ein Gesetz.

(2) Jeder hat das Recht, dass seine Angelegenheit öffentlich ohne unnötige Verzögerungen und in seiner Anwesenheit verhandelt wird, sodass er sich zu allen erhobenen Beweisen äußern kann. Die Öffentlichkeit kann nur in den durch Gesetz bestimmten Fällen ausgeschlossen werden.

Artikel 49 [Keine Strafe ohne Gesetz]

Nur ein Gesetz bestimmt, welche Handlung eine Straftat ist und welche Strafe, gegebenenfalls andere Nachteile an Rechten oder dem Vermögen für ihre Begehung verhängt werden können.

Artikel 50 [Rechte im Strafverfahren]

(1) Nur ein Gericht entscheidet über die Schuld und Strafe für Straftaten.

(2) Jeder, gegen den ein Strafverfahren geführt wird, wird als unschuldig betrachtet, solange ihn ein Gericht nicht durch ein rechtskräftiges verurteilendes Urteil schuldig gesprochen hat.

(3) Der Beschuldigte hat das Recht, dass ihm Zeit und Gelegenheit zur Vorbereitung seiner Verteidigung gewährt wird, damit er sich selbst oder durch einen Verteidiger verteidigen kann.

(4) Der Beschuldigte hat das Recht, die Aussage zu verweigern; dieses Recht darf nicht auf irgendeine Weise entzogen werden.

(5) Niemand kann für eine Tat verfolgt werden, für die er bereits rechtskräftig verurteilt oder von der Anklage freigesprochen

wurde. Dieser Grundsatz schließt nicht die Geltendmachung von außerordentlichen Rechtsmitteln in Übereinstimmung mit dem Gesetz aus.

(6) Die Strafbarkeit einer Tat wird beurteilt und die Strafe verhängt nach dem in Kraft stehenden Gesetz zur Zeit, als die Tat begangen wurde. Ein neueres Gesetz wird angewendet, wenn es für den Täter günstiger ist.

Achter Abschnitt
Gemeinsame Bestimmungen zum ersten und zweiten Titel

Artikel 51 [Ausgestaltung und Beschränkung von Grundrechten und -freiheiten]

(1) Die in den Artikeln 35, 36, 37 Abs. 4, Artikel 38 bis 42 und Artikel 44 bis 46 dieser Verfassung aufgeführten Rechte, können nur in den Grenzen der Gesetze, die diese Bestimmungen durchführen, geltend gemacht werden.

(2) Die Bedingungen und den Umfang der Beschränkung von Grundrechten und -freiheiten in der Zeit des Kriegs, des Kriegszustands, des Ausnahmezustands und des Notstands bestimmt ein Verfassungsgesetz.

Artikel 52 [Definition des Begriffs „Bürger"]

(1) Wo im ersten und zweiten Titel dieser Verfassung der Begriff „Bürger" verwendet wird, wird hierunter ein Staatsbürger der Slowakischen Republik verstanden.

(2) Ausländer genießen in der Slowakischen Republik die durch diese Verfassung gewährleisteten grundlegenden Menschenrechte und Freiheiten, wenn diese nicht ausdrücklich nur Bürgern zuerkannt werden.

(3) Wo in den bisherigen Rechtsvorschriften der Begriff „Bürger" verwendet wird, wird hierunter jeder Mensch verstanden, wenn es um Rechte und Freiheiten geht, die diese Verfassung ohne Rücksicht auf die Staatsbürgerschaft zuerkennt.

Artikel 53 [Recht auf Asyl]

Die Slowakische Republik gewährt wegen der Ausübung politischer Rechte und Freiheiten verfolgten Ausländern Asyl. Asyl kann demjenigen verweigert werden, der im Widerspruch mit den grundlegenden Menschenrechten und Freiheiten gehandelt hat. Die Einzelheiten bestimmt ein Gesetz.

Artikel 54 [Beschränkung von Grundrechten von Richtern, Staatsanwälten und Funktionsträgern in der öffentlichen Verwaltung]

Ein Gesetz kann Richtern und Staatsanwälten das Recht auf unternehmerische und andere wirtschaftliche Tätigkeiten und das in Artikel 29 Abs. 2 aufgeführte Recht, Angestellten der Staatsverwaltung und der Gebietsselbstverwaltung in Funktionen, die das Gesetz bestimmt, auch das in Artikel 37 Abs. 4 aufgeführte Recht, Angehörigen der Streitkräfte und bewaffneten Korps auch die in Artikel 27 und 28 aufgeführten Rechte, soweit diese mit der Ausübung des Diensts zusammenhängen, beschränken. Personen in Berufen, die unmittelbar unerlässlich zum Schutz des Lebens und der Gesundheit sind, kann ein Gesetz das Streikrecht beschränken.

DRITTER TITEL

Erster Abschnitt
Die Wirtschaft der Slowakischen Republik

Artikel 55 [Grundsatz der sozial und ökologisch orientierten Marktwirtschaft]

(1) Die Wirtschaft der Slowakischen Republik beruht auf den Prinzipien der sozial und ökologisch orientierten Marktwirtschaft.

(2) Die Slowakische Republik schützt und fördert den wirtschaftlichen Wettbewerb. Die Einzelheiten bestimmt ein Gesetz.

Artikel 55a [Grundsatz der nachhaltigen Haushaltsführung]

Die Slowakische Republik schützt die langfristige Nachhaltigkeit ihrer Haushaltsführung, die auf der Transparenz und Effek-
tivität der Aufwendung öffentlicher Mittel beruht. Zur Unterstützung der Ziele gemäß dem vorangegangenen Satz bestimmt ein Verfassungsgesetz die Regeln der Haushaltsverantwortung, Regeln der Haushaltstransparenz und die Kompetenzen des Rats für Haushaltsverantwortung.

Artikel 56 [Nationalbank]

(1) Die Nationalbank der Slowakei ist die unabhängige Zentralbank der Slowakischen Republik. Die Nationalbank der Slowakei kann im Rahmen ihrer Kompetenzen allgemeinverbindliche Rechtsvorschriften erlassen.

(2) Das höchste Führungsorgan der Nationalbank der Slowakei ist der Bankrat der Nationalbank der Slowakei.

(3) Die Einzelheiten gemäß der Absätze 1 und 2 bestimmt ein Gesetz.

Artikel 57 [Zollgebiet]

Die Slowakische Republik ist ein Zollgebiet.

Artikel 58 [Finanzgebarung]

(1) Die Finanzgebarung der Slowakischen Republik wird im Rahmen ihres Staatshaushalts verwaltet. Der Staatshaushalt wird durch Gesetz angenommen.

(2) Die Einnahmen des Staatshaushalts, die Regeln der Haushaltsführung, die Beziehungen zwischen Staatshaushalt und den Haushalten der Gebietseinheiten bestimmt ein Gesetz.

(3) Staatliche zweckgebundene, an den Staatshaushalt der Slowakischen Republik gekoppelte Fonds werden durch Gesetz errichtet.

Artikel 59 [Steuern und Gebühren]

(1) Steuern und Gebühren sind staatlich und örtlich.

(2) Steuern und Gebühren können nur durch Gesetz oder auf Grundlage eines Gesetzes auferlegt werden.

Zweiter Abschnitt
Das Oberste Kontrollamt der Slowakischen Republik

Artikel 60 [Kontrollkompetenzen des Obersten Kontrollamts]

(1) Das Oberste Kontrollamt der Slowakischen Republik ist ein unabhängiges Kontrollorgan für das Haushalten mit

a) Haushaltsmitteln, die nach dem Gesetz der Nationalrat der Slowakischen Republik oder die Regierung genehmigt,

b) Vermögen, Vermögensrechten, Finanzmitteln, Verbindlichkeiten und Forderungen des Staats, öffentlich-rechtlicher Institutionen, des Fonds nationalen Vermögens der Slowakischen Republik, der Gemeinden, höherer Gebietseinheiten, juristischer Personen mit Vermögensbeteiligung des Staats, juristischer Personen mit Vermögensbeteiligung öffentlich-rechtlicher Institutionen, juristischer Personen mit Vermögensbeteiligung des Fonds nationalen Vermögens der Slowakischen Republik, juristischer Personen mit Vermögensbeteiligung von Gemeinden, juristischer Personen mit Vermögensbeteiligung höherer Gebietseinheiten, von Gemeinden errichteter juristischer Personen oder von höheren Gebietseinheiten errichteter juristischer Personen,

c) Vermögen, Vermögensrechten, Finanzmitteln und Forderungen, die der Slowakischen Republik, juristischen Personen oder natürlichen Personen im Rahmen von Entwicklungsprogrammen oder aus anderen ähnlichen Gründen aus dem Ausland gewährt wurden,

d) Vermögen, Vermögensrechten, Finanzmitteln, Forderungen und Verbindlichkeiten, für die die Slowakische Republik eine Bürgschaft übernommen hat,

e) Vermögen, Vermögensrechten, Finanzmitteln, Forderungen und Verbindlichkeiten von juristischen Personen, die Tätigkeiten im öffentlichen Interesse ausüben.

(2) Die Kontrollkompetenz des Obersten Kontrollamts bezieht sich in dem in Absatz 1 aufgeführten Umfang auf

a) die Regierung der Slowakischen Republik, Ministerien und die übrigen Zentralorgane der Staatsverwaltung der Slowakischen Republik und auf ihnen nachgeordnete Organe,

b) Staatsorgane sowie juristische Personen, bei denen die Funktion des Gründers oder Errichters Zentralorgane der Staatsverwaltung oder andere Staatsorgane ausüben,

c) Gemeinden und höhere Gebietseinheiten, von Gemeinden errichtete juristische Personen, von höheren Gebietseinheiten errichtete juristische Personen, auf juristische Personen mit Vermögensbeteiligung von Gemeinden und juristische Personen mit Vermögensbeteiligung höherer Gebietseinheiten,

d) staatliche zweckgebundene Fonds, durch Gesetz errichtete öffentlich-rechtliche Institutionen, juristische Personen, in denen öffentlich-rechtliche Institutionen eine Vermögensbeteiligung haben, auf juristische Personen mit Vermögensbeteiligung des Staats,

e) den Fonds nationalen Vermögens der Slowakischen Republik, juristische Personen mit festgelegter Vermögensbeteiligung des Fonds nationalen Vermögens,

f) natürliche Personen und juristische Person.

Artikel 61 [Der Vorsitzende und stellvertretende Vorsitzende des Obersten Kontrollamts]

(1) An der Spitze des Obersten Kontrollamts steht der Vorsitzende. Den Vorsitzenden und den stellvertretenden Vorsitzenden des Obersten Kontrollamts wählt und beruft der Nationalrat der Slowakischen Republik ab.

(2) Zum Vorsitzenden und stellvertretenden Vorsitzenden des Obersten Kontrollamts kann jeder slowakische Bürger gewählt werden, der zum Nationalrat der Slowakischen Republik wählbar ist.

(3) Dieselbe Person kann zum Vorsitzenden und stellvertretenden Vorsitzenden des Obersten Kontrollamts höchstens für zwei aufeinanderfolgende siebenjährige Perioden gewählt werden.

(4) Die Funktionen des Vorsitzenden und stellvertretenden Vorsitzenden des Obersten Kontrollamts sind nicht vereinbar mit der Ausübung einer Funktion in einem anderen Organ der öffentlichen Gewalt, mit einem Arbeitsverhältnis oder mit einem dem Arbeitsverhältnis ähnlichen Verhältnis, mit einer unternehmerischen Tätigkeit, mit einer Mitgliedschaft in einem Führungs- oder Kontrollorgan einer juristischen Person, die eine unternehmerische Tätigkeit ausübt, oder mit einer anderen Wirtschafts- oder Erwerbstätigkeit außer der Verwaltung eigenen Vermögens, wissenschaftlicher, pädagogischer, literarischer oder künstlerischer Tätigkeit.

Artikel 62 [Jährliche Berichte über die Kontrolltätigkeit]

Das Oberste Kontrollamt legt mindestens einmal im Jahr Berichte über die Ergebnisse seiner Kontrolltätigkeit dem Nationalrat der Slowakischen Republik vor und immer dann, wenn der Nationalrat der Slowakischen Republik es dazu auffordert.

Artikel 63 [Weitere Ausgestaltung durch Gesetz]

Die Stellung, die Kompetenzen, die innere organisatorische Gliederung und die grundlegenden Regeln der Kontrolltätigkeit des Obersten Kontrollamts bestimmt ein Gesetz.

Vierter Titel
DIE GEBIETSSELBST-VERWALTUNG

Artikel 64 [Gliederung der Gebietsselbstverwaltung in Gemeinden und höhere Gebietseinheiten]

Die Grundlage der Gebietsselbstverwaltung ist die Gemeinde. Die Gebietsselbstverwaltung bilden die Gemeinde und die höhere Gebietseinheit.

Artikel 64a [Gebietsselbstverwaltungs- und Verwaltungseinheiten]

Die Gemeinde und die höhere Gebietseinheit sind selbstständige Gebietsselbst-verwaltungs- und Verwaltungseinheiten der Slowakischen Republik, die Personen mit ständigem Wohnsitz auf ihrem Gebiet vereinigen. Die Einzelheiten bestimmt ein Gesetz.

Artikel 65 [Finanzierung]

(1) Die Gemeinde und die höhere Gebietseinheit sind juristische Person, die unter den durch Gesetz bestimmten Bedingungen selbstständig mit eigenem Vermögen und mit eigenen Finanzmitteln haushalten.

(2) Die Gemeinde und die höhere Gebietseinheit finanzieren ihren eigenen Bedarf vor allem aus eigenen Einkünften sowie aus staatlichen Dotationen. Ein Gesetz bestimmt, welche Steuern und Gebühren Einkünfte der Gemeinde und welche Steuern und Gebühren Einkünfte der höheren Gebietseinheit sind. Staatliche Dotationen können nur in den Grenzen des Gesetzes beansprucht werden.

Artikel 66 [Kommunalverbände; Zusammenlegung, Aufteilung und Auflösung von Gemeinden]

(1) Die Gemeinde hat das Recht, sich mit anderen Gemeinden zur Sicherstellung der Angelegenheiten des gemeinsamen Interesses zu vereinigen; dasselbe Recht, sich mit anderen höheren Gebietseinheiten zu vereinigen haben auch die höheren Gebietseinheiten. Die Bedingungen bestimmt ein Gesetz.

(2) Die Zusammenlegung, Aufteilung oder die Auflösung einer Gemeinde regelt ein Gesetz.

Artikel 67 [Ausübung der Gebietsselbstverwaltung]

(1) Die Gebietsselbstverwaltung wird auf den Versammlungen der Einwohner der Gemeinde, durch ein örtliches Referendum, durch ein Referendum auf dem Gebiet der höheren Gebietseinheit, durch Organe der Gemeinde oder Organe der höheren Gebietseinheit vollzogen. Die Art und Weise der Durchführung eines örtlichen Referendums und eines Referendums auf dem Gebiet einer höheren Gebietseinheit bestimmt ein Gesetz.

(2) Pflichten und Beschränkungen bei der

Ausübung der Gebietsselbstverwaltung können einer Gemeinde und einer höheren Gebietseinheit durch Gesetz oder auf Grundlage eines völkerrechtlichen Vertrages gemäß Artikel 7 Abs. 5 auferlegt werden.

(3) Der Staat kann in die Tätigkeit der Gemeinde und der höheren Gebietseinheit nur auf die durch Gesetz bestimmte Art und Weise eingreifen.

Artikel 68 [Kommunalverordnungen]

In Angelegenheiten der Gebietsselbstverwaltung und zur Sicherstellung der sich aus dem Gesetz für die Selbstverwaltung ergebenden Aufgaben können die Gemeinde und die höhere Gebietseinheit allgemeinverbindliche Verordnungen erlassen.

Artikel 69 [Organe der Gemeinde und der höheren Gebietseinheit]

(1) Die Organe der Gemeinde sind
a) die Gemeindevertretung,
b) der Bürgermeister der Gemeinde.

(2) Die Gemeindevertretung bilden die Abgeordneten der Gemeindevertretung. Die Abgeordneten werden für eine vierjährige Periode von den Einwohnern der Gemeinde gewählt, die auf ihrem Gebiet den ständigen Wohnsitz haben. Die Wahl der Abgeordneten erfolgt auf Grundlage des allgemeinen, gleichen und direkten Wahlrechts durch geheime Abstimmung.

(3) Der Bürgermeister wird von den Einwohnern der Gemeinde, die auf ihrem Gebiet den ständigen Wohnsitz haben, auf der Grundlage des allgemeinen, gleichen und direkten Wahlrechts durch geheime Abstimmung für eine vierjährige Periode gewählt. Der Bürgermeister ist das vollziehende Organ der Gemeinde; er führt die Verwaltung der Gemeinde durch und vertritt die Gemeinde nach außen. Die Gründe und die Art und Weise der Abberufung des Bürgermeisters vor Ablauf seiner Wahlperiode bestimmt ein Gesetz.

(4) Die Organe der höheren Gebietseinheit sind
a) die Vertretung der höheren Gebietseinheit,

b) der Vorsitzende der höheren Gebietseinheit.

(5) Die Vertretung der höheren Gebietseinheit bilden die Abgeordneten der höheren Gebietseinheit. Die Abgeordneten werden von den Einwohnern, die den ständigen Wohnsitz im Bezirk der Gebietseinheit haben, für eine vierjährige Periode gewählt. Die Wahl der Abgeordneten erfolgt auf der Grundlage des allgemeinen, gleichen und direkten Wahlrechts durch geheime Abstimmung.

(6) Der Vorsitzende der höheren Gebietseinheit wird von den Einwohnern, die den ständigen Wohnsitz im Bezirk der Gebietseinheit haben, auf der Grundlage des allgemeinen, gleichen und direkten Wahlrechts durch geheime Abstimmung für eine vierjährige Periode gewählt. Der Vorsitzende der höheren Gebietseinheit ist das vollziehende Organ der höheren Gebietseinheit; er führt die Verwaltung der höheren Gebietseinheit durch und vertritt die höhere Gebietseinheit nach außen.

Artikel 70 [Erklärung einer Gemeinde zur Stadt]

Ein Gesetz bestimmt die Bedingungen und die Art und Weise für die Erklärung einer Gemeinde zur Stadt; es regelt auch die Bezeichnungen der Organe der Stadt.

Artikel 71 [Übertragene Staatsverwaltung]

(1) Auf Gemeinden und höhere Gebietseinheiten kann durch Gesetz die Vollziehung bestimmter Aufgaben der örtlichen Staatsverwaltung übertragen werden. Die Kosten der auf diese Weise übertragenen Staatsverwaltung trägt der Staat.

(2) Bei der Ausübung der Staatsverwaltung können die Gemeinde und die höhere Gebietseinheit im Rahmen ihrer Gebietszuständigkeit auf Grundlage einer Ermächtigung im Gesetz und in dessen Grenzen allgemeinverbindliche Verordnungen erlassen. Die Ausübung der auf die Gemeinde oder die höhere Gebietseinheit übertragenen Staatsverwaltung steuert und kontrolliert die

Regierung. Die Einzelheiten bestimmt ein Gesetz.

Fünfter Titel
DIE GESETZGEBENDE GEWALT

Erster Abschnitt
Der Nationalrat der Slowakischen Republik

Artikel 72 [Stellung des Nationalrats]
Der Nationalrat der Slowakischen Republik ist das einzige verfassungsgebende und gesetzgebende Organ der Slowakischen Republik.

Artikel 73 [Wahlperiode des Nationalrats; Grundsatz des freien Mandats]
(1) Der Nationalrat der Slowakischen Republik hat 150 Abgeordnete, die für vier Jahre gewählt werden.

(2) Die Abgeordneten sind die Vertreter der Bürger. Das Mandat üben sie persönlich nach ihrem Gewissen und Überzeugungen aus und sind nicht durch Weisungen gebunden.

Artikel 74 [Wahl der Abgeordneten]
(1) Die Abgeordneten werden in allgemeinen, gleichen, direkten Wahlen mit geheimer Abstimmung gewählt.

(2) Zum Abgeordneten kann ein Bürger gewählt werden, der das Wahlrecht, das Alter von 21 Jahren erreicht und seinen ständigen Wohnsitz auf dem Gebiet der Slowakischen Republik hat.

(3) Die Einzelheiten über die Wahlen der Abgeordneten bestimmt ein Gesetz.

Artikel 75 [Eid des Abgeordneten]
(1) Auf der Sitzung des Nationalrats der Slowakischen Republik, an der der Abgeordnete erstmals teilnimmt, leistet er einen Eid, der lautet:

„Ich verspreche bei meiner Ehre und meinem Gewissen die Treue der Slowakischen Republik. Meine Pflichten werde ich im Interesse ihrer Bürger erfüllen. Ich werde die Verfassung und die übrigen Gesetze einhal-

ten und daran arbeiten, sie zum Leben zu erwecken."

(2) Die Verweigerung des Eids oder ein Eid unter Vorbehalt hat den Verlust des Mandats zur Folge.

Artikel 76 [Überprüfung der Gültigkeit der Wahl]
Die Gültigkeit der Wahl der Abgeordneten überprüft der Nationalrat der Slowakischen Republik.

Artikel 77 [Unvereinbarkeit des Mandats mit bestimmten Funktionen; Ruhen des Mandats bei Eintritt in die Regierung]
(1) Die Funktion des Abgeordneten ist unvereinbar mit der Ausübung der Funktion eines Richters, Staatsanwalts, des öffentlichen Beschützers der Rechte, eines Angehörigen der Streitkräfte, eines Angehörigen bewaffneter Korps und eines Abgeordneten des Europäischen Parlaments.

(2) Wenn ein Abgeordneter zum Mitglied der Regierung der Slowakischen Republik ernannt wurde, erlischt sein Abgeordnetenmandat für die Zeit der Ausübung dieser Funktion nicht, es wird nur nicht ausgeübt.

Artikel 78 [Immunität des Abgeordneten]
(1) Wegen seiner Stimmabgabe im Nationalrat der Slowakischen Republik oder in dessen Ausschüssen kann ein Abgeordneter nicht verfolgt werden, und das nicht einmal nach Erlöschen seines Mandats.

(2) Für während der Ausübung der Funktion des Abgeordneten im Nationalrat der Slowakischen Republik oder dessen Organ vorgetragene Äußerungen kann der Abgeordnete nicht strafverfolgt werden, und das nicht einmal nach Erlöschen seines Mandats.

(3) Der Abgeordnete darf nicht ohne Zustimmung des Nationalrats der Slowakischen Republik in Haft genommen werden. Der Abgeordnete unterliegt der Disziplinargewalt des Nationalrats der Slowakischen Republik.

(4) Wenn der Abgeordnete bei einer Straftat betroffen und festgehalten wurde, ist das zuständige Organ verpflichtet, dies sofort dem Vorsitzenden des Nationalrats der Slowakischen Republik und dem Vorsitzenden des Mandats- und Immunitätsausschusses des Nationalrats der Slowakischen Republik mitzuteilen. Wenn der Mandats- und Immunitätsausschuss die anschließende Zustimmung zum Festhalten nicht gibt, muss der Abgeordnete sofort freigelassen werden.

(5) Wenn der Abgeordnete im Vollzug der Haft ist, erlischt sein Mandat nicht, es wird nur nicht ausgeübt.

Artikel 79 [Zeugnisverweigerungsrecht]

Der Abgeordnete darf das Zeugnis in Angelegenheiten, die er bei Ausübung seiner Funktion erfahren hat, verweigern, und das auch dann, wenn er aufgehört hat, Abgeordneter zu sein.

Artikel 80 [Interpellationsrecht]

(1) Der Abgeordnete kann die Regierung der Slowakischen Republik, ein Mitglied der Regierung der Slowakischen Republik oder einen Leiter eines anderen Zentralorgans der Staatsverwaltung in Angelegenheiten ihrer Kompetenz interpellieren. Der Abgeordnete muss eine Antwort innerhalb von 30 Tagen erhalten.

(2) Über die Antwort auf die Interpellation findet im Nationalrat der Slowakischen Republik eine Aussprache statt, die mit einer Abstimmung über das Vertrauen verbunden werden kann.

Artikel 81 [Mandatsverzicht]

Der Abgeordnete kann auf sein Mandat durch eine persönliche Erklärung auf einer Sitzung des Nationalrats der Slowakischen Republik verzichten. Wenn ihn hieran ernsthafte Umstände hindern, kann er dies auch schriftlich zu Händen des Vorsitzenden des Nationalrats Slowakischen Republik tun; in einem solchen Fall erlischt das Mandat des Abgeordneten mit dem Tag der Zustellung der schriftlichen Entscheidung über den Verzicht auf das Mandat des Abgeordneten an den Vorsitzenden des Nationalrats der Slowakischen Republik.

Artikel 81a [Gründe für das Erlöschen des Mandats]

Das Mandat des Abgeordneten erlischt mit
a) Ablauf der Wahlperiode,
b) Verzicht auf das Mandat,
c) Verlust der Wählbarkeit,
d) Auflösung des Nationalrats der Slowakischen Republik,
e) Entstehung einer Unvereinbarkeit gemäß Artikel 77 Abs. 1,
f) dem Tag des Eintritts der Rechtskraft eines Urteils, durch das der Abgeordnete für eine vorsätzliche Straftat verurteilt wurde oder durch das der Abgeordnete für eine Straftat verurteilt wurde und das Gericht in seinem Fall nicht über eine bedingte Aussetzung der Vollstreckung der Freiheitsstrafe entschieden hat.

Artikel 82 [Sitzungen des Nationalrats]

(1) Der Nationalrat der Slowakischen Republik tagt ständig.

(2) Die konstituierende Sitzung des Nationalrats der Slowakischen Republik beruft der Präsident der Slowakischen Republik so ein, dass diese innerhalb von 30 Tagen nach Verkündung des Wahlergebnisses stattfindet. Tut er dies nicht, tritt der Nationalrat am dreißigsten Tag nach Verkündung des Wahlergebnisses zusammen.

(3) Der Nationalrat der Slowakischen Republik kann seine Sitzungsperiode durch Beschluss unterbrechen. Die Dauer der Unterbrechung darf nicht vier Monate im Jahr überschreiten. Während der Zeit der Unterbrechung der Sitzungsperiode üben der Vorsitzende, die stellvertretenden Vorsitzenden und die Ausschüsse des Nationalrats der Slowakischen Republik ihre Kompetenzen aus.

(4) Während der Zeit der Unterbrechung der Sitzungsperiode kann der Vorsitzende des Nationalrats der Slowakischen Republik eine Sitzung des Nationalrats der Slowakischen Republik auch vor dem festgelegten Termin einberufen. Er tut dies stets, wenn dies die Regierung der Slowakischen Repu-

blik oder mindestens ein Fünftel der Abgeordneten beantragt.

(5) Die Sitzungsperiode des Nationalrats der Slowakischen Republik endet mit Ablauf der Wahlperiode oder mit seiner Auflösung.

Artikel 83 [Einberufung von Sitzungen des Nationalrats]

(1) Die Sitzungen des Nationalrats der Slowakischen Republik beruft sein Vorsitzender ein.

(2) Der Vorsitzende des Nationalrats der Slowakischen Republik beruft die Sitzung des Nationalrats der Slowakischen Republik auch dann ein, wenn dies mindestens ein Fünftel seiner Abgeordneten beantragt. In einem solchen Fall beruft er die Sitzung innerhalb von sieben Tagen ein.

(3) Die Sitzungen des Nationalrats der Slowakischen Republik sind öffentlich.

(4) Nichtöffentliche Sitzung könne nur in den Fällen stattfinden, die ein Gesetz bestimmt, oder in dem Fall, dass dies der Nationalrat der Slowakischen Republik mit einer Dreifünftelmehrheit aller Abgeordneten beschließt.

Artikel 84 [Beschlussfassung des Nationalrats]

(1) Der Nationalrat der Slowakischen Republik ist beschlussfähig, wenn eine überhälftige Mehrheit aller Abgeordneten anwesend ist.

(2) Für einen gültigen Beschluss des Nationalrats der Slowakischen Republik ist die Zustimmung einer überhälftigen Mehrheit der anwesenden Abgeordneten erforderlich, wenn diese Verfassung nicht etwas anderes bestimmt.

(3) Für die Zustimmung zu einem völkerrechtlichen Vertrag gemäß Artikel 7 Abs. 3 und 4 und zur Annahme eines vom Präsidenten der Slowakischen Republik gemäß Artikel 102 lit. o) zurückgewiesenen Gesetzes ist die Zustimmung einer überhälftigen Mehrheit aller Abgeordneten erforderlich.

(4) Für die Annahme der Verfassung, eine Änderung der Verfassung oder eines Verfassungsgesetzes, für die Zustimmung zu einem völkerrechtlichen Vertrag gemäß Artikel 7 Abs. 2, für die Annahme eines Beschlusses über eine Volksabstimmung über die Abberufung des Präsidenten der Slowakischen Republik, über die Erhebung der Anklage gegen den Präsidenten, für die Erklärung des Kriegs an einen anderen Staat und für die Aufhebung einer Entscheidung des Präsidenten gemäß Artikel 102 Abs. 1 lit. j) ist die Zustimmung von mindestens Dreifünfteln aller Abgeordneten erforderlich.

(5) Die Zustimmung von mindestens Dreifünfteln aller Abgeordneten ist auch für die Wahl eines Kandidaten für einen Richter des Verfassungsgericht erforderlich; wenn der Nationalrat der Slowakischen Republik mit dieser Mehrheit die erforderliche Anzahl an Kandidaten für die Richter des Verfassungsgerichts auch nach wiederholter Wahl nicht wählt, reicht in der erneuten Wahl und jeder weiteren Wahl eines Kandidaten für einen Richter am Verfassungsgericht die Zustimmung einer überhälftigen Mehrheit aller Abgeordneten aus.

Artikel 85 [Anwesenheitspflicht von Regierungsmitgliedern und Behördenleitern bei Sitzungen des Nationalrats]

Auf Ersuchen des Nationalrats der Slowakischen Republik oder dessen Organs muss ein Mitglied der Regierung der Slowakischen Republik oder der Leiter eines anderen Organs der Staatsverwaltung an dessen Sitzung oder an der Sitzung dessen Organs teilnehmen.

Artikel 86 [Kompetenzen des Nationalrats]

Zu den Kompetenzen des Nationalrats der Slowakischen Republik gehört es insbesondere:

a) Beschlüsse über die Verfassung, Verfassungsgesetze und die übrigen Gesetze zu fassen und zu kontrollieren, wie diese eingehalten werden,

b) durch Verfassungsgesetz Verträge über den Beitritt der Slowakischen Republik zu einem Staatenbund mit anderen Staaten und die Kündigung eines solchen Vertrags zu genehmigen,

c) über einen Antrag auf Ausrufung eines Referendums zu entscheiden,

d) vor der Ratifizierung die Zustimmung zu völkerrechtlichen Verträgen über Menschenrechte und Grundfreiheiten, zu völkerrechtlichen politischen Verträgen, zu völkerrechtlichen Verträgen militärischer Art, zu völkerrechtlichen Verträgen, durch die der Slowakischen Republik eine Mitgliedschaft in internationalen Organisationen entsteht, zu völkerrechtlichen wirtschaftlichen Verträgen allgemeiner Art, zu völkerrechtlichen Verträgen, zu deren Durchführung ein Gesetz erforderlich ist sowie zu völkerrechtlichen Verträgen, die direkt Rechte oder Pflichten natürlicher oder juristischer Personen begründen zu erklären und zugleich darüber zu entscheiden, ob es sich um völkerrechtliche Verträge gemäß Artikel 7 Abs. 5 handelt,

e) durch Gesetz Ministerien und übrige Organe der Staatsverwaltung zu errichten,

f) über das durch die Regierung der Slowakischen Republik ausgerufene Programm zu verhandeln, die Tätigkeit der Regierung zu kontrollieren und über das Vertrauen in die Regierung oder eines ihrer Mitglieder zu verhandeln,

g) den Staatshaushalt zu genehmigen, dessen Erfüllung zu überprüfen und den staatlichen Jahresabschluss zu genehmigen,

h) über die grundlegenden Fragen der Innen-, Außen-, Wirtschafts-, Sozial- und anderen Politik zu verhandeln,

i) Beschluss über die Aufhebung einer Entscheidung des Präsidenten gemäß Artikel 102 Abs. 1 lit. j) zu fassen, wenn diese den Prinzipien des demokratischen Rechtsstaats widerspricht; der angenommene Beschluss ist allgemeinverbindlich und wird ebenso wie ein Gesetz verkündet,

j) den Vorsitzenden und den stellvertretenden Vorsitzenden des Obersten Kontrollamts der Slowakischen Republik und drei Mitglieder des Gerichtsrats der Slowakischen Republik zu wählen und abzuberufen,

k) Beschluss zu fassen über die Kriegser-

klärung, wenn die Slowakische Republik angegriffen wird oder wenn sich dies aus den Verpflichtungen aus völkerrechtlichen Verträgen über die gemeinsame Verteidigung gegen Angriffe ergibt, und nach Ende des Kriegs über den Friedensschluss,

l) die Zustimmung zur Entsendung von Streitkräften außerhalb des Gebiets der Slowakischen Republik zu erteilen, sofern es sich nicht um einen in Artikel 119 lit. p) aufgeführten Fall handelt,

m) die Zustimmung zur Anwesenheit von ausländischen Streitkräften auf dem Gebiet der Slowakischen Republik zu erteilen.

Artikel 87 [Gesetzgebungsverfahren]

(1) Gesetzesentwürfe können die Ausschüsse des Nationalrats, Abgeordnete und die Regierung der Slowakischen Republik einreichen.

(2) Wenn der Präsident der Slowakischen Republik ein Gesetz mit Anmerkungen zurückreicht, verhandelt der Nationalrat wiederholt das Gesetz und im Falle dessen Annahme muss das Gesetz auch verkündet werden.

(3) Das Gesetz unterschreibt der Präsident der Slowakischen Republik, der Vorsitzende des Nationalrats und der Vorsitzende der Regierung der Slowakischen Republik. Wenn der Nationalrat der Slowakischen Republik nach wiederholter Verhandlung das Gesetz trotz der Anmerkungen des Präsidenten annimmt und der Präsident der Slowakischen Republik das Gesetz nicht unterschreibt, wird das Gesetz auch ohne die Unterschrift des Präsidenten der Slowakischen Republik verkündet.

(4) Das Gesetz erlangt mit der Verkündung Gültigkeit. Die Einzelheiten über die Verkündung von Gesetzen, völkerrechtlichen Verträgen und rechtsverbindlichen Akten internationaler Organisationen gemäß Artikel 7 Abs. 2 bestimmt ein Gesetz.

Artikel 88 [Vertrauensabstimmung]

(1) Den Antrag auf Aussprechen des Misstrauens der Regierung der Slowakischen Republik oder einem ihrer Mitglieder verhandelt der Nationalrat immer dann, wenn dies

mindestens ein Fünftel seiner Abgeordneten beantragt.

(2) Um der Regierung der Slowakischen Republik oder einem ihrer Mitglieder das Misstrauen auszusprechen, ist die Zustimmung einer überhälftigen Mehrheit aller Abgeordneten erforderlich.

Artikel 88a [Aufhebung eines präsidialen Gnadenakts oder Amnestie]

Den Antrag auf Aufhebung einer Entscheidung des Präsidenten gemäß Artikel 102 Abs. 1 lit. j) verhandelt der Nationalrat immer dann, wenn dies mindestens ein Fünftel seiner Abgeordneten beantragt.

Artikel 89 [Der Vorsitzende des Nationalrats]

(1) Den Vorsitzenden des Nationalrats der Slowakischen Republik wählt und beruft der Nationalrat in geheimer Abstimmung mit einer überhälftigen Mehrheit der Stimmen aller Abgeordneten ab. Der Vorsitzende ist nur dem Nationalrat der Slowakischen Republik verantwortlich.

(2) Der Vorsitzende des Nationalrats der Slowakischen Republik

a) beruft die Sitzungen des Nationalrats der Slowakischen Republik ein und leitet sie,

b) unterschreibt die Verfassung, Verfassungsgesetze und Gesetze,

c) nimmt den Eid der Abgeordneten des Nationalrats der Slowakischen Republik ab,

d) ruft die Wahlen zum Nationalrat der Slowakischen Republik, die Wahl des Präsidenten der Slowakischen Republik und die Wahlen zu den Organen der Gebietsselbstverwaltung aus,

e) ruft Volksabstimmungen über die Abberufung des Präsidenten der Slowakischen Republik aus,

f) erfüllt weitere Aufgaben, wenn es ein Gesetz so bestimmt.

(3) Der Vorsitzende des Nationalrats der Slowakischen Republik bleibt in seiner Funktion auch nach Ablauf der Wahlperiode, solange, bis der Nationalrat der Slowakischen Republik einen neunen Vorsitzenden gewählt hat.

Artikel 90 [Vertretung des Vorsitzenden des Nationalrats]

(1) Den Vorsitzenden des Nationalrats vertreten die stellvertretenden Vorsitzenden. Durch geheime Abstimmung wählt und beruft der Nationalrat der Slowakischen Republik sie mit einer überhälftigen Mehrheit der Stimmen aller Abgeordneten ab. Der stellvertretende Vorsitzende des Nationalrats der Slowakischen Republik ist dem Nationalrat der Slowakischen Republik verantwortlich.

(2) Die Bestimmung des Artikel 89 Abs. 3 gilt auch für die stellvertretenden Vorsitzenden des Nationalrats der Slowakischen Republik.

Artikel 91 [Koordinationsfunktion des Vorsitzenden und seiner Stellvertreter]

Die Tätigkeit des Nationalrats der Slowakischen Republik leiten und organisieren der Vorsitzende und die stellvertretenden Vorsitzenden.

Artikel 92 [Ausschüsse des Nationalrats]

(1) Der Nationalrat der Slowakischen Republik richtet aus seinen Abgeordneten Ausschüsse als seine Initiativ- und Kontrollorgane ein; dessen Vorsitzende werden durch geheime Abstimmung gewählt.

(2) Die Verhandlungen des Nationalrats und seiner Ausschüsse bestimmt ein Gesetz.

Zweiter Abschnitt
Referendum

Artikel 93 [Gegenstand eines Referendums]

(1) Durch ein Referendum wird ein Verfassungsgesetz über den Beitritt zu einem Staatenbund mit anderen Staaten oder über den Austritt aus diesem Bund bestätigt.

(2) Durch ein Referendum kann auch über andere wichtige Fragen des öffentlichen Interesses entschieden werden.

(3) Gegenstand eines Referendums können nicht Grundrechte und -freiheiten, Steuern, Abgaben und der Staatshaushalt sein.

Artikel 94 [Teilnahmeberechtigung]

Jeder Bürger der Slowakischen Republik, der das Recht hat, zum Nationalrat der Slowakischen Republik zu wählen, hat das Recht, an einem Referendum teilzunehmen.

Artikel 95 [Frist für die Ausrufung eines Referendums, Kontrolle durch das Verfassungsgericht]

(1) Ein Referendum wird durch den Präsidenten der Slowakischen Republik ausgerufen, wenn ihn durch eine Petition mindestens 350.000 Bürger dazu auffordern oder, wenn dies der Nationalrat der Slowakischen Republik beschließt, und das innerhalb von 30 Tagen ab Entgegenahme der Petition von den Bürgern oder dem Beschluss des Nationalrats der Slowakischen Republik.

(2) Der Präsident der Slowakischen Republik kann vor der Ausrufung des Referendums einen Antrag auf Entscheidung beim Verfassungsgericht stellen, ob der Gegenstand des Referendums, das auf Grundlage einer Petition der Bürger oder eines Beschlusses des Nationalrats der Slowakischen Republik gemäß Absatz 1 ausgerufen werden soll, mit der Verfassung oder mit einem Verfassungsgesetz vereinbar ist. Wenn der Präsident der Slowakischen Republik einen Antrag auf Entscheidung beim Verfassungsgericht stellt, ob der Gegenstand des Referendums, das auf Grundlage einer Petition der Bürger oder eines Beschlusses des Nationalrats der Slowakischen Republik gemäß Absatz 1 ausgerufen werden soll, mit der Verfassung oder mit einem Verfassungsgesetz vereinbar ist, läuft ab Antragstellung bis zum Eintritt der Rechtskraft der Entscheidung des Verfassungsgerichts der Slowakischen Republik die Frist gemäß Absatz 1 nicht.

Artikel 96 [Beschluss des Nationalrats über die Ausrufung eines Referendums; Durchführungsfrist]

(1) Den Antrag auf Annahme eines Beschlusses des Nationalrats der Slowakischen Republik über die Ausrufung eines Referendums können Abgeordnete des Nationalrats der Slowakischen Republik oder die Regierung der Slowakischen Republik stellen.

(2) Das Referendum wird innerhalb von 90 Tagen ab dem Tag seiner Ausrufung durch den Präsidenten der Slowakischen Republik durchgeführt.

Artikel 97 [Zeitpunkt des Referendums]

(1) Ein Referendum kann nicht in einer kürzeren Zeit als 90 Tage vor der Wahl zum Nationalrat der Slowakischen Republik stattfinden.

(2) Ein Referendum kann am Tag der Wahlen zum Nationalrat der Slowakischen Republik stattfinden.

Artikel 98 [Ergebnis des Referendums]

(1) Die Ergebnisse eines Referendums sind gültig, wenn an diesem eine überhälftige Mehrheit der berechtigten Wähler teilgenommen hat und wenn die Entscheidung des Referendums mit einer überhälftigen Mehrheit der Teilnehmer des Referendums angenommen wurde.

(2) Durch das Referendum angenommene Vorschläge verkündet der Nationalrat der Slowakischen Republik ebenso wie ein Gesetz.

Artikel 99 [Änderung und Aufhebung des Ergebnisses, Wiederholung eines Referendums]

(1) Das Ergebnis des Referendums kann der Nationalrat der Slowakischen Republik durch ein Verfassungsgesetz nach Ablauf von drei Jahren ab dessen Wirksamkeit ändern oder aufheben.

(2) Ein Referendum in derselben Sache kann frühestens nach Ablauf von drei Jahren seit seiner Durchführung wiederholt werden.

Artikel 100 [Weitere Ausgestaltung durch Gesetz]

Die Art und Weise der Durchführung eines Referendums bestimmt ein Gesetz.

Sechster Titel
DIE VOLLZIEHENDE GEWALT

Erster Abschnitt:
Der Präsident der Slowakischen Republik

Artikel 101 [Die Wahl des Präsidenten]
(1) Das Oberhaupt der Slowakischen Republik ist der Präsident. Der Präsident repräsentiert die Slowakischen Republik nach außen und nach innen und durch seine Entscheidungen stellt er die ordnungsgemäße Tätigkeit der Verfassungsorgane sicher. Der Präsident übt sein Amt gemäß seinem Gewissen und seiner Überzeugungen aus und ist nicht durch Weisungen gebunden.

(2) Den Präsidenten wählen die Bürger in direkten Wahlen durch geheime Abstimmung für fünf Jahre. Das Recht, den Präsidenten zu wählen, haben die Bürger, die das Recht haben, zum Nationalrat der Slowakischen Republik zu wählen.

(3) Präsidentschaftskandidaten werden von mindestens 15 Abgeordneten des Nationalrats der Slowakischen Republik oder Bürgern vorgeschlagen, die das Recht haben, zum Nationalrat der Slowakischen Republik zu wählen, und das auf Grundlage einer von mindestens 15.000 Bürgern unterschriebenen Petition. Wahlvorschläge werden beim Vorsitzenden des Nationalrats der Slowakischen Republik spätestens innerhalb von 21 Tagen ab Ausrufung der Wahlen abgegeben.

(4) Zum Präsidenten gewählt ist der Kandidat, der eine überhälftige Mehrheit der gültigen Stimmen der berechtigten Wähler erlangt. Wenn nicht einer der Kandidaten die erforderliche Mehrheit der Stimmen der Wähler erlangt, findet innerhalb von 14 Tagen ein zweiter Wahlgang statt. In den zweiten Wahlgang gelangen die beiden Kandidaten, die die höchste Anzahl der gültigen Stimmen erlangt haben. Im zweiten Wahlgang ist derjenige Kandidat zum Präsidenten gewählt, der die höchste Anzahl der gültigen Stimmen der teilnehmenden Wähler erlangt hat.

(5) Wenn einer der beiden Kandidaten, der im ersten Wahlgang die meisten gültigen Stimmen erlangt hat, vor dem zweiten Wahlgang aufhört, als Präsident wählbar zu sein oder wenn er auf das Recht, zu kandidieren verzichtet, gelangt in den zweiten Wahlgang der Kandidat, der im ersten Wahlgang die nächsthöchste Anzahl der gültigen Stimmen erlangt hat. Wenn für den zweiten Wahlgang nicht zwei Kandidaten vorhanden sind, findet der zweite Wahlgang nicht statt und der Vorsitzende des Nationalrats ruft innerhalb von sieben Tagen Neuwahlen so aus, dass diese innerhalb von 60 Tagen ab ihrer Ausrufung durchgeführt werden.

(6) Wenn sich um die Funktion des Präsidenten nur ein Kandidat bewirbt, findet die Wahl so statt, dass über ihn abgestimmt wird; zum Präsidenten gewählt ist er, wenn er eine überhälftige Mehrheit der gültigen Stimmen der teilnehmenden Wähler erlangt.

(7) Der gewählte Kandidat tritt seine Funktion durch Ablegung seines Eids an. Den Eid legt er vor dem Nationalrat der Slowakischen Republik zu Händen des Vorsitzenden des Verfassungsgerichts der Slowakischen Republik am Mittag des Tags ab, an dem die Wahlperiode des vorherigen Präsidenten enden soll.

(8) Wenn die Wahlperiode des Präsidenten vorzeitig beendet wurde, legt der Kandidat an dem auf den Tag, an dem die Ergebnisse der Wahl verkündet wurden, folgenden Tag seinen Eid ab und tritt die Funktion des Präsidenten an.

(9) Über die Verfassungsmäßigkeit und die Rechtmäßigkeit der Wahlen des Präsidenten entscheidet das Verfassungsgericht der Slowakischen Republik.

(10) Die Einzelheiten über die Wahlen des Präsidenten bestimmt ein Gesetz.

Artikel 102 [Die Kompetenzen des Präsidenten]
(1) Der Präsident
a) vertritt die Slowakische Republik nach außen, handelt völkerrechtliche Verträge aus und ratifiziert diese. Das Aushandeln von völkerrechtlichen Verträgen kann er auch auf die Regierung der Slowakischen Repub-

lik oder mit Zustimmung der Regierung auf deren einzelne Mitglieder übertragen,

b) kann beim Verfassungsgericht der Slowakischen Republik einen Antrag auf Entscheidung über die Vereinbarkeit eines ausgehandelten völkerrechtlichen Vertrags, für den die Zustimmung des Nationalrats der Slowakischen Republik erforderlich ist, mit der Verfassung oder mit einem Verfassungsgesetz stellen,

c) empfängt, beauftragt und beruft die Leiter diplomatischer Missionen ab,

d) beruft die konstituierende Sitzung des Nationalrats der Slowakischen Republik ein,

e) kann den Nationalrat der Slowakischen Republik auflösen, wenn der Nationalrat der Slowakischen Republik innerhalb einer Frist von sechs Monaten ab Ernennung der Regierung deren programmatische Erklärung nicht genehmigt hat, wenn der Nationalrat der Slowakischen Republik nicht innerhalb von drei Monaten Beschluss über einen Gesetzesentwurf fasst, den die Regierung mit dem Aussprechen des Vertrauens verbunden hat, wenn der Nationalrat der Slowakischen Republik länger als drei Monate nicht beschlussfähig war, obwohl die Sitzungsperiode nicht unterbrochen war und obwohl er in dieser Zeit wiederholt zu einer Sitzung einberufen wurde, oder wenn die Sitzungsperiode des Nationalrats der Slowakischen Republik für eine längere Zeit unterbrochen wurde, als es die Verfassung erlaubt. Dieses Recht darf er nicht während der Zeit der letzten sechs Monate seiner Wahlperiode, in Zeiten des Kriegs, des Kriegszustands oder eines Ausnahmezustands geltend machen. Der Präsident löst den Nationalrat der Slowakischen Republik in dem Fall auf, wenn in einer Volksabstimmung über die Abberufung des Präsidenten der Präsident nicht abberufen wurde.

f) unterschreibt Gesetze,

g) ernennt und beruft den Vorsitzenden und die übrigen Mitglieder der Regierung der Slowakischen Republik ab, beauftragt sie mit der Leitung der Ministerien und nimmt deren Demission entgegen; den Vorsitzenden und die übrigen Mitglieder der Regierung beruft er in den in Artikel 115 und 116 aufgeführten Fällen ab,

h) ernennt und beruft die Leiter der Zentralorgane, höhere Staatsfunktionäre und weitere Funktionäre in den Fällen, die ein Gesetz bestimmt, ab; ernennt und beruft die Rektoren der Hochschulen ab, ernennt und beruft Hochschulprofessoren ab, ernennt und befördert Generäle,

i) erteilt Auszeichnungen, wenn er dazu nicht ein anderes Organ bevollmächtigt hat,

j) erlässt und mildert durch Gerichte in Strafverfahren auferlegte Strafen und tilgt Verurteilungen in Form einer individuellen Gnade oder einer Amnestie,

k) ist der Oberbefehlshaber der Streitkräfte,

l) erklärt auf Grundlage der Entscheidung des Nationalrats der Slowakischen Republik den Krieg, wenn die Slowakische Republik angegriffen wird oder wenn sich dies aus den Verpflichtungen aus völkerrechtlichen Verträgen über die gemeinsame Verteidigung gegen Angriffe ergibt, und schließt Frieden,

m) kann auf Vorschlag der Regierung der Slowakischen Republik die Mobilisierung der Streitkräfte anordnen, den Kriegszustand, den Notstand oder den Ausnahmezustand und deren Beendigung ausrufen,

n) ruft Referenden aus,

o) kann dem Nationalrat der Slowakischen Republik ein Gesetz mit Anmerkungen innerhalb von 15 Tagen ab Zustellung des angenommenen Gesetzes zurückreichen,

p) erstattet dem Nationalrat der Slowakischen Republik Bericht über den Zustand der Slowakischen Republik und über gewichtige politische Fragen,

r) hat das Recht, von der Regierung der Slowakischen Republik und ihren Mitgliedern die für die Erfüllung seiner Aufgaben erforderlichen Informationen zu verlangen,

s) ernennt und beruft die Richter des Verfassungsgerichts der Slowakischen Republik, den Vorsitzenden und stellvertretenden Vorsitzenden des Verfassungsgerichts ab, nimmt den Eid der Richter des Verfassungsgerichts und den Eid des Generalstaatsanwalts ab,

t) ernennt und beruft die Richter, den Vorsitzenden und stellvertretenden Vorsitzenden des Obersten Gerichts der Slowakischen Republik, den Vorsitzenden und den stellvertretenden Vorsitzenden des Obersten Verwaltungsgerichts der Slowakischen Republik, den Generalstaatsanwalt und drei Mitglieder des Gerichtsrat der Slowakischen Republik ab, nimmt den Eid der Richter ab,

u) entscheidet über die Beauftragung der Regierung und erteilt seine Zustimmung zur Ausübung ihrer Kompetenzen gemäß Artikel 115 Abs. 3.

(2) Eine gemäß Artikel 102 Abs. 1 lit. c) und gemäß lit. j) erlassene Entscheidung des Präsidenten, wenn es sich um die Erteilung einer Amnestie handelt, und eine gemäß lit. k) erlassene Entscheidung des Präsidenten ist gültig, wenn diese der Vorsitzende der Regierung der Slowakischen Republik oder ein von ihm beauftragter Minister unterschreibt; in diesen Fällen ist für die Entscheidung des Präsidenten die Regierung verantwortlich.

(3) Die Bedingungen für die Erklärung des Kriegs, die Ausrufung des Kriegszustands, die Ausrufung des Ausnahmezustands, die Ausrufung des Notstands und die Art und Weise der Ausübung der öffentlichen Gewalt in Zeiten des Kriegs, Kriegszustands, Ausnahmezustands bestimmt ein Gesetz.

(4) Die Einzelheiten über die Ausübung der verfassungsmäßigen Befugnisse des Präsidenten gemäß Absatz 1 kann ein Gesetz bestimmen.

Artikel 103 [Eigenschaften und Voraussetzungen der Person des Präsidenten]

(1) Zum Präsidenten kann jeder Bürger der Slowakischen Republik gewählt werden, der als Abgeordneter des Nationalrats der Slowakischen Republik wählbar ist und am Tag der Wahl das Alter von 40 Jahren erreicht hat.

(2) Dieselbe Person kann zum Präsidenten höchstens in zwei aufeinanderfolgenden Wahlperioden gewählt werden.

(3) Die Wahl des Präsidenten ruft der Vorsitzende des Nationalrats der Slowakischen Republik so aus, dass der erste Wahlgang

spätestens 60 Tage vor Ablauf der Funktionsperiode des amtierenden Präsidenten stattfindet. Wenn das Amt des Präsidenten vor Ablauf der Funktionsperiode frei wird, ruft der Vorsitzende des Nationalrats der Slowakischen Republik die Wahls des Präsidenten innerhalb von sieben Tagen so aus, dass der erste Wahlgang spätestens innerhalb von 60 Tagen ab dem Tag der Ausrufung der Wahl stattfindet.

(4) Wenn zum Präsidenten ein Abgeordneter des Nationalrats der Slowakischen Republik, ein Mitglied der Regierung der Slowakischen Republik, ein Richter, ein Staatsanwalt, ein Angehöriger der Streitkräfte oder bewaffneter Korps, der Vorsitzende oder stellvertretende Vorsitzende des Obersten Kontrollamts gewählt wird, hört dieser ab dem Tag seiner Wahl auf, seine bisherige Funktion auszuüben;

(5) Der Präsident darf keine andere bezahlte Funktion, Beruf oder unternehmerische Tätigkeit ausüben und darf nicht Mitglied eines Organs einer juristischen Person sein, die eine unternehmerische Tätigkeit ausübt.

(6) Der Präsident kann auf seine Funktion jederzeit verzichten; seine Funktionsperiode endet mit dem Tag der Zustellung der schriftlichen Mitteilung dieser Entscheidung an den Vorsitzenden des Verfassungsgerichts der Slowakischen Republik.

(7) Der Vorsitzende des Verfassungsgerichts der Slowakischen Republik teilt den Verzicht auf die Funktion dem Vorsitzenden des Nationalrats der Slowakischen Republik schriftlich mit.

Artikel 104 [Eid des Präsidenten]

(1) Der Präsident legt vor dem Nationalrat der Slowakischen Republik zu Händen des Vorsitzenden des Verfassungsgerichts der Slowakischen Republik diesen Eid ab:

„Ich verspreche bei meiner Ehre und meinem Gewissen die Treue der Slowakischen Republik. Ich werde auf das Wohl der slowakischen Nation und der in der Slowakischen Republik lebenden nationalen Minderheiten und ethnischen Gruppen achten. Meine

Pflichten werde ich im Interesse der Bürger erfüllen und ich werde die Verfassung und die übrigen Gesetze wahren und verteidigen."

(2) Die Verweigerung des Eids oder ein Eid unter Vorbehalt hat die Ungültig der Wahl des Präsidenten zur Folge.

Artikel 105 [Wahrnehmung der Aufgaben des Präsidenten durch die Regierung und den Vorsitzenden des Nationalrats]

(1) Wenn der Präsident nicht gewählt ist oder die Funktion des Präsidenten frei wird und noch nicht ein neuer Präsident gewählt wurde, oder wenn ein neuer Präsident gewählt wurde, aber noch nicht seinen Eid abgelegt hat, oder wenn der Präsident seine Funktion wegen ernsthaften Gründen nicht ausüben kann, gehen die Berechtigungen des Präsidenten gemäß Artikel 102 Abs. 1 lit. a), b), c), n) und o) auf die Regierung der Slowakischen Republik über. Die Regierung kann in dieser Zeit ihren Vorsitzenden mit der Ausübung mancher Befugnisse des Präsidenten beauftragen. Auf den Vorsitzenden der Regierung geht in dieser Zeit vor allem der Befehl über die Streitkräfte über. Die Berechtigungen des Präsidenten gemäß Artikel 102 Abs. 1 lit. d), g), h), l), m), s) und t) gehen in dieser Zeit auf den Vorsitzenden des Nationalrats der Slowakischen Republik über.

(2) Wenn der Präsident seine Funktion länger als sechs Monate nicht ausüben kann, verkündet das Verfassungsgericht, dass die Funktion des Präsidenten frei wurde. Mit dem Tag dieser Verkündung endet die Funktionsperiode des bisherigen Präsidenten.

Artikel 106 [Abberufung des Präsidenten]

(1) Der Präsident kann aus der Funktion vor Ablauf der Wahlperiode durch eine Volksabstimmung abberufen werden. Die Volksabstimmung über die Abberufung des Präsidenten ruft der Vorsitzende des Nationalrats der Slowakischen Republik auf Grundlage eines mit einer mindestens Dreifünftelmehrheit aller Abgeordneten des Nationalrats angenommen Beschlusses des Nationalrats der Slowakischen Republik aus, und das innerhalb von 30 Tagen so, dass die Volksabstimmung innerhalb von 60 Tagen ab ihrer Ausrufung durchgeführt wird.

(2) Der Präsident ist abberufen, wenn für seine Abberufung in der Volksabstimmung eine überhälftige Mehrheit aller berechtigten Wähler gestimmt hat.

(3) Wenn der Präsident nicht in der Volksabstimmung abberufen wird, löst er den Nationalrat der Slowakischen Republik innerhalb von 30 Tagen ab Verkündung des Ergebnisses der Volksabstimmung auf. In diesem Fall beginnt für den Präsidenten, eine neue Wahlperiode zu laufen. Der Vorsitzende des Nationalrats der Slowakischen Republik ruft Wahlen zum Nationalrat der Slowakischen Republik innerhalb von sieben Tagen ab dessen Auflösung aus.

(4) Die Einzelheiten über die Abberufung des Präsidenten bestimmt ein Gesetz.

Artikel 107 [Anklage gegen den Präsidenten]

Der Präsident kann nur für eine vorsätzliche Verletzung der Verfassung und für Landesverrat verfolgt werden. Über die Erhebung der Anklage gegen den Präsidenten entscheidet der Nationalrat der Slowakischen Republik mit einer Dreifünftelmehrheit der Stimmen aller Abgeordneten. Die Anklage erhebt der Nationalrat der Slowakischen Republik vor dem Verfassungsgericht der Slowakischen Republik, das über diese im Plenum entscheidet. Eine verurteilende Entscheidung des Verfassungsgerichts bedeutet den Verlust der Funktion des Präsidenten und der Eignung, diese Funktion wiederholt zu erlangen.

Zweiter Abschnitt
Die Regierung der Slowakischen Republik

Artikel 108 [Stellung der Regierung]

Die Regierung der Slowakischen Republik ist das höchste Organ der vollziehenden Gewalt.

Artikel 109 [Mitgliedschaft in der Regierung; unvereinbare Tätigkeiten]

(1) Die Regierung setzt sich aus dem Vorsitzenden, den stellvertretenden Vorsitzenden und den Ministern zusammen.

(2) Die Ausübung der Funktion des Mitglieds der Regierung ist unvereinbar mit der Ausübung des Abgeordnetenmandats, mit der Ausübung der Funktion in einem anderen Organ der öffentlichen Gewalt, mit einem Anstellungsverhältnis zum Staat, mit einem Arbeitsverhältnis oder mit einer vergleichbaren Arbeitsbeziehung, mit einer unternehmerischen Tätigkeit, mit einer Mitgliedschaft in einem Leitungs- oder Kontrollorgan einer juristischen Person, die eine unternehmerische Tätigkeit ausübt, oder mit einer anderen Wirtschafts- oder Erwerbstätigkeit außer der Verwaltung eigenen Vermögens und einer wissenschaftlichen, pädagogischen, literarischen oder künstlerischen Tätigkeit.

Artikel 110 [Ernennung und Abberufung des Vorsitzenden der Regierung]

(1) Den Vorsitzenden der Regierung ernennt und beruft der Präsident der Slowakischen Republik ab.

(2) Zum Vorsitzenden der Regierung kann jeder Bürger der Slowakischen Republik ernannt werden, der zum Nationalrat der Slowakischen Republik wählbar ist.

Artikel 111 [Ernennung und Abberufung der weiteren Mitglieder der Regierung]

Auf Vorschlag des Vorsitzenden der Regierung ernennt und beruft der Präsident der Slowakischen Republik die weiteren Mitglieder der Regierung ab und beauftragt diese mit der Leitung der Ministerien. Zum stellvertretenden Vorsitzenden der Regierung und zum Minister kann er einen Bürger ernennen, der als Abgeordneter des Nationalrats der Slowakischen Republik wählbar ist.

Artikel 112 [Eid der Mitglieder der Regierung]

Die Mitglieder der Regierung legen zu den Händen des Präsidenten der Slowakischen Republik diesen Eid ab:

„Ich verspreche bei meiner Ehre und meinem Gewissen die Treue der Slowakischen Republik. Meine Pflichten werde ich im Interesse ihrer Bürger erfüllen. Ich werde die Verfassung und die übrigen Gesetze einhalten und daran arbeiten, sie zum Leben zu erwecken."

Artikel 113 [Regierungsprogramm, Vertrauensabstimmung bei Funktionsantritt]

Die Regierung ist verpflichtet, innerhalb von 30 Tagen ab ihrer Ernennung vor den Nationalrat der Slowakischen Republik zu treten, ihr Programm vorzulegen und ihn, um Aussprechen des Vertrauens zu ersuchen.

Artikel 114 [Verantwortung und Vertrauen der Regierung]

(1) Die Regierung ist für die Ausübung ihrer Funktion dem Nationalrat der Slowakischen Republik verantwortlich. Der Nationalrat kann ihr jederzeit das Misstrauen aussprechen.

(2) Die Regierung kann den Nationalrat der Slowakischen Republik jederzeit um Aussprechen des Vertrauens ersuchen.

(3) Die Regierung kann die Abstimmung über die Annahme eines Gesetzes oder die Abstimmung in einer anderen Sache mit der Abstimmung über das Vertrauen der Regierung verbinden.

Artikel 115 [Folgen des Vertrauensverlustes, Kompetenzen der Regierung in Demission]

(1) Wenn der Nationalrat der Slowakischen Republik der Regierung das Misstrauen ausspricht, oder wenn er den Antrag auf Aussprechen des Vertrauens ablehnt, beruft der Präsident der Slowakischen Republik die Regierung ab.

(2) Wenn der Präsident der Slowakischen Republik die Demission der Regierung annimmt, beauftragt er sie mit der Ausübung der Funktion bis zur Ernennung einer neuen Regierung.

(3) Wenn der Präsident der Slowakischen Republik die Regierung gemäß Absatz 1 abberuft, beauftragt er sie durch eine in der Gesetzessammlung der Slowakischen Republik verkündete Entscheidung mit der Ausübung ihrer Kompetenzen, jedoch ausschließlich im Umfang gemäß Artikel 119 lit. a), b), e), f), m), n), o), p) und r); die Ausübung der Kompetenzen der Regierung gemäß Artikel 119 lit. m) und r) ist in jedem einzelnen Fall von der vorausgehenden Zustimmung des Präsidenten der Slowakischen Republik abhängig.

Artikel 116 [Demission einzelner Mitglieder und der gesamten Regierung]

(1) Das Mitglied der Regierung ist für die Ausübung seiner Funktion dem Nationalrat der Slowakischen Republik verantwortlich.

(2) Das Mitglied der Regierung kann die Demission beim Präsidenten der Slowakischen Republik einreichen.

(3) Der Nationalrat der Slowakischen Republik kann auch einem einzelnen Regierungsmitglied das Misstrauen aussprechen; in diesem Fall beruft der Präsident der Slowakischen Republik das Mitglied der Regierung ab.

(4) Den Antrag auf Abberufung eines Mitglieds der Regierung kann beim Präsidenten der Slowakischen Republik auch der Vorsitzende der Regierung stellen.

(5) Wenn die Demission der Vorsitzende der Regierung einreicht, reicht die Demission die gesamte Regierung ein.

(6) Wenn der Nationalrat der Slowakischen Republik das Misstrauen dem Vorsitzenden der Regierung ausspricht, beruft ihn der Präsident der Slowakischen Republik ab. Die Abberufung des Vorsitzenden der Regierung hat den Rücktritt der Regierung zur Folge.

(7) Wenn der Präsident der Slowakischen Republik die Demission annimmt oder ein Regierungsmitglied abberuft, bestimmt er, welches Mitglied der Regierung vorübergehend die Angelegenheiten des Mitglieds der Regierung verwalten wird, dessen Demission er angenommen hat.

Artikel 117 [Demission der Regierung nach der Neuwahl des Nationalrats]

Die Regierung reicht die Demission stets nach der konstituierenden Sitzung des neugewählten Nationalrats der Slowakischen Republik ein; die Regierung übt jedoch ihre Funktion bis zur Bildung der neuen Regierung aus.

Artikel 118 [Regierungsbeschlüsse]

(1) Die Regierung ist beschlussfähig, wenn eine überhälftige Mehrheit ihrer Mitglieder anwesend ist.

(2) Zur Annahme eines Beschlusses der Regierung ist eine überhälftige Mehrheit aller Mitglieder der Regierung erforderlich.

Artikel 119 [Entscheidungen der Regierung als Kollegium]

Die Regierung entscheidet als Kollegium

a) über Gesetzesentwürfe,

b) über Regierungsverordnungen,

c) über das Programm der Regierung und seine Erfüllung,

d) über grundlegende Maßnahmen zur Sicherung der Wirtschafts- und Sozialpolitik der Slowakischen Republik,

e) über Entwürfe des Staatshaushalts und des staatlichen Jahresabschlusses,

f) über völkerrechtliche Verträge der Slowakischen Republik, deren Aushandlung auf die Regierung der Präsident der Slowakischen Republik übertragen hat,

g) über die Zustimmung zur Übertragung der Aushandlung von völkerrechtlichen Verträgen gemäß Artikel 102 Abs. 1 lit. a) auf deren einzelne Mitglieder,

h) über die Stellung eines Antrags beim Verfassungsgericht der Slowakischen Republik, damit es über die Vereinbarkeit eines ausgehandelten völkerrechtlichen Vertrags, für den die Zustimmung des Nationalrats der Slowakischen Republik erforderlich ist, mit der Verfassung und dem Verfassungsgesetz entscheidet,

i) über grundlegende Fragen der Innen- und Außenpolitik,

j) über das Einreichen von Gesetzesentwürfen oder eine andere für die öffentliche Diskussion bedeutende Maßnahme,

k) darüber, dass sie einen Antrag auf Aussprechen des Vertrauens stellt,

l) über die Erteilung einer Amnestie in Ordnungswidrigkeitensachen,

m) über die Ernennung und Abberufung weiterer Staatsfunktionäre in durch Gesetz bestimmten Fällen und von drei Mitgliedern des Gerichtsrats der Slowakischen Republik,

n) über den Antrag auf Ausrufung des Kriegszustands, über den Antrag auf Anordnung der Mobilisierung der Streitkräfte, über den Antrag auf Ausrufung des Ausnahmezustands und über den Antrag auf deren Beendigung, über die Ausrufung und Beendigung des Notstands,

o) über die Entsendung der Streitkräfte außerhalb des Gebiets der Slowakischen Republik zum Zwecke humanitärer Hilfe, militärischer Übungen oder friedlicher Beobachtungsmissionen, über die Zustimmung zur Anwesenheit ausländischer Streitkräfte auf dem Gebiet der Slowakischen Republik zum Zwecke humanitärer Hilfe, militärischer Übungen oder friedlicher Beobachtungsmissionen, über die Zustimmung zum Transit ausländischer Streitkräfte über das Gebiet der Slowakischen Republik,

p) über die Entsendung der Streitkräfte außerhalb des Gebiets der Slowakischen Republik, wenn es um die Erfüllung von Verpflichtungen aus völkerrechtlichen Verträgen über die gemeinsame Verteidigung gegen Angriffe geht, und das für längstens eine Zeit von 60 Tagen; diese Entscheidung teilt die Regierung unverzüglich dem Nationalrat der Slowakischen Republik mit,

r) über weitere Fragen, wenn dies ein Gesetz bestimmt.

Artikel 120 [Regierungsverordnungen]

(1) Zur Durchführung eines Gesetzes kann in dessen Grenzen die Regierung Verordnungen erlassen.

(2) Wenn dies ein Gesetz bestimmt, ist die Regierung dazu berechtigt, Verordnungen auch zur Durchführung des zwischen den Europäischen Gemeinschaften und ihren Mitgliedstaaten auf der einen Seite und der Slowakischen Republik auf der anderen Seite abgeschlossenen Europäischen Assoziierungsabkommens und zur Durchführung von völkerrechtlichen Verträgen gemäß Artikel 7 Abs. 2 zu erlassen.

Artikel 121 [Amnestierecht der Regierung]

Die Regierung hat das Recht, Amnestien in Ordnungswidrigkeitensachen zu erteilen. Die Einzelheiten bestimmt ein Gesetz.

Artikel 122 [Errichtung von Zentralorganen und örtlichen Organen der Staatsverwaltung]

Die Zentralorgane der Staatsverwaltung und die örtlichen Organe der Staatsverwaltung werden durch Gesetz errichtet.

Artikel 123 [Kompetenz zum Erlass allgemeinverbindlicher Rechtsvorschriften]

Die Ministerien und andere Organe der Staatsverwaltung können auf Grundlage von Gesetzen und in deren Grenzen allgemeinverbindliche Rechtsvorschriften erlassen, wenn sie dazu durch Gesetz ermächtigt sind. Diese allgemeinverbindlichen Vorschriften werden auf die Art und Weise verkündet, die ein Gesetz bestimmt.

Siebenter Titel
DIE RECHTSPRECHENDE GEWALT

Erster Abschnitt
Das Verfassungsgericht

Artikel 124 [Stellung des Verfassungsgerichts]

Das Verfassungsgericht der Slowakischen Republik ist ein unabhängiges Gerichtsorgan zum Schutz der Verfassungsmäßigkeit.

Artikel 125 [Zuständigkeit des Verfassungsgerichts]

(1) Das Verfassungsgericht entscheidet über die Vereinbarkeit

a) von Gesetzen mit der Verfassung, Verträgen, zu denen der Nationalrat der Slowakischen Republik die Zustimmung erteilt hat und die ratifiziert und auf die durch Gesetz bestimmte Art und Weise verkündet wurden,

b) von Regierungsverordnungen, allgemeinverbindlichen Rechtsvorschriften der Ministerien und der übrigen Zentralorgane der Staatsverwaltung mit der Verfassung, Verfassungsgesetzen, völkerrechtlichen Verträgen, zu denen der Nationalrat der Slowakischen Republik die Zustimmung erteilt hat und die ratifiziert und auf die durch Gesetz bestimmte Art und Weise verkündet wurden, und mit Gesetzen,

c) von allgemeinverbindlichen Verordnungen gemäß Artikel 68 mit der Verfassung, Verfassungsgesetzen, völkerrechtlichen Verträgen, zu denen der Nationalrat der Slowakischen Republik die Zustimmung erteilt hat und die ratifiziert und auf die durch Gesetz bestimmte Art und Weise verkündet wurden, und mit Gesetzen, wenn über diese nicht ein anderes Gericht entscheidet,

d) von allgemeinverbindlichen Rechtsvorschriften der örtlichen Organe der Staatsverwaltung und von allgemeinverbindlichen Verordnungen der Organe der Gebietsselbstverwaltung gemäß Artikel 71 Abs. 2 mit der Verfassung, Verfassungsgesetzen, völkerrechtlichen Verträgen, zu denen der Nationalrat der Slowakischen Republik die Zustimmung erteilt hat und die ratifiziert und auf die durch Gesetz bestimmte Art und Weise verkündet wurden, und mit Gesetzen, mit Regierungsverordnungen und mit allgemeinverbindlichen Rechtsvorschriften der Ministerien und übrigen Zentralorgane der Staatsverwaltung, wenn über diese nicht ein anderes Gericht entscheidet.

(2) Wenn das Verfassungsgericht einen Antrag auf ein Verfahren gemäß Absatz 1 annimmt, kann es die Wirksamkeit der angegriffenen Rechtsvorschriften, ihre Teile, gegebenenfalls mancher ihrer Bestimmungen aussetzen, wenn deren weitere Anwendung Grundrechte und -freiheiten gefährden kann, wenn ein bedeutender wirtschaftlicher Schaden oder eine andere unumkehrbare Folge droht.

(3) Wenn das Verfassungsgericht durch seine Entscheidung ausspricht, dass mit den in Absatz 1 aufgeführten Rechtsvorschriften eine Unvereinbarkeit besteht, verlieren die entsprechenden Rechtsvorschriften, ihre Teile, gegebenenfalls manche ihrer Bestimmungen die Wirksamkeit. Die Organe, die diese Rechtsvorschriften erlassen haben, sind verpflichtet, innerhalb von sechs Monaten ab Verkündung der Entscheidung des Verfassungsgerichts die Vereinbarkeit dieser mit der Verfassung, Verfassungsgesetzen und mit völkerrechtlichen Verträgen, zu denen der Nationalrat der Slowakischen Republik die Zustimmung erteilt hat und die ratifiziert und auf die durch Gesetz bestimmte Art und Weise verkündet wurden, und wenn es sich um in Absatz 1 lit. b) und c) aufgeführte Vorschriften handelt, auch mit anderen Gesetzen, und wenn es sich um in Absatz 1 lit. d) aufgeführte Vorschriften handelt, mit Regierungsverordnungen und mit allgemeinverbindlichen Rechtsvorschriften der Ministerien und übrigen Zentralorgane der Staatsverwaltung, herzustellen. Wenn sie dies nicht tun, verlieren auch die Vorschriften, ihre Teile, gegebenenfalls manche ihrer Bestimmungen die Gültigkeit nach sechs Monaten nach Verkündung der Entscheidung.

(4) Das Verfassungsgericht entscheidet nicht über die Vereinbarkeit eines Gesetzesentwurfs oder eines Entwurfs einer anderen allgemeinverbindlichen Rechtsvorschrift mit der Verfassung, mit einem völkerrechtlichen Vertrag, der auf die durch Gesetz bestimmte Art und Weise verkündet wurde oder mit einem Verfassungsgesetz. Das Verfassungsgericht entscheidet nicht einmal über die Vereinbarkeit eines Verfassungsgesetzes mit der Verfassung.

(5) Die Gültigkeit der Entscheidung über die Aussetzung der Wirksamkeit der angegriffenen Rechtsvorschriften, ihre Teile, gegebenenfalls mancher ihrer Bestimmungen erlischt mit der Verkündung der Entscheidung des Verfassungsgerichts in der Hauptsache, wenn die Entscheidung über die Aussetzung der Wirksamkeit der angegriffenen Rechtsvorschrift das Verfassungsgericht

nicht bereits zuvor aufgehoben hat, weil die Gründe entfallen sind, für die sie angenommen wurde.

(6) Die Entscheidungen des Verfassungsgerichts gemäß Absatz 1, 2 und 5 werden auf die für die Verkündung von Gesetzen bestimmte Art und Weise verkündet. Eine rechtskräftige Entscheidung des Verfassungsgerichts ist allgemeinverbindlich.

Artikel 125a [Entscheidungen über völkerrechtliche Verträge]

(1) Das Verfassungsgericht entscheidet über die Vereinbarkeit von ausgehandelten völkerrechtlichen Verträgen, für die die Zustimmung des Nationalrats der Slowakischen Republik erforderlich ist, mit der Verfassung oder mit einem Verfassungsgesetz.

(2) Den Antrag auf Entscheidung gemäß Absatz 1 kann beim Verfassungsgericht der Präsident der Slowakischen Republik oder die Regierung stellen, bevor sie den ausgehandelten Vertrag dem Nationalrat der Slowakischen Republik zur Verhandlung vorlegen.

(3) Das Verfassungsgericht entscheidet über einen Antrag gemäß Absatz 2 innerhalb einer durch Gesetz bestimmten Frist; wenn das Verfassungsgericht durch seine Entscheidung ausspricht, dass der völkerrechtliche Vertrag nicht mit der Verfassung oder einem Verfassungsgesetz vereinbar ist, kann ein solcher völkerrechtlicher Vertrag nicht ratifiziert werden.

Artikel 125b [Entscheidungen über Referenden]

(1) Das Verfassungsgericht entscheidet darüber, ob der Gegenstand eines Referendums, das auf Grundlage einer Petition der Bürger oder eines Beschlusses des Nationalrats der Slowakischen Republik gemäß Artikel 95 Abs. 1 ausgerufen werden soll, mit der Verfassung oder einem Verfassungsgesetz vereinbar ist.

(2) Den Antrag auf Entscheidung gemäß Absatz 1 kann beim Verfassungsgericht der Präsident der Slowakischen Republik vor

Ausrufung des Referendums stellen, wenn er Zweifel daran hat, ob der Gegenstand des Referendums, das auf Grundlage einer Petition von Bürgern oder eines Beschlusses des Nationalrats der Slowakischen Republik gemäß Artikel 95 Abs. 1 ausgerufen werden soll, mit der Verfassung oder einem Verfassungsgesetz vereinbar ist.

(3) Das Verfassungsgericht entscheidet über einen Antrag gemäß Absatz 2 innerhalb von 60 Tagen ab dem Tag dessen Zustellung; wenn das Gericht durch seine Entscheidung ausspricht, dass der Gegenstand des Referendums, das auf Grundlage einer Petition von Bürgern oder eines Beschlusses des Nationalrats der Slowakischen Republik gemäß Artikel 95 Abs. 1 ausgerufen werden soll, mit der Verfassung oder einem Verfassungsgesetz nicht vereinbar ist, kann dieses Referendum nicht ausgerufen werden.

Artikel 126 [Entscheidungen über Kompetenzstreitigkeiten]

(1) Das Verfassungsgericht entscheidet Kompetenzstreitigkeiten zwischen dem Obersten Gericht der Slowakischen Republik und dem Obersten Verwaltungsgericht der Slowakischen Republik. Das Verfassungsgericht entscheidet Kompetenzstreitigkeiten zwischen Zentralorganen der Staatsverwaltung, wenn ein Gesetz nicht bestimmt, dass diese Streitigkeiten ein anderes Staatsorgan entscheidet.

(2) Das Verfassungsgericht entscheidet in streitigen Fällen darüber, ob die Kontrollkompetenz des Obersten Kontrollamts der Slowakischen Republik vorliegt.

Artikel 127 [Individualbeschwerden]

(1) Das Verfassungsgericht entscheidet über Beschwerden natürlicher Personen oder juristischer Personen, wenn sie die Verletzung ihrer Grundrechte und -freiheiten, oder der sich aus völkerrechtlichen Verträgen, die die Slowakische Republik ratifiziert hat und die auf die durch Gesetz bestimmte Art und Weise verkündet wurden, ergebenden Menschenrechte und Grundfreiheiten, behaupten, wenn über den Schutz dieser Rech-

te und Freiheiten nicht ein anderes Gericht entscheidet.

(2) Wenn das Verfassungsgericht der Beschwerde stattgibt, spricht es durch seine Entscheidung aus, dass durch eine rechtskräftige Entscheidung, Maßnahme oder einen anderen Eingriff die Rechte oder Freiheiten gemäß Absatz 1 verletzt wurden, und hebt auch die Entscheidung, Maßnahme oder den anderen Eingriff auf. Wenn die Verletzung der Rechte oder Freiheiten gemäß Absatz 1 durch Untätigkeit entstanden ist, kann das Verfassungsgericht anordnen, dass derjenige, der diese Rechte oder Freiheiten verletzt hat, in der Sache tätig wird. Das Verfassungsgericht kann zugleich die Sache für das weitere Verfahren zurückverweisen, die Fortsetzung der Verletzung der Grundrechte und -freiheiten oder der sich aus völkerrechtlichen Verträgen, die die Slowakische Republik ratifiziert hat und die auf die durch Gesetz bestimmte Art und Weise verkündet wurden, ergebenden Menschenrechte und Grundfreiheiten untersagen, oder, wenn dies möglich ist, anordnen, dass derjenige, der die Rechte oder Freiheiten gemäß Absatz 1 verletzt hat, den Zustand vor der Verletzung wiederherstellt.

(3) Das Verfassungsgericht kann durch seine Entscheidung, durch die es der Beschwerde stattgibt, demjenigen dessen Rechte gemäß Absatz 1 verletzt wurden, eine angemessene finanzielle Genugtuung zusprechen.

(4) Die Verantwortung desjenigen, der die Rechte oder Pflichten gemäß Absatz 1 verletzt hat, für einen Schaden oder einen anderen Nachteil bleibt durch die Entscheidung des Verfassungsgerichts unberührt.

(5) *Zusammen mit einer Beschwerde gemäß Absatz 1 kann ein Antrag gestellt werden, damit der Senat des Verfassungsgerichts einen Antrag auf Eröffnung eines Verfahrens gemäß Artikel 125 Abs. 1 stellt, dass eine allgemeinverbindliche Rechtsvorschrift, ihre Teile oder einzelne Bestimmungen, die die erhobene Beschwerde betreffen, der Verfassung, einem Verfassungsgesetz, einem völkerrechtlichen Vertrag gemäß Arti-*

kel 7 Abs. 5 oder einem Gesetz widerspricht. Wenn der Senat zu dem Schluss gelangt, dass dieser Antrag begründet ist, unterbricht er das Verfahren über die Beschwerde und stellt einen Antrag auf Eröffnung eines Verfahrens gemäß Artikel 125 Abs. 1. Die in der Entscheidung enthaltene Rechtsansicht des Verfassungsgerichts ist für den Senat des Verfassungsgerichts verbindlich.[4]

Artikel 127a [Beschwerden der Gebietsselbstverwaltungseinheiten]

(1) Das Verfassungsgericht entscheidet über Beschwerden von Organen der Gebietsselbstverwaltung gegen verfassungswidrige oder gesetzeswidrige Entscheidungen oder andere verfassungswidrige oder gesetzeswidrige Eingriffe in die Angelegenheiten der Gebietsselbstverwaltung, wenn nicht über deren Schutz ein anderes Gericht entscheidet.

(2) Wenn das Verfassungsgericht der Beschwerde des Organs der Selbstverwaltung stattgibt, spricht es aus, worin die verfassungswidrige oder gesetzeswidrige Entscheidung oder der verfassungswidrige oder gesetzeswidrige Eingriff in die Angelegenheiten der Gebietsselbstverwaltung besteht, welches Verfassungsgesetz oder Gesetz verletzt wurde und durch welche Entscheidung oder Eingriff diese Verletzung entstanden ist. Das Verfassungsgericht hebt die angegriffene Entscheidung auf, oder wenn die Rechtsverletzung in einem anderen Eingriff als in einer Entscheidung besteht, untersagt es, die Rechtsverletzung fortzusetzen und ordnet an, wenn dies möglich ist, dass der Zustand vor der Verletzung wiederhergestellt wird.

Artikel 128 [Auslegung der Verfassung und von Verfassungsgesetzen]

Das Verfassungsgericht bringt eine Auslegung der Verfassung oder eines Verfassungsgesetzes dar, wenn die Sache streitig ist. Die Entscheidungen des Verfassungsgerichts

---

4 Eingefügt durch das Verfassungsgesetz Nr. 422/2020 Z. z., ab dem 1.1.2025 gültige Fassung.

über die Auslegung der Verfassung oder eines Verfassungsgesetzes werden in der für Gesetze bestimmten Art und Weise verkündet. Die Auslegung ist allgemeinverbindlich ab dem Tag ihrer Verkündung.

Artikel 129 [Weitere Verfahren vor dem Verfassungsgericht]

(1) Das Verfassungsgericht entscheidet über die Beschwerde gegen die Entscheidung über die Beglaubigung oder Nichtbeglaubigung des Mandats eines Abgeordneten des Nationalrats der Slowakischen Republik.

(2) Das Verfassungsgericht entscheidet über die Verfassungsmäßigkeit und Rechtmäßigkeit der Wahlen des Präsidenten der Slowakischen Republik, der Wahlen zum Nationalrat der Slowakischen Republik und der Wahlen zum Europäischen Parlament.

(3) Das Verfassungsgericht entscheidet über Beschwerden gegen das Ergebnis eines Referendums und Beschwerden gegen das Ergebnis einer Volksabstimmung über die Abberufung des Präsidenten der Slowakischen Republik.

(4) Das Verfassungsgericht entscheidet darüber, ob die Entscheidung über die Auflösung oder Einstellung einer der Tätigkeit einer politischen Partei oder einer politischen Bewegung in Übereinstimmung mit Verfassungsgesetzen und anderen Gesetzen ist.

(5) Das Verfassungsgericht entscheidet über die Anklage des Nationalrats der Slowakischen Republik gegen den Präsidenten der Slowakischen Republik in Sachen einer vorsätzlichen Verletzung der Verfassung oder des Landesverrats.

(6) Das Verfassungsgericht entscheidet darüber, ob die Entscheidung über die Ausrufung des Ausnahmezustands oder des Notstands und an diese Entscheidung anknüpfende weitere Entscheidungen in Übereinstimmung mit der Verfassung oder einem Verfassungsgesetz erlassen wurden.

(7) Die Entscheidungen des Verfassungsgerichts gemäß den vorstehenden Absätzen sind für alle Organe der öffentlichen Gewalt, natürliche Personen oder juristische Personen, die sie betreffen, verbindlich.

Artikel 129a [Entscheidungen in Amnestie- und Gnadensachen]

Das Verfassungsgericht entscheidet über die Vereinbarkeit des Beschlusses des Nationalrats der Slowakischen Republik über die Aufhebung einer gemäß Artikel 86 lit. i) angenommenen Amnestie oder individuellen Gnade mit der Verfassung der Slowakischen Republik. Das Verfassungsgericht leitet das Verfahren gemäß dem ersten Satz ohne Antrag ein; Artikel 125 wird entsprechend angewendet.

Artikel 130 [Antragsbefugnis]

(1) Das Verfassungsgericht eröffnet ein Verfahren, wenn ein Antrag gestellt wird von

a) mindestens einem Fünftel der Abgeordneten des Nationalrats der Slowakischen Republik,

b) dem Präsidenten der Slowakischen Republik,

c) der Regierung der Slowakischen Republik,

d) einem Gericht,

e) dem Generalstaatsanwalt[5],

f) dem Vorsitzenden des Gerichtsrats der Slowakischen Republik in Sachen der Vereinbarkeit der Rechtsvorschriften gemäß Artikel 125 Abs. 1 hinsichtlich der Ausübung der Rechtsprechungstätigkeit,

g) dem öffentlichen Beschützer der Rechte in Sachen der Vereinbarkeit der Rechtsvorschriften gemäß Artikel 125 Abs. 1, wenn deren weitere Anwendung die Grundrechte oder -freiheiten oder die sich aus völkerrechtlichen Verträgen, die die Slowakische Republik ratifiziert hat und die auf die durch Gesetz bestimmte Art und Weise verkündet wurden, ergebenden Menschenrechte gefährden kann,

---

5 Durch das Verfassungsgesetz Nr. 422/2020 Z. z. wird in der ab dem 1.1.2025 gültigen Fassung ein neuer Buchstabe e) eingefügt: *„einem Senat des Verfassungsgerichts gemäß Art. 127 Abs. 5"*. Die bisherigen Buchstaben e) bis j) werden als Buchstabe f) bis k) bezeichnet.

h) dem Obersten Kontrollamt der Slowakischen Republik in dem in Artikel 126 Abs. 2 bestimmten Fall,

i) jedem, über dessen Rechte in den in Artikel 127 und 127a bestimmten Fällen das Verfahren erfolgen soll,

j) jedem, der die Kontrollkompetenz des Obersten Kontrollamts der Slowakischen Republik in dem in Artikel 126 Abs. 2 bestimmten Fall beanstandet.

(2) Ein Gesetz bestimmt, wer das Recht zur Stellung eines Antrags auf Eröffnung eines Verfahrens gemäß Artikel 129 hat.

Artikel 131 [Entscheidungen des Plenums]

(1) Das Verfassungsgericht entscheidet im Plenum in den in Artikel 105 Abs. 2, Artikel 107, Artikel 125 Abs. 1 lit. a) und b), Artikel 125a Abs. 1, Artikel 125b Abs. 1, Artikel 126, Artikel 128, Artikel 129 Abs. 2 bis 6, Artikel 129a, Artikel 136 Abs. 2 und 3, Artikel 138 Abs. 2 lit. b) und c) aufgeführten Sachen, über die Vereinheitlichung der Rechtsansichten der Senate, über die Regelung seiner Innenverhältnisse und den Haushaltsentwurf des Verfassungsgerichts. Das Plenum des Verfassungsgerichts fasst Beschlüsse mit einer überhälftigen Mehrheit aller Richter. Wenn das Verfassungsgericht in einer Sache gemäß Artikel 129a nicht mit einer überhälftigen Mehrheit aller Richter den Beschluss fasst, wird das Verfahren eingestellt.

(2) In anderen Sachen entscheidet das Verfassungsgericht in dreigliedrigen Senaten. Der Senat fasst Beschlüsse mit einer überhälftigen Mehrheit seiner Mitglieder.

Artikel 132 [aufgehoben]

Artikel 133 [Kein Rechtsmittel]

Gegen Entscheidungen des Verfassungsgerichts kann kein Rechtsmittel eingelegt werden; das gilt nicht, wenn durch die Entscheidung eines zur Geltendmachung eines völkerrechtlichen Vertrags, durch den die Slowakische Republik gebunden ist, eingerichteten Organs einer internationalen Organisation der Slowakischen Republik die Verpflichtung entsteht, in einem Verfahren vor dem Verfassungsgericht erneut eine bereits getroffene Entscheidung des Verfassungsgerichts zu überprüfen.

Artikel 134 [Wahl der Verfassungsrichter]

(1) Das Verfassungsgericht setzt sich aus dreizehn Richtern zusammen.

(2) Die Richter des Verfassungsgerichts ernennt auf Vorschlag des Nationalrats der Slowakischen Republik der Präsident der Slowakischen Republik. Der Nationalrat der Slowakischen Republik schlägt die doppelte Anzahl der Kandidaten für Richter vor, die der Präsident der Slowakischen Republik ernennen soll; über die Vorschläge stimmt der Nationalrat der Slowakischen Republik öffentlich nach Anhörung der dem Nationalrat der Slowakischen Republik vorgeschlagenen Personen ab. Wenn der Nationalrat nicht die erforderliche Anzahl an Kandidaten für die Richter des Verfassungsgerichts innerhalb von zwei Monaten ab Ablauf des Funktionszeitraums eines Richters des Verfassungsgerichts oder innerhalb von sechs Monaten ab Erlöschen der Funktion eines Richters des Verfassungsgerichts aus anderen Gründen wählt, kann der Präsident der Slowakischen Republik einen Richter des Verfassungsgerichts aus den gewählten Kandidaten für die Richter des Verfassungsgerichts ernennen.

(3) Die Funktionsperiode des Richters des Verfassungsgerichts beträgt 12 Jahre. Der Richter des Verfassungsgerichts bleibt in der Funktion auch nach Ablauf der Funktionsperiode bis zur Ablegung des Eids durch den neuen Richter des Verfassungsgerichts.

(4) Zum Richter des Verfassungsgerichts kann ein Bürger der Slowakischen Republik gewählt werden, der zum Nationalrat der Slowakischen Republik wählbar ist, das Alter von 40 Jahren erreicht hat, unbescholten ist, eine juristische Hochschulausbildung hat, mindestens 15 Jahre Rechtspraxis ausgeübt hat und sein bisheriges Leben und moralischen Eigenschaften eine Gewähr dafür sind, dass er die Funktion eines Richters des

Verfassungsgerichts ordnungsgemäß ausüben wird. Dieselbe Person kann nicht wiederholt zum Richter des Verfassungsgerichts ernannt werden.

(5) Der Richter des Verfassungsgerichts legt zu Händen des Präsidenten der Slowakischen Republik diesen Eid ab:

„Ich verspreche bei meiner Ehre und meinem Gewissen, dass ich die Unverletzlichkeit der natürlichen Rechte der Menschen und der Rechte der Bürger und die Prinzipien des Rechtsstaats schütze, mich nach der Verfassung, den Verfassungsgesetzen und völkerrechtlichen Verträgen, die die Slowakische Republik ratifiziert hat und die auf die durch Gesetz bestimmte Art und Weise verkündet wurden, richten und nach meiner besten Überzeugung unabhängig und unparteiisch entscheiden werde."

(6) Mit Ablegen des Eids nimmt der Richter des Verfassungsgerichts seine Funktion auf.

Artikel 135 [Vorsitzender des Verfassungsgerichts]

An der Spitze des Verfassungsgerichts steht dessen Vorsitzender, den der stellvertretende Vorsitzende vertritt. Den Vorsitzenden und den stellvertretenden Vorsitzenden ernennt der Präsident der aus den Reihen der Richter des Verfassungsgerichts.

Artikel 136 [Strafverfolgung von Richtern des Verfassungsgerichts]

(1) Für das Entscheiden bei der Ausübung der Funktion kann ein Richter des Verfassungsgerichts nicht strafverfolgt werden, und das nicht einmal nach Erlöschen seiner Funktion.

(2) Wenn der Richter des Verfassungsgerichts bei der Begehung einer Straftat betroffen und festgehalten wurde, ist das zuständige Organ verpflichtet, dies dem Vorsitzenden des Verfassungsgerichts sofort mitzuteilen, und wenn es sich um den Vorsitzenden des Verfassungsgerichts handelt, dem stellvertretenden Vorsitzenden des Verfassungsgerichts. Ein Richter des Verfassungsgerichts kann nicht ohne Zustimmung des Verfassungsgerichts in Haft genommen werden.

(3) Das Verfassungsgericht führt die Disziplinarverfahren gegen den Vorsitzenden und stellvertretenden Vorsitzenden des Obersten Gerichts und gegen den Vorsitzenden und stellvertretenden Vorsitzenden des Obersten Verwaltungsgerichts durch.

Artikel 137 [Mitgliedschaft in einer politischen Partei oder Bewegung; Nebentätigkeiten]

(1) Wenn der ernannte Richter des Verfassungsgerichts Mitglied einer politischen Partei oder politischen Bewegung ist, ist er verpflichtet, auf seine Mitgliedschaft noch vor dem Ablegen des Eids zu verzichten.

(2) Die Richter des Verfassungsgerichts üben die Funktion als ihren Beruf aus. Die Ausübung dieser Funktion ist unvereinbar mit der Funktion in einem anderen Organ der öffentlichen Gewalt, mit einem Anstellungsverhältnis zum Staat, mit einem Arbeitsverhältnis, mit einer vergleichbaren Arbeitsbeziehung, mit einer unternehmerischen Tätigkeit, mit einer Mitgliedschaft in einem Leitungs- oder Kontrollorgan einer juristischen Person, die eine unternehmerische Tätigkeit ausübt, und nicht einmal mit einer anderen Wirtschafts- oder Erwerbstätigkeit außer der Verwaltung eigenen Vermögens und einer wissenschaftlichen, pädagogischen, literarischen oder künstlerischen Tätigkeit.

(3) An dem Tag, an dem der Richter seine Funktion antritt, erlischt sein Abgeordnetenmandat und seine Mitgliedschaft in der Regierung der Slowakischen Republik.

Artikel 138 [Funktionsverzicht, Abberufung, Erreichen der Altersgrenze]

(1) Der Richter des Verfassungsgerichts kann auf seine Funktion durch schriftliche Mittteilung an den Vorsitzenden des Verfassungsgerichts verzichten. Seine Funktion erlischt in einem solchen Fall mit dem Ablauf des Kalendermonats, in dem die schriftliche Mitteilung über den Funktionsverzichts zugestellt wurde.

(2) Der Präsident beruft einen Richter des Verfassungsgerichts ab

a) auf Grundlage eines rechtskräftigen verurteilenden Urteils für eine vorsätzliche Straftat, oder wenn er rechtskräftig für eine Straftat verurteilt wurde und das Gericht nicht über eine bedingte Aussetzung der Vollstreckung der Freiheitsstrafe entschieden hat,

b) auf Grundlage einer Disziplinarentscheidung des Verfassungsgerichts für eine Tat, die mit der Ausübung der Funktion eines Richters des Verfassungsgerichts unvereinbar ist,

c) wenn das Verfassungsgericht mitgeteilt hat, dass der Richter länger als ein Jahr nicht an den Verfahren des Verfassungsgerichts teilnimmt oder

d) wenn seine Wählbarkeit zum Nationalrat der Slowakischen Republik erloschen ist.

(3) Die Funktion eines Richters des Verfassungsgerichts erlischt am letzten Tag des Monats, in dem der Richter das Alter von 72 Jahren erreicht hat.

Artikel 139 [Ernennung von neuen Richtern]

Wenn ein Richter des Verfassungsgerichts auf seine Funktion als Richter des Verfassungsgerichts verzichtet, wenn er abberufen ist oder wenn seine Funktion gemäß Artikel 138 Abs. 3 erloschen ist, ernennt der Präsident der Slowakischen Republik einen anderen Richter für eine neue Funktionsperiode gemäß Artikel 134 Abs. 2.

Artikel 140 [Weitere Ausgestaltung durch Gesetz]

Die Einzelheiten über die Organisation des Verfassungsgerichts, über die Art und Weise der Verfahren vor ihm, über die Stellung seiner Richter und deren Unbescholtenheit bestimmt ein Gesetz.

Zweiter Abschnitt
Die Gerichte der Slowakischen Republik

Artikel 141 [Unabhängigkeit der Gerichte]

(1) In der Slowakischen Republik üben die Rechtsprechung unabhängige und unparteiische Gerichte aus.

(2) Die Rechtsprechung wird auf allen Stufen getrennt von den anderen Staatsorganen ausgeübt.

Artikel 141a
[Der Gerichtsrat der Slowakischen Republik]

(1) Der Gerichtsrat der Slowakischen Republik ist ein Verfassungsorgan richterlicher Legitimität.

(2) Den Vorsitzenden und stellvertretenden Vorsitzenden des Gerichtsrats der Slowakischen Republik wählt und beruft der Gerichtsrat der Slowakischen Republik aus den Reihen seiner Mitglieder ab. Mitglieder des Gerichtsrats sind

a) ein von den Richtern des Obersten Gerichts der Slowakischen Republik und von den Richtern des Obersten Verwaltungsgerichts der Slowakischen Republik aus den Reihen dieser Richter gewählter und abberufener Richter,

b) acht Richter, die die Richter der übrigen Gerichte in mehreren Wahlbezirken, die so gebildet werden, dass für die Wahl und die Abberufung eine vergleichbare Anzahl an Stimmen der Richter erforderlich ist, wählen und abberufen,

c) drei Mitglieder, die der Nationalrat der Slowakischen Republik wählt und abberuft,

d) drei Mitglieder, die der Präsident der Slowakischen Republik ernennt und abberuft,

e) drei Mitglieder, die die Regierung der Slowakischen Republik ernennt und abberuft.

(3) Zum Vorsitzenden, stellvertretenden Vorsitzenden und zum Mitglied des Gerichtsrats der Slowakischen Republik gemäß Absatz 2 lit. c) bis e) kann eine Person bestimmt werden, die unbescholten ist, eine juristische Hochschulbildung und mindestens 15 Jahre Fachpraxis hat; als Mitglied des Gerichtsrats gemäß Absatz 2 lit. c) bis e) kann des Weiteren nur eine Person bestimmt werden, die nicht Richter ist.

(4) Die Ausübung der Funktion des Vor-

sitzenden und des stellvertretenden Vorsitzenden des Gerichtsrats der Slowakischen Republik ist nicht vereinbar mit Funktion in einem anderen Organ der öffentlichen Gewalt, mit einem Anstellungsverhältnis zum Staat, mit einem Arbeitsverhältnis oder mit einem dem Arbeitsverhältnis ähnlichen Verhältnis, mit einer unternehmerischen Tätigkeit, mit der Mitgliedschaft in einem Führungs- oder Kontrollorgan einer juristischen Person, die eine unternehmerische Tätigkeit ausübt, und nicht einmal mit einer anderen Wirtschafts- oder Erwerbstätigkeit außer der Verwaltung eigenen Vermögens, einer wissenschaftlicher, pädagogischer, literarischer oder künstlerischer Tätigkeit.

(5) Die Funktionsperiode der Mitglieder des Gerichtsrats der Slowakischen Republik beträgt fünf Jahre. Dieselbe Person kann höchsten in zwei aufeinanderfolgenden Perioden zum Vorsitzenden des Gerichtsrats der Slowakischen Republik gewählt, zum Mitglied des Gerichtrats der Slowakischen Republik gewählt oder ernannt werden. Der Vorsitzende, der stellvertretende Vorsitzende und ein Mitglied des Gerichtsrats können vor Ablauf ihrer Funktionsperiode jederzeit abberufen werden.

(6) Zu den Kompetenzen des Gerichtsrats der Slowakischen Republik gehört es,

a) die Erfüllung der Aufgabe der öffentlichen Kontrolle des Gerichtswesens sicherzustellen,

b) Stellungnahmen abzugeben, ob ein Kandidat für die Ernennung zum Richter die Voraussetzungen der richterlichen Befähigung erfüllt, die dafür Gewähr geben, dass er die Funktion eines Richters ordnungsgemäß ausüben wird,

c) dem Präsidenten der Slowakischen Republik Vorschläge mit Kandidaten für die Ernennung als Richter und Vorschläge für die Abberufung von Richtern vorzulegen,

d) über die Zuteilung und Versetzung von Richtern zu entscheiden,

e) dem Präsidenten der Slowakischen Republik Vorschläge für die Ernennung des Vorsitzenden und des stellvertretenden Vorsitzenden des Obersten Gerichts der Slowakischen Republik, des Vorsitzenden und des stellvertretenden Vorsitzenden des Obersten Verwaltungsgerichts der Slowakischen Republik und Vorschläge für deren Abberufung vorzulegen,

f) der Regierung der Slowakischen Republik Vorschläge mit Kandidaten für Richter, die für die Slowakische Republik in internationalen Gerichtsorganen wirken sollen, vorzulegen,

g) sich über den Entwurf des Haushalts der Gerichte der Slowakischen Republik beim Aufstellen des Entwurfs des Staatshaushalts zu äußern und dem Nationalrat der Slowakischen Republik eine Stellungnahme zum Entwurf des Haushalts der Gerichte vorzulegen,

h) zu überwachen, ob ein Richter die Voraussetzungen der richterlichen Befähigung erfüllt, die dafür Gewähr geben, dass er die Funktion eines Richters für die gesamte Zeit der Dauer seiner Funktion ordnungsgemäß ausüben wird,

i) in Sachen der Vermögensverhältnisse der Richter die Aufsicht auszuüben und Verfahren durchzuführen,

j) die Grundsätze der richterlichen Ethik in Zusammenarbeit mit den Organen der richterlichen Selbstverwaltung herauszugeben,

k) weitere Kompetenzen, wenn dies ein Gesetz bestimmt.

(7) Zur Annahme eines Beschlusses des Gerichtsrats der Slowakischen Republik ist eine überhälftige Mehrheit aller seiner Mitglieder erforderlich.

(8) Die Tätigkeit des Gerichtsrats der Slowakischen Republik leitet und organisiert sein Vorsitzender.

(9) Der Vorsitzende des Gerichtsrats der Slowakischen Republik kann beim Verfassungsgericht einen Antrag auf Eröffnung eines Verfahrens in Sachen der Vereinbarkeit von Rechtsvorschriften gemäß Artikel 125 Abs. 1 hinsichtlich der Ausübung der Rechtsprechungstätigkeit stellen.

(10) Die Einzelheiten über die Wahl und die Abberufung des Vorsitzenden und des stellvertretenden Vorsitzenden des Gerichtsrats der Slowakischen Republik, über die Art

und Weise der Bestimmung und Abberufung der Mitglieder des Gerichtsrats der Slowakischen Republik, über ihre Kompetenzen, über die Vertretung des Vorsitzenden des Gerichtsrats der Slowakischen Republik, über die Organisation und über die Verhältnisse zu den Organen der Verwaltung im Gerichtswesen und zu den Organen der richterlichen Selbstverwaltung sowie über die Ausübung der Kompetenzen gemäß Artikel 141b bestimmt ein Gesetz. Ein Gesetz bestimmt auch die Wahlbezirke für die Wahl und Abberufung der Mitglieder des Gerichtsrats der Slowakischen Republik gemäß Absatz 2 lit. b).

Artikel 141b [Prüfungsgrundlagen und -umfang]

(1) Der Gerichtsrat gibt die Stellungnahmen gemäß Artikel 141a Abs. 6 lit. b), h) und i) auf Grundlage eigener Überprüfungen, von ihm beschaffter oder von Staatsorganen erlangter Unterlagen und Äußerungen der betroffenen Personen ab.

(2) Über den Verlust der Voraussetzungen der richterlichen Befähigung eines Richters, die dafür Gewähr geben, dass er die Funktion eines Richters für die Dauer der Ausübung der Funktion eines Richters ordnungsgemäß ausüben wird, wird in einem Disziplinarverfahren entschieden.

Artikel 142 [Kompetenzen der Gerichte]

(1) Die Gerichte entscheiden in bürgerlichrechtlichen Sachen und in strafrechtlichen Sachen; die Gerichte überprüfen auch die Rechtmäßigkeit der Entscheidungen der Organe der öffentlichen Verwaltung und die Rechtmäßigkeit der Entscheidungen, Maßnahmen oder anderer Eingriffe der Organe der öffentlichen Gewalt, wenn dies ein Gesetz bestimmt.

(2) Das Oberste Verwaltungsgericht der Slowakischen Republik entscheidet auch

a) über die Verfassungsmäßigkeit und Rechtmäßigkeit der Wahlen zu den Organen der Gebietsselbstverwaltung,

b) über die Auflösung oder Einstellung der Tätigkeit einer politischen Partei oder politischen Bewegung,

c) über die disziplinarische Verantwortung von Richtern, Staatsanwälten und wenn dies ein Gesetz bestimmt, auch die anderer Personen.

(3) Die Gerichte entscheiden in Senaten, wenn ein Gesetz nicht bestimmt, dass in der Sache ein Einzelrichter entscheidet. Ein Gesetz bestimmt, wann sich an der Entscheidung der Senate auch beisitzende Richter aus den Reihen der Bürger beteiligen und in welchen Sachen auch ein durch den Richter beauftragter Angestellter des Gerichts entscheiden kann. Gegen die Entscheidung eines durch einen Richter beauftragten Angestellten des Gerichts ist ein Rechtsmittel zulässig, über das stets ein Richter entscheidet.

(4) Urteile werden im Namen der Slowakischen Republik und stets öffentlich verkündet.

Artikel 143 [Gerichtssystem]

(1) Das Gerichtssystem bilden das Oberste Gericht der Slowakischen Republik, das Oberste Verwaltungsgericht der Slowakischen Republik und die übrigen Gerichte.

(2) Eine detaillierte Regelung des Gerichtssystem, der Kompetenzen und Organisation der Gerichte und der Verfahren vor ihnen regelt ein Gesetz.

(3) Im durch Gesetz bestimmten Umfang beteiligen sich an der Führung und der Verwaltung der Gerichte auch die Organe der richterlichen Selbstverwaltung.

Artikel 144 [Richterliche Unabhängigkeit, Vorlageberechtigung beim Verfassungsgericht]

(1) Die Richter sind bei der Ausübung ihrer Funktion unabhängig und bei ihren Entscheidungen durch die Verfassung, Verfassungsgesetz, völkerrechtlichen Vertrag gemäß Artikel 7 Abs. 2 und 5 und das Gesetz gebunden.

(2) Wenn ein Gericht annimmt, dass eine andere allgemeinverbindliche Rechtsvorschrift, ihr Teil oder einzelne ihrer Bestimmungen, die die verhandelte Sache betreffen, der Verfassung, einem Verfassungsgesetz, einem völkerrechtlichen Vertrag gemäß Ar-

tikel 7 Abs. 5 oder einem Gesetz widersprechen, setzt es das Verfahren aus und stellt einen Antrag auf Eröffnung eines Verfahrens auf Grundlage des Artikel 125 Abs. 1. Die in der Entscheidung enthaltene Rechtsansicht des Verfassungsgerichts ist für das Gericht verbindlich.

Artikel 145 [Ernennung und Abberufung von Richtern]

(1) Die Richter ernennt und beruft der Präsident der Slowakischen Republik auf Vorschlag des Gerichtsrats der Slowakischen Republik ab; er ernennt sie ohne zeitliche Beschränkung.

(2) Zum Richter kann ein Bürger der Slowakischen Republik ernannt werden, der zum Nationalrat der Slowakischen Republik wählbar ist, das Alter von 30 Jahren erreicht hat, eine juristische Hochschulausbildung hat und die Voraussetzungen der richterlichen Eignung erfüllt, die dafür Gewähr geben, dass er die Funktion eines Richters ordnungsgemäß ausüben wird. Die weiteren Voraussetzungen für die Ernennung zum Richter und seinen Funktionsaufstieg sowie den Umfang der Immunität der Richter bestimmt ein Gesetz.

(3) Den Vorsitzenden und stellvertretenden Vorsitzenden des Obersten Gerichts der Slowakischen Republik ernennt auf Vorschlag des Gerichtsrats der Slowakischen Republik aus den Reihen der Richter des Obersten Gerichts der Slowakischen Republik der Präsident der Slowakischen Republik für fünf Jahre. Den Vorsitzenden und stellvertretenden Vorsitzenden des Obersten Verwaltungsgerichts der Slowakischen Republik ernennt auf Vorschlag des Gerichtsrats der Slowakischen Republik aus den Reihen der Richter des Obersten Verwaltungsgericht der Slowakischen Republik der Präsident der Slowakischen Republik für fünf Jahre. Dieselbe Person kann zum Vorsitzenden und stellvertretenden Vorsitzenden des Obersten Gerichts der Slowakischen Republik und zum Vorsitzenden und stellvertretenden Vorsitzenden des Obersten Verwaltungsgerichts der Slowakischen Republik höchstens für

zwei aufeinanderfolgende Perioden ernannt werden. Vor Ablauf der Funktionsperiode kann der Präsident der Slowakischen Republik den Vorsitzenden und stellvertretenden Vorsitzenden des Obersten Gerichts der Slowakischen Republik und den Vorsitzenden und stellvertretenden Vorsitzenden des Obersten Verwaltungsgerichts der Slowakischen Republik aus den in Artikel 147 bestimmten Gründen abberufen.

(4) Der Richter leistet zu Händen des Präsidenten der Slowakischen Republik diesen Eid ab:

„Ich verspreche bei meiner Ehre und meinem Gewissen, dass ich mich nach der Verfassung, den Verfassungsgesetzen, den völkerrechtlichen Verträgen, die die Slowakische Republik ratifiziert hat und die auf die durch Gesetz bestimmte Art und Weise verkündet wurden und den Gesetzen richten werde, die Gesetze auslegen und nach meiner besten Überzeugung unabhängig und unparteiisch und entscheiden werde."

(5) Mit Ablegen des Eids nimmt der Richter seine Funktion auf.

Artikel 145a [Mitgliedschaft in einer politischen Partei oder Bewegung; Nebentätigkeiten]

(1) Wenn der ernannte Richter Mitglied einer politischen Partei oder politischen Bewegung ist, ist er verpflichtet, auf seine Mitgliedschaft noch vor dem Ablegen des Eids, zu verzichten.

(2) Die Richter üben die Funktion als ihren Beruf aus. Die Ausübung dieser Funktion ist unvereinbar mit der Funktion in einem anderen Organ der öffentlichen Gewalt, einschließlich der Funktion des Vorsitzenden und stellvertretenden Vorsitzenden des Gerichtsrats der Slowakischen Republik, mit einem Anstellungsverhältnis zum Staat, mit einem Arbeitsverhältnis, mit einer vergleichbaren Arbeitsbeziehung, mit einer unternehmerischen Tätigkeit, mit einer Mitgliedschaft in einem Leitungs- oder Kontrollorgan einer juristischen Person, die eine unternehmerische Tätigkeit ausübt, und nicht einmal mit einer anderen Wirtschafts-

oder Erwerbstätigkeit außer der Verwaltung eigenen Vermögens und einer wissenschaftlichen, pädagogischen, literarischen oder künstlerischen Tätigkeit.

Artikel 146 [Funktionsverzicht; Erreichen der Altersgrenze]

(1) Ein Richter kann auf seine Funktion durch eine schriftliche Mitteilung an den Präsidenten der Slowakischen Republik verzichten. Seine Funktion erlischt in einem solchen Fall mit dem Ablauf des Kalendermonats, in dem die schriftliche Mitteilung über den Funktionsverzichts zugestellt wurde.

(2) Die Funktion eines Richters erlischt am letzten Tag des Monats, in dem der Richter das Alter von 67 Jahren erreicht hat.

Artikel 147 [Abberufung von Richtern]

(1) Der Präsident der Slowakischen Republik beruft einen Richter unverzüglich ab

a) auf Grundlage eines rechtskräftigen verurteilenden Urteils für eine vorsätzliche Straftat,

b) wenn er rechtskräftig für eine Straftat verurteilt wurde und das Gericht nicht über eine bedingte Aussetzung der Vollstreckung der Freiheitsstrafe entschieden hat,

c) auf Grundlage einer Disziplinarentscheidung für eine Tat, die mit der Ausübung der Funktion eines Richters unvereinbar ist,

d) auf Grundlage einer Entscheidung gemäß Artikel 141b Abs. 2, oder

e) wenn seine Wählbarkeit zum Nationalrat der Slowakischen Republik erloschen ist.

(2) Der Präsident der Slowakischen Republik kann auf Antrag des Gerichtsrats einen Richter abberufen, wenn es ihm sein Gesundheitszustand langfristig, mindestens für die Dauer eines Jahrs, nicht ermöglicht, seine richterlichen Pflichten ordnungsgemäß auszuüben.

Artikel 148 [Versetzung, vorübergehende Aussetzung der Funktion, beisitzende Richter, strafrechtliche Verantwortung]

(1) Ein Richter kann nur mit seiner Zustimmung oder auf Grundlage einer Diszi-

plinarentscheidung an ein anderes Gericht versetzt werden. Die Zustimmung des Richters mit der Versetzung wird nicht bei einer Änderung des Gerichtssystems verlangt, wenn dies unerlässlich für die Sicherstellung der ordnungsgemäßen Ausübung der Rechtsprechungstätigkeit erforderlich ist; die Einzelheiten bestimmt ein Gesetz.

(2) Die vorübergehende Aussetzung der Ausübung der Funktion eines Richters darf nicht in die unabhängige Ausübung der Rechtsprechungstätigkeit eingreifen. Die Gründe für die Unterbrechung der Ausübung der richterlichen Funktion, die Bedingungen für die vorübergehende Zuteilung eines Richters und die weiteren Bedingungen für die vorübergehende Aussetzung der Ausübung der Funktion eines Richters bestimmt ein Gesetz.

(3) Die Art und Weise der Bestimmung der beisitzenden Richter bestimmt ein Gesetz.

(4) Für eine bei einer Entscheidung geäußerte Rechtsansicht kann weder der Richter noch der beisitzende Richter aus den Reihen der Bürger verfolgt werden, und das nicht einmal nach Erlöschen der Funktion, außer in den Fällen, wenn dadurch eine Straftat begangen wurde; die disziplinarische Verantwortung des Richters ist davon unberührt.

(5) Gegen die Entscheidung auf Eröffnung der Strafverfolgung von Richtern kann der betroffene Richter eine Beschwerde erheben, über die der Generalstaatsanwalt entscheidet.

Achter Titel
DIE STAATSANWALTSCHAFT DER SLOWAKISCHEN REPUBLIK UND DER ÖFFENTLICHE BESCHÜTZER DER RECHTE

Erster Abschnitt
Die Staatsanwaltschaft der Slowakischen Republik

Artikel 149 [Aufgabe der Staatsanwaltschaft]

Die Staatsanwaltschaft der Slowakischen Republik schützt die Rechte und durch Gesetz geschützte Interessen natürlicher und juristischer Personen und des Staats.

Artikel 150 [Generalstaatsanwalt]

An der Spitze der Staatsanwaltschaft steht der Generalstaatsanwalt, den der Präsident der Slowakischen Republik auf Vorschlag des Nationalrats der Slowakischen Republik ernennt und abberuft.

Artikel 151 [Weitere Ausgestaltung durch Gesetz]

Die Einzelheiten über die Ernennung und Abberufung, die Rechte und Pflichten der Staatsanwälte und die Organisation der Staatsanwaltschaft bestimmt ein Gesetz.

Zweiter Abschnitt
Der öffentliche Beschützer der Rechte

Artikel 151a [Öffentlicher Beschützer der Rechte]

(1) Der öffentliche Beschützer der Rechte ist ein unabhängiges Organ der Slowakischen Republik, der in dem durch Gesetz bestimmten Umfang und Art und Weise die Grundrechte und -freiheiten von natürlichen und juristischen Personen in Verfahren vor den Organen der öffentlichen Verwaltung und weiteren Organen der öffentlichen Gewalt schützt, wenn deren Verfahren, Entscheidung oder Untätigkeit im Widerspruch zur Rechtsordnung stehen. In den durch Gesetz bestimmten Fällen kann sich der öffentliche Beschützer der Rechte an der Geltendmachung der Verantwortung der in Organen der öffentlichen Gewalt wirkenden Personen beteiligen, wenn diese Personen ein Grundrecht oder -freiheit natürlicher Personen oder juristischer Personen verletzt haben. Alle Organe der öffentlichen Gewalt gewähren dem öffentlichen Beschützer der Rechte die erforderliche Mitwirkung.

(2) Der öffentliche Beschützer der Rechte kann bei dem Verfassungsgericht einen Antrag auf Eröffnung eines Verfahrens gemäß Artikel 125 stellen, wenn eine allgemeinverbindliche Rechtsvorschrift ein einer natürlichen Person oder juristischen Person

zuerkanntes Grundrecht oder -freiheit verletzt.

(3) Den öffentlichen Beschützer der Rechte wählt der Nationalrat der Slowakischen Republik für eine Periode von fünf Jahren aus den Kandidaten, die ihm mindestens 15 Abgeordnete des Nationalrats der Slowakischen Republik vorschlagen. Zum öffentlichen Beschützer der Rechte kann ein Bürger der Slowakischen Republik gewählt werden, der als Abgeordneter des Nationalrats der Slowakischen Republik wählbar ist und am Tag seiner Wahl das Alter von 35 Jahren erreicht hat. Der öffentliche Beschützer der Rechte kann weder Mitglied einer politischen Partei noch einer politischen Bewegung sein.

(4) Die Funktion des öffentlichen Beschützers der Rechte erlischt an dem Tag des Eintritts der Rechtskraft eines Urteils, durch das der öffentliche Beschützer der Rechte für eine vorsätzliche Straftat verurteilt wurde oder durch das er für eine Straftat verurteilt wurde und das Gericht in seinem Fall nicht über eine bedingte Aussetzung der Vollstreckung der Freiheitsstrafe entschieden hat, oder durch Verlust der Wählbarkeit.

(5) Der Nationalrat der Slowakischen Republik kann den öffentlichen Beschützer der Rechte abberufen, wenn es ihm sein Gesundheitszustand langfristig, mindestens jedoch für die Dauer von drei Monaten, nicht erlaubt, die sich aus seiner Funktion ergebenden Pflichten auszuüben.

(6) Die Einzelheiten über die Wahl und die Abberufung des öffentlichen Beschützers der Rechte, über seine Kompetenzen, über die Bedingungen der Ausübung seiner Funktion, über die Art und Weise des Rechtsschutzes, über die Stellung von Anträgen auf Eröffnung eines Verfahrens vor dem Verfassungsgericht der Slowakischen Republik gemäß Artikel 130 Abs. 1 lit. g)[6]

---

6 Durch das Verfassungsgesetz Nr. 422/2020 Z. z. wird in der ab dem 1.1.2025 gültigen Fassung Art. 130 geändert. Der bisherige Buchstabe g) in Art. 130 wird die Bezeichnung Buchstabe h) tragen. An die Änderung von Art. 130 wird Art. 151a Abs. 6 angepasst.

und über die Geltendmachung von Rechten natürlicher und juristischer Personen bestimmt ein Gesetz.

Neunter Titel
ÜBERGANGS- UND ABSCHLUSS-
BESTIMMUNGEN

Artikel 152 [Fortgeltung der Gesetze der ČSFR]

(1) Die Verfassungsgesetze, Gesetze und übrigen allgemeinverbindlichen Rechtsvorschriften behalten in der Slowakischen Republik Gültigkeit, wenn sie dieser Verfassung nicht widersprechen. Ändern und aufheben können diese die zuständigen Organe der Slowakischen Republik.

(2) Die Ungültigkeit von in der Tschechischen und Slowakischen Föderativen Republik erlassenen Gesetzen und anderen allgemeinverbindlichen Rechtsvorschriften tritt am neuzigsten Tag nach der Veröffentlichung der Entscheidung des Verfassungsgerichts der Slowakischen Republik über deren Ungültigkeit auf die für die Verkündung von Gesetzen bestimmten Art und Weise ein.

(3) Über die Ungültigkeit der Rechtsvorschriften entscheidet das Verfassungsgericht der Slowakischen Republik aufgrund eines Antrags der in Artikel 130 aufgeführten Personen.

(4) Die Auslegung und Anwendung der Verfassungsgesetze, Gesetze und übrigen allgemeinverbindlichen Rechtsvorschriften muss in Übereinstimmung mit dieser Verfassung sein.

Artikel 153 [Völkerrechtliche Rechtsnachfolge der ČSFR]

Auf die Slowakische Republik gehen die Rechte und Pflichten aus völkerrechtlichen Verträgen, durch die die Tschechische und Slowakische Föderative Republik gebunden ist, über, und das in dem durch ein Verfassungsgesetz der Tschechischen und Slowakischen Föderativen Republik bestimmten Umfang oder in dem zwischen der Slowakischen Republik und der Tschechischen Republik vereinbarten Umfang.

Artikel 154 [Übergangsvorschrift für bisherige Verfassungsorgane und Richter]

(1) Der gemäß Artikel 103 des Verfassungsgesetzes Nr. 143/1968 Zb., über die tschechoslowakische Föderation in der Fassung späterer Vorschriften, gewählte Slowakische Nationalrat, übt seine Kompetenzen als Nationalrat der Slowakischen Republik gemäß dieser Verfassung aus. Die Wahlperiode des Nationalrats der Slowakischen Republik wird ab dem Tag der Wahlen zum Slowakischen Nationalrat gezählt.

(2) Die gemäß Artikel 122 Abs. 1 lit. a) des Verfassungsgesetzes Nr. 143/1968 Zb., über die tschechoslowakische Föderation in der Fassung späterer Vorschriften, ernannte Regierung der Slowakischen Republik wird als eine nach dieser Verfassung ernannte Regierung angesehen.

(3) Der nach den bisherigen Rechtsvorschriften in die Funktion bestimmte Vorsitzende des Obersten Gerichts der Slowakischen Republik und der Generalstaatsanwalt der Slowakischen Republik bleiben in der Funktion bis zur Bestimmung in diese Funktion nach dieser Verfassung.

(4) Die nach den bisherigen Rechtsvorschriften in die Funktion bestimmten Richter der Gerichte der Slowakischen Republik werden als ohne zeitliche Beschränkung in die Funktion nach dieser Verfassung bestimmt angesehen.

Artikel 154a [Wahl des ersten Präsidenten der Slowakischen Republik]

Die Wahl des Präsidenten der Slowakischen Republik gemäß diesem Verfassungsgesetz ruft der Vorsitzende des Nationalrats der Slowakischen Republik innerhalb von 30 Tagen ab Inkrafttreten eines nach Artikel 101 Abs. 10 erlassenen Gesetzes aus.

Artikel 154b [Übergangsvorschrift für Richter]

(1) Einen für vier Jahre vor Inkrafttreten dieses Verfassungsgesetzes gewählten Richter ernennt nach Ablauf seiner Wahlperiode der Präsident der Slowakischen Republik auf Vorschlag des Gerichtsrats der Slowaki-

schen Republik zum Richter ohne zeitliche Beschränkung auch dann, wenn er am Tag der Ernennung das Alter von 30 Jahren nicht erreicht hat.

(2) Die nach den bisherigen Rechtsvorschriften ohne zeitliche Beschränkung gewählten Richter werden als nach diesem Verfassungsgesetz ernannte Richter angesehen.

(3) Auf vor Inkrafttreten dieses Verfassungsgesetzes ernannte Richter des Verfassungsgerichts bezieht sich die Bestimmung des Artikel 134 Abs. 2 Satz 1 und Abs. 3 Satz 2 nicht.

Artikel 154c [Weitergeltung völkerrechtlicher Verträge]

(1) Völkerrechtliche Verträge über Menschenrechte und Grundfreiheiten, die die Slowakische Republik ratifiziert und die auf die durch Gesetz bestimmte Art und Weise vor Inkrafttreten dieses Verfassungsgesetzes verkündet wurden, sind Bestandteil ihrer Rechtsordnung und haben Vorrang vor dem Gesetz, wenn sie in einen größeren Umfang die verfassungsmäßigen Rechte und Freiheiten sicherstellen.

(2) Andere völkerrechtliche Verträge, die die Slowakische Republik ratifiziert und die auf die durch Gesetz bestimmte Art und Weise vor Inkrafttreten dieses Verfassungsgesetzes verkündet wurden, sind Bestandteil ihrer Rechtsordnung, wenn dies ein Gesetz bestimmt.

Artikel 154d [Übergangsvorschrift für den Vorsitzenden und die Mitglieder des Gerichtsrats]

(1) aufgehoben durch den Befund des Verfassungsgerichts der Slowakischen Republik Nr. 40/2019 Z. z.

(2) aufgehoben durch den Befund des Verfassungsgerichts der Slowakischen Republik Nr. 40/2019 Z. z.

(3) aufgehoben durch den Befund des Verfassungsgerichts der Slowakischen Republik Nr. 40/2019 Z. z.

(4) Die Funktion des nach den bisherigen Vorschriften bestimmten Vorsitzenden des Gerichtsrats der Slowakischen Republik

erlischt mit dem Tag des Inkrafttretens dieses Verfassungsgesetzes. Der Vorsitzende des Obersten Gerichts der Slowakischen Republik ist Mitglied des Gerichtsrats der Slowakischen Republik bis zur Beendigung der Funktionsperiode der Mitglieder des Gerichtsrats der Slowakischen Republik, die durch die Richter der Slowakischen Republik nach den bisherigen Vorschriften gewählt wurden.

(5) Die nach den bisherigen Rechtsvorschriften durch die Richter der Slowakischen Republik gewählten, die durch den Nationalrat der Slowakischen Republik gewählten, die durch den Präsidenten der Slowakischen Republik ernannten und die durch die Regierung der Slowakischen Republik ernannten Mitglieder des Gerichtsrats der Slowakischen Republik werden als Mitglieder des Gerichtsrats der Slowakischen Republik gemäß diesem Verfassungsgesetz angesehen; auf ihre Mitgliedschaft beziehen sich die bisherigen Vorschriften.

Artikel 154e [Übergangsvorschrift für die Kommunalwahlen im Jahr 2017]

(1) Die Abgeordneten der Vertretungen der höheren Gebietseinheiten und die Vorsitzenden der höheren Gebietseinheiten werden in den Wahlen im Jahr 2017 von den Einwohnern, die den ständigen Wohnsitz im Bezirk der höheren Gebietseinheiten haben, auf Grundlage eines allgemeinen, gleichen und direkten Wahlrechts durch geheime Abstimmung für eine fünfjährige Periode gewählt.

(2) Die Bestimmungen des Artikel 69 Abs. 5 Satz 2 und Abs. 6 Satz 1 werden für die Wahlperiode der Abgeordneten der Vertretungen der höheren Gebietseinheiten und der Vorsitzenden der höheren Gebietseinheiten für die im Jahr 2017 beginnende Wahlperiode nicht angewendet.

Artikel 154f [Aufhebung von Amnestien aus dem Jahr 1998 und eines Gnadenakts aus dem Jahr 1997]

(1) Die Bestimmungen der Artikel 86 lit. i), Artikel 88a und Artikel 129a beziehen sich auch auf Artikel V und Artikel VI

der Entscheidung des Vorsitzenden der Regierung der Slowakischen Republik vom 3. März 1998 über die unter der Nummer 55/1998 Z. z. veröffentliche Amnestie, die Entscheidung des Vorsitzenden der Regierung der Slowakischen Republik vom 7. Juli 1998 über die unter der Nummer 214/1998 Z. z. veröffentlichte Amnestie und auf die Entscheidung des Präsidenten der Slowakischen Republik im Verfahren über die Gnade für einen Beschuldigten vom 12. Dezember 1997 Verfahrensnummer č. k. 3573/96-72-2417.

(2) Durch die Aufhebung der Amnestien und der Gnade gemäß Absatz 1

a) werden die Entscheidungen der Staatsorgane in dem Umfang, in dem sie auf Grundlage der Amnestien und Gnade gemäß Absatz 1 erlassen und begründet wurden, aufgehoben und

b) die gesetzlichen Hindernisse für eine Strafverfolgung erlöschen, die ihre Grundlage in den in Absatz 1 aufgeführten Amnestien und Gnaden hatten; die Dauer dieser gesetzlichen Hindernisse wird nicht auf Verjährungsfristen bezüglich der Taten, die die in Absatz 1 aufgeführten Amnestien und Gnaden betreffen, mit angerechnet.

Artikel 154g [Übergangsvorschrift für den Gerichtsrat, das Oberste Verwaltungsgericht und Richter des Verfassungsgerichts]

(1) Die nach den bisherigen Rechtsvorschriften durch die Richter der Slowakischen Republik gewählten, die durch den Nationalrat der Slowakischen Republik gewählten, die durch den Präsidenten der Slowakischen Republik ernannten und die durch die Regierung der Slowakischen Republik ernannten Mitglieder des Gerichtsrats der Slowakischen Republik werden als Mitglieder des Gerichtsrats der Slowakischen Republik gemäß diesem Verfassungsgesetz angesehen; auf ihre Mitgliedschaft beziehen sich die bisherigen Vorschriften.

(2) Die Bestimmung des Artikel 138 Abs. 3 bezieht sich nicht auf einen bis zum 31. Dezember 2020 ernannten Richter des Verfassungsgerichts.

(3) Einem Richter, der zum 1. Januar 2021 die Funktion ausübt und das Alter von 67 Jahren vor dem 1. Januar 2021 erreicht hat, erlischt die Funktion eines Richters mit Ablauf des 31. Januar 2021.

(4) Das Oberste Verwaltungsgericht der Slowakischen Republik nimmt seine Tätigkeit an dem Tag auf, den ein Gesetz bestimmt.

(5) Bis zur Aufnahme der Tätigkeit des Obersten Verwaltungsgerichts der Slowakischen Republik werden seine Kompetenzen durch die Organe ausgeübt, die diese gemäß den vor dem Beginn der Tätigkeit des Obersten Verwaltungsgerichts der Slowakischen Republik wirksamen Vorschriften ausgeübt haben.

(6) Vor den gemäß Absatz 5 zuständigen Organen eröffnete Verfahren vor dem Tag der Aufnahme der Tätigkeit des Obersten Verwaltungsgerichts der Slowakischen Republik vollenden diese Organe, wenn ein Gesetz nicht bestimmt, dass sie das Oberste Verwaltungsgericht der Slowakischen Republik vollendet.

(7) Den ersten Vorsitzenden des Obersten Verwaltungsgerichts der Slowakischen Republik schlägt dem Präsidenten der Slowakischen Republik der Gerichtsrat der Slowakischen Republik aus den Richtern der Gerichte gemäß Artikel 143 Abs. 1 in der bis zum 31. Dezember 2020 wirksamen Fassung oder aus den Personen, die nicht Richter sind und die die Bedingungen gemäß Artikel 134 Abs. 4 in der ab dem 1. Januar 2021 wirksamen Fassung erfüllen, vor. Wenn in der Funktion des ersten Vorsitzenden des Obersten Verwaltungsgerichts der Slowakischen Republik ein Richter, der nicht Richter des Obersten Verwaltungsgerichts ist oder eine Person, die nicht Richter ist, ernannt wird, wird er mit dem Tag seiner Ernennung in die Funktion des Vorsitzenden des Obersten Verwaltungsgerichts der Slowakischen Republik Richter des Obersten Verwaltungsgerichts der Slowakischen Republik.

(8) Der Gerichtsrat der Slowakischen Republik übt die Kompetenz gemäß Artikel 141a Abs. 5 lit. g) in der bis zum 31. Dezem-

ber 2020 wirksamen Fassung bis zur Aufnahme der Tätigkeit des Obersten Verwaltungsgerichts der Slowakischen Republik aus. Die Funktion des gemäß Artikel 141a Abs. 5 lit. g) in der bis zum 31. Dezember 2020 wirksamen Fassung gewählten Vorsitzenden des Disziplinarsenats und des Mitglieds des Disziplinarsenats oder gemäß Satz 1 erlischt an dem Tag, an dem das Oberste Verwaltungsgericht der Slowakischen Republik seine Tätigkeit aufnimmt.

(9) Die Funktionsperiode in der Reihenfolge

a) der ersten vier nach dem 1. Januar 2021 ernannten Richter des Verfassungsgerichts läuft am 30. Oktober 2037 aus,

b) weiterer vier nach dem 1. Januar 2021 nach den gemäß lit. a) ernannten Richtern des Verfassungsgerichts ernannten Richter des Verfassungsgerichts läuft am 30. Oktober 2041 aus,

c) weiterer fünf Richter nach dem 1. Januar 2021 nach den gemäß lit. b) ernannten Richtern des Verfassungsgerichts ernannten Richter des Verfassungsgerichts läuft am 30. Oktober 2045 aus.

(10) Wenn die Funktionsperiode eines Richters des Verfassungsgerichts gemäß Abs. 9 fünfzehn Jahre überschreiten sollte, erlischt die Funktion des Richters des Verfassungsgerichts mit Ablauf von zwölf Jahren; für den Rest der Funktionsperiode gemäß Absatz 9, mindestens jedoch für sechs Jahre, wird ein neuer Richter des Verfassungsgerichts ernannt.

(11) Bei der gleichzeitigen Ernennung von Richtern des Verfassungsgerichts für unterschiedliche Funktionsperioden gemäß Absatz 9 wird die Reihenfolge der ernannten Richter gemäß der in der Wahl im Nationalrat der Slowakischen Republik erlangten Stimmen festgelegt; im Falle vom Stimmgleichheit wird durch Los entschieden.

Artikel 155 [Aufhebung von Verfassungsgesetzen]

Aufgehoben werden

1. das Verfassungsgesetz des Slowakischen Nationalrats Nr. 50/1990 Zb. über die Bezeichnung, das Staatswappen, die Staatsflagge, das Staatssiegel und die Staatshymne der Slowakischen Republik,

2. das Verfassungsgesetz des Slowakischen Nationalrats Nr. 79/1990 Zb. über die Anzahl der Abgeordneten des Slowakischen Nationalrats, über die Fassung des Eids der Abgeordneten des Slowakischen Nationalrats, der Mitglieder der Regierung der Slowakischen Republik und der Abgeordneten der Nationalausschüsse und über die Wahlperiode des Slowakischen Nationalrats,

3. das Verfassungsgesetz des Slowakischen Nationalrats Nr. 7/1992 Zb. über das Verfassungsgericht der Slowakischen Republik.

Artikel 156 [Inkrafttreten der Verfassung]

Diese Verfassung der Slowakischen Republik tritt am Tag ihrer Verkündung in Kraft, außer Artikel 3 Abs. 2, Artikel 23 Abs. 4, wenn es um die Ausweisung oder Auslieferung eines Staatsbürgers an einen anderen Staat geht, Artikel 53, 84 Abs. 3, wenn es und die Erklärung des Kriegs an einen anderen Staat geht, Artikel 86 lit. k) und l), Artikel 102 lit. g), wenn es um die Ernennung von Hochschulprofessoren und Rektoren und die Ernennung und Beförderung von Generälen geht, lit. j) und k), Artikel 152 Abs. 1 Satz 2, wenn dieser von den Organen der Tschechischen und Slowakischen Föderativen Republik erlassene Verfassungsgesetze, Gesetze und andere allgemeinverbindliche Rechtsvorschriften betrifft, die gleichzeitig mit den entsprechenden Änderungen der Verfassungsverhältnisse in der Tschechischen und Slowakischen Föderativen Republik in Übereinstimmung mit dieser Verfassung in Kraft treten.

Verfassung von Slowenien[*]

Vom 28. Dezember 1991 (Uradni list RS, št 33/1991, 1409), zuletzt geändert am 8. Juni 2021 (Uradni list RS, št. 92/2021, 1970)

Ausgehend von dem grundlegenden Verfassungsakt über die Selbständigkeit und Unabhängigkeit der Republik Slowenien und über die Menschenrechte und Grundfreiheiten, dem bleibenden Selbstbestimmungsrecht des slowenischen Volkes und der geschichtlichen Tatsache, dass die Slowenen in einem jahrhundertelangen Kampf um die Volksbefreiung ihre Eigenständigkeit ausgebildet und ihre Eigenstaatlichkeit zur Geltung gebracht haben, beschließt die Versammlung der Republik Slowenien:

VERFASSUNG DER REPUBLIK SLOWENIEN

I. ALLGEMEINE BESTIMMUNGEN

Artikel 1 [Demokratische Republik]
Slowenien ist eine demokratische Republik.

Artikel 2 [Rechts- und Sozialstaat]
Slowenien ist ein Rechts- und Sozialstaat.

Artikel 3 [Slowenisches Volk]
(1) Slowenien ist der Staat aller seiner Staatsbürgerinnen und Staatsbürger, der auf dem dauerhaften und unveräußerlichen Selbstbestimmungsrecht des slowenischen Volkes beruht.

(2) In Slowenien steht die oberste Gewalt dem Volke zu. Die Staatsbürgerinnen und Staatsbürger üben diese unmittelbar und in Wahlen nach dem Grundsatz der Gewaltenteilung in die gesetzgebende, die vollziehende und die rechtsprechende Gewalt aus.

Artikel 3a [Internationale Abkommen]
(1) Slowenien kann durch ein internationales Abkommen, das von der Staatsversammlung mit Zweidrittelmehrheit der Stimmen aller Abgeordneten ratifiziert wird, die Ausübung der Teile der souveränen Rechte auf internationale Organisationen übertragen, die auf der Achtung der Menschenrechte und Grundfreiheiten, der Demokratie und den Prinzipien des Rechtsstaates basieren; sowie einem Verteidigungsbündnis mit Staaten beitreten, die auf Achtung dieser Werte basieren.

(2) Vor der Ratifizierung des internationalen Abkommens aus dem vorherigen Absatz kann die Staatsversammlung eine Volksabstimmung ausschreiben. Der Vorschlag ist durch Volksabstimmung angenommen, wenn die Mehrheit der gültig abgegebenen Wählerstimmen für diesen Vorschlag abgegeben wurde. Die Staatsversammlung ist an den Ausgang der Volksabstimmung gebunden. Wenn die Volksabstimmung durchgeführt wurde, ist es nicht zulässig wegen des Gesetzes über die Ratifizierung eines solchen internationalen Abkommens erneut eine Volksabstimmung auszuschreiben.

(3) Rechtsakte und Entscheidungen, die im Rahmen der internationalen Organisationen verabschiedet wurden, auf die Slowenien Teile der Ausübung der souveränen Rechte überträgt, werden in Slowenien gemäß der Rechtsordnung der jeweiligen Organisation angewendet.

(4) In den Verfahren der Verabschiedung von Rechtsakten und Entscheidungen in den internationalen Organisationen, auf welche

---

[*] Entsprechend der Übersetzung des Verfassungsgerichts der Republik Slowenien, abrufbar unter: http://www.us-rs.si/media/vollstandiger.text.der.verfassung.pdf, mit der Einarbeitung der späteren Novellen und der sprachlichen Überarbeitung von *Armin Stolz* und *Maximilian Zankel*, beide Institut für Öffentliches Recht und Politikwissenschaft, Karl-Franzens-Universität Graz.

Slowenien die Ausübung der Teile der souveränen Rechte überträgt, informiert die Regierung die Staatsversammlung laufend über die Vorschläge solcher Akte und Entscheidungen sowie über ihre Tätigkeit. Die Staatsversammlung kann darüber Standpunkte darlegen die die Regierung bei ihrer Tätigkeit zu berücksichtigen hat. Das Verhältnis zwischen der Staatsversammlung und der Regierung aus diesem Absatz wird ausführlicher durch ein Gesetz geregelt, das mit Zweidrittelmehrheit der Stimmen der anwesenden Abgeordneten verabschiedet wird.

Artikel 4 [Territorialer, einheitlicher und unteilbarer Staat]

Slowenien ist ein territorial einheitlicher und unteilbarer Staat.

Artikel 5 [Menschenrechte und Grundfreiheiten; Volksgruppen und Staatsbürger]

(1) Der Staat schützt auf seinem Hoheitsgebiet die Menschenrechte und Grundfreiheiten. Er schützt und gewährleistet die Rechte der autochthonen italienischen und ungarischen Volksgruppe. Er sorgt für die slowenischen Volksgruppen in den Nachbarstaaten, für die slowenischen Auswanderer und für die im Ausland arbeitenden slowenischen Staatsbürger und fördert deren Beziehungen zur Heimat. Er sorgt für die Erhaltung der Naturgüter und des kulturellen Erbes und schafft die Voraussetzungen für eine harmonische Entwicklung Sloweniens im Bereich der Zivilisation und Kultur.

(2) Slowenen ohne slowenische Staatsbürgerschaft können in Slowenien Sonderrechte und -begünstigungen genießen. Die Art und der Umfang dieser Rechte und Begünstigungen werden durch Gesetz geregelt.

Artikel 6 [Wappen, Flagge und Hymne]

(1) Das Wappen Sloweniens hat die Form eines Schildes. In der Mitte des Schildes ist auf blauem Grund das Abbild des Triglav in weißer Farbe. Darunter befinden sich zwei wellenförmige blaue Linien, die das Meer und die Flüsse symbolisieren. Darüber sind drei goldene sechszackige Sterne in Form eines nach unten gerichteten Dreiecks angeordnet. Die Schildränder sind rot umsäumt. Das Wappen ist nach bestimmter Regel der Geometrie und Farben zu gestalten.

(2) Die Flagge Sloweniens ist die weiß-blau-rote slowenische Nationalflagge mit dem Wappen Sloweniens. Das Verhältnis zwischen Flaggenbreite und Flaggenlänge beträgt eins zu zwei. Die Flaggenfarben sind in folgender Reihenfolge angeordnet: weiß, blau, rot. Jede Farbe nimmt der Breite nach ein Drittel der Flaggenfläche ein. Das Wappen liegt im linken oberen Flaggenteil, wobei es mit einer Hälfte im weißen, mit der anderen im blauen Feld liegt.

(3) Die Nationalhymne Sloweniens ist die Zdravljica.

(4) Die Verwendung des Wappens, der Flagge und der Nationalhymne wird durch Gesetz geregelt.

Artikel 7 [Religionsgemeinschaften]

(1) Die Religionsgemeinschaften sind vom Staat getrennt.

(2) Die Religionsgemeinschaften sind gleichberechtigt; ihre Tätigkeit ist frei.

Artikel 8 [Völkerrechtliche Verträge]

Gesetze und andere Vorschriften müssen mit den allgemein gültigen Grundsätzen des Völkerrechts und den für Slowenien verbindlichen völkerrechtlichen Verträgen in Einklang stehen. Ratifizierte und verkündete völkerrechtliche Verträge sind unmittelbar anwendbar.

Artikel 9 [Lokale Selbstverwaltung]

Die lokale Selbstverwaltung wird in Slowenien gewährleistet.

Artikel 10 [Hauptstadt]

Die Hauptstadt Sloweniens ist Laibach.

Artikel 11 [Amtssprache]

Die Amtssprache in Slowenien ist Slowenisch. In jenen Gemeindegebieten, in denen die italienische oder ungarische Volksgruppe lebt, ist die Amtssprache auch Italienisch oder Ungarisch.

Artikel 12 [Staatsbürgerschaft]

Die Staatsbürgerschaft Sloweniens wird durch Gesetz geregelt.

Artikel 13 [Rechte von Ausländern]

Ausländer haben in Slowenien in Einklang mit den völkerrechtlichen Verträgen alle durch diese Verfassung und durch Gesetz gewährleisteten Rechte, außer jenen, die nach der Verfassung oder dem Gesetz lediglich den Staatsbürgern Sloweniens zustehen.

II. MENSCHENRECHTE UND GRUNDFREIHEITEN

Artikel 14 (Gleichheit vor dem Gesetz)

(1) Jedermann werden in Slowenien die gleichen Menschenrechte und Grundfreiheiten gewährleistet, ungeachtet der Nationalität, der Rasse, des Geschlechts, der Sprache, des Glaubens, der politischen oder sonstigen Anschauung, der Vermögensverhältnisse, der Geburt, der Bildung, der gesellschaftlichen Stellung, einer Behinderung oder irgendeines sonstigen personenbezogenen Umstands.

(2) Jedermann ist vor dem Gesetz gleich.

Artikel 15 (Verwirklichung und Einschränkung der Rechte)

(1) Die Menschenrechte und Grundfreiheiten werden unmittelbar aufgrund der Verfassung ausgeübt.

(2) Die Art und Weise der Verwirklichung der Menschenrechte und Grundfreiheiten kann durch Gesetz geregelt werden, wenn dies die Verfassung vorsieht oder wenn dies aufgrund der Natur einzelner Rechte oder Freiheiten notwendig ist.

(3) Die Menschenrechte und Grundfreiheiten werden nur durch die Rechte anderer und in den durch die Verfassung bestimmten Fällen beschränkt.

(4) Der gerichtliche Schutz der Menschenrechte und Grundfreiheiten sowie das Recht auf Beseitigung der Folgen ihrer Verletzung werden gewährleistet.

(5) Kein Menschenrecht und keine Grundfreiheit, welche durch die in Slowenien geltenden Rechtsvorschriften geregelt sind, darf mit der Behauptung eingeschränkt werden, dass diese Verfassung es bzw. sie nicht oder nur in geringerem Umfang anerkennt.

Artikel 16 (Vorläufige Aufhebung und Einschränkung von Rechten)

(1) Die durch diese Verfassung festgelegten Menschenrechte und Grundfreiheiten dürfen ausnahmsweise im Kriegs- oder Ausnahmezustand vorübergehend aufgehoben oder eingeschränkt werden. Die Menschenrechte und Grundfreiheiten dürfen nur für die Dauer des Kriegs- oder Ausnahmezustands aufgehoben oder eingeschränkt werden, jedoch nur in dem Umfang, den ein solcher Zustand erfordert, und derart, dass die getroffenen Maßnahmen keine Ungleichbehandlung vor dem Gesetz verursachen, die nur auf der Rasse, der nationalen Zugehörigkeit, dem Geschlecht, der Sprache, dem Glauben, der politischen und sonstigen Überzeugung, den Vermögensverhältnissen, der Geburt, der Bildung, der gesellschaftlichen Stellung oder irgendeinem anderen personenbezogenen Umstand beruht.

(2) Die Bestimmung des vorigen Absatzes lässt keineswegs eine vorübergehende Aufhebung oder Einschränkung der in den Artikeln 17, 18, 21, 27, 28, 29 und 41 festgelegten Rechte zu.

Artikel 17 (Unantastbarkeit des menschlichen Lebens)

Das Leben des Menschen ist unantastbar. In Slowenien gibt es keine Todesstrafe.

Artikel 18 (Folterverbot)

Niemand darf der Folter, einer unmenschlichen oder erniedrigenden Strafe oder Behandlung unterzogen werden. Medizinische oder andere wissenschaftliche Experimente an Menschen ohne deren freie Zustimmung sind verboten.

Artikel 19 (Schutz der persönlichen Freiheit)

(1) Jedermann hat das Recht auf persönliche Freiheit.

(2) Niemandem darf außer in den gesetzlich festgelegten Fällen und Verfahren die Freiheit entzogen werden.

(3) Jeder, dem die Freiheit entzogen wird, muss in seiner Muttersprache oder einer ihm verständlichen Sprache sofort von den Gründen des Freiheitsentzuges in Kenntnis gesetzt werden. Umgehend muss ihm auch schriftlich mitgeteilt werden, warum ihm die Freiheit entzogen wurde. Er muss unverzüglich darüber unterrichtet werden, dass er nicht verpflichtet ist, irgendeine Aussage zu machen, dass er das Recht auf sofortigen Rechtsbeistand eines von ihm selbst zu wählenden Verteidigers hat und dass das zuständige Organ verpflichtet ist, auf sein Verlangen seine nächsten Angehörigen über den Freiheitsentzug zu verständigen.

Artikel 20 (Verhängung und Dauer der Untersuchungshaft)

(1) Eine Person, gegen die ein begründeter Verdacht besteht, dass sie eine Straftat begangen hat, darf nur aufgrund einer gerichtlichen Verfügung verhaftet werden, wenn dies für den Verlauf eines Strafverfahrens oder für die Sicherheit der Menschen unumgänglich ist.

(2) Bei der Festnahme, spätestens aber 24 Stunden danach, muss dem Festgenommenen eine schriftliche, begründete gerichtliche Verfügung ausgehändigt werden. Gegen diesen Haftbefehl hat der Festgenommene das Recht auf Beschwerde, über die das Gericht binnen 48 Stunden entscheiden muss. Die Untersuchungshaft darf nur solange dauern, als die gesetzlichen Voraussetzungen dafür vorliegen, jedoch höchstens drei Monate vom Tage des Freiheitsentzuges an. Der Oberste Gerichtshof kann die Untersuchungshaft um weitere drei Monate verlängern.

(3) Wird bis zum Ablauf dieser Fristen keine Anklage erhoben, so ist der Beschuldigte freizulassen.

Artikel 21 (Schutz der Persönlichkeit und der Menschenwürde)

(1) Die Achtung der Persönlichkeit und Menschenwürde in Strafverfahren und in allen anderen rechtlichen Verfahren, sowie während des Freiheitsentzuges und Strafvollzuges wird gewährleistet.

(2) Jegliche Gewaltanwendung gegen Personen, deren Freiheit in irgendeiner Weise beschränkt ist, sowie jegliche Erzwingung von Geständnissen und Aussagen ist untersagt.

Artikel 22 (Gleicher Schutz der Rechte)

Jedermann hat das Recht auf gleichen Schutz seiner Rechte in Gerichtsverfahren und in Verfahren vor anderen staatlichen Organen, Organen der lokalen Gemeinschaften und Trägern öffentlicher Befugnisse, die über seine Rechte, Pflichten und rechtlichen Interessen entscheiden.

Artikel 23 (Recht auf Gerichtsschutz)

(1) Jedermann hat das Recht, dass über seine Rechte und Pflichten sowie über die gegen ihn erhobenen Anklagen ohne unnötigen Aufschub ein unabhängiges, unparteiisches und auf Gesetz beruhendes Gericht entscheidet.

(2) Die Gerichtsverhandlung und Urteilsfällung können nur durch einen Richter erfolgen, der nach den im Voraus durch Gesetz und Gerichtsordnung festgelegten Regeln bestellt wurde.

Artikel 24 (Öffentlichkeit der Verhandlung)

Gerichtsverhandlungen sind öffentlich. Urteile ergehen öffentlich. Ausnahmen werden durch Gesetz festgelegt.

Artikel 25 (Recht auf Rechtsmittel)

Jedermann ist das Recht auf Berufung oder ein anderes Rechtsmittel gegen Entscheidungen der Gerichte und anderer Staatsorgane, Organe der lokalen Gemeinschaften und Träger öffentlicher Befugnisse, durch die über seine Rechte, Pflichten oder rechtlichen Interessen abgesprochen wird, gewährleistet.

Artikel 26 (Recht auf Schadenersatz)

(1) Jedermann hat Anspruch auf Ersatz des Schadens, der ihm im Zusammenhang mit der Ausübung eines Dienstes oder einer anderen Tätigkeit eines Staatsorgans, eines Organs einer lokalen Gemeinschaft oder eines Trägers öffentlicher Befugnisse durch rechtswidriges Handeln einer Person oder eines Organs, das diesen Dienst oder diese Tätigkeit ausübt, zugefügt wird.

(2) Dem Geschädigten steht das Recht zu, in Einklang mit dem Gesetz Schadenersatz auch unmittelbar von jenem zu fordern, der ihm den Schaden zugefügt hat.

Artikel 27 (Unschuldsvermutung)

Wer einer strafbaren Handlung beschuldigt wird, gilt solange als unschuldig, bis seine Schuld durch ein rechtskräftiges Urteil erwiesen ist.

Artikel 28 (Grundsatz der Gesetzmäßigkeit im Strafrecht)

(1) Niemand darf wegen einer Tat bestraft werden, für die zum Zeitpunkt ihrer Begehung weder die Strafbarkeit noch eine Strafe gesetzlich festgelegt war.

(2) Straftaten und Strafen werden nach dem zum Zeitpunkt der Begehung der Tat geltenden Gesetz festgestellt und verhängt, außer ein neues Gesetz ist für den Täter günstiger.

Artikel 29 (Rechtsgewähr im Strafverfahren)

Jedermann, der einer strafbaren Handlung beschuldigt wird, müssen bei voller Gleichberechtigung auch folgende Rechte gewährleistet werden:

– dass er über ausreichende Zeit und Gelegenheit zur Vorbereitung seiner Verteidigung verfügt;

– dass das Strafverfahren in seiner Anwesenheit durchgeführt wird und er sich selbst oder mit Hilfe eines Verteidigers verantworten kann;

– dass ihm die Führung von Beweisen zu seinen Gunsten gewährleistet wird;

– dass er nicht verpflichtet ist, gegen sich selbst oder gegen seine Angehörigen auszusagen oder sich schuldig zu bekennen.

Artikel 30 (Recht auf Rehabilitierung und Entschädigung)

Wer zu Unrecht wegen einer Straftat verurteilt oder wem unbegründet die Freiheit entzogen wurde, hat das Recht auf Rehabilitierung, auf Wiedergutmachung des Schadens und andere gesetzlich festgelegte Rechte.

Artikel 31 (Verbot wiederholter Verfolgung in derselben Sache)

Niemand darf wegen einer strafbaren Handlung verurteilt oder bestraft werden, derentwegen bereits ein Strafverfahren gegen ihn rechtskräftig eingestellt, die Anklage gegen ihn rechtskräftig abgewiesen oder er durch ein rechtskräftiges Urteil freigesprochen oder verurteilt wurde.

Artikel 32 (Freizügigkeit)

(1) Jedermann hat das Recht, sich frei zu bewegen, den Wohnsitz frei zu wählen, das Land zu verlassen und jederzeit dorthin zurückzukehren.

(2) Dieses Recht darf durch Gesetz eingeschränkt werden, jedoch nur, wenn dies zur Durchführung eines Strafverfahrens notwendig ist, um die Ausbreitung von übertragbaren Krankheiten zu verhindern, um die öffentliche Ordnung zu sichern oder die Verteidigungsinteressen des Staates zu wahren.

(3) Ausländern kann aufgrund eines Gesetzes die Einreise in den Staat eingeschränkt und die Dauer des dortigen Aufenthalts begrenzt werden.

Artikel 33 (Recht auf Privateigentum und Erbrecht)

Das Recht auf Privateigentum und das Erbrecht sind gewährleistet.

Artikel 34 (Recht auf persönliche Würde und Sicherheit)

Jedermann hat das Recht auf persönliche Würde und Sicherheit.

Artikel 35 (Schutz des Rechts auf Privatsphäre und anderer Persönlichkeitsrechte)

Die Unantastbarkeit der körperlichen und geistigen Unversehrtheit des Menschen, seiner Privatsphäre und seiner Persönlichkeitsrechte ist gewährleistet.

Artikel 36 (Unverletzlichkeit der Wohnung)

(1) Die Wohnung ist unverletzlich.

(2) Niemand darf ohne gerichtliche Verfügung gegen den Willen des Bewohners eine fremde Wohnung oder andere fremde Räumlichkeiten betreten oder durchsuchen.

(3) Die Person, deren Wohnung oder Räumlichkeiten durchsucht werden, oder ihr Vertreter sind berechtigt, während der Durchsuchung anwesend zu sein.

(4) Die Durchsuchung darf nur in Anwesenheit von zwei Zeugen durchgeführt werden.

(5) Unter den gesetzlich festgelegten Bedingungen darf eine Amtsperson ohne gerichtliche Verfügung eine fremde Wohnung oder fremde Räumlichkeiten betreten und diese ausnahmsweise ohne Anwesenheit von Zeugen durchsuchen, wenn dies unbedingt notwendig ist, um einen Straftäter unmittelbar zu fassen oder Menschen und Vermögen zu schützen.

Artikel 37 (Schutz des Briefgeheimnisses und des Geheimnisses anderer Kommunikationsmittel)

(1) Das Briefgeheimnis und das Geheimnis anderer Kommunikationsmittel werden gewährleistet.

(2) Nur durch Gesetz kann vorgeschrieben werden, dass aufgrund einer gerichtlichen Verfügung für bestimmte Zeit der Schutz des Briefgeheimnisses, des Geheimnisses anderer Kommunikationsmittel und der Unantastbarkeit der Privatsphäre des Menschen nicht beachtet werden müssen, wenn dies zur Einleitung oder für den Verlauf eines Strafverfahrens oder für die Sicherheit des Staates unerlässlich ist.

Artikel 38 (Schutz personenbezogener Daten)

(1) Der Schutz personenbezogener Daten wird gewährleistet. Die zweckwidrige Verwendung personenbezogener Daten ist verboten.

(2) Die Sammlung, die Verarbeitung, der Verwendungszweck, die Überwachung und der Schutz der Geheimhaltung personenbezogener Daten werden durch Gesetz geregelt.

(3) Jedermann hat das Recht auf Einsicht in die gesammelten, ihn betreffenden personenbezogenen Daten und im Falle des Missbrauchs das Recht auf gerichtlichen Schutz.

Artikel 39 (Freiheit der Meinungsäußerung)

(1) Die Meinungs- und Redefreiheit, die Freiheit des öffentlichen Auftretens, die Pressefreiheit und die Freiheit anderer Formen öffentlicher Information und Äußerung werden gewährleistet. Jedermann kann Nachrichten und Meinungen frei sammeln, empfangen und verbreiten.

(2) Jedermann hat, außer in den gesetzlich festgelegten Fällen, das Recht, sich Informationen von öffentlicher Bedeutung zu verschaffen, wenn er dafür ein gesetzlich begründetes rechtliches Interesse hat.

Artikel 40 (Recht auf Berichtigung und Entgegnung)

Das Recht auf Berichtigung einer veröffentlichten Mitteilung, durch die das Recht oder das rechtliche Interesse einer Einzelperson, einer Organisation oder eines Organs beeinträchtigt worden ist, sowie das Recht der Entgegnung auf eine veröffentlichte Mitteilung werden gewährleistet.

Artikel 41 (Gewissensfreiheit)

(1) Das Bekenntnis des Glaubens und anderer Überzeugungen im privaten und im öffentlichen Leben ist frei.

(2) Niemand ist verpflichtet, sich zu seinem Glauben oder zu seiner sonstigen Überzeugung zu bekennen.

(3) Eltern haben das Recht, ihren Kindern eine ihrer eigenen Überzeugung entsprechende religiöse und moralische Erziehung zu gewährleisten. Die religiöse und moralische Erziehung des Kindes muss seinem Alter und seiner Reife, seiner Gewissens- und Glaubensfreiheit sowie seiner sonstigen Auffassungs- oder Überzeugungsfreiheit entsprechen.

Artikel 42 (Versammlungs- und Vereinigungsfreiheit)

(1) Das Recht auf friedliche und öffentliche Versammlung wird gewährleistet.

(2) Jedermann hat das Recht, sich mit anderen frei zu vereinigen.

(3) Gesetzliche Einschränkungen dieser Rechte sind im Interesse der staatlichen und öffentlichen Sicherheit sowie im Interesse des Schutzes vor übertragbaren Krankheiten zulässig.

(4) Berufsangehörige der Verteidigungskräfte und der Polizei dürfen nicht Mitglieder von politischen Parteien sein.

Artikel 43 (Wahlrecht)

(1) Das Wahlrecht ist allgemein und gleich.

(2) Jeder Staatsbürger, der das 18. Lebensjahr vollendet hat, hat das Recht zu wählen und gewählt zu werden.

(3) Durch Gesetz kann bestimmt werden, in welchen Fällen und unter welchen Voraussetzungen das Wahlrecht auch Ausländern zusteht.

(4) Das Gesetz hat Maßnahmen vorzusehen, um die gleichen Chancen von Männern und Frauen bei der Bewerbung für die Wahl zu staatlichen Organen und Organen der lokalen Gemeinschaften zu fördern.

Artikel 44 (Mitwirkung an der Besorgung öffentlicher Angelegenheiten)

Jeder Staatsbürger hat das Recht, in Einklang mit dem Gesetz unmittelbar oder durch gewählte Vertreter an der Besorgung öffentlicher Angelegenheiten mitzuwirken.

Artikel 45 (Petitionsrecht)

Jeder Staatsbürger hat das Recht, Petitionen und andere Anregungen allgemeiner Bedeutung einzubringen.

Artikel 46 (Recht auf Weigerung aus Gewissensgründen)

Weigerung aus Gewissensgründen ist in den gesetzlich festgelegten Fällen zulässig, außer wenn dadurch die Rechte und Freiheiten anderer Personen eingeschränkt werden.

Artikel 47 (Auslieferung)

Ein Staatsbürger Sloweniens darf nicht ausgeliefert oder übergeben werden, außer wenn die Verpflichtung der Auslieferung oder der Übergabe aus einem internationalen Abkommen hervorgeht, durch welches Slowenien, gemäß der Bestimmung des Artikels 3a Abs. 1, die Ausübung von Teilen der souveränen Rechte auf eine internationale Organisation überträgt.

Artikel 48 (Asylrecht)

Innerhalb der gesetzlichen Grenzen wird das Asylrecht ausländischen Staatsbürgern und Staatenlosen, die wegen ihres Einsatzes für die Menschenrechte und Grundfreiheiten verfolgt werden, gewährt.

Artikel 49 (Freiheit der Arbeit)

(1) Die Freiheit der Arbeit wird gewährleistet.

(2) Jedermann wählt seine Beschäftigung frei.

(3) Jedermann ist unter den gleichen Bedingungen jeder Arbeitsplatz zugänglich.

(4) Zwangsarbeit ist verboten.

Artikel 50 (Recht auf soziale Sicherheit)

(1) Die Staatsbürger haben unter den gesetzlich festgelegten Voraussetzungen das Recht auf soziale Sicherheit einschließlich des Rechts auf Rente.

(2) Der Staat regelt die Kranken-, Renten-, Invaliditäts- und andere soziale Pflichtver-

sicherung und sorgt für deren Funktionieren.

(3) Kriegsveteranen und -opfern wird in Einklang mit dem Gesetz ein besonderer Schutz gewährt.

Artikel 51 (Recht auf Gesundheitsfürsorge)

(1) Jedermann hat das Recht auf Gesundheitsfürsorge unter den gesetzlich festgelegten Voraussetzungen.

(2) Die Rechte auf eine aus öffentlichen Mitteln finanzierte Gesundheitsfürsorge werden durch Gesetz bestimmt.

(3) Niemand darf zu einer ärztlichen Behandlung gezwungen werden, außer in den gesetzlich bestimmten Fällen.

Artikel 52 (Rechte Behinderter)

(1) Menschen mit Behinderung wird in Einklang mit dem Gesetz ein besonderer Schutz und die Möglichkeit zur Arbeitsbefähigung gewährt.

(2) Kinder mit Störungen in ihrer körperlichen und geistigen Entwicklung und andere schwerbehinderte Personen haben das Recht auf Ausbildung und Befähigung für ein aktives Leben in der Gesellschaft.

(3) Die Ausbildung und Befähigung aus dem vorherigen Absatz wird aus öffentlichen Mitteln finanziert.

Artikel 53 (Ehe und Familie)

(1) Die Ehe beruht auf der Gleichberechtigung der Eheleute. Sie wird vor dem zuständigen Staatsorgan geschlossen.

(2) Die Ehe und die Rechtsverhältnisse darin, in der Familie und in außerehelicher Lebensgemeinschaft werden durch Gesetz geregelt.

(3) Der Staat schützt Familie, Mutterschaft, Vaterschaft, Kinder und Jugendliche und schafft die dafür notwendigen Voraussetzungen.

Artikel 54 (Rechte und Pflichten der Eltern)

(1) Eltern haben das Recht und die Pflicht, ihren Kindern Unterhalt, Ausbildung und Er-

ziehung zu gewährleisten. Dieses Recht und diese Pflicht dürfen den Eltern nur aus den Gründen, die durch Gesetz zum Schutz des Kindeswohles festgelegt sind, entzogen oder eingeschränkt werden.

(2) Außerehelich geborene Kinder haben die gleichen Rechte wie eheliche Kinder.

Artikel 55 (Freie Entscheidung über die Geburt eines Kindes)

(1) Die Entscheidung über die Geburt eines Kindes ist frei.

(2) Der Staat gewährleistet die Möglichkeiten zur Verwirklichung dieser Freiheit und schafft die Voraussetzungen, die es den Eltern ermöglichen, sich für die Geburt ihrer Kinder zu entscheiden.

Artikel 56 (Rechte der Kinder)

(1) Kinder genießen besonderen Schutz und besondere Fürsorge. Menschenrechte und Grundfreiheiten genießen Kinder entsprechend ihrem Alter und ihrer Reife.

(2) Kindern wird ein besonderer Schutz vor wirtschaftlicher, sozialer, körperlicher, geistiger oder sonstiger Ausbeutung und Missbrauch gewährt. Dieser Schutz wird durch Gesetz geregelt.

(3) Kinder und Minderjährige, die nicht von Eltern versorgt werden, keine Eltern haben oder ohne entsprechende Vorsorge sind, genießen einen besonderen staatlichen Schutz. Ihre Rechtsstellung wird durch Gesetz geregelt.

Artikel 57 (Bildung und Schule)

(1) Die Ausbildung ist frei.

(2) Die Grundschulbildung ist Pflicht und wird aus öffentlichen Mitteln finanziert.

(3) Der Staat ermöglicht es den Staatsbürgern, eine entsprechende Ausbildung zu erwerben.

Artikel 58 (Autonomie der Universitäten und anderer Hochschulen)

(1) Die staatlichen Universitäten und Hochschulen sind autonom.

(2) Die Art und Weise ihrer Finanzierung wird durch Gesetz geregelt.

Artikel 59 (Freiheit der Wissenschaft und Kunst)

Die Freiheit des wissenschaftlichen und künstlerischen Schaffens wird gewährleistet.

Artikel 60 (Urheberrechte)

Der Schutz der Urheberrechte und anderer Rechte, die künstlerischen oder wissenschaftlichen Tätigkeiten sowie Forschungs- und Erfindungstätigkeiten entspringen, ist gewährleistet.

Artikel 61 (Bekenntnis zur nationalen Zugehörigkeit)

Jedermann steht das Recht zu, seine Zugehörigkeit zu seinem Volk oder seiner Volksgruppe frei zu bekennen, seine Kultur zu pflegen und kundzutun sowie seine Sprache und Schrift zu gebrauchen.

Artikel 62 (Recht auf Gebrauch der eigenen Sprache und Schrift)

Jedermann hat das Recht, bei der Verwirklichung seiner Rechte und Pflichten sowie in den Verfahren vor Staatsorganen und anderen den öffentlichen Dienst ausübenden Organen die eigene Sprache und Schrift auf die gesetzlich festgelegte Weise zu verwenden.

Artikel 62a (Gebärdensprache und Taubblindensprache)

Die freie Verwendung und die Entwicklung der slowenischen Gebärdensprache werden gewährleistet. Im Gemeindegebiet, in denen die Amtssprache auch Italienisch oder Ungarisch sind, wird die freie Verwendung der italienischen und ungarischen Gebärdensprache gewährleistet. Die Verwendung dieser Sprachen und die Stellung ihrer Nutzer werden durch Gesetz geregelt.

Die Verwendung und die Entwicklung der Taubblindensprache werden durch Gesetz geregelt.

Artikel 63 (Verbot der Anstiftung zu Diskriminierung und Unduldsamkeit, Verbot der Anstiftung zu Gewalt und Krieg)

(1) Jede Anstiftung zu nationaler Diskriminierung, Rassen- und Glaubensdiskriminierung oder anderer Diskriminierung sowie jedes Schüren nationaler Feindschaft, Rassen- und Glaubensfeindschaft oder anderer Feindschaft und Unduldsamkeit ist verfassungswidrig.

(2) Jede Anstiftung zu Gewalt und Krieg ist verfassungswidrig.

Artikel 64 (Sonderrechte der autochthonen italienischen und ungarischen Volksgruppen in Slowenien)

(1) Den autochthonen italienischen und ungarischen Volksgruppen sowie ihren Angehörigen wird das Recht gewährleistet, frei ihre nationalen Symbole zu verwenden und zur Erhaltung ihrer nationalen Identität Organisationen zu gründen, Wirtschafts-, Kultur- und wissenschaftliche Forschungstätigkeiten sowie Tätigkeiten auf dem Gebiet des öffentlichen Nachrichten- und Verlagswesens zu entfalten. In Einklang mit dem Gesetz haben diese zwei Volksgruppen und deren Angehörige das Recht auf Erziehung und Ausbildung in ihrer Sprache sowie auf Gestaltung und Entwicklung dieser Erziehung und Ausbildung. Jene Gebiete, in welchen ein zweisprachiges Schulwesen Pflicht ist, werden durch Gesetz bestimmt. Den beiden Volksgruppen und ihren Angehörigen wird das Recht gewährleistet, Beziehungen zu ihren Muttervölkern und deren Staaten zu pflegen. Der Staat unterstützt die Verwirklichung dieser Rechte materiell und moralisch.

(2) In den Gebieten, in denen diese zwei Volksgruppen leben, gründen deren Angehörige zur Verwirklichung ihrer Rechte Selbstverwaltungsgemeinschaften. Der Staat kann die Selbstverwaltungsgemeinschaften auf ihren Antrag hin zur Ausübung bestimmter Aufgaben aus dem staatlichen Zuständigkeitsbereich ermächtigen. Der Staat stellt auch die Mittel für die Erfüllung dieser Aufgaben sicher.

(3) Die beiden Volksgruppen sind unmittelbar in den Vertretungsorganen der lokalen Selbstverwaltung und in der Staatsversammlung vertreten.

(4) Die Rechtsstellung sowie die Art und

Weise der Verwirklichung der Rechte der italienischen bzw. ungarischen Volksgruppe in den Gebieten, wo sie leben, und außerhalb dieser Gebiete sowie die Verpflichtung der lokalen Selbstverwaltungsgemeinschaften zur Verwirklichung dieser Rechte werden durch Gesetz geregelt. Den beiden Volksgruppen und ihren Angehörigen werden diese Rechte ungeachtet der Anzahl der Angehörigen der jeweiligen Volksgruppe gewährleistet.

(5) Gesetze, andere Vorschriften und Allgemeinregelungen, die ausschließlich die Verwirklichung der verfassungsmäßig gewährleisteten Rechte und der Rechtsstellung der Volksgruppen betreffen, können nicht ohne Zustimmung der Vertreter der Volksgruppen beschlossen werden.

Artikel 65 (Rechtsstellung und Sonderrechte der Gemeinschaft der Roma in Slowenien)

Die Rechtsstellung und die Sonderrechte der in Slowenien lebenden Gemeinschaft der Roma werden durch Gesetz geregelt.

III. WIRTSCHAFTLICHE UND SOZIALE VERHÄLTNISSE

Artikel 66 (Schutz der Arbeit)

Der Staat schafft Beschäftigungs- und Arbeitsmöglichkeiten und gewährleistet deren gesetzlichen Schutz.

Artikel 67 (Eigentum)

(1) Die Art des Eigentumserwerbs und der Nutznießung des Eigentums wird gesetzlich geregelt, sodass dessen wirtschaftliche, soziale und ökologische Funktion gewährleistet wird.

(2) Das Gesetz bestimmt die Art und die Voraussetzungen der Erbfolge.

Artikel 68 (Eigentumsrecht der Ausländer)

Ausländer können, unter den Bedingungen, die durch Gesetz oder durch ein Internationales Abkommen, welches von der Staatsversammlung ratifiziert wurde, festge-legt werden, Eigentumsrecht an einer unbeweglichen Sache erwerben.

Artikel 69 (Enteignung)

Das Eigentumsrecht an einer unbeweglichen Sache darf im öffentlichen Interesse und unter den gesetzlich festgelegten Bedingungen gegen Naturalersatz oder Entschädigung entzogen oder eingeschränkt werden.

Artikel 70 (Öffentliches Gut und Naturreichtümer)

(1) An einem öffentlichen Gut kann ein besonderes Nutzungsrecht unter den gesetzlich festgelegten Bedingungen erworben werden.

(2) Naturreichtümer können unter den gesetzlich festgelegten Bedingungen genutzt werden.

(3) Durch Gesetz können die Voraussetzungen, unter denen die Naturreichtümer von Ausländern genutzt werden können, festgelegt werden.

Artikel 70a (Recht auf Trinkwasser)

(1) Jedermann hat das Recht auf Trinkwasser.

(2) Die Wasserressourcen sind ein öffentliches Gut, welches vom Staat verwaltet wird.

(3) Die Wasserressourcen sind auf vorrangige und nachhaltige Weise dazu zu verwenden, die Bevölkerung mit Trinkwasser und Wasser für die Nutzung im Haushalt zu versorgen und sie dürfen insoweit keine Ware des Marktes darstellen.

(4) Die Versorgung der Bevölkerung mit Trinkwasser und Wasser für die Nutzung im Haushalt wird unmittelbar vom Staat durch lokale Selbstverwaltungsgemeinschaften und auf einer nicht profitorientierten Basis gewährleistet.

Artikel 71 (Schutz des Bodens)

(1) Das Gesetz legt besondere Bedingungen für die zweckmäßige Nutzung des Bodens fest.

(2) Ein besonderer Schutz von landwirtschaftlichen Grundstücken wird durch Gesetz geregelt.

(3) Der Staat sorgt für die wirtschaftliche, kulturelle und soziale Entwicklung der Bevölkerung in Gebirgs- und Berggebieten.

Artikel 72 (Gesunde Umwelt)

(1) Jedermann hat in Einklang mit dem Gesetz das Recht auf eine gesunde Umwelt.

(2) Der Staat sorgt für eine gesunde Umwelt. Zu diesem Zweck werden durch Gesetz die Voraussetzungen und die Art und Weise der Ausübung wirtschaftlicher und anderer Tätigkeiten festgelegt.

(3) Durch Gesetz wird festgelegt, unter welchen Voraussetzungen und in welchem Umfang ein Verursacher von Umweltschäden diese Schäden ersetzen muss. Der Tierschutz wird durch Gesetz geregelt.

Artikel 73 (Wahrung des Natur- und Kulturerbes)

(1) Jedermann hat die Pflicht, in Einklang mit dem Gesetz Naturdenkmäler und -seltenheiten sowie Kulturdenkmäler zu schützen.

(2) Der Staat und die lokalen Gemeinschaften sorgen für die Erhaltung des Natur- und Kulturerbes.

Artikel 74 (Unternehmertum)

(1) Die Gewerbefreiheit wird gewährleistet.

(2) Durch Gesetz werden die Bedingungen für die Gründung von Wirtschaftsorganisationen geregelt. Eine wirtschaftliche Tätigkeit darf dem öffentlichen Wohl nicht widersprechen.

(3) Unlauterer Wettbewerb sowie Handlungen, die gegen das Gesetz den Wettbewerb einschränken, sind verboten.

Artikel 75 (Mitbestimmung)

Die Arbeitnehmer wirken an der Verwaltung von Wirtschaftsunternehmen und Anstalten auf die Art und unter den Bedingungen mit, die durch das Gesetz festgelegt werden.

Artikel 76 (Gewerkschaftsfreiheit)

Die Gründung und Tätigkeit von Gewerkschaften und die Mitgliedschaft zu ihnen sind frei.

Artikel 77 (Streikrecht)

(1) Die Arbeitnehmer haben das Recht auf Streik.

(2) Das Streikrecht kann mit Rücksicht auf die Art und Natur der Tätigkeit durch Gesetz eingeschränkt werden, wenn dies im öffentlichen Interesse ist.

Artikel 78 (Angemessene Wohnung)

Der Staat schafft die Voraussetzungen dafür, dass die Staatsbürger eine angemessene Wohnung erwerben können.

Artikel 79 (In Slowenien beschäftigte Ausländer)

In Slowenien beschäftigte Ausländer und ihre Familienangehörigen haben besondere, durch Gesetz festgelegte Rechte.

IV. STAATSORDNUNG

a) Staatsversammlung

Artikel 80 (Zusammensetzung und Wahl)

(1) Die Staatsversammlung ist aus den Abgeordneten der Staatsbürger Sloweniens zusammengesetzt und besteht aus 90 Abgeordneten.

(2) Die Abgeordneten werden in allgemeinen, gleichen, unmittelbaren und geheimen Wahlen gewählt.

(3) In die Staatsversammlung wird immer jeweils ein Abgeordneter der italienischen und der ungarischen Volksgruppe gewählt.

(4) Das Wahlsystem wird durch ein Gesetz geregelt, das von der Staatsversammlung mit einer Mehrheit von zwei Dritteln der Stimmen aller Abgeordneten beschlossen wird.

(5) Abgeordnete, außer von ethnischen Volksgruppen, werden nach dem Grundsatz der Verhältniswahl gewählt, wobei eine Mindeststimmenzahl von vier Prozent aller abgegebenen gültigen Stimmen erforderlich ist. Es muss Berücksichtigung finden, dass die Wähler einen entscheidenden Einfluss auf die Zuteilung der Mandate an die Kandidaten haben.

Artikel 81 (Funktionsperiode der Staatsversammlung)

(1) Die Staatsversammlung wird für die Dauer von vier Jahren gewählt.

(2) Sollte die Funktionsperiode der Staatsversammlung während eines Kriegs- oder Ausnahmezustandes ablaufen, so endet ihr Mandat sechs Monate nach Beendigung des Kriegs- oder Ausnahmezustandes; es kann aber auch schon früher enden, wenn dies die Staatsversammlung beschließt.

(3) Die Wahlen in die Staatsversammlung werden vom Staatspräsidenten ausgeschrieben. Die Wahl der neuen Staatsversammlung findet vier Jahre nach der ersten Zusammenkunft der vorherigen Versammlung statt und zwar frühestens zwei Monate vor und spätestens 15 Tage nach Ablauf dieser Zeit. Wird die Staatsversammlung aufgelöst, so ist die neue Staatsversammlung spätestens zwei Monate nach der Auflösung der bisherigen zu wählen. Die Funktionsperiode der vorherigen Staatsversammlung endet mit der ersten Sitzung der neuen Staatsversammlung. Diese Sitzung ist spätestens 20 Tage nach den Wahlen der Staatsversammlung vom Staatspräsidenten einzuberufen.

Artikel 82 (Abgeordnete)

(1) Die Abgeordneten sind Vertreter des gesamten Volkes und an keine Weisungen gebunden.

(2) Durch Gesetz wird festgelegt, wer nicht zum Abgeordneten gewählt werden darf, sowie die Unvereinbarkeit des Abgeordnetenmandats mit anderen Funktionen und Tätigkeiten geregelt.

(3) Die Abgeordnetenmandate werden von der Staatsversammlung bestätigt. Gegen die Entscheidung der Staatsversammlung ist in Einklang mit dem Gesetz eine Beschwerde an den Verfassungsgerichtshof möglich.

Artikel 83 (Immunität der Abgeordneten)

(1) Ein Abgeordneter der Staatsversammlung darf für eine Meinungsäußerung oder Stimmabgabe, die er in einer Sitzung der Staatsversammlung oder einer ihrer Aus-

schüsse getätigt hat, strafrechtlich nicht verantwortlich gemacht werden.

(2) Ein Abgeordneter darf ohne Zustimmung der Staatsversammlung weder verhaftet noch darf gegen ihn, wenn er sich auf die Immunität beruft, ein Strafverfahren eingeleitet werden, außer er wird bei Ausübung einer strafbaren Handlung betreten, für die eine Gefängnisstrafe von mehr als fünf Jahren vorgesehen ist.

(3) Die Staatsversammlung kann die Immunität auch einem Abgeordneten gewähren, der sich nicht darauf berufen hat oder der bei Ausübung einer strafbaren Handlung gemäß vorigem Absatz betreten wurde.

Artikel 84 (Präsident der Staatsversammlung)

Die Staatsversammlung hat einen Präsidenten, der mit Mehrheit der Stimmen aller Abgeordneten gewählt wird.

Artikel 85 (Tagung der Staatsversammlung)

(1) Die Staatsversammlung tagt in ordentlichen und außerordentlichen Sitzungen.

(2) Die ordentlichen und die außerordentlichen Sitzungen werden vom Präsidenten der Staatsversammlung einberufen; eine außerordentliche Sitzung muss einberufen werden, wenn dies von mindestens einem Viertel der Mitglieder der Staatsversammlung oder vom Staatspräsidenten verlangt wird.

Artikel 86 (Beschlussfassung)

Die Staatsversammlung ist beschlussfähig, wenn die Mehrheit der Abgeordneten der Sitzung beiwohnt. Die Staatsversammlung verabschiedet Gesetze, fasst andere Beschlüsse und ratifiziert völkerrechtliche Verträge mit Mehrheit der von den anwesenden Abgeordneten abgegebenen Stimmen, wenn durch die Verfassung oder das Gesetz keine andere Mehrheit festgelegt ist.

Artikel 87 (Gesetzgebungsbefugnis der Staatsversammlung)

Rechte und Pflichten von Staatsbürgern

und anderen Personen kann die Staatsversammlung nur durch Gesetz festlegen.

Artikel 88 (Gesetzesinitiative)

Gesetzesanträge können von der Regierung oder von jedem Abgeordneten eingebracht werden. Ein Gesetzesantrag kann auch von mindestens fünftausend Wählern eingebracht werden.

Artikel 89 (Gesetzgebungsverfahren)

Die Staatsversammlung beschließt Gesetze in einem mehrstufigen Verfahren, wenn die Geschäftsordnung nichts anderes bestimmt.

Artikel 90 (Gesetzgebende Volksabstimmung)

(1) Die Staatsversammlung hat über das Inkrafttreten eines von ihr beschlossenen Gesetzes eine Volksabstimmung abzuhalten, wenn dies von mindestens vierzigtausend Wählern gefordert wird.

(2) Eine Volksabstimmung darf nicht abgehalten werden:

a) über Gesetze die unerlässliche Maßnahmen zur Sicherung der Verteidigung des Staates, der Sicherheit oder der Beseitigung der Folgen von Naturkatastrophen betreffen,

b) über Gesetze, die Steuern, Abgaben und sonstige Pflichtgebühren betreffen sowie Gesetze, die zur Durchführung des Staatshaushaltes verabschiedet werden,

c) über Gesetze zur Ratifikation von völkerrechtlichen Verträgen,

d) über Gesetze, die eine Verfassungswidrigkeit im Gebiet der Menschenrechte und Grundfreiheiten oder eine andere Verfassungswidrigkeit beseitigen.

(4) Ein Gesetz ist abgelehnt, wenn bei einer Volksabstimmung die Mehrheit der Wähler, die gültige Stimmen abgegeben haben, gegen das Gesetz gestimmt hat sofern mindestens ein Fünftel aller Wahlberechtigten gegen das Gesetz gestimmt hat.

(5) Die Volksabstimmung wird durch ein Gesetz geregelt, das von der Staatsversammlung mit einer Mehrheit von zwei Dritteln der Stimmen der anwesenden Abgeordneten verabschiedet wird.

Artikel 91 (Verkündung von Gesetzen)

(1) Gesetze werden vom Staatspräsidenten spätestens acht Tage nach ihrer Verabschiedung verkündet.

(2) Der Staatsrat kann innerhalb von sieben Tagen ab der Verabschiedung eines Gesetzes noch vor dessen Verkündung verlangen, dass die Staatsversammlung noch einmal darüber entscheidet. Bei der neuerlichen Beschlussfassung gilt das Gesetz als angenommen, wenn die Mehrheit aller Abgeordneten für das Gesetz gestimmt hat, außer die Verfassung sieht eine höhere Anzahl von Stimmen für die Annahme dieses Gesetzes vor. Die neuerliche Beschlussfassung der Staatsversammlung ist endgültig.

Artikel 92 (Kriegs- und Ausnahmezustand)

(1) Der Ausnahmezustand wird ausgerufen, wenn eine große und allgemeine Gefahr das Bestehen des Staates gefährdet. Über die Ausrufung des Kriegs- oder Ausnahmezustandes, über notwendige Maßnahmen und deren Aufhebung entscheidet die Staatsversammlung auf Vorschlag der Regierung.

(2) Die Staatsversammlung entscheidet über den Einsatz der Verteidigungskräfte.

(3) Wenn die Staatsversammlung nicht zusammentreten kann, entscheidet über die Angelegenheiten aus den vorigen Absätzen der Staatspräsident. Seine Beschlüsse muss er der Staatsversammlung zur Bestätigung vorlegen, sobald diese wieder zusammentritt.

Artikel 93 (Parlamentarische Untersuchung)

Die Staatsversammlung kann eine Untersuchung über Angelegenheiten von öffentlicher Bedeutung anordnen, muss dies aber auf Verlangen eines Drittels der Mitglieder der Staatsversammlung oder auf Verlangen des Staatsrates tun. Zu diesem Zweck ernennt die Staatsversammlung einen Ausschuss, der in Ermittlungs- und Untersuchungsangelegenheiten sinngemäß die gleichen Befugnisse hat wie die Organe der Rechtspflege.

Artikel 94 (Geschäftsordnung der Staatsversammlung)

Die Staatsversammlung hat eine Geschäftsordnung, die mit einer Mehrheit von zwei Dritteln der Stimmen der anwesenden Abgeordneten beschlossen wird.

Artikel 95 (Entlohnung der Abgeordneten)

Die Mitglieder der Staatsversammlung erhalten ein Gehalt oder eine Entschädigung. Beide werden durch Gesetz festgelegt.

b) Staatsrat

Artikel 96 (Zusammensetzung)

(1) Der Staatsrat ist die Vertretung von Trägern der sozialen, wirtschaftlichen, beruflichen und lokalen Interessen.

(2) Der Staatsrat hat vierzig Mitglieder. Er besteht aus:
– vier Vertretern der Arbeitgeber;
– vier Vertretern der Arbeitnehmer;
– vier Vertretern der Bauern, der Gewerbetreibenden und der freien Berufe;
– sechs Vertretern der nichtwirtschaftlichen Tätigkeiten;
– zweiundzwanzig Vertretern der lokalen Interessen.

(3) Die Organisation des Staatsrats wird durch Gesetz geregelt.

Artikel 97 (Zuständigkeiten des Staatsrates)

(1) Der Staatsrat kann:
– in der Staatsversammlung Gesetzesanträge einbringen;
– der Staatsversammlung eine Stellungnahme zu allen Angelegenheiten aus deren Wirkungskreis abgeben;
– verlangen, dass die Staatsversammlung vor der Verkündung eines Gesetzes noch einmal darüber entscheidet;
– eine Untersuchung über Angelegenheiten von öffentlicher Bedeutung im Sinne des Artikels 93 verlangen.

(2) Der Staatsrat muss auf Verlangen der Staatsversammlung eine Stellungnahme zu einzelnen Fragen abgeben.

Artikel 98 (Wahl)

(1) Die Wahl in den Staatsrat wird durch ein Gesetz geregelt, das von der Staatsversammlung mit einer Mehrheit von zwei Dritteln der Stimmen aller Abgeordneten verabschiedet wird.

(2) Die Mitglieder des Staatsrats werden für die Dauer von fünf Jahren gewählt.

Artikel 99 (Beschlussfassung)

(1) Der Staatsrat ist beschlussfähig, wenn die Mehrheit seiner Mitglieder der Sitzung beiwohnt.

(2) Der Staatsrat entscheidet mit Mehrheit der abgegebenen Stimmen.

Artikel 100 (Unvereinbarkeit der Funktion und Immunität)

(1) Ein Mitglied des Staatsrats darf nicht zugleich ein Abgeordneter der Staatsversammlung sein.

(2) Die Mitglieder des Staatsrats genießen die gleiche Immunität wie die Abgeordneten der Staatsversammlung. Über die Immunität entscheidet der Staatsrat.

Artikel 101 (Geschäftsordnung des Staatsrates)

Der Staatsrat hat eine Geschäftsordnung, die er mit Mehrheit der Stimmen aller Mitglieder beschließt.

c) Präsident der Republik

Artikel 102 (Amt des Präsidenten der Republik)

Der Staatspräsident vertritt die Republik Slowenien. Er ist der Oberbefehlshaber der Verteidigungskräfte der Republik Slowenien.

Artikel 103 (Wahl des Präsidenten der Republik)

(1) Der Staatspräsident wird durch unmittelbare, allgemeine und geheime Wahl gewählt.

(2) Ein Kandidat wird mit Mehrheit der gültigen Stimmen zum Staatspräsidenten gewählt.

(3) Der Staatspräsident wird für die Dauer von fünf Jahren gewählt. Eine anschließende Wiederwahl ist nur einmal zulässig. Falls die Amtszeit des Staatspräsidenten während eines Kriegs- oder Ausnahmezustandes abläuft, endet sein Amt sechs Monate nach Beendigung des Kriegs- oder Ausnahmezustandes.

(4) Zum Staatspräsidenten kann nur ein slowenischer Staatsbürger gewählt werden.

(5) Die Wahl des Staatspräsidenten wird vom Präsidenten der Staatsversammlung ausgeschrieben. Der Staatspräsident muss spätestens 15 Tage vor Ablauf der Amtszeit des vorherigen Präsidenten gewählt werden.

Artikel 104 (Eid des Präsidenten der Republik)

Der Staatspräsident leistet vor seinem Amtsantritt vor der Staatsversammlung folgenden Eid:

„Ich schwöre, dass ich die verfassungsmäßige Ordnung achte, nach eigenem Gewissen handeln und alle meine Kräfte für das Wohl Sloweniens einsetzen werde."

Artikel 105 (Unvereinbarkeit des Präsidentenamtes)

Das Amt des Staatspräsidenten ist unvereinbar mit der Ausübung einer anderen öffentlichen Funktion oder eines Berufs.

Artikel 106 (Vertretung des Präsidenten der Republik)

(1) Im Falle einer dauernden Verhinderung, des Todes, des Rücktritts oder einer anderen Art der Beendigung des Präsidentenamtes wird das Amt des Staatspräsidenten bis zur Neuwahl eines Präsidenten vorübergehend vom Präsidenten der Staatsversammlung ausgeübt. In diesem Falle muss die Neuwahl des Staatspräsidenten spätestens 15 Tage nach der Amtsbeendigung des vorherigen Präsidenten ausgeschrieben werden.

(2) Der Präsident der Staatsversammlung übt vorübergehend das Amt des Staatspräsidenten auch für die Dauer von dessen Verhinderung aus.

Artikel 107 (Zuständigkeiten des Präsidenten der Republik)

(1) Der Staatspräsident:

– schreibt Wahlen in die Staatsversammlung aus;

– verkündet Gesetze;

– ernennt staatliche Funktionsträger, wenn dies durch Gesetz festgelegt ist;

– bestellt und entlässt Botschafter und Gesandte der Republik und nimmt die Beglaubigungsschreiben ausländischer diplomatischer Vertreter entgegen;

– stellt Ratifikationsurkunden aus;

– entscheidet über Begnadigungen;

– verleiht Orden und Ehrentitel;

– übt andere durch diese Verfassung bestimmte Aufgaben aus.

(2) Der Staatspräsident muss auf Verlangen der Staatsversammlung eine Stellungnahme zu einzelnen Fragen abgeben.

Artikel 108 (Verordnungen mit Gesetzeskraft)

(1) Wenn die Staatsversammlung wegen eines Kriegs- oder Ausnahmezustandes nicht in der Lage ist zusammenzutreten, kann der Staatspräsident auf Antrag der Regierung Verordnungen mit Gesetzeskraft erlassen.

(2) Durch eine Verordnung mit Gesetzeskraft können ausnahmsweise einzelne Menschenrechte und Grundfreiheiten in Einklang mit Artikel 16 dieser Verfassung eingeschränkt werden.

(3) Der Staatspräsident muss Verordnungen mit Gesetzeskraft der Staatsversammlung zur Bestätigung vorlegen, sobald diese wieder zusammentritt.

Artikel 109 (Verantwortlichkeit des Präsidenten der Republik)

Verstößt der Staatspräsident bei der Ausübung seines Amtes gegen die Verfassung oder begeht er eine grobe Gesetzesverletzung, so kann von der Staatsversammlung gegen ihn eine Anklage vor dem Verfassungsgerichtshof erhoben werden. Der Verfassungsgerichtshof stellt entweder fest, dass die Anklage begründet ist, oder spricht den Angeklagten frei. Mit einer Mehrheit von zwei Dritteln der Stimmen aller Richter kann er ihn aber auch des Amtes für verlustig erklären. Nachdem der Verfassungsgerichtshof den Beschluss der Staatsversammlung über die Anklage erhalten hat, kann er anordnen, dass der Staatspräsident bis zur Entscheidung über die Anklage vorübergehend sein Amt nicht ausüben darf.

d) Regierung

Artikel 110 (Zusammensetzung der Regierung)

Die Regierung setzt sich aus dem Ministerpräsidenten und den Ministern zusammen. Die Regierung und die einzelnen Minister sind im Rahmen ihrer Zuständigkeiten selbständig und der Staatsversammlung verantwortlich.

Artikel 111 (Wahl des Ministerpräsidenten)

(1) Nach Beratungen mit den Fraktionsobmännern schlägt der Staatspräsident der Staatsversammlung einen Kandidaten für das Amt des Ministerpräsidenten vor.

(2) Der Ministerpräsident wird von der Staatsversammlung mit Mehrheit der Stimmen aller Abgeordneten gewählt, wenn durch diese Verfassung nichts anderes bestimmt wird. Die Wahl ist geheim.

(3) Erhält der Kandidat die erforderliche Stimmenmehrheit nicht, so kann der Staatspräsident nach neuerlichen Beratungen binnen vierzehn Tagen einen anderen oder nochmals denselben Kandidat vorschlagen. Ebenso können aber auch Kandidaten von den Fraktionen oder von mindestens zehn Abgeordneten vorgeschlagen werden. Falls innerhalb dieser Frist mehrere Vorschläge eingebracht wurden, wird über jeden einzeln abgestimmt und zwar zunächst über den Kandidaten des Staatspräsidenten. Wird dieser nicht gewählt, so wird über die anderen Kandidaten in der Reihenfolge der eingebrachten Vorschläge abgestimmt.

(4) Wird keiner der Kandidaten gewählt, so löst der Staatspräsident die Staatsversammlung auf und schreibt Neuwahlen aus, außer die Staatsversammlung beschließt binnen achtundvierzig Stunden mit Mehrheit der abgegebenen Stimmen der anwesenden Abgeordneten, eine neuerliche Wahl des Ministerpräsidenten durchzuführen, bei der dann die Mehrheit der abgegebenen Stimmen der anwesenden Abgeordneten für die Wahl ausreicht. Bei dem neuen Wahlgang wird über die einzelnen Kandidaten in der Reihenfolge der bei den vorherigen Wahlen auf sie entfallenen Stimmen abgestimmt. Danach kann über neue bis zur Wahl eingebrachte Kandidaturen abgestimmt werden, wobei dem allfälligen Kandidaten des Staatspräsidenten der Vorrang zukommt.

(5) Erhält auch bei dieser Wahl kein Kandidat die erforderliche Stimmenmehrheit, so löst der Staatspräsident die Staatsversammlung auf und schreibt Neuwahlen aus.

Artikel 112 (Ernennung der Minister)

(1) Die Minister werden von der Staatsversammlung auf Vorschlag des Ministerpräsidenten ernannt und entlassen.

(2) Der für ein Ministeramt Vorgeschlagene muss sich vor seiner Ernennung dem zuständigen Ausschuss der Staatsversammlung vorstellen und dessen Fragen beantworten.

Artikel 113 (Vereidigung der Regierung)

Der Ministerpräsident und die Minister leisten nach der Wahl bzw. ihrer Ernennung vor der Staatsversammlung den Eid, der im Artikel 104 festgelegt ist.

Artikel 114 (Organisation der Regierung)

(1) Der Ministerpräsident sorgt für eine einheitliche politische und administrative Ausrichtung der Regierung und koordiniert die Tätigkeit der Minister. Die Minister sind gemeinsam für die Tätigkeit der Regierung, jeder einzelne Minister für die Tätigkeit seines Ministeriums verantwortlich.

(2) Die Zusammensetzung und die Arbeitsweise der Regierung, die Anzahl, die Zuständigkeiten und die Organisation der Ministerien werden durch Gesetz geregelt.

Artikel 115 (Amtsende des Ministerpräsidenten und der Minister)

Das Amt des Ministerpräsidenten und der Minister läuft mit dem Zusammentreten der neuen Staatsversammlung nach den Wahlen ab, das Amt der Minister auch mit jedem anderen Ablauf des Amtes des Ministerpräsidenten und mit der Entlassung oder dem Rücktritt eines Ministers. Sie müssen jedoch die laufenden Geschäfte bis zur Wahl des neuen Ministerpräsidenten bzw. bis zur Ernennung der neuen Minister ausüben.

Artikel 116 (Misstrauensvotum gegen die Regierung)

(1) Die Staatsversammlung kann der Regierung das Misstrauen nur auf die Weise aussprechen, dass sie auf Antrag von mindestens zehn Abgeordneten einen neuen Ministerpräsidenten mit Mehrheit der Stimmen aller Abgeordneten wählt. Damit wird der bisherige Ministerpräsident entlassen, muss aber mit seinen Ministern die laufenden Geschäfte bis zur Vereidigung der neuen Regierung ausüben.

(2) Zwischen der Einbringung eines Antrags auf Wahl eines neuen Ministerpräsidenten und seiner Wahl müssen mindestens achtundvierzig Stunden vergehen, außer die Staatsversammlung beschließt mit einer Mehrheit von zwei Dritteln der Stimmen aller Abgeordneten etwas anderes oder der Staat befindet sich in einem Kriegs- oder Ausnahmezustand.

(3) Wurde der Ministerpräsident aufgrund von Artikel 111 Absatz 4 gewählt, so gilt ihm gegenüber das Misstrauensvotum als ausgesprochen, wenn die Staatsversammlung auf Antrag von mindestens zehn Abgeordneten mit Mehrheit der abgegebenen Stimmen einen neuen Ministerpräsidenten wählt.

Artikel 117 (Vertrauensfrage der Regierung)

(1) Der Ministerpräsident kann eine Abstimmung über das Vertrauen in die Regierung beantragen. Erhält die Regierung nicht die Unterstützung der Mehrheit der Stimmen aller Abgeordneten, so muss die Staatsversammlung binnen dreißig Tagen einen neuen Ministerpräsidenten wählen oder dem bisherigen Ministerpräsidenten durch eine neuerliche Abstimmung das Vertrauen aussprechen, sonst löst der Staatspräsident die Staatsversammlung auf und schreibt Neuwahlen aus. Der Ministerpräsident kann die Vertrauensfrage auch an die Verabschiedung eines Gesetzes oder einer anderen Entscheidung in der Staatsversammlung knüpfen. Wird die Entscheidung nicht beschlossen, so gilt der Regierung das Misstrauen als ausgesprochen.

(2) Zwischen dem Stellen der Vertrauensfrage und der Abstimmung darüber müssen mindestens achtundvierzig Stunden vergehen.

Artikel 118 (Interpellation)

(1) Mindestens zehn Abgeordnete können in der Staatsversammlung eine Interpellation über die Tätigkeit der Regierung oder eines einzelnen Ministers einbringen.

(2) Spricht die Mehrheit aller Abgeordneten nach der Erörterung über eine Interpellation der Regierung oder dem einzelnen Minister das Misstrauen aus, so wird die Regierung oder der Minister von der Staatsversammlung des Amtes enthoben.

Artikel 119 (Ministeranklage)

Die Staatsversammlung kann gegen den Ministerpräsidenten oder die Minister, wegen der in Ausübung ihrer Ämter begangener Verletzungen der Verfassung und der Gesetze, vor dem Verfassungsgerichtshof Anklage erheben. Der Verfassungsgerichtshof behandelt die Anklage auf die im Artikel 109 festgelegte Weise.

e) Verwaltung

Artikel 120 (Organisation und Tätigkeit der Verwaltung)

(1) Die Organisation und die Zuständigkeiten der Verwaltung sowie die Art der Ernennung der Beamten werden durch Gesetz geregelt.

(2) Die Verwaltungsorgane üben ihre Tätigkeiten selbständig im Rahmen und auf Grund der Verfassung und der Gesetze aus.

(3) Gegen die Entscheidungen und Handlungen der Verwaltungsorgane und der Träger öffentlicher Befugnisse wird den Staatsbürgern und Organisationen ein gerichtlicher Schutz ihrer Rechte und gesetzlichen Interessen gewährleistet.

Artikel 121 (Öffentliche Befugnisse)

Juristische und natürliche Personen können durch Gesetz oder auf dessen Grundlage mit der Ausübung bestimmter Aufgaben der Staatsverwaltung betraut werden.

Artikel 122 (Eintritt in den Verwaltungsdienst)

Der Eintritt in den Verwaltungsdienst ist nur nach einer öffentlichen Ausschreibung möglich, außer in den gesetzlich festgelegten Fällen.

f) Verteidigung des Staates

Artikel 123 (Wehrpflicht)

(1) Für die Staatsbürger besteht die Pflicht zur Verteidigung des Staates. Den Umfang und die Art der Ausübung der Wehrpflicht der Staatsbürger bestimmt das Gesetz.

(2) Staatsbürgern, die wegen ihrer religiösen, philosophischen oder humanitären Anschauungen nicht bereit sind, der Ausübung der Militärpflichten nachzukommen, muss ermöglicht werden, auf andere Art und Weise an der Verteidigung des Staates mitzuwirken.

Artikel 124 (Verteidigung des Staates)

(1) Die Art, der Umfang und die Organisation der Verteidigung der Unantastbarkeit und der Unversehrtheit des Staatsgebietes werden durch ein Gesetz geregelt, das von der Staatsversammlung mit einer Mehrheit von zwei Dritteln der Stimmen der anwesenden Abgeordneten verabschiedet wird.

(2) Die Ausübung der Verteidigung wird von der Staatsversammlung überwacht.

(3) Der Staat geht bei der Wahrung der Sicherheit vor allem von der Friedenspolitik und der Nichtanwendung von Gewalt sowie von der Kultur des Friedens aus.

g) Gerichtsbarkeit

Artikel 125 (Richterliche Unabhängigkeit)

Die Richter sind in Ausübung ihres richterlichen Amtes unabhängig und nur an die Verfassung und an das Gesetz gebunden.

Artikel 126 (Gerichtsverfassung)

(1) Die Gerichtsverfassung wird durch Gesetz geregelt.

(2) Ausnahmegerichte dürfen nicht gebildet werden, ebenso nicht Militärgerichte in Friedenszeiten.

Artikel 127 (Der Oberste Gerichtshof)

(1) Der Oberste Gerichtshof ist das höchste Gericht im Staat.

(2) Er entscheidet über ordentliche und außerordentliche Rechtsmittel und ist in anderen durch Gesetz zugewiesenen Fällen tätig.

Artikel 128 (Mitwirkung der Staatsbürger an der Gerichtsbarkeit)

Das Gesetz regelt die Fälle und Formen der unmittelbaren Mitwirkung der Staatsbürger an der Ausübung der richterlichen Gewalt.

Artikel 129 (Dauer des Richteramtes)

(1) Das Richteramt ist unbefristet. Durch Gesetz werden die Altersgrenze und andere Voraussetzungen für die Auswahl geregelt.

(2) Durch Gesetz wird die Altersgrenze für die Versetzung in den Ruhestand festgelegt.

Artikel 130 (Auswahl der Richter)

Die Richter werden von der Staatsversammlung auf Vorschlag des Richterrates gewählt.

Artikel 131 (Richterrat)

Der Richterrat setzt sich aus elf Mitgliedern zusammen. Fünf von ihnen werden von der Staatsversammlung auf Vorschlag des Staatspräsidenten aus dem Kreis der Universitätsprofessoren der Rechtswissenschaft, der Anwälte und anderer Juristen gewählt. Sechs Mitglieder wählen die Richter, die ein unbefristetes Richteramt ausüben, aus ihren Reihen. Die Mitglieder des Richterrates wählen einen Präsidenten aus ihrer Mitte.

Artikel 132 (Beendigung des Richteramtes und Enthebung)

(1) Das Richteramt endet mit dem Eintritt der gesetzlich festgelegten Gründe.

(2) Falls ein Richter in Ausübung seines Richteramtes gegen die Verfassung verstößt oder eine grobe Gesetzesverletzung begeht, kann die Staatsversammlung auf Antrag des Richterrates den Richter seines Amtes entheben.

(3) Im Falle einer durch Missbrauch des Richteramtes vorsätzlich begangenen und durch rechtskräftiges Urteil festgestellten strafbaren Handlung wird der Richter von der Staatsversammlung seines Amtes enthoben.

Artikel 133 (Unvereinbarkeiten mit dem Richteramt)

Das Richteramt ist unvereinbar mit Ämtern in anderen Staatsorganen, Organen der lokalen Selbstverwaltung und Organen der politischen Parteien sowie mit anderen gesetzlich festgelegten Ämtern und Tätigkeiten.

Artikel 134 (Immunität des Richters)

(1) Niemand kann in Ausübung des Richteramtes für die bei der Urteilsfindung vertretene Ansicht verantwortlich gemacht werden.

(2) Falls ein Richter der Begehung einer strafbaren Handlung in Ausübung seines Richteramtes verdächtigt wird, kann er ohne Zustimmung der Staatsversammlung weder verhaftet noch darf gegen ihn ein Strafverfahren eingeleitet werden.

h) Staatsanwaltschaft

Artikel 135 (Staatsanwalt)

(1) Der Staatsanwalt erhebt und vertritt Strafanklagen und hat andere gesetzlich festgelegte Zuständigkeiten.

(2) Die Organisation und die Zuständigkeiten der Staatsanwaltschaften werden durch Gesetz geregelt.

Artikel 136 (Unvereinbarkeiten mit dem Amt eines Staatsanwalts)

Das Amt eines Staatsanwalts ist unvereinbar mit Ämtern in anderen Staatsorganen, Organen der lokalen Selbstverwaltung und Organen der politischen Parteien sowie mit anderen gesetzlich festgelegten Ämtern und Tätigkeiten.

i) Rechtsanwaltschaft und Notariat

Artikel 137 (Rechtsanwaltschaft und Notariat)

(1) Die Rechtsanwaltschaft ist als Bestandteil der Rechtspflege ein selbständiger und unabhängiger Dienst, der durch Gesetz geregelt wird.

(2) Das Notariat ist ein öffentliches Amt, das durch Gesetz geregelt wird.

V. SELBSTVERWALTUNG

a) Lokale Selbstverwaltung

Artikel 138 (Verwirklichung der lokalen Selbstverwaltung)

Die lokale Selbstverwaltung wird von den Einwohnern Sloweniens in Gemeinden und anderen lokalen Gemeinschaften verwirklicht.

Artikel 139 (Gemeinde)

(1) Die Gemeinde ist eine lokale Selbstverwaltungsgemeinschaft.

(2) Das Gebiet der Gemeinde umfasst eine oder mehrere Ortschaften, die durch gemeinsame Bedürfnisse und Interessen der Einwohner miteinander verbunden sind.

(3) Eine Gemeinde wird nach einem Referendum zur Feststellung des Willens der Einwohner eines bestimmten Gebietes durch Gesetz gebildet. Durch Gesetz wird auch das Gebiet einer Gemeinde festgelegt.

Artikel 140 (Wirkungsbereich der lokalen Selbstverwaltungsgemeinschaften)

(1) In den Wirkungsbereich der Gemeinde gehören lokale Angelegenheiten, die von der Gemeinde selbständig geregelt werden können und die lediglich die Einwohner der Gemeinde betreffen.

(2) Der Staat kann einer Gemeinde durch Gesetz die Ausübung einzelner Aufgaben aus seinem Zuständigkeitsbereich übertragen, wenn er auch die finanziellen Mittel zur Durchführung gewährleistet.

(3) In den Angelegenheiten, die vom Staat den Organen einer lokalen Gemeinschaft übertragen wurden, üben die Staatsorgane auch die Aufsicht über die Zweckmäßigkeit und Professionalität ihrer Arbeit aus.

Artikel 141 (Stadtgemeinde)

(1) Eine Stadt kann nach dem Verfahren und unter den Voraussetzungen, die durch Gesetz festgelegt werden, den Status einer Stadtgemeinde erhalten.

(2) Die Stadtgemeinde kann auch bestimmte gesetzlich festgelegte Aufgaben aus dem Zuständigkeitsbereich des Staates, die sich auf die Entwicklung der Stadt beziehen, als ihre eigenen ausüben.

Artikel 142 (Gemeindeeinnahmen)

Die Gemeinde finanziert sich aus eigenen Mitteln. Der Staat stellt jenen Gemeinden, die wegen ihrer schwächeren wirtschaftlichen Entwicklung die Erfüllung ihrer Aufgaben nicht zur Gänze wahrnehmen können, nach gesetzlich festgelegten Grundsätzen und Maßstäben zusätzliche Mittel zur Verfügung.

Artikel 143 (Regionen)

(1) Eine Region ist eine lokale Selbstverwaltungsgemeinschaft, die lokale Angelegenheiten von erheblichem Interesse sowie gesetzlich festgelegte Angelegenheiten von regionaler Bedeutung regelt.

(2) Die Regionen werden durch Gesetz errichtet, welches auch ihr Gebiet, ihren Sitz und ihren Namen regelt. Das Gesetz wird von der Staatsversammlung mit Zweidrittelmehrheit der anwesenden Abgeordneten beschlossen. Die Mitwirkung der Gemeinden am Verfahren zur Annahme des Gesetzes muss gewährleistet sein.

(3) Der Staat überträgt den Regionen per Gesetz die Wahrnehmung einzelner Aufgaben aus seinem Zuständigkeitsbereich und muss ihnen die hierfür erforderlichen Finanzmittel gewährleisten.

Artikel 144 (Aufsicht durch die Staatsorgane)

Die Staatsorgane beaufsichtigen die Gesetzmäßigkeit der Tätigkeit von Organen lokaler Selbstverwaltungsgemeinschaften.

b) Weitere Arten der Selbstverwaltung

Artikel 145 (Selbstverwaltung im Bereich der gesellschaftlichen Tätigkeiten)

(1) Die Staatsbürger dürfen sich zur Geltendmachung ihrer Interessen auf der Grundlage der Selbstverwaltung zusammenschließen.

(2) Durch Gesetz können den Staatsbürgern einzelne Angelegenheiten aus dem Zuständigkeitsbereich des Staates zur Durchführung auf dem Wege der Selbstverwaltung übertragen werden.

VI. ÖFFENTLICHE FINANZEN

Artikel 146 (Finanzierung des Staates und der lokalen Gemeinschaften)

(1) Der Staat und die lokalen Gemeinschaften erhalten die Mittel zur Verrichtung ihrer Aufgaben durch Steuern und andere Pflichtabgaben sowie durch Einkommen aus eigenem Vermögen.

(2) Der Staat und die lokalen Gemeinschaften weisen den Wert ihres Vermögens in Vermögensbilanzen aus.

Artikel 147 (Steuern)

Der Staat schreibt durch Gesetz Steuern, Zölle und andere Abgaben vor. Die lokalen Gemeinschaften schreiben Steuern und andere Abgaben unter den durch die Verfassung und durch das Gesetz festgelegten Voraussetzungen vor.

Artikel 148 (Staatshaushalt)

(1) Alle Einnahmen und Ausgaben zur Finanzierung der öffentlichen Aufwendungen müssen im Staatshaushalt enthalten sein.

(2) Einnahmen und Ausgaben der Staatshaushalte müssen mittelfristig ausgeglichen sein, ohne Kredite aufzunehmen, oder die Einnahmen müssen die Ausgaben übersteigen. Eine vorübergehende Abweichung von diesem Grundsatz ist nur zulässig, wenn den Staat außergewöhnliche Umstände treffen.

(3) Die Art und Weise und der Zeitplan für die Umsetzung des im vorherigen Absatz genannten Grundsatzes, die Kriterien für die Bestimmung der außergewöhnlichen Umstände und die Vorgehensweise, wenn sie eintreten, werden durch ein Gesetz festgelegt, das von der Staatsversammlung mit Zweidrittelmehrheit aller Abgeordneten verabschiedet wird.

(4) Ist ein Haushaltsplan am ersten Tag seiner Ausführung noch nicht verabschiedet, so werden die aus dem Haushalt finanzierten Begünstigten vorübergehend nach Maßgabe des vorhergehenden Staatshaushaltes finanziert.

Artikel 149 (Kredite zu Lasten des Staates)

Kredite zu Lasten des Staates und Staatsbürgschaften für Kredite sind nur aufgrund des Gesetzes zulässig.

Artikel 150 (Rechnungshof)

(1) Der Rechnungshof ist das oberste Organ zur Überprüfung der Staatskonten, des Staatshaushaltes und aller öffentlichen Ausgaben.

(2) Die Organisation und die Zuständigkeiten des Rechnungshofes werden durch Gesetz geregelt.

(3) Der Rechnungshof ist in seiner Tätigkeit unabhängig. Er ist an die Verfassung und das Gesetz gebunden.

Artikel 151 (Ernennung der Mitglieder des Rechnungshofes)

Die Mitglieder des Rechnungshofes werden von der Staatsversammlung ernannt.

Artikel 152 (Zentralbank)

(1) Slowenien hat eine Zentralbank. Diese Bank ist in ihrer Tätigkeit selbständig und unmittelbar der Staatsversammlung verantwortlich. Die Zentralbank wird durch Gesetz eingerichtet.

(2) Der Gouverneur der Zentralbank wird von der Staatsversammlung ernannt.

VII. VERFASSUNGS- UND GESETZMÄSSIGKEIT

Artikel 153 (Übereinstimmung von Rechtsakten)

(1) Gesetze, Rechtsverordnungen und andere Allgemeinregelungen müssen mit der Verfassung übereinstimmen.

(2) Gesetze müssen mit den allgemein geltenden Grundsätzen des Völkerrechts und mit den geltenden von der Staatsversammlung ratifizierten völkerrechtlichen Verträgen übereinstimmen. Rechtsverordnungen und andere Allgemeinregelungen müssen auch mit anderen ratifizierten völkerrechtlichen Verträgen übereinstimmen.

(3) Rechtsverordnungen und andere Allgemeinregelungen müssen mit der Verfassung und den Gesetzen übereinstimmen.

(4) Individualakte und Handlungen von Staatsorganen, Organen der lokalen Gemeinschaften und Trägern öffentlicher Befugnisse müssen ihre Grundlage in einem Gesetz oder in einer gesetzlichen Vorschrift haben.

Artikel 154 (Inkrafttreten und Verkündung von Vorschriften)

(1) Vorschriften müssen vor ihrem Inkrafttreten verkündet werden. Eine Vorschrift tritt am fünfzehnten Tag nach ihrer Verkündung in Kraft, wenn darin nicht anderes bestimmt ist.

(2) Vorschriften des Staates werden im Staatsgesetzblatt verkündet, Vorschriften der lokalen Gemeinschaften in einem Amtsblatt ihrer Wahl.

Artikel 155 (Verbot der Rückwirkung von Rechtsakten)

(1) Gesetze, andere Vorschriften und Allgemeinregelungen dürfen keine rückwirkende Kraft haben.

(2) Nur durch Gesetz kann festgelegt werden, dass einzelne ihrer Bestimmungen rückwirkende Kraft haben, wenn dies das öffentliche Interesse erfordert und dadurch nicht in wohlerworbene Rechte eingegriffen wird.

Artikel 156 (Verfahren zur Feststellung der Verfassungsmäßigkeit)

Hält ein Gericht ein bei seiner Entscheidungsfindung anzuwendendes Gesetz für verfassungswidrig, so muss es sein Verfahren unterbrechen und ein Verfahren vor dem Verfassungsgerichtshof einleiten. Das Gerichtsverfahren wird nach der Entscheidung des Verfassungsgerichtshofes fortgesetzt.

Artikel 157 (Verwaltungsstreitverfahren)

(1) Das zuständige Gericht erkennt in einem Verwaltungsstreitverfahren über die Gesetzmäßigkeit endgültiger Individualakte, mit welchen die Staatsorgane, die Organe der lokalen Gemeinschaften und die Träger öffentlicher Befugnisse über Rechte und Pflichten sowie rechtliche Interessen von Einzelpersonen und Organisationen entscheiden, außer es ist durch Gesetz für eine bestimmte Sache ein anderer gerichtlicher Schutz vorgesehen.

(2) Wenn kein anderer gerichtlicher Schutz vorgesehen ist, entscheidet in einem Verwaltungsstreitverfahren das zuständige Gericht auch über die Gesetzmäßigkeit von Individualakten und -handlungen, durch die in die verfassungsmäßigen Rechte eines Einzelnen eingegriffen wird.

Artikel 158 (Rechtskraft)

Rechtsverhältnisse, die durch eine rechtskräftige Entscheidung eines Staatsorgans geregelt sind, können nur in den gesetzlich vorgesehenen Fällen und Verfahren für nichtig erklärt, aufgehoben oder abgeändert werden.

Artikel 159 (Volksanwalt)

(1) Durch Gesetz wird ein Volksanwalt zum Schutz von Menschenrechten und Grundfreiheiten der Staatsbürger in ihrem Verhältnis zu Staatsorganen, Organen der lokalen Selbstverwaltung und Trägern öffentlicher Befugnisse bestellt.

(2) Durch Gesetz können auch besondere Volksanwälte für die Rechte der Staatsbürger in einzelnen Bereichen eingerichtet werden.

VIII. VERFASSUNGSGERICHTSHOF

Artikel 160 (Aufgaben des Verfassungsgerichtshofes)

(1) Der Verfassungsgerichtshof entscheidet:

– über die Übereinstimmung von Gesetzen mit der Verfassung;

– über die Übereinstimmung von Gesetzen und anderen Vorschriften mit den ratifizierten völkerrechtlichen Verträgen und den allgemeinen Grundsätzen des Völkerrechts;

– über die Übereinstimmung von Rechtsverordnungen mit der Verfassung und den Gesetzen;

– über die Übereinstimmung von Vorschriften der lokalen Gemeinschaften mit der Verfassung und den Gesetzen;

– über die Übereinstimmung von zur Vollziehung öffentlicher Befugnisse erlassenen Allgemeinregelungen mit der Verfassung, den Gesetzen und den Rechtsverordnungen;

– über Verfassungsbeschwerden wegen Verletzung von Menschenrechten und Grundfreiheiten durch Individualakte;

– über Zuständigkeitskonflikte zwischen dem Staat und den lokalen Gemeinschaften sowie zwischen lokalen Gemeinschaften selbst;

– über Zuständigkeitskonflikte zwischen Gerichten und anderen Staatsorganen;

– über Zuständigkeitskonflikte zwischen der Staatsversammlung, dem Staatspräsidenten und der Regierung;

– über die Verfassungswidrigkeit der Akte und der Tätigkeit politischer Parteien;

– über andere Angelegenheiten, die ihm durch Verfassung oder Gesetze übertragen werden.

(2) Der Verfassungsgerichtshof erkennt auf Antrag des Staatspräsidenten, der Regierung oder eines Drittels der Abgeordneten der Staatsversammlung im Verfahren der Ratifikation völkerrechtlicher Verträge über ihre Übereinstimmung mit der Verfassung. Die Staatsversammlung ist an das Erkenntnis des Verfassungsgerichtshofs gebunden.

(3) Falls das Gesetz nichts anderes bestimmt, entscheidet der Verfassungsgerichtshof über eine Verfassungsbeschwerde nur dann, wenn der Rechtsweg bereits ausgeschöpft wurde. Ob die Verfassungsbeschwerde zur Verhandlung angenommen wird, entscheidet der Verfassungsgerichtshof aufgrund von gesetzlich festgelegten Maßstäben und Verfahren.

Artikel 161 (Aufhebung von Gesetzen)

(1) Stellt der Verfassungsgerichtshof fest, dass ein Gesetz verfassungswidrig ist, so hebt er es gänzlich oder teilweise auf. Die Aufhebung tritt sofort oder binnen einer vom Verfassungsgerichtshof bestimmten Frist in Kraft. Diese Frist darf ein Jahr nicht überschreiten. Andere verfassungswidrige oder gesetzwidrige Vorschriften oder Allgemeinregelungen werden vom Verfassungsgerichtshof für ungültig erklärt oder aufgehoben. Der Verfassungsgerichtshof kann unter den gesetzlich festgelegten Bedingungen den Vollzug eines Aktes, dessen Verfassungs- oder Gesetzmäßigkeit geprüft wird, bis zur endgültigen Entscheidung gänzlich oder teilweise aussetzen.

(2) Stellt der Verfassungsgerichtshof bei der Entscheidung über eine Verfassungsbeschwerde auch die Verfassungswidrigkeit einer Vorschrift oder Allgemeinregelung fest, kann er diese für ungültig erklären oder aufheben.

(3) Die Rechtsfolgen der Entscheidungen des Verfassungsgerichtshofs werden durch Gesetz geregelt.

Artikel 162 (Verfahren vor dem Verfassungsgerichtshof)

(1) Das Verfahren vor dem Verfassungsgerichtshof wird durch Gesetz geregelt.

(2) Die Antragsteller, die die Einleitung eines Verfahrens vor dem Verfassungsgerichtshof beantragen können, werden durch Gesetz festgelegt. Jedermann kann die Einleitung eines Verfahrens anregen, wenn er sein rechtliches Interesse nachweist.

(3) Der Verfassungsgerichtshof entscheidet mit Mehrheit der Stimmen aller seiner Richter, wenn die Verfassung oder das Gesetz für einzelne Fälle nichts anderes bestimmt. Ob ein Verfahren aufgrund einer Verfassungsbeschwerde eingeleitet wird, kann der Verfassungsgerichtshof in einer durch Gesetz festgelegten engeren Zusammensetzung entscheiden.

Artikel 163 (Zusammensetzung und Wahl)

(1) Der Verfassungsgerichtshof besteht aus neun Verfassungsrichtern, die auf Vorschlag des Staatspräsidenten von der Staatsversammlung auf die gesetzlich festgelegte Weise gewählt werden.

(2) Die Verfassungsrichter werden aus den Reihen der Rechtsexperten gewählt.

(3) Der Präsident des Verfassungsgerichtshofs wird von den Verfassungsrichtern aus ihrer Mitte für die Dauer von drei Jahren gewählt.

Artikel 164 (Vorzeitige Amtsenthebung eines Verfassungsrichters)

Ein Verfassungsrichter kann vorzeitig auf die gesetzlich festgelegte Weise nur in fol-

genden Fällen seines Amtes enthoben werden:
- wenn er dies selbst verlangt,
- wenn er für eine strafbare Handlung mit Freiheitsentzug bestraft wird, oder
- wegen dauernder Amtsunfähigkeit.

Artikel 165 (Amtsdauer der Verfassungsrichter)

(1) Die Verfassungsrichter werden für die Dauer von neun Jahren gewählt. Die Verfassungsrichter können nicht wiedergewählt werden.

(2) Nach dem Ablauf der Amtsdauer, für welche er gewählt wurde, übt ein Verfassungsrichter die Amtsgeschäfte noch bis zur Wahl des neuen Richters aus.

Artikel 166 (Unvereinbarkeit des Amtes)

Das Amt des Verfassungsrichters ist unvereinbar mit Ämtern in Staatsorganen, in Organen der lokalen Selbstverwaltung und Organen der politischen Parteien sowie mit anderen Ämtern und Tätigkeiten, die nach dem Gesetz mit dem Amt des Verfassungsrichters unvereinbar sind.

Artikel 167 (Immunität)

Die Verfassungsrichter genießen die gleiche Immunität wie die Abgeordneten der Staatsversammlung. Über die Immunität wird von der Staatsversammlung entschieden.

IX. VERFAHREN ZUR VERFASSUNGSÄNDERUNG

Artikel 168 (Antrag auf Verfahrenseinleitung)

(1) Der Antrag auf Einleitung des Verfahrens zur Verfassungsänderung kann von zwanzig Abgeordneten in der Staatsversammlung, von der Regierung oder von mindestens dreißigtausend Wählern gestellt werden.

(2) Über den Antrag entscheidet die Staatsversammlung mit einer Mehrheit von zwei Dritteln der Stimmen der anwesenden Abgeordneten.

Artikel 169 (Verfassungsänderung)

Die Verfassungsänderung wird von der Staatsversammlung mit einer Mehrheit von zwei Dritteln der Stimmen aller Abgeordneten beschlossen.

Artikel 170 (Bestätigung einer Verfassungsänderung durch Volksabstimmung)

(1) Auf Verlangen von mindestens dreißig Abgeordneten muss die Staatsversammlung eine vorgeschlagene Verfassungsänderung den Wählern zur Annahme durch Volksabstimmung vorlegen.

(2) Die Verfassungsänderung wird durch Volksabstimmung angenommen, wenn die Mehrheit aller Wähler an der Abstimmung teilnimmt und sich mit Mehrheit der abgegebenen Stimmen für die Änderung ausgesprochen hat.

Artikel 171 (Verkündung einer Verfassungsänderung)

Eine Verfassungsänderung tritt mit der Verkündung in der Staatsversammlung in Kraft.

X. ÜBERGANGS- UND SCHLUSSBESTIMMUNGEN

Artikel 172

Diese Verfassung tritt mit ihrer Verkündung in Kraft.

Artikel 173

Die Bestimmungen dieser Verfassung werden vom Tage der Verkündung an angewendet, außer das Verfassungsgesetz zur Durchführung dieser Verfassung sieht etwas anderes vor.

Artikel 174

(1) Zur Durchführung dieser Verfassung und zur Gewährleistung des Übergangs auf ihre Bestimmungen wird ein Verfassungsgesetz verabschiedet.

(2) Dieses Verfassungsgesetz wird mit einer Mehrheit von zwei Dritteln der Stimmen aller Abgeordneten in allen Kammern der Versammlung der Republik Slowenien verabschiedet.

Verfassung von Spanien[*]

Vom 29. Dezember 1978 (Boletín Oficial del Estado Nr. 311), zuletzt geändert am 27. September 2011 (Boletín Oficial del Estado Nr 233)

PRÄAMBEL

Die spanische Nation, von dem Wunsche beseelt, Gerechtigkeit, Freiheit und Sicherheit herzustellen und das Wohl aller ihrer Bürger zu fördern, verkündet in Ausübung ihrer Souveränität ihren Willen: das demokratische Zusammenleben im Rahmen der Verfassung und der Gesetze und auf der Grundlage einer gerechten Wirtschafts- und Sozialordnung zu gewährleisten; einen Rechtsstaat zu festigen, der die Herrschaft des Gesetzes als Ausdruck des Volkswillens sicherstellt; alle Spanier und Völker Spaniens bei der Ausübung der Menschenrechte und bei der Pflege ihrer Kultur und Traditionen, Sprachen und Institutionen zu schützen; den Fortschritt von Wirtschaft und Kultur zu fördern, um würdige Lebensverhältnisse für alle zu sichern; eine fortschrittliche demokratische Gesellschaft zu errichten; bei der Stärkung friedlicher und von guter Zusammenarbeit gekennzeichneter Beziehungen zwischen allen Völkern der Erde mitzuwirken. Kraft dessen beschließen die Cortes und ratifiziert das spanische Volk die folgende Verfassung:

VORTITEL

Artikel 1 [Rechtsstaat]
(1) Spanien konstituiert sich als demokratischer und sozialer Rechtsstaat und bekennt sich zu Freiheit, Gerechtigkeit, Gleichheit und politischem Pluralismus als obersten Werten seiner Rechtsordnung.

(2) Das spanische Volk, von dem alle Staatsgewalt ausgeht, ist Träger der nationalen Souveränität.

(3) Die Staatsform des spanischen Staates ist die parlamentarische Monarchie.

Artikel 2 [Einheit der Nation]
Die Verfassung stützt sich auf die unauflösliche Einheit der spanischen Nation, dem gemeinsamen und unteilbaren Vaterland aller Spanier, und anerkennt und gewährleistet das Recht auf Autonomie der Nationalitäten und Regionen, die Bestandteil der Nation sind, und auf die Solidarität zwischen ihnen.

Artikel 3 [Sprache]
(1) Das Kastilische ist die offizielle spanische Amtssprache. Alle Spanier haben die Pflicht, sie zu kennen, und das Recht, sie zu benutzen.

(2) Die weiteren spanischen Sprachen sind in den Autonomen Gemeinschaften gemäß ihren jeweiligen Statuten ebenfalls offiziell.

(3) Der Reichtum der unterschiedlichen sprachlichen Gegebenheiten Spaniens ist ein Kulturgut, das besonders zu achten und zu schützen ist.

Artikel 4 [Flagge]
(1) Die spanische Flagge besteht aus drei Querstreifen: rot, gelb und rot; der gelbe Streifen hat die doppelte Breite jedes der roten.

(2) In den Statuten können eigene Flaggen und Kennzeichen der Autonomen Gemeinschaften festgelegt werden. Sie werden auf und in öffentlichen Gebäuden und bei offiziellen Anlässen zusammen mit der spanischen Fahne gehisst.

---

[*] Entsprechend der Übersetzung des amtlichen spanischen Staatsanzeigers der staatlichen Behörde (agencia estatal boletín oficial), abrufbar https://www.boe.es/legislacion/documentos/ConstitucionALEMAN.pdf, mit Überarbeitung von *Armin Stolz* und *Maximilian Zankel*, beide Institut für Öffentliches Recht und Politikwissenschaft, Karl-Franzens-Universität Graz.

Artikel 5 [Hauptstadt]

Hauptstadt des Staates ist die Stadt Madrid.

Artikel 6 [Politische Parteien]

Die politischen Parteien sind Ausdruck des politischen Pluralismus, wirken bei der Willensbildung des Volkes und deren Äußerung mit und sind Hauptinstrument der politischen Beteiligung. Ihre Gründung und die Ausübung ihrer Tätigkeit sind im Rahmen der Achtung der Verfassung und des Gesetzes frei. Ihre innere Struktur und ihre Arbeitsweise müssen demokratisch sein.

Artikel 7 [Gewerkschaften und Verbände]

Die Gewerkschaften und Unternehmerverbände verteidigen und fördern die wirtschaftlichen und sozialen Interessen, die sie vertreten. Ihre Gründung und die Ausübung ihrer Tätigkeit sind im Rahmen der Achtung der Verfassung und des Gesetzes frei. Ihre innere Struktur und ihre Arbeitsweise müssen demokratisch sein.

Artikel 8 [Streitkräfte]

(1) Den Streitkräften, bestehend aus Heer, Flotte und Luftwaffe, obliegt es, die Souveränität und Unabhängigkeit Spaniens zu gewährleisten und seine territoriale Integrität und verfassungsmäßige Ordnung zu verteidigen.

(2) Ein Organgesetz regelt die Grundlagen der Militärorganisation im Rahmen der vorliegenden Verfassung.

Artikel 9 [Öffentliche Gewalt]

(1) Die Bürger und die öffentlichen Gewalten sind an die Verfassung und die übrige Rechtsordnung gebunden.

(2) Den öffentlichen Gewalten obliegt es, die Bedingungen dafür zu schaffen, dass Freiheit und Gleichheit des Einzelnen und der Gruppe, in die er sich einfügt, tatsächlich bestehen und wirksam sind, die Hindernisse zu beseitigen, die ihre volle Entfaltung unmöglich machen oder erschweren, und die Teilnahme aller Bürger am politischen, wirtschaftlichen, kulturellen und sozialen Leben zu erleichtern.

(3) Die Verfassung gewährleistet das Prinzip der Legalität, die normative Rangordnung, die Öffentlichkeit der Normen, die Nichtrückwirkung der Sanktionsnormen, die sich ungünstig oder restriktiv auf die Rechte des Einzelnen auswirken, die Rechtssicherheit, die Verantwortlichkeit und das Verbot der Willkür seitens der öffentlichen Gewalten.

Titel I – GRUNDRECHTE UND GRUNDPFLICHTEN

Artikel 10 [Würde des Menschen]

(1) Die Würde des Menschen, die ihm zustehenden unverletzlichen Menschenrechte, die freie Entfaltung der Persönlichkeit, die Achtung des Gesetzes und der Rechte anderer sind Grundlage der politischen Ordnung und des sozialen Friedens.

(2) Normen, die sich auf die in der Verfassung anerkannten Grundrechte und -freiheiten beziehen, werden in Übereinstimmung mit der Allgemeinen Erklärung der Menschenrechte und den von Spanien ratifizierten internationalen Verträgen und Abkommen hierüber ausgelegt.

Kapitel 1 – Spanier und Ausländer

Artikel 11 [Staatsangehörigkeit]

(1) Die spanische Staatsangehörigkeit wird gemäß den Bestimmungen des Gesetzes erworben, beibehalten und entzogen.

(2) Keinem gebürtigen Spanier darf die Staatsangehörigkeit entzogen werden.

(3) Der Staat kann mit den iberoamerikanischen Ländern oder solchen, die durch besondere Beziehungen mit Spanien verbunden waren oder sind, Verträge über doppelte Staatsangehörigkeit abschließen. In diesen selben Ländern können Spanier ohne den Verlust ihrer durch Geburt erworbenen Staatsangehörigkeit das Bürgerrecht erhalten, selbst wenn die betreffenden Länder ihren Bürgern kein Recht auf Gegenseitigkeit einräumen.

Artikel 12 [Volljährigkeit]

Die Spanier werden im Alter von 18 Jahren volljährig.

Artikel 13 [Freiheiten von Ausländern]

(1) Ausländer genießen in Spanien nach Maßgabe der Verträge und Gesetze die öffentlichen Freiheiten, die dieser Titel gewährleistet.

(2) Nur Spanier haben die in Art. 23 anerkannten Rechte, mit Ausnahme dessen, was unter Berücksichtigung der Gegenseitigkeit für das aktive und passive Wahlrecht bei Gemeindewahlen durch Vertrag oder Gesetz festgelegt wird.

(3) Einer Auslieferung wird nur in Erfüllung eines Vertrages oder eines Gesetzes unter Berücksichtigung des Gegenseitigkeitsprinzips stattgegeben. Die Auslieferung erstreckt sich nicht auf politische Delikte, wobei Terrorakte nicht als solche betrachtet werden.

(4) Das Gesetz legt die Bedingungen fest, nach denen Bürger anderer Länder und Staatenlose Asylrecht in Spanien genießen können.

Kapitel 2 – Rechte und Freiheiten

Artikel 14 [Gleichheit]

Die Spanier sind vor dem Gesetz gleich, niemand darf wegen seiner Abstammung, seiner Rasse, seines Geschlechtes, seiner Religion, seiner Anschauungen oder jedweder anderer persönlicher oder sozialer Umstände diskriminiert werden.

Abschnitt 1 – Grundrechte und öffentliche Freiheiten

Artikel 15 [Recht auf Leben und Unversehrtheit]

Alle haben das Recht auf Leben und körperliche und moralische Unversehrtheit, niemand darf der Folterung oder unmenschlichen und entwürdigenden Strafen oder Behandlungen ausgesetzt werden. Die Todesstrafe ist abgeschafft, mit Ausnahme der Bestimmungen, die die militärischen Strafgesetze für Kriegszeiten festlegen können.

Artikel 16 [Religionsfreiheit]

(1) Die Freiheit des ideologischen Bekenntnisses, der Religion und des Kultes wird dem Einzelnen und den Gemeinschaften gewährleistet; sie werden in ihren Ausdrucksformen lediglich durch die vom Gesetz geschützte Notwendigkeit der Wahrung der öffentlichen Ordnung begrenzt.

(2) Niemand darf gezwungen werden, sich zu seiner Ideologie, seiner Religion oder seinem Glauben zu äußern.

(3) Keine Religion hat staatlichen Charakter. Die öffentlichen Gewalten berücksichtigen die religiösen Anschauungen der spanischen Gesellschaft und unterhalten die entsprechenden, auf Zusammenarbeit ausgerichteten Beziehungen zur katholischen Kirche und den übrigen Konfessionen.

Artikel 17 [Recht auf Freiheit und Sicherheit]

(1) Jeder hat das Recht auf Freiheit und Sicherheit. Ein Freiheitsentzug darf nur unter Berücksichtigung der Bestimmungen dieses Artikels und nur nach Maßgabe der vom Gesetz bestimmten Fälle und Form stattfinden.

(2) Die Untersuchungshaft darf die für die Ermittlungen, die zur Klärung des Sachverhaltes führen sollen, unbedingt notwendige Zeit nicht überschreiten; in jedem Fall muss der Festgenommene nach einer Höchstfrist von zweiundsiebzig Stunden freigelassen oder der Justizbehörde übergeben werden.

(3) Jede festgenommene Person muss unverzüglich und auf für sie verständliche Art und Weise über ihre Rechte und die Gründe ihrer Festnahme informiert werden. Gemäß den gesetzlichen Bestimmungen wird dem Festgenommenen die Unterstützung eines Anwalts bei den polizeilichen oder richterlichen Ermittlungen gewährleistet.

(4) Das Gesetz sieht ein Habeascorpus-Verfahren vor, nach dem jede illegal festgenommene Person unverzüglich dem Richter vorzuführen ist. Das Gesetz bestimmt eben-

so die Höchstfrist der Dauer der Untersuchungshaft.

Artikel 18 [Recht auf Ehre]

(1) Das Recht auf Ehre, auf die persönliche und familiäre Intimsphäre und auf das eigene Bild wird gewährleistet.

(2) Die Wohnung ist unverletzlich. Betretungen oder Durchsuchungen dürfen nicht ohne die Einwilligung des Inhabers oder ohne Gerichtsentscheidung vorgenommen werden, mit Ausnahme der Fälle des Betretens auf frischer Tat.

(3) Das Kommunikationsgeheimnis sowie insbesondere das Post- und Fernmeldegeheimnis werden außer im Falle einer Gerichtsentscheidung gewährleistet.

(4) Das Gesetz beschränkt den Einsatz der Informatik zwecks Gewährleistung der Ehre sowie der persönlichen und familiären Intimsphäre der Bürger und der vollen Ausübung ihrer Rechte.

Artikel 19 [Freizügigkeit]

Die Spanier haben das Recht auf freie Wahl des Wohnsitzes und auf Freizügigkeit im Hoheitsgebiet des Staates.

Ebenso haben sie das Recht, gemäß den gesetzlichen Bestimmungen frei von Spanien auszureisen und nach Spanien einzureisen. Dieses Recht darf nicht aus politischen oder ideologischen Gründen eingeschränkt werden.

Artikel 20 [Geschützte Rechte]

(1) Folgende Rechte werden anerkannt und geschützt:

a) das Recht auf freie Meinungsäußerung und Verbreitung von Gedanken und Meinungen in Wort, Schrift oder jedwedem anderen Medium;

b) das Recht auf literarische, künstlerische, wissenschaftliche und technische Produktion und Schöpfung;

c) das Recht auf Lehrfreiheit;

d) das Recht auf freie und wahre Berichterstattung sowie deren Empfang über jedwedes Verbreitungsmedium. Das Gesetz regelt das Recht auf die Gewissensklausel und das Berufsgeheimnis bei der Ausübung dieser Freiheiten.

(2) Die Ausübung dieser Rechte darf durch keinerlei Vorzensur eingeschränkt werden.

(3) Das Gesetz regelt die Organisation und die parlamentarische Kontrolle der vom Staate oder irgendeiner öffentlichen Einrichtung abhängigen sozialen Kommunikationsmedien und gewährleistet den sozial und politisch relevanten Gruppen den Zugang zu denselben unter Wahrung des Pluralismus der Gesellschaft und der verschiedenen Sprachen Spaniens.

(4) Diese Freiheiten werden begrenzt durch die Achtung der in diesem Titel anerkannten Rechte, durch die Vorschriften der sie regelnden Gesetze und besonders durch das Recht auf die Ehre, die Intimsphäre, das eigene Bild und den Schutz der Jugend und der Kindheit.

(5) Die Beschlagnahme von Veröffentlichungen, Tonbandaufnahmen und anderen Informationsmedien darf nur kraft Gerichtsentscheidung vorgenommen werden.

Artikel 21 [Versammlungsfreiheit]

(1) Das Recht auf friedliche Versammlung ohne Waffen wird anerkannt. Die Ausübung dieses Rechtes bedarf keiner vorherigen Genehmigung.

(2) Von Versammlungen an öffentlichen Stätten und von Demonstrationen ist die zuständige Behörde zuvor in Kenntnis zu setzen. Diese darf selbige nur verbieten, falls berechtigter Anlass zur Annahme einer Störung der öffentlichen Ordnung mit Gefahr für Personen und Güter gegeben ist.

Artikel 22 [Vereinigungsfreiheit]

(1) Das Recht, Vereine zu bilden, wird anerkannt.

(2) Vereinigungen, deren Zwecke oder Mittel als kriminell zu klassifizieren sind, werden als illegal betrachtet.

(3) Vereinigungen, die im Rahmen dieses Artikels gegründet werden, müssen sich mit dem alleinigen Zweck der Veröffentlichung in ein entsprechendes Register eintragen.

(4) Die Vereinigungen können nur kraft

einer begründeten Gerichtsentscheidung aufgelöst oder in ihrer Tätigkeit unterbrochen werden.

(5) Geheimverbände und paramilitärische Vereinigungen sind verboten.

Artikel 23 [Recht auf Wahlen]

(1) Die Bürger haben das Recht, an den öffentlichen Angelegenheiten direkt oder durch in periodischen, allgemeinen Wahlen frei gewählte Vertreter teilzunehmen.

(2) Ebenso haben sie das Recht, unter gleichen Bedingungen und gemäß den gesetzlichen Bestimmungen Zugang zu öffentlichen Ämtern und Funktionen zu bekommen.

Artikel 24 [Wirksamer Schutz durch einen Richter]

(1) Jede Person hat bei der Ausübung ihrer legitimen Rechte und Interessen Anspruch auf wirksamen Schutz durch Richter und Gerichte. In keinem Fall darf es zum Fehlen einer Verteidigung kommen.

(2) Ebenso hat jedermann das Recht auf einen vom Gesetz bestimmten ordentlichen Richter, auf die Verteidigung und Vertretung durch einen Rechtsanwalt, auf Information über die gegen ihn vorliegende Anklage, auf einen öffentlichen Prozess ohne unzulässige Verzögerungen und mit allen Garantien, auf den Einsatz der für seine Verteidigung angebrachten Beweismittel, auf die Weigerung, gegen sich selbst auszusagen und sich für schuldig zu erklären sowie auf die Unschuldsvermutung.

Das Gesetz regelt die Fälle, in denen auf Grund der Verwandtschaft oder des Berufsgeheimnisses keine Verpflichtung zur Aussage über mutmaßliche Straftaten vorliegt.

Artikel 25 [Rückwirkungsverbot; Strafen]

(1) Niemand darf auf Grund von Taten oder Unterlassungen bestraft oder verurteilt werden, die zum Zeitpunkt ihrer Ausführung und gemäß der geltenden Gesetzgebung kein Delikt und keine Übertretung oder Verletzung von Verwaltungsbestimmungen darstellen.

(2) Die Strafen, die in Freiheitsentzug bestehen, sowie die getroffenen Sicherheitsmaßnahmen müssen auf Erziehung und soziale Wiedereingliederung ausgerichtet sein und dürfen nicht in Zwangsarbeit bestehen. Jeder zu einer Gefängnisstrafe Verurteilte, der diese verbüßt, genießt die in diesem Kapitel vorgesehenen Grundrechte, mit Ausnahme derer, die ausdrücklich durch den Inhalt des Urteils, durch den Sinn der Strafe und die Strafanstaltsgesetze beschränkt werden. In jedem Fall hat er das Recht auf bezahlte Arbeit und auf die entsprechenden Leistungen der sozialen Sicherheit sowie auf den Zugang zur Kultur und auf die Gesamtentwicklung seiner Persönlichkeit.

(3) Die Zivilverwaltung darf weder direkt noch indirekt Sanktionen auferlegen, die in Freiheitsentzug bestehen.

Artikel 26 [Ehrengerichte]

Ehrengerichte sind im Bereich der Zivilverwaltung und der Berufsverbände unzulässig.

Artikel 27 [Recht auf Erziehung und Freiheit des Unterrichts]

(1) Alle haben das Recht auf Erziehung. Die Freiheit des Unterrichts wird anerkannt.

(2) Ziel der Erziehung ist die freie Entfaltung der Persönlichkeit des Menschen unter Achtung der demokratischen Prinzipien des Zusammenlebens und der Grundrechte und -freiheiten.

(3) Die öffentlichen Gewalten gewährleisten den Eltern das Recht auf die religiöse und moralische Erziehung ihrer Kinder, die mit ihren eigenen Überzeugungen übereinstimmt.

(4) Die Grundschulausbildung ist verpflichtend und unentgeltlich.

(5) Die öffentlichen Gewalten gewährleisten das Recht aller auf Erziehung mittels einer allgemeinen Lehrplanung, an der alle betroffenen Bereiche teilnehmen, sowie mittels der Errichtung von Lehranstalten.

(6) Natürlichen und juristischen Personen wird die Freiheit anerkannt, unter Wahrung

der Verfassungsgrundsätze Lehranstalten zu gründen.

(7) Die Lehrer, Eltern und gegebenenfalls die Schüler beteiligen sich gemäß den gesetzlichen Bestimmungen an der Kontrolle und Leitung aller mit öffentlichen Mitteln unterhaltenen staatlichen Lehranstalten.

(8) Die öffentlichen Gewalten führen die Kontrolle und Ausgestaltung des Schulwesens durch, um die Erfüllung der Gesetze zu gewährleisten.

(9) Die öffentlichen Gewalten unterstützen die Lehranstalten, welche die vom Gesetz festgelegten Bedingungen erfüllen.

(10) Die Selbstverwaltung der Universitäten gemäß den Bestimmungen des Gesetzes wird anerkannt.

Artikel 28 [Gewerkschaften]

(1) Alle haben das Recht, sich frei einer Gewerkschaft anzuschließen. Durch Gesetz kann die Ausübung dieses Rechts für Streitkräfte, militärische Institutionen oder anderen militärischen Disziplinen unterstehenden Körperschaften mit Einschränkungen und Ausnahmen versehen werden. Das Gesetz regelt ebenso die Sonderbestimmungen zur Ausübung dieses Rechtes durch Angehörige des Öffentlichen Dienstes. Die Gewerkschaftsfreiheit schließt das Recht auf Gründung von Gewerkschaften und auf freien Anschluss an dieselben ein, sowie das Recht der Gewerkschaften, Bündnisse zu bilden und internationale Gewerkschaftsorganisationen zu gründen oder sich solchen anzuschließen. Niemand darf zum Eintritt in eine Gewerkschaft gezwungen werden.

(2) Das Recht der Arbeitnehmer auf Streik zur Verteidigung ihrer Interessen wird anerkannt. Das Gesetz zur Regelung der Ausübung dieses Rechtes wird die erforderlichen Garantien zur Sicherung der für die Gemeinschaft wesentlichen Dienste vorsehen.

Artikel 29 [Petitionsfreiheit]

(1) Alle Spanier haben das Recht, Petitionen schriftlich in der Form und mit der Wirkung, die das Gesetz vorsieht, individuell oder kollektiv vorzubringen.

(2) Die Mitglieder der Streitkräfte, der Militärinstitute oder anderer der Militärdisziplin unterworfenen Körperschaften dürfen dieses Recht nur individuell und gemäß ihren Sondergesetzen ausüben.

Abschnitt 2 – Rechte und Pflichten der Bürger

Artikel 30 [Pflicht zur Verteidigung]

(1) Die Spanier haben das Recht und die Pflicht, Spanien zu verteidigen.

(2) Das Gesetz setzt die militärischen Pflichten der Spanier fest und regelt unter Wahrung der entsprechenden Garantien die Militärdienstverweigerung aus Gewissensgründen sowie alle anderen Ursachen der Wehrpflichtbefreiung. Das Gesetz kann gegebenenfalls einen sozialen Ersatzdienst auferlegen.

(3) Zur Erfüllung von Zielen, die im Interesse der Allgemeinheit liegen, kann ein Zivildienst eingerichtet werden.

(4) Durch Gesetz können die Pflichten der Bürger bei ernsthafter Bedrohung, Katastrophen oder öffentlichen Unglücksfällen geregelt werden.

Artikel 31 [Beitrag zu öffentlichen Ausgaben]

(1) Alle tragen gemäß ihren wirtschaftlichen Möglichkeiten mittels eines gerechten und auf den Prinzipien der Gleichheit und Progression beruhenden Steuersystems, das in keinem Fall bis zur Beschlagnahme führen darf, zur Bestreitung der öffentlichen Lasten bei.

(2) Die Staatsausgaben nehmen nach dem Grundsatz der Billigkeit eine Verteilung der öffentlichen Mittel vor, und ihre Planungen und Ausführungen entsprechen den Kriterien der Wirksamkeit und Wirtschaftlichkeit.

(3) Persönliche oder Vermögensleistungen öffentlichen Charakters dürfen nur auf Grund eines Gesetzes festgelegt werden.

Artikel 32 [Gleichheit von Mann und Frau]

(1) Mann und Frau haben das Recht, in

voller rechtlicher Gleichstellung die Ehe zu schließen.

(2) Das Gesetz regelt die Formen der Ehe, das Alter und die Fähigkeit zur Eheschließung, die Rechte und Pflichten der Ehegatten, die Ursachen der Trennung und Auflösung und deren Wirkungen.

Artikel 33 [Recht auf Eigentum]

(1) Das Recht auf Privateigentum und das Erbrecht werden anerkannt.

(2) Die soziale Funktion dieser Rechte grenzt ihren Inhalt nach Maßgabe der Gesetze ein.

(3) Niemand darf seiner Güter und seiner Rechte enteignet werden, es sei denn aus gerechtfertigten Gründen des öffentlichen Nutzens oder des Interesses der Allgemeinheit sowie gegen entsprechende Entschädigung und nach Maßgabe der Gesetze.

Artikel 34 [Stiftungsrecht]

(1) Das Stiftungsrecht für im Interesse der Allgemeinheit liegende Zwecke wird nach Maßgabe des Gesetzes anerkannt.

(2) Ebenso sind für Stiftungen die in Art. 22 Abs. 2 und 4 festgelegten Bestimmungen gültig.

Artikel 35 [Arbeit]

(1) Alle Spanier haben die Pflicht zu arbeiten und das Recht auf Arbeit, auf die freie Wahl des Berufes oder Gewerbes, auf sozialen Aufstieg mittels der Arbeit und auf ausreichende Vergütung zur Deckung ihrer Bedürfnisse und derjenigen ihrer Familie. In keinem Fall darf es zu einer Diskriminierung auf Grund des Geschlechts kommen.

(2) Das Arbeitnehmerstatut wird gesetzlich geregelt.

Artikel 36 [Berufskammern]

Das Gesetz regelt die Besonderheiten der Rechtsordnung der Berufskammern und die Ausübung der mit Titel versehenen Berufe. Die innere Struktur und Arbeitsweise der Kammern müssen demokratisch sein.

Artikel 37 [Kollektivverhandlungen]

(1) Das Gesetz gewährleistet das Recht auf kollektive Verhandlung zwischen den Vertretern der Arbeitnehmer und der Arbeitgeber sowie die Verbindlichkeit der getroffenen Abkommen.

(2) Das Recht der Arbeitnehmer und Arbeitgeber auf kollektive Arbeitskonfliktmaßnahmen wird anerkannt. Das Gesetz zur Regelung der Ausübung dieses Rechtes sieht, ungeachtet eventueller Beschränkungen, die erforderlichen Garantien zur Sicherung der für die Gemeinschaft wesentlichen Dienste vor.

Artikel 38 [Unternehmensfreiheit]

Die Freiheit des Unternehmens im Rahmen der Marktwirtschaft wird anerkannt. Die öffentlichen Gewalten gewährleisten und schützen die Ausübung dieser Freiheit und die Erhaltung der Produktivität im Einklang mit den Erfordernissen der allgemeinen Wirtschaft und gegebenenfalls der Planung.

Kapitel 3 – Leitprinzipien der Sozial- und Wirtschaftspolitik

Artikel 39 [Schutz der Familie]

(1) Die öffentlichen Gewalten sichern der Familie einen sozialen, wirtschaftlichen und rechtlichen Schutz zu.

(2) Die öffentlichen Gewalten sichern ebenso den vollen Schutz der Kinder, die ungeachtet ihrer Abstammung vor dem Gesetz gleich sind, und den der Mütter ohne Berücksichtigung ihres Zivilstandes zu. Das Gesetz ermöglicht die Nachprüfung der Vaterschaft.

(3) Die Eltern müssen sowohl ihren ehelichen als auch ihren außerehelichen Kindern bis zu deren Volljährigkeit und in allen weiteren gesetzmäßig begründeten Fällen jede Art von Beistand gewähren.

(4) Die Kinder genießen den in den internationalen Abkommen, welche die Wahrung ihrer Rechte zum Ziel haben, vorgesehenen Schutz.

Artikel 40 [Wirtschaftliche Stabilität]

(1) Die öffentlichen Gewalten sorgen im Rahmen einer wirtschaftlichen Stabilitätspolitik für die für den sozialen und wirtschaftlichen Fortschritt günstigen Voraussetzungen und eine gerechtere Verteilung des regionalen und persönlichen Einkommens. Ganz besonders führen sie eine auf die Vollbeschäftigung ausgerichtete Politik durch.

(2) Die öffentlichen Gewalten fördern gleichfalls eine auf die Gewährleistung der Berufsausbildung und -umschulung zielende Politik; sie sorgen für Arbeitssicherheit und -hygiene und garantieren die notwendige Ruhezeit durch Arbeitszeitbegrenzung sowie regelmäßigen bezahlten Urlaub und die Förderung entsprechender Erholungsstätten.

Artikel 41 [Soziale Sicherheit]

Die öffentlichen Gewalten unterhalten ein System der Sozialversicherung für alle Bürger, das im Bedarfsfalle ausreichenden Beistand und soziale Leistungen gewährleistet, insbesondere im Falle der Arbeitslosigkeit. Ergänzende Leistungen sind frei.

Artikel 42 [Arbeitnehmer im Ausland]

Der Staat überwacht besonders die Wahrung der wirtschaftlichen und sozialen Rechte der spanischen Arbeitnehmer im Ausland und richtet seine Politik auf deren Rückkehr aus.

Artikel 43 [Schutz der Gesundheit]

(1) Das Recht auf den Schutz der Gesundheit wird anerkannt.

(2) Es obliegt den öffentlichen Gewalten, die Gesundheitsfürsorge mittels Präventivmaßnahmen und der erforderlichen Leistungen und Dienste zu organisieren und zu fördern. Das Gesetz bestimmt die diesbezüglichen Rechte und Pflichten aller.

(3) Die öffentlichen Gewalten fördern die Gesundheitserziehung, die Leibeserziehung und den Sport sowie eine entsprechende Nutzung der Freizeit.

Artikel 44 [Zugang zur Kultur]

(1) Die öffentlichen Gewalten fördern und unterstützen den Zugang zur Kultur, auf den jedermann ein Recht hat.

(2) Die öffentlichen Gewalten fördern die Wissenschaften sowie die wissenschaftliche und technische Forschung im Interesse der Allgemeinheit.

Artikel 45 [Erhaltung der Umwelt]

(1) Alle haben das Recht, eine der Entwicklung der Person förderliche Umwelt zu genießen sowie die Pflicht, sie zu erhalten.

(2) Die öffentlichen Gewalten überwachen die rationelle Nutzung aller natürlichen Hilfsquellen mit dem Ziel, die Lebensqualität zu schützen und zu verbessern und die Umwelt zu verteidigen und wiederherzustellen. Dafür ist die Solidarität der Gemeinschaft unerlässliche Grundlage.

(3) Das Gesetz sieht gegenüber denen, die gegen die Bestimmungen von Abs 2 verstoßen, Strafsanktionen oder gegebenenfalls von der Verwaltung auferlegte Sanktionen sowie die Pflicht zur Wiedergutmachung des entstandenen Schadens vor.

Artikel 46 [Erbe der spanischen Völker]

Die öffentlichen Gewalten gewährleisten die Erhaltung und fördern die Bereicherung des historischen, kulturellen und künstlerischen Erbes der Völker Spaniens und der darin enthaltenen Güter ungeachtet ihres Rechtsstatus und ihrer Trägerschaft. Das Strafgesetz sanktioniert jeden Verstoß gegen dieses Kulturgut.

Artikel 47 [Wohnung]

Alle Spanier haben das Recht auf eine würdige und angemessene Wohnung. Die öffentlichen Gewalten fördern die notwendigen Voraussetzungen und setzen die entsprechenden Vorschriften für die Ausübung dieses Rechtes fest. Sie regeln die Bodennutzung im Interesse der Allgemeinheit und zur Verhinderung der Spekulation. Die Gemeinschaft ist am Mehrwert beteiligt, den die Städtebautätigkeit der öffentlichen Einrichtungen erzeugt.

Artikel 48 [Beteiligung der Jugend]

Die öffentlichen Gewalten fördern die Voraussetzungen für eine freie und wirksame Teilnahme der Jugend am politischen, sozialen, wirtschaftlichen und kulturellen Leben.

Artikel 49 [Behinderte]

Die öffentlichen Gewalten betreiben eine Politik der Vorsorge, Behandlung, Rehabilitation und Eingliederung von Menschen mit geistiger oder körperlicher Behinderung. Sie gewähren ihnen die benötigte Sonderbehandlung und schützen sie besonders bei Inanspruchnahme der Rechte, die dieser Titel allen Bürgern gewährt.

Artikel 50 [Renten]

Die öffentlichen Gewalten gewährleisten den Bürgern des dritten Lebensabschnittes mittels angemessener und in regelmäßigem Abstand angepasster Renten ein wirtschaftlich gesichertes Auskommen. Außerdem werden sie mittels eines Systems sozialer Leistungen, die sich auf ihre spezifischen Probleme auf den Gebieten der Gesundheit, Wohnung, Kultur und Freizeit richten, ungeachtet der familiären Verpflichtungen gefördert.

Artikel 51 [Schutz der Verbraucher]

(1) Die öffentlichen Gewalten gewährleisten den Schutz der Verbraucher und Benutzer durch den Einsatz wirksamer Maßnahmen auf den Gebieten der Sicherheit, der Gesundheit und der Verteidigung der legitimen wirtschaftlichen Interessen derselben.

(2) Die öffentlichen Gewalten fördern die Information und Ausbildung der Verbraucher und Benutzer sowie ihre Organisationen; letztere werden in allen Fragen, die sie betreffen, nach Maßgabe des Gesetzes gehört.

(3) Das Gesetz regelt im Rahmen der Bestimmungen von Abs 1 und 2 den Binnenhandel und das System der Genehmigung von Handelsprodukten.

Artikel 52 [Berufsverbände]

Das Gesetz regelt die Berufsverbände, die sich für die Verteidigung der ihnen eigenen wirtschaftlichen Interessen einsetzen. Ihre innere Struktur und ihre Arbeitsweise müssen demokratisch sein.

Kapitel 4 – Garantien der Grundfreiheiten und Grundrechte

Artikel 53 [Rechte und Freiheiten]

(1) Die im zweiten Kapitel dieses Titels anerkannten Rechte und Freiheiten sind für alle öffentlichen Gewalten bindend. Nur durch Gesetz, das in jedem Fall ihren Grundgehalt achten muss, kann die Ausübung dieser Rechte und Freiheiten geregelt werden, die gemäß den Bestimmungen von Art. 161 Abs 1 a) geschützt sind.

(2) Jeder Bürger kann mittels eines auf den Grundsätzen der Priorität und Schnelligkeit beruhenden Verfahrens vor den ordentlichen Gerichten und gegebenenfalls mittels einer Verfassungsbeschwerde *(recurso de amparo)* vor dem Verfassungsgericht um den Schutz der in Art. 14 und dem ersten Teil des zweiten Kapitels anerkannten Freiheiten und Rechte ersuchen. Letztere Beschwerde ist auf die in Art. 30 anerkannte Wehrpflichtverweigerung aus Gewissensgründen anwendbar.

(3) Die Anerkennung und Achtung sowie der Schutz der in Kapitel III anerkannten Prinzipien liegen der positiven Gesetzgebung, der Rechtspraxis und dem Verhalten der öffentlichen Gewalten zugrunde. Sie können vor der ordentlichen Gerichtsbarkeit nur nach Maßgabe der diesbezüglichen Gesetze geltend gemacht werden.

Artikel 54 [Volksanwalt]

Durch ein Organgesetz wird die Einrichtung des Volksanwaltes *(Defensor del pueblo)* geregelt, der als hoher Beauftragter der Cortes Generales von diesen zur Verteidigung der in diesem Titel enthaltenen Rechte ernannt wird, und der zu diesem Zweck die Tätigkeit der Verwaltung überwachen kann und den Cortes Generales darüber Bericht zu erstatten hat.

Kapitel 5 – Die Aufhebung der Rechte und Freiheiten

Artikel 55 [Aussetzung der Rechte und Freiheiten]

(1) Die in Art. 17, 18 Abs. 2 und 3, Art. 19, 20 Abs. 1 a) und d), und 5, Art. 21, 28 Abs. 2 und Art. 37 Abs. 2 anerkannten Rechte können ausgesetzt werden, wenn die Erklärung des Ausnahme- oder Belagerungszustandes gemäß der in der Verfassung vorgesehenen Verfahrensweise beschlossen wird. Art. 17 Abs. 3 wird von dieser Bestimmung für den Fall der Erklärung des Ausnahmezustandes ausgenommen.

(2) Ein Organgesetz kann die Art und Weise und die Fälle festlegen, in denen es für bestimmte Personen im Zusammenhang mit Nachforschungen bezüglich der Aktivitäten bewaffneter Gruppen oder von Terrorelementen individuell und unter der erforderlichen gerichtlichen Intervention sowie der angebrachten parlamentarischen Kontrolle zu einer Aufhebung der in Art. 17 Abs. 2 und 18 Abs. 2 und 3 anerkannten Rechte kommt.

Die ungerechtfertigte oder missbräuchliche Ausübung der kraft dieses Organgesetzes zugestandenen Befugnisse führt als Verletzung der von den Gesetzen anerkannten Rechte und Freiheiten zu strafrechtlicher Verantwortlichkeit.

Titel II – DIE KRONE

Artikel 56 [König]

(1) Der König ist Oberhaupt des Staates, Symbol seiner Einheit und Beständigkeit. Er überwacht und lenkt als Schiedsrichter das reguläre Funktionieren der Institutionen, übernimmt die höchste Vertretung des spanischen Staates auf dem Gebiet der internationalen Beziehungen, besonders mit den Nationen, die mit Spanien eine historische Gemeinschaft bilden, und übt die Funktionen aus, die ihm die Verfassung und die Gesetze ausdrücklich zuschreiben.

(2) Er trägt den Titel König von Spanien und kann die übrigen der Krone zustehenden Titel benutzen.

(3) Die Person des Königs ist unverletzlich und an keine Verantwortung gebunden. Die Akte des Königs werden stets in der in Art. 64 vorgesehenen Form gegengezeichnet und sind ohne diese Gegenzeichnung ungültig, mit Ausnahme der in Art. 65 Abs 2 enthaltenen Bestimmung.

Artikel 57 [Thronfolge]

(1) Die Krone Spaniens wird an die Nachfolger Seiner Majestät Juan Carlos I de Borbón, legitimer Erbe der historischen Dynastie, vererbt. Die Thronfolge richtet sich nach der gewöhnlichen Ordnung der Erstgeburt und Vertretung; hierbei ist die frühere der späteren Linie vorzuziehen, innerhalb derselben Linie der nähere dem ferneren Grad, innerhalb desselben Grades der männliche dem weiblichen Thronfolger und innerhalb desselben Geschlechtes die ältere der jüngeren Person.

(2) Der Kronprinz führt von seiner Geburt oder von dem Zeitpunkt an, in dem die Gegebenheiten seine Berufung veranlassen, den Titel Prinz von Asturien sowie alle weiteren Titel, die traditionsgemäß dem Anwärter auf den Thron von Spanien zustehen.

(3) Im Falle des Erlöschens aller zu Recht erkannten Linien sehen die Cortes Generales die Art der Thronfolge vor, die die Interessen Spaniens am besten wahrt.

(4) Die Personen, welche Anrecht auf die Thronfolge haben und gegen das ausdrückliche Verbot des Königs und der Cortes Generales eine Ehe schließen, werden von der Anwartschaft auf die Krone ausgeschlossen. Dies gilt für sie selbst und für ihre Nachfolger.

(5) Abdankungen, Verzichte und jede Art von Zweifelsfragen, die tatsächlich oder rechtlich innerhalb der Anwartschaft auf die Krone auftreten können, werden durch ein Organgesetz gelößt.

Artikel 58 [Gemahlin des Königs]

Die Gemahlin des Königs oder der Prinzgemahl dürfen keine verfassungsmäßigen Aufgaben wahrnehmen, mit Ausnahme der für die Regentschaft vorgesehenen Bestimmungen.

Artikel 59 [Minderjährigkeit des Königs]

(1) Im Falle der Minderjährigkeit des Königs übernehmen gemäß der in der Verfassung vorgesehenen Ordnung unverzüglich der Vater oder die Mutter des Königs oder, im Ermangelung dieser Personen, der in der Thronfolge nächststehende volljährige Verwandte die Regentschaft und üben sie während der Dauer der Minderjährigkeit des Königs aus.

(2) Im Falle der Untauglichkeit des Königs für die Ausübung seines Amtes und der Anerkennung dieses Unvermögens durch die Cortes Generales übernimmt der Kronprinz unverzüglich die Regentschaft, sofern er volljährig ist. Wenn er es nicht ist, wird auf die in Abs 1 vorgesehene Art und Weise verfahren, bis der Kronprinz die Volljährigkeit erreicht hat.

(3) Falls es keine Person gibt, der die Regentschaft zusteht, wird diese von den Cortes Generales ernannt; diese Regentschaft kann aus einer, drei oder fünf Personen bestehen.

(4) Für die Ausübung der Regentschaft ist es erforderlich, Spanier und volljährig zu sein.

(5) Die Regentschaft wird auf Grund eines Verfassungsmandats und stets im Namen des Königs ausgeübt.

Artikel 60 [Vormund]

(1) Vormund des minderjährigen Königs ist die Person, die der verstorbene König in seinem Testament ernannt hat, vorausgesetzt, dass dieser Vormund volljährig und von Geburt Spanier ist. Im Falle der Nichternennung übernehmen der Vater oder die Mutter die Vormundschaft, solange er oder sie verwitwet ist. In Ermangelung derselben ernennen die Cortes Generales den Vormund; jedoch können nur der Vater, die Mutter oder die direkten Vorfahren des Königs gleichzeitig das Amt des Regenten und des Vormundes einnehmen.

(2) Die Ausübung der Vormundschaft ist ebenfalls unvereinbar mit jedem politischen Amt oder jeder politischen Vertretung.

Artikel 61 [Eid des Königs]

(1) Der König schwört bei seiner Proklamation vor den Cortes Generales den Eid auf die getreue Ausübung seines Amtes, auf die Einhaltung sowie den Einsatz für die Wahrung der Verfassung und der Gesetze und auf die Achtung der Rechte der Bürger und der Autonomen Gemeinschaften.

(2) Der Kronprinz schwört bei Erreichen der Volljährigkeit und der Regent oder die Regenten schwören bei Übernahme ihres Amtes denselben Eid sowie den der Treue gegenüber dem König.

Artikel 62 [Aufgaben und Befugnisse des Königs]

Dem König obliegt es,

a) die Gesetze zu billigen und zu erlassen;

b) die Cortes Generales einzuberufen und aufzulösen und gemäß den von der Verfassung vorgesehenen Bestimmungen Wahlen anzusetzen;

c) eine Volksabstimmung in den von der Verfassung vorgesehenen Fällen einzuberufen;

d) den Kandidaten für das Amt des Regierungspräsidenten vorzuschlagen und ihn gegebenenfalls zu ernennen sowie ihn nach Maßgabe der Verfassung des Amtes zu entheben;

e) die Mitglieder der Regierung auf Vorschlag des Präsidenten zu ernennen und zu entlassen;

f) die im Ministerrat beschlossenen Dekrete zu erlassen, die zivilen und militärischen Ämter zu erteilen sowie in Übereinstimmung mit den Gesetzen Ehren und Auszeichnungen zu verleihen;

g) sich über Staatsangelegenheiten zu informieren und zu diesem Zweck auf Antrag des Regierungspräsidenten, und wenn es ihm angebracht erscheint, die Sitzungen des Ministerrates zu präsidieren;

h) die oberste Befehlsgewalt über die Streitkräfte auszuüben;

j) von dem Begnadigungsrecht gemäß

dem Gesetz Gebrauch zu machen; letzteres kann keine allgemeinen Gnadenerlasse genehmigen.

i) die Schirmherrschaft über die Königlichen Akademien zu übernehmen.

Artikel 63 [Beglaubigungen]

(1) Der König beglaubigt die Botschafter und anderen diplomatischen Vertreter. Die ausländischen Vertreter in Spanien sind vor ihm beglaubigt.

(2) Dem König obliegt es gemäß der Verfassung und den Gesetzen die Zustimmung des Staates zu internationalen Verpflichtungen durch Verträge zu bekunden.

(3) Dem König obliegt es nach Einholung der Genehmigung der Cortes Generales, den Krieg zu erklären und Frieden zu schließen.

Artikel 64 [Verfügungen des Königs]

(1) Die Akte des Königs werden vom Regierungspräsidenten und gegebenenfalls von den zuständigen Ministern gegengezeichnet. Der Vorschlag und die Ernennung des Regierungspräsidenten sowie die in Art. 99 vorgesehene Auflösung werden vom Präsidenten des Kongresses gegengezeichnet.

(2) Die Verantwortung für die Akte des Königs liegt bei den gegenzeichnenden Personen.

Artikel 65 [Pauschalsumme für den Unterhalt]

(1) Der König erhält aus dem Staatshaushalt eine Pauschalsumme für den Unterhalt seiner Familie und den des Königshauses. Er verfügt frei über diese Summe.

(2) Der König ernennt und entlässt frei die zivilen und militärischen Mitglieder seines Hauses.

Titel III – DIE CORTES GENERALES

Kapitel 1 – Die Kammern

Artikel 66 [Cortes Generales]

(1) Die Cortes Generales vertreten das spanische Volk und setzen sich aus dem Kongress der Abgeordneten und dem Senat zusammen.

(2) Die Cortes Generales üben die gesetzgebende Gewalt des Staates aus, bewilligen den Staatshaushalt, kontrollieren die Regierungstätigkeit und haben alle weiteren Zuständigkeiten inne, die ihnen die Verfassung zuweist.

(3) Die Cortes Generales sind unverletzlich.

Artikel 67 [Kein imperatives Mandat]

(1) Niemand kann gleichzeitig Mitglied beider Kammern sein oder den Sitz in einer Abgeordnetenversammlung einer Autonomen Gemeinschaft mit dem des Abgeordneten im Kongress verbinden.

(2) Die Mitglieder der Cortes Generales sind nicht durch ein Zwangsmandat gebunden.

(3) Versammlungen von Parlamentariern, die ohne ordentliche Einberufung abgehalten werden, sind für die Kammern nicht bindend und können weder deren Funktionen erfüllen noch ihre Privilegien genießen.

Artikel 68 [Kongress]

(1) Der Kongress besteht aus mindestens 300 und höchstens 400 Abgeordneten, die in allgemeiner, freier, gleicher, direkter und geheimer Wahl nach Maßgabe des Gesetzes gewählt werden.

(2) Wahlkreis ist die Provinz. Die Bevölkerungen von Ceuta und Melilla sind durch je einen Abgeordneten vertreten. Die Verteilung der Gesamtzahl der Abgeordneten erfolgt nach Maßgabe des Gesetzes; jedem Wahlkreis steht eine ursprüngliche Mindestvertretung zu, und die Aufteilung der übrigen Abgeordneten erfolgt im Verhältnis zur Bevölkerungszahl.

(3) Die Wahl wird in jedem Wahlkreis unter Beachtung von Verhältniswahlkriterien durchgeführt.

(4) Der Kongress wird auf vier Jahre gewählt. Das Abgeordnetenmandat läuft vier Jahre nach der Wahl oder am Tage der Auflösung der Kammer ab.

(5) Wahlberechtigt und wählbar sind alle Spanier, die im Vollbesitz ihrer politischen Rechte sind.

Die Ausübung des Wahlrechtes seitens der Spanier, die sich außerhalb des Staatsgebietes Spaniens befinden, wird vom Gesetz anerkannt und vom Staat ermöglicht.

(6) Die Wahlen finden zwischen dreißig und sechzig Tagen nach Beendigung des Mandates statt.

Der neugewählte Kongress muss innerhalb von fünfundzwanzig Tagen nach Abhaltung der Wahlen zu seiner ersten Sitzung einberufen werden.

Artikel 69 [Senat; territoriale Vertretung]

(1) Der Senat ist die Kammer, welche die territoriale Vertretung innehat.

(2) In jeder Provinz wählen die Stimmberechtigten in allgemeiner, freier, gleicher, direkter und geheimer Wahl gemäß einem Organgesetz jeweils vier Senatoren.

(3) In den Inselprovinzen bildet jede Insel oder Inselgruppe, die über einen Cabildo Insular oder einen Inselrat verfügt, einen Wahlkreis zum Zwecke der Senatorenwahl; den großen Inseln, Gran Canaria, Mallorca und Teneriffa, stehen je drei Senatoren und folgenden Inseln oder Inselgruppen jeweils einer zu: Ibiza-Formentera, Menorca, Fuerteventura, Gomera, Hierro, Lanzarote und La Palma.

(4) Die Bevölkerungen von Ceuta und Melilla wählen je zwei Senatoren.

(5) Die Autonomen Gemeinschaften ernennen außerdem einen Senator sowie einen weiteren pro Million Einwohner ihres entsprechenden Gebietes. Die Ernennung obliegt der gesetzgebenden Versammlung oder, in Ermangelung derselben, dem obersten Kollegialorgan der Autonomen Gemeinschaft, und zwar gemäß den Statuten, die in jedem Fall die angemessene Verhältniswahl gewährleisten.

(6) Der Senat wird auf vier Jahre gewählt. Das Mandat der Senatoren läuft vier Jahre nach ihrer Wahl oder am Tag der Auflösung der Kammer ab.

Artikel 70 [Inkompatibilität]

(1) Das Wahlgesetz legt die Gründe für die Unwählbarkeit und Unvereinbarkeit von Abgeordneten und Senatoren fest, die in jedem Fall die folgenden Personen betreffen:

a) die Mitglieder des Verfassungsgerichtes;

b) die hohen Beamten der Staatsverwaltung, gemäß dem Gesetz und mit Ausnahme der Regierungsmitglieder;

c) den Volksanwalt;

d) die aktiv tätigen Richter und Staatsanwälte;

e) die aktiv tätigen Berufsmilitärangehörigen und Mitglieder der Sicherheitskräfte und -einheiten und der Polizei;

f) die Mitglieder der Wahlausschüsse.

(2) Die Gültigkeit der Vollmachts- und Ernennungsurkunden der Mitglieder beider Kammern unterliegt gemäß den Bestimmungen des Wahlgesetzes der richterlichen Kontrolle.

Artikel 71 [Immunität]

(1) Die Abgeordneten und Senatoren genießen Unverletzlichkeit bezüglich der während ihrer Amtsperiode geäußerten Meinungen.

(2) Ebenso genießen die Abgeordneten und Senatoren während ihrer Mandatszeit Immunität und dürfen nur bei Begehung eines Strafvergehens festgenommen werden. Sie dürfen nur mit vorheriger Genehmigung der entsprechenden Kammer beschuldigt oder gerichtlich verfolgt werden.

(3) Strafverfahren gegen Abgeordnete und Senatoren fallen unter die Zuständigkeit der Strafkammer des Obersten Gerichtshofes.

(4) Die Abgeordneten und Senatoren erhalten eine Zuwendung, die von den entsprechenden Kammern festgesetzt wird.

Artikel 72 [Geschäftsordnung]

(1) Die Kammern setzen ihre eigene Geschäftsordnung fest, verabschieden autonom ihren Haushaltsplan und regeln in gemeinsamem Einvernehmen die Personalordnung der Cortes Generales. Die Geschäftsordnungen sowie ihre Änderung werden in ihrer Gesamtheit einer abschließenden Abstim-

mung unterzogen, bei welcher die absolute Mehrheit erforderlich ist.

(2) Die Kammern wählen ihren jeweiligen Präsidenten und die weiteren Mitglieder ihrer Präsidien. Bei gemeinsamen Sitzungen führt der Präsident des Kongresses den Vorsitz; diese Sitzungen verlaufen gemäß einer mit absoluter Mehrheit jeder der Kammern gebilligten Geschäftsordnung der Cortes Generales.

(3) Die Präsidenten der Kammern üben im Namen derselben das Hausrecht und die Polizeigewalt in ihren jeweiligen Amtssitzen aus.

Artikel 73 [Sitzungsperioden]

(1) Die Kammern halten jährlich zwei ordentliche Sitzungsperioden ab: die erste von September bis Dezember und die zweite von Februar bis Juni.

(2) Die Kammern können auf Verlangen der Regierung, des Ständigen Ausschusses oder der absoluten Mehrheit der Mitglieder jeder der beiden Kammern außerordentliche Sitzungsperioden abhalten. Diese außerordentlichen Sitzungsperioden müssen auf Grund einer bestimmten Tagesordnung einberufen werden, nach deren Behandlung sie für beendet erklärt werden.

Artikel 74 [Gemeinsame Sitzungen]

(1) Die Kammern halten für die Wahrnehmung der nicht gesetzgebenden Kompetenzen, die Titel II den Cortes Generales ausdrücklich zuschreibt, gemeinsame Sitzungen ab.

(2) Die in Art. 94 Abs 1, 145 Abs 2 und 158 Abs 2 vorgesehenen Beschlüsse der Cortes Generales werden mit der Mehrheit jeder der Kammern gefasst. Im ersten Fall leitet der Kongress und in den beiden anderen der Senat das Verfahren ein. In beiden Fällen wird bei fehlender Übereinstimmung zwischen Senat und Kongress versucht, diese mittels eines aus der gleichen Anzahl von Abgeordneten und Senatoren zusammengesetzten Ausschusses zu erzielen. Der Ausschuss legt einen Text vor, über den beide Kammern abstimmen. Wenn er in der aufgesetzten Form

nicht gebilligt wird, so entscheidet der Kongress mit absoluter Mehrheit.

Artikel 75 [Plenum und Ausschüsse]

(1) Die Kammern üben ihr Amt im Plenum und in den Ausschüssen aus.

(2) Die Kammern können die Annahme von Gesetzesentwürfen oder Gesetzesvorlagen den Ständigen Gesetzgebenden Ausschüssen übertragen. Das Plenum kann jedoch jederzeit eine Debatte und Abstimmung über einen Entwurf oder einen Vorschlag fordern, die Gegenstand einer solchen Übertragung gewesen sind.

(3) Ausgenommen von der im vorangegangenen Absatz vorgesehenen Bestimmung sind die Verfassungsänderungen, internationale Fragen, Organ- und Rahmengesetze sowie der Staatshaushalt.

Artikel 76 [Untersuchungsausschüsse]

(1) Der Kongress und der Senat und gegebenenfalls beide Kammern gemeinsam können Untersuchungsausschüsse über Angelegenheiten von öffentlichem Interesse einsetzen. Die Ergebnisse sind für die Gerichte nicht bindend und haben keinen Einfluss auf richterliche Beschlüsse, die Ergebnisse der Ermittlungen sind jedoch der Staatsanwaltschaft zur Durchführung eventuell notwendiger Maßnahmen zu übermitteln.

(2) Es ist Pflicht, auf Ersuchen der Kammern zu erscheinen. Das Gesetz regelt die Sanktionen, die wegen Nichterfüllung dieser Pflicht auferlegt werden können.

Artikel 77 [Petitionen]

(1) Die Kammern können individuelle und kollektive Petitionen, die stets schriftlich vorzubringen sind, entgegennehmen; die direkte Eingabe mittels Bürgerkundgebung ist unzulässig.

(2) Die Kammern können die eingehenden Petitionen an die Regierung weiterleiten. Die Regierung ist verpflichtet, jederzeit eine Erklärung über ihren Inhalt abzugeben, wenn die Kammern dies verlangen.

Artikel 78 [Ständiger Ausschuss]

(1) Jede Kammer verfügt über einen Ständigen Ausschuss, der sich mindestens aus einundzwanzig Mitgliedern zusammensetzt, welche die Fraktionen im Verhältnis zu deren Mitgliederzahl vertreten.

(2) Jedem Ständigen Ausschuss steht der Präsident der entsprechenden Kammer vor. Die Aufgaben des jeweiligen Ständigen Ausschusses sind die in Art. 73 enthaltenen sowie diejenigen der Übernahme der gemäß Art. 86 und 116 den Kammern zustehenden Befugnisse für den Fall ihrer Auflösung oder des Ablaufs ihres Mandates und die der Wahrung der Vollmachten der Kammern, wenn letztere keine Sitzungen abhalten.

(3) Die Ständigen Ausschüsse üben nach Ablauf des Mandates oder im Falle der Auflösung der Cortes ihr Amt bis zur Konstituierung der neuen Cortes Generales aus.

(4) In den Sitzungen der entsprechenden Kammer berichtet der Ständige Ausschuss über die behandelten Angelegenheiten und seine Beschlüsse.

Artikel 79 [Einberufung und Anwesenheit]

(1) Zur Beschlussfassung müssen die Kammern ordnungsgemäß und unter Teilnahme der Mehrheit der Mitglieder zusammengetreten sein.

(2) Die Mehrheit der anwesenden Mitglieder muss den Beschlüssen zustimmen, damit diese gültig sind, ungeachtet der Sondermehrheiten, die von der Verfassung oder den Organgesetzen vorgesehen sind, und denen, welche die Geschäftsordnung der jeweiligen Kammer für die Wahl von Personen bestimmt.

(3) Die Stimme der Senatoren und Abgeordneten ist persönlich und nicht übertragbar.

Artikel 80 [Öffentlichkeit]

Die Vollversammlungen der Kammern sind öffentlich, es sei denn, dass die jeweilige Kammer mit absoluter Mehrheit und gemäß der Geschäftsordnung einen gegenteiligen Beschluss fasst.

Kapitel 2 – Die Gesetzgebung

Artikel 81 [Organgesetze]

(1) Organgesetze sind solche Gesetze, die sich auf die Entwicklung der Grundrechte und der öffentlichen Freiheiten beziehen, solche, die die Autonomiestatuten und das allgemeine Wahlsystem billigen, sowie die übrigen Gesetze, die in der Verfassung vorgesehen sind.

(2) Die Billigung, Änderung oder Aufhebung der Organgesetze erfordert die absolute Mehrheit des Kongresses bei einer endgültigen Abstimmung über den Gesamtentwurf.

Artikel 82 [Normen mit Gesetzesrang]

(1) Die Cortes Generales können der Regierung die Befugnis erteilen, Normen mit Gesetzesrang über bestimmte im vorherigen Artikel nicht enthaltene Materien zu erlassen.

(2) Die Gesetzgebungsermächtigung muss mittels eines Rahmengesetzes erfolgen, wenn es sich um die Abfassung von Texten in Artikeln handelt, oder mittels eines ordentlichen Gesetzes, wenn es um die Zusammenlegung verschiedener Rechtstexte zu einem einzigen geht.

(3) Die Gesetzgebungsermächtigung muss der Regierung ausdrücklich für konkrete Sachgebiete und unter Angabe der für die Ausführung festgesetzten Frist übertragen werden. Die Ermächtigung erlischt, sobald die Regierung die entsprechende Norm veröffentlicht hat. Sie darf nicht als stillschweigend oder als auf unbegrenzte Zeit erteilt verstanden werden. Sie erlaubt ebensowenig eine Weiterübertragung an behördliche Instanzen, die nicht mit der Regierung identisch sind.

(4) Die Rahmengesetze grenzen das Ziel und die Reichweite der Gesetzgebungsermächtigung sowie die Grundsätze und Kriterien, denen bei ihrem Gebrauch zu folgen ist, genau ab.

(5) Die Genehmigung für die Zusammenlegung von Rechtstexten bestimmt den normativen Bereich, auf den sich der Inhalt der Ermächtigung bezieht, und legt im Be-

sonderen fest, ob sie sich auf die bloße Formulierung eines einzigen Textes erstreckt oder ob sie auch die Regelung, Klärung und Harmonisierung der Rechtstexte einschließt, die zusammenzulegen sind.

(6) Unbeschadet der Zuständigkeit der Gerichte können die Ermächtigungsgesetze in jedem Fall zusätzliche Kontrollmöglichkeiten festlegen.

Artikel 83 [Rahmengesetze]

Die Rahmengesetze dürfen in keinem Fall:
a) eine Abänderung des Rahmengesetzes selbst billigen,
b) die Befugnis für den Erlass von rückwirkenden Normen erteilen.

Artikel 84 [Widersetzungsrecht]

Wenn eine Gesetzesvorlage oder ein Abänderungsantrag im Gegensatz zu einer in Kraft befindlichen Gesetzgebungsermächtigung steht, ist die Regierung befugt, sich der Behandlung derselben zu widersetzen. In diesem Fall kann eine Gesetzesvorlage über die völlige oder teilweise Aufhebung des Ermächtigungsgesetzes eingereicht werden.

Artikel 85 [Gesetzgebende Verordnungen]

Die Verfügungen der Regierung, die eine delegierte Gesetzgebung beinhalten, werden als gesetzgebende Verordnungen bezeichnet.

Artikel 86 [Gesetzesverordnungen]

(1) Im Falle einer außerordentlichen und dringenden Notwendigkeit kann die Regierung provisorische gesetzgebende Verfügungen in Form von Gesetzesverordnungen erlassen, die sich jedoch nicht auf die Ordnung der grundlegenden Institutionen des Staates, auf die in Titel 1 geregelten Rechte, Pflichten und Freiheiten der Bürger, auf die Ordnung der Autonomen Gemeinschaften oder auf das allgemeine Wahlrecht beziehen dürfen.

(2) Die Gesetzesverordnungen müssen unverzüglich dem Kongress vorgelegt werden, der hierzu einberufen wird, sofern er sich nicht in einer Sitzungsperiode befindet, und

müssen innerhalb von dreißig Tagen nach ihrer Verkündigung einer Debatte und Gesamtabstimmung unterworfen werden. Der Kongress muss sich innerhalb dieser Frist ausdrücklich über die Bestätigung oder Aufhebung äußern. Zu diesem Zweck sieht die Geschäftsordnung ein summarisches Sonderverfahren vor.

(3) Innerhalb der im vorherigen Absatz festgesetzten Frist können die Cortes die Gesetzesverordnungen im Eilverfahren wie Gesetzesentwürfe behandeln.

Artikel 87 [Gesetzesinitiative]

(1) Die Gesetzesinitiative steht gemäß der Verfassung und den Geschäftsordnungen beider Kammern der Regierung, dem Kongress und dem Senat zu.

(2) Die Versammlungen der Autonomen Gemeinschaften können die Regierung um die Annahme eines Gesetzesentwurfes ersuchen oder dem Präsidium des Kongresses eine Gesetzesvorlage einreichen und maximal drei Mitglieder der Versammlung mit der Verteidigung derselben vor dieser Kammer beauftragen.

(3) Ein Organgesetz regelt die Formen der Durchführung und die Voraussetzungen der Volksinitiative zur Einreichung von Gesetzesvorlagen. In jedem Fall ist eine Mindestzahl von 500.000 beglaubigten Unterschriften erforderlich. In den durch Organgesetz zu regelnden Materien, in Steuersachen und internationalen Fragen sowie bezüglich des Begnadigungsrechts ist eine Volksinitiative nicht zulässig.

Artikel 88 [Billigung von Gesetzesentwürfen]

Die Gesetzesentwürfe werden vom Ministerrat gebilligt, der sie zusammen mit einer Begründung und der Darstellung aller Notwendigkeiten, die für eine Äußerung hierzu erforderlich sind, dem Kongress vorlegt.

Artikel 89 [Beratung über Gesetzesvorschläge]

(1) Die Geschäftsordnungen der Kammern regeln die Behandlung der Gesetzes-

vorlagen, ohne dass sie die den Gesetzesentwürfen zustehende Priorität in Ausübung
der in Art. 87 geregelten Gesetzesinitiative
verhindern.

(2) Die Gesetzesvorlagen, die der Senat
gemäß Art. 87 in Erwägung zieht, werden
dem Kongress zur Behandlung als solche
zugestellt.

Artikel 90 [Annahme eines Entwurfs]

(1) Nach der Annahme des Entwurfs eines
ordentlichen Gesetzes oder eines Organgesetzes durch den Kongress setzt der Präsident desselben unverzüglich den Senatspräsidenten darüber in Kenntnis, welcher den
Text dem Senat zur Beratung vorlegt.

(2) Im Zeitraum von zwei Monaten nach
Erhalt des Textes kann der Senat mittels einer begründeten Erklärung sein Veto einlegen oder Änderungsanträge einbringen. Der
Entwurf kann dem König nicht zur Billigung
vorgelegt werden, ohne dass der Kongress
im Falle eines Vetos den ursprünglichen Text
mit absoluter Mehrheit oder nach Ablauf von
zwei Monaten nach der Einlegung desselben
mit einfacher Mehrheit ratifiziert oder sich
über die mit einfacher Mehrheit beschlossene Annahme oder Ablehnung der Änderungen geäußert hat.

(3) Bei den von der Regierung oder dem
Kongress als dringlich erklärten Entwürfen
wird die Frist von zwei Monaten, über die
der Senat zur Einlegung eines Vetos oder eines Änderungsantrags verfügt, auf zwanzig
Tage verkürzt.

Artikel 91 [Billigung durch den König]

Der König billigt in einem Zeitraum von
fünfzehn Tagen die von den Cortes Generales verabschiedeten Gesetze, verkündet sie
und ordnet ihre unverzügliche Veröffentlichung an.

Artikel 92 [Volksabstimmung]

(1) Politische Entscheidungen von besonderer Tragweite können einer beratenden
Volksabstimmung unterworfen werden.

(2) Die Volksabstimmung wird nach vorheriger Genehmigung seitens des Kongresses auf Vorschlag des Regierungspräsidenten
vom König einberufen.

(3) Ein Organgesetz regelt die Voraussetzungen und die Verfahrensweise der verschiedenen Arten von Volksabstimmungen,
die in dieser Verfassung vorgesehen sind.

Kapitel 3 – Die internationalen Verträge

Artikel 93 [Abschluss von Verträgen]

Durch Organgesetz kann der Abschluss
von Verträgen genehmigt werden, durch die
einer internationalen Organisation oder Institution die Ausübung von aus der Verfassung abgeleiteten Kompetenzen zugestanden
wird. Die Gewährleistung der Erfüllung dieser Verträge und der von den internationalen
oder supranationalen Organen, die Träger
der abgetretenen Kompetenzen sind, ausgehenden Resolutionen obliegt je nach Fall den
Cortes Generales oder der Regierung.

Artikel 94 [Ermächtigung durch die Cortes Generales]

(1) Die Gewährung der Zustimmung des
Staates zur Bindung durch Verträge oder
Abkommen bedarf in folgenden Fällen der
vorherigen Genehmigung seitens der Cortes
Generales:

a) Verträge politischen Inhalts;

b) Verträge oder Abkommen militärischen
Charakters;

c) Verträge oder Abkommen, welche die
territoriale Integrität des Staates oder die in
Titel 1 festgelegten Grundrechte und -pflich-
ten berühren;

d) Verträge oder Abkommen, die Verpflichtungen für die öffentlichen Finanzen
einschließen;

e) Verträge oder Abkommen, welche die
Änderung oder Aufhebung eines Gesetzes
voraussetzen, oder solche, für deren Durchführung legislative Maßnahmen erforderlich
sind.

(2) Der Kongress und der Senat werden
unverzüglich über den Abschluss der übrigen Verträge oder Abkommen informiert.

Artikel 95 [Abschluss internationaler Verträge]

(1) Der Abschluss eines internationalen Vertrages, der verfassungswidrige Bestimmungen enthält, bedarf der vorherigen Revision der Verfassung.

(2) Die Regierung oder jede der beiden Kammern können das Verfassungsgericht auffordern, eine Erklärung darüber abzugeben, ob dieser Widerspruch besteht oder nicht.

Artikel 96 [Eingliederung, Kündigung]

(1) Gültig abgeschlossene internationale Verträge werden nach ihrer offiziellen Veröffentlichung in Spanien Teil der innerstaatlichen Rechtsordnung. Ihre Verfügungen können nur in der von den Verträgen selbst vorgesehenen Form oder gemäß den allgemeinen Regeln des Völkerrechts aufgehoben, suspendiert oder abgeändert werden.

(2) Für die Kündigung der internationalen Verträge und Abkommen gilt das gleiche Verfahren, das in Art. 94 für deren Billigung vorgesehen ist.

Titel IV – REGIERUNG UND VERWALTUNG

Artikel 97 [Regierung]

Die Regierung leitet die Innen- und Außenpolitik, die Zivil- und Militärverwaltung und die Verteidigung des Staates. Ihr obliegt die exekutive Funktion und die Verordnungsgewalt gemäß der Verfassung und den Gesetzen.

Artikel 98 [Zusammensetzung der Regierung]

(1) Die Regierung setzt sich aus dem Präsidenten, gegebenenfalls den Vizepräsidenten, den Ministern und den weiteren vom Gesetz bestimmten Mitgliedern zusammen.

(2) Der Präsident leitet die Regierungsgeschäfte und koordiniert die Funktionen der übrigen Regierungsmitglieder ungeachtet der direkten Zuständigkeit und Verantwortung dieser für ihre Tätigkeit.

(3) Die Regierungsmitglieder können nur die repräsentativen Aufgaben ausführen, die sich aus dem parlamentarischen Mandat ergeben. Sie dürfen weder eine andere nicht aus ihrem Amt abgeleitete öffentliche Funktion noch irgendeine berufliche oder kaufmännische Tätigkeit ausüben.

(4) Das Gesetz regelt das Statut und die Unvereinbarkeiten der Regierungsmitglieder.

Artikel 99 [Ministerpräsident]

(1) Nach jeder Neuwahl des Kongresses der Abgeordneten und in allen übrigen verfassungsmäßig begründeten Fällen schlägt der König nach Rücksprache mit den Repräsentanten, die von den im Parlament vertretenen politischen Fraktionen ernannt sind, über den Präsidenten des Kongresses einen Kandidaten für das Amt des Regierungspräsidenten vor.

(2) Der gemäß dem vorherigen Absatz vorgeschlagene Kandidat trägt dem Kongress der Abgeordneten das politische Programm der von ihm vorgesehenen Regierung vor und ersucht die Kammer um ihr Vertrauen.

(3) Wenn der Kongress der Abgeordneten diesem Kandidaten mit der absoluten Mehrheit der Mitglieder das Vertrauen ausspricht, ernennt der König ihn zum Regierungspräsidenten. Falls diese Mehrheit nicht zustande kommt, wird der gleiche Vorschlag achtundvierzig Stunden nach der vorherigen Abstimmung einer neuen unterzogen, und das Vertrauen gilt als ausgesprochen, wenn die einfache Mehrheit dafür stimmt.

(4) Wenn nach Durchführung der erwähnten Abstimmungen das Vertrauen für die Investitur nicht ausgesprochen wird, so werden weitere Vorschläge in der in den vorhergehenden Absätzen vorgesehenen Form behandelt.

(5) Falls im Zeitraum von zwei Monaten nach der ersten Investiturabstimmung kein Kandidat das Vertrauen des Kongresses erhalten hat, löst der König beide Kammern auf und beruft mit der Gegenzeichnung des Präsidenten des Kongresses Neuwahlen ein.

Artikel 100 [Mitglieder der Regierung]
Die weiteren Regierungsmitglieder werden auf Vorschlag ihres Präsidenten vom König ernannt und entlassen.

Artikel 101 [Amtszeit]
(1) Die Regierung tritt nach Abhaltung allgemeiner Wahlen, in den in der Verfassung vorgesehenen Fällen des Vertrauensverlustes seitens des Parlaments oder bei Demission oder Ableben ihres Präsidenten zurück.

(2) Die aus dem Amt ausscheidende Regierung verbleibt bis zum Amtsantritt der neuen Regierung im Amt.

Artikel 102 [Strafrechtliche Verantwortlichkeit]
(1) Die strafrechtliche Verantwortlichkeit des Präsidenten und der übrigen Regierungsmitglieder kann, gegebenenfalls, vor der Strafkammer des Obersten Gerichtshofes eingefordert werden.

(2) Wenn es bei der Anklage um Verrat oder irgendein Vergehen gegen die Sicherheit des Staates bei der Amtsausübung geht, kann sie nur auf Initiative eines Viertels der Kongressmitglieder und mit Zustimmung der absoluten Mehrheit des Kongresses vorgebracht werden.

(3) Das königliche Privileg der Begnadigung ist auf keinen der in diesem Artikel genannten Fälle anwendbar.

Artikel 103 [Öffentliche Verwaltung]
(1) Die öffentliche Verwaltung dient in objektiver Weise dem Interesse der Allgemeinheit und handelt in Übereinstimmung mit den Prinzipien der Effizienz, Hierarchie, Dezentralisation, Dekonzentration und Koordination, wobei sie vollständig dem Gesetz und dem Recht unterliegt.

(2) Die Organe der Staatsverwaltung werden gemäß dem Gesetz gegründet, geleitet und koordiniert.

(3) Das Gesetz regelt das Statut der öffentlichen Beamten, den Zugang zu öffentlichen Ämtern gemäß den Prinzipien von Eignung und Befähigung, die Besonderheiten der Ausübung ihres Rechtes, sich einer Gewerkschaft anzuschließen, das System der Unvereinbarkeiten und die Gewährleistung der Unparteilichkeit bei der Ausübung ihrer Ämter.

Artikel 104 [Sicherheitskräfte und -körperschaften]
(1) Die Sicherheitskräfte und -körperschaften, die der Regierung unterstehen, haben die Aufgabe, die freie Ausübung der Rechte und Freiheiten zu schützen und die Sicherheit der Bürger zu gewährleisten.

(2) Ein Organgesetz legt die Funktionen, die Grundprinzipien des Einsatzes und die Statuten der Sicherheitskräfte und -körperschaften fest.

Artikel 105 [Bürgerbeteiligung]
Das Gesetz regelt:

a) die Anhörung der Bürger – direkt oder mittels der vom Gesetz anerkannten Organisationen und Verbände – bei der Ausarbeitung sie betreffender Verwaltungsbestimmungen;

b) den Zugang der Bürger zu den Verwaltungsarchiven und -registern, außer in denjenigen Fällen, die die Sicherheit und Verteidigung des Staates, die Ermittlung strafbarer Handlungen und die Intimsphäre der Personen betreffen;

c) das Verfahren nach dem Verwaltungsakte erlassen werden müssen; falls begründet, muss die Anhörung der betroffenen Person gewährleistet sein.

Artikel 106 [Kontrolle durch Gerichte]
(1) Die Gerichte kontrollieren die Verordnungsgewalt und Gesetzmäßigkeit der Verwaltungshandlungen sowie die Unterwerfung der letzteren unter die Zwecke, die sie rechtfertigen.

(2) Privatpersonen haben gemäß den Gesetzesbestimmungen, außer in Fällen höherer Gewalt, das Recht auf Entschädigung eines jeden Schadens, der ihren Gütern und Rechten zugefügt wird, vorausgesetzt, dass der Schaden Folge der Tätigkeit der öffentlichen Dienste ist.

Artikel 107 [Staatsrat]

Der Staatsrat ist das höchste Beratungsorgan der Regierung. Ein Organgesetz regelt seine Zusammensetzung und Zuständigkeiten.

Titel V – DIE BEZIEHUNGEN ZWISCHEN REGIERUNG UND PARLAMENT

Artikel 108 [Kollektive Verantwortlichkeit]

Die Regierung ist für ihre Politik dem Kongress der Abgeordneten gegenüber solidarisch verantwortlich.

Artikel 109 [Informationsrechte der Kammern]

Die Kammern und ihre Ausschüsse können über ihre jeweiligen Präsidenten alle erforderliche Information und Hilfe von der Regierung und ihren Ressorts sowie von allen Behörden des Staates und der Autonomen Gemeinschaften einholen.

Artikel 110 [Anwesenheit der Regierungsmitglieder]

(1) Die Kammern und ihre Ausschüsse können die Anwesenheit der Mitglieder der Regierung fordern.

(2) Die Mitglieder der Regierung haben Zugang zu den Sitzungen der Kammern und ihrer Ausschüsse und die Befugnis, das Wort zu ergreifen; sie können verlangen, dass Beamte ihrer Ressorts in diesen Sitzungen stellungnehmen.

Artikel 111 [Interpellationen und Anfragen]

(1) Die Regierung und jedes ihrer Mitglieder haben sich allen von den Kammern an sie gestellten Interpellationen und Anfragen zu unterwerfen. Für diese Art von Debatten setzen die Geschäftsordnungen eine Mindestzeit pro Woche fest.

(2) Jede Interpellation kann zu einem Antrag führen, in dem die Kammer ihren Standpunkt zum Ausdruck bringt.

Artikel 112 [Vertrauensfrage]

Der Regierungspräsident kann nach vorheriger Erörterung im Ministerrat vor dem Kongress der Abgeordneten die Vertrauensfrage bezüglich seines Regierungsprogramms oder einer allgemeinpolitischen Erklärung stellen. Das Vertrauen gilt als ausgesprochen, wenn die einfache Mehrheit der Abgeordneten dafür stimmt.

Artikel 113 [Politische Verantwortung der Regierung]

(1) Der Kongress der Abgeordneten kann durch einen mit absoluter Mehrheit angenommenen Misstrauensantrag die Regierung politisch zur Verantwortung ziehen.

(2) Der Misstrauensantrag muss von mindestens einem Zehntel der Abgeordneten vorgeschlagen werden und einen Kandidaten für das Amt der Regierungspräsidentschaft enthalten.

(3) Über den Misstrauensantrag kann nicht vor Ablauf von fünf Tagen nach seiner Vorlage abgestimmt werden. An den ersten zwei Tagen dieser Frist können Alternativanträge gestellt werden.

(4) Im Falle der Ablehnung des Misstrauensantrags durch den Kongress können die Unterzeichnenden in der gleichen Sitzungsperiode keinen weiteren vorlegen.

Artikel 114 [Rücktritt der Regierung]

(1) Wenn der Kongress der Regierung das Vertrauen entzieht, reicht diese beim König ihren Rücktritt ein; anschließend wird gemäß den Bestimmungen von Art. 99 der Regierungspräsident ernannt.

(2) Wenn der Kongress einen Misstrauensantrag annimmt, reicht die Regierung beim König ihren Rücktritt ein, und der in ersterem vorgeschlagene Kandidat besitzt von diesem Zeitpunkt an das Vertrauen der Kammer in allen in Art. 99 festgelegten Punkten. Der König ernennt ihn anschließend zum Regierungspräsidenten.

Artikel 115 [Auflösung des Parlaments]

(1) Der Regierungspräsident kann nach vorheriger Erörterung im Ministerrat und

unter seiner alleinigen Verantwortung die Auflösung des Kongresses, des Senats oder der Cortes Generales vorschlagen, die vom König verfügt wird. Das Auflösungsdekret setzt das Datum der Wahlen fest.

(2) Der Vorschlag der Auflösung kann nicht vorgelegt werden, solange ein Misstrauensantrag läuft.

(3) Eine erneute Auflösung kann, mit Ausnahme der Bestimmungen von Art. 99 Abs 5, erst ein Jahr nach der vorherigen erfolgen.

Artikel 116 [Alarm,- Ausnahme- und Belagerungszustand]

(1) Ein Organgesetz regelt den Alarm-, den Ausnahme- und den Belagerungszustand und die entsprechenden Zuständigkeiten und Begrenzungen.

(2) Der Alarmzustand wird von der Regierung mittels eines vom Ministerrat beschlossenen Dekrets für einen Höchstzeitraum von fünfzehn Tagen erklärt. Der Kongress, der darüber unterrichtet werden muss, wird unverzüglich zu diesem Zweck einberufen; ohne dessen Billigung kann diese Frist nicht verlängert werden. Im Dekret wird der territoriale Bereich bestimmt, auf den sich die Erklärung erstreckt.

(3) Der Ausnahmezustand wird von der Regierung mittels eines vom Ministerrat nach vorheriger Billigung des Kongresses der Abgeordneten beschlossenen Dekrets erklärt. Die Billigung und Ausrufung des Ausnahmezustandes müssen ausdrücklich die Auswirkungen, den territorialen Bereich, auf den er sich erstreckt, und seine Dauer bestimmen; letztere darf dreißig Tage nicht überschreiten, die jedoch um den gleichen Zeitraum und unter den gleichen Bedingungen verlängert werden können.

(4) Der Belagerungszustand wird auf ausschließlichen Vorschlag der Regierung von der absoluten Mehrheit des Kongresses der Abgeordneten erklärt. Der Kongress bestimmt den territorialen Bereich, die Dauer und die Bedingungen desselben.

(5) Die Auflösung des Kongresses der Abgeordneten kann nicht erfolgen, solange irgendeiner der in diesem Artikel enthaltenen Zustände erklärt ist; die Kammern gelten als automatisch einberufen, wenn sie sich nicht in einer Sitzungsperiode befinden. Ihre Tätigkeit sowie die der übrigen konstitutionellen Staatsgewalten dürfen während der Dauer dieser Zustände nicht unterbrochen werden.

Falls es nach Auflösung des Kongresses oder Ablauf seines Mandates zu einer Situation kommt, die zu einem dieser Zustände führt, werden die Zuständigkeiten des Kongresses von seinem Ständigen Ausschuss übernommen.

(6) Die Erklärung des Alarm-, des Ausnahme- und des Belagerungszustandes ändert das in der Verfassung und den Gesetzen anerkannte Prinzip der Verantwortlichkeit der Regierung und ihrer Träger nicht.

Titel VI – DIE RECHTSPRECHENDE GEWALT

Artikel 117 [Ausübung der Rechtsprechung]

(1) Die Justiz geht vom Volke aus und wird von den Richtern, die Bestandteil der rechtsprechenden Gewalt, unabhängig, unabsetzbar und nur dem Gesetz verantwortlich und unterworfen sind, im Namen des Königs ausgeübt.

(2) Die Richter können nur aus den Gründen und mit den Garantien, die das Gesetz bestimmt, vor Ablauf ihrer Amtszeit entlassen, ihres Amtes enthoben, versetzt oder in den Ruhestand versetzt werden.

(3) Die Ausübung der Jurisdiktionsgewalt durch Urteilssprechung und -vollstreckung in allen Arten von Prozessen obliegt ausschließlich den in den Gesetzen vorgesehenen Gerichten, und zwar gemäß den Normen über die Zuständigkeiten und Verfahrensweisen, die diese Gesetze festlegen.

(4) Die Gerichte üben nur die im vorigen Absatz festgelegten Funktionen sowie diejenigen aus, welche ihnen ausdrücklich zur Gewährleistung irgendeines Rechtes vom Gesetz zugeschrieben werden.

(5) Das Prinzip der Einheit der Gerichtsbarkeit ist die Grundlage der Organisation

und Tätigkeit der Gerichte. Das Gesetz regelt die Ausübung der Militärgerichtsbarkeit im strikt militärischen Bereich und unter den Voraussetzungen des Belagerungszustandes gemäß den Verfassungsprinzipien.

(6) Ausnahmegerichte sind unzulässig.

Artikel 118 [Ausführung von Urteilen]

Den Urteilssprüchen und allen anderen rechtskräftigen Beschlüssen der Richter und Gerichte ist Folge zu leisten; ebenso muss die von diesen im Verlauf eines Prozesses und bei der Vollstreckung des Urteils verlangte Zusammenarbeit geleistet werden.

Artikel 119 [Kostenlosigkeit]

Die Justiz ist kostenfrei, wenn das Gesetz dies verfügt und jedenfalls im Falle von Personen, die ihren Mangel an Mitteln zur Prozessführung nachweisen.

Artikel 120 [Öffentlichkeit]

(1) Gerichtsverhandlungen sind öffentlich, mit Ausnahme derer, die in den Prozessgesetzen vorgesehen sind.

(2) Das Gerichtsverfahren wird vorwiegend mündlich geführt, vor allem in Strafsachen.

(3) Die Urteile müssen immer begründet sein und werden in öffentlicher Verhandlung bekannt gegeben.

Artikel 121 [Entschädigung für Justizirrtümer]

Die auf Grund eines Justizirrtums oder als Folge anormaler Ausübung der Justizverwaltung entstandenen Schäden berechtigen gemäß dem Gesetz zu einer Entschädigung zu Lasten des Staates.

Artikel 122 [Organgesetz über Rechtsprechung]

(1) Das Organgesetz über die rechtsprechende Gewalt regelt die Zusammensetzung, Tätigkeit und Leitung der Gerichte sowie das Rechtsstatut der Berufsrichter, die eine einzige Körperschaft bilden, und jenes des Personals im Dienste der Justizverwaltung.

(2) Der Generalrat der rechtsprechenden Gewalt ist das leitende Organ derselben. Das Organgesetz regelt sein Statut und die Unvereinbarkeiten seiner Mitglieder und ihrer Funktionen, insbesondere in Fragen der Ernennungen, Beförderungen, Kontrolle und des Disziplinarverfahrens.

(3) Der Generalrat der rechtsprechenden Gewalt setzt sich zusammen aus dem Präsidenten des Obersten Gerichtshofes, der ihm vorsteht, und zwanzig vom König für einen Zeitraum von fünf Jahren ernannten Mitgliedern: zwölf Richter aller Justizkategorien gemäß den Bestimmungen des Organgesetzes, vier auf Vorschlag des Kongresses und vier auf Vorschlag des Senats; in beiden Fällen werden sie mit der Mehrheit von drei Fünfteln der Mitglieder beider Kammern unter Anwälten und anderen Juristen mit anerkannter Kompetenz und über fünfzehnjähriger Berufserfahrung ausgewählt.

Artikel 123 [Oberster Gerichtshof]

(1) Der Oberste Gerichtshof, dessen Gerichtsbarkeit sich auf ganz Spanien erstreckt, ist das in jeder Hinsicht oberste rechtsprechende Organ, mit Ausnahme in Sachen der Verfassungsgarantien.

(2) Der Präsident des Obersten Gerichtshofes wird auf Vorschlag des Generalrates der rechtsprechenden Gewalt vom König in der vom Gesetz vorgesehenen Form ernannt.

Artikel 124 [Staatsanwaltschaft]

(1) Die Staatsanwaltschaft hat unbeschadet der anderen Organen übertragenen Funktionen die Aufgabe, die Tätigkeit der Justiz zugunsten der Legalität, der Bürgerrechte und des vom Gesetz gewahrten öffentlichen Interesses von Amts wegen oder auf Antrag der betroffenen Personen zu fördern sowie über die Unabhängigkeit der Gerichte zu wachen und sich vor diesen für das soziale Interesse einzusetzen.

(2) Die Staatsanwaltschaft übt ihre Funktionen durch eigene Organe gemäß den Prinzipien der Handlungseinheit und der hierarchischen Abhängigkeit und in jedem Fall unter Achtung der Grundsätze der Legalität und Unparteilichkeit aus.

(3) Das Organstatut der Staatsanwaltschaft wird durch Gesetz geregelt.

(4) Der Generalstaatsanwalt wird vom König auf Vorschlag der Regierung und nach Anhörung des Generalrates der rechtsprechenden Gewalt ernannt.

Artikel 125 [Beteiligung der Bürger]

Die Bürger können die Popularklage einbringen und durch die Einrichtung der Geschworenen in der Form und in jenen Strafprozessen, die das Gesetz bestimmt, sowie an gewohnheitsrechtlichen und traditionellen Gerichten an der Justizausübung teilnehmen.

Artikel 126 [Kriminalpolizei]

Die Kriminalpolizei unterliegt in ihren Funktionen der Feststellung strafbarer Handlungen und des Auffindens und der Festnahme des Täters gemäß den Bestimmungen des Gesetzes den Richtern, den Gerichten und der Staatsanwaltschaft.

Artikel 127 [Inkompatibilität von Richtern]

(1) Die Richter und Staatsanwälte können während ihrer Amtszeit weder anderen öffentliche Ämter bekleiden noch politischen Parteien oder Gewerkschaften angehören. Das System und die Formen des beruflichen Zusammenschlusses der Richter und Staatsanwälte werden durch Gesetz festgelegt.

(2) Das Gesetz bestimmt das System der Unvereinbarkeiten der Mitglieder der rechtsprechenden Gewalt, welches ihre völlige Unabhängigkeit gewährleisten muss.

Titel VII – WIRTSCHAFT UND FINANZWESEN

Artikel 128 [Gemeinwohl des Reichtums]

(1) Der gesamte Reichtum des Landes in seinen verschiedenen Formen und unbeschadet seiner Trägerschaft ist dem allgemeinen Interesse untergeordnet.

(2) Die öffentliche Initiative im Wirtschaftsleben wird anerkannt. Durch Gesetz können der öffentlichen Hand wesentliche Mittel oder Dienste gesichert werden, besonders im Falle eines Monopols; ebenso kann das Eingreifen in Unternehmen beschlossen werden, wenn das allgemeine Interesse dies erforderlich machen sollte.

Artikel 129 [Soziale Sicherheit]

(1) Das Gesetz legt die Formen der Beteiligung der Interessierten an der Sozialen Sicherheit und an der Tätigkeit derjenigen öffentlichen Organe fest, deren Funktion direkt auf der Lebensqualität oder dem Allgemeinwohl beruht.

(2) Die öffentlichen Gewalten fördern die verschiedenen Formen der Beteiligung innerhalb der Unternehmen sowie die Genossenschaften mittels der entsprechenden Gesetzgebung. Sie sehen ebenfalls die Mittel vor, die den Arbeitnehmern den Zugang zum Besitz der Produktionsmittel ermöglichen.

Artikel 130 [Entwicklung der Wirtschaftsbereiche]

(1) Die öffentlichen Gewalten sorgen für die Modernisierung und Entwicklung aller Wirtschaftsbereiche, insbesondere der Landwirtschaft, Viehzucht, Fischerei und des Handwerks, um den Lebensstandard aller Spanier einander anzugleichen.

(2) Dem gleichen Zweck dient eine Sonderbehandlung der Gebirgszonen.

Artikel 131 [Allgemeine Wirtschaftstätigkeit]

(1) Der Staat kann mittels Gesetz die allgemeine Wirtschaftstätigkeit planen, um die kollektiven Bedürfnisse zu decken, die Entwicklung der Regionen und Sektoren auszugleichen und zu harmonisieren und das Wachstum des Einkommens und des Reichtums sowie deren gerechtere Verteilung zu fördern.

(2) Die Regierung arbeitet gemäß den ihr von den Autonomen Gemeinschaften vorgelegten und aus der Beratung und Zusammenarbeit mit den Gewerkschaften und anderen Berufs-, Unternehmer- und Wirtschaftsverbänden hervorgegangenen Vorschlägen die

Planungsprojekte aus. Zu diesem Zweck wird ein Rat gegründet, dessen Zusammensetzung und Funktionen durch Gesetz geregelt werden.

Artikel 132 [Staats- und Gemeindebesitz]

(1) Das Gesetz regelt die Rechtslage des Staats– und des Gemeindebesitzes, und zwar unter Achtung der Prinzipien der Unveräußerlichkeit, Unverjährbarkeit und Unpfändbarkeit, sowie seine Entwidmung.

(2) Zum Staatsbesitz gehört, was das Gesetz bestimmt; in jedem Fall die Küstenzone, Strände, Hoheitsgewässer und die natürlichen Hilfsmittel des Wirtschaftsgebietes und des Festlandsockels.

(3) Das Gesetz regelt das Staats- und das Nationalvermögen, ihre Verwaltung, ihren Schutz und ihre Erhaltung.

Artikel 133 [Erhebung von Steuern]

(1) Die originäre Befugnis für die Erhebung von Steuern obliegt ausschließlich dem Staat nach Maßgabe des Gesetzes.

(2) Die Autonomen Gemeinschaften und die Gebietskörperschaften können in Übereinstimmung mit der Verfassung und den Gesetzen Steuern erheben und ihre Entrichtung verlangen.

(3) Jeder Steuergewinn, welcher die Staatsabgaben betrifft, muss kraft Gesetzes festgelegt werden.

(4) Die öffentlichen Verwaltungen können nur gemäß den Gesetzen finanzielle Verpflichtungen eingehen und Ausgaben machen.

Artikel 134 [Staatshaushalt]

(1) Der Regierung obliegt die Ausarbeitung des Staatshaushalts und den Cortes Generales seine Prüfung, Abänderung und Verabschiedung.

(2) Der Staatshaushalt wird für ein Jahr aufgestellt; er erstreckt sich auf die Gesamtheit der Ausgaben und Einnahmen der öffentlichen Hand und bestimmt den Betrag der Steuergewinne, welche die Staatsabgaben betreffen.

(3) Die Regierung muss dem Kongress der Abgeordneten mindestens drei Monate vor Ablauf des vorjährigen den neuen Staatshaushalt vorlegen.

(4) Wenn das Haushaltsgesetz nicht vor dem ersten Tag des entsprechenden Rechnungsjahres gebilligt ist, so gilt der Staatshaushalt des Vorjahres bis zum Inkrafttreten des neuen als automatisch verlängert.

(5) Nach Inkrafttreten des Staatshaushaltes kann die Regierung Gesetzentwürfe vorlegen, die eine Erhöhung der öffentlichen Ausgaben oder eine Verringerung der Einnahmen im entsprechenden Rechnungsjahr vorsehen.

(6) Jede Behandlung von Anträgen oder Änderungen, die eine Krediterhöhung oder Einnahmenverringerung voraussetzen, bedarf der Zustimmung der Regierung.

(7) Das Haushaltsgesetz kann keine Steuern errichten. Es kann sie modifizieren, wenn ein materielles Steuergesetz dies vorsieht.

Artikel 135 [Haushaltsstabilität]

(1) Alle öffentlichen Verwaltungen unterwerfen ihr Gebaren dem Grundsatz der Haushaltsstabilität.

(2) Der Staat und die Autonomen Gemeinschaften dürfen kein strukturelles Defizit aufweisen, das die von der Europäischen Union für deren Mitgliedstaaten festgelegten Grenzen übersteigt.

Ein Organgesetz legt das dem Staat und den Autonomen Gemeinschaften im Verhältnis zu ihrem Bruttoinlandsprodukt maximal erlaubte strukturelle Defizit fest. Die lokalen Körperschaften müssen einen ausgeglichenen Haushalt aufweisen.

(3) Der Staat und die Autonomen Gemeinschaften müssen gesetzlich dazu befugt werden, öffentliche Schuldtitel auszugeben oder Kredite aufzunehmen.

Kredite zur Zinsbegleichung und Kapitaltilgung der öffentlichen Schulden der Verwaltungen fließen stets in die Ausgabenrechnung des betreffenden Haushalts ein und ihre Begleichung hat absoluten Vorrang. Kredite dieser Art dürfen keinen Änderungen unterliegen, solange sie den Bedingungen laut dem Gesetz über die Ausgabe öffentlicher Schuldtitel genügen.

Der Gesamtschuldenstand der öffentlichen Verwaltungen darf im Verhältnis zum Bruttoinlandsprodukt des Staates den Referenzwert laut dem Vertrag über die Arbeitsweise der Europäischen Union nicht übersteigen.

(4) Die Grenzen für das strukturelle Defizit und den öffentlichen Schuldenstand dürfen nur dann überschritten werden, wenn eine Naturkatastrophe, eine wirtschaftliche Rezession oder eine außerordentliche Notfallsituation vorliegt, die nach Einschätzung der absoluten Mehrheit des Kongresses der Abgeordneten durch den Staat nicht beherrschbar ist und dessen Finanzlage oder dessen wirtschaftliche oder soziale Nachhaltigkeit erheblich beeinträchtigt.

(5) Ein Organgesetz regelt die Grundsätze, auf die dieser Artikel Bezug nimmt, sowie die jeweilige Verfahrensbeteiligung der Organe zur institutionellen Koordination zwischen den öffentlichen Verwaltungen in politischer, steuerlicher und finanzieller Hinsicht. In jedem Fall regelt es die folgenden Belange:

a) Die Verteilung der Defizit- und Verschuldungsgrenzen zwischen den öffentlichen Verwaltungen, die außergewöhnlichen Umstände für deren Überschreitung sowie die Form und Frist für die Berichtigung etwaiger Abweichungen.

b) Die Methodik und das Verfahren für die Berechnung des strukturellen Defizits.

c) Die jeweilige Haftung der öffentlichen Verwaltungen, falls die Haushaltsstabilitätsziele verfehlt werden.

(6) In Übereinstimmung mit ihren jeweiligen Statuten und innerhalb der Grenzen laut diesem Artikel verabschieden die Autonomen Gemeinschaften die sachdienlichen Bestimmungen für die wirksame Umsetzung des Stabilitätsgrundsatzes in ihren haushaltsbezogenen Vorschriften und Entscheidungen.

Artikel 136 [Rechnungshof]

(1) Der Rechnungshof ist das oberste Organ der Rechnungskontrolle und der Prüfung der Wirtschaftsführung des Staates sowie der öffentlichen Hand.

Er hängt direkt von den Cortes Generales ab und übt seine Prüfungs- und Kontrollfunktionen bezüglich des staatlichen Rechnungswesens in Vertretung derselben aus.

(2) Die Staatsrechnungen und die der öffentlichen Hand werden dem Rechnungshof zur Prüfung vorgelegt. Der Rechnungshof legt den Cortes Generales unbeschadet seiner eigenen Zuständigkeit einen Jahresbericht vor, in dem er gegebenenfalls über seiner Ansicht nach vorgekommene Fälle von Verstößen oder Verantwortlichkeiten informiert.

(3) Die Mitglieder des Rechnungshofes sind ebenso unabhängig und unabsetzbar und den gleichen Unvereinbarkeiten unterworfen wie die Richter.

(4) Ein Organgesetz regelt die Zusammensetzung, Organisation und Funktionen des Rechnungshofes.

Titel VIII – DIE TERRITORIALE GLIEDERUNG DES STAATES

Kapitel 1 – Allgemeine Grundsätze

Artikel 137 [Staatsgebiet]

Das Staatsgebiet wird in Gemeinden, Provinzen und Autonome Gemeinschaften gegliedert. Sie alle genießen Autonomie bezüglich der Verfolgung ihrer entsprechenden Interessen.

Artikel 138 [Solidarität, Privilegienverbot]

(1) Der Staat gewährleistet die Verwirklichung des in Art. 2 der Verfassung festgelegten Prinzips der Solidarität durch den Einsatz für die Herstellung eines angemessenen und gerechten wirtschaftlichen Gleichgewichtes zwischen den verschiedenen Teilen des spanischen Gebietes; er berücksichtigt insbesondere die Gegebenheit des insularen Charakters.

(2) Die Unterschiede zwischen den Statuten der einzelnen Autonomen Gemeinschaften dürfen keinesfalls zu wirtschaftlichen oder sozialen Privilegien führen.

Artikel 139 [Gleiche Rechte und Pflichten]

(1) Alle Spanier haben im gesamten Staatsgebiet die gleichen Rechte und Pflichten.

(2) Keine Behörde darf Maßnahmen ergreifen, die direkt oder indirekt die Freizügigkeit und Niederlassungsfreiheit der Personen sowie den freien Güterverkehr in ganz Spanien behindern.

Kapitel 2 – Die Gemeindeverwaltung

Artikel 140 [Autonomie der Gemeinden]

Die Verfassung gewährleistet die Autonomie der Gemeinden. Diese verfügen über volle Rechtspersönlichkeit. Ihre Regierung und Verwaltung obliegen den entsprechenden Gemeindevertretungen, die sich aus dem Bürgermeister und den Ratsmitgliedern zusammensetzen. Die Ratsmitglieder werden in allgemeiner, gleicher, freier, direkter und geheimer Wahl in der Form, die das Gesetz vorsieht, von den Bürgern der Gemeinde gewählt. Die Bürgermeister werden von den Ratsmitgliedern oder den Bürgern gewählt. Das Gesetz regelt die Voraussetzungen, unter welchen die Einrichtung der Bürgerversammlung angebracht ist.

Artikel 141 [Provinz]

(1) Die Provinz ist eine durch den Zusammenschluss von Gemeinden gekennzeichnete lokale Körperschaft mit eigener Rechtspersönlichkeit und Gebietsunterteilung für die Ausführung der Staatsgeschäfte. Jedwede Veränderung der Grenzen der Provinzen muss mittels Organgesetz von den Cortes Generales gebilligt werden.

(2) Die autonome Regierung und Verwaltung der Provinzen obliegen Provinzialräten *(Diputaciones)* oder anderen repräsentativen Körperschaften.

(3) Der von den Provinzen unabhängige Zusammenschluss von Gemeinden ist zulässig.

(4) In den Archipelen verfügen die Inseln außerdem über eine eigene Verwaltung in Form der Inselparlamente *(Cabildos)* oder -räte *(Consejos)*.

Artikel 142 [Lokale Haushalte]

Die lokalen Finanzverwaltungen müssen über ausreichende Mittel verfügen, um die den entsprechenden Körperschaften vom Gesetz zugeschriebenen Funktionen erfüllen zu können; diese Mittel stammen im Wesentlichen aus den eigenen Steuereinnahmen sowie aus dem Anteil an denen des Staates und denen der Autonomen Gemeinschaften.

Kapitel 3 – Die Autonomen Gemeinschaften

Artikel 143 [Autonome Gemeinschaften]

(1) Bei der in Art. 2 der Verfassung anerkannten Ausübung des Rechtes auf Autonomie können die aneinandergrenzenden Provinzen mit gemeinsamen historischen, kulturellen und wirtschaftlichen Gegebenheiten, die Inselgebiete und die Provinzen, welche eine historisch begründete regionale Gemeinsamkeit bilden, die Selbstregierung erlangen und sich nach Maßgabe der Bestimmungen dieses Titels und der entsprechenden Statuten als Autonome Gemeinschaften konstituieren.

(2) Die Initiative des Autonomieprozesses obliegt allen interessierten Provinzialräten oder dem entsprechenden interinsularen Organ und zwei Dritteln der Gemeinden, deren Bevölkerung mindestens die Mehrheit der Wählerliste jeder Provinz oder Insel darstellt. Diese Voraussetzungen müssen in der Frist von sechs Monaten nach dem ersten diesbezüglichen Beschluss seitens einer der betreffenden lokalen Körperschaften erfüllt werden.

(3) Im Falle des Misserfolges der Initiative kann diese erst nach fünf Jahren wiederholt werden.

Artikel 144 [Organgesetz der Cortes Generales in Bezug auf Autonome Gemeinschaften]

Die Cortes Generales können aus Gründen

des nationalen Interesses mittels Organgesetz:

a) die Konstituierung einer Autonomen Gemeinschaft genehmigen, wenn der entsprechende territoriale Bereich den einer Provinz nicht überschreitet und die Voraussetzungen von Art. 143 Abs. 1 nicht erfüllt;

b) ein Autonomiestatut für die Gebiete genehmigen oder gegebenenfalls beschließen, welche in keine Provinz eingegliedert sind;

c) die Initiative der lokalen Körperschaften, auf die sich Art. 143 Abs. 2 bezieht, übernehmen.

Artikel 145 [Zusammenschluss und Abkommen]

(1) Die Föderation Autonomer Gemeinschaften ist keinesfalls zulässig.

(2) Die Statuten können die Voraussetzungen, Bedingungen und Formalitäten regeln, unter denen die Autonomen Gemeinschaften untereinander Verträge über die Ausführung und Gewährung von Leistungen, die ihnen eigen sind, abschließen können, sowie die Art und die Wirkungen der entsprechenden Mitteilung an die Cortes Generales festlegen. Bei allen übrigen Voraussetzungen bedarf es der Genehmigung der Cortes Generales für den Abschluss von Kooperationsverträgen zwischen den Autonomen Gemeinschaften.

Artikel 146 [Autonomiestatut]

Der Statutenentwurf wird von einer Versammlung ausgearbeitet, die sich aus den Mitgliedern des Provinzialrates oder des interinsularen Organs der betreffenden Provinzen und den in ihnen gewählten Abgeordneten und Senatoren zusammensetzt; der Entwurf wird den Cortes Generales vorgelegt, die ihn wie ein Gesetz behandeln.

Artikel 147 [Autonomiestatuten als grundlegende institutionelle Normen]

(1) Im Rahmen der Bestimmungen dieser Verfassung sind die Statuten die grundlegende institutionelle Norm der jeweiligen Autonomen Gemeinschaft; der Staat erkennt sie an und schützt sie als Bestandteil seiner Rechtsordnung.

(2) Die Autonomiestatuten müssen enthalten:

a) den Namen der Gemeinschaft, der ihrer historischen Identität am besten entspricht;

b) die Abgrenzung ihres Gebietes;

c) den Namen, die Organisation und den Sitz der eigenen autonomen Institutionen;

d) die im Rahmen der Verfassung übernommenen Zuständigkeiten und die Grundlagen für die Übernahme der ihnen zukommenden Dienste.

(3) Eine Statutenänderung erfolgt gemäß der darin vorgesehenen Verfahrensweise und bedarf in jedem Falle der Zustimmung der Cortes Generales mittels eines Organgesetzes.

Artikel 148 [Zuständigkeiten der Autonomen Gemeinschaften]

(1) Die Autonomen Gemeinschaften können auf folgenden Gebieten Zuständigkeiten übernehmen:

1. Organisation ihrer Institutionen für die Selbstregierung;

2. Veränderungen der in ihrem Gebiet enthaltenen Gemeindegrenzen und allgemein die Funktionen, die der Staatsverwaltung bezüglich der lokalen Körperschaften obliegen und deren Übertragung von der Gesetzgebung über Kommunalverwaltung genehmigt wird;

3. Gebietsordnung, Städte- und Wohnungsbau;

4. Öffentliche Bauten, deren Errichtung in ihrem Gebiet von Interesse für die Autonome Gemeinschaft ist;

5. Eisenbahnen und Straßen, deren Verlauf sich in seiner Gesamtheit auf das Gebiet der Autonomen Gemeinschaft erstreckt, sowie der von diesen Mitteln oder per Kabelverkehr durchgeführte Transport;

6. Nothäfen, Sporthäfen und Sportflughäfen und im allgemeinen solche, die keine kommerziellen Tätigkeiten ausüben;

7. Landwirtschaft und Viehzucht im Rahmen der allgemeinen Wirtschaftsordnung;

8. Waldländereien und Forstwirtschaft;

9. Durchführung des Umweltschutzes;

10. Projekte, Bau und Betrieb der Wassernutzungswerke, Kanäle und Bewässerungs-

anlagen, die von Interesse für die Autonome Gemeinschaft sind; Mineral- und Thermalquellen;

11. Binnenfischerei, Schalen- und Krustentierzucht und Aquakultur, Jagdwesen und Flussfischfang;

12. Lokale Messen und Ausstellungen;

13. Förderung der wirtschaftlichen Entwicklung der Autonomen Gemeinschaft innerhalb der von der staatlichen Wirtschaftspolitik gesetzten Ziele;

14. Handwerkswesen;

15. Museen, Bibliotheken und Musikkonservatorien, die von Interesse für die Autonome Gemeinschaft sind;

16. Pflege der Bau- und Kunstdenkmäler, die von Interesse für die Autonome Gemeinschaft sind;

17. Förderung der Kultur, der Forschung und gegebenenfalls der Lehre der Sprache der Autonomen Gemeinschaft;

18. Förderung und Gestaltung des Tourismus innerhalb ihres Territorialbereiches;

19. Förderung von Sport und Freizeitgestaltung;

20. Sozialfürsorge;

21. Gesundheit und Hygiene;

22. Bewachung und Schutz ihrer Gebäude und Einrichtungen. Koordination und weitere Befugnisse bezüglich der Lokalpolizei nach Maßgabe eines Organgesetzes.

(2) Die Autonomen Gemeinschaften können nach einem Zeitraum von 5 Jahren und mittels einer Statutenänderung ihre Zuständigkeiten innerhalb des im Art. 149 vorgesehenen Rahmens allmählich erweitern.

Artikel 149 [Ausschließliche Zuständigkeit des Staates]

(1) Der Staat besitzt die ausschließliche Zuständigkeit für:

1. die Regelung der grundlegenden Bedingungen, die die Gleichheit aller Spanier bei der Ausübung ihrer Rechte und der Erfüllung ihrer verfassungsmäßigen Pflichten gewährleisten;

2. die Staatsangehörigkeit, die Ein- und Auswanderung sowie das Fremden- und Asylrecht;

3. die internationalen Beziehungen;

4. Verteidigung und Streitkräfte;

5. Justizverwaltung;

6. Handels-, Strafrechts- und Strafanstaltsgesetzgebung; Prozessrechtsgesetzgebung unbeschadet der notwendigen Besonderheiten, die sich in dieser Hinsicht aus den Eigenheiten des materiellen Rechtes der Autonomen Gemeinschaften ergeben;

7. Arbeitsgesetzgebung unbeschadet ihrer Durchführung seitens der Organe der Autonomen Gemeinschaften;

8. Zivilgesetzgebung unbeschadet der Erhaltung, Modifizierung und Entwicklung der gegebenenfalls vorhandenen Zivil-, Foral- und Sonderrechte durch die Autonomen Gemeinschaften; in jedem Fall die Regeln zur Anwendung und Wirksamkeit der Rechtsnormen, zivilrechtliche Verhältnisse hinsichtlich der Eheformen, Ordnung der öffentlichen Register und Urkunden, Grundlagen der Vertragspflichten, Normen für die Lösung von Gesetzeskonflikten und Festlegung der Rechtsquellen, in letzterem Fall unter Wahrung der Normen des Foral- und Sonderrechtes;

9. Gesetzgebung über Urheberrecht und Patentrecht;

10. Zoll- und Tarifwesen; Außenhandel;

11. Währungssystem: Devisen, Geldwechsel und Konvertibilität; Grundlagen des Kredit-, Bank- und Versicherungswesens;

12. Gesetzgebung über Gewichte und Maße, Festlegung der offiziellen Zeit;

13. Grundlagen und Koordination der allgemeinen Wirtschaftsplanung;

14. allgemeines Finanzwesen und Staatsschuld;

15. Förderung und allgemeine Koordination der wissenschaftlichen und technischen Forschung;

16. äußeres Gesundheitswesen; Grundlagen und allgemeine Koordination des Gesundheitswesens; Gesetzgebung über pharmazeutische Produkte;

17. grundlegende Gesetzgebung und wirtschaftliche Ordnung der Sozialen Sicherheit unbeschadet der Ausführung ihrer Leistungen durch die Autonomen Gemeinschaften;

18. Grundlagen der Rechtsordnung der öffentlichen Verwaltung und der statutsmäßigen Ordnung ihrer Beamten, wobei den der Verwaltung Unterstehenden auf jeden Fall gleiche Behandlung gewährleistet wird; gemeinsames Verwaltungsverfahren unbeschadet der aus der eigenen Organisation der Autonomen Gemeinschaften hervorgehenden Besonderheiten; Gesetzgebung über Zwangsenteignung; grundlegende Gesetzgebung über Verwaltungsverträge und -konzessionen und Haftungssystem aller öffentlichen Verwaltungen;

19. Meeresfischerei unbeschadet der Zuständigkeiten, die bei der Ordnung dieses Bereiches den Autonomen Gemeinschaften zuerkannt werden;

20. Handelsmarine und Schiffsflaggenverleihung, Beleuchtung von Küsten und Seezeichen; Häfen von allgemeinem Interesse; Kontrolle des Luftraumes, Luftverkehrs und Lufttransportes; Wetterdienst und Eintragung von Luftfahrzeugen;

21. Eisenbahnen und Straßentransporte, die durch das Gebiet von mehr als einer Autonomen Gemeinschaft führen; allgemeines Verkehrswesen; Kraftfahrzeugverkehr; Post- und Fernmeldewesen; Luftkabel, Unterseekabel und Funkwesen;

22. Gesetzgebung, Ordnung und Konzession der hydraulischen Quellen und Nutzung in den Fällen, in denen der Wasserlauf durch das Gebiet von mehr als einer Autonomen Gemeinschaft führt, und Genehmigung elektrischer Einrichtungen in den Fällen, in denen die Nutzung sich auf eine andere Gemeinschaft erstreckt oder der Energietransport über den eigenen Territorialbereich hinausgeht;

23. grundlegende Gesetzgebung über den Umweltschutz unbeschadet der Befugnisse der Autonomen Gemeinschaften zum Erlass zusätzlicher Schutzvorschriften; Grundgesetzgebung über Waldländereien und Forstwirtschaft sowie Viehtrifte;

24. öffentliche Bauten, die von allgemeinem Interesse sind oder deren Errichtung sich auf mehr als eine Autonome Gemeinschaft auswirkt;

25. Grundlagen des Bergbau- und Energiewesens;

26. Herstellung, Handel, Besitz und Gebrauch von Waffen und Sprengkörpern;

27. grundlegende Normen für Presse, Rundfunk und Fernsehen und im Allgemeinen für alle sozialen Kommunikationsmedien, unbeschadet der den Autonomen Gemeinschaften bei ihrer Entwicklung und Handhabung zustehenden Befugnisse;

28. Schutz des spanischen kulturellen, künstlerischen und architektonischen Gutes vor Ausfuhr und Plünderung; staatliche Museen, Bibliotheken und Archive unbeschadet ihrer Verwaltung durch die Autonomen Gemeinschaften;

29. öffentliche Sicherheit unbeschadet der Möglichkeit der Schaffung eigener Polizeikräfte durch die Autonomen Gemeinschaften in der Form, die in den entsprechenden Statuten im Rahmen der Bestimmungen eines Organgesetzes vorgesehen wird;

30. Regelung der Bedingungen der Erlangung, Ausstellung und Bestätigung akademischer und beruflicher Titel und grundsätzliche Normen für die Entwicklung von Art. 27 der Verfassung mit dem Zwecke, die Erfüllung der Verpflichtungen der öffentlichen Gewalten auf diesem Gebiet zu gewährleisten;

31. Statistik für Staatszwecke;

32. Genehmigung zur Einberufung einer Volksbefragung auf dem Wege des Referendums.

(2) Unbeschadet der Zuständigkeiten, die die Autonomen Gemeinschaften übernehmen können, betrachtet der Staat den Dienst an der Kultur als eine Pflicht und wesentliche Aufgabe und erleichtert in Übereinstimmung mit den Autonomen Gemeinschaften den Kulturaustausch zwischen ihnen.

(3) Die dem Staat von dieser Verfassung nicht ausdrücklich zugeschriebenen Materien können kraft ihrer entsprechenden Statuten den Autonomen Gemeinschaften zustehen. Die Zuständigkeit in Materien, welche die Autonomiestatuten nicht übernehmen, obliegt dem Staat, dessen Normen im Konfliktfall in allem, was nicht der aus-

schließlichen Kompetenz der Autonomen Gemeinschaften zuerkannt ist, den Vorrang gegenüber den Normen der letzteren haben. Das staatliche Recht ergänzt in jedem Fall das der Autonomen Gemeinschaften.

Artikel 150 [Übertragung von Befugnissen]

(1) Die Cortes Generales können allen oder irgendeiner der Autonomen Gemeinschaften in Materien staatlicher Zuständigkeit die Befugnis erteilen, für sich selbst im Rahmen der von einem Organgesetz festgelegten Prinzipien, Grundlagen und Richtlinien gesetzgebende Normen zu erlassen. Ungeachtet der Zuständigkeit der Gerichte wird in jedem Rahmengesetz die Form der Kontrolle vorgesehen, die die Cortes Generales über diese gesetzgebenden Normen der Autonomen Gemeinschaften ausüben.

(2) Der Staat kann den Autonomen Gemeinschaften mittels Organgesetz Befugnisse in Materien staatlicher Zuständigkeit übertragen, die ihrer eigenen Natur gemäß übertragbar oder delegierbar sind. Das Gesetz sieht in jedem Falle die entsprechende Zuweisung finanzieller Mittel sowie die Formen der Kontrolle vor, die der Staat sich vorbehält.

(3) Der Staat kann Gesetze erlassen, welche die zur Angleichung der normativen Bestimmungen der Autonomen Gemeinschaften erforderlichen Grundsätze festlegen – selbst im Falle von Materien, die der Zuständigkeit der letzteren unterstellt sind – wenn es das Interesse der Allgemeinheit erfordert. Es obliegt den Cortes Generales, mit absoluter Mehrheit jeder der Kammern diese Notwendigkeit festzustellen.

Artikel 151 [Beschleunigter Autonomieprozess]

(1) Der Zeitraum von fünf Jahren, den Art. 148 Abs. 2 vorsieht, muss nicht eingehalten werden, wenn die Initiative des Autonomieprozesses innerhalb der von Art. 143 Abs. 2 festgesetzten Frist außer von den entsprechenden Provinzialräten oder interinsularen Organen von drei Vierteln der Gemeinden aller betroffenen Provinzen beschlossen wird, die mindestens die Mehrheit der Wählerlisten jeder derselben darstellen, und wenn diese Initiative im Wege eines Referendums mit Zustimmung der absoluten Mehrheit der Wähler jeder Provinz nach Maßgabe eines Organgesetzes ratifiziert wird.

(2) Unter den im vorhergehenden Absatz festgelegten Voraussetzungen wird das folgende Verfahren zur Ausarbeitung des Statuts angewandt:

1. Die Regierung beruft alle Abgeordneten und Senatoren, die in den Wahlkreisen jenes territorialen Bereiches gewählt worden sind, der die Selbstregierung anstrebt, zu einer Versammlung mit dem alleinigen Zweck der Ausarbeitung des entsprechenden Entwurfes eines Autonomiestatuts ein, dem die absolute Mehrheit der Mitglieder zustimmen muss.

2. Nach Billigung des Statutsentwurfes durch die Parlamentarierversammlung wird derselbe an den Verfassungsausschuss des Kongresses weitergeleitet, der ihn innerhalb von zwei Monaten unter Anwesenheit und Beistand einer Delegation der vorschlagenden Versammlung prüft, um in gegenseitigem Einvernehmen die endgültige Formulierung festzulegen.

3. Wenn besagtes Einvernehmen erzielt ist, wird der entsprechende Text einer Volksabstimmung seitens der Wählerschaft der Provinzen unterworfen, die sich in dem vom Statutsentwurf erfassten Territorialbereich befinden.

4. Wenn der Statutsentwurf in jeder Provinz von der Mehrheit der gültig abgegebenen Stimmen genehmigt worden ist, wird er den Cortes Generales vorgelegt. Das Plenum jeder der Kammern entscheidet sodann über den Text mittels einer Abstimmung zur Ratifizierung. Nach Billigung des Statuts wird es vom König sanktioniert und als Gesetz verkündet.

5. Wenn das in Abs. 2 erwähnte Einvernehmen nicht erreicht wird, so wird der Statutsentwurf in Form einer Gesetzesvorlage in den Cortes Generales behandelt. Der von diesen gebilligte Text wird einer Volksabstimmung seitens der Wählerschaft der Pro-

vinzen unterworfen, die sich in dem vom Statutsentwurf erfassten Territorialbereich befinden. Im Falle der Billigung durch die Mehrheit der in jeder Provinz gültig abgegebenen Stimmen wird das Statut gemäß den Bestimmungen der vorhergehenden Ziffer verkündigt.

(3) Die Nichtannahme des Statutsentwurfes durch eine oder mehrere Provinzen in den in Paragraph 4 und 5 des vorhergehenden Absatzes vorgesehenen Fällen hindert die übrigen nicht an der Konstituierung der geplanten Autonomen Gemeinschaft in der Form, die das im ersten Absatz dieses Artikels vorgesehene Organgesetz bestimmt.

Artikel 152 [Institutionelle Ausstattung]

(1) In den gemäß der im vorherigen Artikel beschriebenen Verfahrensweise gebilligten Statuten stützt sich die autonome institutionelle Organisation auf eine gesetzgebende Versammlung, die nach einem Verhältniswahlsystem, das außerdem die Vertretung der verschiedenen Gebietszonen gewährleistet, aus allgemeinen Wahlen hervorgegangen ist, einen Regierenden Rat mit exekutiven und administrativen Funktionen sowie einen Präsidenten, den die Versammlung unter ihren Mitgliedern wählt und den der König ernennt. Dem Präsidenten obliegt die Leitung des Regierenden Rates, die höchste Vertretung der betreffenden Gemeinschaft und die ordentliche Vertretung des Staates in derselben. Der Präsident und die Mitglieder des Regierenden Rates sind der Versammlung politisch verantwortlich.

Ein Hoher Gerichtshof ist, ungeachtet der dem Obersten Gerichtshof zustehenden Jurisdiktion, höchste Instanz der Gerichtsbarkeit im territorialen Bereich der Autonomen Gemeinschaft. In den Statuten der Autonomen Gemeinschaften können die Voraussetzungen und Formen der Beteiligung derselben an der Organisation der gerichtlichen Gebietsabgrenzung vorgesehen werden, und zwar in Übereinstimmung mit dem Organgesetz über die rechtsprechende Gewalt und innerhalb der Einheitlichkeit und Unabhängigkeit derselben. Unbeschadet der

Bestimmungen von Art. 123 beschränken sich gegebenenfalls die aufeinanderfolgenden prozessualen Instanzen auf gerichtliche Organe, die im gleichen Gebiet der Autonomen Gemeinschaft wie das in erster Instanz zuständige Organ gelegen sind.

(2) Nach Billigung und Verkündigung der entsprechenden Statuten können diese nur im Wege der von ihnen selbst festgelegten Verfahrensweisen und mittels Volksabstimmung unter den in den entsprechenden Wählerlisten geführten Bürgern geändert werden.

(3) Durch den Zusammenschluss aneinandergrenzender Gemeinden können die Statuten eigene Gebietskreise schaffen, die volle Rechtspersönlichkeit besitzen.

Artikel 153 [Kontrolle der Tätigkeit]

Die Kontrolle der Tätigkeit der Organe der Autonomen Gemeinschaften wird wie folgt ausgeübt:

a) vom Verfassungsgericht die der Verfassungsmäßigkeit ihrer rechtskräftigen normativen Bestimmungen;

b) von der Regierung nach erfolgtem Gutachten seitens des Staatsrates die der übertragenen Funktionen, auf welche sich Art. 150 Abs. 2 bezieht;

c) von der Verwaltungsgerichtsbarkeit die der autonomen Verwaltung und ihrer Satzungsnormen;

d) vom Rechnungshof die von Wirtschaft und Haushalt.

Artikel 154 [Regierungsdelegierter]

Ein von der Regierung ernannter Delegierter leitet die Staatsverwaltung im Gebiet der Autonomen Gemeinschaft und koordiniert sie gegebenenfalls mit der Verwaltung der Gemeinschaft.

Artikel 155 [Ergreifung von Maßnahmen]

(1) Wenn eine Autonome Gemeinschaft die ihr von der Verfassung oder anderen Gesetzen auferlegten Verpflichtungen nicht erfüllt oder so handelt, dass ihr Verhalten einen schweren Verstoß gegen das allgemeine Interesse Spaniens darstellt, so kann die Re-

gierung nach vorheriger an den Präsidenten der Autonomen Gemeinschaft gerichteten Aufforderung, und falls dieser nicht Folge geleistet wird, mit Billigung der absoluten Mehrheit des Senates die erforderlichen Maßnahmen ergreifen, um die Autonome Gemeinschaft zu der zwangsweisen Erfüllung dieser Verpflichtungen anzuhalten oder um das erwähnte Interesse der Allgemeinheit zu schützen.

(2) Zum Zwecke der Ausführung der im vorherigen Absatz vorgesehenen Maßnahmen kann die Regierung allen Behörden der Autonomen Gemeinschaften Weisungen erteilen.

Artikel 156 [Finanzielle Autonomie]

(1) Die Autonomen Gemeinschaften genießen, gemäß den Grundsätzen der Koordination mit der staatlichen Finanzverwaltung und der Solidarität zwischen allen Spaniern, bei der Entfaltung und Ausübung ihrer Zuständigkeiten finanzielle Autonomie.

(2) Die Autonomen Gemeinschaften können entsprechend den Gesetzen und Statuten bei der Erhebung und Eintreibung der Staatssteuern als Delegierte oder Mitarbeiter des Staates auftreten.

Artikel 157 [Zusammensetzung der Finanzmittel]

(1) Die Mittel der Autonomen Gemeinschaften setzen sich zusammen aus:

a) ganz oder teilweise vom Staat überlassenen Steuern; Staatssteueraufschlägen und anderen Anteilen an den Einnahmen des Staates;

b) ihren eigenen Steuern, Gebühren und Sonderabgaben;

c) Überweisungen aus einem interterritorialen Ausgleichsfonds und anderen zu Lasten des Staatshaushalts gehenden Zuwendungen;

d) aus ihrem Vermögen stammenden Erträgen und privatrechtlichen Einnahmen;

e) dem Erlös aus den Kreditgeschäften.

(2) Die Autonomen Gemeinschaften können keinesfalls Maßnahmen über die Besteuerung von außerhalb ihres Gebiets befindli-

chen Gütern treffen oder solche, die eine Behinderung des freien Verkehrs von Waren oder Diensten bedeuten.

(3) Mittels Organgesetz können die Ausübung der im vorstehenden Abs. 1 aufgezählten finanziellen Zuständigkeiten, die Normen für die Lösung möglicher Konflikte und die verschiedenen Formen der finanziellen Zusammenarbeit zwischen den Autonomen Gemeinschaften und dem Staat geregelt werden.

Artikel 158 [Zuweisungen des Staatshaushalts]

(1) Im Staatshaushalt kann den Autonomen Gemeinschaften entsprechend dem Umfang der von ihnen übernommenen staatlichen Dienste und Tätigkeiten und zur Garantie eines Mindestleistungsstandes der grundlegenden öffentlichen Dienste im ganzen spanischen Gebiet eine Zuwendung gewährt werden.

(2) Mit dem Zwecke des Ausgleichs von interterritorialen wirtschaftlichen Unausgewogenheiten und der effektiven Verwirklichung des Solidaritätsprinzips wird ein Ausgleichsfonds für Investitionsausgaben eingerichtet, dessen Mittel von den *Cortes Generales* unter den Autonomen Gemeinschaften und gegebenenfalls den Provinzen aufgeteilt werden.

Titel IX – DAS VERFASSUNGS-GERICHT

Artikel 159 [Verfassungsgericht]

(1) Das Verfassungsgericht setzt sich aus zwölf Mitgliedern zusammen, die vom König ernannt werden, und zwar vier von ihnen auf Vorschlag des Kongresses mit 3/5-Mehrheit seiner Mitglieder, vier auf Vorschlag des Senats bei gleicher Mehrheit, zwei auf Vorschlag der Regierung und zwei auf Vorschlag des Generalrates der rechtsprechenden Gewalt.

(2) Die Mitglieder des Verfassungsgerichtes müssen unter Kollegialrichtern, Staatsanwälten, Universitätsprofessoren, Staatsbeamten und Rechtsanwälten ausgewählt

werden, und alle müssen anerkannt kompetente Juristen mit mehr als fünfzehnjähriger Berufserfahrung sein.

(3) Die Mitglieder des Verfassungsgerichtes werden für einen Zeitraum von neun Jahren ernannt, und ein Drittel von ihnen wird alle drei Jahre erneuert.

(4) Die Mitgliedschaft am Verfassungsgericht ist unvereinbar mit jeder Art von repräsentativem Mandat, Ämtern der Politik oder Verwaltung, mit der Ausübung einer leitenden Funktion in einer politischen Partei oder einer Gewerkschaft und mit einer Anstellung bei denselben, mit der Ausübung der Richter- oder Staatsanwaltslaufbahn sowie mit jeder Art beruflicher oder gewerblicher Tätigkeit. Darüber hinaus unterstehen die Mitglieder des Verfassungsgerichtes den gleichen Unvereinbarkeiten, die für alle Mitglieder der rechtsprechenden Gewalt gelten.

(5) Die Mitglieder des Verfassungsgerichtes sind bei der Ausübung ihres Mandats unabhängig und unabsetzbar.

Artikel 160 [Präsident des Verfassungsgerichts]

Der Präsident des Verfassungsgerichtes wird auf Vorschlag des Plenums, das ihn unter den Mitgliedern auswählt, und für den Zeitraum von drei Jahren vom König ernannt.

Artikel 161 [Zuständigkeit des Verfassungsgerichts]

(1) Das Verfassungsgericht ist für das gesamte spanische Gebiet zuständig und besitzt Entscheidungsbefugnis in folgenden Fällen:

a) Verfassungsbeschwerden wegen Verfassungswidrigkeit von Gesetzen und normativen Bestimmungen mit Gesetzeskraft. Die Erklärung der Verfassungswidrigkeit einer Rechtsnorm mit Gesetzesrang, die von der Rechtsprechung ausgelegt worden ist, besitzt Wirkung auf letztere; ergangene Entscheidungen verlieren jedoch nicht den Wert einer rechtskräftig entschiedenen Sache.

b) Verfassungsbeschwerden wegen Verletzung der in Art. 53 Abs 2 dieser Verfassung enthaltenen Rechte und Freiheiten, und zwar in den vom Gesetz vorgesehenen Fällen und Formen.

c) Zuständigkeitskonflikte zwischen dem Staat und den Autonomen Gemeinschaften oder zwischen letzteren.

d) In den übrigen Materien, die ihm von der Verfassung oder den Organgesetzen zugeschrieben werden.

(2) Die Regierung kann die Bestimmungen und Beschlüsse der Autonomen Gemeinschaften vor dem Verfassungsgericht anfechten.

Die Anfechtung führt zur Aussetzung der Bestimmung oder des Beschlusses, jedoch muss das Gericht diese gegebenenfalls innerhalb einer Frist von höchstens fünf Monaten ratifizieren oder annullieren.

Artikel 162 [Befugnis zur Einlegung]

(1) Ermächtigt sind:

a) für die Einlegung der Verfassungsbeschwerde der Regierungspräsident, der Volksanwalt, fünfzig Abgeordnete, fünfzig Senatoren, die ausführenden Kollegialorgane der Autonomen Gemeinschaften und gegebenenfalls die Versammlungen derselben;

b) für die Einlegung der Verfassungsbeschwerde wegen Verletzung von Rechten und Freiheiten alle natürlichen oder juristischen Personen, die ein legitimes Interesse anführen, sowie der Volksanwalt und die Staatsanwaltschaft.

(2) In den übrigen Fällen bestimmt ein Organgesetz die legitimierten Personen und Organe.

Artikel 163 [Konkrete Normenkontrolle]

Wenn ein rechtsprechendes Organ in einem Verfahren der Ansicht ist, dass eine auf den entsprechenden Fall anwendbare Norm mit Gesetzesrang, von deren Gültigkeit der Urteilsspruch abhängt, verfassungswidrig sein könnte, bringt es die Frage vor das Verfassungsgericht, und zwar gemäß den Voraussetzungen, in der Form und mit den Auswirkungen, die das Gesetz vorsieht und die keinesfalls aufschiebenden Charakter haben können.

Artikel 164 [Veröffentlichung der Urteile]

(1) Die Urteile des Verfassungsgerichtes werden zusammen mit den eventuellen abweichenden Stimmen im offiziellen Staatsanzeiger veröffentlicht. Sie haben vom Tage nach ihrer Veröffentlichung an den Wert einer rechtskräftig entschiedenen Sache, und Einsprüche gegen sie sind unzulässig. Urteile, welche die Verfassungswidrigkeit eines Gesetzes oder einer Norm mit Gesetzeskraft erklären, und alle die, welche sich nicht auf die subjektive Einschätzung eines Rechtes beschränken, sind gegenüber allen voll wirksam.

(2) Die Gültigkeit des Gesetzes in dem von der Verfassungswidrigkeit nicht betroffenen Teil wird gewahrt, es sei denn, dass der Urteilsspruch etwas anderes verfügt.

Artikel 165 [Tätigkeit des Verfassungsgerichts; Statut der Mitglieder]

Ein Organgesetz regelt die Tätigkeit des Verfassungsgerichtes, das Statut seiner Mitglieder, das vor diesem Gericht anzuwendende Verfahren und die Bedingungen für die Einbringung von Klagen.

Titel X – VERFASSUNGSÄNDERUNG

Artikel 166 [Verfassungsänderung]

Die Initiative zur Verfassungsreform wird gemäß den Bestimmungen von Art. 87 Abs. 1 und 2 ausgeübt.

Artikel 167 [Quoren]

(1) Die Vorschläge zur Verfassungsreform müssen durch eine Mehrheit von 3/5 der Abgeordneten jeder der Kammern gebilligt werden. Wenn es zu keinem Einvernehmen zwischen ihnen kommt, wird die Erreichung desselben mittels Gründung eines paritätisch aus Abgeordneten und Senatoren bestehenden Ausschusses versucht, der einen von beiden Kammern zu beschließenden Text vorlegt.

(2) Wenn die Billigung im Wege der im vorherigen Absatz festgelegten Verfahrensweise nicht zustande kommt, und vorausgesetzt, dass der Text von der absoluten Mehrheit des Senats angenommen ist, so kann der Kongress die Verfassungsreform mit 2/3-Mehrheit billigen.

(3) Nach Billigung der Reform durch die Cortes Generales wird diese zur Ratifizierung einer Volksabstimmung unterworfen, wenn innerhalb von 15 Tagen nach der Billigung ein entsprechender Antrag von einem Zehntel der Mitglieder einer der beiden Kammern vorliegt.

Artikel 168 [Gesamtrevision der Verfassung]

(1) Im Falle des Vorschlags der Gesamtrevision der Verfassung oder einer Teilrevision derselben, die sich auf den Vortitel, auf Titel I, Kapitel 2, Abschnitt 1 oder auf Titel II bezieht, muss die prinzipielle Billigung durch 2/3-Mehrheit jeder der Kammern sowie die sofortige Auflösung der Cortes erfolgen.

(2) Die neugewählten Kammern haben den Beschluss zu ratifizieren und den neuen Verfassungstext zu erörtern, der mit 2/3-Mehrheit beider Kammern gebilligt werden muss.

(3) Nach Billigung der Reform durch die Cortes Generales wird sie zur Ratifizierung einer Volksabstimmung unterworfen.

Artikel 169 [Initiativen in Kriegszeiten]

Die Verfassungsreform kann in Kriegszeiten oder während der Dauer eines der in Art. 116 vorgesehenen Zustände nicht eingeleitet werden.

Zusatzbestimmungen

I. Die Verfassung schützt und achtet die historischen Rechte der Foralgebiete.

Die allgemeine Anpassung dieser Foralordnung wird gegebenenfalls im Rahmen der Verfassung und der Autonomiestatuten vorgenommen.

II. Die in Art. 12 dieser Verfassung enthaltene Volljährigkeitserklärung beeinträchtigt nicht die im privatrechtlichen Bereich von den Foralrechten geschützten Situationen.

III. Die Änderung der Wirtschafts- und Steuerordnung des Kanarischen Archipels bedarf eines vorherigen Berichtes seitens der Autonomen Gemeinschaft oder gegebenenfalls des provisorischen autonomen Organs.

IV. In den Autonomen Gemeinschaften, in denen sich mehr als ein Oberlandesgericht befindet, können die entsprechenden Autonomiestatuten die bestehenden beibehalten und gemäß den Bestimmungen des Organgesetzes über die rechtsprechende Gewalt und innerhalb der Einheitlichkeit und Unabhängigkeit derselben eine Kompetenzverteilung vornehmen.

Übergangsbestimmungen

I. In den Gebieten mit provisorischer Autonomie können ihre obersten Kollegialorgane durch absoluten Mehrheitsbeschluss ihrer Mitglieder die in Art. 143 Abs. 2 den Provinzialräten oder den interinsularen Organen zuerkannte Initiative selbst übernehmen.

II. Die Gebiete, in denen in der Vergangenheit Autonomiestatutenentwürfe durch Volksabstimmung gebilligt wurden, und die zum Zeitpunkt der Verkündigung dieser Verfassung eine provisorische Autonomie genießen, können unverzüglich in der in Art. 148 Abs. 2 festgelegten Form vorgehen, wenn ihre obersten autonomen Kollegialorgane dies mit absoluter Mehrheit beschließen; gleichzeitig muss die Regierung darüber informiert werden. Der Statutenentwurf wird gemäß den Bestimmungen von Art. 151 Abs. 2 auf Einberufung des vorautonomen Organs hin ausgearbeitet.

III. Die in Art. 145 Abs. 2 vorgesehene Initiative des Autonomieprozesses seitens der lokalen Körperschaften oder ihrer Mitglieder gilt bis zur Abhaltung der ersten Lokalwahlen nach Inkrafttreten der Verfassung mit voller Wirkung als aufgeschoben.

IV. (1) Im Falle von Navarra und zum Zwecke seiner Eingliederung in den Allgemeinen Rat des Baskenlandes oder in die diesen ersetzende baskische Autonomieordnung obliegt die Initiative, entgegen den Bestimmungen des Art. 143 der Verfassung, dem zuständigen Foralorgan, das die Entscheidung durch Mehrheitsbeschluss seiner Mitglieder trifft. Für die Gültigkeit dieser Initiative ist außerdem die Ratifizierung der Entscheidung des zuständigen Foralorgans durch ein ausdrücklich hierzu einberufenes Referendum mit der Mehrheit der gültig abgegebenen Stimmen erforderlich.

(2) Wenn die Initiative keinen Erfolg hat, kann sie nur in einer anderen Mandatsperiode des zuständigen Foralorgans und in jedem Fall nach Ablauf der in Art. 143 festgelegten Mindestfrist wiederholt werden.

V. Die Städte Ceuta und Melilla können sich als Autonome Gemeinschaften konstituieren, wenn die entsprechenden Gemeindevertretungen dies mit absoluter Mehrheit ihrer Mitglieder beschließen und es von den Cortes Generales gemäß den Bestimmungen von Art. 144 mittels Organgesetz genehmigt wird.

VI. Wenn dem Verfassungsausschuss des Kongresses mehrere Statutenentwürfe vorgelegt werden, sind diese nach der Reihenfolge ihres Eingangs zu begutachten; die Frist von zwei Monaten, auf die Art. 151 verweist, zählt von dem Moment an, in dem der Ausschuss die Erörterung des Entwurfes oder der nachfolgend vorgelegten Entwürfe beendet hat.

VII. Die provisorischen Autonomieorgane gelten in folgenden Fällen als aufgelöst:

a) nach Konstituierung der Organe, die in den gemäß dieser Verfassung gebilligten Autonomiestatuten vorgesehen sind;

b) im Falle, dass die Initiative des Autonomieprozesses wegen Nichterfüllung der in Art. 145 vorgesehenen Bedingungen keinen Erfolg hat;

c) wenn das Organ im Laufe von drei Jahren das ihm in der ersten Übergangsbestimmung zugestandene Recht nicht ausgeübt hat.

VIII. (1) Die Kammern, welche die vorliegende Verfassung gebilligt haben, übernehmen nach Inkrafttreten derselben die Funktionen und Kompetenzen, die darin dem Kongress und dem Senat zugewiesen sind; in keinem Fall verlängert sich ihr Mandat über den 15. Juni 1981 hinaus.

(2) Bezüglich der in Art. 99 enthaltenen Bestimmungen gilt die Verkündigung der Verfassung als verfassungsmäßige Voraussetzung für die Anwendung dieser Bestimmungen. Zu diesem Zweck beginnt mit der Verkündigung eine Frist von dreißig Tagen, innerhalb welcher die Anwendung der Bestimmungen des genannten Artikels zu erfolgen hat.

Innerhalb dieser Frist kann der gegenwärtige Regierungspräsident, der die für dieses Amt in der Verfassung vorgesehenen Funktionen und Kompetenzen übernimmt, entweder von der ihm in Art. 115 zugestandenen Befugnis Gebrauch machen oder durch seinen Rücktritt die Anwendung der Bestimmungen des Art. 99 herbeiführen; in letzterem Fall verbleibt er in der in Art. 101 Abs. 2 vorgesehenen Lage.

(3) Im Falle der gemäß Art. 115 vorgesehenen Auflösung, und wenn die Bestimmungen von Art. 68 und 69 nicht gesetzmäßig ausgeführt worden sind, gelangen bei den Wahlen die zuvor gültigen Normen zur Anwendung. Die einzigen Ausnahmen sind hinsichtlich der Unwählbarkeiten und Unvereinbarkeiten die direkte Anwendung der Bestimmung von Art. 70 lit. b 2. Halbsatz sowie die Ausführung der Bestimmungen dieser Verfassung über das Wahlalter und der in Art. 69 Abs. 3 enthaltenen Verfügungen.

IX. Drei Jahre nach der Erstwahl der Mitglieder des Verfassungsgerichtes wird eine Gruppe von vier Mitgliedern derselben Wahlherkunft durch das Losverfahren zum Rücktritt veranlasst und eine entsprechende Erneuerung vorgenommen. Nur zu diesem Zweck gelten als Gruppe derselben Wahlherkunft die zwei auf Vorschlag der Regierung und die zwei auf Vorschlag des Generalrates der rechtsprechenden Gewalt ernannten Mitglieder. Nach weiteren drei Jahren wird das gleiche Verfahren zwischen den beiden von der zuvor durchgeführten Auslosung nicht betroffenen Gruppen angewandt. Von diesem Zeitpunkt an wird die Bestimmung von Art. 159 Abs. 3 eingehalten.

Aufhebungsbestimmungen

(1) Das Gesetz 1/1977 vom 4. Januar über die Politische Reform gilt als aufgehoben: ebenso, und soweit sie nicht schon durch das vorerwähnte Gesetz aufgehoben wurden, das Gesetz über die Prinzipien der Nationalen Bewegung vom 17. Mai 1958, der «Fuero de los Españoles» vom 17. Juli 1945, der «Fuero del Trabajo» vom 9. März 1938, das Gesetz über die Konstituierung der Cortes vom 17. Juli 1942, sowie das Gesetz über die Nachfolge in der Staatsführung vom 26. Juli 1947, die alle durch das Organgesetz des Staates vom 10. Januar 1967 abgeändert wurden, das ebenso wie das Gesetz über die Volksabstimmung vom 22. Oktober 1945 als aufgehoben gilt.

(2) Soweit das Gesetz vom 25. Oktober 1839 noch irgendeine Gültigkeit haben könnte, gilt es bezüglich der Provinzen Alava, Guipuzcoa und Vizcaya als endgültig aufgehoben.

In gleicher Weise gilt das Gesetz vom 21. Juli 1876 als endgültig aufgehoben.

(3) Ebenso werden alle den Bestimmungen dieser Verfassung zuwiderlaufenden Verfügungen aufgehoben.

Schlussbestimmung

Diese Verfassung tritt am Tage der Veröffentlichung ihres offiziellen Textes im offiziellen Staatsanzeiger in Kraft. Sie wird auch in den übrigen Sprachen Spaniens veröffentlicht.

Verfassung der Tschechischen Republik[*]

Vom 16. Dezember 1992 (Ústavní zákon č. 1/1993 Sb.), zuletzt geändert am 1. Juni 2013 (Ústavní zákon č. 98/2013 Sb.)

PRÄAMBEL

Wir, die Bürger der Tschechischen Republik in Böhmen, in Mähren und in Schlesien,

im Augenblick der Wiederherstellung eines selbständigen tschechischen Staates,

getreu allen guten Traditionen der althergebrachten Staatlichkeit der Länder der Böhmischen Krone und der tschechoslowakischen Staatlichkeit,

in dem Willen, die Tschechische Republik im Geiste der unantastbaren Werte der menschlichen Würde und Freiheit aufzubauen, zu bewahren und fortzuentwickeln als Heimat gleichberechtigter freier Bürger, die sich ihrer Pflichten anderen gegenüber und ihrer Verantwortung gegenüber der Gesamtheit bewußt sind, als freien und demokratischen Staat, der die Achtung der Menschenrechte und der Grundprinzipien der bürgerlichen Gesellschaft zur Grundlage hat, als Bestandteil der Familie der Demokratien Europas und der Welt,

in dem Willen, gemeinsam die ererbten natürlichen und kulturellen, materiellen und geistigen Reichtümer zu bewahren und fortzuentwickeln,

in dem Willen, uns nach allen bewährten Grundsätzen des Rechtsstaates zu richten,

beschließen durch unsere frei gewählten Vertreter die folgende Verfassung der Tschechischen Republik.

Erstes Kapitel
GRUNDLEGENDE BESTIMMUNGEN

Artikel 1 [Souveräner, einheitlicher und demokratischer Rechtsstaat]

(1) Die Tschechische Republik ist ein souveräner, einheitlicher und demokratischer Rechtsstaat, der die Achtung der Rechte und Freiheiten des Menschen und Bürgers zur Grundlage hat.

(2) Die Tschechische Republik hält Verpflichtungen ein, die sich für sie aus dem internationalen Recht ergeben.

Artikel 2 [Staatsgewalt des Volkes]

(1) Das Volk ist Quelle aller staatlichen Gewalt; es übt sie durch die Organe der gesetzgebenden, der vollziehenden und der richterlichen Gewalt aus.

(2) Ein Verfassungsgesetz kann bestimmen, in welchen Fällen das Volk die Staatsgewalt unmittelbar ausübt.

(3) Die Staatsgewalt dient allen Bürgern und kann nur in den Fällen, in den Grenzen und auf die Art und Weise ausgeübt werden, die das Gesetz bestimmt.

(4) Jeder Bürger kann tun, was nicht durch das Gesetz untersagt ist, und niemand darf zu etwas gezwungen werden, was das Gesetz nicht vorschreibt.

Artikel 3 [Grundrechte und Freiheiten]

Bestandteil der Verfassungsordnung der Tschechischen Republik ist eine Deklaration der Grundrechte und Freiheiten.

---

[*] Übersetzung des tschechischen Verfassungsgerichts, abrufbar unter: https://www.usoud.cz/fileadmin/user_upload/ustavni_soud_www/prilohy/Ustava_German_version.pdf, mit der Einarbeitung der Änderungen von 2013 durch *Armin Stolz* und *Maximilian Zankel*, beide Institut für Öffentliches Recht und Politikwissenschaft, Karl-Franzens-Universität Graz.

Artikel 4 [Schutz der Grundrechte und Freiheiten]

Die Grundrechte und Freiheiten stehen unter dem Schutz der richterlichen Gewalt.

Artikel 5 [Politisches System]

Das politische System ist auf der freien und freiwilligen Entstehung und dem freien Wettbewerb politischer Parteien gegründet, die die grundlegenden demokratischen Prinzipien achten und Gewalt als Mittel zur Durchsetzung ihrer Interessen ablehnen.

Artikel 6 [Politische Entscheidungen]

Politische Entscheidungen gehen von dem in freier Abstimmung zum Ausdruck gekommenen Willen der Mehrheit aus. Die Entscheidungen der Mehrheit berücksichtigen den Schutz der Minderheiten.

Artikel 7 [Natürliche Ressourcen und Reichtümer]

Der Staat trägt Sorge für die schonende Nutzung der natürlichen Ressourcen und den Schutz der natürlichen Reichtümer.

Artikel 8 [Territoriale Selbstverwaltung]

Die eigenständige Verwaltung der territorialen Selbstverwaltungseinheiten ist gewährleistet.

Artikel 9 [Änderung und Ergänzung der Verfassung]

(1) Die Verfassung kann durch Verfassungsgesetze ergänzt oder geändert werden.

(2) Eine Änderung wesentlicher Merkmale des demokratischen Rechtsstaates ist unzulässig.

(3) Eine Abschaffung oder Gefährdung der Grundlagen des demokratischen Staates im Wege der Auslegung von Rechtsnormen ist unzulässig.

Artikel 10 [Internationale Verträge]

Die verkündeten internationalen Verträge, zu deren Ratifizierung das Parlament seine Zustimmung gegeben hat und an welche die Tschechische Republik gebunden ist, sind ein Teil der Rechtsordnung; wenn der internationale Vertrag etwas anderes bestimmt als Gesetz, so wird der internationale Vertrag angewendet.

Artikel 10a [Übertragung von Kompetenzen]

(1) Mit den internationalen Verträgen können einige Kompetenzen der Organe der Tschechischen Republik auf die internationale Organisation oder Institutionen übertragen werden.

(2) Zur Ratifikation internationaler Verträge erwähnt im Abs. 1 ist die Zustimmung des Parlaments notwendig, wenn ein Verfassungsgesetz nicht bestimmt, dass zur Ratifizierung eine Zustimmung durch Referendum notwendig ist.

Artikel 10b [Information; Äußerung]

(1) Die Regierung informiert regelmäßig und im Voraus das Parlament über die Fragen zusammenhängend mit den Verpflichtungen, die aus der Mitgliedschaft der Tschechischen Republik in den internationalen Organisationen oder Institutionen eingeführt in Artikel 10a hervorgehen.

(2) Die Parlamentskammern äußern sich zu den vorbereitenden Entscheidungen solcher internationalen Organisationen oder Institutionen in der Art, welche deren Verordnungsordnung bestimmt.

(3) Das Gesetz über die Grundprinzipien der Verhandlung und Verkehr beider Kammern untereinander, sowie auch auf Außen, kann den Vollzug der Kompetenzen gemäß Abs. 2 einem gemeinsamen Organ der beiden Kammern anvertrauen.

Artikel 11 [Gebiet]

Das Gebiet der Tschechischen Republik bildet ein unteilbares Ganzes, dessen Staatsgrenzen nur durch ein Verfassungsgesetz geändert werden können.

Artikel 12 [Staatsbürgerschaft]

(1) Der Erwerb der Staatsbürgerschaft der Tschechischen Republik und die Entlassung aus ihr werden durch Gesetz geregelt.

(2) Niemandem kann gegen seinen Willen die Staatsbürgerschaft aberkannt werden.

Artikel 13 [Hauptstadt]
Hauptstadt der Tschechischen Republik ist Prag.

Artikel 14 [Symbole]
(1) Die staatlichen Symbole der Tschechischen Republik sind das große und das kleine Staatswappen, die Staatsfarben, die Staatsflagge, die Standarte des Präsidenten der Republik, das Staatssiegel und die Nationalhymne.

(2) Die staatlichen Symbole und ihre Verwendung werden durch Gesetz festgelegt.

Zweites Kapitel
DIE GESETZGEBENDE GEWALT

Artikel 15 [Parlament]
(1) Die gesetzgebende Gewalt in der Tschechischen Republik liegt beim Parlament.

(2) Das Parlament setzt sich aus zwei Kammern zusammen, und zwar dem Abgeordnetenhaus und dem Senat.

Artikel 16 [Abgeordnetenhaus und Senat]
(1) Das Abgeordnetenhaus besteht aus 200 Abgeordneten, die auf vier Jahre gewählt werden.

(2) Der Senat besteht aus 81 Senatoren, die auf sechs Jahre gewählt werden. Alle zwei Jahre wird jeweils ein Drittel der Senatoren gewählt.

Artikel 17 [Wahlen]
(1) Die Wahlen zu beiden Kammern erfolgen innerhalb einer Frist, die mit dem dreißigsten Tage vor Ablauf der Wahlperiode beginnt und mit dem Tage ihres Ablaufs endet.

(2) Wurde das Abgeordnetenhaus aufgelöst, so finden Wahlen innerhalb von sechzig Tagen nach der Auflösung statt.

Artikel 18 [Wahlgrundsätze]
(1) Die Wahlen zum Abgeordnetenhaus finden durch geheime Stimmabgabe aufgrund des allgemeinen, gleichen und unmittelbaren Wahlrechts nach den Grundsätzen der verhältnismäßigen Repräsentation statt.

(2) Die Wahlen zum Senat finden durch geheime Stimmabgabe aufgrund des allgemeinen, gleichen und unmittelbaren Wahlrechts nach den Grundsätzen des Mehrheitssystems statt.

(3) Wahlberechtigt ist jeder Bürger der Tschechischen Republik, der das achtzehnte Lebensjahr vollendet hat.

Artikel 19 [Passives Wahlrecht]
(1) In das Abgeordnetenhaus kann jeder Bürger der Tschechischen Republik gewählt werden, der wahlberechtigt ist und das einundzwanzigste Lebensjahr vollendet hat.

(2) In den Senat kann jeder Bürger der Tschechischen Republik gewählt werden, der wahlberechtigt ist und das vierzigste Lebensjahr vollendet hat.

(3) Das Mandat eines Abgeordneten oder Senators kommt durch seine Wahl zustande.

Artikel 20 [Ausübung, Organisation der Wahl]
Weitere Bedingungen der Ausübung des Wahlrechts sowie die Organisation der Wahlen und der Umfang der gerichtlichen Überprüfung werden durch Gesetz geregelt.

Artikel 21 [Unvereinbarkeit beider Kammern]
Niemand kann gleichzeitig beiden Kammern des Parlaments angehören.

Artikel 22 [Unvereinbarkeit]
(1) Unvereinbar mit dem Amt eines Abgeordneten oder Senators ist die Ausübung des Amtes des Präsidenten der Republik, des Richteramtes sowie weiterer durch Gesetz festgelegter Ämter.

(2) An dem Tag, an dem ein Abgeordneter oder Senator das Amt des Präsidenten der Republik bzw. an dem Tag, an dem er das Richteramt oder ein anderes mit dem Amt eines Abgeordneten oder Senators unvereinbares Amt antritt, erlischt sein Abgeordneten- bzw. Senatorenmandat.

Artikel 23 [Ablegung des Eides]

(1) Ein Abgeordneter legt auf der ersten Sitzung des Abgeordnetenhauses, an der er teilnimmt, den Eid ab.

(2) Ein Senator legt auf der ersten Sitzung des Senats, an der er teilnimmt, den Eid ab.

(3) Der Eid des Abgeordneten und des Senators lautet:

„Ich gelobe der Tschechischen Republik Treue. Ich gelobe, dass ich ihre Verfassung und ihre Gesetze einhalten werde. Ich gelobe bei meiner Ehre, dass ich mein Mandat im Interesse des gesamten Volkes und nach bestem Wissen und Gewissen ausüben werde."

Artikel 24 [Niederlegung des Mandats]

Ein Abgeordneter oder Senator kann sein Mandat durch eine persönlich vor der Kammer, der er angehört, abgegebene Erklärung niederlegen. Ist er daran aus wesentlichem Grund gehindert, verfährt er in einer im Gesetz festgelegten Weise.

Artikel 25 [Erlöschen des Amtes]

Das Mandat eines Abgeordneten oder Senators erlischt durch

a) die Verweigerung des Eides oder die Ablegung des Eides unter einem Vorbehalt,

b) den Ablauf der Wahlperiode,

c) die Niederlegung des Mandats,

d) den Verlust der Wählbarkeit,

e) für den Abgeordneten im Falle der Auflösung des Abgeordnetenhauses,

f) durch Eintritt der Unvereinbarkeit nach Artikel 22.

Artikel 26 [Persönliches und freies Mandat]

Die Abgeordneten und Senatoren üben ihr Mandat persönlich in Übereinstimmung mit ihrem Eid aus und sind dabei an keinerlei Weisungen gebunden.

Artikel 27 [Immunität]

(1) Ein Abgeordneter oder Senator kann wegen seiner Stimmabgabe im Abgeordnetenhaus oder im Senat bzw. ihren Organen nicht belangt werden.

(2) Für Äußerungen im Abgeordnetenhaus oder im Senat oder deren Organen kann ein Abgeordneter oder Senator nicht strafrechtlich verfolgt werden. Ein Abgeordneter oder Senator unterliegt ausschließlich der Disziplinargewalt der Kammer, der er angehört.

(3) Für Ordnungswidrigkeiten unterliegt ein Abgeordneter oder Senator ausschließlich der Disziplinargewalt der Kammer, der er angehört, sofern nicht das Gesetz etwas anderes festlegt.

(4) Ein Abgeordneter bzw. Senator kann ohne Zustimmung der Kammer, der er angehört, nicht strafrechtlich verfolgt werden. Verweigert die Kammer ihre Zustimmung, ist eine strafrechtliche Verfolgung für immer ausgeschlossen.

(5) Ein Abgeordneter bzw. Senator kann nur in Haft genommen werden, wenn er bei der Verübung einer Straftat oder unmittelbar danach betroffen wurde. Das zuständige Organ ist verpflichtet, die Verhaftung sofort dem Vorsitzenden der Kammer anzuzeigen, der der Verhaftete angehört; wenn der Vorsitzende der Kammer nicht innerhalb von 24 Stunden nach dem Zeitpunkt der Verhaftung sein Einverständnis zur Überstellung des Verhafteten an das Gericht gibt, ist das zuständige Organ verpflichtet, ihn auf freien Fuß zu setzen. Bei der ersten darauf folgenden Sitzung entscheidet die Kammer mit endgültiger Wirkung über die Zulässigkeit der strafrechtlichen Verfolgung.

Artikel 28 [Aussageverweigerung]

Ein Abgeordneter und auch ein Senator hat das Recht, die Aussage über Tatsachen zu verweigern, die er im Zusammenhang mit der Ausübung seines Mandats erfahren hat, und dies auch dann, wenn er nicht mehr Abgeordneter oder Senator ist.

Artikel 29 [Vorsitzende der Kammern]

(1) Das Abgeordnetenhaus wählt den Vorsitzenden und die stellvertretenden Vorsitzenden des Abgeordnetenhauses und beruft sie ab.

(2) Der Senat wählt den Vorsitzenden und die stellvertretenden Vorsitzenden des Senats und beruft sie ab.

Artikel 30 [Untersuchungskommission]

(1) Zur Untersuchung einer Angelegenheit öffentlichen Interesses kann das Abgeordnetenhaus eine Untersuchungskommission einsetzen, sofern dies von wenigstens einem Fünftel der Abgeordneten beantragt wird.

(2) Das Verfahren in der Kommission wird durch Gesetz geregelt.

Artikel 31 [Ausschüsse und Kommissionen]

(1) Die Kammern setzen als ihre Organe Ausschüsse und Kommissionen ein.

(2) Die Tätigkeit der Ausschüsse und Kommissionen wird durch Gesetz geregelt.

Artikel 32 [Unvereinbarkeit von Regierungsmitgliedern]

Ein Abgeordneter oder Senator, der der Regierung angehört, kann nicht Vorsitzender oder stellvertretender Vorsitzender des Abgeordnetenhauses bzw. des Senats und nicht Mitglied parlamentarischer Ausschüsse, einer Untersuchungskommission oder von Kommissionen sein.

Artikel 33 [Gesetzesbeschluss durch den Senat]

(1) Wird das Abgeordnetenhaus aufgelöst, steht es dem Senat zu, in Angelegenheiten, die keinen Aufschub dulden und eigentlich die Verabschiedung eines Gesetzes erfordern würden, gesetzliche Maßnahmen zu beschließen.

(2) Dem Senat steht jedoch nicht zu, gesetzliche Maßnahmen in Fragen der Verfassung, des Staatshaushalts, des staatlichen Haushaltsabschlusses, des Wahlgesetzes und internationaler Verträge nach Artikel 10 zu beschließen.

(3) Gesetzliche Maßnahmen können beim Senat ausschließlich von der Regierung beantragt werden.

(4) Gesetzliche Maßnahmen des Senats werden vom Vorsitzenden des Senats, vom Präsidenten der Republik und vom Vorsitzenden der Regierung unterzeichnet; sie werden auf die gleiche Weise verkündet wie Gesetze.

(5) Gesetzliche Maßnahmen des Senats müssen vom Abgeordnetenhaus bei seiner ersten Sitzung bestätigt werden. Bestätigt sie das Abgeordnetenhaus nicht, verlieren sie fortan ihre Gültigkeit.

Artikel 34 [Sessionen der Kammern]

(1) Die Sessionen der Kammern sind permanent. Die Session des Abgeordnetenhauses wird vom Präsidenten der Republik so einberufen, dass sie spätestens am dreißigsten Tage nach dem Tag der Wahlen beginnt; unterlässt er dies, so tritt das Abgeordnetenhaus am dreißigsten Tage nach dem Wahltag zusammen.

(2) Die Session einer Kammer kann durch Beschluss unterbrochen werden. Die Gesamtzeit der Sessionsunterbrechung darf im Jahr nicht mehr als einhundertzwanzig Tage betragen.

(3) Während der Sessionsunterbrechung kann der Vorsitzende des Abgeordnetenhauses bzw. des Senats eine Sitzung der Kammer vor dem festgelegten Termin anberaumen. Dies geschieht immer dann, wenn dies der Präsident der Republik, die Regierung oder wenigstens ein Fünftel der Mitglieder der Kammer wünschen.

(4) Die Session des Abgeordnetenhauses endet mit dem Ablauf seiner Wahlperiode oder mit seiner Auflösung.

Artikel 35 [Auflösung des Abgeordnetenhauses]

(1) Das Abgeordnetenhaus kann vom Präsidenten der Republik aufgelöst werden, wenn

a) das Abgeordnetenhaus der neu ernannten Regierung, deren Vorsitzender vom Präsidenten der Republik auf Vorschlag des Vorsitzenden des Abgeordnetenhauses ernannt wurde, nicht das Vertrauen ausspricht,

b) das Abgeordnetenhaus innerhalb von drei Monaten keinen Beschluss über eine von der Regierung eingebrachte Gesetzesvorlage fasst, mit deren Behandlung die Regierung die Vertrauensfrage verbunden hat,

c) die Session des Abgeordnetenhauses länger als zulässig unterbrochen war,

d) das Abgeordnetenhaus länger als drei Monate nicht beschlussfähig war, obwohl seine Session nicht unterbrochen war und obwohl es in dieser Zeit wiederholt zu Sitzungen einberufen wurde.

(2) Der Präsident der Republik löst das Abgeordnetenhaus auf, sofern dies ihm vom Abgeordnetenhaus durch Beschluss beantragt wird, dem eine Dreifünftelmehrheit aller Abgeordneten zugestimmt hat.

(3) Das Abgeordnetenhaus kann drei Monate vor Ablauf seiner Wahlperiode nicht aufgelöst werden.

Artikel 36 [Öffentlichkeit]

Die Sitzungen der Kammern sind öffentlich. Die Öffentlichkeit kann nur unter den im Gesetz festgelegten Bedingungen ausgeschlossen werden.

Artikel 37 [Gemeinsame Sitzung]

(1) Eine gemeinsame Sitzung der Kammern wird vom Vorsitzenden des Abgeordnetenhauses einberufen.

(2) Für die gemeinsame Sitzung gilt die Geschäftsordnung des Abgeordnetenhauses.

Artikel 38 [Teilnahme von Regierungsmitgliedern]

(1) Ein Regierungsmitglied hat das Recht, an den Sitzungen beider Kammern bzw. ihrer Ausschüsse und Kommissionen teilzunehmen. Auf Verlangen wird ihm stets das Wort erteilt.

(2) Ein Regierungsmitglied ist verpflichtet, sich aufgrund eines entsprechenden Beschlusses des Abgeordnetenhauses persönlich zu dessen Sitzung einzufinden. Das gilt auch für Sitzungen eines Ausschusses, einer Kommission oder Untersuchungskommission, wobei sich das Regierungsmitglied jedoch durch seinen Stellvertreter oder ein anderes Regierungsmitglied vertreten lassen kann, sofern nicht ausdrücklich persönliche Anwesenheit verlangt wird.

Artikel 39 [Quoren]

(1) Die Kammern sind beschlussfähig, wenn wenigstens ein Drittel ihrer Mitglieder anwesend ist.

(2) Für das Zustandekommen eines Beschlusses ist die absolute Mehrheit der anwesenden Abgeordneten oder Senatoren erforderlich, sofern die Verfassung nichts anderes festlegt.

(3) Zur Annahme eines Beschlusses über die Erklärung des Kriegszustandes sowie zur Annahme eines Beschlusses über die Einwilligung zur Entsendung bewaffneter Streitkräfte der Tschechischen Republik außerhalb des Gebietes der Tschechischen Republik oder zum Aufenthalt der Streitkräfte anderer Staaten auf dem Gebiet der Tschechischen Republik, sowie zur Annahme von Beschlüssen über die Teilnahme der Tschechischen Republik im Verteidigungssystem internationaler Organisationen, deren Mitglied die Tschechischen Republik ist, bedarf es der Zustimmung der absoluten Mehrheit aller Abgeordneten und der absoluten Mehrheit aller Senatoren.

(4) Zur Verabschiedung eines Verfassungsgesetzes oder zur Genehmigung eines internationalen Vertrages nach Artikel 10 bedarf es der Zustimmung einer Dreifünftelmehrheit aller Abgeordneten und einer Dreifünftelmehrheit der anwesenden Senatoren.

Artikel 40 [Wahlgesetz, Geschäftsordnung]

Zur Annahme des Wahlgesetzes und des Gesetzes über die Grundsätze der Verhandlungen und Kontakte beider Kammern untereinander sowie nach außen wie auch des Gesetzes über die Geschäftsordnung des Senats bedarf es der Bestätigung durch das Abgeordnetenhaus und den Senat.

Artikel 41 [Gesetzentwurf]

(1) Gesetzentwürfe werden dem Abgeordnetenhaus vorgelegt.

(2) Ein Gesetzentwurf kann von einem Abgeordneten, einer Gruppe von Abgeordneten, vom Senat, von der Regierung oder der Vertretung einer höheren territorialen Selbstverwaltungseinheit eingebracht werden.

Artikel 42 [Gesetzesvorlage]

(1) Die Gesetzesvorlage für den Staatshaushalt und die Vorlage für den staatlichen Haushaltsabschluss werden von der Regierung eingebracht.

(2) Diese Vorlagen werden nur vom Abgeordnetenhaus in öffentlicher Sitzung behandelt und beschlossen.

Artikel 43 [Kompetenz in militärischen Angelegenheiten]

(1) Das Parlament entscheidet über die Erklärung des Kriegszustandes, wenn die Tschechische Republik angegriffen wurde oder wenn Verpflichtungen aus internationalen Verträgen über die gemeinsame Abwehr eines Angriffs zu erfüllen sind.

(2) Das Parlament entscheidet über die Teilnahme der Tschechischen Republik im Verteidigungssystem der internationalen Organisationen, deren Mitglied die Tschechische Republik ist.

(3) Das Parlament gibt seine Zustimmung

a) zu der Entsendung der Streitkräfte der Tschechischen Republik außerhalb des Gebietes der Tschechischen Republik,

b) zu dem Aufenthalt der Streitkräfte anderer Staaten auf dem Gebiet der Tschechischen Republik,

wenn eine solche Entscheidung nicht der Regierung vorenthalten ist.

(4) Die Regierung entscheidet über die Entsendung der Streitkräfte der Tschechischen Republik außerhalb des Gebietes der Tschechischen Republik und über den Aufenthalt der Streitkräfte anderer Staaten auf dem Gebiet der Tschechischen Republik, und das spätestens binnen 60 Tagen, wenn es sich handelt um

a) die Erfüllung der Verpflichtungen aus den internationalen Verträgen über die gemeinsame Verteidigung gegen einen Angriff,

b) die Teilnahme an Friedensoperationen nach der Entscheidung der internationalen Organisationen, deren Mitglied die Tschechische Republik ist, und das mit der Zustimmung des angenommenen Staates,

c) die Teilnahme an Rettungsarbeiten bei Naturkatastrophen, industriellen oder ökologischen Havarien.

(5) Die Regierung entscheidet

a) über die Durchfahrt der Streitkräfte anderer Staaten über das Gebiet der Tschechischen Republik oder deren Überflug über das Gebiet der Tschechischen Republik,

b) über die Teilnahme der Streitkräfte der Tschechischen Republik auf den Truppenübungen außerhalb des Gebietes der Tschechischen Republik und über die Teilnahme der Streitkräfte anderer Staaten bei den Truppenübungen auf dem Gebiet der Tschechischen Republik.

(6) Über die Entscheidung gemäß Abs. 4 und 5 informiert die Regierung unverzüglich beide Kammern des Parlaments. Das Parlament kann die Entscheidung der Regierung aufheben; zur Aufhebung der Regierungsentscheidung genügt ein ablehnender Beschluss einer der Kammern, angenommen mit der absoluten Mehrheit aller Kammermitglieder.

Artikel 44 [Stellungnahme der Regierung]

(1) Die Regierung hat das Recht, Stellung zu allen Gesetzentwürfen zu nehmen.

(2) Erfolgt die Stellungnahme der Regierung nicht innerhalb von dreißig Tagen nach Zustellung eines Gesetzentwurfs, so gilt dies als Zustimmung.

(3) Die Regierung ist berechtigt zu fordern, dass das Abgeordnetenhaus die Behandlung eines von ihr eingebrachten Gesetzentwurfs innerhalb von drei Monaten nach dessen Vorlage beendet, sofern die Regierung damit die Vertrauensfrage verbunden hat.

Artikel 45 [Weiterleitung an Senat]

Einen Gesetzesvorschlag, dem das Abgeordnetenhaus zugestimmt hat, leitet das Abgeordnetenhaus unverzüglich dem Senat zu.

Artikel 46 [Behandlung und Beschluss im Senat]

(1) Innerhalb von dreißig Tagen nach dessen Weiterleitung behandelt der Senat einen Gesetzentwurf und beschließt über ihn.

(2) In seinem Beschluss bestätigt der Senat den Gesetzentwurf oder lehnt ihn ab oder reicht ihn mit Änderungsvorschlägen an das Abgeordnetenhaus zurück oder aber er bringt seinen Willen zum Ausdruck, sich nicht mit ihm zu befassen.

(3) Erfolgt in der in Absatz 1 genannten Frist keine Stellungnahme des Senats, gilt der Gesetzentwurf als verabschiedet.

Artikel 47 [Weiteres Verfahren]

(1) Lehnt der Senat einen Gesetzentwurf ab, stimmt das Abgeordnetenhaus erneut über ihn ab. Der Gesetzentwurf ist verabschiedet, wenn er von der absoluten Mehrheit aller Abgeordneten bestätigt wird.

(2) Reicht der Senat einen Gesetzentwurf mit Änderungsvorschlägen an das Abgeordnetenhaus zurück, so stimmt das Abgeordnetenhaus über ihn in der vom Senat beschlossenen Fassung ab. Durch diesen Beschluss ist der Gesetzentwurf verabschiedet.

(3) Genehmigt das Abgeordnetenhaus den Gesetzentwurf in der vom Senat beschlossenen Fassung nicht, so stimmt es über den Gesetzentwurf erneut in derjenigen Fassung ab, in der er dem Senat zugeleitet wurde. Der Gesetzentwurf ist verabschiedet, wenn er von der absoluten Mehrheit aller Abgeordneten bestätigt wird.

(4) Änderungsvorschläge sind bei der Behandlung eines abgelehnten oder zurückgereichten Gesetzentwurfs im Abgeordnetenhaus nicht zulässig.

Artikel 48 [Nichtbefassung des Senates]

Bringt der Senat seinen Willen zum Ausdruck, sich mit einem Gesetzentwurf nicht zu befassen, ist der Gesetzentwurf durch diesen Beschluss verabschiedet.

Artikel 49 [Zustimmung beider Kammern]

Die Zustimmung beider Kammern ist zur Ratifizierung folgender internationaler Verträge notwendig

a) welche Rechte und Pflichten von Personen regeln,

b) Bündnis-, Friedens- und andere politischen Verträge,

c) aufgrund deren die Mitgliedschaft der Tschechischen Republik in einer internationalen Organisation entsteht,

d) Wirtschaftsverträge mit allgemeiner Art,

e) über andere Angelegenheiten, deren Regelung einem Gesetz vorbehalten ist.

Artikel 50 [Zurückreichen durch den Präsidenten]

(1) Der Präsident der Republik hat das Recht, ein verabschiedetes Gesetz, sofern es sich nicht um ein Verfassungsgesetz handelt, innerhalb von fünfzehn Tagen nach seinem Eingang mit einer Begründung versehen zurückzureichen.

(2) Über das zurückgereichte Gesetz stimmt das Abgeordnetenhaus erneut ab. Änderungsvorschläge sind nicht zulässig. Beharrt das Abgeordnetenhaus mit absoluter Mehrheit aller Abgeordneten auf dem zurückgereichten Gesetz, so wird das Gesetz verkündet. Andernfalls gilt das Gesetz als nicht verabschiedet.

Artikel 51 [Unterzeichnung]

Verabschiedete Gesetze werden vom Vorsitzenden des Abgeordnetenhauses, vom Präsidenten der Republik und vom Vorsitzenden der Regierung unterzeichnet.

Artikel 52 [Verkündung]

(1) Zur Gültigkeit eines Gesetzes bedarf es der Verkündung.

(2) Art und Weise der Verkündung der Gesetze und internationaler Verträge regelt das Gesetz.

Artikel 53 [Anfragen]

(1) Jeder Abgeordnete hat das Recht, Anfragen an die Regierung oder deren Angehörige zu richten, die ihren Zuständigkeitsbereich betreffen.

(2) Die von einer Anfrage betroffenen Regierungsmitglieder nehmen zu der Anfrage innerhalb von dreißig Tagen nach deren Vorlage Stellung.

Drittes Kapitel
DIE VOLLZIEHENDE GEWALT

Der Präsident der Republik

Artikel 54 [Präsident]

(1) Der Präsident der Republik ist Oberhaupt des Staates.

(2) Der Präsident der Republik wird in der Direktwahl gewählt.

(3) Der Präsident der Republik ist in der Ausübung seines Amtes niemandem Rechenschaft schuldig.

Artikel 55 [Eid; Amtsperiode]

Der Präsident der Republik tritt sein Amt mit dem Ablegen des Eides an. Die Amtsperiode des Präsidenten der Republik dauert fünf Jahre und beginnt am Tage der Eidesleistung.

Artikel 56 [Wahl des Präsidenten]

(1) Die Wahl des Präsidenten der Republik erfolgt durch Geheimabstimmung aufgrund des allgemeinen, gleichen und direkten Wahlrechts.

(2) Zum Präsidenten der Republik wird der Kandidat gewählt, der die absolute Stimmenmehrheit der gültigen Stimmen der berechtigten Wähler erlangt hat. Gibt es keinen solchen Kandidat, findet innerhalb von vierzehn Tagen nach Beginn des ersten Wahlgangs der zweite Wahlgang, in den die zwei erfolgreichsten Kandidaten von dem ersten Wahlgang gelangen. Bei Stimmengleichheit gelangen in den zweiten Wahlgang alle Kandidaten, die in dem ersten Wahlgang die höchste Anzahl der gültigen Stimmen der berechtigten Wähler erlangt haben, und falls solche Kandidaten nicht wenigstens zwei sind, steigen auch die Kandidaten auf, die die zweithöchste Anzahl der gültigen Stimmen der berechtigten Wähler erlangt haben.

(3) Zum Präsidenten der Republik wird der Kandidat gewählt, der in dem zweiten Wahlgang die höchste Anzahl der gültigen Stimmen der berechtigten Wähler erlangt hat. Falls solche Kandidaten mehrere sind, ist der Präsident der Republik nicht gewählt

und innerhalb von zehn Tagen wird die neue Wahl des Präsidenten der Republik verkündet.

(4) Falls der Kandidat, der in den zweiten Wahlgang gelangt ist, vor dem zweiten Wahlgang nicht mehr wählbar zum Präsidenten der Republik ist, oder er auf das Recht zu kandidieren, verzichtet, gelangt in den zweiten Wahlgang der Kandidat, der in dem ersten Wahlgang die nächste höchste Anzahl der gültigen Stimmen der berechtigten Wähler erlangt hat. Der zweite Wahlgang findet auch dann statt, wenn daran lediglich ein Kandidat teilnimmt.

(5) Jeder Bürger der Tschechischen Republik, der das Alter von 18 Jahren erreicht hat, ist berechtigt, einen Kandidat vorzuschlagen, falls sein Vorschlag durch eine von wenigstens 50 000 zur Wahl des Präsidenten der Republik berechtigten Bürger der Tschechischen Republik unterschriebene Petition unterstützt wird. Wenigstens zwanzig Abgeordnete oder wenigstens zehn Senatoren sind berechtigt, einen Kandidat vorzuschlagen.

(6) Das Wahlrecht steht jedem Bürger der Tschechischen Republik zu, der das Alter von 18 Jahren erreicht hat.

(7) Die Wahl des Präsidenten der Republik findet in den letzten sechzig Tagen der Wahlperiode des amtierenden Präsidenten der Republik, spätestens jedoch dreißig Tage vor Ablauf der Wahlperiode des amtierenden Präsidenten der Republik statt. Wird das Amt des Präsidenten der Republik vakant, findet die Wahl des Präsidenten der Republik binnen neunzig Tagen statt.

(8) Die Wahl des Präsidenten der Republik verkündet der Senatsvorsitzende spätestens neunzig Tage vor ihrer Abhaltung. Wird das Amt des Präsidenten der Republik vakant, verkündet der Senatsvorsitzende die Wahl des Präsidenten der Republik spätestens binnen zehn Tagen danach und zugleich spätestens achtzig Tage vor ihrer Abhaltung.

(9) Ist das Amt des Senatsvorsitzenden nicht belegt, verkündet die Wahl des Präsidenten der Republik der Vorsitzende des Abgeordnetenhauses.

Artikel 57 [Passives Wahlrecht]

(1) Zum Präsidenten der Republik kann ein Bürger gewählt werden, der in den Senat wählbar ist.

(2) Niemand kann mehr als zweimal nacheinander gewählt werden.

Artikel 58 [Gesetzliche Regelung der Wahl]

Weitere Bedingungen der Ausübung des Wahlrechtes bei der Wahl des Präsidenten der Republik sowie auch die Einzelheiten des Vorschlagens der Kandidaten zum Amt des Präsidenten der Republik, Verkündung und Durchführung der Wahl des Präsidenten der Republik und Verkündung ihres Ergebnisses und gerichtliche Prüfung legt das Gesetz fest.

Artikel 59 [Eid]

(1) Der Präsident der Republik legt seinen Eid vor dem Vorsitzenden des Senats auf einer gemeinsamen Sitzung beider Kammern ab.

(2) Der Eid des Präsidenten lautet: „Ich gelobe der Tschechischen Republik Treue. Ich gelobe, dass ich ihre Verfassung und ihre Gesetze einhalten werde. Ich gelobe bei meiner Ehre, dass ich mein Amt im Interesse des gesamten Volkes und nach bestem Wissen und Gewissen ausüben werde."

Artikel 60 [Ablehnung des Eides]

Lehnt der Präsident der Republik die Eidesleistung ab oder legt er den Eid unter einem Vorbehalt ab, so gilt er als nicht gewählt.

Artikel 61 [Rücktritt]

Der Präsident der Republik kann seinen Rücktritt beim Vorsitzenden des Senats einreichen.

Artikel 62 [Kompetenz]

Der Präsident der Republik
a) ernennt und entlässt den Vorsitzenden und die weiteren Mitglieder der Regierung bzw. nimmt ihr Rücktrittsgesuch an, entlässt die Regierung bzw. nimmt deren Rücktrittsgesuch an,

b) beruft die Session des Abgeordnetenhauses ein,

c) löst das Abgeordnetenhaus auf,

d) beauftragt die Regierung, deren Rücktrittsgesuch er angenommen bzw. die er entlassen hat, mit der einstweiligen Führung der Amtsgeschäfte bis zur Ernennung einer neuen Regierung,

e) ernennt die Richter, den Vorsitzenden und die stellvertretenden Vorsitzenden des Verfassungsgerichts,

f) ernennt aus den Reihen der Richter den Vorsitzenden und die stellvertretenden Vorsitzenden des Obersten Gerichts,

g) erlässt bzw. mildert vom Gericht verhängte Strafen und hebt Schuldsprüche auf,

h) hat das Recht, ein verabschiedetes Gesetz an das Parlament zurückzureichen, sofern es sich nicht um ein Verfassungsgesetz handelt,

i) unterzeichnet die Gesetze,

j) ernennt den Präsidenten und den Vizepräsidenten der Obersten Kontrollbehörde,

k) ernennt die Mitglieder des Bankrates der Tschechischen Nationalbank.

Artikel 63 [Funktionen]

(1) Zu den Funktionen des Präsidenten der Republik gehören ferner

a) die Vertretung des Staates nach außen,

b) die Vereinbarung und Ratifizierung internationaler Verträge; die Aushandlung internationaler Verträge kann er an die Regierung oder mit deren Einverständnis an einzelne ihrer Mitglieder delegieren,

c) das Amt des Oberbefehlshabers der Streitkräfte,

d) der Empfang von Missionschefs,

e) die Ernennung und Abberufung der Missionschefs,

f) die Ausschreibung von Wahlen zum Abgeordnetenhaus und zum Senat,

g) die Ernennung und Beförderung der Generäle,

h) die Zuerkennung und Verleihung staatlicher Auszeichnungen, sofern er dazu nicht ein anderes Organ ermächtigt,

i) die Ernennung der Richter,

j) die Anordnung der Nichtaufnahme von

Strafverfahren oder, falls ein Strafverfahren bereits aufgenommen wurde, dessen Einstellung,

k) das Recht, Amnestien zu erteilen.

(2) Der Präsident der Republik ist befugt, auch Funktionen auszuüben, die nicht ausdrücklich im Verfassungsgesetz angeführt sind, sofern das Gesetz es so bestimmt.

(3) Nach Abs. 1 und 2 ergangene Verfügungen des Präsidenten der Republik bedürfen zu ihrer Gültigkeit der Gegenzeichnung des Vorsitzenden der Regierung oder eines von ihm betrauten Mitglieds der Regierung.

(4) Verfügungen des Präsidenten der Republik, die der Gegenzeichnung des Vorsitzenden der Regierung oder eines von ihm betrauten Regierungsmitglieds bedürfen, hat die Regierung zu vertreten.

Artikel 64 [Teilnahme an Sitzungen]

(1) Der Präsident der Republik hat das Recht, an den Sitzungen beider Kammern des Parlaments, ihrer Ausschüsse und Kommissionen teilzunehmen. Ihm wird das Wort erteilt, wann immer er es verlangt.

(2) Der Präsident der Republik hat das Recht, an den Sitzungen der Regierung teilzunehmen, von der Regierung und ihren Mitgliedern Berichte zu verlangen und mit der Regierung oder mit ihren Mitgliedern Fragen zu erörtern, die in ihre Zuständigkeit fallen.

Artikel 65 [Immunität]

(1) Der Präsident der Republik kann während der Ausübung seines Amtes nicht in Haft genommen, strafrechtlich oder wegen Ordnungswidrigkeiten oder anderen Verwaltungsdelikten verfolgt werden.

(2) Der Senat kann mit Zustimmung des Abgeordnetenhauses eine Verfassungsklage gegen den Präsidenten der Republik beim Verfassungsgericht einreichen, und zwar wegen Hochverrats oder wegen grober Verletzung der Verfassung oder eines anderen Bestandteils der Verfassungsordnung; unter Hochverrat versteht man die Handlung des Präsidenten, die gegen die Souveränität und Gesamtheit der Republik sowie gegen ihre demokratische Ordnung gerichtet ist.

Das Verfassungsgericht kann aufgrund der Verfassungsklage des Senats darüber entscheiden, dass der Präsident der Republik das Präsidentenamt und die Fähigkeit seiner Wiedererlangung verliert.

(3) Zur Verabschiedung des Vorschlags einer Verfassungsklage durch den Senat bedarf es der Zustimmung der Dreifünftel-Mehrheit der anwesenden Senatoren. Zur Verabschiedung der Zustimmung des Abgeordnetenhauses mit der Einreichung der Verfassungsklage bedarf es der Zustimmung der Dreifünftel-Mehrheit aller Abgeordneten; spricht das Abgeordnetenhaus die Zustimmung nicht binnen drei Monaten ab dem Tag aus, an dem darum der Senat ersucht hat, gilt, dass die Zustimmung nicht erteilt wurde.

Artikel 66 [Vakanz]

Wird das Amt des Präsidenten der Republik vakant und der neue Präsident der Republik ist noch nicht gewählt oder hat noch nicht den Eid abgelegt, oder ist der Präsident der Republik aus wesentlichem Grund zur Ausübung seines Amtes außerstande und haben Abgeordnetenhaus und Senat einen entsprechenden Beschluss gefasst, obliegt die Ausübung der Funktionen nach Artikel 63 Abs. 1 Buchst. a) bis e) und h) bis k) und sowie Artikel 63 Abs. 2 dem Vorsitzenden der Regierung. Dem Vorsitzenden des Abgeordnetenhauses obliegt in der Zeit, in der der Vorsitzende der Regierung die genannten Funktionen des Präsidenten der Republik ausübt, die Ausübung der Funktionen des Präsidenten der Republik nach Artikel 62 Buchst. a) bis e) und k) und weiter Artikel 63 Abs. 1 Buchst. f), wenn es sich um die Verkündung der Senatswahl handelt; wird das Amt des Präsidenten der Republik vakant, während das Abgeordnetenhaus aufgelöst ist, liegt die Ausübung dieser Ämter beim Vorsitzenden des Senats, dem auch in der Zeit, in der der Regierungsvorsitzende die definierten Funktionen des Präsidenten der Republik bekleidet, die Ausübung der Funktion des Präsidenten der Republik gemäß Artikel 63 Abs. 1 Buchst. f), wenn es sich um die Verkündung der Wahl zum Abgeordnetenhaus handelt, zusteht.

Die Regierung

Artikel 67 [Regierung]

(1) Die Regierung ist das oberste Organ der vollziehenden Gewalt.

(2) Die Regierung setzt sich zusammen aus dem Vorsitzenden der Regierung, den stellvertretenden Vorsitzenden der Regierung und den Ministern.

Artikel 68 [Verantwortlichkeit]

(1) Die Regierung ist dem Abgeordnetenhaus verantwortlich.

(2) Der Vorsitzende der Regierung wird vom Präsidenten der Republik ernannt, auf seinen Vorschlag hin ernennt jener die übrigen Mitglieder der Regierung und beauftragt sie mit der Leitung von Ministerien und anderen Behörden.

(3) Die Regierung stellt sich innerhalb von dreißig Tagen nach ihrer Ernennung dem Abgeordnetenhaus vor und ersucht es, ihr das Vertrauen auszusprechen.

(4) Erlangt die neu ernannte Regierung das Vertrauen des Abgeordnetenhauses nicht, wird nach Abs. 2 und 3 verfahren. Erlangt auch die auf diese Weise ernannte Regierung nicht das Vertrauen des Abgeordnetenhauses, ernennt der Präsident der Republik den Vorsitzenden der Regierung auf Vorschlag des Vorsitzenden des Abgeordnetenhauses.

(5) In den übrigen Fällen ernennt bzw. entlässt der Präsident der Republik auf Vorschlag des Vorsitzenden der Regierung weitere Mitglieder der Regierung und beauftragt sie mit der Leitung von Ministerien und anderen Behörden.

Artikel 69 [Eid]

(1) Ein Mitglied der Regierung legt seinen Eid vor dem Präsidenten der Republik ab.

(2) Der Eid eines Regierungsmitglieds lautet:

„Ich gelobe der Tschechischen Republik Treue. Ich gelobe, dass ich ihre Verfassung und ihre Gesetze einhalten und mit Leben erfüllen werde. Ich gelobe bei meiner Ehre, dass ich mein Amt gewissenhaft ausüben und meine Stellung nicht missbrauchen werde."

Artikel 70 [Unvereinbarkeit]

Ein Mitglied der Regierung darf keine Tätigkeiten ausüben, die ihrer Natur nach mit der Ausübung seines Amtes nicht vereinbar sind. Das Nähere wird durch Gesetz geregelt.

Artikel 71 [Vertrauensfrage]

Die Regierung kann das Abgeordnetenhaus ersuchen, ihr das Vertrauen auszusprechen.

Artikel 72 [Misstrauensantrag]

(1) Das Abgeordnetenhaus kann der Regierung das Misstrauen aussprechen.

(2) Ein Misstrauensantrag gegen die Regierung wird vom Abgeordnetenhaus nur behandelt, wenn er schriftlich von wenigstens fünfzig Abgeordneten eingebracht wurde. Zur Annahme des Antrags ist die Zustimmung der absoluten Mehrheit aller Abgeordneten erforderlich.

Artikel 73 [Rücktritt]

(1) Der Vorsitzende der Regierung übergibt sein Rücktrittsgesuch dem Präsidenten der Republik. Die anderen Regierungsmitglieder lassen ihre Rücktrittsgesuche dem Präsidenten der Republik durch den Vorsitzenden der Regierung zukommen.

(2) Die Regierung reicht ihren Rücktritt ein, wenn das Abgeordnetenhaus ihre Vertrauensfrage abgelehnt oder ihr das Misstrauen ausgesprochen hat. Die Regierung reicht ihren Rücktritt stets nach der konstituierenden Sitzung des neu gewählten Abgeordnetenhauses ein.

(3) Reicht die Regierung ihr Rücktrittsgesuch nach Abs. 2 ein, nimmt der Präsident den Rücktritt an.

Artikel 74 [Entlassung durch Präsidenten]

Der Präsident der Republik entlässt ein Mitglied der Regierung, wenn ihm dies der Vorsitzende der Regierung vorschlägt.

Artikel 75 [Unterlassene Einreichung des Rücktritts]

Der Präsident der Republik entlässt eine Regierung, die nicht um ihren Rücktritt eingekommen ist, obwohl sie verpflichtet war, ihn einzureichen.

Artikel 76 [Entscheidungen]

(1) Die Regierung entscheidet gemeinsam.

(2) Zur Annahme eines Beschlusses der Regierung ist die Zustimmung der absoluten Mehrheit aller ihrer Mitglieder erforderlich.

Artikel 77 [Vorsitzender der Regierung]

(1) Der Vorsitzende der Regierung organisiert die Tätigkeit der Regierung, leitet ihre Sitzungen, handelt in ihrem Namen und übt weitere Funktionen aus, die ihm durch die Verfassung oder durch andere Gesetze anvertraut sind.

(2) Der Vorsitzende der Regierung wird von einem Stellvertreter des Vorsitzenden der Regierung oder einem anderen damit beauftragten Regierungsmitglied vertreten.

Artikel 78 [Verordnungen]

Zur Durchführung eines Gesetzes und in dessen Rahmen ist die Regierung berechtigt, Verordnungen zu erlassen. Die Verordnungen werden vom Vorsitzenden der Regierung und dem zuständigen Regierungsmitglied unterzeichnet.

Artikel 79 [Ministerien]

(1) Ministerien und andere Verwaltungsbehörden können durch Gesetz errichtet und ihre Zuständigkeit festgelegt werden.

(2) Die Rechtsstellung der Beschäftigten im Staatsdienst in Ministerien und anderen Verwaltungsbehörden wird durch Gesetz geregelt.

(3) Ministerien, andere Verwaltungsbehörden sowie Organe der territorialen Selbstverwaltung können auf der Grundlage und im Rahmen des Gesetzes Rechtsvorschriften erlassen, sofern sie dazu durch das Gesetz ermächtigt sind.

Artikel 80 [Staatsanwaltschaft]

(1) Die Staatsanwaltschaft vertritt im Strafverfahren die öffentliche Anklage; sie übt weitere Befugnisse aus, sofern sie im Gesetz festgelegt sind.

(2) Stellung und Zuständigkeitsbereich der Staatsanwaltschaft werden durch Gesetz geregelt.

**Viertes Kapitel
DIE RICHTERLICHE GEWALT**

Artikel 81 [Richterliche Gewalt]

Die richterliche Gewalt wird im Namen der Republik von unabhängigen Gerichten ausgeübt.

Artikel 82 [Unabhängigkeit; Unversetzbarkeit; Unvereinbarkeit]

(1) Die Richter sind in der Ausübung ihres Amtes unabhängig. Niemand darf ihre Unparteilichkeit bedrohen.

(2) Ein Richter kann gegen seinen Willen nicht entlassen oder an ein anderes Gericht versetzt werden; Ausnahmen, die sich namentlich aus der disziplinarrechtlichen Verantwortung ergeben, regelt das Gesetz.

(3) Das Richteramt ist nicht vereinbar mit der Funktion des Präsidenten der Republik, eines Parlamentsmitglieds und mit einem beliebigen Amt in der öffentlichen Verwaltung; das Gesetz bestimmt, mit welchen weiteren Tätigkeiten die Ausübung des richterlichen Amtes unvereinbar ist.

Das Verfassungsgericht

Artikel 83 [Verfassungsgericht]

Das Verfassungsgericht ist das gerichtliche Organ zum Schutze der Verfassungsmäßigkeit.

Artikel 84 [Zusammensetzung des Verfassungsgerichts]

(1) Das Verfassungsgericht setzt sich aus 15 Richtern zusammen, die auf zehn Jahre ernannt werden.

(2) Die Richter am Verfassungsgericht

werden vom Präsidenten der Republik mit Zustimmung des Senats ernannt.

(3) Richter am Verfassungsgericht kann ein unbescholtener Bürger sein, der in den Senat wählbar ist, juristische Hochschulbildung besitzt und wenigstens zehn Jahre lang in einem juristischen Beruf tätig war.

Artikel 85 [Eid der Verfassungsrichter]

(1) Ein Richter am Verfassungsgericht tritt sein Amt durch das Ablegen des Eides vor dem Präsidenten der Republik an.

(2) Der Eid eines Richters am Verfassungsgericht lautet:

„Ich gelobe bei meiner Ehre und meinem Gewissen, dass ich die Unantastbarkeit der unveräußerlichen Menschenrechte und der Bürgerrechte schützen, mich von den Verfassungsgesetzen leiten lassen und nach meiner besten Überzeugung unabhängig und parteiisch entscheiden werde."

(3) Lehnt ein Richter die Eidesleistung ab oder legt er den Eid unter einem Vorbehalt ab, gilt er als nicht ernannt.

Artikel 86 [Immunität der Verfassungsrichter]

(1) Ein Richter am Verfassungsgericht kann ohne Zustimmung des Senats nicht strafrechtlich verfolgt werden. Verweigert der Senat seine Zustimmung, ist eine strafrechtliche Verfolgung für die Dauer seiner Amtszeit als Richter am Verfassungsgericht ausgeschlossen.

(2) Ein Richter am Verfassungsgericht kann nur in Haft genommen werden, wenn er bei der Verübung einer Straftat oder unmittelbar danach betroffen wurde. Das zuständige Organ ist verpflichtet, die Verhaftung unverzüglich dem Vorsitzenden des Senats anzuzeigen. Gibt der Vorsitzende des Senats nicht innerhalb von 24 Stunden nach dem Zeitpunkt der Verhaftung seine Zustimmung zur Überstellung des Verhafteten an das Gericht, ist der Verhaftete auf freien Fuß zu setzen. Bei der ersten darauf folgenden Sitzung entscheidet der Senat mit endgültiger Wirkung über die Zulässigkeit der strafrechtlichen Verfolgung.

(3) Ein Richter am Verfassungsgericht hat das Recht, die Aussage über Tatsachen zu verweigern, die ihm im Zusammenhang mit der Ausübung seines Amtes bekannt geworden sind, und das auch dann, wenn er nicht mehr Richter am Verfassungsgericht ist.

Artikel 87 [Kompetenzen des Verfassungsgerichts]

(1) Das Verfassungsgericht entscheidet

a) über die Aufhebung von Gesetzen oder ihrer einzelnen Bestimmungen, sofern diese mit der Verfassungsordnung im Widerspruch sind,

b) über die Aufhebung sonstiger rechtlicher Vorschriften oder ihrer einzelnen Bestimmungen, sofern diese mit der Verfassungsordnung oder dem Gesetz im Widerspruch sind,

c) über die Verfassungsbeschwerde eines Organs der territorialen Selbstverwaltung gegen gesetzwidrige Eingriffe des Staates,

d) über eine Verfassungsbeschwerde gegen eine im Rahmen seiner Zuständigkeit getroffene Entscheidung oder einen anderen Eingriff eines Organs der öffentlichen Gewalt in die verfassungsmäßig garantierten Grundrechte und -freiheiten,

e) über ein Rechtsmittel gegen eine Entscheidung in Sachen der Überprüfung der Wahl eines Abgeordneten oder Senators,

f) bei Zweifeln hinsichtlich des Verlustes der Wählbarkeit bzw. der Unvereinbarkeit mit der Ausübung des Amtes eines Abgeordneten oder Senators nach Artikel 25,

g) über eine Verfassungsklage des Senats gegen den Präsidenten der Republik nach Artikel 65 Abs. 2,

h) über einen Antrag des Präsidenten der Republik auf Aufhebung eines nach Artikel 66 ergangenen Beschlusses des Abgeordnetenhauses und des Senats,

i) über Maßnahmen, die zur Durchführung einer für die Tschechische Republik verbindlichen Entscheidung eines internationalen Gerichts unabdingbar sind, sofern sie nicht auf andere Weise verwirklicht werden können,

j) darüber, ob eine Entscheidung über die

Auflösung einer politischen Partei oder eine andere die Tätigkeit einer politischen Partei betreffende Entscheidung im Einklang mit den Verfassungsgesetzen und den übrigen Gesetzen steht,

k) Streitfälle hinsichtlich des Umfangs der Kompetenzen staatlicher Organe und von Organen der territorialen Selbstverwaltung, sofern diese nach dem Gesetz nicht in die Zuständigkeit eines anderen Organs fallen.

(2) Das Verfassungsgericht entscheidet weiter über den Einklang der internationalen Verträge gemäß Artikel 10a und Artikel 49 mit der Verfassungsordnung, und das vor ihrer Ratifizierung. Bis zu der Entscheidung des Verfassungsgerichts kann der internationale Vertrag nicht ratifiziert werden.

(3) Ein Gesetz kann verfügen, dass anstelle des Verfassungsgerichts vom Obersten Verwaltungsgericht entschieden wird

a) über die Aufhebung von Rechtsvorschriften oder einzelner ihrer Bestimmungen, sofern diese dem Gesetz zuwiderlaufen,

b) wenn der Umfang von Befugnissen staatlicher Organe und von Organen der regionalen Selbstverwaltung strittig ist, sofern dies nach dem Gesetz nicht in die Zuständigkeit eines anderen Organs fällt.

Artikel 88 [Regelungen bezüglich des Verfahrens]

(1) Wer die Aufnahme eines Verfahrens beantragen kann und unter welchen Umständen, wie auch die weiteren Regeln für das Verfahren vor dem Verfassungsgericht, wird durch Gesetz festgelegt.

(2) Die Richter des Verfassungsgerichts sind in ihren Entscheidungen ausschließlich durch die Verfassungsordnung und Gesetze gemäß Abs. 1 gebunden.

Artikel 89 [Entscheidung des Verfassungsgerichts]

(1) Eine Entscheidung des Verfassungsgerichts ist rechtskräftig, sobald sie auf die gesetzlich festgelegte Weise verkündet worden ist, sofern das Verfassungsgericht hinsichtlich ihrer Rechtskraft nicht anders entschieden hat.

(2) Rechtskräftige Entscheidungen des Verfassungsgerichts sind für alle Organe und Personen bindend.

(3) Die Entscheidung des Verfassungsgerichts, mit welcher gemäß Artikel 87 Abs. 2 ein Widerspruch des internationalen Vertrages mit der Verfassungsordnung ausgesprochen wurde, steht der Ratifizierung solange entgegen, bis der Widerspruch beseitigt wird.

Die Gerichte

Artikel 90 [Aufgabe der Gerichte]

Die Gerichte sind vor allem berufen, den Rechten auf die im Gesetz festgelegte Weise Geltung zu verschaffen. Bei Straftaten entscheidet ausschließlich das Gericht über Schuld und Strafmaß.

Artikel 91 [Gerichtssystem]

(1) Zum Gerichtssystem gehören das Oberste Gericht, das Oberste Verwaltungsgericht, die Obergerichte sowie Gerichte auf Kreis- und Bezirksebene. Das Gesetz kann andere Bezeichnungen für sie festlegen.

(2) Zuständigkeitsbereich und Organisation der Gerichte werden durch Gesetz geregelt.

Artikel 92 [Oberstes Gericht]

Das Oberste Gericht ist das höchste Justizorgan in allen in die Zuständigkeit der Gerichte fallenden Angelegenheiten mit Ausnahme derjenigen, über die das Verfassungsgericht bzw. das Oberste Verwaltungsgericht entscheiden.

Artikel 93 [Ernennung von Richtern]

(1) Ein Richter wird vom Präsidenten der Republik auf unbegrenzte Zeit ernannt. Er tritt sein Amt mit der Ablegung des Eides an.

(2) Zum Richter kann ein unbescholtener Bürger ernannt werden, der juristische Hochschulbildung besitzt. Weitere Voraussetzungen und das Verfahren werden durch Gesetz geregelt.

Artikel 94 [Richtersenat; Einzelrichter; Laienbeteiligung]

(1) Das Gesetz legt die Fälle fest, in denen die Richter als Senat entscheiden, und wie sich dieser zusammensetzt. In den übrigen Fällen entscheiden sie als Einzelrichter.

(2) Das Gesetz kann festlegen, in welchen Angelegenheiten und auf welche Weise an gerichtlichen Entscheidungen außer Richtern auch andere Bürger beteiligt werden.

Artikel 95 [Bindung an Gesetze und internationale Verträge]

(1) Der Richter ist bei der Entscheidung an das Gesetz und die internationalen Verträge gebunden, welche ein Teil der Rechtsordnung sind; er ist befugt, die Übereinstimmung einer sonstigen Rechtsvorschrift mit dem Gesetz oder solchem internationalen Vertrag zu beurteilen.

(2) Gelangt das Gericht zu dem Schluss, dass das Gesetz, das bei der Entscheidung des Falles anzuwenden ist, der Verfassungsordnung zuwiderläuft, legt es die Angelegenheit dem Verfassungsgericht vor.

Artikel 96 [Gleiche Rechte; Mündlichkeit und Öffentlichkeit]

(1) Alle Verfahrensbeteiligten haben vor Gericht die gleichen Rechte.

(2) Gerichtsverhandlungen sind mündlich und öffentlich; Ausnahmen werden durch Gesetz geregelt. Die Urteilsverkündung erfolgt stets öffentlich.

**Fünftes Kapitel
DIE OBERSTE KONTROLL-BEHÖRDE**

Artikel 97 [Oberste Kontrollbehörde]

(1) Die Oberste Kontrollbehörde ist ein unabhängiges Organ. Ihr obliegt die Kontrolle des Wirtschaftens mit staatlichem Eigentum und der Erfüllung des staatlichen Haushaltsplans.

(2) Präsident und Vizepräsident der Obersten Kontrollbehörde werden vom Präsidenten der Republik auf Vorschlag des Abgeordnetenhauses ernannt.

(3) Stellung, Zuständigkeiten, Organisationsstruktur und weitere Einzelheiten werden durch Gesetz geregelt.

**Sechstes Kapitel
DIE TSCHECHISCHE NATIONAL-BANK**

Artikel 98 [Nationalbank]

(1) Die Tschechische Nationalbank ist die zentrale Bank des Staates. Hauptsächliches Ziel ihrer Tätigkeit ist die Sorge der Preisstabilität; in ihre Tätigkeit kann nur auf der Grundlage eines Gesetzes eingegriffen werden.

(2) Stellung, Befugnisse und weitere Einzelheiten werden durch Gesetz geregelt.

**Siebentes Kapitel
DIE TERRITORIALE SELBST-VERWALTUNG**

Artikel 99 [Gemeinden und Kreise]

Die Tschechische Republik gliedert sich in Gemeinden, welche die unteren territorialen Selbstverwaltungseinheiten sind, und Kreise, welche die höheren Selbstverwaltungseinheiten sind.

Artikel 100 [Territoriale Selbstverwaltung]

(1) Die territorialen Selbstverwaltungseinheiten sind Gebietskörperschaften von Bürgern, die das Recht auf Selbstverwaltung haben. Das Gesetz bestimmt, in welchen Fällen sie Verwaltungsdistrikte sind.

(2) Die Gemeinde ist stets Bestandteil einer höheren territorialen Selbstverwaltungseinheit.

(3) Eine höhere territoriale Selbstverwaltungseinheit kann nur durch ein Verfassungsgesetz errichtet oder aufgelöst werden.

Artikel 101 [Vertretungen]

(1) Die Gemeinde wird selbständig durch die Gemeindevertretung verwaltet.

(2) Eine höhere Einheit der territorialen Selbstverwaltung wird selbständig durch ihre Vertretung verwaltet.

(3) Territoriale Selbstverwaltungseinheiten sind Körperschaften des öffentlichen Rechts, die eigenes Eigentum besitzen und nach einem eigenen Haushaltsplan wirtschaften.

(4) Der Staat kann in die Tätigkeit der territorialen Selbstverwaltungseinheiten nur eingreifen, wenn dies der Schutz des Gesetzes erfordert, und ausschließlich auf die im Gesetz festgelegte Weise.

Artikel 102 [Wahl der Mitglieder der Vertretung]

(1) Die Mitglieder der Vertretungen werden in geheimer Wahl aufgrund des allgemeinen, gleichen und unmittelbaren Wahlrechts gewählt.

(2) Die Amtsperiode einer Vertretung beträgt vier Jahre. Das Gesetz legt fest, unter welchen Bedingungen neue Wahlen zur Vertretung vor Ablauf der Amtsperiode angesetzt werden.

Artikel 103 [aufgehoben]

Artikel 104 [Kompetenz der Vertretung]

(1) Die Kompetenzen der Vertretungen können nur durch Gesetz festgelegt werden.

(2) Die Gemeindevertretung entscheidet in Angelegenheiten der Selbstverwaltung, sofern diese nicht durch Gesetz der Vertretung einer höheren Einheit der territorialen Selbstverwaltung anvertraut sind.

(3) Die Vertretungen können im Rahmen ihrer Kompetenzen allgemein verbindliche Anordnungen erlassen.

Artikel 105 [Übertragung der staatlichen Verwaltung]

Die Ausübung der staatlichen Verwaltung kann den Organen der Selbstverwaltung nur anvertraut werden, wenn dies das Gesetz vorsieht.

Achtes Kapitel
ÜBERGANGS- UND SCHLUSS-BESTIMMUNGEN

Artikel 106 [Tschechischer Nationalrat; vorläufiger Senat]

(1) Am Tage des Inkrafttretens dieser Verfassung wird der Tschechische Nationalrat zum Abgeordnetenhaus, dessen Wahlperiode am 6. Juni 1996 endet.

(2) Bis zur verfassungsgemäßen Wahl des Senats werden die Funktionen des Senats vom Vorläufigen Senat wahrgenommen. Der Vorläufige Senat wird auf eine durch ein Verfassungsgesetz festzulegende Weise konstituiert. Bis zum Inkrafttreten dieses Gesetzes werden die Funktionen des Senats vom Abgeordnetenhaus wahrgenommen.

(3) Das Abgeordnetenhaus kann nicht aufgelöst werden, solange es nach Abs. 2 die Funktionen des Senats wahrnimmt.

(4) Bis zur Verabschiedung des Gesetzes über die Geschäftsordnung der Kammern gilt in den einzelnen Kammern die Geschäftsordnung des Tschechischen Nationalrats.

Artikel 107 [Wahl und Amtsperiode der Senatoren]

(1) Das Gesetz über die Wahlen zum Senat bestimmt, auf welche Weise bei den ersten Wahlen das Drittel der Senatoren, deren Amtsperiode zwei Jahre betragen soll, sowie dasjenige Drittel der Senatoren bestimmt werden, deren Amtsperiode vier Jahre betragen soll.

(2) Die Session des Senats wird vom Präsidenten der Republik so einberufen, dass sie spätestens am dreißigsten Tage nach dem Tag der Wahlen beginnt; unterlässt er dies, so tritt der Senat am dreißigsten Tage nach dem Tag der Wahlen zusammen.

Artikel 108 [Amtsausübende Regierung]

Die nach den Wahlen im Jahr 1992 ernannte und am Tage des Inkrafttretens der Verfassung ihr Amt ausübende Regierung gilt als nach dieser Verfassung ernannt.

Artikel 109 [Prokurator der Tschechischen Republik]

Bis zur Errichtung der Staatsanwaltschaft werden ihre Aufgaben von der Prokuratur der Tschechischen Republik wahrgenommen.

Artikel 110 [Militärgerichte]

Bis zum 31. Dezember 1993 gehören zum Gerichtssystem auch Militärgerichte.

Artikel 111 [Richter]

Die Richter an sämtlichen Gerichten der Tschechischen Republik, die am Tage des Inkrafttretens dieser Verfassung das Richteramt ausüben, gelten als nach der Verfassung der Tschechischen Republik ernannt.

Artikel 112 [Bestandteile der Verfassung]

(1) Zur Verfassungsordnung der Tschechischen Republik gehören diese Verfassung, die Deklaration der Grundrechte und Freiheiten, die gemäß dieser Verfassung verabschiedeten Verfassungsgesetze und diejenigen Verfassungsgesetze der Nationalversammlung der Tschechoslowakischen Republik, der Föderativen Versammlung der Tschechoslowakischen sozialistischen Republik und des Tschechischen Nationalrats, die die Staatsgrenze der Tschechischen Republik festlegen, sowie die nach dem 6. Juni 1992 verabschiedeten Verfassungsgesetze des Tschechischen Nationalrats.

(2) Aufgehoben sind die bisherige Verfassung, das Verfassungsgesetz über die tschechoslowakische Föderation, diejenigen Verfassungsgesetze, durch die diese verändert oder ergänzt wurden, sowie das Verfassungsgesetz des Tschechischen Nationalrats Nr. 67/1990 Sb. über die staatlichen Symbole der Tschechischen Republik.

(3) Die übrigen auf dem Territorium der Tschechischen Republik am Tage des Inkrafttretens dieser Verfassung geltenden Verfassungsgesetze behalten ihre Gültigkeit.

Artikel 113 [Inkrafttreten]

Diese Verfassung tritt am 1. Januar 1993 in Kraft.

Charta der Grundrechte und -freiheiten[*]

vom 16. Dezember 1992 (Ústavní zákon č. 2/1993), geändert am 12. Juni 1998 (Ústavní zákon č. 162/1998)

Die Föderalversammlung hat, auf Basis des Vorschlags, der vom tschechischen Nationalrat und dem slowakischen Nationalrat erhoben wurde, die Unverletzbarkeit der natürlichen Rechte des Menschen, der Rechte der Bürger und den souveränen Charakter des Rechts anerkennend, an die allgemeinen geteilten Werte der Menschlichkeit und die demokratischen und selbstverwaltenden Traditionen unserer Nationen anknüpfend, in Gedenken an die bitteren Erfahrungen, die in der Zeit, in der Grundrechte und -freiheiten in unserem Land unterdrückt wurden, gemacht wurden, in der Hoffnung auf die Sicherstellung dieser Rechte durch die gemeinsamen Bemühungen aller freien Nationen, ausgehend vom Selbstbestimmungsrecht der tschechischen und slowakischen Nation, die Verantwortung gegenüber den künftigen Generationen für das Schicksal des gesamten Lebens auf der Erde wieder in Erinnerung rufend, und die Entschlossenheit zum Ausdruck bringend, dass sich die Tschechische und die Slowakische Föderative Republik in würdiger Art und Weise diesen Staaten anschließen, die diese Werte achten, diese Charta der Grundrechte und -freiheiten beschlossen:

Kapitel I
Allgemeine Bestimmungen

Artikel 1 [Gleichheit in Würde und Rechten]

Alle Menschen sind frei und gleich in ihrer Würde und ihren Rechten. Die Grundrechte und -freiheiten sind inhärent, unveräußerlich, unbeschränkt und unaufhebbar.

Artikel 2 [Demokratische Werte]

(1) Der Staat ist auf demokratischen Werten gegründet und darf weder an eine ausschließliche Ideologie noch an eine spezielle Religion gebunden sein.

(2) Die Macht des Staates darf nur in den Fällen und innerhalb der Grenzen sowie in den Formen, die vom Gesetz vorgegeben werden, geltend gemacht werden.

(3) Jedermann darf tun, was ihm nicht durch Gesetz verboten ist und niemand darf zu etwas gezwungen werden, was ihm nicht durch das Gesetz geboten ist.

Artikel 3 [Gleiche Rechte; Nationalität]

(1) Die Grundrechte und -freiheiten sind jedem, unabhängig von seinem Geschlecht, seiner Rasse, seiner Hautfarbe, seiner Sprache, seinem Glauben oder seiner Religion, seiner politischen oder anderen Einstellungen, seiner ethnischen oder sozialen Herkunft, seiner Zugehörigkeit zu einer nationalen oder ethnischen Minderheit, seinem Eigentum, seiner Geburt oder seinem Status garantiert.

(2) Jeder hat das Recht zur freien Wahl seiner Nationalität. Jede Form der Einflussnahme bei dieser Entscheidung ist verboten, wie auch jede Form des Drucks bei der Änderung seiner Nationalität.

(3) Niemand darf in seinen oder ihren Rechten verkürzt werden, weil er oder sie seine oder ihre Grundrechte und -freiheiten geltend macht.

Artikel 4 [Auferlegung von Pflichten]

(1) Pflichten dürfen nur durch das Gesetz und im Rahmen des Gesetzes auferlegt wer-

---

[*] Entsprechend der englischen Version der Föderalversammlung in Zusammenarbeit mit dem Institut für Staat und Recht, abrufbar unter: https://www.psp.cz/en/docs/laws/listina.html, aus dem Englischen übersetzt durch *Maximilian Zankel* und überarbeitet durch *Armin Stolz*, beide Institut für Öffentliches Recht und Politikwissenschaft, Karl-Franzens-Universität Graz.

den und nur wenn die Grundrechte und -freiheiten des Einzelnen eingehalten werden.

(2) Die Grundrechte und -freiheiten dürfen nur durch Gesetz und nur unter den Bedingungen, die die Charta der Grundrechte und -freiheiten (im Weiteren „Charta") vorsieht, eingeschränkt werden.

(3) Jede gesetzliche Einschränkung der Grundrechte und -freiheiten muss auf alle Fälle, die die festgelegten Bedingungen erfüllen, gleichermaßen anwendbar sein.

(4) Die Bestimmungen über die Einschränkung der Grundrechte und -freiheiten sind zu beachten, Einschränkungen dürfen nicht für andere Zwecke benützt werden, als für jene für die sie festgelegt wurden.

Kapitel II
Menschenrechte und Grundfreiheiten

Erster Teil
Grundlegende Menschenrechte und Freiheiten

Artikel 5 [Rechtsfähigkeit]
Jeder ist fähig Träger von Rechten zu sein.

Artikel 6 [Recht auf Leben]
(1) Jeder hat das Recht auf Leben. Das menschliche Leben ist schon vor der Geburt zu schützen.

(2) Niemand darf seines oder ihres Lebens beraubt werden.

(3) Es darf keine Todesstrafe geben.

(4) Fälle, in welchen jemand seines oder ihres Lebens beraubt wurde, die in Zusammenhang mit einer Handlung stehen, die nach dem Gesetz nicht strafbar ist, stellen keine Verletzung der von diesem Artikel garantierten Rechte dar.

Artikel 7 [Privatleben; Folter]
(1) Die Unantastbarkeit der Person und ihres Privatlebens ist garantiert. Sie kann nur in gesetzlich bestimmten Fällen eingeschränkt werden.

(2) Niemand darf das Ziel von Folter oder unmenschlicher oder erniedrigender Behandlung oder Bestrafung sein.

Artikel 8 [Persönliche Freiheit]
(1) Die persönliche Freiheit ist garantiert.

(2) Niemand darf verfolgt oder seiner Freiheit beraubt werden, außer aus den Gründen und in der Art, wie es vom Gesetz vorgesehen ist. Niemand darf aufgrund seiner oder ihrer Unfähigkeit, vertragliche Verpflichtungen einzuhalten, seiner oder ihrer Freiheit beraubt werden.

(3) Jede Person, die angeklagt wird oder verdächtigt wird ein Verbrechen begangen zu haben, darf nur in den vom Gesetz vorgesehenen Fällen festgenommen werden. Derartig festgenommene Personen sind ohne Aufschub über den Grund der Festnahme zu informieren, zu befragen und innerhalb von spätestens 48 Stunden freizulassen oder einem Gericht zu übergeben. Innerhalb von 24 Stunden nach der Übergabe der festgenommenen Person, ist diese von einem Richter zu befragen und darüber zu entscheiden, ob die Person in Verwahrung genommen oder entlassen wird.

(4) Eine Person, die eines Verbrechens beschuldigt wird, darf nur aufgrund eines schriftlichen Haftbefehls durch einen Richter, der die Gründe für seine Ausstellung enthält, festgehalten werden. Die festgenommene Person ist innerhalb von 24 Stunden an ein Gericht zu übergeben. Ein Richter hat die Person innerhalb von 24 Stunden zu befragen und darüber zu entscheiden, ob sie in Verwahrung genommen oder entlassen wird.

(5) Niemand darf in Haft genommen werden, außer aufgrund der gesetzlich vorgesehenen Gründe und einer gerichtlichen Entscheidung.

(6) Das Gesetz regelt die Fälle, in denen eine Person ohne ihre Zustimmung einer medizinischen Einrichtung übergeben oder in dieser angehalten werden kann. Eine solche Maßnahme muss innerhalb von 24 Stunden einem Gericht mitgeteilt werden, welches innerhalb von 7 Tagen über die Unterbringung zu entscheiden hat.

Artikel 9 [Arbeit]
(1) Niemand darf einer Zwangsarbeit oder

einer Zwangsdienstleistung unterworfen werden.

(2) Die Garantie des Abs 1 ist nicht anwendbar auf:

a) Arbeiten, die gesetzmäßig Personen aufgetragen wird, die andere Strafen als eine Freiheitsstrafe verbüßen,

b) Wehrdienst oder andere gesetzlich vorgesehene Dienste, die militärische Pflichten ersetzen,

c) Dienste, die auf Grundlage des Gesetzes im Falle von Naturkatastrophen, Unfällen oder anderen Gefahren für das menschliche Leben, die Gesundheit oder die Erhaltung bedeutsamer materieller Werte erforderlich sind,

d) Handlungen, die vom Gesetz vorgesehen sind um das Leben, die Gesundheit oder die Rechte anderer zu schützen.

Artikel 10 [Persönlichkeitsrechte]

(1) Jeder hat das Recht auf Schutz seiner oder ihrer Menschenwürde, persönlichen Integrität, des guten Rufs und seines oder ihres Namens.

(2) Jeder hat das Recht auf Schutz gegen unberechtigten Eingriff in sein oder ihr Privat- und Familienleben.

(3) Jeder hat das Recht auf Schutz gegen unberechtigte Sammlung, Veröffentlichung oder anderen Missbrauch von persönlichen Daten.

Artikel 11 [Eigentumsfreiheit]

(1) Jeder hat das Recht Eigentum zu besitzen. Die Eigentumsrechte aller Eigentümer haben den gleichen gesetzlichen Inhalt und genießen den gleichen Schutz. Das Erbrecht ist gewährleistet.

(2) Das Gesetz bestimmt, welches Eigentum für die Sicherung der Bedürfnisse der gesamten Gesellschaft, für die Entwicklung der nationalen Wirtschaft und das öffentliche Wohl ausschließlich ausgeübt werden darf.

(3) Eigentum ist bindend. Es darf nicht zur Schädigung der Rechte anderer oder gesetzlich geschützter öffentlicher Interessen missbraucht werden. Seine Ausübung darf zu keinem Schaden der menschlichen Gesundheit, der Natur oder der Umwelt, außerhalb der gesetzlichen Grenzen, führen.

(4) Enteignung und andere erzwungene Einschränkungen des Eigentumsrechts sind nur aufgrund von öffentlichen Interessen und auf Grundlage des Gesetzes gegen eine Entschädigung möglich.

(5) Steuern und Gebühren dürfen nur auf Grundlage des Gesetzes auferlegt werden.

Artikel 12 [Wohnung]

(1) Die Wohnung ist unantastbar. Eine Wohnung darf nicht ohne die Erlaubnis der dort lebenden Person betreten werden.

(2) Eine Hausdurchsuchung ist nur zum Zwecke einer Strafverfolgung auf der Grundlage eines schriftlichen Durchsuchungsbeschlusses eines Richters zulässig. Das Verfahren unter welchen eine Hausdurchsuchung durchgeführt wird, wird durch Gesetz geregelt.

(3) Andere Eingriffe in die Unversehrtheit der Wohnung können vom Gesetz nur vorgesehen werden, wenn diese in einer demokratischen Gesellschaft zum Schutz des Lebens oder der Gesundheit des Einzelnen, zum Schutz der Rechte und Freiheiten von anderen oder zur Abwehr einer ernsten Bedrohung für die öffentliche Ordnung und Sicherheit notwendig sind. Wenn die Wohnung auch für ein Unternehmen oder eine sonstige wirtschaftliche Tätigkeit genutzt wird, können vom Gesetz die vorherigen Eingriffe gebilligt werden, wenn es zur Erfüllung der Pflichten der öffentlichen Verwaltung notwendig ist.

Artikel 13 [Briefgeheimnis]

Niemand darf das Briefgeheimnis und das Geheimnis anderer Schriftstücke und Aufzeichnungen, sowohl privat aufbewahrt als auch per Post oder auf andere Weise verschickt, mit Ausnahme der Fälle und der Vorgangsweisen die im Gesetz geregelt sind, verletzen. Der gleiche Schutz erstreckt sich auf Nachrichten die per Telefon, Telegraf oder vergleichbaren Vorrichtungen verschickt werden.

Artikel 14 [Freizügigkeit]

(1) Die Freizügigkeit und die Niederlassungsfreiheit sind garantiert.

(2) Jeder der sich rechtmäßig im Territorium der Tschechischen und Slowakischen Föderativen Republik aufhält, hat das Recht es zu verlassen.

(3) Diese Freiheiten können durch das Gesetz eingeschränkt werden, wenn es für die Sicherheit des Staates, die Aufrechterhaltung der öffentlichen Ordnung, zur Sicherung der Rechte und Freiheiten anderer notwendig ist und in abgegrenzten Gebieten auch mit dem Ziel die Natur zu schützen.

(4) Jeder Bürger hat das Recht das Territorium der Tschechischen und Slowakischen Föderativen Republik zu betreten. Kein Bürger kann gezwungen werden sein oder ihr Land zu verlassen.

(5) Ein ausländischer Bürger kann nur unter den im Gesetz bestimmten Fällen ausgewiesen werden.

Artikel 15 [Gedanken-, Gewissens- und Religionsfreiheit]

(1) Die Gedanken-, Gewissens- und Religionsfreiheit ist garantiert. Jeder hat das Recht seine oder ihre religiöse Konfession zu wechseln oder keine religiöse Konfession zu haben.

(2) Die Freiheit der wissenschaftlichen Forschung und der Künste ist garantiert.

(3) Niemand kann gezwungen werden gegen sein Gewissen oder gegen seine religiöse Überzeugung den Militärdienst auszuüben. Detaillierte Regelungen werden im Gesetz vorgesehen.

Artikel 16 [Religiöse Betätigung]

(1) Jeder hat das Recht seine oder ihre Religion oder seinen oder ihren Glauben sowohl alleine als auch zusammen mit anderen, privat oder öffentlich, durch Gottesdienste, Lehre, religiöse Akte oder Bräuche auszuüben.

(2) Kirchen und religiöse Gemeinschaften verwalten ihre Angelegenheiten selbst, insbesondere konstituieren sie ihre Organe, ernennen Geistliche, gründen religiöse Orden und andere kirchliche Einrichtungen unabhängig von staatlichen Organen.

(3) Die Bedingungen des Religionsunterrichts an staatlichen Schulen werden durch Gesetz geregelt.

(4) Die Ausübung der vorherigen Rechte kann durch Gesetz eingeschränkt werden, wenn dies in einer demokratischen Gesellschaft zum Schutz der öffentlichen Sicherheit und Ordnung, der Gesundheit und Moral oder den Rechten und Freiheiten anderer notwendig ist.

Zweiter Teil
Politische Rechte

Artikel 17 [Meinungsfreiheit]

(1) Die Freiheit der Meinungsäußerung und das Recht auf Information ist garantiert.

(2) Jeder hat das Recht seine oder ihre Meinung frei in Wort, Schrift, in der Presse, in Bildern oder in jeder anderen Form auszudrücken sowie Ideen und Informationen frei zu suchen, zu empfangen und zu verbreiten, ohne Rücksicht auf die Grenzen des Staates.

(3) Zensur ist nicht zulässig.

(4) Die Freiheit der Meinungsäußerung und das Recht Informationen zu suchen und zu verbreiten kann vom Gesetz eingeschränkt werden wenn dies in einer demokratischen Gesellschaft zum Schutz der Rechte und Freiheiten anderer, zur Sicherheit des Staates, zur öffentlichen Sicherheit oder zur öffentlichen Gesundheit und Moral notwendig ist.

(5) Organe des Staates und der lokalen Selbstverwaltung sind verpflichtet in angemessener Weise Informationen über ihre Tätigkeiten bereitzustellen. Die Bedingungen und die Form der Ausübung dieser Pflicht wird durch Gesetz geregelt.

Artikel 18 [Petitionsrecht]

(1) Das Recht auf Petitionen ist garantiert; jeder hat das Recht selbst oder zusammen mit anderen, Anträge, Vorschläge und Beschwerden in Angelegenheiten des öffentlichen oder allgemeinen Interesses an die

Organe des Staates oder der lokalen Selbstverwaltung zu richten.

(2) Eine Petition darf nicht in die Unabhängigkeit des Gerichts eingreifen.

(3) Petitionen dürfen nicht mit dem Ziel verwendet werden, die von der Charta gewährleisteten Grundrechte und -freiheiten zu verletzen.

Artikel 19 [Versammlungsfreiheit]

(1) Das Recht sich friedlich zu versammeln ist garantiert.

(2) Dieses Recht kann durch Gesetz eingeschränkt werden wenn eine Versammlung an einem öffentlichen Platz abgehalten wird und Maßnahmen in einer demokratischen Gesellschaft zum Schutz der Rechte und Freiheiten anderer, der öffentlichen Ordnung, der Gesundheit, der Moral, des Eigentums oder der Sicherheit des Staates notwendig sind. Eine Versammlung darf jedenfalls nicht von der Genehmigung durch ein Organ der staatlichen Verwaltung abhängig gemacht werden.

Artikel 20 [Vereinsfreiheit]

(1) Das Recht sich frei zu vereinigen ist garantiert. Jeder hat das Recht sich mit anderen in Vereinen, Gesellschaften und anderen Vereinigungen zusammenzuschließen.

(2) Bürger haben auch das Recht politische Parteien und Bewegungen zu gründen und sich darin zu vereinen.

(3) Die Ausübung dieser Rechte kann in im Gesetz festgelegten Fällen eingeschränkt werden, wenn Maßnahmen in einer demokratischen Gesellschaft zum Schutz des Staates, zum Schutz der öffentlichen Sicherheit und der öffentlichen Ordnung, der Prävention von Straftaten oder zum Schutz der Rechte und Freiheiten anderer notwendig sind.

(4) Politische Parteien und Bewegungen, wie auch andere Vereine, sind unabhängig vom Staat.

Artikel 21 [Teilnahme der Bürger; Wahlrecht]

(1) Die Bürger haben das Recht an der Verwaltung öffentlicher Angelegenheiten teilzuhaben, entweder direkt oder durch die freie Wahl ihrer Vertreter.

(2) Wahlen müssen in Fristen abgehalten werden, die die gesetzlichen Wahlperioden nicht überschreiten.

(3) Das Recht zu wählen ist allgemein und gleich und wird durch die geheime Abstimmung ausgeübt. Die Bedingungen unter denen das Wahlrecht ausgeübt werden kann werden vom Gesetz festgelegt.

(4) Bürger haben in gleicher Weise Zugang zu gewählten und anderen öffentlichen Ämtern.

Artikel 22 [Freier Wettbewerb der politischen Kräfte]

Die gesetzlichen Regelungen aller politischen Rechte und Freiheiten, ihre Interpretation und ihre Anwendung müssen den freien Wettbewerb der politischen Kräfte in einer demokratischen Gesellschaft schützen.

Artikel 23 [Widerstandsrecht]

Die Bürger haben das Recht, gegen jeden Widerstand zu leisten, der die durch die Charta begründete demokratische Ordnung der Grundrechte und -freiheiten beseitigen würde wenn die Funktion der verfassungsmäßigen Organe und die effektive Inanspruchnahme gesetzlicher Mittel verhindert wird.

Kapitel III
Rechte der nationalen und ethnischen Minderheiten

Artikel 24 [Verbot der Benachteiligung]

Die nationale oder ethnische Identität eines jeden Individuums darf nicht zu seinem Nachteil führen.

Artikel 25 [Rechte von Minderheiten]

(1) Den Bürgern, die nationale oder ethnische Minderheiten bilden, wird eine allumfassende Entwicklung garantiert, insbesondere das Recht, zusammen mit anderen Angehörigen der Minderheit ihre eigene Kultur zu entwickeln, das Recht, Informationen in ihrer Sprache zu verbreiten und

zu erhalten, und das Recht, sich ethnischen Vereinigungen anzuschließen. Detaillierte Bestimmungen hierzu werden gesetzlich festgelegt.

(2) Den Bürgern, die nationale und ethnische Minderheiten bilden, wird weiters unter den gesetzlichen Bedingungen garantiert:

a) das Recht auf Unterricht in ihrer Sprache,

b) das Recht ihre Sprache beim amtlichen Verkehr zu nutzen,

c) das Recht an der Behandlung von Angelegenheiten, die die nationalen und ethnischen Minderheiten betreffen, teilzuhaben.

Kapitel IV
Wirtschaftliche, soziale und kulturelle Rechte

Artikel 26 [Beruf und Arbeit; soziale Sicherheit]

(1) Jeder hat das Recht seinen oder ihren Beruf und die Ausbildung dazu frei zu wählen sowie das Recht sich in Unternehmen und anderen wirtschaftlichen Tätigkeiten zu engagieren.

(2) Die Bedingungen und die Begrenzungen zur Ausübung bestimmter Berufe oder Tätigkeiten werden durch Gesetz festgelegt.

(3) Jeder hat das Recht die Mittel seiner oder ihrer Lebensführung durch Arbeit zu verdienen. Der Staat hat angemessene materielle Hilfeleistungen für die Bürger, die ohne ihr Verschulden unfähig sind von dem Recht Gebrauch zu machen, vorzusehen; die entsprechenden Bedingungen werden gesetzlich festgelegt.

(4) Für ausländische Bürger können abweichende Regelungen gesetzlich festgelegt werden.

Artikel 27 [Gewerkschaften; Streikrecht]

(1) Jeder hat das Recht sich frei mit anderen zum Schutz seiner oder ihrer wirtschaftlichen und sozialen Interessen zusammenzuschließen.

(2) Gewerkschaften werden unabhängig vom Staat geschaffen. Es gibt kein Limit bezüglich der Anzahl an Gewerkschaften oder vergleichbaren Organisationen und keiner von ihnen darf in einem Unternehmen oder einem Wirtschaftszweig bevorzugt behandelt werden.

(3) Die Tätigkeiten von Gewerkschaften und die Gründung und die Tätigkeit von vergleichbaren Organisationen zum Schutz der wirtschaftlichen und sozialen Interessen können durch gesetzliche Maßnahmen eingeschränkt werden, die in einer demokratischen Gesellschaft zum Schutz der Sicherheit des Staates oder der öffentlichen Ordnung oder der Rechte und Freiheiten anderer notwendig sind.

(4) Das Recht zu streiken ist unter den gesetzlichen Bedingungen garantiert; dieses Recht steht den Richtern, Staatsanwälten und den Mitgliedern der Streitkräfte und der Sicherheitsbehörden nicht zu.

Artikel 28 [Entlohnung; Arbeitsbedingungen]

Beschäftigte haben das Recht auf eine gerechte Entlohnung für ihre Arbeit und befriedigende Arbeitsbedingungen. Einzelheiten werden gesetzlich geregelt.

Artikel 29 [Arbeit von Frauen, Jugendlichen und Menschen mit Behinderung]

(1) Frauen, Jugendliche und Menschen mit Behinderung haben das Recht auf erhöhten Schutz ihrer Gesundheit in der Arbeit und auf besondere Arbeitsbedingungen.

(2) Jugendliche und Menschen mit Behinderung haben das Recht auf besonderen Schutz in Arbeitsverhältnissen und auf Unterstützung bei der Berufsausbildung.

(3) Einzelheiten dieser Garantien regelt das Gesetz.

Artikel 30 [Soziale Sicherheit]

(1) Bürger haben im Alter und während der Untauglichkeit zur Arbeit sowie im Fall der Arbeitslosigkeit das Recht auf angemessene materielle Versorgung.

(2) Jeder der sich in materieller Not befindet hat das Recht auf die Hilfe, die nötig ist,

um seine oder ihre grundlegenden Lebensbedingungen zu sichern.

(3) Einzelheiten dieser Garantien regelt das Gesetz.

Artikel 31 [Gesundheit]

Jeder hat das Recht auf Schutz seiner oder ihrer Gesundheit. Bürger haben unter den gesetzlichen Bedingungen das Recht auf kostenlose medizinische Versorgung und medizinische Hilfen durch die öffentliche Versicherung.

Artikel 32 [Elternschaft und Familie]

(1) Die Elternschaft und die Familie stehen unter dem Schutz des Gesetzes. Ein spezieller Schutz von Kindern und Jugendlichen ist garantiert.

(2) Während der Schwangerschaft wird Frauen spezielle Versorgung, Schutz in Arbeitsverhältnissen und angemessene Arbeitsbedingungen garantiert.

(3) Kinder, die in der Ehe und Kinder die außerhalb geboren wurden, haben gleiche Rechte.

(4) Die Sorge für die Kinder und ihre Erziehung sind die Rechte der Eltern; Kinder haben das Recht auf elterliche Erziehung und Versorgung. Die elterlichen Rechte können eingeschränkt und minderjährige Kinder gegen den Willen der Eltern nur durch eine gerichtliche Entscheidung auf gesetzlicher Grundlage entzogen werden.

(5) Eltern, die Kinder großziehen, haben Anspruch auf Unterstützung vom Staat.

(6) Einzelheiten dieser Garantien regelt das Gesetz.

Artikel 33 [Bildung]

(1) Jeder hat das Recht auf Bildung. Die Schulpflicht gilt für einen gesetzlich festgelegten Zeitraum.

(2) Bürger haben das Recht auf kostenlosen Unterricht an Grund- und Mittelschulen und abhängig von den Fähigkeiten des Bürgers und den Möglichkeiten der Gesellschaft auch an Hochschulen.

(3) Die Gründung von anderen als den staatlichen Schulen und der Unterricht dort wird vom Gesetz geregelt; für den Unterricht an derartigen Schulen kann Schulgeld erhoben werden.

(4) Die Bedingungen unter denen Bürger während ihrer Ausbildung das Recht auf Unterstützung durch den Staat haben, werden durch Gesetz geregelt.

Artikel 34 [Zugang zu kreativer und intellektueller Tätigkeit und Kultur]

(1) Das Recht auf die Ergebnisse von kreativer intellektueller Tätigkeit ist vom Gesetz geschützt.

(2) Das Recht auf Zugang zum kulturellen Reichtum ist unter den gesetzlichen Bedingungen garantiert.

Artikel 35 [Umwelt]

(1) Jeder hat das Recht in einem vorteilhaften Lebensumfeld zu leben.

(2) Jeder hat das Recht auf zeitgerechte und vollständige Information über den Zustand des Lebensumfeldes und der natürlichen Ressourcen.

(3) Bei der Ausübung seiner oder ihrer Rechte darf niemand das Lebensumfeld, die natürlichen Ressourcen, Reichtümer der natürlichen Arten und Kulturdenkmäler über die gesetzlichen Grenzen hinaus gefährden oder schädigen.

Kapitel V
Recht auf gerichtlichen und sonstigen Rechtsschutz

Artikel 36 [Rechtsschutz]

(1) Jeder kann seine oder ihre Rechte in einem geregelten Verfahren vor einem unabhängigen und unparteiischen Gericht und in bestimmten Fällen vor anderen Organen geltend machen.

(2) Jeder der behauptet, dass seine oder ihre Rechte durch eine Entscheidung eines Organs der öffentlichen Verwaltung verletzt wurden, hat das Recht, sich an ein Gericht zu wenden, um die Gesetzmäßigkeit einer solchen Entscheidung überprüfen zu lassen, außer das Gesetz sieht etwas anderes vor. Jedoch darf die Überprüfung von Entscheidun-

gen, die die Grundrechte und -freiheiten, die in dieser Charter aufgezählt sind, betreffen, nicht von der Rechtsprechung der Gerichte ausgeschlossen werden.

(3) Jeder hat das Recht auf Ersatz des Schadens der ihm oder ihr durch eine gesetzwidrige Entscheidung eines Gerichts, eines Organs der öffentlichen Verwaltung oder durch ein fehlerhaftes behördliches Verfahren entstanden ist.

(4) Die Bedingungen und Einzelheiten in dieser Angelegenheit werden durch Gesetz geregelt.

Artikel 37 [Verfahrensrechte]

(1) Jeder hat das Recht die Aussage zu verweigern, wenn er oder sie dadurch sich oder einen nahen Angehörigen einer Straftat bezichtigen müsste.

(2) Jeder hat von Beginn des Verfahrens an das Recht auf einen rechtlichen Beistand bei Verhandlungen vor einem Gericht, einem anderen Organ des Staats oder einem öffentlichen Verwaltungsorgan.

(3) Alle Parteien sind im Verfahren gleich.

(4) Wer erklärt, dass er oder sie die Sprache, in der das Verfahren abgehalten wird nicht spricht, hat das Recht die Dienste eines Dolmetschers in Anspruch zu nehmen.

Artikel 38 [Gesetzlicher Richter]

(1) Niemand darf seinem oder ihrem gesetzlichen Richter entzogen werden. Die Rechtsprechung des Gerichts und die Zuständigkeit des Richters wird durch Gesetz geregelt.

(2) Jeder hat das Recht, dass sein oder ihr Fall öffentlich ohne unnötigen Aufschub und in seiner oder ihrer Anwesenheit verhandelt wird und er oder sie die Möglichkeit hat zu allen Beweisen Stellung zu nehmen. Die Öffentlichkeit kann nur in den gesetzlich festgelegten Fällen ausgeschlossen werden.

Artikel 39 [Bestimmung von Straftat und Strafe]

Nur das Gesetz bestimmt, welche Taten eine Straftat darstellen und welche Strafe oder welcher Nachteil in den Rechten oder im Eigentum dafür auferlegt werden kann.

Artikel 40 [Gericht; Unschuldsvermutung]

(1) Nur ein Gericht kann über die Schuld und die Strafe für eine Straftat entscheiden.

(2) Jeder, der im Zuge eines Strafverfahrens einer Straftat verdächtigt wird, ist als unschuldig anzusehen, bis die Schuld durch ein Gericht mittels eines rechtskräftigen Urteils festgestellt wird.

(3) Der Beschuldigte hat das Recht die Zeit und die Möglichkeit zu erhalten, um seine oder ihre Verteidigung vorzubereiten und hat das Recht sich selbst zu vertreten oder durch einen Anwalt vertreten zu lassen. Wenn er oder sie keinen Anwalt wählt, obwohl er oder sie nach dem Gesetz dazu verpflichtet ist, wird vom Gericht ein Anwalt beigestellt. Das Gesetz bestimmt in welchen Fällen dem Beschuldigten ein Anwalt kostenlos zur Verfügung steht.

(4) Der Beschuldigte hat das Recht die Aussage zu verweigern; dieses Recht darf ihm oder ihr auf keinen Fall entzogen werden.

(5) Niemand darf für eine Tat strafrechtlich verfolgt werden, für die er oder sie bereits rechtskräftig verurteilt oder freigesprochen wurde. Dieser Grundsatz schließt den Einsatz außerordentlicher Rechtsmittel im Einklang mit dem Gesetz nicht aus.

(6) Die Frage, ob eine Handlung strafbar ist oder nicht und die Strafe wird nach den im Zeitpunkt der Tatbegehung in Geltung stehenden Gesetzen beurteilt. Ein späteres Gesetz ist anzuwenden, wenn es für den Beschuldigten günstiger ist.

Kapitel VI
Gemeinsame Bestimmungen

Artikel 41 [Geltendmachung]

(1) Die in Artikel 26, Artikel 27 Abs 4, Artikel 28 bis 31, Artikel 32 Abs 1 und 3, Artikel 33 und Artikel 35 der Charta aufgezählten Rechte können nur im Umfang der Gesetze, die diese Rechte umsetzen, geltend gemacht werden.

(2) Wann immer die Charta von einem Gesetz spricht, ist dies als ein Gesetz, welches von der Föderalversammlung erlassen wird zu verstehen, außer wenn sich aus der verfassungsrechtlichen Aufteilung der Gesetzgebungskompetenz ergibt, dass die entsprechende Regelung Gesetzen zugehört, die von den Nationalräten erlassen werden.

Artikel 42 [Bürger]

(1) Wann immer in der Charta der Begriff „Bürger" verwendet wird, ist dieser als Bürger der Tschechischen und Slowakischen Föderativen Republik zu verstehen.

(2) Bürger von anderen Staaten genießen in der Tschechischen und Slowakischen Föderativen Republik die Grundrechte und -freiheiten, die die Charta auf jeden, unabhängig von der Staatsangehörigkeit, ausdehnt.

Artikel 43 [Asyl]

Die Tschechische und Slowakische Föderative Republik gewährt den Bürgern von anderen Staaten Asyl, wenn diese für die Ausübung ihrer politischen Rechte und Freiheiten verfolgt werden. Das Asyl kann einer Person verwehrt werden, die gegen die Grundrechte und -freiheiten gehandelt hat.

Artikel 44 [Beschränkungen]

Ein Gesetz kann das Recht von Richtern und Staatsanwälten, sich in Unternehmen zu engagieren und andere wirtschaftliche Tätigkeiten auszuüben sowie das Recht nach Artikel 20 Abs 2 einschränken; es kann weiters für Mitglieder der Sicherheitsbehörden und der Streitkräfte die Rechte nach Artikel 18, 19 und 27 Abs 1 bis 3 einschränken, insoweit sie mit der Ausübung der Pflichten dieser Mitglieder zusammenhängen. Das Gesetz kann das Streikrecht von Personen, die in Berufen beschäftigt sind, die für den Schutz des menschlichen Lebens und der Gesundheit direkt unerlässlich sind, einschränken.

Verfassung der Türkei[*]

Vom 18. Oktober 1982 Gesetz Nr 2709, Resmî Gazete (Amtsblatt) Nr. 17863 vom 9. November 1982, zuletzt geändert durch das Gesetz Nr. 6771 vom 21. Januar 2017, Resmî Gazete (Amtsblatt) Nr. 29976 vom 11. Februar 2017.

PRÄAMBEL

Diese Verfassung, die die ewige Existenz des türkischen Vaterlandes und der türkischen Nation sowie die unteilbare Einheit des Großen Türkischen Staates zum Ausdruck bringt, wird, um entsprechend der Auffassung vom Nationalismus, wie sie Atatürk, der Gründer der Republik Türkei, der unsterbliche Führer und einzigartige Held, verkündet hat;

mit dem Ziel, die ewige Existenz, die Wohlfahrt, das materielle und geistige Glück der Republik Türkei als ehrenvolles und gleichberechtigtes Mitglied der Völkerfamilie der Welt entschlossen auf das Niveau moderner Zivilisation zu heben;

in dem Gedanken, dem Glauben und der Entschlossenheit,

dass der absolute Vorrang des Volkswillens, die Souveränität uneingeschränkt und unbedingt der Türkischen Nation zustehe und keine Person oder Institution, welche diese im Namen des Volkes auszuüben zuständig ist, von der in dieser Verfassung bestimmten freiheitlichen Demokratie und der von ihren Erfordernissen bestimmten Rechtsordnung abweichen werde,

dass die Gewaltenteilung nicht eine Vorrang gewährende Reihenfolge der Staatsorgane bedeutet, sie aus dem Gebrauch bestimmter Zuständigkeiten des Staates und damit in einer begrenzten zivilisierten Arbeitsteilung und Zusammenarbeit besteht und ein Primat nur der Verfassung und den Gesetzen zukommt,

dass keinerlei Aktivität gegenüber den türkischen nationalen Interessen, der türkischen Existenz, dem Grundsatz der Unteilbarkeit von Staatsgebiet und Staatsvolk, den geschichtlichen und ideellen Werten des Türkentums und dem Nationalismus, den Prinzipien und Reformen sowie dem Zivilisationismus Atatürks geschützt wird und heilige religiöse Gefühle, wie es das Prinzip des Laizismus erfordert, auf keine Weise mit den Angelegenheiten und der Politik des Staates werden vermischt werden,

dass jeder türkische Staatsbürger gemäß den Erfordernissen der Gleichheit und der sozialen Gerechtigkeit die Grundrechte und -freiheiten dieser Verfassung genieße und von seiner Geburt an das Recht und die Möglichkeit habe, innerhalb der nationalen Kultur-, Zivilisations- und Rechtsordnung ein würdiges Leben zu führen und seine materielle und ideelle Existenz in diesem Sinne zu entfalten,

dass die türkischen Staatsbürger insgesamt in nationalem Stolz und nationalem Leid, in nationaler Freude und nationalem Schicksal, in ihren Rechten und Pflichten gegenüber der nationalen Existenz, in Segen und Mühsal sowie in jeglicher Manifestation des Nationallebens geeint seien, in den Gefühlen der entschiedenen Achtung der Rechte und der Freiheiten des anderen und der gegenseitigen herzlichen Liebe und Brüderlichkeit sowie im Verlangen und Glauben an „Frieden im Lande – Frieden in der Welt" ein Leben voll Heil zu führen das Recht haben,

verstanden und in diesem Sinne in Ehrfurcht und absoluter Treue gegenüber ihrem Wort und Geist ausgelegt und gebraucht zu werden,

von der Türkischen Nation der Liebe der der Demokratie innig verbundenen türki-

---

[*] Übersetzt von *Christian Rumpf*, Stuttgart, abrufbar unter http://www.tuerkei-recht.de/downloads/verfassung.pdf.

schen Kinder zu Vaterland und Volk übergeben und anvertraut.

Erster Teil: ALLGEMEINE GRUNDSÄTZE

I. Staatsform

Artikel 1
Der Staat Türkei ist eine Republik.

II. Merkmale der Republik

Artikel 2
Die Republik Türkei ist ein im Geiste des Friedens der Gemeinschaft, der nationalen Solidarität und der Gerechtigkeit die Menschenrechte achtender, dem Nationalismus Atatürks verbundener und auf den in der Präambel verkündeten Grundprinzipien beruhender demokratischer, laizistischer und sozialer Rechtsstaat.

III. Einheit, Amtssprache, Flagge, Nationalhymne und Hauptstadt des Staates

Artikel 3
(1) Der Staat Türkei ist ein in seinem Staatsgebiet und Staatsvolk unteilbares Ganzes. Seine Sprache ist Türkisch.
(2) Seine Flagge, deren Form durch Gesetz bestimmt wird, ist die rote Flagge mit weißem Halbmond und Stern.
(3) Seine Nationalhymne ist der „Unabhängigkeitsmarsch". Seine Hauptstadt ist Ankara.

IV. Unabänderliche Vorschriften

Artikel 4
Die Vorschrift des Artikels 1 der Verfassung über die Republik als Staatsform sowie die Vorschriften über die Prinzipien der Republik in Artikel 2 und diejenigen des Artikels 3 sind unabänderlich, das Einbringen eines Änderungsvorschlages ist unzulässig.

V. Grundziele und -aufgaben des Staates

Artikel 5
Die Grundziele und -aufgaben des Staates sind es, die Unabhängigkeit und Einheit des Türkischen Volkes, die Unteilbarkeit des Landes, die Republik und die Demokratie zu schützen, Wohlstand, Wohlergehen und Glück der Bürger und der Gemeinschaft zu gewährleisten, die politischen, wirtschaftlichen und sozialen Hindernisse zu beseitigen, welche die Grundrechte und -freiheiten der Person in einer mit den Prinzipien des sozialen Rechtsstaates und der Gerechtigkeit nicht vereinbaren Weise beschränken, sowie sich um die Schaffung der für die Entwicklung der materiellen und ideellen Existenz des Menschen notwendigen Bedingungen zu bemühen.

VI. Souveränität

Artikel 6
(1) Die Souveränität gehört uneingeschränkt und unbedingt dem Volk.
(2) Das Türkische Volk gebraucht seine Souveränität gemäß den von der Verfassung bestimmten Grundsätzen durch die zuständigen Organe.
(3) Der Gebrauch der Souveränität darf auf keine Weise irgendeiner Person, einer Gruppe oder einer Klasse überlassen werden. Niemand und kein Organ darf eine Kompetenz des Staates ausüben, die nicht aus der Verfassung hervorgeht.

VII. Zuständigkeit der Gesetzgebung

Artikel 7
Die Zuständigkeit der Gesetzgebung steht im Namen des Türkischen Volkes der Großen Nationalversammlung der Türkei zu. Diese Zuständigkeit ist unübertragbar.

VIII. Zuständigkeit und Aufgabe der vollziehenden Gewalt

Artikel 8
Die Zuständigkeit und Aufgaben der vollziehenden Gewalt werden vom Präsidenten der Republik im Einklang mit der Verfas-

sung und den Gesetzen ausgeübt und erfüllt.

IX. Zuständigkeit der Rechtsprechung

Artikel 9
Die Zuständigkeit der Rechtsprechung wird im Namen des Türkischen Volkes von unabhängigen und unparteiischen Gerichten ausgeübt.

X. Gleichheit vor dem Gesetz

Artikel 10
(1) Jedermann ist ohne Rücksicht auf Unterschiede aufgrund von Sprache, Rasse, Farbe, Geschlecht, politischer Ansicht, Weltanschauung, Religion, Bekenntnis und ähnlichem vor dem Gesetz gleich.
(2) Frauen und Männer sind gleichberechtigt. Der Staat ist verpflichtet, die Gleichheit zu verwirklichen. Maßnahmen, die zu diesem Zweck ergriffen werden, dürfen nicht als Verstoß gegen den Gleichheitsgrundsatz ausgelegt werden.
(3) Maßnahmen zum Schutz von Kindern, Alten, Behinderten, Witwen und Waisen von Gefallenen oder im Dienst Verstorbenen sowie von Invaliden und Veteranen gelten nicht als Verstoß gegen den Gleichheitsgrundsatz.
(4) Weder einer Person noch einer Familie, Gruppe oder Klasse darf ein Vorrecht eingeräumt werden.
(5) Die Staatsorgane und Verwaltungsbehörden haben bei all ihren Akten und im Hinblick auf die Inanspruchnahme öffentlicher Leistungen aller Art gemäß dem Prinzip der Gleichheit vor dem Gesetz zu handeln.

XI. Bindungswirkung und Primat der Verfassung

Artikel 11
(1) Die Verfassungsvorschriften sind rechtliche Grundregeln, welche die Organe der Gesetzgebung, der vollziehenden Gewalt und der Rechtsprechung, die Verwaltungsbehörden und übrigen Organisationen und Personen binden.

(2) Die Gesetze dürfen nicht verfassungswidrig sein.

Zweiter Teil: GRUNDRECHTE UND -PFLICHTEN

Erster Abschnitt: Allgemeine Vorschriften

I. Natur der Grundrechte und -freiheiten

Artikel 12
(1) Jedermann besitzt mit seiner Persönlichkeit verbundene, unantastbare, unübertragbare, unverzichtbare Grundrechte und -freiheiten.
(2) Die Grundrechte und -freiheiten beinhalten auch Verpflichtung und Verantwortung der Person gegenüber der Gemeinschaft, ihrer Familie und gegenüber den anderen Personen.

II. Beschränkung der Grundrechte und -freiheiten

Artikel 13
Die Grundrechte und -freiheiten können mit der Maßgabe, dass ihr Wesenskern unberührt bleibt, nur aus den in den betreffenden Bestimmungen aufgeführten Gründen und nur durch Gesetz beschränkt werden. Die Beschränkungen dürfen nicht gegen Wortlaut und Geist der Verfassung, die Notwendigkeiten einer demokratischen Gesellschaftsordnung und der laizistischen Republik sowie gegen den Grundsatz der Verhältnismäßigkeit verstoßen.

III. Missbrauch der Grundrechte und -freiheiten

Artikel 14
(1) Von den Grundrechten und -freiheiten dieser Verfassung darf keines gebraucht werden, um Aktivitäten mit dem Ziel zu entfalten, die unteilbare Einheit von Staatsgebiet und Staatsvolk zu zerstören und die auf den

Menschenrechten beruhende demokratische und laizistische Republik zu beseitigen.

(2) Keine Vorschrift der Verfassung darf so ausgelegt werden, als erlaube sie dem Staat oder den Personen Tätigkeiten zu entfalten zu dem Zweck, die durch die Verfassung gewährten Grundrechte und -freiheiten zu beseitigen oder über das in der Verfassung vorgesehene Maß hinaus zu beschränken.

(3) Die Sanktionen, die gegen diejenigen anzuwenden sind, welche gegen diese Verbote handeln, werden durch Gesetz geregelt.

IV. Aussetzung des Gebrauchs der Grundrechte und -freiheiten

Artikel 15

(1) In den Fällen des Krieges, der Mobilmachung oder des Notstandes kann unter der Voraussetzung, dass die sich aus dem Völkerrecht ergebenden Verpflichtungen nicht verletzt werden, in dem der Lage entsprechend erforderlichen Maße der Gebrauch der Grundrechte und -freiheiten teilweise oder vollständig ausgesetzt oder können Maßnahmen getroffen werden, die den für jene in der Verfassung vorgesehenen Garantien entgegenstehen.

(2) Auch in den in Absatz 1 aufgeführten Situationen darf, abgesehen von den aus Folgen kriegsrechtsgemäßer Handlungen auftretenden Todesfällen, das Recht der Person auf Leben und die Einheit ihrer materiellen und ideellen Existenz nicht angetastet, niemand zur Offenbarung seiner Religion, seines Gewissens, seiner Meinung und seiner Ansichten gezwungen oder ihm aus diesen ein Schuldvorwurf gemacht werden, dürfen Straftaten und Strafen keine Rückwirkung entfalten, darf niemand bis zur Feststellung seiner Schuld durch Gerichtsurteil als schuldig gelten.

V. Lage der Ausländer

Artikel 16

Die Grundrechte und -freiheiten können für Ausländer in Einklang mit dem Völkerrecht durch Gesetz beschränkt werden.

Zweiter Abschnitt: Rechte und Pflichten der Person

I. Unantastbarkeit, materielle und ideelle Existenz der Person

Artikel 17

(1) Jedermann hat das Recht auf den Schutz und die Entfaltung seines Lebens und seiner materiellen und ideellen Existenz.

(2) Außer bei medizinischen Notwendigkeiten und den im Gesetz bestimmten Fällen ist die körperliche Integrität der Person unantastbar; sie darf nicht ohne ihre Einwilligung wissenschaftlichen und medizinischen Versuchen unterzogen werden.

(3) Niemand darf gefoltert und misshandelt werden; niemand darf einer mit der Menschenwürde unvereinbaren Bestrafung oder Behandlung ausgesetzt werden.

(4) Tötungshandlungen in Fällen der Notwehr, bei der Vollstreckung von Festnahmeanordnungen und Haftbefehlen, bei der Verhinderung der Flucht eines Untersuchungs- oder Strafgefangenen, bei der Niederschlagung eines Aufstandes oder Aufruhrs und im Zuge der Ausführung von Anordnungen der zuständigen Behörde in Fällen des Notstandes, sind in Zwangssituationen, für welche das Gesetz den Waffengebrauch zulässt, von der Vorschrift des Absatzes 1 ausgenommen.

II. Zwangsarbeitsverbot

Artikel 18

(1) Niemand darf zur Arbeit gezwungen werden. Unentgeltliche Zwangsarbeit ist verboten.

(2) Arbeiten während der Zeit einer Strafverbüßung oder Untersuchungshaft, deren Art und Bedingungen durch Gesetz geregelt werden; Dienste, welche den Staatsbürgern in Fällen des Notstandes abverlangt werden; körperliche und geistige Arbeiten, die als staatsbürgerliche Pflicht in den Bereichen vorgesehen sind, in denen es die Bedürfnisse des Landes erfordern, gelten nicht als Zwangsarbeit.

III. Freiheit und Sicherheit der Person

Artikel 19

(1) Jedermann genießt die Freiheit und Sicherheit der Person.

(2) Niemandem darf seine Freiheit entzogen werden, es sei denn in den nach Art und Voraussetzungen durch Gesetz bestimmten Fällen: Vollstreckung von durch die Gerichte verhängten Freiheitsstrafen und Sicherungsmaßnahmen, Festnahme oder Verhaftung des Betroffenen aufgrund einer Gerichtsentscheidung oder einer im Gesetz bestimmten Verpflichtung, Vollstreckung einer Entscheidung zur Besserung unter Aufsicht oder Vorführung eines Minderjährigen vor die zuständige Behörde, Vollstreckung einer im Einklang mit den im Gesetz bestimmten Grundsätzen getroffenen Maßnahme zur Behandlung, Erziehung oder Besserung eines gemeingefährlichen Geisteskranken, Rauschgift- oder Alkoholsüchtigen, eines Landstreichers oder einer Person, welche die Ausbreitung einer Krankheit herbeizuführen geeignet ist, in einer Anstalt, Festnahme oder Verhaftung einer Person, welche illegal in das Land einzureisen versucht oder einreist oder gegen die eine Ausweisungs- oder Auslieferungsentscheidung ergangen ist.

(3) Personen, für deren Schuld dringende Anzeichen bestehen, dürfen nur zur Verhinderung ihrer Flucht, der Beweisvernichtung oder der Beweisfälschung oder zu einem ähnlichen die Verhaftung erfordernden Zweck und in den anderen im Gesetz bestimmten Fällen aufgrund richterlicher Anordnung verhaftet werden. Ohne richterliche Anordnung darf eine Festnahme nur auf frischer Tat oder bei Gefahr im Verzuge erfolgen; die Voraussetzungen hierfür werden durch Gesetz bestimmt.

(4) Den festgenommenen oder verhafteten Personen werden die Gründe der Festnahme oder Verhaftung und die gegen sie erhobenen Vorwürfe jedenfalls schriftlich, wenn dies nicht sofort möglich ist, unverzüglich mündlich, bei gemeinschaftlich begangenen Straftaten spätestens bis zur Vorführung vor den Richter mitgeteilt.

(5) Die festgenommene oder verhaftete Person wird, die für die Verbringung zu dem dem Haftort am nächsten gelegenen Gericht notwendige Zeit nicht eingerechnet, spätestens innerhalb von achtundvierzig Stunden und bei gemeinschaftlich begangenen Straftaten innerhalb von höchstens vier Tagen dem Richter vorgeführt. Niemandem darf nach Ablauf dieser Fristen die Freiheit ohne eine richterliche Entscheidung entzogen werden. Diese Fristen können im Notstandsfall und in den Fällen des Krieges verlängert werden.

(6) Die Festnahme einer Person wird unverzüglich den Angehörigen mitgeteilt.

(7) Die verhafteten Personen haben das Recht, die Einleitung eines Gerichtsverfahrens innerhalb angemessener Frist und während der Ermittlungen oder Strafverfolgung die Freilassung zu verlangen. Die Freilassung kann, um die Anwesenheit des Betroffenen während des Verfahrens in der Verhandlung oder die Vollstreckung des Urteils zu gewährleisten, von einer Sicherheit abhängig gemacht werden.

(8) Die Person, der aus welchem Grunde auch immer die Freiheit entzogen wurde, hat das Recht, zum Zweck der Herbeiführung einer schleunigen Entscheidung über ihre Lage und, im Falle der Rechtswidrigkeit dieses Freiheitsentzuges, der sofortigen Freilassung ein zuständiges Gericht anrufen.

(9) Der Schaden, welchen Personen durch die Behandlung außerhalb dieser Grundsätze erlitten haben, wird nach den Grundsätzen des Schadensersatzrechts vom Staat ersetzt.

IV. Intimität und Schutz des Privatlebens

A. Intimität des Privatlebens

Artikel 20

(1) Jedermann hat das Recht, Rücksichtnahme gegenüber seinem Privatleben und Familienleben zu verlangen. Die Intimität des Privatlebens und des Familienlebens ist unantastbar.

(2) Niemand sowie niemandes private Papiere und Gegenstände dürfen durchsucht

oder beschlagnahmt werden, sofern nicht eine verfahrensgemäß aus Gründen der nationalen Sicherheit, öffentlichen Ordnung, zur Vereitelung einer Straftat, zum Schutz der öffentlichen Gesundheit oder öffentlichen Moral oder zum Schutze der Rechte und Freiheiten eines anderen erlassene richterliche Entscheidung oder eine bei Gefahr im Verzuge durch eine gesetzlich zuständige Behörde erteilte Anordnung ergangen ist. Die Anordnung der zuständigen Behörde ist innerhalb von 24 Stunden dem zuständigen Gericht zur Genehmigung vorzulegen. Das Gericht verkündet seinen Beschluss innerhalb von 48 Stunden nach der Beschlagnahme; andernfalls endet die Beschlagnahme von selbst.

(3) Jeder hat Anspruch auf den Schutz seiner persönlichen Daten. Dieses Recht umfasst den Anspruch auf Information über, den Zugang zu, die Berichtigung oder Löschung von personenbezogenen Daten sowie die Information über deren zweckgemäße Verwendung. Personenbezogene Daten dürfen nur in den gesetzlich vorgesehenen Fällen oder auf eindeutigen Wunsch der Person verarbeitet werden. Die Grundsätze und Verfahren zum Schutz von personenbezogenen Daten werden durch Gesetz geregelt.

B. Unantastbarkeit der Wohnung

Artikel 21
Die Wohnung eines jeden ist unantastbar. Niemandes Wohnung darf betreten, durchsucht und dort befindliche Gegenstände dürfen nicht beschlagnahmt werden, sofern nicht eine verfahrensgemäß aus Gründen der nationalen Sicherheit, öffentlichen Ordnung, zur Vereitelung einer Straftat, zum Schutz der öffentlichen Gesundheit oder öffentlichen Moral oder zum Schutze der Rechte und Freiheiten eines anderen erlassene richterliche Entscheidung oder eine bei Gefahr im Verzuge durch eine gesetzlich zuständige Behörde erteilte Anordnung ergangen ist. Die Anordnung der zuständigen Behörde ist innerhalb von 24 Stunden dem zuständigen Gericht zur Genehmigung vorzulegen. Das

Gericht verkündet seinen Beschluss innerhalb von 48 Stunden nach der Beschlagnahme; andernfalls endet die Beschlagnahme von selbst.

C. Kommunikationsfreiheit

Artikel 22
(1) Jedermann genießt Kommunikationsfreiheit. Das Korrespondenzgeheimnis ist gewährleistet.

(2) Die Kommunikationsfreiheit und das Korrespondenzgeheimnis dürfen nicht angetastet werden, sofern nicht eine verfahrensgemäß aus Gründen der nationalen Sicherheit, öffentlichen Ordnung, zur Vereitelung einer Straftat, zum Schutz der öffentlichen Gesundheit oder öffentlichen Moral oder zum Schutze der Rechte und Freiheiten eines anderen erlassene richterliche Entscheidung oder eine bei Gefahr im Verzuge durch eine gesetzlich zuständige Behörde erteilte Anordnung ergangen ist. Die Anordnung der zuständigen Behörde ist innerhalb von 24 Stunden dem zuständigen Gericht zur Genehmigung vorzulegen. Das Gericht verkündet seinen Beschluss innerhalb von 48 Stunden; andernfalls endet die Beschlagnahme von selbst.

(3) Die Körperschaften und Einrichtungen des öffentlichen Rechts, auf welche die Ausnahmen angewendet werden können, werden durch Gesetz bestimmt.

V. Siedlungs- und Reisefreiheit

Artikel 23
(1) Jedermann genießt Siedlungs- und Reisefreiheit.

(2) Die Siedlungsfreiheit kann zur Verhinderung der Begehung von Straftaten, zur Gewährleistung der sozialen und wirtschaftlichen Entwicklung, zur Verwirklichung einer gesunden und geordneten Stadtentwicklung und zum Schutz öffentlicher Güter; die Reisefreiheit kann aus Gründen der Ermittlung und Verfolgung wegen Straftaten oder zur Verhinderung der Begehung von Straftaten durch Gesetz beschränkt werden.

(3) Die Ausreisefreiheit des Staatsbürgers darf nur aufgrund eines richterlichen Beschlusses wegen eines Ermittlungs- oder Strafverfahrens beschränkt werden.

(4) Ein Staatsbürger darf nicht ausgewiesen, ihm darf nicht die Einreisefreiheit entzogen werden.

VI. Religions- und Gewissensfreiheit

Artikel 24

(1) Jedermann genießt die Freiheit des Gewissens, der religiösen Anschauung und Überzeugung.

(2) Soweit nicht gegen die Vorschriften des Artikels 14 verstoßen wird, sind Gottesdienste, religiöse Zeremonien und Feiern frei.

(3) Niemand darf gezwungen werden, an Gottesdiensten, religiösen Zeremonien und Feiern teilzunehmen, seine religiöse Anschauung und seine religiösen Überzeugungen zu offenbaren; niemand darf wegen seiner religiösen Anschauungen und Überzeugungen gerügt oder einem Schuldvorwurf ausgesetzt werden.

(4) Die Religions- und Sittenerziehung und -lehre wird unter der Aufsicht und Kontrolle des Staates durchgeführt. Religiöse Kultur und Sittenlehre gehören in den Primar- und Sekundarschulanstalten zu den Pflichtfächern. Darüber hinaus ist religiöse Erziehung und Lehre vom eigenen Wunsch der Bürger, bei Minderjährigen vom Verlangen der gesetzlichen Vertreter abhängig.

(5) Niemand darf, um die soziale, wirtschaftliche, politische oder rechtliche Ordnung des Staates auch nur zum Teil auf religiöse Regeln zu stützen oder politischen oder persönlichen Gewinn oder Nutzen zu erzielen, in welcher Weise auch immer, Religion oder religiöse Gefühle oder einer Religion als heilig geltende Gegenstände ausnutzen oder missbrauchen.

VII. Meinungs- und Überzeugungsfreiheit

Artikel 25

(1) Jedermann genießt Meinungs- und Überzeugungsfreiheit.

(2) Niemand darf, aus welchem Grund und zu welchem Zweck auch immer, zur Äußerung seiner Meinungen und Überzeugungen gezwungen werden; er darf wegen seiner Meinungen und Überzeugungen nicht gerügt oder einem Schuldvorwurf ausgesetzt werden.

VIII. Freiheit der Äußerung und Verbreitung der Meinung

Artikel 26

(1) Jedermann hat das Recht, seine Meinungen und Überzeugungen in Wort, Schrift, Bild oder auf anderem Wege allein oder gemeinschaftlich zu äußern und zu verbreiten. Diese Freiheit umfasst auch die Freiheit des Empfangs oder der Abgabe von Nachrichten und Ideen ohne Eingriff öffentlicher Behörden. Der Vorschrift dieses Absatzes steht nicht entgegen, Veröffentlichungen durch Radio, Fernsehen, Kino oder auf ähnlichem Wege einem Genehmigungssystem zu unterwerfen.

(2) Der Gebrauch dieser Freiheiten kann zum Schutz der nationalen Sicherheit, öffentlichen Ordnung, öffentlichen Sicherheit, der Grundlagen der Republik und der unteilbaren Einheit von Staatsgebiet und Staatsvolk, zu den Zwecken der Verhinderung von Straftaten, der Bestrafung von Straftätern, der Nichtaufdeckung von ordnungsgemäß als Staatsgeheimnisse bestimmten Informationen, des Schutzes des guten Rufs oder der Rechte sowie des Privat- oder Familienlebens anderer oder von durch das Gesetz vorgesehenen Berufsgeheimnissen oder den Erfordernissen gemäßen Ausübung der Gerichtsbarkeit beschränkt werden.

(3) Vorschriften, welche den Gebrauch der Mittel zur Verbreitung von Nachrichten und Meinungen regeln, gelten, wenn sie ihre Verbreitung nicht behindern, nicht als Beschränkung der Freiheit zur Meinungsäußerung und -verbreitung.

(4) Form, Bedingungen und Verfahren der Ausübung der Meinungsäußerungs- und -verbreitungsfreiheit werden durch Gesetz geregelt.

IX. Freiheit der Wissenschaft und Kunst

Artikel 27

(1) Jedermann hat das Recht, Wissenschaft und Kunst frei zu lernen und zu lehren, zu äußern, zu verbreiten und in diesen Bereichen jede Art von Forschung zu betreiben.

(2) Das Recht zur Verbreitung darf nicht zu dem Zweck gebraucht werden, eine Änderung der Artikel 1, 2 und 3 der Verfassung herbeizuführen.

(3) Die Vorschrift dieses Artikels steht einer Regelung zu Einfuhr und Vertrieb ausländischer Veröffentlichungen im Land durch Gesetz nicht entgegen.

X. Vorschriften über Presse und Veröffentlichungen

A. Pressefreiheit

Artikel 28

(1) Die Presse ist frei, Zensur findet nicht statt. Die Gründung einer Druckerei darf nicht an die Bedingung einer Genehmigung oder der Leistung einer finanziellen Sicherheit gebunden werden.

(2) Der Staat trifft die Maßnahmen zur Gewährleistung der Presse- und Informationsfreiheit.

(3) Bei der Beschränkung der Pressefreiheit finden die Vorschriften der Artikel 26 und 27 der Verfassung Anwendung.

(4) Wer Nachrichten oder Schriften, welche die innere und äußere Sicherheit des Staates, die unteilbare Einheit von Staatsgebiet und Staatsvolk bedrohen oder zur Begehung einer Straftat oder zu Aufstand oder Aufruhr ermuntern oder im Zusammenhang mit geheimen Informationen des Staates stehen, schreibt oder drucken lässt oder zu demselben Zweck druckt sowie anderen übergibt, ist gemäß den Vorschriften des diese Straftaten betreffenden Gesetzes verantwortlich. Der Vertrieb kann im Maßnahmewege durch richterliche Entscheidung, bei Gefahr im Verzuge durch Anordnung einer durch Gesetz ausdrücklich ermächtigten

Behörde verhindert werden. Die zuständige Behörde, welche den Vertrieb unterbindet, teilt diese Entscheidung spätestens innerhalb von vierundzwanzig Stunden dem zuständigen Richter mit. Bestätigt der zuständige Richter diese Entscheidung nicht innerhalb von achtundvierzig Stunden, gilt die Entscheidung zur Unterbindung des Vertriebs als unwirksam.

(5) Vorbehaltlich der Entscheidungen des Richters, welche zum Zwecke der bestimmungsgemäßen Ausübung der Gerichtsbarkeit innerhalb der durch das Gesetz gezogenen Grenzen ergehen, ist ein Verbot von Veröffentlichungen über Ereignisse unzulässig.

(6) Periodische oder unperiodische Publikationen können, wenn wegen im Gesetz bestimmter Straftaten Ermittlungen oder die Verfolgung eingeleitet sind, aufgrund richterlicher Entscheidung, und wenn im Hinblick auf den Schutz der unteilbaren Einheit von Staatsgebiet und Staatsvolk, der nationalen Sicherheit, der öffentlichen Ordnung, des Sittengesetzes und im Hinblick auf die Verhinderung von Straftaten Gefahr im Verzuge ist, aufgrund der Anordnung einer durch Gesetz ausdrücklich ermächtigten Behörde beschlagnahmt werden. Die Behörde, welche den Beschlagnahmebeschluss getroffen hat, teilt diese Entscheidung spätestens innerhalb von vierundzwanzig Stunden dem zuständigen Richter mit; bestätigt der Richter diese Entscheidung nicht spätestens innerhalb von achtundvierzig Stunden, gilt der Beschlagnahmebeschluss als unwirksam.

(7) Für die Beschlagnahme und Einziehung von periodischen oder unperiodischen Publikationen wegen Ermittlungen oder der Verfolgung von Straftaten finden die allgemeinen Vorschriften Anwendung.

(8) In der Türkei veröffentlichte periodische Publikationen können, wenn sie wegen gegen die unteilbare Einheit von Staatsgebiet und Staatsvolk, die Grundprinzipien der Republik, die nationale Sicherheit und das Sittengesetz verstoßender Veröffentlichungen verurteilt sind, durch Gerichtsbeschluss vorübergehend geschlossen werden. Jede Pub-

likation, die eine offensichtliche Fortsetzung der geschlossenen Publikation darstellt, ist verboten; diese wird aufgrund richterlicher Entscheidung beschlagnahmt.

B. Recht auf periodische und unperiodische Publikationen

Artikel 29

(1) Eine periodische oder unperiodische Publikation darf nicht von der Bedingung einer vorherigen Erlaubnis oder der Leistung einer finanziellen Sicherheit abhängig gemacht werden.

(2) Um eine periodische Publikation herausgeben zu können, genügt es, die durch Gesetz bestimmten Informationen und Dokumente bei der im Gesetz aufgeführten zuständigen Behörde einzureichen. Im Falle der Feststellung der Gesetzwidrigkeit dieser Informationen und Dokumente ruft die zuständige Behörde wegen der Aussetzung der Publikation das Gericht an.

(3) Die Grundsätze bezüglich der Herausgabe von periodischen Publikationen, der Veröffentlichungsbedingungen, der finanziellen Mittel und des Journalistenberufs werden durch Gesetz geregelt. Das Gesetz darf keine politischen, wirtschaftlichen, finanziellen und technischen Bedingungen setzen, welche die freie Veröffentlichung von Nachrichten, Meinungen und Ansichten behindern oder erschweren.

(4) Periodische Publikationen nutzen die Mittel und Möglichkeiten des Staates und anderer juristischer Personen des öffentlichen Rechts oder der an sie angebundenen Körperschaften nach Maßgabe des Gleichheitsgrundsatzes.

C. Schutz der Pressemittel

Artikel 30

Die dem Gesetz gemäß als Pressebetrieb gegründeten Druckereien und ihre Nebenanlagen dürfen nicht mit der Begründung, sie seien Tatwerkzeug, beschlagnahmt und eingezogen oder aus dem Verkehr gezogen werden.

D. Recht zur Nutzung der Massenkommunikationsmittel im Besitz juristischer Personen des öffentlichen Rechts außerhalb der Presse

Artikel 31

(1) Die Personen und die politischen Parteien haben das Recht auf Nutzung der Massenkommunikationsmittel im Besitz der juristischen Personen des öffentlichen Rechts außerhalb der Presse. Bedingungen und Verfahren dieser Nutzung werden durch Gesetz geregelt.

(2) Das Gesetz darf nicht aus einem Grunde außerhalb der nationalen Sicherheit, der öffentlichen Ordnung oder des Schutzes der allgemeinen Moral und Gesundheit Bedingungen setzen, welche die Information der Bevölkerung mit diesen Mitteln, seinen Zugang zu Meinungen und Ansichten und die freie Bildung der öffentlichen Meinung behindern.

E. Recht auf Berichtigung und Gegendarstellung

Artikel 32

(1) Das Recht auf Berichtigung und Gegendarstellung wird nur gewährt, wenn Ehre und guter Ruf der Personen berührt werden oder im Zusammenhang mit ihnen wahrheitswidrige Publikationen erfolgen, und durch Gesetz geregelt.

(2) Werden die Berichtigung und die Gegendarstellung nicht veröffentlicht, wird über die Notwendigkeit der Veröffentlichung innerhalb von spätestens sieben Tagen seit dem Antrag des Betroffenen durch den Richter entschieden.

XI. Versammlungsrechte und -freiheiten

A. Vereinsgründungsfreiheit

Artikel 33

(1) Jedermann hat das Recht, ohne vorherige Erlaubnis einen Verein zu gründen, ihm

beizutreten oder die Mitgliedschaft aufzugeben.

(2) Niemand darf gezwungen werden, Mitglied eines Vereins zu werden oder zu bleiben.

(3) Die Vereinsfreiheit kann nur aus Gründen der nationalen Sicherheit, öffentlichen Ordnung, zur Vorbeugung gegen Straftaten, zum Schutze der allgemeinen Moral und allgemeinen Gesundheit sowie zum Schutze der Rechte und Freiheiten anderer durch Gesetz beschränkt werden.

(4) Die beim Gebrauch der Vereinigungsfreiheit zu beachtenden Formen, Bedingungen und Verfahren werden durch Gesetz bestimmt.

(5) Durch richterliche Entscheidung können in den durch Gesetz vorgesehenen Fällen Vereine geschlossen oder ihre Betätigung ausgesetzt werden. Ist im Hinblick auf die nationale Sicherheit, die öffentliche Ordnung, die Verhinderung von Straftaten oder ihrer Fortsetzung oder eine Festnahme Gefahr im Verzuge, so kann durch Gesetz eine Behörde zur Aussetzung der Betätigung des Vereins ermächtigt werden. Die Entscheidung dieser Behörde ist innerhalb von 24 Stunden dem zuständigen Gericht zur Genehmigung zu unterbreiten. Der Richter verkündet seine Entscheidung innerhalb von 48 Stunden; andernfalls tritt die Verwaltungsentscheidung außer Kraft.

(6) Die Vorschrift des ersten Absatzes steht einer Beschränkung durch Gesetz zulasten der Angehörigen der Streitkräfte und Polizeikräfte sowie, soweit es deren Amt erfordert, zulasten der Staatsbeamten nicht entgegen.

(7) Die Vorschrift dieses Artikels gilt auch für Stiftungen.

B. Versammlungs- und Demonstrationsfreiheit

Artikel 34

(1) Jedermann hat das Recht, ohne vorherige Erlaubnis unbewaffnete und friedliche Versammlungen und Demonstrationen durchzuführen.

(2) Die Versammlungs- und Demonstrationsfreiheit kann nur aus Gründen der nationalen Sicherheit, öffentlichen Ordnung, zur Vorbeugung gegen Straftaten, zum Schutze der allgemeinen Moral und allgemeinen Gesundheit sowie zum Schutze der Rechte und Freiheiten anderer durch Gesetz beschränkt werden.

(3) Form, Bedingungen und Verfahren, welche beim Gebrauch des Versammlungs- und Demonstrationsrechts zu beachten sind, werden durch Gesetz bestimmt.

XII. Recht auf Eigentum

Artikel 35

(1) Jedermann genießt das Recht auf Eigentum und Erbe.

(2) Diese Rechte können nur im öffentlichen Interesse durch Gesetz beschränkt werden.

(3) Der Gebrauch des Rechts auf Eigentum darf dem Gemeinwohl nicht entgegenstehen.

XIII. Vorschriften über den Schutz der Rechte

A. Freiheit der Rechtssuche

Artikel 36

(1) Jedermann hat das Recht auf ein faires Verfahren sowie unter Benutzung legaler Mittel und vor den Rechtsprechungsorganen als Kläger oder Beklagter zu klagen und sich zu verteidigen.

(2) Kein Gericht darf sich der Durchführung eines Verfahrens innerhalb seines sachlichen, funktionellen und örtlichen Zuständigkeitsbereichs entziehen.

B. Garantie des gesetzlichen Richters

Artikel 37

(1) Niemand darf vor eine andere Behörde als das gesetzlich zuständige Gericht gestellt werden.

(2) Sonderbehörden mit Rechtsprechungsgewalt, welche zur Folge haben, dass jemand

vor eine andere Behörde als das gesetzlich zuständige Gericht gestellt wird, dürfen nicht errichtet werden.

C. Grundsätze in Bezug auf Straftaten und Strafen

Artikel 38

(1) Niemand darf wegen einer Straftat bestraft werden, die nicht aufgrund eines im Zeitpunkt der Begehung in Kraft befindlichen Gesetzes als solche gegolten hat; niemand darf eine härtere Strafe erhalten als diejenige, welche durch das im Zeitpunkt der Begehung der Straftat bestehende Gesetz für diese Straftat bestimmt wurde.

(2) Der vorstehende Absatz findet auch auf die Verjährung von Straftat und Strafe sowie die Folgen der Strafverurteilung Anwendung.

(3) Strafen und an die Stelle von Strafen tretende Sicherungsmaßnahmen dürfen nur durch Gesetz bestimmt werden.

(4) Niemand darf als schuldig gelten, solange seine Schuld nicht durch Urteil erwiesen ist.

(5) Niemand darf gezwungen werden auszusagen oder Beweis anzutreten, wenn er dadurch sich selbst oder im Gesetz bestimmte Angehörige belastet

(6) Die Verwendung von rechtswidrig erlangten Beweisen ist unzulässig.

(7) Die strafrechtliche Verantwortlichkeit ist persönlich.

(8) Niemand darf seiner Freiheit nur deshalb beraubt werden, weil er eine aus einem Vertrag sich ergebende Verpflichtung nicht erfüllen kann.

(9) [aufgehoben]

(10) Die Todesstrafe und die Strafe der allgemeinen Konfiskation sind unzulässig.

(11) Die Verwaltung darf keine Sanktion verhängen, welche zum Entzug der Freiheit einer Person führt. Im Hinblick auf die innere Ordnung der Streitkräfte können durch Gesetz Ausnahmen von dieser Vorschrift erlassen werden.

(12) Staatsbürger dürfen, falls sich aus den Verpflichtungen aus dem Beitritt zum Inter-nationalen Strafgerichtshof nichts anderes ergibt, wegen einer Straftat nicht ins Ausland ausgeliefert werden.

XIV. Recht zum Wahrheitsbeweis

Artikel 39

In Beleidigungsverfahren, welche wegen Bezichtigungen gegenüber Beschäftigten im öffentlichen Dienst im Zusammenhang mit der Erfüllung ihrer Aufgaben und Ämter eröffnet worden sind, hat der Beschuldigte das Recht, den Beweis für die Wahrheit seiner Bezichtigung zu führen. In den übrigen Fällen ist die Stattgabe des Begehrens zur Führung des Wahrheitsbeweises von dem Vorhandensein eines öffentlichen Interesses an der Aufdeckung der Richtigkeit oder Unrichtigkeit der Bezichtigung oder das Einverständnis des Beschwerdeführers mit der Führung des Wahrheitsbeweises abhängig.

XV. Schutz der Grundrechte und -freiheiten

Artikel 40

(1) Jedermann, dessen ihm durch die Verfassung zuerkannten Grundrechte und -freiheiten verletzt werden, hat das Recht, die Gewährleistung der Möglichkeit der unverzüglichen Anrufung einer zuständigen Behörde zu verlangen.

(2) Der Staat ist verpflichtet, bei Erlass von Verwaltungsakten den betroffenen Personen die Behörde oder das Gericht zu bezeichnen, an welche sie sich wenden kann, und die Fristen zu nennen.

(3) Der Schaden, den eine Person aufgrund einer von einem Amtsträger begangenen unerlaubten Handlung erlitten hat, wird, dem Gesetz gemäß, vom Staat ersetzt. Das Recht des Staates zum Rückgriff auf den verantwortlichen Bediensteten ist vorbehalten.

Dritter Abschnitt: Soziale und wirtschaftliche Rechte und Pflichten

I. Schutz der Familie

Artikel 41

(1) Die Familie ist die Grundlage der türkischen Gesellschaft und beruht auf der Gleichheit von Mann und Frau.

(2) Der Staat trifft die notwendigen Maßnahmen und gründet die notwendigen Einrichtungen, um das Wohl und Heil der Familie sowie insbesondere den Schutz der Mutter und der Kinder und die Lehre und Anwendung der Familienplanung zu gewährleisten.

(3) Jedes Kind hat das Recht auf Schutz und Fürsorge sowie unter Vorbehalt seiner offensichtlichen höheren Interessen auf Begründung und Führung einer persönlichen und direkten Beziehung zu Mutter und Vater.

(4) Der Staat ergreift die erforderlichen Maßnahmen zum Schutz der Kinder gegen Missbrauch und Gewalt.

II. Recht und Pflicht zu Erziehung und Bildung

Artikel 42

(1) Niemandem darf sein Recht auf Erziehung und Bildung verweigert werden.

(2) Der Umfang des Rechts auf Bildung wird durch Gesetz bestimmt und geregelt.

(3) Erziehung und Unterricht erfolgen im Sinne der Prinzipien und Reformen Atatürks gemäß den Grundsätzen zeitgemäßer Wissenschaft und Erziehung unter der Aufsicht und Kontrolle des Staates. Erziehungs- und Lehranstalten, welche diesen Grundsätzen entgegenstehen, dürfen nicht eröffnet werden.

(4) Die Freiheit von Erziehung und Unterricht entbindet nicht von der Treuepflicht gegenüber der Verfassung.

(5) Die Grundschulausbildung ist für alle weiblichen und männlichen Staatsbürger Pflicht und in den staatlichen Schulen kostenlos.

(6) Die Grundsätze, an welche die privaten Primar- und Sekundarschulanstalten gebunden sind, werden gemäß dem Standard, der durch die staatlichen Schulen erreicht werden soll, durch Gesetz geregelt.

(7) Der Staat lässt den mittellosen erfolgreichen Schülern, um die Fortsetzung ihrer Ausbildung zu ermöglichen, durch Stipendien oder auf anderen Wegen die notwendige Unterstützung zuteil werden. Der Staat trifft die Maßnahmen, um diejenigen, deren Lage eine Sondererziehung erfordert, für die Gemeinschaft nützlich werden zu lassen.

(8) In den Erziehungs- und Lehranstalten werden nur Tätigkeiten im Zusammenhang mit Erziehung, Unterricht und Forschung ausgeübt. Diese Tätigkeiten dürfen, auf welche Weise auch immer, nicht behindert werden.

(9) Den türkischen Staatsbürgern darf in den Erziehungs- und Lehranstalten als Muttersprache keine andere Sprache beigebracht und gelehrt werden als Türkisch. Die Grundsätze, an welche die in den Erziehungs- und Lehranstalten zu lehrenden Fremdsprachen und die Schulen, welche die Erziehung und Lehre in einer Fremdsprache durchführen, gebunden sind, werden durch Gesetz geregelt. Die Vorschriften internationaler Verträge sind vorbehalten.

III. Öffentlicher Nutzen

A. Nutzung der Gewässerufer

Artikel 43

(1) Die Gewässerufer stehen unter der Herrschafts- und Verfügungsgewalt des Staates.

(2) Bei der Nutzung der Meeres-, See- und Flussgewässerufer sowie der die Meeres- und Seeufer eingrenzenden Küstenstreifen ist vorrangig der öffentliche Nutzen zu beachten.

(3) Die Tiefe der Ufer und Küstenstreifen und die Möglichkeiten und Bedingungen ihrer Nutzung durch Personen werden, im Hinblick auf die Gebrauchszwecke, durch Gesetz geregelt.

B. Bodeneigentum

Artikel 44

(1) Der Staat trifft die notwendigen Maßnahmen, um die fruchtbringende Bewirtschaftung des Bodens zu schützen und zu entwickeln, seinen Verlust durch Erosion zu verhindern und dem Bauern, der einen Hof ohne oder mit nicht ausreichendem Boden betreibt, Boden zu verschaffen. Das Gesetz kann zu diesem Zweck den Umfang des Bodens entsprechend den verschiedenen Landwirtschaftszonen und -arten bestimmen. Die Beschaffung von Boden für den Bauern ohne oder mit nicht ausreichendem Boden darf nicht zu einem Rückgang der Produktion, der Verkleinerung der Wälder und der Verringerung der übrigen Böden und Bodenschätze führen.

(2) Die zu diesem Zweck verteilten Böden dürfen nicht geteilt und nicht außerhalb der erbrechtlichen Vorschriften an andere übertragen sowie nur von den Bauern, an welche die Verteilung erfolgt ist, und ihren Erben bewirtschaftet werden. Die Grundsätze hinsichtlich der Rücknahme des verteilten Bodens durch den Staat für den Fall des Wegfalls dieser Bedingungen werden durch Gesetz geregelt.

C. Ackerbau, Viehzucht und Schutz der in diesen Bereichen Arbeitenden

Artikel 45

(1) Mit dem Ziel, den zweckentfremdeten Gebrauch und die Zerstörung der Äcker, Wiesen und Weiden zu verhindern und gemäß den Prinzipien der landwirtschaftlichen Produktionsplanung die Pflanzen- und Viehproduktion zu erhöhen, erleichtert der Staat den Betreibern von Landwirtschaft und Viehzucht die Beschaffung von Geräten und Materialien zur Bewirtschaftung und von anderen Mitteln.

(2) Der Staat trifft die Maßnahmen, welche notwendig sind, damit die pflanzlichen und tierischen Produkte bewertet werden und das Entgelt für ihren wahren Wert in die Hände des Produzenten gelangt.

D. Enteignung

Artikel 46

(1) Der Staat und die juristischen Personen des öffentlichen Rechts sind, wenn es das öffentliche Interesse erfordert, befugt, gegen sofortige Zahlung des tatsächlichen Gegenwertes in Privateigentum befindliche unbewegliche Sachen ganz oder teilweise entsprechend den durch Gesetz bestimmten Grundsätzen und Verfahren zu enteignen und öffentliche Dienstbarkeiten an ihnen zu bestellen.

(2) Die Enteignungsentschädigung und der rechtskräftig festgestellte Erhöhungsbetrag werden bar und sofort bezahlt. Die Zahlungsweise der Entschädigungen für Enteignungen zur Durchführung der Landwirtschaftsreform, der großen Energie-, Bewässerungs- und Siedlungsprojekte, der Aufforstung neuen Waldes, zu Zwecken des Küstenschutzes und des Tourismus wird jedoch durch Gesetz geregelt. In diesen Fällen, in welchen das Gesetz eine Ratenzahlungsweise vorsehen kann, darf die Ratenzahlungsfrist fünf Jahre nicht übersteigen; in diesem Fall werden gleiche Raten gezahlt.

(3) Die Entschädigung für solche der enteigneten Böden, welche unmittelbar dem bewirtschafteten Kleinbauern gehören, wird in jedem Fall sofort bezahlt.

(4) Auf die Ratenzahlungen gemäß dem zweiten Absatz sowie aus sonstigen Gründen nicht bezahlten Enteignungsentschädigungen wird der für öffentliche Schulden geltende Höchstzinssatz angewendet.

E. Verstaatlichung und Privatisierung

Artikel 47

(1) Private Unternehmen, welche dem öffentlichen Dienst ähnliche Merkmale aufweisen, können, wenn es im öffentlichen Interesse notwendig ist, verstaatlicht werden.

(2) Die Verstaatlichung findet zum wirklichen Gegenwert statt. Art und Verfahren der Berechnung des wirklichen Gegenwertes werden durch Gesetz geregelt.

(3) Die Grundsätze und Verfahren zur

Privatisierung der öffentlichen Wirtschaftsunternehmen und übrigen Betriebe und Vermögenswerte im Eigentum von Personen des öffentlichen Rechts werden durch Gesetz bestimmt.

(4) Welche Investitionen und Dienstleistungen öffentlicher Wirtschaftsunternehmen und sonstiger Personen des öffentlichen Rechts aufgrund privatrechtlicher Verträge an natürliche oder juristische Personen übertragen werden können, wird durch Gesetz bestimmt.

IV. Freiheit der Arbeit und des Vertragsschlusses

Artikel 48

(1) Jedermann genießt die Freiheit, in einem beliebigen Bereich Arbeit aufzunehmen und Verträge zu schließen. Die Gründung von Privatunternehmen ist frei.

(2) Der Staat trifft Maßnahmen zur Gewährleistung einer den Erfordernissen der nationalen Wirtschaft und den sozialen Zielen entsprechenden Betätigung und Arbeit der Privatunternehmen in Sicherheit und Stabilität.

V. Vorschriften zur Arbeit

A. Recht und Pflicht zur Arbeit

Artikel 49

(1) Die Arbeit ist jedermanns Recht und Pflicht.

(2) Der Staat trifft die notwendigen Maßnahmen zur Erhöhung des Lebensstandards der Arbeitenden, um zur Entfaltung des Arbeitslebens die Arbeitenden und Arbeitslosen zu schützen, zur Förderung der Arbeit, zur Schaffung von wirtschaftlichen Bedingungen, welche Arbeitslosigkeit verhindern, und zur Sicherung des Arbeitsfriedens.

B. Arbeitsbedingungen und Recht auf Erholung

Artikel 50

(1) Niemand darf mit Arbeiten beschäftigt werden, die mit seinem Alter, seinem Geschlecht und seiner Kraft nicht vereinbar sind.

(2) Minderjährige und Frauen sowie körperlich und geistig Behinderte werden im Hinblick auf die Arbeitsbedingungen besonders geschützt.

(3) Erholung ist das Recht der Arbeitenden.

(4) Das Recht auf bezahlten Wochenendurlaub und Feiertagsurlaub sowie Jahresurlaub und die Bedingungen hierzu werden durch Gesetz geregelt.

C. Recht auf Gründung von Arbeitnehmer- und Arbeitgeberverbänden

Artikel 51

(1) Die Arbeitnehmer und Arbeitgeber haben das Recht, ohne vorherige Erlaubnis Arbeitnehmer- bzw. Arbeitgeberverbände und Dachverbände zu gründen, um die wirtschaftlichen und sozialen Rechte und Interessen innerhalb der Arbeitsbeziehungen ihrer Mitglieder zu schützen und zu entfalten, in solchen Verbänden nach eigenem Willen Mitglied zu werden oder die Mitgliedschaft aufzugeben. Niemand darf gezwungen werden, in einer Gewerkschaft oder einem Arbeitgeberverband Mitglied zu werden oder seine Mitgliedschaft aufzugeben

(2) Das Recht zur Gründung von Gewerkschaften oder Arbeitgeberverbänden darf nur zum Schutz der nationalen Sicherheit, der öffentlichen Ordnung, zur Verhinderung von Straftaten, zum Schutz der allgemeinen Gesundheit und allgemeinen Moral sowie der Rechte und Freiheiten anderer durch Gesetz beschränkt werden.

(3) Die bei Ausübung des Rechts zur Gründung von Gewerkschaften und Arbeitgeberverbänden geltenden Formen, Bedingungen und Verfahren werden durch Gesetz bestimmt.

(4) Die Satzungen, die Führung und die Funktionsweise der Gewerkschaften und Arbeitgeberverbände sowie ihrer Dachverbände dürfen nicht gegen die Grundlagen der Republik und demokratische Grundsätze verstoßen.

D. Betätigung der Arbeitnehmer- und Arbeitgeberverbände

Artikel 52 [aufgehoben]

VI. Tarifvertrag, Streikrecht und Aussperrung

A. Tarifvertrag und Tariffreiheit

Artikel 53

(1) Arbeitnehmer und Arbeitgeber haben das Recht, zur gegenseitigen Regelung ihrer wirtschaftlichen und sozialen Lage und Arbeitsbedingungen Tarifverträge abzuschließen.

(2) Wie der Tarifvertrag abzuschließen ist, wird durch Gesetz geregelt.

(3) Beamte und sonstige öffentliche Bedienstete genießen Tariffreiheit.

(4) Bei Streitigkeiten im Zuge der Verhandlung von Tarifverträgen können die Parteien die Schlichtungskommission für den Öffentlichen Dienst anrufen. Entscheidungen der Schlichtungskommission für den Öffentlichen Dienst sind endgültig und haben tarifvertragliche Wirkung.

(5) Umfang und Ausnahmen, Begünstigte, Form, Verfahren und Inkrafttreten von Tarifverträgen, ihre Auswirkung auf Rentner und Pensionäre sowie Aufbau, Arbeitsweise der Schlichtungskommission für den Öffentlichen Dienst und sonstige Angelegenheiten werden durch Gesetz geregelt.

B. Streikrecht und Aussperrung

Artikel 54

(1) Bei Auftreten eines Konfliktes während des Abschlusses eines Tarifvertrages haben die Arbeitnehmer das Streikrecht. Verfahren, Bedingungen, Umfang und Ausnahmen des Gebrauchs des Streikrechts und der Anwendung der Aussperrung durch den Arbeitgeber werden durch Gesetz geregelt.

(2) Das Streikrecht und die Aussperrung dürfen nicht in einer gegen die Regeln von Treu und Glauben verstoßenden Weise, zum Schaden der Gemeinschaft und in einer das nationale Vermögen zerstörenden Weise gebraucht werden.

(3) In welchen Fällen und in welchen Betrieben Streik und Aussperrung verboten oder aufgeschoben werden können, wird durch Gesetz geregelt.

(4) In den Fällen des Verbots von Streik und Aussperrung oder, wenn sie aufgeschoben sind, am Ende ihrer Aufschiebung wird der Konflikt durch die Hohe Schlichtungskommission gelöst. In jeder Phase des Konflikts können die Parteien in gegenseitiger Übereinstimmung die Hohe Schlichtungskommission anrufen. Die Beschlüsse der Hohen Schlichtungskommission sind unanfechtbar.

(5) Organisation und Aufgaben der Hohen Schlichtungskommission werden durch Gesetz geregelt.

(6) Wer an einem Streik nicht teilnimmt, darf durch die Streikteilnehmer von der Arbeit im Betrieb auf keine Weise abgehalten werden.

VII. Gewährleistung der Lohngerechtigkeit

Artikel 55

(1) Der Lohn ist der Gegenwert der Arbeit.

(2) Der Staat trifft die notwendigen Maßnahmen, damit die Arbeitnehmer einen ihrer Arbeit angemessenen, gerechten Lohn erhalten und in den Genuss der sonstigen Sozialleistungen kommen.

(3) Bei der Feststellung des Mindestlohns werden die Lebensbedingungen der Arbeitnehmer und die wirtschaftliche und soziale Lage des Landes berücksichtigt.

VIII. Gesundheit, Umwelt und Wohnung

A. Gesundheitsfürsorge und Umweltschutz

Artikel 56

(1) Jedermann hat das Recht auf Leben in einer gesunden und ausgeglichenen Umwelt.

(2) Die Entwicklung der Umwelt, die Gewährleistung einer gesunden Umwelt und die Verhinderung der Umweltverschmut-

zung sind die Pflicht des Staates und der Bürger.

(3) Um eine Lebensführung von jedermann in körperlicher und geistiger Gesundheit zu gewährleisten und unter Erhöhung der Wirtschaftlichkeit und Effizienz menschlicher und materieller Kraft die Zusammenarbeit der Gesundheitseinrichtungen zu verwirklichen, plant der Staat die Gesundheitseinrichtungen einheitlich und regelt ihre Dienstleistungen.

(4) Der Staat erfüllt diese Aufgabe, indem er die Gesundheits- und sozialen Organisationen im öffentlichen und privaten Sektor nutzt und kontrolliert.

(5) Um die Gesundheitsfürsorge in aller Breite durchzuführen, kann durch Gesetz eine allgemeine Krankenversicherung gegründet werden.

B. Recht auf Wohnung

Artikel 57

Der Staat trifft im Rahmen einer Planung, welche die Besonderheiten der Städte und die Umweltbedingungen berücksichtigt, die Maßnahmen zur Befriedigung des Wohnungsbedarfs, er unterstützt außerdem die Unternehmungen des sozialen Wohnungsbaus.

IX. Jugend und Sport

A. Schutz der Jugend

Artikel 58

(1) Der Staat trifft die Maßnahmen zur Gewährleistung der Entwicklung und Erziehung der Jugend, welcher unsere Unabhängigkeit und unsere Republik anvertraut sind, im Lichte der Naturwissenschaft, im Sinne der Prinzipien und Reformen Atatürks und gegen Anschauungen, welche die Aufhebung der unteilbaren Einheit von Staatsgebiet und Staatsvolk zum Ziel haben.

(2) Der Staat trifft die notwendigen Maßnahmen, um die Jugendlichen vor Alkoholismus, Betäubungsmitteln, Kriminalität, Glücksspiel und ähnlichen schädlichen Ge-

wohnheiten und vor Unwissenheit zu schützen.

B. Entwicklung des Sports

Artikel 59

(1) Der Staat trifft die Maßnahmen zur Entwicklung der körperlichen und geistigen Gesundheit der türkischen Staatsbürger jeden Alters und fördert die Verbreitung des Sports unter den Massen.

(2) Der Staat schützt den erfolgreichen Sportler.

(3) Gegen Entscheidungen der Sportverbände in Bezug auf Aktivitäten und die Disziplin im Sport steht ausschließlich der Rechtsweg zur vorgeschriebenen Schiedsgerichtsbarkeit offen. Die Entscheidungen der Schiedsgerichte sind endgültig und vor Gerichten nicht anfechtbar.

X. Rechte hinsichtlich der sozialen Sicherheit

A. Recht auf soziale Sicherheit

Artikel 60

(1) Jedermann hat das Recht auf soziale Sicherheit.

(2) Der Staat trifft die notwendigen Maßnahmen zur Gewährleistung dieser Sicherheit und begründet hierzu die notwendige Organisation.

B. Die im Hinblick auf die soziale Sicherheit besonders Schutzbedürftigen

Artikel 61

(1) Der Staat schützt die Witwen und Waisen der im Krieg und bei Erfüllung ihrer Pflicht Gefallenen, die Invaliden und Veteranen und sorgt für einen angemessenen Lebensstandard für sie in der Gemeinschaft.

(2) Der Staat trifft die Maßnahmen zur Gewährleistung des Schutzes der Behinderten und ihrer Eingliederung in das Gemeinschaftsleben.

(3) Die Alten werden vom Staat geschützt. Die staatliche Hilfe und die anderen zu ge-

währenden Rechte und Erleichterungen für die Alten werden durch Gesetz geregelt.

(4) Der Staat trifft Maßnahmen aller Art, um die schutzbedürftigen Kinder der Gemeinschaft zuzuführen.

(5) Er gründet die zu diesen Zwecken notwendige Organisation und Einrichtungen oder lässt sie gründen.

C. Im Ausland arbeitende türkische Staatsbürger

Artikel 62

Der Staat trifft die notwendigen Maßnahmen zur Gewährleistung der Einheit der Familie der im Ausland arbeitenden türkischen Staatsbürger, der Erziehung ihrer Kinder, ihrer kulturellen Bedürfnisse und ihrer sozialen Sicherheit, zum Schutz ihrer Bindungen an das Vaterland und zur Hilfestellung bei ihrer Rückkehr in die Heimat.

XI. Schutz der Kultur-, Natur- und historischen Schätze

Artikel 63

(1) Der Staat gewährleistet den Schutz der Kultur-, Natur- und historischen Schätze und Werte und trifft hierzu unterstützende und fördernde Maßnahmen.

(2) Die Beschränkungen, denen diejenigen Schätze und Werte unterworfen werden, welche Gegenstand privaten Eigentums sein können, sowie die den Rechtsinhabern zu leistende Hilfe und die ihnen zuzuerkennenden Befreiungen werden durch Gesetz geregelt.

XII. Schutz der Kunst und des Künstlers

Artikel 64

Der Staat schützt die künstlerischen Aktivitäten und den Künstler. Er trifft die Maßnahmen, welche zum Schutz, zur Wertschätzung und zur Unterstützung der Kunstwerke und Künstler sowie zur Verbreitung der Liebe zur Kunst notwendig sind.

XIII. Die Grenzen der wirtschaftlichen und sozialen Pflichten des Staates

Artikel 65

Der Staat erfüllt seine in den sozialen und wirtschaftlichen Bereichen durch die Verfassung bestimmten Aufgaben unter Setzung der ihrer Zweckbestimmung gemäßen Prioritäten und in dem Maße, in dem die Finanzquellen ausreichen.

Vierter Abschnitt: Politische Rechte und Pflichten

I. Türkische Staatsangehörigkeit

Artikel 66

(1) Jeder, den mit dem Türkischen Staat das Band der Staatsangehörigkeit verbindet, ist Türke.

(2) Das Kind des türkischen Vaters oder der türkischen Mutter ist Türke.

(3) Die Staatsangehörigkeit wird aufgrund der durch Gesetz bestimmten Voraussetzungen erworben und nur in den im Gesetz aufgeführten Fällen verloren.

(4) Keinem Türken, welcher nicht in einer mit der Bindung an das Vaterland unvereinbaren Weise tätig geworden ist, darf die Staatsangehörigkeit entzogen werden.

(5) Der Rechtsweg gegen Entscheidungen und Akte im Zusammenhang mit dem Entzug der Staatsangehörigkeit darf nicht verschlossen werden.

II. Aktives und passives Wahlrecht sowie Recht auf politische Betätigung

Artikel 67

(1) Die Staatsbürger haben entsprechend den gesetzlich bestimmten Bedingungen das Recht zu wählen und gewählt zu werden sowie sich unabhängig oder innerhalb einer politischen Partei politisch zu betätigen und an Volksabstimmungen teilzunehmen.

(2) Wahlen und Volksabstimmungen werden nach den Grundsätzen der freien, gleichen, geheimen, einstufigen und allgemeinen Abstimmung, der offenen Auszählung

und Stimmenberechnung unter der Leitung und Kontrolle der Gerichtsbarkeit durchgeführt. Durch Gesetz werden praktikable Maßnahmen bestimmt, die zum Zweck der Ermöglichung der Ausübung des Wahlrechts durch die im Ausland befindlichen türkischen Staatsangehörigen, zu treffen sind.

(3) Jeder türkische Staatsbürger, der das achtzehnte Lebensjahr vollendet hat, hat das Recht zu wählen und an Volksabstimmungen teilzunehmen.

(4) Der Gebrauch dieser Rechte wird durch Gesetz geregelt.

(5) Soldaten und Unteroffiziere unter Waffen, Militärschüler und, abgesehen von wegen Fahrlässigkeitstaten verurteilter, Strafgefangene in Strafgefängnissen haben kein Stimmrecht. Im Hinblick auf die Stimmabgabe von in Straf- und Untersuchungsgefängnissen befindlichen Untersuchungsgefangenen werden die zur Gewährleistung der Wahlsicherheit bei der Auszählung und Berechnung der Stimmen notwendigen Maßnahmen durch den Hohen Wahlrat bestimmt und [die Wahl] unter der Leitung und Kontrolle des zuständigen Richters durchgeführt.

(6) Die Wahlgesetze werden in einer Weise gestaltet, die mit der Repräsentationsgerechtigkeit und der Stabilität der Staatsführung vereinbar ist.

(7) Änderungen der Wahlgesetze sind nicht auf Wahlen anwendbar, die innerhalb eines Jahres nach ihrem Inkrafttreten stattfinden.

III. Vorschriften über die politischen Parteien

A. Parteigründung, Eintritt und Ausscheiden aus der Partei

Artikel 68

(1) Die Staatsbürger haben das Recht, politische Parteien zu gründen und verfahrensgemäß in die Parteien einzutreten und aus den Parteien auszuscheiden. Für die Mitgliedschaft in einer Partei ist die Vollendung des achtzehnten Lebensjahres Voraussetzung.

(2) Die politischen Parteien sind unverzichtbare Bestandteile des demokratischen politischen Lebens.

(3) Die politischen Parteien werden ohne vorherige Erlaubnis gegründet und betätigen sich im Rahmen der Vorschriften der Verfassung und der Gesetze.

(4) Die Satzungen und Programme der Parteien dürfen der Unabhängigkeit des Staates, der unteilbaren Einheit von Staatsgebiet und Staatsvolk, den Menschenrechten, den Prinzipien der Gleichheit und des Rechtsstaats, der nationalen Souveränität und den Prinzipien der demokratischen und laizistischen Republik nicht entgegenstehen; sie dürfen nicht die Diktatur einer Klasse oder Gruppe oder irgendeine andere Form der Diktatur verteidigen oder das Ziel ihrer Errichtung verfolgen; sie dürfen nicht zu Straftaten auffordern.

(5) Richter und Staatsanwälte, Angehörige der Organe der hohen Gerichtsbarkeit einschließlich des Rechnungshofs, Angehörige der Körperschaften und Einrichtungen des öffentlichen Rechts im Beamtenstatus und die übrigen Angehörigen des öffentlichen Dienstes, welche ihrer ausgeübten Funktion nach keine Arbeiter sind, Schüler in voruniversitären Einrichtungen sowie die Angehörigen der Streitkräfte dürfen politischen Parteien nicht beitreten.

(6) Der Beitritt zu Parteien von Personen, die in der Hochschullehre tätig sind, wird durch Gesetz geregelt. Das Gesetz darf diesen Personen die Übernahme von Parteiämtern außerhalb der Zentralorgane nicht erlauben und regelt die Grundsätze, an die sich die in der Hochschullehre tätigen Personen an den Hochschuleinrichtungen zu halten haben.

(7) Die Grundsätze, wonach Studenten Mitglieder in politischen Parteien werden können, werden durch Gesetz bestimmt.

(8) Der Staat unterstützt die politischen Parteien in ausreichendem und gerechtem Maße finanziell. Die Grundsätze der den Parteien zu gewährenden Unterstützung, der Mitgliedsbeiträge und der Spenden werden durch Gesetz geregelt.

B. Für die Parteien geltende Grundsätze

Artikel 69

(1) Die Betätigung der politischen Parteien, ihre internen Regelungen und Arbeiten entsprechen demokratischen Grundsätzen. Die Anwendung dieser Grundsätze wird durch Gesetz geregelt.

(2) Politische Parteien dürfen keine wirtschaftliche Tätigkeit entfalten.

(3) Die Einkünfte und Ausgaben der Parteien müssen ihren Zwecken entsprechen. Die Anwendung dieser Regel wird durch Gesetz bestimmt. Die Feststellung der Gesetzmäßigkeit des Vermögenserwerbs, der Einkünfte und Ausgaben der Parteien durch das Verfassungsgericht, die diesbezüglichen Kontrollverfahren und die im Falle von Verstößen zu verhängenden Sanktionen werden durch das Gesetz angeordnet. Das Verfassungsgericht stellt bei Erfüllung dieser Aufgabe die Unterstützung durch den Rechnungshof sicher. Die im Anschluss an diese Kontrolle durch das Verfassungsgericht erlassenen Entscheidungen sind unanfechtbar.

(4) Die Schließung der politischen Parteien erfolgt durch Entscheidung des Verfassungsgerichts aufgrund einer Klage, die von der Generalstaatsanwaltschaft der Republik zu erheben ist.

(5) Wird ein Verstoß der Satzung und des Programms einer Partei gegen die Bestimmungen des Art. 68 Abs. 4 festgestellt, ergeht die Entscheidung auf endgültige Schließung.

(6) Eine Entscheidung auf endgültige Schließung einer Partei, die wegen gegen die Bestimmungen des Art. 68 Abs. 4 verstoßender Betätigung ausgesprochen wird, erfolgt nur, wenn das Verfassungsgericht feststellt, dass diese Art von Betätigung zu einem Brennpunkt der Aktivitäten wird. Eine politische Partei wird zum Brennpunkt solcher Aktivitäten, wenn entsprechende Taten von Parteimitgliedern in großem Umfang begangen werden und dies vom Großen Kongress oder dem Vorsitzenden oder von Entscheidungs- und Verwaltungsorganen der Parteizentrale oder der Hauptversammlung oder der Führung der Parlamentsfraktion stillschweigend oder ausdrücklich gebilligt oder solche Taten von den genannten Parteiorganen selbst bewusst und gewollt begangen werden.

(7) Das Verfassungsgericht kann anstelle der Schließung nach vorstehenden Vorschriften je nach Schwere der Verstöße auch die teilweise oder vollständige Versagung staatlicher Unterstützung anordnen.

(8) Mitglieder einschließlich von Gründungsmitgliedern, deren Erklärungen oder Aktivitäten die Ursache für die endgültige Schließung waren, dürfen fünf Jahre nach Bekanntgabe des begründeten Urteils des Verfassungsgerichts auf endgültige Schließung im Amtsblatt weder Gründer, noch Mitglied, noch Mitglied des Vorstands oder des Aufsichtsorgans einer Partei werden.

(9) Politische Parteien, die aus dem Ausland, von internationalen Organisationen und natürlichen oder juristischen Personen, die nicht die türkische Staatsangehörigkeit besitzen, materielle Hilfe erhalten, werden endgültig geschlossen.

(10) Die Gründung und Arbeitsweise der Parteien, ihre Kontrolle, ihre Schließung oder Anordnung der teilweisen oder vollständigen Versagung staatlicher Unterstützung und die Wahlkosten der Parteien und ihrer Kandidaten sowie das entsprechende Verfahren werden im Rahmen der vorstehenden Grundsätze durch Gesetz geregelt.

IV. Recht auf Zugang zum öffentlichen Dienst

A. Zugang zum Dienst

Artikel 70

(1) Jeder Türke genießt das Recht auf Zugang zum öffentlichen Dienst.

(2) Bei der Aufnahme in den Dienst darf eine andere Unterscheidung als die nach den durch das Amt erforderten Eigenschaften nicht getroffen werden.

B. Vermögenserklärung

Artikel 71

Die Abgabe der Vermögenserklärung durch diejenigen, welche in den öffentlichen Dienst eintreten, und die Fristen für die Wiederholung dieser Erklärungen werden durch Gesetz geregelt. Diejenigen, welche Ämter in den Organen der Gesetzgebung und der vollziehenden Gewalt wahrnehmen, dürfen hiervon nicht ausgenommen werden.

V. Vaterlandsdienst

Artikel 72

Der Vaterlandsdienst ist jedes Türken Recht und Pflicht. In welcher Weise dieser Dienst in den Streitkräften oder im öffentlichen Sektor erfüllt wird oder als erfüllt gilt, wird durch Gesetz geregelt.

VI. Steuerpflicht

Artikel 73

(1) Jedermann ist verpflichtet, zur Deckung der öffentlichen Ausgaben seiner finanziellen Kraft gemäß Steuern zu entrichten.

(2) Die gerechte und ausgewogene Verteilung der Steuerlast ist das soziale Ziel der Finanzpolitik.

(3) Steuern, indirekte Abgaben, Gebühren und ähnliche finanzielle Lasten werden durch Gesetz auferlegt, geändert oder aufgehoben.

(4) Die Kompetenz, innerhalb der vom Gesetz bestimmten Unter- und Obergrenzen an den Vorschriften über Befreiungen, Ausnahmen und Ermäßigungen von Steuern, indirekten Abgaben, Gebühren und ähnlichen finanziellen Lasten sowie über deren Beträge Änderungen vorzunehmen, kann dem Präsidenten der Republik übertragen werden.

VII. Petitionsrecht, Informationsrecht, Zugang zum Ombudsmann

Artikel 74

(1) Die Staatsbürger sowie, bei Gewährleistung der Gegenseitigkeit, die Ausländer mit dauerhaftem Aufenthalt in der Türkei, haben das Recht, wegen Wünschen oder Beschwerden, die sie selbst oder die Öffentlichkeit betreffen, schriftliche Eingaben an die zuständigen Behörden und die Große Nationalversammlung der Türkei zu richten.

(2) Das Ergebnis der sie selbst betreffenden Eingaben wird den Antragstellern unverzüglich schriftlich mitgeteilt.

(3) Jeder hat das Recht auf Information und Zugang zum Ombudsmann.

(4) Das in Anbindung an das Präsidium der Großen Nationalversammlung der Türkei errichtete Amt des Ombudsmanns prüft Beschwerden im Zusammenhang mit der Arbeit der Verwaltung.

(5) Der Ombudsmann wird von der Großen Nationalversammlung der Türkei in geheimer Abstimmung für vier Jahre gewählt. Bei den ersten beiden Abstimmungen ist eine Mehrheit von zwei Dritteln der Gesamtzahl der Mitglieder erforderlich, in der dritten Abstimmung genügt die absolute Mehrheit der Gesamtzahl der Mitglieder. Kann in der dritten Abstimmung die absolute Mehrheit nicht erreicht werden, wird zwischen den beiden Kandidaten mit den meisten Stimmen eine vierte Abstimmung durchgeführt; gewählt wird in der vierten Abstimmung, wer die meisten Stimmen auf sich vereinigt.

(6) Die Form der Ausübung der in diesem Artikel geregelten Rechte, die Einrichtung, Aufgaben, Arbeitsweise und zum Abschluss seiner Untersuchungen zu treffenden Akte des Amts des Ombudsmanns sowie die Eigenschaften, die Wahl und die Personalangelegenheiten des Ombudsmanns und der öffentlichen Prüfer werden in ihren Verfahren und Grundsätzen durch Gesetz geregelt.

Dritter Teil:
DIE HAUPTORGANE DER
REPUBLIK

Erster Abschnitt: Gesetzgebung

I. Große Nationalversammlung der Türkei

A. Zusammensetzung

Artikel 75
Die Große Nationalversammlung der Türkei besteht aus sechshundert vom Volk in allgemeiner Abstimmung gewählten Abgeordneten.

B. Wählbarkeit zum Abgeordneten

Artikel 76
(1) Jeder Türke kann nach der Vollendung des 18. Lebensjahres zum Abgeordneten gewählt werden.
(2) Diejenigen, welche nicht mindestens die Grundschule abgeschlossen haben, entmündigt sind, mit dem Wehrdienst zu tun haben, vom Zugang zum öffentlichen Dienst ausgeschlossen sind, abgesehen von Fahrlässigkeitsstraftaten zu einer Gefängnis- und Zuchthausstrafe von einem Jahr oder mehr verurteilt worden sind, wegen verwerflicher Straftaten wie Unterschlagung, Veruntreuung, passiver und aktiver Bestechung, Diebstahl, Betrug, Urkundenfälschung, Untreue, betrügerischem Bankrott sowie wegen Steuer- und Zollstraftaten der Täuschung bei öffentlichen Ausschreibungen und An- und Verkäufen, der Preisgabe von Staatsgeheimnissen, der Teilnahme an terroristischen Taten und der Aufwiegelung und Ermunterung zu solchen Taten verurteilt worden sind, können, auch wenn sie in den Genuss einer Amnestie gekommen sind, nicht zum Abgeordneten gewählt werden.
(3) Richter und Staatsanwälte, Angehörige von Organen der hohen Gerichtsbarkeit, Inhaber von Lehraufgaben an den Hochschulanstalten, die Mitglieder des Hochschulrates, Angehörige der Körperschaften und

Einrichtungen des öffentlichen Rechts im Beamtenstatus und die übrigen Angehörigen des öffentlichen Dienstes, welche ihrer ausgeübten Funktion nach keine Arbeiter sind, und die Angehörigen der Streitkräfte dürfen nicht kandidieren und können nicht gewählt werden, es sei denn, sie geben ihr Amt auf.

C. Wahlperiode der Großen Nationalversammlung der Türkei

Artikel 77
(1) Die Wahlen zur Großen Nationalversammlung der Türkei und zum Präsidenten der Republik erfolgen alle fünf Jahre am gleichen Tage.
(2) Ein Abgeordneter, dessen Periode abgelaufen ist, kann wiedergewählt werden.
(3) Wird bei der Wahl zum Präsidenten der Republik im ersten Wahlgang nicht die erforderliche Mehrheit erreicht, wird in dem durch Art. 101 vorgesehenen Verfahren eine zweite Abstimmung durchgeführt.

D. Die Aufschiebung der Wahlen und Zwischenwahlen

Artikel 78
(1) Erscheint wegen eines Krieges die Durchführung von neuen Wahlen unmöglich, kann die Große Nationalversammlung der Türkei die Aufschiebung der Wahlen um ein Jahr beschließen.
(2) Besteht der Aufschiebungsgrund weiter, kann dieser Vorgang gemäß dem im Aufschiebungsbeschluss enthaltenen Verfahren wiederholt werden.
(3) Werden in der Großen Nationalversammlung der Türkei Mandate frei, findet eine Zwischenwahl statt. Die Zwischenwahl wird in der Wahlperiode einmal durchgeführt, die Zwischenwahl findet nicht vor Ablauf von dreißig Monaten nach der allgemeinen Wahl statt. Hat aber die Zahl der frei gewordenen Mandate fünf Prozent der Gesamtzahl der Mitglieder erreicht, wird beschlossen, die Zwischenwahlen innerhalb von drei Monaten durchzuführen.
(4) Innerhalb eines Jahres vor den allge-

meinen Wahlen ist eine Zwischenwahl unzulässig.

(5) Verbleibt, außer in den oben genannten Fällen, eine Provinz oder ein Wahlkreis ohne Abgeordneten in der Großen Nationalversammlung der Türkei, erfolgt am ersten Sonntag nach Ablauf von neunzig Tagen eine Zwischenwahl. Auf nach diesem Absatz durchgeführte Wahlen findet Art. 127 Abs. 3 der Verfassung keine Anwendung.

E. Die allgemeine Leitung und Kontrolle der Wahlen

Artikel 79

(1) Die Wahlen werden unter der allgemeinen Leitung und Kontrolle der Organe der Rechtsprechung durchgeführt.

(2) Der Hohe Wahlrat hat die Aufgabe, vom Beginn bis zum Ende der Wahlen im Zusammenhang mit der ordnungsgemäßen Leitung und Korrektheit der Wahlen alle Geschäfte zu erledigen und erledigen zu lassen, während und nach der Wahl alle mit den Angelegenheiten der Wahl zusammenhängenden Unregelmäßigkeiten, Beschwerden und Einsprüche zu überprüfen und hierüber endgültig zu entscheiden sowie die Wahlprotokolle der Mitglieder der Großen Nationalversammlung der Türkei und der Wahl des Präsidenten der Republik zu bestätigen. Gegen die Entscheidungen des Hohen Wahlrats kann eine andere Behörde nicht angerufen werden.

(3) Die Aufgaben und Kompetenzen des Hohen Wahlrats und der übrigen Wahlräte werden durch Gesetz geregelt.

(4) Der Hohe Wahlrat besteht aus sieben ordentlichen und vier Ersatzmitgliedern. Sechs der Mitglieder werden vom Plenum des Kassationshofs, fünf vom Plenum des Staatsrats aus deren eigenen Mitgliedern mit der absoluten Mehrheit der Gesamtzahl der Mitglieder in geheimer Abstimmung gewählt. Diese Mitglieder wählen aus ihrer Reihe mit einfacher Mehrheit und in geheimer Abstimmung einen Vorsitzenden und einen stellvertretenden Vorsitzenden.

(5) Von den am Kassationshof und Staatsrat in den Hohen Wahlrat gewählten Mitgliedern werden je zwei durch Los zu Ersatzmitgliedern bestimmt. Der Vorsitzende und der stellvertretende Vorsitzende des Hohen Wahlrats nehmen am Losverfahren nicht teil.

(6) Die allgemeine Leitung und Kontrolle der Geschäfte bei der Unterbreitung zur Volksabstimmung von Gesetzen im Zusammenhang mit Verfassungsänderungen sowie der Wahl des Präsidenten der Republik durch das Volk richten sich ebenfalls nach den auf die Abgeordnetenwahlen anzuwendenden Vorschriften.

F. Vorschriften zum Mandat

1. Vertretung der Nation

Artikel 80

Die Mitglieder der Großen Nationalversammlung der Türkei vertreten nicht ihre Wahlkreise oder ihre Wähler, sondern die ganze Nation.

2. Eid

Artikel 81

Bei Antritt ihres Amtes schwören die Mitglieder der Großen Nationalversammlung der Türkei in nachfolgender Weise:

„Ich schwöre vor der großen Türkischen Nation bei meiner Ehre und Würde, dass ich die Existenz und Unabhängigkeit des Staates, die unteilbare Einheit von Vaterland und Nation, die uneingeschränkte und bedingungslose Souveränität der Nation schützen werde; dass ich dem Primat des Rechts, der demokratischen und laizistischen Republik und den Prinzipien und Reformen Atatürks verbunden bleiben werde; dass ich von dem Ideal, wonach innerhalb des Geistes von Frieden und Heil der Gemeinschaft, nationaler Solidarität und Gerechtigkeit jedermann die Menschenrechte und Grundfreiheiten genieße, und von der Treue zur Verfassung nicht abweichen werde."

3. Mit dem Mandat unvereinbare Tätigkeiten

Artikel 82

(1) Die Mitglieder der Großen Nationalversammlung der Türkei dürfen im Staat und in anderen juristischen Personen des öffentlichen Rechts sowie in an diese angebundenen Organisationen, in Unternehmen und Gesellschaften, an welchen der Staat oder andere juristische Personen des öffentlichen Rechts unmittelbar oder mittelbar beteiligt sind, in Verwaltungs- und Aufsichtsräten von gemeinnützigen Vereinigungen mit durch Gesetz gewährten besonderen Einkommensquellen und besonderen Möglichkeiten von mit staatlicher Hilfe ausgestatteten und von Steuern befreiten Stiftungen, von berufsständischen Vereinigungen mit der Natur von Körperschaften des öffentlichen Rechts sowie Arbeitnehmer- und Arbeitgeberverbänden, deren Dachverbänden und Unternehmen und Gesellschaften, an denen diese beteiligt sind, kein Amt übernehmen, sie nicht vertreten, weder unmittelbar noch mittelbar eine verpflichtende Tätigkeit annehmen, keine Repräsentantenfunktion und kein Schiedsrichteramt ausüben.

(2) Die Mitglieder der Großen Nationalversammlung der Türkei dürfen nicht mit irgendeiner amtlichen oder besonderen Tätigkeit betraut werden, die von dem Angebot, dem Vorschlag, der Ernennung oder der Genehmigung eines Organs der vollziehenden Gewalt abhängig ist.

(3) Die übrigen mit dem Mandat in der Großen Nationalversammlung der Türkei nicht vereinbaren Ämter und Tätigkeiten werden durch Gesetz geregelt.

4. Immunität und Indemnität

Artikel 83

(1) Die Mitglieder der Großen Nationalversammlung der Türkei dürfen für ihr Abstimmungsverhalten und ihre Worte während der Tätigkeit der Nationalversammlung, wegen ihrer in der Nationalversammlung vorgetragenen Meinungen und, wenn in der betreffenden Sitzung auf Vorschlag des Präsidiums von der Nationalversammlung nicht eine anderer Beschluss gefasst wurde, wegen deren Wiederholung und öffentlichen Bekundung außerhalb der Nationalversammlung nicht zur Verantwortung gezogen werden.

(2) Ein Abgeordneter, der verdächtigt wird, vor oder nach der Wahl eine Straftat begangen zu haben, darf ohne Beschluss der Nationalversammlung nicht festgehalten, verhört, verhaftet oder einem Strafverfahren ausgesetzt werden.

(3) Der Fall einer auf frischer Tat entdeckten Straftat, auf welche eine Zuchthausstrafe steht, und – unter der Voraussetzung, dass das Ermittlungsverfahren vor den Wahlen begonnen wurde – die Fälle in Art. 14 der Verfassung werden von dieser Vorschrift nicht erfasst. In diesem Fall hat jedoch die zuständige Behörde die Lage sofort und unmittelbar der Großen Nationalversammlung der Türkei mitzuteilen.

(4) Die Vollstreckung eines vor oder nach der Wahl gegen ein Mitglied der Großen Nationalversammlung der Türkei verhängten Strafurteils wird bis zum Ende des Mandats aufgeschoben; während der Fortdauer des Mandats ist der Fristablauf gehemmt.

(5) Ermittlungen und Strafverfolgung gegen einen wiedergewählten Abgeordneten sind von der erneuten Aufhebung der Immunität durch die Nationalversammlung abhängig.

(6) Die Fraktionen innerhalb der Großen Nationalversammlung der Türkei dürfen über die Immunität nicht verhandeln und keine Beschlüsse fassen.

5. Verlust des Mandats

Artikel 84

(1) Über den Verlust des Mandats desjenigen Abgeordneten, der das Mandat niederlegt, wird nach Feststellung der Gültigkeit der Mandatsniederlegung seitens des Präsidiums der Großen Nationalversammlung der Türkei durch das Plenum der Großen Nationalversammlung der Türkei entschieden.

(2) Im Falle einer rechtskräftigen Verurteilung oder Beschränkung der Geschäftsfähigkeit entfällt das Mandat mit der Bekanntgabe gegenüber dem Plenum.

(3) Die Entziehung des Mandats eines Abgeordneten, der fortgesetzt eine gemäß Art. 82 inkompatible Aufgabe oder Tätigkeit wahrnimmt, erfolgt auf einen entsprechenden Feststellungsbericht des zuständigen Ausschusses das Plenum in geheimer Abstimmung.

(4) Dem Abgeordneten, der an der Parlamentsarbeit ohne Entschuldigung oder Genehmigung innerhalb eines Monats insgesamt an fünf Sitzungstagen nicht teilgenommen hat, kann nach Feststellung durch das Parlamentspräsidium durch Beschluss des Plenums mit der absoluten Mehrheit der Gesamtzahl der Mitglieder das Mandat entzogen werden.

6. Anfechtungsverlangen

Artikel 85

Wird ein Beschluss auf Aufhebung der Immunität oder gemäß Art. 84 Abs. 1, 3 oder 4 auf Verlust des Mandats gefasst, so kann innerhalb von sieben Tagen von dem Zeitpunkt des Beschlusses des Plenums des Parlaments an das betroffene Mitglied oder ein anderes Mitglied zur Anfechtung des Beschlusses das Verfassungsgericht mit der Behauptung seiner Verfassungswidrigkeit, Gesetzwidrigkeit oder Unvereinbarkeit mit der Geschäftsordnung anrufen. Das Verfassungsgericht entscheidet über das Anfechtungsverlangen unanfechtbar innerhalb von fünfzehn Tagen.

7. Diäten und Spesen

Artikel 86

(1) Diäten, Spesen und Pensionen der Mitglieder der Großen Nationalversammlung der Türkei werden durch Gesetz geregelt. Der monatliche Betrag der Diäten darf den von dem höchsten Staatsbeamten bezogenen Betrag, die Spesen die Hälfte des Diätenbetrages nicht überschreiten. Die

ordentlichen und pensionierten Mitglieder der Großen Nationalversammlung sowie auf deren Wunsch auch diejenigen, die aus der Nationalversammlung ausscheiden, werden an die Pensionskasse der Republik Türkei angeschlossen.

(2) Die an die Mitglieder der Großen Nationalversammlung der Türkei zu zahlenden Diäten und Spesen erfordern nicht die Kürzung von monatlichen Pensions- oder ähnlichen Zahlungen an sie durch die Pensionskasse der Republik Türkei.

(3) Von den Diäten und Spesen können höchstens drei Monatsbeträge im voraus ausgezahlt werden.

II. Aufgaben und Kompetenzen der Großen Nationalversammlung

A. Allgemein

Artikel 87

Die Große Nationalversammlung der Türkei hat die Aufgaben und Kompetenzen, Gesetze zu erlassen, zu ändern und aufzuheben, die Gesetzentwürfe zu Haushalt und Haushaltabrechnung zu verhandeln und anzunehmen, über den Druck von Geld und über Kriegserklärungen zu entscheiden, die Ratifizierung völkerrechtlicher Verträge zu billigen, mit der Mehrheit von drei Fünfteln der Gesamtzahl der Abgeordneten der Großen Nationalversammlung über die Verkündung einer allgemeinen oder besonderen Amnestie zu entscheiden und die in den übrigen Vorschriften der Verfassung vorgesehenen Kompetenzen und Aufgaben auszuüben und zu erfüllen.

B. Vorschlag und Verhandlung der Gesetze

Artikel 88

(1) Die Kompetenz, Gesetze vorzuschlagen, steht den Abgeordneten zu.

(2) Verfahren und Grundsätze der Verhandlung der Gesetzentwürfe in der Großen Nationalversammlung der Türkei werden durch die Geschäftsordnung geregelt.

C. Verkündung der Gesetze durch den Präsidenten der Republik

Artikel 89

(1) Der Präsident der Republik verkündet die von der Großen Nationalversammlung der Türkei angenommenen Gesetze innerhalb von fünfzehn Tagen.

(2) Die Gesetze, deren Verkündung er teilweise oder vollständig für nicht angebracht hält, sendet er innerhalb derselben Frist zur erneuten Verhandlung, zusammen mit der hierfür gegebenen Begründung, an die Große Nationalversammlung der Türkei zurück. Soweit der Präsident der Republik die Verkündung nur teilweise für nicht angebracht hält, darf die Große Nationalversammlung nur die betroffenen Vorschriften des Gesetzes neu verhandeln. Diese Vorschrift gilt nicht für die Haushaltsgesetze.

(3) Nimmt die Große Nationalversammlung der Türkei das zurückgesandte Gesetz mit der einfachen Mehrheit der Gesamtzahl ihrer Mitglieder unverändert an, wird das Gesetz vom Präsidenten der Republik verkündet. Nimmt die Nationalversammlung an dem zurückgesandten Gesetz eine Änderung vor, so kann der Präsident der Republik das geänderte Gesetz der Nationalversammlung wieder zurücksenden.

(4) Die Vorschriften über die Verfassungsänderungen sind vorbehalten.

D. Zustimmung zu völkerrechtlichen Verträgen

Artikel 90

(1) Die Ratifizierung von Verträgen, die im Namen der Republik Türkei mit ausländischen Staaten und internationalen Organisationen abzuschließen sind, ist davon abhängig, dass sie von der Großen Nationalversammlung der Türkei durch Gesetz gebilligt wird.

(2) Verträge, welche die Wirtschafts-, Handels- und technischen Beziehungen regeln und deren Geltungsdauer ein Jahr nicht überschreitet, können durch ihre Verkündung in Kraft gesetzt werden, wenn sie hinsichtlich der Staatsfinanzen keine Belastungen mit sich bringen und den Personenstand und die Eigentumsrechte von Türken im Ausland nicht antasten. In diesem Fall werden diese Verträge innerhalb von zwei Monaten seit ihrer Verkündung der Großen Nationalversammlung der Türkei zur Kenntnisnahme vorgelegt.

(3) Die Durchführungsverträge, welche auf einem völkerrechtlichen Vertrag beruhen, und die Wirtschafts-, Handels-, technischen und Verwaltungsverträge, welche aufgrund einer durch Gesetz erteilten Kompetenz abgeschlossen werden, bedürfen nicht der Zustimmung durch die Große Nationalversammlung der Türkei; die gemäß diesem Absatz abgeschlossenen Wirtschafts- und Handelsverträge und Verträge, welche Rechte von Privatpersonen betreffen, dürfen jedoch ohne Verkündung nicht in Kraft gesetzt werden.

(4) Auf den Abschluss von Verträgen aller Art, die eine Änderung der türkischen Gesetze mit sich bringen, findet der erste Absatz Anwendung.

(5) Die verfahrensgemäß in Kraft gesetzten völkerrechtlichen Verträge haben Gesetzeskraft. Gegen sie kann das Verfassungsgericht mit der Behauptung der Verfassungswidrigkeit nicht angerufen werden. Soweit Grundrechte und -freiheiten regelnde Vorschriften verfahrensgemäß in Kraft gesetzter völkerrechtlicher Verträge mit gesetzlichen Bestimmungen mit gleichem Regelungsgehalt nicht übereinstimmen, finden die Bestimmungen der völkerrechtlichen Verträge vorrangig Anwendung.

E. Ermächtigung zum Erlass von Rechtsverordnungen mit Gesetzeskraft

Artikel 91 [aufgehoben]

F. Ausrufung des Kriegsfalles und Erlaubnis zum Einsatz bewaffneter Gewalt

Artikel 92

(1) Die Große Nationalversammlung der Türkei hat die Kompetenz, in den nach dem

Völkerrecht erlaubten Fällen die Ausrufung des Kriegsfalles und – außer in den durch völkerrechtliche Verträge, bei welchen die Türkei Partei ist, oder durch die internationalen Höflichkeitsregeln gebotenen Fällen – die Entsendung der Türkischen Streitkräfte ins Ausland oder den Aufenthalt von ausländischen Streitkräften in der Türkei zu erlauben.

(2) Wird das Land, während sich die Große Nationalversammlung der Türkei in den Ferien oder in einer Pause befindet, plötzlich mit bewaffneter Gewalt angegriffen und ist aus diesem Grunde eine sofortige Entscheidung unbedingt erforderlich, kann auch der Präsident der Republik über den Einsatz der Türkischen Streitkräfte entscheiden.

III. Vorschriften über die Tätigkeit der Großen Nationalversammlung der Türkei

A. Zusammentritt und Ferien

Artikel 93

(1) Die Große Nationalversammlung der Türkei tritt jedes Jahr am ersten Tage im Oktober von selbst zusammen.

(2) Die Nationalversammlung darf im Gesetzgebungsjahr höchstens drei Monate Ferien machen; während der Pause oder der Ferien wird sie vom Präsidenten der Republik einberufen.

(3) Auch der Präsident der Nationalversammlung beruft die Nationalversammlung unmittelbar oder auf das schriftliche Verlangen von einem Fünftel der Mitglieder ein.

(4) Die während der Pause oder der Ferien zusammentretende Große Nationalversammlung der Türkei darf die Pause oder die Ferien nicht fortsetzen, ohne den Gegenstand, welcher den Zusammentritt erforderlich gemacht hat, mit Vorrang zu verhandeln.

B. Präsidium

Artikel 94

(1) Das Präsidium der Großen Nationalversammlung der Türkei besteht aus dem Präsidenten der Nationalversammlung, den stellvertretenden Präsidenten, den Sekretären und den Geschäftsführern, die aus den Reihen der Mitglieder der Nationalversammlung gewählt werden.

(2) Das Präsidium wird in einer Weise gebildet, die eine Beteiligung der Fraktionen der Zahl ihrer Mitglieder entsprechend gewährleistet. Die Fraktionen dürfen für das Präsidium keine Kandidaten aufstellen.

(3) Zum Präsidium der Großen Nationalversammlung der Türkei werden in einer Legislaturperiode zwei Wahlen durchgeführt. Die Amtsdauer der zuerst Gewählten beträgt zwei Jahre, die der für den zweiten Zeitabschnitt Gewählten endet mit der Legislaturperiode. Die Kandidaten zum Präsidenten der Großen Nationalversammlung der Türkei werden aus den Mitgliedern der Nationalversammlung innerhalb von fünf Tagen nach Zusammentritt der Nationalversammlung dem Präsidium mitgeteilt. Die Wahl des Präsidenten erfolgt in geheimer Abstimmung. In den ersten beiden Abstimmungen ist eine Mehrheit von zwei Dritteln und in der dritten Abstimmung die absolute Mehrheit der Gesamtzahl der Mitglieder erforderlich. Kommt in der dritten Abstimmung eine absolute Mehrheit nicht zustande, wird mit den beiden Kandidaten mit den meisten Stimmen eine vierte Abstimmung durchgeführt; das Mitglied, das in der vierten Abstimmung die meisten Stimmen erhält, ist als Präsident gewählt. Die Wahl des Präsidenten ist innerhalb von zehn Tagen nach Ablauf der Frist zur Aufstellung von Kandidaten abzuschließen.

(4) Die Anzahl der stellvertretenden Präsidenten, Sekretäre und Geschäftsführer der Großen Nationalversammlung der Türkei, die Mehrheiten, die Zahl und das Verfahren der Abstimmungen werden durch die Geschäftsordnung der Nationalversammlung bestimmt.

(5) Der Präsident und die stellvertretenden Präsidenten dürfen sich an der Tätigkeit der politischen Partei oder Fraktion, welcher sie angehören, innerhalb und außerhalb der Nationalversammlung und an den Debatten der Nationalversammlung, soweit es ihre Ämter

nicht erfordern, nicht beteiligen; der Präsident und der die Sitzung leitende stellvertretende Präsident dürfen nicht mitabstimmen.

C. Geschäftsordnung, Fraktionen und Parlamentspolizei

Artikel 95

(1) Die Große Nationalversammlung der Türkei leistet ihre Arbeit gemäß den Vorschriften der von ihr erlassenen Geschäftsordnung.

(2) Die Vorschriften der Geschäftsordnung werden in einer Weise gesetzt, die den Fraktionen die Beteiligung an allen Tätigkeiten der Nationalversammlung nach Maßgabe ihrer Mitgliederzahl gewährleistet. Die Fraktionen bestehen aus mindestens zwanzig Mitgliedern.

(3) In allen Gebäuden, Anlagen, Zusatzeinrichtungen und auf dem Gelände der Großen Nationalversammlung der Türkei werden Polizei- und Verwaltungsaufgaben durch das Präsidium der Nationalversammlung geregelt und erfüllt. Für die Sicherheits- und anderen Polizeiaufgaben werden dem Präsidium der Nationalversammlung von den betreffenden Behörden ausreichend Kräfte zur Verfügung gestellt.

D. Beschlussfähigkeit und Abstimmungsmehrheit

Artikel 96

Die Große Nationalversammlung der Türkei tritt in allen Angelegenheiten einschließlich von Wahlen mit mindestens einem Drittel der Gesamtzahl ihrer Mitglieder zusammen. Sie beschließt, sofern die Verfassung keine andere Bestimmung trifft, mit der einfachen Mehrheit der anwesenden Mitglieder; die für einen Beschluss ausreichende Stimmenzahl darf jedoch ein Viertel plus eins der Gesamtzahl der Mitglieder keinesfalls unterschreiten.

E. Öffentlichkeit und Veröffentlichung der Verhandlungen

Artikel 97

(1) Die Verhandlungen im Plenum der Großen Nationalversammlung der Türkei sind öffentlich und werden in vollem Umfang in der Protokollsammlung veröffentlicht.

(2) Die Große Nationalversammlung der Türkei kann den Vorschriften ihrer Geschäftsordnung gemäß Sitzungen unter Ausschluss der Öffentlichkeit durchführen, die Veröffentlichung der Verhandlungen in diesen Sitzungen ist von dem Beschluss der Großen Nationalversammlung der Türkei abhängig.

(3) Soweit auf Vorschlag des Präsidiums in der betreffenden Sitzung von der Nationalversammlung nichts anderes beschlossen wird, ist die Veröffentlichung der öffentlichen Verhandlungen in der Nationalversammlung mit allen Mitteln frei.

IV. Informations- und Kontrollmöglichkeiten der Großen Nationalversammlung der Türkei

A. Allgemein

Artikel 98

(1) Die Große Nationalversammlung der Türkei übt ihr Auskunftsrecht und ihre Kontrollkompetenz durch die parlamentarische Untersuchung, die Plenarverhandlung, das parlamentarische Ermittlungsverfahren und schriftliche Anfragen aus.

(2) Die parlamentarische Untersuchung besteht aus Nachforschungen um Informationen über einen bestimmten Gegenstand.

(3) Die Plenarverhandlung ist die Verhandlung im Plenum der Großen Nationalversammlung der Türkei über einen die Gesellschaft oder die Tätigkeit des Staates betreffenden bestimmten Gegenstand.

(4) Das parlamentarische Ermittlungsverfahren besteht aus den gemäß Art. 106 Abs. 5, 6 und 7 durchzuführenden Ermittlungen gegen Stellvertreter des Präsidenten der Republik und Minister.

(5) Die schriftliche Anfrage wird durch Abgeordnete an die Stellvertreter des Präsidenten der Republik und die Minister gerichtet und ist innerhalb von höchstens 15 Tagen zu beantworten.

(6) Bezüglich der parlamentarischen Untersuchung, der Plenarverhandlung und der schriftlichen Frage werden Form, Inhalt und Umfang der Anträge und die Verfahren der Untersuchung durch die Geschäftsordnung der Nationalversammlung geregelt.

B. Interpellation

Artikel 99 [aufgehoben]

C. Parlamentarisches Ermittlungsverfahren

Artikel 100 [aufgehoben]

Zweiter Abschnitt: Die vollziehende Gewalt

I. Der Präsident der Republik

A. Eigenschaften und Unparteilichkeit

Artikel 101

(1) Der Präsident der Republik wird aus den Reihen der türkischen Staatsbürger, welche das vierzigste Lebensjahr vollendet, eine abgeschlossene Hochschulausbildung haben und die Voraussetzungen für die Wählbarkeit zum Parlamentsabgeordneten erfüllen, gewählt.

(2) Die Amtszeit des Präsidenten der Republik beträgt fünf Jahre. Eine Person darf höchstens zwei Mal zum Präsidenten der Republik gewählt werden.

(3) Das Recht, einen Kandidaten für das Amt des Präsidenten der Republik aufzustellen, haben die Parteifraktionen, politische Parteien, die einzeln oder gemeinsam mindestens 5% der Stimmen in den letzten Wahlen erhalten haben, und mindestens 100.000 Wähler.

(4) Wer als Abgeordneter zum Präsidenten der Republik gewählt wird, scheidet aus dem Parlamentsmandat aus.

(5) Wer als Kandidat in der allgemeinen Abstimmung von den gültigen Stimmen die einfache Mehrheit erhalten hat, ist zum Präsidenten der Republik gewählt. Wird im ersten Wahlgang diese Mehrheit nicht erreicht, wird am dieser Abstimmung folgenden zweiten Sonntag eine zweite Abstimmung durchgeführt. An dieser Abstimmung nehmen die beiden Kandidaten mit den höchsten Stimmen im ersten Wahlgang teil, wer als Kandidat die einfache Mehrheit der Stimmen erhält, ist zum Präsidenten der Republik gewählt.

(6) Kann einer der beiden Kandidaten, die zur Teilnahme am zweiten Wahlgang berechtigt sind, aus irgendeinem Grund nicht teilnehmen, rückt jeweils der Kandidat mit den nächst meisten Stimmen im ersten Wahlgang nach. Verbleibt in der zweiten Abstimmung nur ein Kandidat, wird die Abstimmung in der Form des Referendums durchgeführt. Erhält der Kandidat nicht die Mehrheit der gültigen Stimmen, wird nur die Wahl zum Präsidenten der Republik wiederholt. Solange die Wahlen nicht abgeschlossen sind und ein neuer Präsident der Republik sein Amt antritt, verbleibt der bisherige Präsident der Republik im Amt.

(7) Die sonstigen Verfahren und Grundsätze der Wahl zum Amt des Präsidenten der Republik werden durch Gesetz geregelt.

B. Wahl

Artikel 102 [aufgehoben]

C. Eid

Artikel 103

Mit Antritt seines Amtes leistet der Präsident der Republik vor der Großen Nationalversammlung der Türkei folgenden Eid:

„Ich schwöre vor der Großen Türkischen Nation und vor der Geschichte bei meiner Ehre und Würde, dass ich in meiner Eigenschaft als Präsident der Republik die Existenz und Unabhängigkeit des Staates, die unteilbare Einheit von Vaterland und Nation, die uneingeschränkte und bedingungslose

Souveränität der Nation schützen werde, der Verfassung, dem Primat des Rechts, der Demokratie, den Prinzipien und Reformen Atatürks sowie dem Prinzip der laizistischen Republik verbunden bleiben werde, von dem Ideal, wonach im Geiste des Wohls und Heils der Nation, der nationalen Solidarität und der Gerechtigkeit jedermann die Menschenrechte und Grundfreiheiten genieße, nicht abweichen werde, mit all meiner Kraft mich um den Schutz und die Mehrung des Ruhmes und der Ehre der Republik Türkei sowie um die unparteiliche Erfüllung des Amtes, welches ich auf mich genommen habe, bemühen werde."

D. Aufgaben und Kompetenzen

Artikel 104

(1) Der Präsident der Republik ist das Oberhaupt des Staates. Die Exekutivgewalt obliegt dem Präsidenten der Republik. In der Eigenschaft als Oberhaupt des Staates vertritt er die Republik Türkei und die Einheit der Türkischen Nation; er gewährleistet die Anwendung der Verfassung und die ordentliche und harmonische Tätigkeit der Staatsorgane.

(2) Soweit er dies für erforderlich erachtet, hält er zu Beginn des Gesetzgebungsjahres in der Großen Nationalversammlung der Türkei die Eröffnungsrede.

(3) Er erteilt der Nationalversammlung Hinweise zur Innen- und Außenpolitik des Landes.

(4) Er verkündet die Gesetze.

(5) Er verweist Gesetze zur erneuten Verhandlung an die Große Nationalversammlung der Türkei zurück.

(6) Er erhebt Anfechtungsklage beim Verfassungsgericht gegen Gesetze oder die Geschäftsordnung der Großen Nationalversammlung der Türkei oder gegen Teile hieraus wegen ihrer formellen oder materiellen Verfassungswidrigkeit.

(7) Der Präsident der Republik ernennt und entlässt seine Stellvertreter und die Minister.

(8) Er ernennt und entlässt die obersten Beamten.

(9) Er ernennt und entlässt die leitenden Beamten und regelt in einer Präsidialverordnung Verfahren und Grundsätze ihrer Ernennung.

(10) Er entsendet die Vertreter der Republik Türkei ins Ausland und akkreditiert die Vertreter ausländischer Staaten in der Türkei.

(11) Er genehmigt und verkündet die völkerrechtlichen Verträge.

(12) Er unterbreitet, wenn er es für erforderlich hält, verfassungsändernde Gesetze der Volksabstimmung.

(13) Er bestimmt die Sicherheitspolitik und trifft die erforderlichen Maßnahmen.

(14) Er vertritt die Streitkräfte im Namen der Großen Nationalversammlung der Türkei als Oberbefehlshaber.

(15) Er entscheidet über den Einsatz der Streitkräfte.

(16) Er erlässt oder mindert die Strafen von Personen aus Gründen dauernder Krankheit, der Behinderung und des Alters.

(17) Der Präsident der Republik kann zu Gegenständen der Ausübung seiner Exekutivgewalt Präsidialverordnungen erlassen. Die Präsidialverordnungen dürfen keine Gegenstände regeln, welche die in der Verfassung Teil Zwei, Abschnitt Eins und Zwei enthaltenen Grundrechte, persönlichen Rechte und Pflichten sowie die in Abschnitt Vier geregelten politischen Rechte und Pflichten betreffen. Zu Gegenständen, die in der Verfassung ausdrücklich einem Gesetz vorbehalten sind, darf keine Präsidialverordnung erlassen werden. Soweit Regelungen einer Präsidialverordnung einer gesetzlichen Regelung widersprechen, gilt das Gesetz. Erlässt die Große Nationalversammlung ein Gesetz auf einem Gebiet, für das bereits eine Präsidialverordnung erlassen wurde, verliert die Präsidialverordnung ihre Gültigkeit.

(18) Der Präsident der Republik kann zur Gewährleistung der Umsetzung von Gesetzen und unter der Bedingung der Einhaltung dieser Gesetze Verwaltungsverordnungen erlassen.

(19) Die Präsidialverordnungen und Verwaltungsverordnungen treten, falls nicht ein

späterer Zeitpunkt bestimmt ist, am Tage ihrer Bekanntmachung im Amtsblatt in Kraft.

E. Verantwortlichkeit

Artikel 105

(1) Gegen den Präsidenten der Republik kann mit Antrag der einfachen Mehrheit der Gesamtzahl der Mitglieder der Großen Nationalversammlung der Türkei wegen des Vorwurfs der Begehung einer Straftat die Einleitung eines Ermittlungsverfahrens verlangt werden. Die Nationalversammlung verhandelt das Verlangen innerhalb eines Monats und kann in geheimer Abstimmung mit drei Fünftel der Stimmen der Gesamtzahl der Mitglieder die Einleitung des Ermittlungsverfahrens beschließen.

(2) Wird die Einleitung eines Ermittlungsverfahrens beschlossen, benennen die Fraktionen entsprechend der Anzahl der Sitze, die sie im Ausschuss zur Besetzung erhalten, die dreifache Anzahl an Kandidaten, aus denen im für jede Partei gesondert durchzuführenden Losverfahren die Mitglieder des fünfzehnköpfigen Ausschusses gezogen werden, der die Ermittlungen durchführt. Der Ausschuss legt seinen Bericht innerhalb von zwei Monaten dem Präsidium der Nationalversammlung vor. Können die Ermittlungen nicht innerhalb dieser Frist abgeschlossen werden, wird dem Ausschuss eine letzte Frist von einem Monat gewährt. Der Bericht wird innerhalb von zehn Tagen nach Eingang beim Präsidium verteilt und innerhalb von zehn Tagen nach der Verteilung im Plenum verhandelt. Mit zwei Dritteln der Gesamtzahl ihrer Mitglieder kann die Große Nationalversammlung der Türkei in geheimer Abstimmung die Überstellung das Verfassungsgericht als Strafgerichtshof beschließen. Das Verfassungsgericht als Strafgerichtshof hat das Strafverfahren innerhalb von drei Monaten abzuschließen, kann das Verfahren innerhalb dieser Frist nicht abgeschlossen werden, kann die Frist um einmalig drei weitere Monate verlängert werden, das Verfahren ist dann endgültig abzuschließen.

(3) Ist gegen den Präsidenten der Republik ein Ermittlungsverfahren eingeleitet worden, darf er keine Neuwahlen anordnen.

(4) Wird der Präsident der Republik durch das Verfassungsgericht als Strafgerichtshof wegen einer Straftat verurteilt, die ein Hindernis für das Amt des Präsidenten der Republik darstellt, endet sein Amt.

(5) Diese Vorschrift ist auf während der Amtszeit begangene Straftaten auch nach Beendigung der Amtszeit des Präsidenten der Republik anwendbar.

F. Vertretung des Präsidenten der Republik

Artikel 106

(1) Der Präsident der Republik kann nach seiner Wahl einen oder mehrere Stellvertreter ernennen.

(2) Wird das Amt des Präsidenten der Republik aus irgendeinem Grund frei, wird innerhalb von 45 Tagen eine Neuwahl angesetzt. Bis zur Wahl des neuen Präsidenten der Republik vertritt der Stellvertreter das Amt des Präsidenten und übt die Befugnisse des Präsidenten der Republik aus. Ist bis zu den nächsten allgemeinen Wahlen lediglich ein Jahr oder weniger verblieben, werden mit der Neuwahl des Präsidenten der Republik auch Neuwahlen zur Großen Nationalversammlung der Türkei angesetzt. Ist ein längerer Zeitraum als ein Jahr bis zum Tag der Wahl der Großen Nationalversammlung der Türkei, bleibt der gewählte Präsident der Republik bis zu diesem Tag im Amt. Dieser Zeitraum gilt nicht als Amtszeit. Am Wahltag zur Großen Nationalversammlung der Türkei werden beide Wahlen zusammen abgehalten.

(3) Kann der Präsident der Republik aus Gründen der Krankheit oder wegen einer Auslandsreise sein Amt vorübergehend nicht ausüben, wird er vom Stellvertreter des Präsidenten der Republik vertreten, der die Befugnisse des Präsidenten der Republik ausübt.

(4) Die Stellvertreter des Präsidenten der Republik und die Minister werden durch den Präsidenten der Republik aus den Reihen

der Personen mit der Wählbarkeit zum Parlamentsabgeordneten ernannt und entlassen. Die Stellvertreter des Präsidenten der Republik und die Minister legen vor der Großen Nationalversammlung der Türkei gemäß Art. 81 den Eid ab. Das Mandat von Mitgliedern der Großen Nationalversammlung der Türkei endet mit ihrer Ernennung zum Stellvertreter des Präsidenten der Republik oder zum Minister.

(5) Die Stellvertreter des Präsidenten der Republik und die Minister sind gegenüber dem Präsidenten der Republik verantwortlich. Gegen Stellvertreter des Präsidenten der Republik und die Minister kann mit Antrag der einfachen Mehrheit der Gesamtzahl der Mitglieder der Großen Nationalversammlung der Türkei wegen des Vorwurfs der Begehung einer Straftat in Ausübung ihres Amtes die Einleitung eines Ermittlungsverfahrens verlangt werden. Die Nationalversammlung verhandelt den Antrag innerhalb spätestens eines Monats und kann in geheimer Abstimmung mit drei Fünftel der Gesamtzahl der Mitglieder die Eröffnung des Ermittlungsverfahrens beschließen.

(6) Wird die Eröffnung des Ermittlungsverfahrens beschlossen, benennen die Parteien entsprechend der Anzahl der Sitze, die sie im Ausschuss zur Besetzung erhalten, die dreifache Anzahl an Kandidaten, aus denen im für jede Partei gesondert durchzuführenden Losverfahren die Mitglieder des fünfzehnköpfigen Ausschusses gezogen werden, der die Ermittlungen durchführt. Der Ausschuss legt seinen Bericht innerhalb von zwei Monaten dem Präsidium der Nationalversammlung vor. Können die Ermittlungen nicht innerhalb dieser Frist abgeschlossen werden, wird dem Ausschuss eine letzte Frist von einem Monat gewährt. Der Bericht wird innerhalb von zehn Tagen nach Eingang beim Präsidium verteilt und im Plenum innerhalb von zehn Tagen nach der Verteilung verhandelt. Mit zwei Dritteln der Gesamtzahl ihrer Mitglieder kann die Große Nationalversammlung der Türkei in geheimer Abstimmung die Überstellung an das Verfassungsgericht als Strafgerichtshof beschließen. Das Verfassungsgericht als Strafgerichtshof hat das Strafverfahren innerhalb von drei Monaten abzuschließen, kann das Verfahren innerhalb dieser Frist nicht abgeschlossen werden, kann die Frist um einmalig drei weitere Monate verlängert werden, das Verfahren ist dann endgültig abzuschließen.

(7) Auf während der Amtszeit in Ausübung ihrer Ämter begangene Straftaten sind nach Beendigung des Amtes die Absätze 5, 6 und 7 anzuwenden.

(8) Mit der Verurteilung eines Stellvertreters des Präsidenten der Republik oder Ministers durch das Verfassungsgericht als Strafgerichtshof wegen einer Straftat, die der Wählbarkeit entgegensteht, endet sein Amt.

(9) Auf die Stellvertreter des Präsidenten der Republik und die Minister sind wegen Straftaten, die nicht im Zusammenhang mit der Amtsführung stehen, die Vorschriften über die Immunität der Gesetzgebung anzuwenden.

(10) Die Schaffung und Abschaffung von Ministerien, ihre Aufgaben und Befugnisse sowie ihre Organisation und Zentral- und Provinzorganisation werden durch Präsidialverordnung geregelt.

G. Generalsekretariat des Präsidenten der Republik

Artikel 107 [aufgehoben]

H. Staatskontrollrat

Artikel 108

(1) Zum Zwecke der Gewährleistung der Rechtmäßigkeit der Verwaltung, ihrer geordneten und effizienten Durchführung und Entwicklung wird, angegliedert an das Präsidialamt der Republik, der Staatskontrollrat geschaffen, welcher auf Verlangen des Präsidenten der Republik in allen öffentlich-rechtlichen Körperschaften und Einrichtungen sowie in jeder Art von Einrichtung, an deren Kapital solche Körperschaften oder Einrichtungen zu mehr als der Hälfte beteiligt sind, in den berufsständischen Vereinigungen mit

der Natur von Körperschaften des öffentlichen Rechts, in den Berufsorganisationen der Arbeitnehmer und Arbeitgeber auf jeder Ebene sowie in den gemeinnützigen Vereinigungen und Stiftungen jede Art von Verwaltungsermittlungen, Untersuchungen, Nachforschungen und Kontrollen durchführt.

(2) Die Organe der Rechtsprechung fallen nicht in den Aufgabenbereich des Staatskontrollrats.

(3) Der Vorsitzende und die Mitglieder des Staatskontrollrats werden vom Präsidenten der Republik ernannt.

(4) Arbeitsweise, Amtsdauer der Mitglieder und die sonstigen Personalangelegenheiten des Staatskontrollrats werden durch Präsidialverordnung geregelt.

II. Der Ministerrat

A. Zusammensetzung

Artikel 109 [aufgehoben]

B. Amtsantritt und Vertrauensabstimmung

Artikel 110 [aufgehoben]

C. Vertrauensabstimmung während der Amtszeit

Artikel 111 [aufgehoben]

D. Aufgabe und politische Verantwortlichkeit

Artikel 112 [aufgehoben]

E. Errichtung der Ministerien und die Minister

Artikel 113 [aufgehoben]

F. Vorläufiger Ministerrat während der Wahlen

Artikel 114 [aufgehoben]

G. Rechtsverordnungen

Artikel 115 [aufgehoben]

H. Anberaumung von Wahlen zur Großen Nationalversammlung der Türkei durch den Präsidenten der Republik

Artikel 116

(1) Die Große Nationalversammlung der Türkei kann mit einer Mehrheit von drei Fünftel der Gesamtzahl ihrer Mitglieder Neuwahlen ansetzen. In diesem Fall werden die allgemeinen Wahlen zur Großen Nationalversammlung der Türkei zusammen mit der Wahl des Präsidenten der Republik abgehalten.

(2) Werden die Neuwahlen durch den Präsidenten der Republik angesetzt, so werden diese zusammen mit den allgemeinen Wahlen der Großen Nationalversammlung der Türkei abgehalten.

(3) Werden die Neuwahlen durch die Große Nationalversammlung der Türkei während der zweiten Amtsperiode des Präsidenten der Republik angesetzt, darf der Präsident der Republik noch einmal kandidieren.

(4) Die Aufgaben und Befugnisse der Nationalversammlung und des Präsidenten, deren Neuwahl anberaumt worden ist, bleiben bis zur Amtsübernahme der neuen Nationalversammlung und des Präsidenten der Republik bestehen.

(5) Die Amtzeit der auf diese Weise gewählten Nationalversammlung und des Präsidenten der Republik beträgt fünf Jahre.

I. Nationale Verteidigung

1. Oberbefehl und Amt des Generalstabschefs

Artikel 117

(1) Der Oberbefehl ist von der ideellen Existenz der Großen Nationalversammlung der Türkei nicht zu trennen und wird vom Präsidenten der Republik vertreten.

(2) Für die Gewährleistung der nationalen Sicherheit und die Bereitschaft der Streitkräfte zur Landesverteidigung ist gegenüber der Großen Nationalversammlung der Türkei der Präsident der Republik verantwortlich.

(3) Der vom Präsidenten der Republik ernannte Generalstabschef als Befehlshaber der Streitkräfte erfüllt im Kriege im Namen des Präsidenten der Republik die Aufgaben des Oberbefehlshabers.

(4) Der Generalstabschef wird vom Präsidenten der Republik ernannt, seine Aufgaben und Kompetenzen werden durch Gesetz geregelt. Der Generalstabschef ist wegen dieser Aufgaben und Kompetenzen dem Präsidenten der Republik gegenüber verantwortlich.

2. Nationaler Sicherheitsrat

Artikel 118
Der Nationale Sicherheitsrat besteht unter dem Vorsitz des Präsidenten der Republik aus den Stellvertretern des Präsidenten der Republik, den Ministern der Justiz, der Nationalen Verteidigung, des Innern und des Äußern, dem Generalstabschef sowie den Kommandeuren der Land-, See- und Luftstreitkräfte.

III. Verfahren der Notstandsverwaltung

A. Fälle des Notstandes

Artikel 119
(1) In Fällen des Krieges, einer einen Krieg erforderlich machenden Situation, der Mobilmachung, eines Aufstandes oder einer gewaltsamen und aktiven Bewegung gegen das Vaterland oder die Republik, der Verbreitung von Gewalthandlungen, die die unteilbare Einheit von Staatsgebiet und Staatsvolk von innen oder außen gefährden, der Verbreitung von Gewalthandlungen mit dem Ziel der Aufhebung der verfassungsmäßigen Ordnung und der Grundrechte und -freiheiten, der schweren Störung der öffentlichen Ordnung durch Gewalthandlungen, des Auf-

tretens von Naturkatastrophen oder Seuchen oder eine schwere Wirtschaftskrise kann der Präsident der Republik im gesamten Staatsgebiet oder in Teilen hiervon für eine Dauer von nicht länger als sechs Monaten den Notstand ausrufen.

(2) Die Erklärung des Notstandes ist am Tage ihres Erlasses im Amtsblatt zu verkünden und am gleichen Tage der Großen Nationalversammlung der Türkei zur Zustimmung vorzulegen.

(3) Befindet sich die Große Nationalversammlung der Türkei in den Ferien, wird sie unverzüglich einberufen; die Nationalversammlung kann, wenn sie es für erforderlich hält, die Dauer des Notstandes verkürzen, verlängern oder den Notstand aufheben.

(4) Auf Antrag des Präsidenten der Republik kann die Große Nationalversammlung der Türkei den Notstand um jeweils nicht mehr als vier Monate verlängern. Die Beschränkung auf vier Monate gilt nicht im Kriegsfalle.

(5) Zu den in den Notstandsfällen auf die Staatsbürger zu übertragenden Verpflichtungen in Geld, Vermögen und Arbeit und die Art und Weise der Beschränkung oder vorübergehenden Aussetzung der Grundrechte und -freiheiten im Sinne des Art. 15 der Verfassung, welche Vorschriften anzuwenden sind und welche Maßnahmen zu treffen sind, kann ohne Bindung an die in Art. 104 Abs. 17 bestimmten Beschränkungen durch Präsidialverordnung geregelt werden. Diese Präsidialverordnungen haben Gesetzeskraft und werden im Amtsblatt bekannt gemacht sowie am gleichen Tage der Nationalversammlung zur Genehmigung vorgelegt.

(6) Über die im Notstand erlassenen Präsidialverordnungen wird innerhalb von drei Monaten in der Großen Nationalversammlung der Türkei verhandelt und beschlossen, falls nicht die Große Nationalversammlung der Türkei infolge eines Krieges oder höherer Gewalt am Zusammentritt gehindert ist.

(7) Andernfalls treten die Präsidialverordnungen von selbst außer Kraft.

2. Ausrufung des Notstandes wegen Ausbreitung von gewalttätigen Vorkommnissen und ernster Störung der öffentlichen Ordnung

Artikel 120 [aufgehoben]

3. Regelung zu den Fällen des Notstandes

Artikel 121 [aufgehoben]

B. Ausnahmezustandsverwaltung, Mobilmachung und Kriegsfall

Artikel 122 [aufgehoben]

IV. Verwaltung

A. Grundsätze der Verwaltung

1. Einheit und juristische Persönlichkeit des öffentlichen Rechts der Verwaltung

Artikel 123

(1) Die Verwaltung ist in Aufbau und Aufgaben eine Einheit und wird durch Gesetz geregelt.

(2) Aufbau und Aufgaben der Verwaltung beruhen auf den Grundsätzen der zentralen Verwaltung und der Selbstverwaltung.

(3) Ihre juristische Persönlichkeit des öffentlichen Rechts wird nur durch Gesetz oder aufgrund einer durch das Gesetz ausdrücklich zugewiesenen Kompetenz begründet.

2. Verwaltungsverordnungen

Artikel 124

(1) Der Präsident der Republik, die Ministerien und die juristischen Personen des öffentlichen Rechts können zur Durchführung der Gesetze und Präsidialverordnungen, die ihre Aufgabenbereiche betreffen, Verwaltungsverordnungen unter der Voraussetzung erlassen, dass diese nicht gegen jene Gesetze und Präsidialverordnungen verstoßen.

(2) Welche Verwaltungsverordnungen im Amtsblatt verkündet werden, wird durch Gesetz bestimmt.

B. Rechtsweg

Artikel 125

(1) Gegen jede Art von Verwaltungshandeln und Verwaltungsakten steht der Rechtsweg offen. In Konzessionsverträgen und Verträgen, die öffentliche Dienstleistungen betreffen, kann für aus diesen entstehende Streitigkeiten die Streitbeilegung durch nationale oder internationale Schiedsgerichtsbarkeit vorgesehen werden. Der Weg zur internationalen Schiedsgerichtsbarkeit ist nur eröffnet, sofern die Streitigkeiten ein ausländisches Element enthalten.

(2) Gegen sämtliche Beschlüsse des Hohen Militärrates, welche die Beförderung von Personal und, abgesehen von der Suspendierung vom Dienst und die Pensionierung wegen fehlender Planstellen, die Beendigung des Dienstes betreffen, ist der Rechtsweg eröffnet.

(3) Die Frist zur Erhebung von Klagen gegen Verwaltungsakte beginnt mit dem Datum der schriftlichen Mitteilung.

(4) Die Kompetenz der Rechtsprechung ist auf die Nachprüfung der Rechtmäßigkeit des Verwaltungshandelns und der Verwaltungsakte beschränkt und darf nicht zur Überprüfung der Opportunität genutzt werden. Es darf keine gerichtliche Entscheidung getroffen werden, welche die Erfüllung der Aufgabe der vollziehenden Gewalt gemäß Form und Verfahren, wie sie im Gesetz bestimmt sind, beschränkt, den Charakter von Verwaltungshandeln oder eines Verwaltungsaktes hat oder das Ermessen aufhebt.

(5) Eine mit einer Begründung zu versehende Entscheidung auf Aussetzung der Vollziehung kann erfolgen, wenn die Voraussetzungen sowohl der Entstehung eines schwierig oder unmöglich wiedergutzumachenden Schadens für den Fall der Anwendung des Verwaltungsaktes als auch der offensichtlichen Rechtswidrigkeit des Verwaltungsaktes erfüllt sind.

(6) Das Gesetz kann in den Fällen des Notstandes, der Mobilmachung und des Krieges sowie wegen der nationalen Sicherheit, der öffentlichen Ordnung und der allgemeinen Gesundheit die Entscheidungen auf Aussetzung der Vollziehung beschränken.

(7) Die Verwaltung ist verpflichtet, den aus ihrem Handeln und ihren Akten entstehenden Schaden zu ersetzen.

C. Aufbau der Verwaltung

1. Zentrale Verwaltung

Artikel 126

(1) Die Türkei wird hinsichtlich des zentralen Verwaltungsaufbaus der geographischen Lage, den wirtschaftlichen Bedingungen und den Erfordernissen der öffentlichen Aufgaben entsprechend in Provinzen, die Provinzen in weiter abgestufte Einheiten unterteilt.

(2) Die Verwaltung der Provinzen beruht auf dem Grundsatz der weiten Zuständigkeiten.

(3) Zum Zwecke der Gewährleistung von Effizienz und Harmonie bei der Erfüllung der öffentlichen Aufgaben kann eine zentrale Verwaltungsorganisation errichtet werden, die mehr als eine Provinz umfasst. Aufgaben und Kompetenzen dieser Organisation werden durch Gesetz geregelt.

2. Lokale Verwaltung

Artikel 127

(1) Die lokalen Verwaltungen sind juristische Personen des öffentlichen Rechts, die zur Befriedigung der gemeinschaftlichen Bedürfnisse der Provinz-, Stadt- oder Dorfbevölkerung gebildet, deren Organisationsgrundsätze durch Gesetz bestimmt und deren Entscheidungsorgane, welche von wahlberechtigten Bürgern gewählt werden, im Gesetz aufgeführt werden.

(2) Aufbau, Aufgaben und Kompetenzen der lokalen Verwaltungen werden dem Prinzip der Selbstverwaltung gemäß durch Gesetz geregelt.

(3) Die Wahlen zu den lokalen Verwaltungen werden gemäß den Grundsätzen in Art. 67 der Verfassung alle fünf Jahre durchgeführt. Durch Gesetz können für große Siedlungszentren eigene Verwaltungsformen eingeführt werden. Das Gesetz kann für die großen Siedlungszentren besondere Verwaltungsformen einführen.

(4) Die Abhilfe von Beschwerden im Zusammenhang mit der Erlangung und die Nachprüfung bei Verlust der Organeigenschaft von gewählten Organen lokaler Verwaltungen erfolgt im Rechtswege. Der Innenminister kann jedoch die Organe oder Mitglieder der Organe lokaler Verwaltungen, gegen die wegen einer im Zusammenhang mit ihrem Amt stehenden Straftat ein Ermittlungs- oder Strafverfolgungsverfahren eingeleitet worden ist, als vorübergehende Maßnahme bis zum rechtskräftigen Urteil suspendieren.

(5) Die zentrale Verwaltung hat über die lokalen Verwaltungen zum Zwecke der Erfüllung der lokalen Aufgaben gemäß dem Prinzip der Einheit der Verwaltung, der Gewährleistung der Einheitlichkeit der öffentlichen Aufgaben, des Schutzes des Gemeinwohls und der den Erfordernissen gemäßen Befriedigung der lokalen Bedürfnisse im Rahmen der durch Gesetz bestimmten Grundsätze und Verfahren die Kompetenz der Verwaltungsaufsicht.

D. Vorschriften über die Angehörigen des öffentlichen Dienstes

1. Allgemeine Prinzipien

Artikel 128

(1) Die hauptamtlichen und dauernden Dienste, welche durch die öffentlichen Aufgaben erfordert werden, zu deren Erfüllung die öffentlichen Wirtschaftsunternehmen und anderen juristischen Personen des öffentlichen Rechts des Staates gemäß den allgemeinen Verwaltungsgrundsätzen verpflichtet sind, werden durch die Beamten und sonstigen Angehörigen des öffentlichen Dienstes versehen.

(2) Die Eigenschaften, Ernennungen, Aufgaben und Kompetenzen, Rechte und Verpflichtungen, Monatsgehälter, Zulagen und sonstigen Personalangelegenheiten der Beamten und sonstigen Angehörigen des öffentlichen Dienstes werden durch Gesetz geregelt. Die tarifvertraglichen Regelungen zu den wirtschaftlichen und sozialen Rechten bleiben vorbehalten.

(3) Verfahren und Grundsätze der Ausbildung der höheren Beamten werden durch Gesetz besonders geregelt.

2. Ihre Aufgaben und Verantwortlichkeit, Garantie bei der disziplinarischen Verfolgung

Artikel 129

(1) Die Beamten und übrigen Angehörigen des öffentlichen Dienstes sind verpflichtet, ihre Tätigkeiten in Treue gegenüber der Verfassung und den Gesetzen auszuüben.

(2) Die Beamten und sonstigen Angehörigen des öffentlichen Dienstes sowie die Angehörigen von berufsständischen Vereinigungen mit der Natur von Körperschaften des öffentlichen Rechts und von deren Dachverbänden dürfen ohne Einräumung rechtlichen Gehörs nicht disziplinarisch bestraft werden.

(3) Disziplinarentscheidungen dürfen von der gerichtlichen Nachprüfung nicht ausgeschlossen werden.

(4) Die Vorschriften über die Angehörigen der Streitkräfte sowie über die Richter und Staatsanwälte sind vorbehalten.

(5) Klagen auf Ersatz von Schäden, die aufgrund von in Ausübung ihrer Kompetenzen begangenen schuldhaften Handlungen von Beamten und anderen Angehörigen des öffentlichen Dienstes entstanden sind, können unter dem Vorbehalt, dass auf jene ein Rückgriff erfolgt, und gemäß den durch das Gesetz bestimmten Formen und Verfahren nur gegen die Verwaltung erhoben werden.

(6) Die Eröffnung der Strafverfolgung gegen Beamte und andere Angehörige des öffentlichen Dienstes wegen Straftaten, welche sie begangen haben sollen, ist, abgesehen von den durch Gesetz bestimmten Ausnahmen, von der Genehmigung der im Gesetz aufgeführten Verwaltungsbehörde abhängig.

E. Hochschulanstalten und übergeordnete Einrichtungen

1. Hochschulanstalten

Artikel 130

(1) Zu dem Zweck, innerhalb einer auf den Grundsätzen einer modernen Erziehung/Lehre beruhenden Ordnung den Bedürfnissen der Nation und des Landes gemäß menschlichem Leistungsvermögen zu schaffen, werden, auf der Sekundarbildung aufbauend, vom Staat durch Gesetz Universitäten gegründet, welche dazu bestimmt sind, auf verschiedenen Ebenen zu erziehen, zu lehren, wissenschaftlich zu forschen, Veröffentlichungen herauszugeben und beratend tätig zu sein, dem Land und der Menschheit zu dienen, und welche, aus verschiedenen Einheiten bestehend, im Besitz der juristischen Persönlichkeit des öffentlichen Rechts und der wissenschaftlichen Autonomie sind.

(2) Gemäß den im Gesetz aufgeführten Verfahren und Grundsätzen können unter der Voraussetzung, dass nicht die Erzielung von Gewinn bezweckt wird, von Stiftungen Hochschulanstalten gegründet werden, welche der Aufsicht und Kontrolle des Staates unterworfen sind.

(3) Das Gesetz achtet auf eine ausgeglichene Verbreitung der Universitäten über das Landesgebiet.

(4) Die Universitäten sowie die Mitglieder des Lehrkörpers und ihre Hilfskräfte dürfen beliebig wissenschaftlich forschen und veröffentlichen. Diese Berechtigung gewährt jedoch nicht die Freiheit der Betätigung gegen die Existenz und Unabhängigkeit des Staates, die Einheit und Unteilbarkeit von Volk und Land.

(5) Die Sicherheitsaufgaben der Universitäten und der ihnen angegliederten Einheiten, welche unter der Aufsicht und Kontrolle des Staates stehen, werden vom Staat wahrgenommen.

(6) Gemäß den durch Gesetz bestimmten Verfahren und Grundsätzen werden die Rektoren vom Präsidenten der Republik, die Dekane vom Hochschulrat gewählt und ernannt.

(7) Leitende Organe, Kontrollorgane sowie Angehörige des Lehrpersonals der Universitäten dürfen von Behörden außerhalb des Hochschulrats und der zuständigen Universitätsorgane, auf welche Weise auch immer, nicht aus ihren Ämtern entfernt werden.

(8) Die von den Universitäten aufgestellten Haushaltspläne werden nach Überprüfung und Genehmigung durch den Hochschulrat dem Ministerium für Nationale Erziehung vorgelegt und nach den für die zentrale Verwaltung geltenden Grundsätzen behandelt, in Kraft gesetzt und kontrolliert.

(9) Der Aufbau, die Organe und Arbeitsweise der Hochschulanstalten sowie deren Wahlen, Aufgaben, Kompetenzen und Verantwortlichkeit, die Verfahren der Ausübung des Rechts des Staates zur Kontrolle und Aufsicht über die Universitäten, die Aufgaben, Titel, Ernennungen, Beförderungen und Pensionen der Angehörigen des Lehrpersonals, die Beziehungen der Universitäten und Angehörigen des Lehrpersonals zu öffentlichen Einrichtungen und übrigen Körperschaften, die Lehrstandards und Lehrdauer, Aufnahme in die Hochschulausbildung, ihre Fortsetzung sowie die zu erhebenden Gebühren, die Prinzipien im Zusammenhang mit den vom Staat zu leistenden Beihilfen, die Disziplinar- und Strafsachen, finanziellen Angelegenheiten, Personalrechte, die für die Angehörigen des Lehrpersonals geltenden Bedingungen, die Betrauung von Angehörigen des Lehrpersonals mit Aufgaben gemäß den unter den Universitäten bestehenden Bedürfnissen, die Durchführung von Ausbildung und Lehre in Freiheit und Sicherheit und gemäß den Erfordernissen moderner Wissenschaft und Technologie sowie die Verwendung der vom Staat für den Hochschulrat und die Universitäten sichergestellten finanziellen Mittel werden durch Gesetz geregelt.

(10) Die von Stiftungen gegründeten Hochschulanstalten sind außerhalb der Gegenstände der Finanzen und Verwaltung hinsichtlich ihrer akademischen Tätigkeit, der Bestellung von Lehrpersonal und der Sicherheit den von der Verfassung für die vom Staat gegründeten Hochschulanstalten bestimmten Vorschriften unterworfen.

2. Übergeordnete Hochschuleinrichtungen

Artikel 131

(1) Mit dem Ziel, die Lehre an den Hochschulanstalten zu planen, zu organisieren, zu leiten, zu kontrollieren, die Tätigkeiten der Erziehung/Lehre und wissenschaftlichen Forschung an den Hochschulanstalten zu koordinieren, die Gründung und Entwicklung dieser Anstalten im Sinne der im Gesetz bestimmten Zwecke und Prinzipien sowie die effiziente Verwendung der den Universitäten zugewiesenen Quellen zu gewährleisten und die Ausbildung der Angehörigen des Lehrpersonals zu planen, wird der Hochschulrat gebildet.

(2) Der Hochschulrat besteht aus Mitgliedern, die von den Universitäten unter besonderer Berücksichtigung der Professoren, welche im Rektorat oder als Mitglieder des Lehrkörpers erfolgreich ihren Dienst versehen haben, aus der Reihe von Kandidaten, deren Zahl, Eigenschaften und Wahlverfahren durch das Gesetz bestimmt werden, gewählt und vom Präsidenten der Republik ernannt und unmittelbar vom Präsidenten der Republik gewählt werden.

(3) Die Grundsätze der Organisation, der Aufgaben, der Kompetenzen, Verantwortlichkeit und der Tätigkeit des Hochschulrats werden durch Gesetz geregelt.

3. Besonderen Vorschriften unterworfene Hochschulanstalten

Artikel 132

Die an die Streitkräfte und an die Polizeiorganisation angegliederten Hochschulanstalten sind den Vorschriften besonderer Gesetze unterworfen.

F. Oberster Radio- und Fernsehrat, Rundfunk- und Fernsehanstalten sowie die Nachrichtenagenturen mit Öffentlichkeitsbezug

Artikel 133

(1) Die Gründung und der Betrieb von Rundfunk- und Fernsehstationen ist im Rahmen der durch Gesetz zu regelnden Bedingungen frei.

(2) Der zu Zwecken der Regelung und Beaufsichtigung der Rundfunk- und Fernsehaktivitäten errichtete Oberste Rundfunk- und Fernsehrat besteht aus neun Mitgliedern. Die Mitglieder werden durch das Plenum der Großen Nationalversammlung der Türkei aus den von den Parteifraktionen aufgestellten Kandidaten in der Weise gewählt, dass auf jede Fraktion die ihr nach ihrer Größe zustehenden Sitze zufallen; die Zahl der Kandidaten beträgt jeweils das Zweifache derjenigen Mitglieder, die unter Berücksichtigung der Fraktionsgröße auf die Fraktion entfallen. Errichtung, Aufgaben und Zuständigkeiten des Obersten Rundfunk- und Fernsehrates, die Eigenschaften seiner Mitglieder, Wahlverfahren und Amtszeiten werden durch Gesetz geregelt.

(3) Es gilt der Grundsatz der Autonomie und Unparteilichkeit der vom Staat als Körperschaft des öffentlichen Rechts gegründeten einzigen Rundfunk- und Fernsehanstalt und der von Körperschaften des öffentlichen Rechts unterstützten Nachrichtenagenturen.

G. Hohe Atatürk-Gesellschaft für Kultur, Sprache und Geschichte

Artikel 134

(1) Zu dem Zweck, das kemalistische Denken, die Prinzipien und Reformen Atatürks, die türkische Kultur, die türkische Geschichte und die türkische Sprache auf wissenschaftlichem Wege zu erforschen, bekannt zu machen und zu verbreiten sowie Veröffentlichungen herauszugeben, wird unter der geistigen Schutzherrschaft Atatürks unter Aufsicht und mit Unterstützung des Präsidenten der Republik sowie in Anbindung an das durch den Präsidenten der Republik zu bestimmende Ministerium die aus dem Atatürk-Forschungszentrum, der Türkischen Sprachgesellschaft, der Türkischen Historischen Gesellschaft und dem Atatürk-Kulturzentrum mit juristischer Persönlichkeit des öffentlichen Rechts bestehende „Hohe Atatürk-Gesellschaft für Kultur, Sprache und Geschichte" errichtet.

(2) Die zugunsten der Türkischen Sprachgesellschaft und der Türkischen Historischen Gesellschaft im Testament Atatürks bestimmten Vorteile bleiben ihnen vorbehalten und werden ihnen zugeteilt.

(3) Aufbau, Organe, Arbeitsverfahren und Personalangelegenheiten sowie die gegenüber den in ihre Organisation eingefügten Gesellschaften bestehenden Kompetenzen der Hohen Atatürk-Gesellschaft für Kultur, Sprache und Geschichte werden durch Gesetz geregelt.

H. Berufsständische Vereinigungen mit der Natur von Körperschaften des öffentlichen Rechts

Artikel 135

(1) Die berufsständischen Vereinigungen mit der Natur von Körperschaften des öffentlichen Rechts und ihre Dachverbände sind juristische Personen des öffentlichen Rechts, die durch Gesetz mit dem Ziel gegründet werden, die gemeinsamen Bedürfnisse von Angehörigen eines bestimmten Berufsstandes zu befriedigen, ihre berufliche Betätigung zu erleichtern, den allgemeinen Interessen des Berufsstandes entsprechend dessen Fortentwicklung zu gewährleisten, zur Schaffung der Vorherrschaft von Aufrichtigkeit und Vertrauen in den Beziehungen der Angehörigen des Berufsstandes untereinander und mit der Bevölkerung die Berufsdisziplin und Berufsmoral zu schützen, und deren Organe von den eigenen Mitgliedern unter gerichtlicher Aufsicht nach den durch das Gesetz bestimmten Verfahren in geheimer Abstimmung gewählt werden.

(2) Die in den öffentlich-rechtlichen Kör-

perschaften und Einrichtungen sowie den öffentlichen Wirtschaftsunternehmen im hauptamtlichen und dauernden Dienst Beschäftigten unterliegen keiner Pflicht zum Beitritt in berufsständischen Vereinigungen.

(3) Diese berufsständischen Vereinigungen dürfen sich außerhalb ihrer Zwecke nicht betätigen.

(4) Politische Parteien dürfen bei den Wahlen zu den Organen dieser berufsständischen Vereinigungen und ihrer Dachvereinigungen keine Kandidaten aufstellen.

(5) Die Regeln, nach denen diese berufsständischen Vereinigungen der Verwaltungs- und Finanzaufsicht des Staates unterworfen sind, werden durch Gesetz bestimmt.

(6) Das Amt der verantwortlichen Organe von berufsständischen Vereinigungen, welche sich außerhalb der Verbandszwecke betätigen, wird auf Verlangen der durch das Gesetz bestimmten zuständigen Behörde oder des Staatsanwalts der Republik durch Gerichtsentscheidung beendet, an die Stelle dieser Organe werden neue zur Wahl gestellt.

(7) Ist im Hinblick auf die nationale Sicherheit, die öffentliche Ordnung, die Verhinderung von Straftaten oder ihrer Fortsetzung oder eine Festnahme Gefahr im Verzuge, so kann durch Gesetz eine Behörde zur Aussetzung der Betätigung der berufsständischen Vereinigungen oder ihrer Dachverbände ermächtigt werden. Die Entscheidung dieser Behörde ist innerhalb von 24 Stunden dem zuständigen Gericht zur Genehmigung zu unterbreiten. Das Gericht verkündet seine Entscheidung innerhalb von 48 Stunden; andernfalls tritt die Verwaltungsentscheidung außer Kraft.

(8) Die Entscheidung zur Entfernung aus dem Amt wird innerhalb von drei Tagen dem Gericht mitgeteilt. Das Gericht fasst innerhalb von spätestens zehn Tagen den Beschluss über die Entscheidung auf Entfernung aus dem Amt.

I. Präsidium für Religionsangelegenheiten

Artikel 136

Das Präsidium für Religionsangelegenheiten erfüllt als Bestandteil der allgemeinen Verwaltung im Sinne des laizistischen Prinzips außerhalb aller politischen Ansichten und Auffassungen sowie gerichtet auf die nationale Solidarität und Integration die in einem besonderen Gesetz vorgesehenen Aufgaben.

J. Rechtswidrige Anordnung

Artikel 137

(1) Wer, in welcher Eigenschaft und Weise auch immer, im öffentlichen Dienst beschäftigt ist, darf einer von einem Vorgesetzten erteilten Anordnung, die er als Verstoß gegen Vorschriften einer Verwaltungsverordnung, einer Präsidialverordnung, eines Gesetzes oder der Verfassung ansieht, nicht Folge leisten und teilt demjenigen, der die Anordnung erteilt hat, diese Rechtswidrigkeit mit; besteht der Vorgesetzte auf seiner Anordnung und erneuert er diese Anordnung schriftlich, so wird der Anordnung Folge geleistet: in diesem Fall ist derjenige, welcher der Anordnung Folge leistet, nicht verantwortlich.

(2) Einer Anordnung, welche eine Straftat beinhaltet, darf keinesfalls Folge geleistet werden; wer ihr Folge leistet, kann von der Verantwortlichkeit nicht befreit werden.

(3) Die zur Ausübung des militärischen Dienstes und in dringenden Fällen zum Schutz der öffentlichen Ordnung und öffentlichen Sicherheit vom Gesetz vorgesehenen Ausnahmen sind vorbehalten.

Dritter Abschnitt: Rechtsprechung

I. Allgemeine Vorschriften

A. Unabhängigkeit der Gerichte

Artikel 138

(1) Die Richter sind in der Ausübung ihrer Ämter unabhängig; sie sprechen die Urteile

gemäß ihrem Gewissen in Übereinstimmung mit der Verfassung, den Gesetzen und dem Recht.

(2) Kein Organ, keine Behörde oder Person darf den Gerichten und Richtern bei der Ausübung ihrer Gerichtsbarkeit Anordnungen oder Anweisungen erteilen, Runderlasse zusenden, Empfehlungen geben oder suggestive Winke zukommen lassen.

(3) Bezüglich eines schwebenden Verfahrens darf in der Gesetzgebenden Versammlung im Zusammenhang mit der Ausübung der Gerichtsbarkeit keine Anfrage gestellt, nicht verhandelt und keinerlei Erklärung abgegeben werden.

(4) Die Organe der Gesetzgebung und der vollziehenden Gewalt sowie die Verwaltung haben den Gerichtsentscheidungen Folge zu leisten: diese Organe und die Verwaltung dürfen auf keine Weise die Gerichtsentscheidungen abändern und ihre Vollstreckung verzögern.

B. Richter- und Staatsanwältegarantie

Artikel 139

(1) Richter und Staatsanwälte dürfen nicht abgesetzt und ohne eigenen Wunsch vor dem in der Verfassung vorgesehenen Lebensjahr pensioniert werden; ihnen dürfen, auch wenn ein Gericht oder eine Planstelle aufgelöst werden, das Monatsgehalt, die Zulagen und die übrigen Personalrechte nicht entzogen werden.

(2) Die Ausnahmen im Gesetz über diejenigen, welche wegen einer Straftat verurteilt sind, die die Entfernung aus dem Beruf erfordert, von welchen mit Sicherheit angenommen werden kann, dass sie aus gesundheitlichen Gründen ihr Amt nicht mehr ausüben können, und über welche entschieden worden ist, dass ihr Verbleib im Beruf nicht vertretbar sei, sind vorbehalten.

C. Richter- und Staatsanwaltsberuf

Artikel 140

(1) Die Richter und Staatsanwälte versehen ihren Dienst als Richter und Staatsan-

wälte der ordentlichen und Verwaltungsgerichtsbarkeit. Diese Ämter werden von Berufsrichtern und -staatsanwälten versehen.

(2) Die Richter üben ihr Amt gemäß den Grundsätzen der Unabhängigkeit der Gerichte und der Richtergarantie aus.

(3) Die Eigenschaften der Richter und Staatsanwälte, ihre Ernennung, ihre Rechte und Pflichten, Monatsgehälter und Zulagen, Beförderungen, die vorübergehende oder dauernde Änderung ihres Amtes oder Dienstortes, die Eröffnung eines Disziplinarverfahrens oder die Verhängung einer Disziplinarstrafe gegen sie, die Durchführung eines Ermittlungsverfahrens und Entscheidung auf Einleitung eines Gerichtsverfahrens gegen sie wegen einer im Zusammenhang mit ihrem Amt oder in Ausübung ihres Amtes begangenen Straftat, die Fälle von strafbarem Verhalten oder Unfähigkeit, welche die Entfernung aus dem Beruf erfordern, ihre innerberufliche Ausbildung sowie die sonstigen Personalangelegenheiten werden gemäß den Grundsätzen der Unabhängigkeit der Gerichte und der Richtergarantie durch Gesetz geregelt.

(4) Die Richter und Staatsanwälte versehen ihren Dienst bis zur Vollendung des fünfundsechzigsten Lebensjahres; die Altersgrenze, Beförderungen und Pensionen der Militärrichter werden durch Gesetz bestimmt.

(5) Die Richter und Staatsanwälte dürfen keine anderen öffentlichen oder privaten Aufgaben übernehmen, als durch Gesetz bestimmt sind.

(6) Die Richter und Staatsanwälte sind hinsichtlich ihrer Verwaltungsaufgaben dem Justizministerium unterstellt.

(7) Die als Richter und Staatsanwälte im Justizdienst mit Verwaltungsaufgaben Beschäftigten sind den Vorschriften über die Richter und Staatsanwälte unterworfen. Für sie gilt hinsichtlich Klasse und Dienstgrad der Rahmen der für die Richter und Staatsanwälte geltenden Grundsätze, sie genießen jegliche den Richtern und Staatsanwälten zuerkannten Rechte.

D. Öffentlichkeit der Verhandlung und Ausstattung der Entscheidungen mit Gründen

Artikel 141

(1) Die Verhandlungen in den Gerichten stehen jedermann offen. Die nichtöffentliche Durchführung eines Teils einer Verhandlung oder einer ganzen Verhandlung kann nur in Fällen, in denen es wegen des Sittengesetzes oder der öffentlichen Sicherheit unbedingt erforderlich ist, beschlossen werden.

(2) Für die Gerichtsverfahren gegen Minderjährige werden durch Gesetz besondere Vorschriften erlassen.

(3) Jegliche Entscheidungen aller Gerichte werden zusammen mit den Gründen schriftlich abgefasst.

(4) Es ist die Aufgabe der Rechtsprechung, die Verfahren mit möglichst geringem Aufwand und möglichst rasch zu Ende zu führen.

E. Organisation der Gerichte

Artikel 142

(1) Organisation, Aufgaben und Zuständigkeiten, Arbeitsweise und Verfahren der Gerichte werden durch Gesetz geregelt.

(2) Militärgerichte dürfen, abgesehen von Disziplinargerichten, nicht eingerichtet werden. Im Kriegsfalle können Militärgerichte zur Durchführung von Strafverfahren gegen Angehörige des Militärs wegen im Dienst begangener Straftaten eingerichtet werden.

F. Staatssicherheitsgerichte

Artikel 143 [aufgehoben]

G. Kontrolle der Richter und Staatsanwälte

Artikel 144

Die Kontrolle des Justizdienstes und der Verwaltungsaufgaben der Staatsanwälte durch das Justizministerium erfolgt mit Justizinspektoren und Innenprüfern mit dem Status von Richtern und Staatsanwälten; Recherchen, Untersuchungen und Ermittlungshandlungen erfolgen durch Justizinspektoren. Verfahren und Grundsätze werden durch Gesetz geregelt.

H. Militärgerichtsbarkeit

Artikel 145 [aufgehoben]

II. Oberste Gerichte

A. Verfassungsgericht

1. Organisation

Artikel 146

(1) Das Verfassungsgericht besteht aus fünfzehn Mitgliedern.

(2) Die Große Nationalversammlung der Türkei wählt in geheimer Abstimmung zwei Mitglieder aus der Reihe von drei Kandidaten, die durch das Plenum des Rechnungshofes aus der Mitte seines Präsidenten und seiner Mitglieder gewählt werden, sowie ein Mitglied aus der Reihe von drei Kandidaten, welche die Präsidenten der Anwaltskammern aus der freiberuflichen Anwaltschaft bestimmen. In dieser durch die Große Nationalversammlung durchzuführenden Wahl ist für jedes freies Amt in der ersten Abstimmung eine Mehrheit von zwei Dritteln der Gesamtzahl der Mitglieder und in der zweiten Abstimmung die absolute Mehrheit der Gesamtzahl der Mitglieder erforderlich. Wird in der zweiten Abstimmung keine absolute Mehrheit erzielt, wird für die zwei Kandidaten mit den meisten Stimmen eine dritte Abstimmung durchgeführt; gewählt ist, wer in der dritten Abstimmung die meisten Stimmen erhält.

(3) Der Präsident der Republik ernennt aus der Reihe von je drei Kandidaten, welche die Plenen der betreffenden Gerichtshöfe mit der absoluten Mehrheit der Gesamtzahl ihrer Mitglieder aus der Reihe ihrer Präsidenten und Mitglieder für jede freie Stelle aufstellen, drei Mitglieder aus dem Kassationshof, zwei Mitglieder aus dem Staatsrat, je drei Mitglieder, davon mindestens zwei Juristen,

aus der Reihe von drei Kandidaten, welche der Hochschulrat aus Mitgliedern der Lehrkörper der Hochschulanstalten, die nicht Mitglieder des Hochschulrats sind und in den Fachbereichen der Rechts-, Wirtschaft- und Politikwissenschaften tätig sind, aufstellt; vier Mitglieder aus den Reihen der leitenden Beamten, freiberuflich tätigen Rechtsanwälte, Richtern Erster Klasse und Staatsanwälten sowie Wissenschaftlichen Mitarbeitern des Verfassungsgerichts, die mindestens fünf Jahre diese Tätigkeit ausgeübt haben.

(4) Bei den Wahlen, die zur Bestimmung von Kandidaten durch die Plenen beim Kassationshof, Staatsrat und Rechnungshof sowie durch den Hochschulrat durchzuführen sind, darf jedes Mitglied für jedes freie Amt nur eine Stimme für einen Kandidaten abgeben. Die drei Personen mit den meisten Stimmen gelten als Kandidaten für die Wahl in das Verfassungsgericht. Soweit die Präsidenten der Anwaltskammern aus der freien Anwaltschaft drei Kandidaten zu benennen haben, kann jeder Kammerpräsident nur eine Stimme für einen Kandidaten abgeben, die drei Personen mit den meisten Stimmen gelten als Kandidaten für die Wahl in das Verfassungsgericht.

(5) In das Verfassungsgericht kann gewählt werden, wer mindestens das fünfundvierzigste Jahr vollendet hat, als Mitglied einer Hochschulanstalt den Titel eines Professors oder Dozenten erlangt hat, als Rechtsanwalt mindestens zwanzig Jahre lang den Anwaltsberuf, als leitender Beamter eine Hochschulausbildung absolviert und mindestens zwanzig Jahre tatsächlich eine Tätigkeit im öffentlichen Dienst ausgeübt hat oder als Richter Erster Klasse oder Staatsanwalt einschließlich seiner Assessorzeit mindestens zwanzig Jahre als solcher tätig gewesen ist.

(6) Das Verfassungsgericht wählt aus der Reihe seiner Mitglieder in geheimer Abstimmung und mit einfacher Mehrheit der Gesamtzahl der Mitglieder auf vier Jahre einen Präsidenten und zwei stellvertretende Präsidenten. Die Wiederwahl ist zulässig.

(7) Die Mitglieder des Verfassungsgerichts dürfen außer ihrer hauptamtlichen Aufgabe keinerlei anderes öffentliches oder privates Amt übernehmen.

2. Dauer und Beendigung der Mitgliedschaft

Artikel 147

(1) Die Mitglieder des Verfassungsgerichts werden auf zwölf Jahre gewählt. Niemand darf ein zweites Mal zum Mitglied des Verfassungsgerichts gewählt werden. Die Mitglieder des Verfassungsgerichts treten mit Vollendung des fünfundsechzigsten Lebensjahres in den Ruhestand. Die Aufnahme einer anderen Tätigkeit nach Beendigung der Amtszeit vor der Pensionierung und die Personalangelegenheiten werden durch Gesetz geregelt.

(2) Die Mitgliedschaft im Verfassungsgericht endet mit der Verurteilung wegen einer Straftat, welche die Entfernung des Mitglieds aus dem Richteramt erfordert, von selbst und, wenn mit Sicherheit angenommen werden kann, dass es sein Amt aus gesundheitlichen Gründen nicht mehr ausüben kann, durch Beschluss mit der absoluten Mehrheit der Gesamtzahl der Mitglieder des Verfassungsgerichts.

3. Aufgaben und Kompetenzen

Artikel 148

(1) Das Verfassungsgericht überprüft die formelle und materielle Verfassungsmäßigkeit der Gesetze, der Präsidialverordnungen und der Geschäftsordnung der Großen Nationalversammlung der Türkei und entscheidet über Verfassungsbeschwerden. Die Verfassungsänderungen untersucht und überprüft es nur im Hinblick auf die Form. Mit der Behauptung der formellen und materiellen Verfassungswidrigkeit von in Fällen des Notstandes und des Krieges erlassenen Präsidialverordnungen kann vor dem Verfassungsgericht keine Klage erhoben werden.

(2) Jeder kann mit der Behauptung das Verfassungsgericht anrufen, dass eines der durch die Verfassung geschützten Grundrechte und -freiheiten, das auch in den Rah-

men der Europäischen Menschenrechtskonvention fällt, durch die öffentliche Gewalt verletzt worden sei. Voraussetzung für den Antrag ist die Ausschöpfung der ordentlichen Rechtswege.

(3) Die Prüfung der Verfassungsbeschwerde umfasst nicht die Gegenstände, die im ordentlichen Rechtswege zu prüfen wären.

(4) Verfahren und Grundsätze der Verfassungsbeschwerde werden durch Gesetz geregelt.

(5) Die Überprüfung der Gesetze hinsichtlich der Form ist auf die Frage, ob die letzte Abstimmung mit der vorgesehenen Mehrheit erfolgte, und bei den Verfassungsänderungen auf die Frage begrenzt, ob der Mehrheit für Vorschlag und Abstimmung sowie der Bedingung, dass nicht im Eilverfahren verhandelt wird, entsprochen wurde. Die Überprüfung hinsichtlich der Form kann vom Präsidenten der Republik oder einem Fünftel der Mitglieder der Großen Nationalversammlung der Türkei verlangt werden. Eine Anfechtungsklage wegen Formfehlerhaftigkeit kann nach Ablauf von zehn Tagen nach dem Datum der Verkündung des Gesetzes nicht erhoben und auch nicht im Vorlagewege vorgebracht werden.

(6) Das Verfassungsgericht führt gegen den Präsidenten der Republik, den Präsidenten der Großen Nationalversammlung der Türkei, die Stellvertreter des Präsidenten der Republik, die Präsidenten und Mitglieder des Verfassungsgerichts, des Kassationshofs, des Staatsrats, deren Generalstaatsanwälte und Stellvertreter, gegen Präsidenten und Mitglieder des Richter- und Staatsanwälterats und des Rechnungshofs wegen derer im Amt begangenen Straftaten in seiner Eigenschaft als Strafgerichtshof Strafverfahren durch.

(7) Strafverfahren gegen den Generalstabschef und die Kommandeure der Land-, See- und Luftstreitkräfte wegen Straftaten im Dienst werden vor dem Strafgerichtshof durchgeführt.

(8) Die Aufgabe des Staatsanwalts vor dem Strafgerichtshof nimmt der Generalstaatsanwalt der Republik oder der stellvertretende Generalstaatsanwalt der Republik wahr.

(9) Gegen Entscheidungen des Strafgerichtshofs kann Antrag auf erneute Prüfung gestellt werden. Die Entscheidungen, die das Plenum nach erneuter Prüfung trifft, sind unanfechtbar.

(10) Das Verfassungsgericht erfüllt auch die übrigen ihm durch die Verfassung zugewiesenen Aufgaben.

4. Arbeits- und Prozessverfahren

Artikel 149

(1) Das Verfassungsgericht arbeitet in zwei Abteilungen und im Plenum. Die Abteilungen treten mit vier Mitgliedern unter dem Vorsitz eines stellvertretenden Präsidenten zusammen. Das Plenum tritt unter dem Vorsitz des Präsidenten oder eines durch den Präsidenten bestimmten stellvertretenden Präsidenten mit mindestens zwölf Mitgliedern zusammen. Die Abteilungen und das Plenum beschließen mit absoluter Mehrheit. Zur Prüfung der Zulässigkeit von Verfassungsbeschwerden können Ausschüsse gebildet werden.

(2) Das Plenum ist für Verfahren und Anträge im Zusammenhang mit den politischen Parteien, Anfechtungsklagen und Beschwerdeverfahren, Normenkontrollverfahren sowie für Verfahren als Strafgerichtshof zuständig; die Verfassungsbeschwerdeverfahren werden durch die Abteilungen entschieden.

(3) Für die Nichtigerklärung einer Verfassungsänderung, das Verbot einer Partei oder die Verlustigerklärung auf staatliche Hilfe bedarf die Entscheidung der Mehrheit von zwei Dritteln der anwesenden Mitglieder.

(4) Anfechtungsklagen wegen Formmängeln werden durch das Verfassungsgericht vorrangig behandelt und entschieden.

(5) Der Aufbau des Verfassungsgerichts, das Verfahren des Plenums und der Abteilungen sowie die Disziplinarangelegenheiten des Präsidenten, der stellvertretenden Präsidenten und der Mitglieder werden durch Gesetz geregelt; die Arbeitsgrund-

sätze des Gerichts, die Zusammensetzung der Abteilungen und Ausschüsse sowie die Geschäftsverteilung werden durch eine Geschäftsordnung geregelt, die sich das Gericht selbst gibt.

(6) Die Verfahren, welche das Verfassungsgericht nicht als Strafgerichtshof durchführt, werden aufgrund der Aktenlage geführt. In Verfassungsbeschwerdeverfahren kann durch Beschluss die Durchführung einer mündlichen Verhandlung verfügt werden. Das Gericht kann außerdem, wenn es dies für erforderlich hält, die Betroffenen oder Sachverständigen anhören und hört in Parteiverbotsverfahren nach dem Generalstaatsanwalt der Republik beim Kassationshof das Präsidium der Partei oder eine durch dieses bevollmächtigte Person zur Verteidigung an.

5. Anfechtungsklage

Artikel 150

Der Präsident der Republik, die beiden mitgliederstärksten Fraktionen der Großen Nationalversammlung der Türkei sowie eine Anzahl von mindestens einem Fünftel der Gesamtzahl der Mitglieder der Großen Nationalversammlung der Türkei haben das Recht, mit der Behauptung der formellen oder materiellen Verfassungswidrigkeit von Gesetzen, Präsidialverordnungen, der Geschäftsordnung der Großen Nationalversammlung der Türkei oder bestimmter Artikel und Vorschriften von diesen unmittelbar Anfechtungsklage vor dem Verfassungsgericht zu erheben.

6. Klageerhebungsfrist

Artikel 151

Das Recht auf unmittelbare Erhebung der Anfechtungsklage vor dem Verfassungsgericht erlischt sechzig Tage nach der Verkündung des anzufechtenden Gesetzes, der anzufechtenden Präsidialverordnung oder Geschäftsordnung im Amtsblatt.

7. Vorbringen der Verfassungswidrigkeit vor anderen Gerichten

Artikel 152

(1) Hält ein Gericht, bei dem ein Verfahren anhängig ist, die Vorschriften eines anzuwendenden Gesetzes oder einer anzuwendenden Präsidialverordnung für verfassungswidrig oder gelangt es zu der Auffassung, dass die von einer der Parteien vorgebrachte Behauptung der Verfassungswidrigkeit ernst zu nehmen sei, so setzt es das Verfahren aus, bis zu diesem Gegenstand eine Entscheidung des Verfassungsgerichts ergeht.

(2) Ist das Gericht der Auffassung, dass die Behauptung der Verfassungswidrigkeit nicht ernst zu nehmen sei, wird über sie von der Revisionsinstanz zusammen mit dem Urteil in der Hauptsache entschieden.

(3) Das Verfassungsgericht erlässt und verkündet seine Entscheidung innerhalb von fünf Monaten seit dem Eingang der Sache bei ihm. Kann in dieser Frist nicht entschieden werden, führt das Gericht das Verfahren gemäß den in Kraft befindlichen Vorschriften zu Ende. Geht jedoch die Entscheidung des Verfassungsgerichts ein, bevor die Entscheidung in der Hauptsache rechtskräftig wird, hat das Gericht der Entscheidung des Verfassungsgerichts Folge zu leisten.

(4) Vor Ablauf von zehn Jahren nach der Veröffentlichung der nach Eintritt in die Begründetheitsprüfung abweisenden Entscheidung im Amtsblatt darf ein erneuter Antrag mit der Behauptung der Verfassungswidrigkeit derselben Vorschrift nicht gestellt werden.

8. Die Entscheidungen des Verfassungsgerichts

Artikel 153

(1) Die Entscheidungen des Verfassungsgerichts sind unanfechtbar. Die Nichtigkeitsurteile dürfen erst veröffentlicht werden, wenn die Begründung schriftlich vorliegt.

(2) Indem das Verfassungsgericht ein Gesetz oder eine Präsidialverordnung ganz oder eine ihrer Vorschriften für nichtig erklärt,

darf es nicht gleich dem Gesetzgeber Bestimmungen in einer Weise treffen, die eine neue Praxis begründen.

(3) Das Gesetz, die Präsidialverordnung oder die Geschäftsordnung der Großen Nationalversammlung der Türkei oder deren Vorschriften treten am Tage der Veröffentlichung der Nichtigkeitsurteile außer Kraft. Wenn es erforderlich ist, kann das Verfassungsgericht über das Inkrafttreten des Nichtigkeitsurteils gesondert entscheiden. Dieses Datum darf nicht später als ein Jahr nach der Veröffentlichung des Urteils im Amtsblatt liegen.

(4) Ist das Inkrafttreten des Nichtigkeitsurteils aufgeschoben, verhandelt die Große Nationalversammlung der Türkei mit Vorrang den Gesetzesvorschlag, der die durch das Nichtigkeitsurteil entstandene Rechtslücke füllen soll, und entscheidet hierüber.

(5) Die Nichtigkeitsurteile haben keine Rückwirkung.

(6) Die Entscheidungen des Verfassungsgerichts werden unverzüglich im Amtsblatt veröffentlicht und binden die Organe der Gesetzgebung. der vollziehenden und der rechtsprechenden Gewalt, die Verwaltungsbehörden sowie die natürlichen und juristischen Personen.

B. Kassationshof

Artikel 154

(1) Der Kassationshof ist die letzte Prüfungsinstanz für Entscheidungen und Urteile, welche durch Gerichte der ordentlichen Gerichtsbarkeit gefällt und nicht durch Gesetz einer anderen ordentlichen Gerichtsinstanz überlassen werden. Er führt bestimmte im Gesetz vorgesehene Verfahren als Gericht der ersten und letzten Instanz durch.

(2) Die Mitglieder des Kassationshofs werden aus der Reihe der Richter Erster Klasse der ordentlichen Gerichtsbarkeit und Staatsanwälte der Republik Erster Klasse sowie derjenigen, welche als zu diesem Beruf gehörig gelten, vom Richter- und Staatsanwälterat mit der absoluten Mehrheit der Gesamtzahl seiner Mitglieder in geheimer Abstimmung gewählt.

(3) Der Erste Präsident des Kassationshofs, die Stellvertreter des Ersten Präsidenten und die Senatspräsidenten werden aus der Reihe der eigenen Mitglieder vom Plenum des Kassationshofs mit der absoluten Mehrheit der Gesamtzahl der Mitglieder in geheimer Abstimmung auf vier Jahre gewählt; diejenigen, deren Amtszeit abläuft, können wiedergewählt werden.

(4) Der Generalstaatsanwalt der Republik am Kassationshof und der stellvertretende Generalstaatsanwalt der Republik werden vom Präsidenten der Republik auf vier Jahre aus der Reihe von je fünf Kandidaten gewählt, welche vom Plenum des Kassationshofs aus der Reihe der eigenen Mitglieder in geheimer Abstimmung bestimmt werden. Diejenigen, deren Amtszeit abläuft, können wiedergewählt werden.

(5) Der Aufbau und die Arbeitsweise des Kassationshofs, die Eigenschaften seines Präsidenten, seiner stellvertretenden Präsidenten, Senatspräsidenten und Mitglieder sowie des Generalstaatsanwalts der Republik und die Wahlverfahren werden gemäß den Grundsätzen der Unabhängigkeit der Gerichte und der Richtergarantie durch Gesetz geregelt.

C. Staatsrat

Artikel 155

(1) Der Staatsrat ist die letzte Prüfungsinstanz für Entscheidungen und Urteile, welche durch Verwaltungsgerichte gefällt und nicht durch Gesetz einer anderen Verwaltungsgerichtsinstanz überlassen werden. Er führt bestimmte im Gesetz vorgesehene Verfahren als Gericht der ersten und letzten Instanz durch.

(2) Der Staatsrat hat die Aufgabe, Gerichtsverfahren durchzuführen und allgemeine Konzessionsbedingungen und Konzessionsverträge zu überprüfen, Verwaltungsstreitigkeiten beizulegen und die übrigen im Gesetz vorgesehenen Tätigkeiten auszuüben.

(3) Von den Mitgliedern des Staatsrats werden drei Viertel vom Richter- und Staatsanwälterat aus der Reihe der Verwal-

tungsrichter und -staatsanwälte Erster Klasse sowie derjenigen, welche als zu diesem Beruf gehörig gelten, und ein Viertel vom Präsidenten der Republik aus der Reihe der Bediensteten, deren Eigenschaften durch Gesetz bestimmt werden, gewählt.

(4) Der Präsident des Staatsrats, der Generalanwalt, die stellvertretenden Präsidenten und die Senatspräsidenten werden aus der Reihe der eigenen Mitglieder vom Plenum des Staatsrats mit der absoluten Mehrheit der Gesamtzahl der Mitglieder in geheimer Abstimmung auf vier Jahre gewählt.

(5) Diejenigen, deren Amtszeit abläuft, können wiedergewählt werden.

(6) Der Aufbau und die Arbeitsweise des Staatsrats, die Eigenschaften seines Präsidenten, Generalanwalts, seiner stellvertretenden Präsidenten, Senatspräsidenten und Mitglieder und die Wahlverfahren werden gemäß den Grundsätzen der Besonderheit der Verwaltungsgerichtsbarkeit, der Unabhängigkeit der Gerichte und der Richtergarantie durch Gesetz geregelt.

D. Militärkassationshof

Artikel 156 [aufgehoben]

E. Hoher Militärverwaltungsgerichtshof

Artikel 157 [aufgehoben]

F. Konfliktgerichtshof

Artikel 158

(1) Der Konfliktgerichtshof ist zuständig für die endgültige Lösung der sich hinsichtlich der Zuständigkeiten und Urteile zwischen den ordentlichen und Verwaltungsgerichten ergebenden Konflikte.

(2) Der Aufbau, die Eigenschaften und Wahlen der Mitglieder sowie die Arbeitsweise des Konfliktgerichtshofs werden durch Gesetz geregelt. Den Vorsitz dieses Gerichts führt das Mitglied, das vom Verfassungsgericht aus der Reihe seiner eigenen Mitglieder beauftragt wird.

(3) Bei Zuständigkeitskonflikten zwi-schen den übrigen Gerichten und dem Verfassungsgericht gilt die Entscheidung des Verfassungsgerichts.

III. Hoher Richter- und Staatsanwälterat

Artikel 159

(1) Der Richter- und Staatsanwälterat wird gemäß den Grundsätzen der Unabhängigkeit der Gerichte und der Richtergarantie errichtet und erfüllt diesen Grundsätzen entsprechend seine Aufgaben.

(2) Der Richter- und Staatsanwälterat besteht aus dreizehn Mitgliedern. Er arbeitet in zwei Senaten.

(3) Der Vorsitzende des Rates ist der Justizminister. Der Staatssekretär im Justizministerium ist von Amts wegen Mitglied des Rates. Drei Mitglieder werden aus Richtern und Staatsanwälten Erster Klasse der ordentlichen Gerichtsbarkeit, die die Befähigung zur Beförderung in die Erste Klasse nicht verloren haben, ein Mitglied aus den Richtern und Staatsanwälten der Ersten Klasse der Verwaltungsgerichtsbarkeit, welches die Befähigung zur Beförderung in die Erste Klasse nicht verloren hat, durch den Staatspräsidenten; drei Mitglieder aus den Reihen der Mitglieder des Kassationshofs, ein Mitglied aus den Reihen der Mitglieder des Staatsrats, drei Mitglieder aus den Reihen der Lehrkörper in den rechtswissenschaftlichen Fachbereichen der Hochschulen und der Anwaltschaft durch die Große Nationalversammlung der Türkei gewählt. Mindestens je ein Mitglied muss aus den Lehrkörpern und der Anwaltschaft stammen. Anträge wegen der durch die Große Nationalversammlung der Türkei zu wählenden Mitglieder sind an deren Präsidium zu richten. Das Präsidium leitet die Anträge an den Gemischten Ausschuss weiter, der aus Mitgliedern des Verfassungsausschusses und des Ausschusses für Justizangelegenheiten zusammengesetzt ist. Der Ausschuss benennt mit einer Mehrheit von zwei Dritteln der Gesamtzahl seiner Mitglieder für jede Mitgliedschaft drei Kandidaten. Gelingt im

ersten Wahlgang die Wahl eines Kandidaten nicht, erfolgt die Wahl im zweiten Wahlgang mit drei Fünftel der Gesamtzahl der Mitglieder. Gelingt auch auch in diesem Wahlgang die Wahl nicht, so entscheidet zwischen den zwei Kandidaten mit den meisten Stimmen das Los. Die Große Nationalversammlung der Türkei trifft aus den durch den Ausschuss vorgeschlagenen Kandidaten für jede Mitgliedschaft in geheimer Abstimmung die Auswahl. In der ersten Abstimmung ist eine Mehrheit von zwei Dritteln der Gesamtzahl der Mitglieder, in der zweiten Abstimmung eine Mehrheit von drei Fünfteln der Gesamtzahl der Mitglieder erforderlich. Bleibt auch der zweite Wahlgang ohne Erfolg, so entscheidet zwischen den zwei Kandidaten mit den meisten Stimmen das Los.

(4) Die Mitglieder werden auf vier Jahre gewählt. Die Wiederwahl von Mitgliedern nach Ablauf ihrer Amtszeit ist zulässig.

(5) Die Wahl der Mitglieder erfolgt dreißig Tage vor Ablauf der Amtszeit. Wird ein Amt vor Ablauf der Amtszeit frei, wird innerhalb von dreißig Tagen nach Freiwerden des Amtes die Neuwahl der Mitglieder durchgeführt.

(6) Die ordentlichen Ratsmitglieder, abgesehen vom Justizminister und dem Staatssekretär, dürfen während ihrer Amtszeit keinerlei Aufgaben übernehmen, die nicht im Gesetz vorgesehen sind, und durch den Rat weder mit einer anderen Aufgabe betraut und noch in anderes Amt gewählt werden.

(7) Die Leitung und Vertretung des Rates obliegt seinem Präsidenten. Der Präsident des Rates darf nicht an den Sitzungen der Senate teilnehmen. Der Rat wählt aus den eigenen Mitgliedern die Senatspräsidenten und aus den Senatspräsidenten einen stellvertretenden Präsidenten. Der Präsident kann einen Teil seiner Befugnisse an den stellvertretenden Präsidenten übertragen.

(8) Der Hohe Richter- und Staatsanwälterat trifft die Verfügungen zur Aufnahme der Richter und Staatsanwälte der ordentlichen und Verwaltungsgerichtsbarkeit in den Beruf, zu ihrer Ernennung und Versetzung, zur Erteilung vorübergehender Zuständigkeiten,

zur Beförderung und Einordnung in die Erste Klasse, zur Verteilung der Planstellen, zur Entscheidung über diejenigen, deren Verbleib im Beruf als nicht vertretbar angesehen wird, zur Erteilung von Disziplinarstrafen und zur Suspendierung vom Dienst. Er entscheidet über die Vorschläge des Justizministeriums zur Auflösung eines Gerichts oder zur Änderung eines Gerichtssprengels; er erfüllt außerdem die ihm durch die Verfassung und die Gesetze zugewiesenen Aufgaben.

(9) Untersuchungen und Ermittlungen dahingehend, ob die Richter und Staatsanwälte ihre Aufgaben den Gesetzen, Verwaltungsverordnungen und Runderlassen (bei den Richtern nur die Runderlasse der Verwaltung) entsprechend erfüllen oder in Ausübung ihres Dienstes Straftaten begangen haben oder ihr Verhalten und ihre persönlichen Umstände mit den Erfordernissen ihrer Funktion und ihres Amtes übereinstimmen werden auf Vorschlag des betreffenden Senats und mit Genehmigung des Präsidenten des Richter- und Staatsanwälterats den Prüfern des Rates übertragen. Die Untersuchungen und Ermittlungen können auch Richtern oder Staatsanwälten übertragen werden, welche gegenüber dem Betroffenen dienstälter sind.

(10) Gegen die Entscheidungen des Rates, soweit sie nicht die Entfernung aus dem Dienst betreffen, können Rechtsprechungsorgane nicht angerufen werden.

(11) Dem Rat wird ein Generalsekretariat beigeordnet. Der Generalsekretär wird durch den Präsidenten des Rates aus drei Kandidaten bestimmt, die der Rat aus der Reihe der Richter Erster Klasse und Staatsanwälte vorgeschlagen hat. Die Befugnis, mit deren Zustimmung Prüfer des Rates und die im Rat vorübergehend oder dauerhaft beschäftigten Richter und Staatsanwälte zu ernennen, steht dem Rat zu.

(12) Der Justizminister hat die Kompetenz, nach Einholung ihrer Zustimmung diejenigen Richter und Staatsanwälte sowie Justizinspektoren sowie Inneren Prüfer aus dem Berufsstand der Richter und Staatsanwälte zu ernennen, welche in der Zentralbe-

hörde des Justizministeriums sowie den verbundenen und entsprechenden Institutionen vorübergehend oder auf Dauer beschäftigt werden sollen.

(13) Die Wahl der Ratsmitglieder, die Einrichtung der Senate und die Geschäftsverteilung, die Aufgaben des Rates und der Senate, die Quoren und Beschlussmehrheiten, die Arbeitsverfahren und -grundsätze, die Beschwerden gegen Entscheidungen der Senate und Grundsätze und das dazugehörige Verfahren sowie Aufbau und Aufgaben des Generalsekretariats werden durch Gesetz geregelt.

IV. Rechnungshof

Artikel 160

(1) Der Rechnungshof hat die Aufgabe, alle im Rahmen des Haushalts der Zentralverwaltung erfolgten Einnahmen und Ausgaben sowie die Güter der öffentlichen Verwaltung und Sozialversicherungseinrichtungen im Namen der Großen Nationalversammlung der Türkei zu kontrollieren und über die Rechnungen und Verfügungen der Verantwortlichen endgültige Entscheidungen zu treffen sowie die durch die Gesetze zugewiesenen Angelegenheiten der Prüfung, Kontrolle und Entscheidung zu besorgen. Hinsichtlich der endgültigen Entscheidungen des Rechnungshofs können die Betroffenen innerhalb von fünfzehn Tagen seit dem Tage ihrer schriftlichen Mitteilung und einmalig die Berichtigung der Entscheidung verlangen.

(2) Wegen dieser Entscheidung darf der Verwaltungsrechtsweg nicht beschritten werden.

(3) Der Rechnungshof prüft die Rechnungslegung der lokalen Verwaltungen und entscheidet hierüber endgültig.

(4) Bei Konflikten zwischen Entscheidungen des Staatsrats und des Rechnungshofs hinsichtlich Steuern, ähnlichen finanziellen Lasten und Pflichten gelten die Entscheidungen des Staatsrats.

(5) Der Aufbau des Rechnungshofs, seine Arbeitsweise, seine Kontrollverfahren, die Eigenschaften, Ernennung, Pflichten und Zuständigkeiten, Rechte und Verpflichtungen sowie die sonstigen Personalangelegenheiten seiner Angehörigen und die Sicherung seines Präsidenten und seiner Mitglieder werden durch Gesetz geregelt.

Vierter Teil: FINANZIELLE UND WIRTSCHAFTLICHE VORSCHRIFTEN

Erster Abschnitt: Haushaltsbestimmungen

I. Haushalt

A. Aufstellung und Umsetzung des Haushalts

Artikel 161

(1) Die Ausgaben der öffentlichen Verwaltung und der juristischen Personen des öffentlichen Rechts außer den öffentlichen Wirtschaftsunternehmen erfolgen aufgrund von Jahreshaushaltsplänen.

(2) Grundsätze und Verfahren in Bezug auf den Beginn des Haushaltsjahres sowie die Art und Weise der Aufstellung und Umsetzung des Haushaltsplans der Zentralverwaltung sowie die Investitionen und für länger als ein Jahr andauernde Geschäfte und Dienstleistungen die besonderen Fristen werden durch Gesetz bestimmt. In das Haushaltsgesetz darf außer der Vorschriften zum Haushalt keine Vorschrift eingefügt werden.

(3) Der Präsident der Republik legt den Entwurf für das Haushaltsgesetz mindestens fünfundsiebzig Tage vor vor Beginn des Haushaltsjahres der Großen Nationalversammlung der Türkei vor. Der Haushalt wird im Haushaltsausschuss verhandelt. Der Text ist innerhalb von fünfundfünfzig Tagen zu verabschieden, dann im Plenum zu verhandeln und bis zu Beginn des Haushaltsjahres zu beschließen.

(4) Kann das Haushaltsgesetz nicht fristgemäß in Kraft gesetzt werden, wird ein vorläufiges Haushaltsgesetz verabschiedet. Kann auch kein vorläufiges Haushaltsgesetz verabschiedet werden, wird das Haushalts-

gesetz des vorangegangenen Jahres unter Anpassung der Zahlen anhand der Wertsteigerungen angewendet. Die Mitglieder der Großen Nationalversammlung der Türkei geben zu den Haushalten der öffentlichen Verwaltungen im Zuge der Verhandlungen ihre Stellungnahmen ab, dürfen jedoch zur Erhöhung der Kosten oder Verminderung der Einnahmen keine Vorschläge einbringen. Die Haushalte der öffentlichen Verwaltungen und die Änderungsvorschläge werden im Plenum ohne weitere Verhandlungen gelesen und darüber abgestimmt.

(5) Die im Haushalt der Zentralverwaltung eingestellten Ausgabenposten bilden die Obergrenze der Ausgaben. Das Haushaltsgesetz darf keine Bestimmung enthalten, aufgrund welcher durch Präsidialverordnung die Ausgaben erhöht werden dürfen. Änderungsvorschläge, die im laufenden Jahr eine Erhöhung der Ausgaben vorsehen und im laufenden wie in den folgenden Jahren Belastungen des Haushalts vorsehen, haben Angaben zur Finanzierung zu enthalten.

(6) Der Vorschlag zum Gesetz über die Jahresschlussabrechnung der Zentralverwaltung ist innerhalb von nicht mehr als sechs Monaten nach Ende des betreffenden Haushaltsjahres durch den Präsidenten der Republik der Großen Nationalversammlung der Türkei vorzulegen. Der Rechnungshof hat seine Bestätigungserklärung innerhalb von nicht mehr als fünfundsiebzig Tagen nach Vorlage des Vorschlages zum Gesetz über die Jahresschlussabrechnung der Nationalversammlung vorzulegen. Die Übermittlung des Vorschlags zum Gesetz über die Jahresabschlussrechnung und der Bestätigungserklärung des Rechnungshofs haben keine Auswirkung auf die für das betreffende Jahr laufenden Prüfungs- und Rechnungsverfahren des Rechnungshofes und stellen kein Präjudiz für den Ausgang dieser Verfahren dar.

(7) Über den Vorschlag zum Gesetz über die Jahresschlussabrechnung wird gemeinsam mit dem Vorschlag zum Haushaltsgesetz verhandelt und beschlossen.

B. Verhandlung des Haushalts

Artikel 162 [aufgehoben]

C. Grundsätze der Möglichkeit von Änderungen an den Haushalten

Artikel 163 [aufgehoben]

D. Haushaltsendabrechnung

Artikel 164 [aufgehoben]

E. Kontrolle der öffentlichen Wirtschaftsunternehmen

Artikel 165

Die Grundsätze der Kontrolle der öffentlichen Einrichtungen und Gesellschaften, deren Kapital zu mehr als der Hälfte unmittelbar oder mittelbar dem Staat gehört, durch die Große Nationalversammlung der Türkei werden durch Gesetz geregelt.

Zweiter Abschnitt: Wirtschaftliche Vorschriften

I. Planung; Wirtschafts- und Sozialrat

Artikel 166

(1) Die Planung der wirtschaftlichen, sozialen und kulturellen Entwicklung, des schnellen Fortschritts insbesondere der Industrie und Landwirtschaft im gesamten Land auf ausgewogene und harmonische Weise, der effizienten Verwendung der materiellen Möglichkeiten des Landes aufgrund ihrer quantitativen und qualitativen Erfassung und die Errichtung der notwendigen Organisation zu diesem Zweck sind Aufgabe des Staates.

(2) Im Plan werden Maßnahmen vorgesehen, welche das nationale Sparaufkommen und die Produktion erhöhen, bei den Preisen Stabilität und bei den Auslandszahlungen Ausgeglichenheit gewährleisten und die Investitionen und Beschäftigung fortentwickeln; bei den Investitionen werden Gemeinwohl und Erfordernisse der Gemein-

schaft beachtet: die effiziente Verwendung der materiellen Möglichkeiten wird zum Ziel genommen. Die Schritte zur Entwicklung erfolgen gemäß diesem Plan.

(3) Verfahren und Grundsätze im Zusammenhang mit der Aufstellung der Entwicklungspläne, ihrer Bestätigung durch die Große Nationalversammlung der Türkei, ihrer Anwendung, Änderung und der Verhinderung von Änderungen, welche ihre Einheit stören, werden durch Gesetz geregelt.

(4) Zu Zwecken der unverbindlichen Abgabe von Stellungnahmen für den Präsidenten der Republik bei der Bestimmung der Wirtschafts- und Sozialpolitik wird der Wirtschafts- und Sozialrat gegründet. Aufbau und Funktionsweise des Wirtschafts- und Sozialrats werden durch Gesetz geregelt.

II. Kontrolle der Märkte und Regelung des Außenhandels

Artikel 167

(1) Der Staat trifft Maßnahmen, welche das gesunde und geordnete Funktionieren der Geld-, Kredit-, Kapital-, Waren- und Dienstleistungsmärkte gewährleisten und fortentwickeln; er verhindert die tatsächliche oder sich aus Verträgen ergebende Bildung von Monopolen und Kartellen.

(2) Durch Gesetz kann dem Präsidenten der Republik die Kompetenz erteilt werden, zum Zweck der Regelung des Außenhandels zum Nutzen der Wirtschaft des Landes Einfuhr-, Ausfuhr- und andere Außenhandelsgeschäfte, außer mit Steuern und ähnlichen Lasten, mit zusätzlichen finanziellen Lasten zu beschweren oder diese aufzuheben.

III. Erforschung und Erschließung der Naturschätze und Rohstoffquellen

Artikel 168

Die Naturschätze und Rohstoffquellen unterliegen der Herrschafts- und Verfügungsgewalt des Staates. Das Recht zu ihrer Erforschung und Erschließung steht dem Staat zu. Der Staat kann dieses Recht für eine bestimmte Dauer auf natürliche oder juristische Personen übertragen. Welcher Naturschatz und welche Rohstoffquelle gemeinsam durch den Staat und natürliche oder juristische Personen oder unmittelbar durch natürliche oder juristische Personen erforscht und erschlossen wird, ist von der ausdrücklichen Erlaubnis durch das Gesetz abhängig. Die Bedingungen, an welche sich die natürlichen und juristischen Personen in diesem Fall zu halten haben, Verfahren und Grundsätze der vom Staat zu führenden Aufsicht und Kontrolle und die Sanktionen werden im Gesetz aufgeführt.

IV. Wälder und Waldbauer

A. Schutz und Fortentwicklung der Wälder

Artikel 169

(1) Der Staat erlässt zum Schutz der Wälder und zur Erweiterung der Forstflächen die notwendigen Gesetze und trifft die notwendigen Maßnahmen. Anstelle abgebrannter Wälder wird neu aufgeforstet, an diesen Stellen darf anderweitige Landwirtschaft und Viehzucht nicht betrieben werden. Die Aufsicht über alle Wälder führt der Staat.

(2) Eigentum an Staatswäldern ist nicht übertragbar. Die Staatswälder werden dem Gesetz gemäß vom Staat verwaltet und bewirtschaftet. An diesen Wäldern kann durch Fristablauf kein Eigentum erworben und außer im öffentlichen Interesse keine Dienstbarkeit bestellt werden.

(3) Eine Erlaubnis für irgendeine Tätigkeit oder Handlung, welche die Wälder schädigen kann, darf nicht erteilt werden. Politische Propaganda, welche zur Zerstörung von Wäldern führt, ist unzulässig; eine allein auf Straftaten gegen den Wald bezogene allgemeine oder besondere Amnestie darf nicht erlassen werden. Die Straftaten, die mit dem Ziel der Verbrennung von Wäldern, der völligen Zerstörung oder Verringerung des Waldes begangen werden, dürfen nicht in eine allgemeine oder besondere Amnestie einbezogen werden.

(4) Abgesehen von Stellen, deren Erhalt

als Wald aus wissenschaftlicher und technischer Sicht ohne jeglichen Nutzen erscheint und deren Umwandlung in landwirtschaftliche Flächen dagegen als entschieden nutzbringend festgestellt worden ist, von Grundstücken, die aus wissenschaftlicher und technischer Sicht ihre Waldeigenschaft vor dem 31. Dezember 1981 verloren haben und deren Verwendung für verschiedene landwirtschaftliche Bereiche wie Acker-, Wein-, Obst-, Olivenanbau oder für Viehzucht als nutzbringend festgestellt worden ist, sowie von Stellen mit städtischen, kleinstädtischen und dörflichen Gebäudeansammlungen ist die Einengung von Waldgrenzen unzulässig.

B. Schutz des Waldbauern

Artikel 170

(1) Die Maßnahmen zur Gewährleistung der Zusammenarbeit zwischen dem Staat und der Dorfbevölkerung in den Wäldern oder anderen Rändern bei der Beaufsichtigung und Bewirtschaftung des Waldes im Hinblick auf die Entwicklung dieser Bevölkerung und auf den Schutz der Wälder und ihrer Einheit, die Bewertung der Stellen, welche vor dem 31. Dezember 1981 aus wissenschaftlicher und technischer Sicht ihre Waldeigenschaft vollständig verloren haben, die Feststellung der Stellen, deren Erhalt als Wald aus wissenschaftlicher und technischer Sicht nicht als nutzbringend erscheint, und ihre Ausklammerung aus den Grenzen des Waldes sowie die Belebung der genannten Stellen durch den Staat, um die Besiedlung dieser Stellen mit einem Teil oder der ganzen Bevölkerung der Dörfer innerhalb des Waldes zu bewirken, und die Zuteilung zur Nutzung durch diese Bevölkerung werden durch Gesetz geregelt.

(2) Der Staat trifft die Maßnahmen zur Erleichterung der Beschaffung von Geräten und Materialien zur Bewirtschaftung und anderen Mitteln durch diese Bevölkerung.

(3) Die Grundstücke, welche der aus dem Innern des Waldes umgesiedelten Bevölkerung gehören, werden unverzüglich als Staatswald aufgeforstet.

V. Fortentwicklung des Genossenschaftswesens

Artikel 171

Der Staat trifft unter Beachtung der Interessen der nationalen Wirtschaft die Maßnahmen zur Fortentwicklung des Genossenschaftswesens mit dem Zweck, vorrangig die Produktion zu erhöhen und den Verbraucher zu schützen.

VI. Schutz der Verbraucher, Einzelhändler und Handwerker

A. Schutz der Verbraucher

Artikel 172

Der Staat trifft Maßnahmen zum Schutz und zur Aufklärung der Verbraucher, er fördert die Selbstschutzaktivitäten der Verbraucher.

B. Schutz der Einzelhändler und Handwerker

Artikel 173

Der Staat trifft die Maßnahmen zum Schutz und zur Unterstützung der Einzelhändler und Handwerker.

Fünfter Teil:
SONSTIGE VORSCHRIFTEN

I. Schutz der Reformgesetze

Artikel 174

Keine Vorschrift der Verfassung darf in der Weise verstanden und ausgelegt werden, dass die am Tage der Annahme der Verfassung durch Volksabstimmung in Kraft befindlichen Vorschriften der nachstehenden Reformgesetze, welche das Ziel haben, die türkische Gesellschaft über den modernen Zivilisationsstandard hinauszuheben und den laizistischen Charakter der Republik zu schützen, verfassungswidrig seien:

1. Gesetz Nr. 430 vom 3. März 1340 (1924) über die Vereinheitlichung des Unterrichts;

2. Gesetz Nr. 671 vom 25. November, über das Tragen westlicher Kopfbedeckungen;

3. Gesetz Nr. 677 vom 30. November, 1341 (1925) über Verbot und Schließung der Derwischorden, der Klöster und Mausoleen, über das Verbot des Berufs der Mausoleenwächter und der Führung und Verleihung einiger Titel;

4. Der durch das Türkische Zivilgesetzbuch Nr. 743 vom 17. Februar 1926 angenommene Grundsatz der Eheschließung vor dem Standesbeamten und die Bestimmung des Art. 110 des gleichen Gesetzes;

5. Gesetz Nr. 1288 vom 20. Mai 1928 über die Annahme der international üblichen Ziffern;

6. Gesetz Nr. 1353 vom 1. November 1928 über die Annahme und Anwendung des türkischen Alphabets;

7. Gesetz Nr. 2590 vom 26. November 1934 über die Aufhebung der Anreden und Titel „Efendi", „Bey", „Pascha" und dergleichen;

8. Gesetz Nr. 2596 vom 3. Dezember 1934 über das Verbot, bestimmte Trachten zu tragen.

Sechster Teil:
ÜBERGANGSVORSCHRIFTEN

Übergangsartikel 1–5 [gegenstandslos bzw. aufgehoben]

Übergangsartikel 6
Bis zum Erlass der eigenen Geschäftsordnung für die Sitzungen und Tätigkeit der verfassungsmäßig gegründeten Großen Nationalversammlung der Türkei werden die der Verfassung nicht entgegenstehenden Vorschriften der vor dem 12. September 1980 in Kraft befindlichen Geschäftsordnung der Nationalversammlung angewendet.

Übergangsartikel 7–14 [gegenstandslos]

Übergangsartikel 15
(1) Eine strafrechtliche, finanzielle oder sonst rechtliche Verantwortlichkeit für jede Art von Entscheidungen und Verfügungen des durch Gesetz Nr. 2356 begründeten Nationalen Sicherheitsrates, der in der Zeit bis zur Bildung des Präsidiums durch die aus den ersten allgemeinen Wahlen hervorgehende Große Nationalversammlung der Türkei im Namen des Türkischen Volkes die Kompetenzen der Gesetzgebung und vollziehenden Gewalt ausübt, der in der Regierungszeit dieses Rates begründeten Regierungen sowie der Beratenden Versammlung, die ihr Amt gemäß dem Gesetz Nr. 2485 über die Verfassunggebende Versammlung ausübt, darf nicht geltend gemacht werden und hierzu auch keinerlei Gerichtsbehörde angerufen werden.

(2) Die Vorschriften des vorstehenden Absatzes gelten auch für diejenigen, welche in Anwendung dieser Entscheidungen und Verfügungen durch die Verwaltung oder durch für zuständig erklärte Organe, Behörden und Bedienstete Entscheidungen und Verfügungen treffen und jene anwenden.

Übergangsartikel 16 – 19 [gegenstandslos]

Siebenter Teil:
SCHLUSSVORSCHRIFTEN

I. Verfassungsänderung

Artikel 175
(1) Die Änderung der Verfassung kann von mindestens einem Drittel der Gesamtzahl der Mitglieder der Großen Nationalversammlung der Türkei schriftlich vorgeschlagen werden. Die Vorschläge zur Änderung der Verfassung werden im Plenum zweimal verhandelt. Die Annahme des Vorschlages ist mit einer Mehrheit von drei Fünfteln der Gesamtzahl der Mitglieder der Nationalversammlung in geheimer Abstimmung möglich.

(2) Die Verhandlung und Annahme der Vorschläge zur Änderung der Verfassung unterliegen, abgesehen von den Bestimmungen dieses Artikels, den Vorschriften über die Verhandlung und Annahme von Gesetzen.

(3) Der Präsident der Republik kann die

Gesetze über Verfassungsänderungen zur erneuten Verhandlung an die Große Nationalversammlung der Türkei zurücksenden. Nimmt die Nationalversammlung das zurückgesandte Gesetz mit einer Mehrheit von zwei Dritteln der Gesamtzahl ihrer Mitglieder unverändert an, kann der Präsident der Republik dieses Gesetz einer Volksabstimmung unterbreiten.

(4) Wird das mit dem Stimmen von drei Fünfteln oder weniger als zwei Dritteln der Gesamtzahl ihrer Mitglieder von der Nationalversammlung angenommene Gesetz über die Verfassungsänderung vom Präsidenten der Republik nicht an die Nationalversammlung zurückgegeben, wird es, um dann einer Volksabstimmung unterbreitet zu werden, im Amtsblatt veröffentlicht.

(5) Das unmittelbar oder nach Zurückgabe durch den Präsidenten der Republik mit einer Mehrheit von zwei Dritteln der Gesamtzahl der Mitglieder der Nationalversammlung angenommene Gesetz über die Verfassungsänderung oder solche seiner Vorschriften, bei denen es für notwendig angesehen wird, können von Seiten des Präsidenten der Republik einer Volksabstimmung unterbreitet werden.

(6) Das Gesetz über die Verfassungsänderung oder die betreffenden Artikel, die nicht einer Volksabstimmung unterbreitet werden, werden im Amtsblatt verkündet.

(7) Damit die einer Volksabstimmung unterbreiteten Gesetze über Verfassungsänderungen in Kraft treten können, bedarf es mehr als der Hälfte der bei der Volksabstimmung abgegebenen gültigen Stimmen.

(8) Die Große Nationalversammlung der Türkei entscheidet bei der Annahme von Gesetzen über Verfassungsänderungen auch darüber, über welche der geänderten Verfassungsvorschriften im Falle der Unterbreitung zur Volksabstimmung im Zusammenhang und über welche von ihnen einzeln abgestimmt werden soll.

(9) Um die Teilnahme an der Volksabstimmung, an allgemeinen und Zwischenwahlen zur Nationalversammlung sowie allgemeinen lokalen Wahlen sicherzustellen, werden durch Gesetz einschließlich der Geldstrafe die notwendigen Maßnahmen getroffen.

II. Präambel und Überschriften

Artikel 176

(1) Die Präambel, welche die Grundansichten und -prinzipien bestimmt, auf denen die Verfassung beruht, ist Bestandteil des Verfassungstextes.

(2) Die Überschriften der Artikel bezeichnen lediglich den Gegenstand der betreffenden Artikel und die Reihenfolge und Verbindung zwischen ihnen. Diese Überschriften gelten als nicht zum Verfassungstext gehörig.

III. Inkrafttreten der Verfassung

Artikel 177

Diese Verfassung wird mit der Verkündung im Amtsblatt nach der Volksabstimmung die Verfassung der Republik Türkei und tritt, abgesehen von den nachstehenden Ausnahmen und den Vorschriften über deren Inkrafttreten, vollständig in Kraft.

a) Im Zweiten Teil, zweiter Abschnitt: Vorschriften zu Freiheit und Sicherheit der Person, zu Presse und Veröffentlichungen,

im dritten Abschnitt: Vorschriften zu Arbeit, Tarifvertrag, Streik und Aussperrung.

Diese Vorschriften treten mit dem Erlass neuer Gesetze oder mit Änderungen der bestehenden Gesetze und jedenfalls mit Aufnahme der Tätigkeit durch die Große Nationalversammlung der Türkei in Kraft. Bis zum Inkrafttreten dieser Vorschriften gelten jedoch die bestehenden Gesetze und die Erklärungen und Beschlüsse des Nationalen Sicherheitsrates.

b) Im Zweiten Teil: Die Vorschriften über die Rechte zur politischen Betätigung und die Parteien treten mit der Verkündung des hierauf zu erlassenden Gesetzes über die politischen Parteien, das aktive und passive Wahlrecht mit der Verkündung des hierauf zu erlassenden Wahlgesetzes in Kraft.

c) Im Dritten Teil: Vorschriften zur Gesetzgebung.

Diese Vorschriften treten mit der Verkündung des Ergebnisses der ersten allgemeinen Abgeordnetenwahl in Kraft. Die Vorschriften dieses Abschnitts im Zusammenhang mit den Aufgaben und Kompetenzen der Großen Nationalversammlung der Türkei werden vorbehaltlich der Vorschriften des Gesetzes Nr. 2485 vom 29. Juni 1981 über die Verfassunggebende Versammlung bis zur Aufnahme der Tätigkeit durch die Große Nationalversammlung der Türkei vom Nationalen Sicherheitsrat durchgeführt.

d) Im Dritten Teil: Abgesehen von den Vorschriften unter der Überschrift „Präsident der Republik" zu dessen Aufgaben und Kompetenzen sowie dem Staatskontrollrat, unter der Überschrift „Ministerrat" zu den Rechtsverordnungen, der Nationalen Verteidigung, den Verfahren der Notstandsverwaltung, unter der Überschrift „Verwaltung" zu den lokalen Verwaltungen und der Hohen Atatürk-Gesellschaft für Kultur, Sprache und Geschichte, treten die übrigen Vorschriften der genannten Überschriften sowie, abgesehen von den Vorschriften über die Staatssicherheitsgerichte, alle Vorschriften über die Rechtsprechung mit der Verkündung der Annahme nach der Volksabstimmung über die Verfassung im Amtsblatt in Kraft. Die Vorschriften zum Präsidenten der Republik und zum Ministerrat, welche nicht in Kraft treten, treten mit der Aufnahme der Tätigkeit der Großen Nationalversammlung der Türkei, die Vorschriften über die lokalen Verwaltungen und die Staatssicherheitsgerichte mit der Verkündung der betreffenden Gesetze in Kraft.

e) Ist es wegen der Vorschriften, die mit der Verkündung der Annahme nach der Volksabstimmung über die Verfassung in Kraft treten, und der bestehenden und der zu begründenden Körperschaften, Einrichtungen und Räte notwendig, neue Gesetze zu erlassen oder bestehende Gesetze zu ändern, so richten sich die auf sie bezogenen Akte nach Maßgabe von Art. 11 der Verfassung nach den nicht verfassungswidrigen Vorschriften der bestehenden Gesetze oder unmittelbar nach den Vorschriften der Verfassung.

f) Mit der Anwendung der Vorschrift des Art. 164 Abs. 2, welche das Verhandlungsverfahren zu den Gesetzentwürfen über die Haushaltsendabrechnung regelt, wird ab 1984 begonnen.

Verfassung der Ukraine[*]

Vom 28. Juni 1996 (Vidomosti Verchovnoji Rady Ukrajiny 1996, Nr. 30, Pos. 141), zuletzt geändert am 3. September 2019 (Vidomosti Verchovnoji Rady Ukrajiny 2019, Nr. 38, Pos. 160)

PRÄAMBEL

Die Verchovna Rada der Ukraine im Namen des ukrainischen Volkes – der Bürger der Ukraine aller Nationalitäten,

den souveränen Willen des Volkes ausdrückend,

gestützt auf die jahrhundertelange Geschichte der ukrainischen Staatsbildung und auf der Grundlage des durch die ukrainische Nation, das gesamte ukrainische Volk ausgeübten Selbstbestimmungsrechts,

in dem Bemühen, die Rechte und Freiheiten des Menschen und ihm würdige Lebensbedingungen zu gewährleisten,

in Sorge um die Stärkung der bürgerlichen Eintracht auf dem Boden der Ukraine und in Bekräftigung der europäischen Identität des ukrainischen Volkes und der Unumkehrbarkeit der europäischen und euro-atlantischen Ausrichtung der Ukraine,

in dem Bestreben, einen demokratischen und sozialen Rechtsstaat zu entwickeln und zu stärken,

in dem Bewusstsein der Verantwortung vor Gott, dem eigenen Gewissen und den früheren, jetzigen und zukünftigen Generationen,

geleitet durch den Akt der Unabhängigkeitserklärung der Ukraine vom 24. August 1991, der am 1. Dezember 1991 durch eine Volksabstimmung angenommen wurde,

nimmt diese Verfassung – das Grundgesetz der Ukraine – an.

Abschnitt I
ALLGEMEINE BESTIMMUNGEN

Artikel 1 [Grundprinzipien]

Die Ukraine ist ein souveräner und unabhängiger, demokratischer und sozialer Rechtsstaat.

Artikel 2 [Territorium]

(1) Die Souveränität der Ukraine erstreckt sich auf ihr gesamtes Territorium.

(2) Die Ukraine ist ein unitarischer Staat.

(3) Das Territorium der Ukraine innerhalb der bestehenden Grenze ist unteilbar und unantastbar.

Artikel 3 [Grundrechtsbindung]

(1) Der Mensch, sein Leben und seine Gesundheit, seine Ehre und Würde, seine Unantastbarkeit und Sicherheit werden in der Ukraine als höchster sozialer Wert anerkannt.

(2) Die Rechte und Freiheiten des Menschen und ihre Garantien bestimmen den Inhalt und die Richtung der Tätigkeit des Staates. Der Staat ist dem Einzelnen gegenüber für seine Tätigkeit verantwortlich. Die Stärkung und Gewährleistung der Rechte und Freiheiten des Menschen ist die hauptsächliche Pflicht des Staates.

Artikel 4 [Staatsbürgerschaft]

In der Ukraine besteht eine einheitliche Staatsbürgerschaft. Die Gründe für den Erwerb und die Beendigung der Staatsbürgerschaft der Ukraine werden durch das Gesetz festgelegt.

Artikel 5 [Volksmacht]

(1) Die Ukraine ist eine Republik.

---

[*] Übersetzt von *Inga Zelena* und *Bernd Wieser*, beide Zentrum für osteuropäisches Recht, Karl-Franzens-Universität Graz.

(2) Träger der Souveränität und einzige Quelle der Macht in der Ukraine ist das Volk. Das Volk übt die Macht unmittelbar sowie durch die Organe der Staatsgewalt und die Organe der örtlichen Selbstverwaltung aus.

(3) Das Recht, die Verfassungsordnung in der Ukraine zu bestimmen und zu ändern, gehört ausschließlich dem Volk und kann nicht vom Staat, seinen Organen oder Amtspersonen usurpiert werden.

(4) Niemand kann die Staatsgewalt usurpieren.

Artikel 6 [Gewaltenteilung]

(1) Die Staatsgewalt wird in der Ukraine auf der Grundlage ihrer Aufteilung in gesetzgebende, vollziehende und rechtsprechende Gewalt ausgeübt.

(2) Die Organe der gesetzgebenden, vollziehenden und rechtsprechenden Gewalt üben ihre Befugnisse in dem durch diese Verfassung bestimmten Rahmen und in Übereinstimmung mit den Gesetzen der Ukraine aus.

Artikel 7 [Örtliche Selbstverwaltung]

In der Ukraine wird die örtliche Selbstverwaltung anerkannt und gewährleistet.

Artikel 8 [Rechts- und Verfassungsstaat]

(1) In der Ukraine ist das Prinzip der Rechtsstaatlichkeit anerkannt und wirksam.

(2) Die Verfassung der Ukraine hat die höchste Rechtskraft. Gesetze und andere normativ-rechtliche Akte werden auf der Grundlage der Verfassung der Ukraine angenommen und müssen ihr entsprechen.

(3) Die Normen der Verfassung der Ukraine sind Normen mit unmittelbarer Wirkung. Die Anrufung des Gerichts zum Schutz der verfassungsmäßigen Rechte und Freiheiten des Menschen und Bürgers unmittelbar auf Grundlage der Verfassung der Ukraine ist garantiert.

Artikel 9 [Völkerrechtliche Verträge]

(1) Geltende völkerrechtliche Verträge, die von der Verchovna Rada der Ukraine als verbindlich anerkannt worden sind, sind Bestandteil der nationalen Gesetzgebung der Ukraine.

(2) Der Abschluss von völkerrechtlichen Verträgen, die gegen die Verfassung der Ukraine verstoßen, ist erst nach der Einfügung von entsprechenden Änderungen in die Verfassung der Ukraine möglich.

Artikel 10 [Sprachenregime]

(1) Die Staatssprache in der Ukraine ist die ukrainische Sprache.

(2) Der Staat gewährleistet die allseitige Entwicklung und das Funktionieren der ukrainischen Sprache in allen Bereichen des öffentlichen Lebens auf dem gesamten Territorium der Ukraine.

(3) In der Ukraine wird die freie Entwicklung, der Gebrauch und der Schutz der russischen und anderer Sprachen der nationalen Minderheiten der Ukraine gewährleistet.

(4) Der Staat fördert das Erlernen von Sprachen der internationalen Kommunikation.

(5) Der Gebrauch der Sprachen in der Ukraine ist durch die Verfassung der Ukraine gewährleistet und wird durch das Gesetz bestimmt.

Artikel 11 [Ukrainische Nation]

Der Staat fördert die Konsolidierung und Entwicklung der ukrainischen Nation, ihres historischen Bewusstseins, ihrer Traditionen und Kultur sowie die Entwicklung der ethnischen, kulturellen, sprachlichen und religiösen Identität aller eingeborenen Völker und nationalen Minderheiten der Ukraine.

Artikel 12 [Auslandsukrainer]

Die Ukraine sorgt um die Befriedigung der national-kulturellen und sprachlichen Bedürfnisse der außerhalb des Staates lebenden Ukrainer.

Artikel 13 [Eigentumsrecht]

(1) Der Boden, seine Bodenschätze, die Atmosphäre, die Wasser- und anderen natürlichen Ressourcen auf dem Territorium der Ukraine sowie die natürlichen Ressourcen

seines Festlandsockels und der ausschließlichen (Meeres-)Wirtschaftszone sind Gegenstände des Eigentumsrechts des ukrainischen Volkes. Im Namen des ukrainischen Volkes üben die Eigentumsrechte die Organe der Staatsgewalt und die Organe der örtlichen Selbstverwaltung in dem durch diese Verfassung bestimmten Rahmen aus.

(2) Jeder Bürger hat das Recht, die natürlichen Objekte des Eigentumsrechts des Volkes im Einklang mit dem Gesetz zu nutzen.

(3) Eigentum verpflichtet. Das Eigentum darf nicht zum Schaden des Einzelnen und der Gesellschaft verwendet werden.

(4) Der Staat gewährleistet den Schutz der Rechte aller Subjekte des Eigentumsrechts und des Wirtschaftens sowie die soziale Ausrichtung der Wirtschaft. Alle Subjekte des Eigentumsrechts sind vor dem Gesetz gleich.

Artikel 14 [Boden]

(1) Der Boden ist der wichtigste nationale Reichtum, der unter dem besonderen Schutz des Staates steht.

(2) Das Eigentumsrecht am Boden wird gewährleistet. Dieses Recht wird von Bürgern, juristischen Personen und dem Staat ausschließlich im Einklang mit dem Gesetz erworben und ausgeübt.

Artikel 15 [Ideologische und politische Vielfalt]

(1) Das öffentliche Leben in der Ukraine basiert auf den Prinzipien der politischen, wirtschaftlichen und ideologischen Vielfalt.

(2) Keine Ideologie darf vom Staat als verbindlich anerkannt werden.

(3) Die Zensur ist untersagt.

(4) Der Staat garantiert die Freiheit der politischen Tätigkeit, die nicht durch die Verfassung und die Gesetze der Ukraine untersagt ist.

Artikel 16 [Ökologische Sicherheit]

Die Gewährleistung der ökologischen Sicherheit und die Aufrechterhaltung des ökologischen Gleichgewichts auf dem Territorium der Ukraine sowie die Überwindung der Folgen der Katastrophe von Tschernobyl – einer Katastrophe planetarischen Ausmaßes – und die Erhaltung des genetischen Pools des ukrainischen Volkes sind Aufgabe des Staates.

Artikel 17 [Militärische Macht]

(1) Der Schutz der Souveränität und der territorialen Integrität der Ukraine und die Gewährleistung ihrer wirtschaftlichen und informationellen Sicherheit sind die wichtigsten Funktionen des Staates und eine Angelegenheit des gesamten ukrainischen Volkes.

(2) Die Verteidigung der Ukraine und der Schutz ihrer Souveränität, territorialen Integrität und Unverletzlichkeit sind den Streitkräften der Ukraine anvertraut.

(3) Die Gewährleistung der Staatssicherheit und der Schutz der Staatsgrenze der Ukraine sind den entsprechenden militärischen Formationen und Rechtsschutzorganen des Staates anvertraut, deren Organisation und Vorgangsweise gesetzlich festgelegt sind.

(4) Die Streitkräfte der Ukraine und die anderen militärischen Formationen dürfen von niemandem dazu eingesetzt werden, die Rechte und Freiheiten der Bürger einzuschränken oder mit dem Ziel, die verfassungsmäßige Ordnung zu stürzen, die Machtorgane zu beseitigen oder ihre Tätigkeit zu behindern.

(5) Der Staat gewährleistet den sozialen Schutz der Bürger der Ukraine, die in den Streitkräften der Ukraine und in anderen militärischen Formationen dienen, sowie der Mitglieder ihrer Familien.

(6) Auf dem Territorium der Ukraine sind die Bildung und das Funktionieren von nicht gesetzlich vorgesehenen bewaffneten Formationen untersagt.

(7) Auf dem Territorium der Ukraine ist die Stationierung ausländischer Militärstützpunkte nicht zugelassen.

Artikel 18 [Außenpolitik]

Die außenpolitische Tätigkeit der Ukraine zielt darauf ab, ihre nationalen Interessen und ihre Sicherheit durch die Aufrechterhaltung einer friedlichen und gegenseitig vorteilhaften Zusammenarbeit mit den Mitgliedern der internationalen Gemeinschaft auf der Grundlage der allgemein anerkannten Grundsätze und Normen des Völkerrechts zu gewährleisten.

Artikel 19 [Rechte des Einzelnen und Pflichten des Staates]

(1) Die Rechtsordnung in der Ukraine beruht auf den Prinzipien, nach denen niemand dazu gezwungen werden darf, etwas zu tun, was nicht gesetzlich vorgeschrieben ist.

(2) Die Organe der Staatsgewalt und die Organe der örtlichen Selbstverwaltung sowie deren Amtspersonen sind verpflichtet, nur auf der Grundlage, im Rahmen der Befugnisse und in der Weise zu handeln, die durch die Verfassung und die Gesetze der Ukraine vorgeschrieben sind.

Artikel 20 [Staatssymbole]

(1) Als staatliche Symbole der Ukraine gelten die Staatsflagge der Ukraine, das Staatswappen der Ukraine und die Staatshymne der Ukraine.

(2) Die Staatsflagge der Ukraine ist ein Banner aus zwei gleich großen horizontalen Streifen in den Farben Blau und Gelb.

(3) Das Große Staatswappen der Ukraine wird unter Berücksichtigung des kleinen Staatswappens der Ukraine und des Wappens des Saporoger Heeres durch ein Gesetz festgelegt, das von mindestens zwei Dritteln der verfassungsmäßigen Zusammensetzung der Verchovna Rada der Ukraine angenommen wird.

(4) Das Hauptelement des Großen Staatswappens der Ukraine ist das Wappen des Fürstenstaates von Volodymyr dem Großen (das kleine Staatswappen der Ukraine).

(5) Die Staatshymne der Ukraine ist die Nationalhymne zur Musik von M. Verbyts'kyj mit dem durch ein Gesetz genehmigtem Text, das von mindestens zwei Dritteln der verfassungsmäßigen Zusammensetzung der Verchovna Rada der Ukraine angenommen wird.

(6) Die Beschreibung der Staatssymbole der Ukraine und das Verfahren für ihre Verwendung werden durch ein Gesetz festgelegt, das mindestens zwei Dritteln der verfassungsmäßigen Zusammensetzung der Verchovna Rada der Ukraine angenommen wird.

(7) Die Hauptstadt der Ukraine ist die Stadt Kiev.

Abschnitt II
DIE RECHTE, FREIHEITEN UND PFLICHTEN DES MENSCHEN UND BÜRGERS

Artikel 21 [Unveräußerliche Rechte]

Alle Menschen sind frei und gleich in ihrer Würde und ihren Rechten. Die Rechte und Freiheiten des Menschen sind unveräußerlich und unverletzlich.

Artikel 22 [Umfang der Rechte]

(1) Die in dieser Verfassung verankerten Rechte und Freiheiten des Menschen und Bürgers sind nicht erschöpfend.

(2) Die verfassungsmäßigen Rechte und Freiheiten sind gewährleistet und können nicht aufgehoben werden.

(3) Bei der Annahme neuer Gesetze oder bei der Durchführung von Änderungen von bestehenden Gesetzen ist eine Verringung von Inhalt und Umfang der bestehenden Rechte und Freiheiten nicht zugelassen.

Artikel 23 [Freie Entwicklung der Persönlichkeit]

Jeder Mensch hat das Recht auf freie Entwicklung seiner Persönlichkeit, sofern dadurch die Rechte und Freiheiten anderer Menschen nicht verletzt werden, und hat Pflichten gegenüber der Gesellschaft, in der die freie und allseitige Entwicklung seiner Persönlichkeit gewährleistet ist.

Artikel 24 [Gleichheitsgarantie]

(1) Die Bürger haben gleiche verfassungsmäßige Rechte und Freiheiten und sind vor dem Gesetz gleich.

(2) Es darf keine Privilegien oder Beschränkungen aufgrund von Merkmalen

der Rasse, der Hautfarbe, der politischen, religiösen oder sonstigen Überzeugungen, des Geschlechts, der ethnischen und sozialen Herkunft, des Vermögensstandes, des Wohnortes, der sprachlichen oder sonstiger Merkmale geben.

(3) Die Gleichheit der Rechte von Frau und Mann wird gewährleistet durch: die Gewährung gleicher Möglichkeiten für Frauen und Männer bei der gesellschaftlich-politischen und kulturellen Tätigkeit, beim Erwerb von Bildung und Berufsausbildung, in der Arbeit und ihrer Entlohnung; besondere Maßnahmen zum Schutz der Arbeit und der Gesundheit von Frauen und die Festlegung von Rentenvergünstigungen; die Schaffung von Bedingungen, die es Frauen ermöglichen, Arbeit und Mutterschaft zu vereinbaren; den rechtlichen Schutz sowie materielle und moralische Unterstützung für Mütter und Kinder, einschließlich der Bereitstellung von bezahltem Urlaub und anderen Vergünstigungen für schwangere Frauen und Mütter.

Artikel 25 [Staatsangehörigkeit]

(1) Einem Bürger der Ukraine darf nicht die Staatsangehörigkeit und das Recht, die Staatsangehörigkeit zu ändern, entzogen werden.

(2) Ein Bürger der Ukraine darf nicht aus der Ukraine ausgewiesen oder an einen anderen Staat ausgeliefert werden.

(3) Die Ukraine gewährleistet ihren außerhalb ihrer Grenzen aufhaltenden Bürger Fürsorge und Schutz.

Artikel 26 [Ausländer]

(1) Ausländer und Staatenlose, die sich auf gesetzlicher Grundlage in der Ukraine aufhalten, genießen die gleichen Rechte und Freiheiten und tragen auch die gleichen Pflichten wie Bürger der Ukraine – mit den Ausnahmen, die durch die Verfassung, die Gesetze oder die völkerrechtlichen Verträge der Ukraine festgelegt sind.

(2) Ausländern und Staatenlosen kann nach dem gesetzlich festgelegten Verfahren Asyl gewährt werden.

Artikel 27 [Recht auf Leben]

(1) Jeder Mensch hat das unveräußerliche Recht auf das Leben.

(2) Niemand darf willkürlich um das Leben beraubt werden. Es ist Pflicht des Staates, das Leben des Menschen zu schützen.

(3) Jeder hat das Recht, sein Leben und seine Gesundheit sowie das Leben und die Gesundheit anderer Menschen vor rechtswidrigen Eingriffen zu schützen.

Artikel 28 [Recht auf Würde, Folterverbot]

(1) Jeder hat das Recht auf die Achtung seiner Würde.

(2) Niemand darf der Folter oder grausamer, unmenschlicher oder erniedrigender Behandlung oder Strafe unterworfen werden.

(3) Kein Mensch darf ohne seine freie Zustimmung medizinischen, wissenschaftlichen oder sonstigen Experimenten unterworfen werden.

Artikel 29 [Recht auf Freiheit]

(1) Jeder Mensch hat das Recht auf Freiheit und persönliche Unantastbarkeit.

(2) Niemand darf festgenommen oder in Gewahrsam genommen werden, es sei denn aufgrund einer begründeten Gerichtsentscheidung und nur aus den Gründen und nach dem Verfahren, die durch ein Gesetz bestimmt sind.

(3) Im Falle der unaufschiebbaren Notwendigkeit, eine Straftat zu verhindern oder zu beenden, können die dazu gesetzlich befugten Organe die Gewahrsamsnahme einer Person als vorübergehende Präventivmaßnahme anwenden, deren Zulässigkeit innerhalb von zweiundsiebzig Stunden durch ein Gericht überprüft werden muss. Die festgenommene Person ist unverzüglich freizulassen, wenn ihr nicht innerhalb von zweiundsiebzig Stunden ab dem Zeitpunkt der Festnahme eine begründete Gerichtsentscheidung über die Gewahrsamsnahme zugestellt worden ist.

(4) Jeder Person, die festgenommen oder in Gewahrsam genommen wurde, sind unverzüglich die Gründe für ihre Festnahme

oder Gewahrsamsnahme mitzuteilen, ihre Rechte zu erklären und ist ab dem Zeitpunkt der Festnahme die Möglichkeit zu geben, sich zu verteidigen und die Rechtshilfe eines Verteidigers in Anspruch zu nehmen.

(5) Jeder Festgenommene hat das Recht, jederzeit vor Gericht Rechtsmittel gegen seine Festnahme einzulegen.

(6) Über die Festnahme oder Gewahrsamsnahme einer Person sind unverzüglich die Angehörigen der festgenommenen oder in Gewahrsam genommenen Person zu verständigen.

Artikel 30 [Unverletzlichkeit der Wohnung]

(1) Jedem wird die Unverletzlichkeit seiner Wohnung gewährleistet.

(2) Das Betreten der Wohnung oder des sonstigen Besitztums einer Person sowie die Durchführung einer Umschau oder Durchsuchung darin ist nur aufgrund einer begründeten Gerichtsentscheidung zulässig.

(3) In unaufschiebbaren Fällen, die mit dem Schutz des Lebens von Menschen und des Eigentums oder der unmittelbaren Verfolgung von Personen, die der Begehung einer Straftat verdächtigt werden, verbunden sind, ist ein sonstiges, durch ein Gesetz festgelegtes Verfahren für das Betreten einer Wohnung oder eines sonstigen Besitztums einer Person und für die Durchführung einer Umschau oder Durchsuchung darin möglich.

Artikel 31 [Briefgeheimnis]

Jedem wird das Brief-, Telefon-, Telegramm- und sonstige Korrespondenzgeheimnis gewährleistet. Ausnahmen dürfen nur durch ein Gericht in gesetzlich bestimmten Fällen festgelegt werden, mit dem Ziel, eine Straftat zu verhindern oder die Wahrheit bei der Untersuchung einer Strafsache zu ermitteln, wenn es unmöglich ist, die Information mit anderen Mitteln zu erhalten.

Artikel 32 [Recht auf Privatsphäre, Informationsfreiheit]

(1) Niemand darf einem Eingriff in sein Privat- und Familienleben ausgesetzt werden, außer in den Fällen, die in der Verfassung der Ukraine vorgesehen sind.

(2) Nicht zulässig ist die Sammlung, Speicherung, Verwendung und Verbreitung von vertraulichen Informationen über eine Person ohne deren Zustimmung, außer in den durch ein Gesetz festgelegten Fällen und nur im Interesse der nationalen Sicherheit, des wirtschaftlichen Wohls und der Rechte eines Menschen.

(3) Jeder Bürger hat das Recht, sich in den Organen der Staatsgewalt, den Organen der örtlichen Selbstverwaltung, den Institutionen und Organisationen mit den Informationen über sich selbst bekannt zu machen, die kein Staatsgeheimnis oder anderes durch Gesetz geschütztes Geheimnis sind.

(4) Jedem wird der gerichtliche Schutz des Rechts gewährleistet, eine unwahre Information über sich und seine Familienangehörigen zu widerlegen und die Löschung jeglicher Information zu verlangen, sowie das Recht auf Entschädigung für einen materiellen und moralischen Schaden, der durch die Sammlung, Speicherung, Verwendung und Verbreitung einer solchen unwahren Information verursacht wurde.

Artikel 33 [Freizügigkeit, Ausreise- und Rückkehrfreiheit]

(1) Jedem, der sich auf gesetzlicher Grundlage auf dem Territorium der Ukraine aufhält, wird die Freizügigkeit, die freie Wahl des Wohnsitzes und das Recht, das Territorium der Ukraine frei zu verlassen, mit Ausnahme der durch ein Gesetz festgelegten Einschränkungen, garantiert.

(2) Einem Bürger der Ukraine kann das Recht, jederzeit in die Ukraine zurückzukehren, nicht entzogen werden.

Artikel 34 [Meinungs- und Informationsfreiheit]

(1) Jedem wird das Recht auf Gedanken- und Meinungsfreiheit sowie auf freie Äußerung seiner Ansichten und Überzeugungen gewährleistet.

(2) Jeder hat das Recht, Informationen mündlich, schriftlich oder auf andere Weise

nach seiner Wahl frei zu sammeln, zu speichern, zu verwenden und zu verbreiten.

(3) Die Ausübung dieser Rechte kann durch ein Gesetz im Interesse der nationalen Sicherheit, der territorialen Integrität oder der öffentlichen Ordnung mit dem Ziel, Unruhen oder Straftaten zu verhindern, zum Schutz der Gesundheit der Bevölkerung, zum Schutz des Rufs oder der Rechte anderer Menschen, zur Verhinderung der Offenlegung von vertraulich erhaltenen Informationen oder zur Wahrung der Autorität und Unparteilichkeit der Rechtsprechung eingeschränkt werden.

Artikel 35 [Religionsfreiheit]

(1) Jeder hat das Recht auf Weltanschauungs- und Religionsfreiheit. Dieses Recht schließt die Freiheit ein, jede Religion auszuüben oder keine auszuüben, ungehindert allein oder kollektiv religiöse Riten und rituelle Zeremonien zu vollziehen und eine religiöse Tätigkeit auszuüben.

(2) Die Ausübung dieses Rechts darf nur durch ein Gesetz im Interesse des Schutzes der öffentlichen Ordnung, der Gesundheit und Moral der Bevölkerung oder zum Schutz der Rechte und Freiheiten anderer Menschen eingeschränkt werden.

(3) Die Kirche und die religiösen Organisationen in der Ukraine sind vom Staat und die Schule ist von der Kirche getrennt. Keine Religion darf vom Staat als verbindlich anerkannt werden.

(4) Niemand kann aufgrund religiöser Überzeugungen von seinen Pflichten gegenüber dem Staat entbunden werden oder die Erfüllung der Gesetze verweigern. Im Falle, dass die Erfüllung der Wehrpflicht den religiösen Überzeugungen eines Bürgers widerspricht, ist die Erfüllung dieser Pflicht durch einen alternativen (nicht-militärischen) Dienst zu ersetzen.

Artikel 36 [Vereinigungsfreiheit]

(1) Die Bürger der Ukraine haben das Recht auf Freiheit der Vereinigung in politischen Parteien und gesellschaftlichen Organisationen zur Ausübung und zum Schutz ihrer Rechte und Freiheiten und zur Befriedigung ihrer politischen, wirtschaftlichen, sozialen, kulturellen und sonstigen Interessen, mit Ausnahme der durch ein Gesetz im Interesse der nationalen Sicherheit und der öffentlichen Ordnung, des Schutzes der Gesundheit der Bevölkerung oder des Schutzes der Rechte und Freiheiten anderer Menschen festgelegten Einschränkungen.

(2) Die politischen Parteien in der Ukraine fördern die Bildung und den Ausdruck des politischen Willens der Bürger und nehmen an den Wahlen teil. Mitglieder politischer Parteien können nur Bürger der Ukraine sein. Beschränkungen der Mitgliedschaft in politischen Parteien werden ausschließlich durch diese Verfassung und die Gesetze der Ukraine festgelegt.

(3) Die Bürger haben das Recht auf Teilnahme an den Gewerkschaften mit dem Ziel des Schutzes ihrer arbeitsrechtlichen und sozial-wirtschaftlichen Rechte und Interessen. Die Gewerkschaften sind gesellschaftliche Organisationen, die Bürger vereinen, die durch gemeinsame Interessen auf Grund ihrer beruflichen Tätigkeit verbunden sind. Gewerkschaften werden ohne vorherige Genehmigung auf der Grundlage der freien Entscheidung ihrer Mitglieder gegründet. Alle Gewerkschaften haben die gleichen Rechte. Beschränkungen der Mitgliedschaft in Gewerkschaften werden ausschließlich durch diese Verfassung und die Gesetze der Ukraine festgelegt.

(4) Niemand darf gezwungen werden, einer beliebigen Vereinigung der Bürger beizutreten, oder in seinen Rechten wegen der Zugehörigkeit oder Nichtzugehörigkeit zu einer politischen Partei oder gesellschaftlichen Organisation eingeschränkt werden.

(5) Alle Vereinigungen von Bürgern sind vor dem Gesetz gleich.

Artikel 37 [Parteiverbote]

(1) Die Gründung und Tätigkeit von politischen Parteien und gesellschaftlichen Organisationen, deren Programmziele oder Handlungen auf die Liquidierung der Unabhängigkeit der Ukraine, die Änderung

der Verfassungsordnung mit gewaltsamen Mitteln, die Verletzung der Souveränität und territorialen Integrität des Staates, die Untergrabung seiner Sicherheit, die rechtswidrige Ergreifung der Staatsgewalt, die Propaganda von Krieg und Gewalt, die Aufstachelung zu interethnischer, rassischer und religiöser Feindschaft sowie die Beeinträchtigung der Rechte und Freiheiten des Menschen und der Gesundheit der Bevölkerung gerichtet sind, sind untersagt.

(2) Politische Parteien und gesellschaftliche Organisationen dürfen keine paramilitärischen Formationen haben.

(3) Die Bildung und Tätigkeit von Organisationsstrukturen politischer Parteien in den Organen der vollziehenden und rechtssprechenden Gewalt und in den ausführenden Organen der örtlichen Selbstverwaltung, in militärischen Formationen sowie in staatlichen Unternehmen, Bildungseinrichtungen und anderen staatlichen Institutionen und Organisationen ist nicht zulässig.

(4) Das Verbot der Tätigkeit von Vereinigungen der Bürger darf nur in einem gerichtlichen Verfahren verwirklicht werden.

Artikel 38 [Politische Teilhaberechte]

(1) Die Bürger haben das Recht, an der Verwaltung der Staatsangelegenheiten und an gesamtukrainischen und örtlichen Volksabstimmungen teilzunehmen sowie die Organe der Staatsgewalt und die Organe der örtlichen Selbstverwaltung frei zu wählen und in diese gewählt zu werden.

(2) Die Bürger genießen das gleiche Recht auf Zugang zum öffentlichen Dienst sowie zum Dienst in den Organen der örtlichen Selbstverwaltung.

Artikel 39 [Versammlungsfreiheit]

(1) Die Bürger haben das Recht, sich friedlich und unbewaffnet zu versammeln und Versammlungen, Kundgebungen, Umzüge und Demonstrationen abzuhalten, über welche die Organe der vollziehenden Gewalt oder die Organe der örtlichen Selbstverwaltung rechtzeitig zu verständigen sind.

(2) Eine Einschränkung der Ausübung dieses Rechts kann durch ein Gericht in Übereinstimmung mit dem Gesetz und nur im Interesse der nationalen Sicherheit und der öffentlichen Ordnung festgelegt werden mit dem Ziel der Verhinderung von Unruhen oder Straftaten, zur Wahrung der Gesundheit der Bevölkerung oder zum Schutz der Rechte und Freiheiten anderer Menschen.

Artikel 40 [Petitionsfreiheit]

Alle haben das Recht, individuelle oder kollektive schriftliche Anträge einzureichen oder sich persönlich an die Organe der Staatsgewalt, die Organe der örtlichen Selbstverwaltung sowie an die Amtspersonen und Angestellten dieser Organe zu wenden, die verpflichtet sind, die Anträge zu prüfen und innerhalb der gesetzlich festgelegten Frist eine begründete Antwort zu geben.

Artikel 41 [Eigentum und Enteignung]

(1) Jeder hat das Recht, sein Eigentum sowie die Ergebnisse seiner geistigen und schöpferischen Tätigkeit zu besitzen, zu nutzen und darüber zu verfügen.

(2) Das Recht auf Privateigentum wird gemäß dem durch ein Gesetz bestimmten Verfahren erworben.

(3) Die Bürger können zur Befriedigung ihrer Bedürfnisse Rechtsobjekte des staatlichen und kommunalen Eigentums im Einklang mit dem Gesetz nutzen.

(4) Niemandem darf rechtswidrig das Recht auf Eigentum entzogen werden. Das Recht auf Privateigentum ist unantastbar.

(5) Eine zwangsweise Enteignung von Rechtsobjekten des Privateigentums darf nur ausnahmsweise aus Gründen der gesellschaftlichen Notwendigkeit, auf der durch ein Gesetz bestimmten Grundlage und nach dem darin vorgeschriebenen Verfahren und unter der Bedingung einer vorherigen und vollständigen Entschädigung ihres Wertes erfolgen. Die zwangsweise Enteignung solcher Objekte mit nachfolgender vollständiger Entschädigung ihres Wertes ist nur unter den Bedingungen des Kriegs- oder Ausnahmezustands zulässig.

(6) Die Konfiskation von Vermögen kann nur durch eine Gerichtsentscheidung in den Fällen, in der Höhe und nach dem Verfahren angewendet werden, die das Gesetz vorschreibt.

(7) Die Nutzung des Eigentums darf nicht den Rechten, Freiheiten und der Würde der Bürger sowie den Interessen der Gesellschaft Schaden zufügen oder die ökologische Situation und die natürlichen Eigenschaften des Bodens verschlechtern.

Artikel 42 [Unternehmerische Tätigkeit, Schutz des Wettbewerbs]

(1) Jeder hat das Recht auf eine unternehmerische Tätigkeit, die nicht durch das Gesetz untersagt ist.

(2) Die unternehmerische Tätigkeit von Abgeordneten sowie von Amtspersonen und Angestellten der Organe der staatlichen Gewalt und der Organe der örtlichen Selbstverwaltung wird durch Gesetz eingeschränkt.

(3) Der Staat gewährleistet den Schutz des Wettbewerbs in der unternehmerischen Tätigkeit. Nicht zulässig sind der Missbrauch einer Monopolstellung auf dem Markt, die rechtswidrige Wettbewerbsbeschränkung und unlauterer Wettbewerb. Die Arten und Grenzen des Monopols werden durch ein Gesetz bestimmt.

(4) Der Staat schützt die Rechte der Konsumenten, übt die Kontrolle über die Qualität und Sicherheit von Produkten und allen Arten von Dienstleistungen und Arbeiten aus und fördert die Tätigkeit der gesellschaftlichen Konsumentenorganisationen.

Artikel 43 [Recht auf Arbeit]

(1) Jeder hat das Recht auf Arbeit, das die Möglichkeit einschließt, seinen Lebensunterhalt durch eine Arbeit zu verdienen, die er frei wählt oder zu der er sich frei entschließt.

(2) Der Staat schafft die Bedingungen für die volle Wahrnehmung des Rechtes auf Arbeit durch die Bürger, gewährleistet gleiche Möglichkeiten bei der Wahl des Berufs und der Art der beruflichen Tätigkeit und verwirklicht Programme der beruflich-tech-

nischen Ausbildung und der Schulung und Umschulung des Personals entsprechend den gesellschaftlichen Bedürfnissen.

(3) Die Nutzung von Zwangsarbeit ist untersagt. Nicht gilt als Zwangsarbeit der militärische oder alternative (nicht-militärische) Dienst sowie Arbeit oder Dienst, der von einer Person aufgrund einer Verurteilung oder einer sonstigen Gerichtsentscheidung oder in Übereinstimmung mit den Gesetzen über den Kriegs- und Ausnahmezustand geleistet wird.

(4) Jeder hat das Recht auf angemessene, sichere und gesunde Arbeitsbedingungen und auf eine nicht geringere als durch ein Gesetz festgelegte Entlohnung.

(5) Der Einsatz der Arbeit von Frauen und Minderjährigen für gesundheitsgefährdende Arbeiten ist untersagt.

(6) Den Bürgern wird der Schutz vor unrechtmäßiger Kündigung gewährleistet.

(7) Das Recht auf den rechtzeitigen Erhalt der Vergütung für die Arbeit wird durch ein Gesetz geschützt.

Artikel 44 [Streikrecht]

(1) Diejenigen, die arbeiten, haben das Recht auf Streik zum Schutz ihrer wirtschaftlichen und sozialen Interessen.

(2) Das Verfahren für die Ausübung des Streikrechts wird durch ein Gesetz unter Berücksichtigung der Notwendigkeit der Gewährung der nationalen Sicherheit sowie des Schutzes der Gesundheit und der Rechte und Freiheiten anderer Menschen festgelegt.

(3) Niemand darf zur Teilnahme oder Nichtteilnahme an einem Streik gezwungen werden.

(4) Das Verbot eines Streiks ist nur auf der Grundlage eines Gesetzes zulässig.

Artikel 45 [Recht auf Erholung]

(1) Jeder, der arbeitet, hat das Recht auf Erholung.

(2) Dieses Recht wird durch die Gewährung von wöchentlichen Erholungstagen sowie bezahltem Jahresurlaub, die Festlegung eines verkürzten Arbeitstages für bestimmte Berufe und Branchen und die reduzierte

Dauer der Nachtarbeitszeiten gewährleistet.

(3) Die Höchstdauer der Arbeitszeit, die Mindestdauer der Erholung und des bezahlten Jahresurlaubs, die arbeitsfreien Tage und die Feiertage sowie die sonstigen Bedingungen für die Ausübung dieses Rechts werden durch ein Gesetz festgelegt.

Artikel 46 [Recht auf sozialen Schutz]

(1) Die Bürger haben das Recht auf sozialen Schutz, welches das Recht auf ihre Versorgung im Falle des völligen, teilweisen oder zeitweiligen Verlustes der Arbeitsfähigkeit, des Verlustes des Ernährers, der Arbeitslosigkeit aufgrund unverschuldeter Umstände sowie im Alter und in anderen durch ein Gesetz vorgesehenen Fällen einschließt.

(2) Dieses Recht wird durch die allgemeinverbindliche staatliche Sozialversicherung auf Rechnung von Versicherungsbeiträgen der Bürger, Unternehmen, Einrichtungen und Organisationen sowie durch Haushaltsmittel und andere Quellen der Sozialfürsorge und durch die Einrichtung eines Netzes von staatlichen, kommunalen und privaten Einrichtungen zur Pflege Nichterwerbsfähiger garantiert.

(3) Die Renten, die anderen Arten von Sozialleistungen und die Zuwendungen, die die Hauptquelle für den Lebensunterhalt darstellen, müssen einen Lebensstandard gewährleisten, der nicht unter dem durch ein Gesetz festgelegten Existenzminimum liegt.

Artikel 47 [Recht auf Wohnung]

(1) Jeder hat das Recht auf eine Wohnung. Der Staat schafft Bedingungen, unter denen jeder Bürger die Möglichkeit haben wird, Wohnraum zu bauen, ihn als Eigentum zu erwerben oder zu mieten.

(2) Den Bürgern, die sozialen Schutzes bedürfen, wird Wohnraum vom Staat und den Organen der örtlichen Selbstverwaltung unentgeltlich oder zu einem für sie leistbaren Preis gemäß dem Gesetz zur Verfügung gestellt.

(3) Niemandem darf zwangsweise seine Wohnung anders als auf der Grundlage eines Gesetzes durch Entscheidung eines Gerichts entzogen werden.

Artikel 48 [Recht auf hinreichenden Lebensstandard]

Jeder hat das Recht auf einen hinreichenden Lebensstandard für sich und seine Familie, einschließlich ausreichender Nahrung, Bekleidung und Wohnraum.

Artikel 49 [Recht auf Gesundheitsschutz]

(1) Jeder hat das Recht auf Schutz der Gesundheit, medizinische Hilfe und Krankenversicherung.

(2) Der Schutz der Gesundheit wird durch die staatliche Finanzierung entsprechender sozial-ökonomischer, medizinisch-hygienischer sowie gesundheitsvorbeugender Programme gewährleistet.

(3) Der Staat schafft die Bedingungen für eine effektive und für alle Bürger zugängliche medizinische Versorgung. In den staatlichen und kommunalen Einrichtungen des Gesundheitswesens wird die medizinische Versorgung unentgeltlich gewährt; das bestehende Netz solcher Einrichtungen darf nicht verringert werden. Der Staat fördert die Entwicklung von Heilanstalten aller Eigentumsformen.

(4) Der Staat sorgt für die Entwicklung der Leibeserziehung und des Sports und gewährleistet das sanitär-epidemiologische Wohlergehen.

Artikel 50 [Recht auf Umweltschutz]

(1) Jeder hat das Recht auf eine für das Leben und die Gesundheit sichere Umwelt und auf Ersatz des Schadens, der durch die Verletzung dieses Rechts zugefügt worden ist.

(2) Jedem wird das Recht auf freien Zugang zu Informationen über den Zustand der Umwelt, über die Qualität von Lebensmitteln und Konsumgütern sowie das Recht auf deren Verbreitung gewährleistet. Solche Informationen können von niemandem als geheim eingestuft werden.

Artikel 51 [Ehe und Familie]

(1) Die Ehe beruht auf dem freiwilligen Einverständnis der Frau und des Mannes. Jeder der Ehegatten hat die gleichen Rechte und Pflichten in der Ehe und in der Familie.

(2) Die Eltern sind verpflichtet, ihre Kinder bis zu deren Volljährigkeit zu unterstützen. Volljährige Kinder sind verpflichtet, für ihre arbeitsunfähigen Eltern zu sorgen.

(3) Die Familie, Kindheit, Mutterschaft und Vaterschaft werden vom Staat geschützt.

Artikel 52 [Kinder]

(1) Die Kinder sind in ihren Rechten gleich, unabhängig von ihrer Herkunft und davon, ob sie ehelich oder außerehelich geboren sind.

(2) Jegliche Gewalt gegenüber einem Kind und seine Ausbeutung werden nach dem Gesetz verfolgt.

(3) Der Unterhalt und die Erziehung von Waisen und Kindern, die der elterlichen Fürsorge entzogen sind, ist dem Staat überantwortet. Der Staat fördert und unterstützt wohltätige Aktivitäten gegenüber Kindern.

Artikel 53 [Recht auf Bildung]

(1) Jeder hat das Recht auf Bildung.

(2) Die allgemeine mittlere Bildung ist obligatorisch.

(3) Der Staat gewährleistet die Zugänglichkeit und Unentgeltlichkeit der Vorschul-, allgemeinen mittleren, beruflich-technischen und höheren Bildung in staatlichen und kommunalen Bildungseinrichtungen, die Entwicklung von Vorschul-, allgemeiner mittlerer, außerschulischer, beruflich-technischer, höherer und postgradualer Bildung und verschiedener Formen der Ausbildung sowie die Zurverfügungstellung von staatlichen Stipendien und Vergünstigungen für Schüler und Studenten.

(4) Die Bürger haben das Recht, unentgeltlich eine höhere Bildung in staatlichen und kommunalen Bildungseinrichtungen auf Wettbewerbsbasis zu erwerben.

(5) Bürgern, die nationalen Minderheiten angehören, wird in Übereinstimmung mit einem Gesetz das Recht auf Unterricht in der Muttersprache oder das Erlernen der Muttersprache in den staatlichen und kommunalen Bildungseinrichtungen oder über nationale kulturelle Gesellschaften garantiert.

Artikel 54 [Kulturelle Rechte]

(1) Den Bürgern wird die Freiheit des literarischen, künstlerischen, wissenschaftlichen und technischen Schaffens und der Schutz des geistigen Eigentums, ihrer Urheberrechte sowie der moralischen und materiellen Interessen, die sich in Verbindung mit den verschiedenen Arten der intellektuellen Tätigkeit ergeben, garantiert.

(2) Jeder Bürger hat das Recht auf die Ergebnisse seiner intellektuellen und schöpferischen Tätigkeit; niemand darf sie ohne seine Zustimmung nutzen oder verbreiten, mit den Ausnahmen, die durch ein Gesetz vorgesehen sind.

(3) Der Staat fördert die Entwicklung der Wissenschaft und die Aufnahme von wissenschaftlichen Beziehungen zwischen der Ukraine und der Weltgemeinschaft.

(4) Das kulturelle Erbe ist gesetzlich geschützt.

(5) Der Staat sorgt für die Erhaltung von historischen Denkmälern und anderen Objekten von kulturellem Wert und ergreift Maßnahmen zur Rückführung in die Ukraine von kulturellen Schätzen des Volkes, die sich außerhalb ihrer Grenzen befinden.

Artikel 55 [Gerichtlicher und internationaler Rechtsschutz]

(1) Die Rechte und Freiheiten des Menschen und Bürgers werden durch die Gerichte geschützt.

(2) Jedem ist das Recht garantiert, Entscheidungen, Handlungen oder Unterlassungen von Organen der staatlichen Gewalt, Organen der örtlichen Selbstverwaltung, Amtspersonen und Angestellten vor Gericht anzufechten.

(3) Jeder hat das Recht, sich zum Schutz seiner Rechte an den Menschenrechtsbeauftragten der Verchovna Rada der Ukraine zu wenden.

(4) Jedem wird das Recht garantiert, sich

mit einer Verfassungsbeschwerde an das Verfassungsgericht der Ukraine auf in dieser Verfassung festgelegter Grundlage und nach dem durch Gesetz festgelegten Verfahren zu wenden.

(5) Jeder hat das Recht, sich nach Ausschöpfung aller nationalen Rechtsschutzmittel zum Schutz seiner Rechte und Freiheiten an die entsprechenden internationalen gerichtlichen Einrichtungen oder an die entsprechenden Organe internationaler Organisationen, denen die Ukraine als Mitglied oder Teilnehmer angehört, zu wenden.

(6) Jeder hat das Recht, seine Rechte und Freiheiten mit allen nicht gesetzlich verbotenen Mitteln gegen Verletzungen und rechtswidrige Eingriffe zu schützen.

Artikel 56 [Staatshaftung]

Jeder hat das Recht auf Entschädigung auf Kosten des Staates oder der Organe der örtlichen Selbstverwaltung für materiellen und moralischen Schaden, der durch rechtswidrige Entscheidungen, Handlungen oder Unterlassungen von Organen der Staatsgewalt, Organen der örtlichen Selbstverwaltung, ihrer Amtspersonen und Angestellten in Ausübung ihrer Befugnisse zugefügt wurde.

Artikel 57 [Publizität von Gesetzen]

(1) Jedem wird das Recht garantiert, seine Rechte und Pflichten zu kennen.

(2) Gesetze und andere normativ-rechtliche Akte, die Rechte und Pflichten der Bürger festlegen, sind der Bevölkerung nach dem durch ein Gesetz bestimmten Verfahren zur Kenntnis zu bringen.

(3) Gesetze und andere normativ-rechtliche Akte, die Rechte und Pflichten der Bürger festlegen, die jedoch der Bevölkerung nicht nach dem durch ein Gesetz bestimmten Verfahren zur Kenntnis gebracht wurden, sind ungültig.

Artikel 58 [Verbot der Rückwirkung von Gesetzen]

(1) Gesetze und andere normativ-rechtliche Akte haben keine zeitlich rückwirkende Wirkung, außer in Fällen, wenn sie die Ver-

antwortlichkeit einer Person mindern oder aufheben.

(2) Niemand hat Handlungen zu verantworten, die im Zeitpunkt ihrer Begehung nicht gemäß dem Gesetz als Straftat galten.

Artikel 59 [Rechtsbeistand]

Jeder hat das Recht auf professionellen rechtlichen Beistand. In den durch ein Gesetz vorgeschriebenen Fällen wird dieser Beistand unentgeltlich gewährt. Jeder ist frei in der Wahl des Verteidigers seiner Rechte.

Artikel 60 [Verweigerung strafbarer Anweisungen]

(1) Niemand ist verpflichtet, offensichtlich strafbare Anweisungen oder Anordnungen auszuführen.

(2) Für die Erteilung und Ausführung einer offensichtlich strafbaren Anweisung oder Anordnung entsteht eine rechtliche Haftung.

Artikel 61 [Ne bis in idem]

(1) Niemand darf für ein und dieselbe Rechtsverletzung zweimal zur gleichen rechtlichen Verantwortlichkeit gezogen werden.

(2) Die rechtliche Verantwortlichkeit einer Person hat einen individuellen Charakter.

Artikel 62 [Unschuldsvermutung]

(1) Eine Person gilt als der Begehung einer Straftat unschuldig und darf keiner Bestrafung unterzogen werden, solange nicht ihre Schuld im gesetzlichen Verfahren bewiesen und durch ein gerichtliches Strafurteil festgestellt worden ist.

(2) Niemand ist verpflichtet, seine Unschuld an der Begehung einer Straftat zu beweisen.

(3) Eine Anklage darf sich nicht auf Beweise, die auf ungesetzlichem Wege erlangt wurden, sowie auf Vermutungen stützen. Alle Zweifel am Nachweis der Schuld einer Person werden zu ihren Gunsten ausgelegt.

(4) Im Falle der Aufhebung eines Gerichtsurteils als rechtswidrig ersetzt der Staat den materiellen und moralischen Schaden,

der durch die grundlose Verurteilung zugefügt worden ist.

Artikel 63 [Rechte des Beschuldigten]

(1) Eine Person trägt keine Verantwortung für die Weigerung, gegen sich, gegen andere Familienmitglieder oder nahe Verwandte, deren Kreis durch Gesetz festgelegt wird, eine Aussage oder Erklärung abzugeben.

(2) Ein Verdächtiger, Beschuldigter oder Angeklagter hat das Recht auf Verteidigung.

(3) Ein Verurteilter genießt alle Rechte des Menschen und Bürgers, mit Ausnahme der Einschränkungen, die durch das Gesetz bestimmt und durch ein Gerichtsurteil festgelegt werden.

Artikel 64 [Grundrechtseinschränkungen]

(1) Die verfassungsmäßigen Rechte des Menschen und Bürgers dürfen mit Ausnahme der durch die Verfassung der Ukraine vorgesehenen Fälle nicht eingeschränkt werden.

(2) Im Falle des Kriegs- oder des Ausnahmezustands können einzelne Beschränkungen der Rechte und Freiheiten mit Angabe der Geltungsdauer dieser Einschränkungen festgelegt werden. Die in den Artikeln 24, 25, 27, 28, 29, 40, 47, 51, 52, 55, 56, 57, 58, 59, 60, 61, 62 und 63 dieser Verfassung festgelegten Rechte und Freiheiten dürfen nicht eingeschränkt werden.

Artikel 65 [Militärdienst]

(1) Die Verteidigung des Vaterlandes, der Unabhängigkeit und territorialen Integrität der Ukraine sowie die Achtung ihrer Staatssymbole sind Pflicht der Bürger der Ukraine.

(2) Die Bürger leisten den Wehrdienst in Übereinstimmung mit dem Gesetz.

Artikel 66 (Pflicht zum Umweltschutz]

Jeder ist verpflichtet, keine Schäden an der Natur und am kulturellen Erbe zu verursachen sowie an ihnen verursachte Schäden zu ersetzen.

Artikel 67 [Steuerzahlungspflicht]

(1) Jeder ist verpflichtet, Steuern und Abgaben zu zahlen nach dem Verfahren und in der Höhe, die durch das Gesetz festgelegt sind.

(2) Alle Bürger legen jährlich nach dem durch Gesetz festgelegten Verfahren den Steuerinspektionen an ihrem Wohnsitz eine Erklärung über ihren Vermögensstatus und ihr Einkommen für das vergangene Jahr vor.

Artikel 68 [Achtung der Gesetze]

(1) Jeder ist verpflichtet, die Verfassung der Ukraine und die Gesetze der Ukraine streng zu beachten sowie nicht in die Rechte und Freiheiten, die Ehre und Würde anderer Personen einzugreifen.

(2) Die Unkenntnis der Gesetze befreit nicht von der rechtlichen Verantwortlichkeit.

Abschnitt III
WAHLEN. VOLKSABSTIMMUNG

Artikel 69 [Mittelbare und unmittelbare Demokratie]

Die Willensbekundung des Volkes erfolgt durch Wahlen, die Volksabstimmung und andere Formen der unmittelbaren Demokratie.

Artikel 70 [Stimmrecht]

(1) Das Stimmrecht bei den Wahlen und Volksabstimmungen haben die Bürger der Ukraine, die am Tag ihrer Durchführung das achtzehnte Lebensjahr vollendet haben.

(2) Kein Stimmrecht haben Bürger, die von einem Gericht für geschäftsunfähig erklärt wurden.

Artikel 71 [Wahlgrundsätze]

(1) Die Wahlen zu den Organen der Staatsgewalt und den Organen der örtlichen Selbstverwaltung sind frei und werden auf der Grundlage des allgemeinen, gleichen und unmittelbaren Wahlrechts in geheimer Abstimmung durchgeführt.

(2) Den Wählern wird die freie Willensäußerung garantiert.

Artikel 72 [Gesamtukrainische Volksabstimmung]

(1) Eine gesamtukrainische Volksabstimmung wird von der Verchovna Rada der Ukraine oder vom Präsidenten der Ukraine gemäß ihren durch diese Verfassung festgelegten Befugnissen anberaumt.

(2) Eine gesamtukrainische Volksabstimmung wird auf Volksinitiative auf Antrag von mindestens drei Millionen wahlberechtigten Bürgern der Ukraine unter der Voraussetzung ausgeschrieben, dass die Unterschriften für die Durchführung einer Volksabstimmung in mindestens zwei Dritteln der Gebiete und in jedem Gebiet mindestens hunderttausend Unterschriften gesammelt wurden.

Artikel 73 [Verpflichtende gesamtukrainische Volksabstimmung]

Ausschließlich durch eine gesamtukrainische Volksabstimmung werden Fragen der Veränderung des Territoriums der Ukraine entschieden.

Artikel 74 [Ausschluss einer Volksabstimmung]

Eine Volksabstimmung über Gesetzesentwürfe zu Steuer- und Haushaltsfragen und zu einer Amnestie ist nicht zulässig.

Abschnitt IV
VERCHOVNA RADA DER UKRAINE

Artikel 75 [Organ der gesetzgebenden Gewalt]

Das alleinige Organ der gesetzgebenden Gewalt in der Ukraine ist das Parlament – die Verchovna Rada der Ukraine.

Artikel 76 [Zusammensetzung, Wahlrecht, Amtsperiode]

(1) Die verfassungsmäßige Zusammensetzung der Verchovna Rada der Ukraine beträgt vierhundertfünfzig Volksabgeordnete der Ukraine, die auf der Grundlage des allgemeinen, gleichen und unmittelbaren Wahlrechts in geheimer Abstimmung auf fünf Jahre gewählt werden.

(2) Als Volksabgeordneter der Ukraine kann ein Bürger der Ukraine gewählt werden, der am Wahltag das einundzwanzigste Lebensjahr vollendet hat, das Wahlrecht besitzt und in den letzten fünf Jahren in der Ukraine gelebt hat.

(3) In die Verchovna Rada der Ukraine darf/kann nicht ein Bürger gewählt werden, der wegen einer vorsätzlich begangenen Straftat vorbestraft ist, wenn diese Vorstrafe nicht nach dem durch ein Gesetz festgelegten Verfahren aufgehoben und getilgt wird.

(4) Die Befugnisse der Volksabgeordneten der Ukraine werden durch die Verfassung und die Gesetze der Ukraine bestimmt.

(5) Die Amtszeit der Verchovna Rada der Ukraine beträgt fünf Jahre.

Artikel 77 [Wahlen]

(1) Die ordentlichen Wahlen zur Verchovna Rada der Ukraine finden am letzten Sonntag im Oktober des fünften Jahres der Amtszeit der Verchovna Rada der Ukraine statt.

(2) Außerordentliche Wahlen zur Verchovna Rada der Ukraine werden vom Präsidenten der Ukraine anberaumt und finden innerhalb von sechzig Tagen ab dem Tag der Veröffentlichung der Entscheidung über die vorzeitige Beendigung der Befugnisse der Verchovna Rada der Ukraine statt.

(3) Das Verfahren für die Durchführung der Wahlen der Volksabgeordneten der Ukraine wird durch das Gesetz festgelegt.

Artikel 78 [Unvereinbarkeit]

(1) Die Volksabgeordneten der Ukraine üben ihre Befugnisse auf ständiger Grundlage aus.

(2) Die Volksabgeordneten der Ukraine dürfen kein anderes Vertretungsmandat haben, nicht im öffentlichen Dienst stehen, keine anderen bezahlten Stellen besetzen, keine andere bezahlte oder unternehmerische Tätigkeit ausüben (mit Ausnahme von Lehrtätigkeit, wissenschaftlicher und schöpferischer Tätigkeit) oder Mitglied des Leitungsorgans oder Aufsichtsrats eines Unternehmens oder einer Organisation sein, die auf Gewinnerzielung ausgerichtet ist.

(3) Die Anforderungen an die Unvereinbarkeit des Abgeordnetenmandats mit anderen Arten von Tätigkeiten werden durch das Gesetz festgelegt.

(4) Im Falle von Umständen, die die Anforderungen an die Unvereinbarkeit des Mandats des Abgeordneten mit anderen Arten von Tätigkeiten verletzen, stellt der Volksabgeordnete der Ukraine innerhalb von zwanzig Tagen ab dem Tag des Auftretens solcher Umstände diese Tätigkeit ein oder reicht eine persönliche Erklärung über die Niederlegung der eines Volksabgeordneten der Ukraine ein.

Artikel 79 [Eid]

(1) Vor dem Amtsantritt leisten die Volksabgeordneten der Ukraine vor der Verchovna Rada der Ukraine den folgenden Eid:

„Ich schwöre der Ukraine die Treue. Ich verpflichte mich, mit allen meinen Handlungen die Souveränität und Unabhängigkeit der Ukraine zu verteidigen und für das Wohl des Vaterlandes und das Wohlergehen des Ukrainischen Volkes zu sorgen.

Ich schwöre, die Verfassung der Ukraine und die Gesetze der Ukraine einzuhalten und meine Pflichten im Interesse aller Mitbürger zu erfüllen."

(2) Den Eid verliest der älteste Volksabgeordnete der Ukraine vor der Eröffnung der ersten Session der neu gewählten Verchovna Rada der Ukraine, wonach die Abgeordneten den Eid mit ihren Unterschriften unter dem Text bekräftigen.

(3) Die Verweigerung der Eidesleistung hat den Verlust des Abgeordnetenmandats zur Folge.

(4) Die Befugnisse der Volksabgeordneten der Ukraine beginnen ab dem Moment der Eidesleistung.

Artikel 80 [Immunität]

Die Volksabgeordneten der Ukraine tragen keine rechtliche Verantwortlichkeit für die Ergebnisse ihres Stimmverhaltens oder für Äußerungen im Parlament und in seinen Organen, mit Ausnahme der Verantwortlichkeit für Verleumdung und Beleidigung.

Artikel 81 [Mandatsverlust]

(1) Die Befugnisse der Volksabgeordneten der Ukraine enden gleichzeitig mit der Beendigung der Befugnisse der Verchovna Rada der Ukraine.

(2) Die Befugnisse eines Volksabgeordneten der Ukraine enden vorzeitig im Falle:

1) der Niederlegung der Befugnisse auf seine persönliche Erklärung hin;

2) des Eintritts der Rechtskraft einer gegen ihn erlassenen Verurteilung;

3) der Erklärung durch Gericht für geschäftsunfähig oder als vermisst;

4) der Beendigung seiner Staatsbürgerschaft oder seiner Ausreise zum dauerhaften Aufenthalt außerhalb der Ukraine;

5) wenn innerhalb von zwanzig Tagen vom Tag des Auftretens von Umständen, die eine Verletzung der Anforderungen betreffend die Unvereinbarkeit des Abgeordnetenmandats mit anderen Arten von Tätigkeiten zur Folge haben, diese Umstände von ihm nicht beseitigt wurden;

6) des Nichtbeitritts eines Volksabgeordneten der Ukraine, der aus einer politischen Partei (einem Wahlbündnis von politischen Parteien) gewählt wurde, zur Abgeordnetenfraktion dieser politischen Partei (des Wahlbündnisses von politischen Parteien) oder des Austritts eines Volksabgeordneten der Ukraine aus dieser Fraktion;

7) seines Todes.

(3) Die Befugnisse eines Volksabgeordneten der Ukraine enden ebenso vorzeitig im Fall der vorzeitigen Beendigung der Befugnisse der Verchovna Rada der Ukraine in Übereinstimmung mit der Verfassung der Ukraine – am Tag der Eröffnung der ersten Session der Verchovna Rada der Ukraine der neuen Legislatur.

(4) Die Entscheidung über die vorzeitige Beendigung der Befugnisse eines Volksabgeordneten der Ukraine wird in den Fällen, die in den Zahlen 1 und 4 des Absatzes 2 dieses Artikels vorgesehen sind, von der Verchovna Rada der Ukraine getroffen, im Fall, der in der Zahl 5 des Absatzes 2 dieses Artikels vorgesehen ist, jedoch von einem Gericht.

(5) Im Falle, dass eine gerichtliche Ver-

urteilung gegen einen Volksabgeordneten der Ukraine in Rechtskraft tritt, oder dass ein Volksabgeordneter der Ukraine für geschäftsunfähig oder als vermisst erklärt wird, enden seine Befugnisse ab dem Tag, an dem die Gerichtsentscheidung in Rechtskraft tritt, und im Falle des Todes eines Volksabgeordneten der Ukraine ab dem Todestag, der durch eine Sterbeurkunde bestätigt ist.

(6) Im Falle, dass ein Volksabgeordneter der Ukraine, der aus einer politischen Partei (einem Wahlbündnis von politischen Parteien) gewählt wurde, nicht in die Abgeordnetenfraktion dieser politischen Partei (des Wahlbündnisses der politischen Parteien) eintritt oder aus einer solchen Fraktion austritt, enden seine Befugnisse vorzeitig auf Grundlage eines Gesetzes durch Entscheidung des höchsten Leitungsorgans der jeweiligen politischen Partei (des Wahlbündnisses der politischen Parteien) ab dem Tag der Fällung dieser Entscheidung.

Artikel 82 [Sessionen]

(1) Die Verchovna Rada der Ukraine arbeitet in Sessionen.

(2) Die Verchovna Rada der Ukraine ist legitimiert, wenn mindestens zwei Drittel ihrer verfassungsmäßigen Zusammensetzung gewählt worden sind.

(3) Die Verchovna Rada der Ukraine versammelt sich zu ihrer ersten Session spätestens am dreißigsten Tag nach der offiziellen Bekanntgabe der Wahlergebnisse.

(4) Die erste Session der neu gewählten Verchovna Rada der Ukraine eröffnet der nach dem Lebensalter älteste Volksabgeordnete der Ukraine.

Artikel 83 [Arbeitsweise, Koalition von Abgeordnetenfraktionen]

(1) Die ordentlichen Sessionen der Verchovna Rada der Ukraine beginnen am ersten Dienstag im Februar und am ersten Dienstag im September jedes Jahres.

(2) Außerordentliche Sessionen der Verchovna Rada der Ukraine werden mit Angabe der Tagesordnung vom Vorsitzenden der Verchovna Rada der Ukraine auf Verlangen des Präsidenten der Ukraine oder auf Verlangen von mindestens einem Drittel der Volksabgeordneten der verfassungsmäßigen Zusammensetzung der Verchovna Rada der Ukraine einberufen.

(3) Im Falle der Verkündung eines Dekrets des Präsidenten der Ukraine über die Einführung des Kriegs- oder des Ausnahmezustands in der Ukraine oder in einzelnen ihrer Gebietschaften versammelt sich die Verchovna Rada der Ukraine innerhalb von zwei Tagen ohne Einberufung zu einer Session.

(4) Im Falle des Ablaufs der Amtszeit der Befugnisse der Verchovna Rada der Ukraine während des Kriegs- oder des Ausnahmezustands wird ihre Amtszeit bis zum Tag der ersten Sitzung der ersten Session der Verchovna Rada der Ukraine, die nach der Aufhebung des Kriegs- oder des Ausnahmezustands gewählt wurde, verlängert.

(5) Die Arbeitsweise der Verchovna Rada der Ukraine wird durch die Verfassung der Ukraine und die Geschäftsordnung der Verchovna Rada der Ukraine geregelt.

(6) In der Verchovna Rada der Ukraine wird entsprechend den Wahlergebnissen und auf der Grundlage einer Absprache der politischen Positionen eine Koalition von Abgeordnetenfraktionen gebildet, die die Mehrheit der Volksabgeordneten der Ukraine von der verfassungsmäßigen Zusammensetzung der Verchovna Rada der Ukraine umfasst.

(7) Die Koalition der Abgeordnetenfraktionen in der Verchovna Rada der Ukraine wird innerhalb eines Monats nach vom Tag der Eröffnung der ersten Zusammenkunft der Verchovna Rada der Ukraine, die nach den ordentlichen oder außerordentlichen Wahlen der Verchovna Rada der Ukraine stattfindet, oder innerhalb eines Monats nach Beendigung der Tätigkeit der Koalition der Abgeordnetenfraktionen in der Verchovna Rada der Ukraine gebildet.

(8) Die Koalition der Abgeordnetenfraktionen in der Verchovna Rada der Ukraine unterbreitet in Übereinstimmung mit dieser Verfassung dem Präsidenten der Ukraine Vorschläge betreffend die Kandidatur für

den Premierminister der Ukraine sowie unterbreitet in Übereinstimmung mit dieser Verfassung Vorschläge betreffend Kandidaturen für das Ministerkabinett der Ukraine.

(9) Die Prinzipien der Bildung, Organisation der Tätigkeit und Beendigung der Tätigkeit einer Koalition der Abgeordnetenfraktionen in der Verchovna Rada der Ukraine werden durch die Verfassung der Ukraine und die Geschäftsordnung der Verchovna Rada der Ukraine festgelegt.

(10) Die Abgeordnetenfraktion in der Verchovna Rada der Ukraine, die eine Mehrheit von Volksabgeordneten der verfassungsmäßigen Zusammensetzung der Verchovna Rada der Ukraine umfasst, hat die in dieser Verfassung vorgesehenen Rechte einer Koalition der Abgeordnetenfraktionen in der Verchovna Rada der Ukraine.

Artikel 84 [Abstimmungen]

(1) Die Sitzungen der Verchovna Rada der Ukraine werden öffentlich abgehalten. Eine geschlossene Sitzung wird auf Entscheidung der Mehrheit der verfassungsmäßigen Zusammensetzung der Verchovna Rada der Ukraine abgehalten.

(2) Entscheidungen der Verchovna Rada der Ukraine werden ausschließlich auf ihren Plenarsitzungen durch Abstimmung angenommen.

(3) Die Abstimmung in den Sitzungen der Verchovna Rada der Ukraine erfolgt durch den Volksabgeordneten der Ukraine persönlich.

Artikel 85 [Befugnisse]

(1) Zu den Befugnissen der Verchovna Rada der Ukraine gehören:

1) die Einfügung von Änderungen in die Verfassung der Ukraine im Rahmen und nach dem Verfahren, wie es im Abschnitt XIII dieser Verfassung festgelegt ist;

2) die Anberaumung einer gesamtukrainischen Volksabstimmung über Fragen, die durch Artikel 73 dieser Verfassung festgelegt sind;

3) die Annahme von Gesetzen;

4) die Genehmigung des Staatshaushalts der Ukraine und die Einfügung von Änderungen darin, die Kontrolle über den Vollzug des Staatshaushalts der Ukraine, die Annahme einer Entscheidung über den Bericht über seinen Vollzug;

5) die Festlegung der Prinzipien der Innen- und Außenpolitik und der Verwirklichung der strategischen Ausrichtung des Staates auf die Erlangung der Vollmitgliedschaft der Ukraine in der Europäischen Union und der Nordatlantikvertragsorganisation;

6) die Bestätigung der allgemeinstaatlichen Programme der wirtschaftlichen, wissenschaftlich-technischen, sozialen und national-kulturellen Entwicklung sowie des Umweltschutzes;

7) die Anberaumung von Wahlen des Präsidenten der Ukraine innerhalb der von dieser Verfassung vorgesehenen Fristen;

8) die Anhörung der jährlichen und außerordentlichen Botschaften des Präsidenten der Ukraine über die innere und äußere Lage der Ukraine;

9) die Verkündung des Kriegszustandes und des Friedensschlusses auf Vorschlag des Präsidenten der Ukraine sowie die Genehmigung der Entscheidung des Präsidenten der Ukraine über den Einsatz der Streitkräfte der Ukraine und anderer militärischer Formationen im Falle einer bewaffneten Aggression gegen die Ukraine;

10) die Amtsenthebung des Präsidenten der Ukraine in einem Sonderverfahren (Impeachment), das durch Artikel 111 dieser Verfassung geregelt ist;

11) die Behandlung und Annahme einer Entscheidung betreffend die Genehmigung des Tätigkeitsprogramms des Ministerkabinetts der Ukraine;

12) die Ernennung des Premierministers der Ukraine, des Verteidigungsministers der Ukraine und des Außenministers der Ukraine auf Vorschlag des Präsidenten der Ukraine sowie der anderen Mitglieder des Ministerkabinetts der Ukraine, des Vorsitzenden des Antimonopolkomitees der Ukraine, des Vorsitzenden des Staatskomitees für Fernsehen und Rundfunk der Ukraine und des Vorsitzenden des Staatsvermögensfonds der

Ukraine sowie die Entlassung der genannten Personen auf Vorschlag des Premierministers der Ukraine, die Entscheidung über den Rücktritt des Premierministers der Ukraine und der Mitglieder des Ministerkabinetts der Ukraine;

12-1) die Ernennung und Entlassung des Vorsitzenden des Sicherheitsdienstes der Ukraine auf Vorschlag des Präsidenten der Ukraine;

13) die Ausübung der Kontrolle über die Tätigkeit des Ministerkabinetts der Ukraine in Übereinstimmung mit dieser Verfassung und dem Gesetz;

14) die Genehmigung von Entscheidungen über die Gewährung von Krediten und Wirtschaftshilfe durch die Ukraine an ausländische Staaten und internationale Organisationen sowie über die Entgegennahme von Krediten von ausländischen Staaten, Banken und internationalen Finanzorganisationen durch die Ukraine, die nicht im Staatshaushalt der Ukraine vorgesehen sind, und die Ausübung der Kontrolle über deren Verwendung;

15) die Annahme der Geschäftsordnung der Verchovna Rada der Ukraine;

16) die Ernennung und Entlassung des Vorsitzenden und der anderen Mitglieder des Rechnungshofs;

17) die Ernennung und Entlassung des Menschenrechtsbeauftragten der Verchovna Rada der Ukraine; die Anhörung seiner Jahresberichte über den Stand der Einhaltung und des Schutzes der Rechte und Freiheiten des Menschen in der Ukraine;

18) die Ernennung zum und Entlassung aus dem Amt des Vorsitzenden der Nationalbank der Ukraine auf Vorschlag des Präsidenten der Ukraine;

19) die Ernennung und Entlassung der Hälfte der Mitglieder des Rates der Nationalbank der Ukraine;

20) die Ernennung und Entlassung der Hälfte der Mitglieder des Nationalen Rates der Ukraine für Fernsehen und Rundfunk;

21) die Ernennung und Entlassung der Mitglieder der Zentralen Wahlkommission auf Vorschlag des Präsidenten der Ukraine;

22) die Bestätigung der allgemeinen Struktur und der zahlenmäßigen Stärke und die Festlegung der Funktionen des Sicherheitsdienstes der Ukraine, der Streitkräfte der Ukraine und anderer militärischer Formationen, die in Übereinstimmung mit den Gesetzen der Ukraine gebildet wurden, sowie des Ministeriums für Inneres der Ukraine;

23) die Genehmigung der Entscheidung über die Gewährung von militärischer Hilfe an andere Staaten sowie über die Entsendung von Einheiten der Streitkräfte der Ukraine in einen anderen Staat oder über die Aufnahme von Einheiten der Streitkräfte anderer Staaten auf dem Territorium der Ukraine;

24) die Bestimmung der staatlichen Symbole der Ukraine;

25) die Zustimmung zur Ernennung und Entlassung des Generalstaatsanwalts der Ukraine durch den Präsidenten der Ukraine; die Äußerung des Misstrauens gegenüber dem Generalstaatsanwalt der Ukraine, was seinen Amtsrücktritt zur Folge hat;

26) die Ernennung von einem Drittel des Bestands des Verfassungsgerichts der Ukraine;

27) [aufgehoben]

28) die vorzeitige Beendigung der Befugnisse der Verchovna Rada der Autonomen Republik Krim bei Vorliegen eines Gutachtens des Verfassungsgerichts der Ukraine über die Verletzung der Verfassung der Ukraine oder der Gesetze der Ukraine durch sie; die Anberaumung von außerordentlichen Wahlen zur Verchovna Rada der Autonomen Republik Krim;

29) die Bildung und Auflösung von Kreisen, die Festlegung und Änderung der Grenzen der Kreise und Städte, die Zuweisung von Ortschaften zur Kategorie von Städten, die Benennung und Umbenennung von Ortschaften und Kreisen;

30) die Anberaumung ordentlicher und außerordentlicher Wahlen der Organe der örtlichen Selbstverwaltung;

31) die Bestätigung von Dekreten über die Einführung des Kriegs- oder des Ausnahmezustands in der Ukraine oder in einzelnen

ihrer Gebietsschaften, über die allgemeine oder teilweise Mobilmachung und über die Erklärung bestimmter Gebietsschaften zu Zonen des ökologischen Ausnahmezustands innerhalb von zwei Tagen ab dem Datum des Aufrufes des Präsidenten der Ukraine;

32) die Erteilung der Zustimmung zur Verbindlichkeit internationaler Verträge der Ukraine und zur Kündigung internationaler Verträge der Ukraine durch Gesetz;

33) die Ausübung der parlamentarischen Kontrolle im Rahmen, der durch diese Verfassung und das Gesetz festgelegt ist;

34) die Annahme einer Entscheidung über die Übermittlung einer Anfrage an den Präsidenten der Ukraine auf Antrag eines Volksabgeordneten der Ukraine, einer Gruppe von Volksabgeordneten der Ukraine oder eines Ausschusses der Verchovna Rada der Ukraine, die zuvor von mindestens einem Drittel der verfassungsmäßigen Zusammensetzung der Verchovna Rada der Ukraine unterstützt wurde;

35) die Ernennung und Entlassung des Leiters des Apparats der Verchovna Rada der Ukraine; die Bestätigung des Haushaltsplans der Verchovna Rada der Ukraine und der Struktur ihres Apparats;

36) die Bestätigung der Liste der Objekte im staatlichen Eigentumsrecht, die nicht der Privatisierung unterliegen, die Festlegung der rechtlichen Prinzipien für die Beschlagnahme von Objekten im privaten Eigentumsrecht;

37) die Bestätigung der Verfassung der Autonomen Republik Krim und von Änderungen in ihr durch Gesetz.

(2) Die Verchovna Rada der Ukraine übt auch andere Befugnisse aus, die durch die Verfassung der Ukraine in ihre Zuständigkeit verwiesen sind.

Artikel 86 [Anfragerecht]

(1) Ein Volksabgeordneter der Ukraine hat das Recht, auf einer Session der Verchovna Rada der Ukraine sich mit einer Anfrage an die Organe der Verchovna Rada der Ukraine, das Ministerkabinett der Ukraine, die Leiter anderer Organe der Staatsgewalt und der Organe der örtlichen Selbstverwaltung sowie die Leiter von Unternehmen, Einrichtungen und Organisationen, die sich auf dem Territorium der Ukraine befinden, unabhängig von deren Unterordnung und Eigentumsform, zu wenden.

(2) Die Leiter der Organe der Staatsgewalt und der Organe der örtlichen Selbstverwaltung, der Unternehmen, Einrichtungen und Organisationen sind verpflichtet, den Volksabgeordneten der Ukraine über die Ergebnisse der Prüfung seiner Anfrage zu informieren.

Artikel 87 [Misstrauensvotum]

(1) Die Verchovna Rada der Ukraine kann auf Vorschlag des Präsidenten der Ukraine oder von mindestens einem Drittel der Volksabgeordneten der verfassungsmäßigen Zusammensetzung der Verchovna Rada der Ukraine die Frage der Verantwortung des Ministerkabinetts der Ukraine behandeln und mit der Mehrheit der verfassungsmäßigen Zusammensetzung der Verchovna Rada der Ukraine einen Beschluss über das Misstrauen gegenüber dem Ministerkabinett der Ukraine fassen.

(2) Die Frage der Verantwortung des Ministerkabinetts der Ukraine darf von der Verchovna Rada der Ukraine nicht mehr als einmal während einer ordentlichen Session und auch nicht innerhalb eines Jahres nach der Genehmigung des Tätigkeitsprogramms des Ministerkabinetts der Ukraine oder während der letzten Session der Verchovna Rada der Ukraine behandelt werden.

Artikel 88 [Vorsitzender]

(1) Die Verchovna Rada der Ukraine wählt aus ihrer Zusammensetzung den Vorsitzenden der Verchovna Rada der Ukraine, den Ersten Stellvertreter und den Stellvertreter des Vorsitzenden der Verchovna Rada der Ukraine und beruft sie aus dem Amt ab.

(2) Der Vorsitzende der Verchovna Rada der Ukraine:

1) leitet die Sitzungen der Verchovna Rada der Ukraine;

2) organisiert die Arbeit der Verchovna

Rada der Ukraine und koordiniert die Tätigkeit ihrer Organe;

3) unterzeichnet die von der Verchovna Rada der Ukraine angenommen Akte;

4) vertritt die Verchovna Rada der Ukraine in den Beziehungen mit anderen Organen der Staatsgewalt der Ukraine und mit den Organen der Staatsgewalt anderer Staaten;

5) organisiert die Arbeit des Apparats der Verchovna Rada der Ukraine.

(3) Der Vorsitzende der Verchovna Rada der Ukraine übt die in dieser Verfassung vorgesehenen Befugnisse nach dem durch die Geschäftsordnung der Verchovna Rada der Ukraine festgelegten Verfahren aus.

Artikel 89 [Ausschüsse]

(1) Zur Ausübung der gesetzgebenden Tätigkeit, zur Vorbereitung und vorläufigen Behandlung von Fragen, die zu ihren Befugnissen gehören, und zur Ausübung ihrer Aufsichtsfunktionen bildet die Verchovna Rada der Ukraine in Übereinstimmung mit der Verfassung der Ukraine aus der Zahl der Volksabgeordneten der Ukraine Ausschüsse der Verchovna Rada der Ukraine und wählt die Vorsitzenden, die ersten Stellvertreter und Stellvertreter der Vorsitzenden und die Sekretäre dieser Ausschüsse.

(2) Die Verchovna Rada der Ukraine kann im Rahmen ihrer Befugnisse nichtständige Sonderkommissionen zur Vorbereitung und Vorbehandlung von Fragen einsetzen.

(3) Zur Untersuchung über Fragen, die ein öffentliches Interesse darstellen, bildet die Verchovna Rada der Ukraine nichtständige Untersuchungskommissionen, wenn mindestens ein Drittel der verfassungsmäßigen Zusammensetzung der Verchovna Rada der Ukraine dafür gestimmt hat.

(4) Die Schlussfolgerungen und Vorschläge der nichtständigen Untersuchungskommissionen sind für die Untersuchungsorgane und das Gericht nicht entscheidend.

(5) Die Organisation und das Verfahren der Ausschüsse der Verchovna Rada der Ukraine und ihrer nichtständigen Sonderkommissionen und Untersuchungskommissionen werden durch das Gesetz geregelt.

Artikel 90 [Amtsbeendigung]

(1) Die Befugnisse der Verchovna Rada der Ukraine enden mit dem Tag der Eröffnung der ersten Sitzung der Verchovna Rada der Ukraine der neuen Legislatur.

(2) Der Präsident der Ukraine hat das Recht, die Befugnisse der Verchovna Rada der Ukraine vorzeitig zu beenden, wenn:

1) in der Verchovna Rada der Ukraine nicht innerhalb eines Monats eine Koalition von Abgeordnetenfraktionen gemäß Artikel 83 dieser Verfassung gebildet worden ist;

2) innerhalb von sechzig Tagen nach dem Rücktritt des Ministerkabinetts nicht die Personalzusammensetzung des Ministerkabinetts der Ukraine gebildet worden ist;

3) innerhalb von dreißig Tagen einer ordentlichen Session die Plenarsitzungen nicht beginnen können.

(3) Die Entscheidung über die vorzeitige Beendigung der Befugnisse der Verchovna Rada der Ukraine wird vom Präsidenten der Ukraine nach Konsultationen mit dem Vorsitzenden der Verchovna Rada der Ukraine, seinen Stellvertretern und den Vorsitzenden der Abgeordnetenfraktionen in der Verchovna Rada der Ukraine getroffen.

(4) Die Befugnisse der Verchovna Rada der Ukraine, die in außerordentlichen Wahlen gewählt wurde, die nach der vorzeitigen Beendigung der Befugnisse der Verchovna Rada der Ukraine der vorherigen Legislatur durch den Präsidenten der Ukraine durchgeführt worden sind, dürfen innerhalb eines Jahres ab dem Tag ihrer Wahl nicht beendet werden.

(5) Die Befugnisse der Verchovna Rada der Ukraine dürfen vom Präsidenten der Ukraine während der letzten sechs Monate der Amtsdauer der Befugnisse der Verchovna Rada der Ukraine oder des Präsidenten der Ukraine nicht vorzeitig beendet werden.

Artikel 91 [Beschlussquorum]

Die Verchovna Rada der Ukraine nimmt Gesetze, Beschlüsse und andere Akte mit der Mehrheit ihrer verfassungsmäßigen Zusammensetzung an, außer in den Fällen, die in dieser Verfassung vorgesehen sind.

Artikel 92 [Gesetzgebungsmaterien]
(1) Ausschließlich durch die Gesetze der Ukraine werden bestimmt:

1) die Rechte und Freiheiten des Menschen und Bürgers, die Garantien für diese Rechte und Freiheiten; die Grundpflichten des Bürgers;

2) die Staatsbürgerschaft, die Rechtssubjektivität der Bürger, der Status von Ausländern und Staatenlosen;

3) die Rechte der eingeborenen Völker und nationalen Minderheiten;

4) das Verfahren der Verwendung der Sprachen;

5) die Grundlagen der Nutzung der natürlichen Ressourcen, der ausschließlichen (Meeres-) Wirtschaftszone, des Festlandsockels, der Erschließung des Weltraums, der Organisation und des Betriebs von Energiesystemen, des Verkehrs und der Kommunikation;

6) die Grundlagen des sozialen Schutzes, die Formen und Arten der Pensionsvorsorge; die Grundlagen der Regulierung von Arbeit und Beschäftigung, der Ehe, der Familie, des Schutzes der Kindschaft, Mutterschaft und Vaterschaft; der Erziehung, Bildung, Kultur und des Gesundheitsschutzes; der ökologischen Sicherheit;

7) die rechtliche Regelung des Eigentums;

8) die rechtlichen Grundlagen und Garantien des Unternehmertums; Regeln des Wettbewerbs und Normen der Antimonopolregulierung;

9) die Grundlagen der Außenbeziehungen, der Außenwirtschaftstätigkeit, des Zollwesens;

10) die Grundlagen der Regulierung von Demografie- und Migrationsprozessen;

11) die Grundlagen der Gründung und Tätigkeit von politischen Parteien, anderen Vereinigungen von Bürgern, von Massenmedien;

12) die Organisation und Tätigkeit der Organe der vollziehenden Gewalt, die Grundlagen des Staatsdienstes, die Organisation der staatlichen Statistik und Informatik;

13) der territoriale Aufbau der Ukraine;

14) das Gerichtssystem, das Gerichtsverfahren, der Status der Richter; die Grundlagen der gerichtlichen Begutachtung; die Organisation und Tätigkeit der Staatsanwaltschaft, des Notariats, der Organe der vorgerichtlichen Untersuchung, der Organe und Einrichtungen der Strafvollstreckung; das Verfahren der Vollstreckung gerichtlicher Entscheidungen; die Grundlagen der Organisation und Tätigkeit der Anwaltschaft;

15) die Grundlagen der örtlichen Selbstverwaltung;

16) der Status der Hauptstadt der Ukraine; der Sonderstatus der anderen Städte;

17) die Grundlagen der nationalen Sicherheit, der Organisation der Streitkräfte der Ukraine und der Gewährleistung der öffentlichen Ordnung;

18) das rechtliche Regime der Staatsgrenze;

19) das rechtliche Regime des Kriegs- und des Ausnahmezustands und der Zonen des ökologischen Ausnahmezustands;

20) die Organisation und das Verfahren der Durchführung von Wahlen und Volksabstimmungen;

21) die Organisation und das Verfahren der Tätigkeit der Verchovna Rada der Ukraine und der Status der Volksabgeordneten der Ukraine;

22) die Grundlagen der zivilrechtlichen Verantwortlichkeit; Handlungen, welche Straftaten, Ordnungswidrigkeiten oder Disziplinarverstöße darstellen, und die Verantwortlichkeit dafür.

(2) Ausschließlich durch die Gesetze der Ukraine werden geregelt:

1) der Staatshaushalt der Ukraine und das Haushaltssystem der Ukraine; das System der Besteuerung, Steuern und Gebühren; die Grundlagen für die Schaffung und das Funktionieren der Finanz-, Geld-, Kredit- und Investitionsmärkte; der Status der nationalen Währung sowie der Status der ausländischen Währungen auf dem Territorium der Ukraine; das Verfahren der Bildung und Zahlung der staatlichen inländischen und ausländischen Schulden; das Verfahren für die Ausgabe und den Handel von staatlichen Wertpapieren, ihre Arten und Typen;

2) das Verfahren für die Entsendung von Einheiten der Streitkräfte der Ukraine in andere Staaten; das Verfahren für die Aufnahme und die Bedingungen für den Aufenthalt von Einheiten der Streitkräfte anderer Staaten auf dem Territorium der Ukraine;

3) die Gewichts-, Maß- und Zeiteinheiten; das Verfahren zur Festlegung staatlicher Standards;

4) das Verfahren für die Verwendung und den Schutz der Staatssymbole;

5) die staatlichen Auszeichnungen;

6) die militärischen Ränge, diplomatischen Ränge und anderen besonderen Titel;

7) die staatlichen Feiertage;

8) das Verfahren für die Einrichtung und den Betrieb von Frei- und anderen Sonderzonen, die ein von der allgemeinen Regelung abweichendes Wirtschafts- oder Migrationsregime haben.

(3) Durch ein Gesetz der Ukraine wird die Amnestie erklärt.

Artikel 93 [Gesetzesinitiative]

(1) Das Recht der Gesetzesinitiative in der Verchovna Rada der Ukraine gehört dem Präsidenten der Ukraine, den Volksabgeordneten der Ukraine und dem Ministerkabinett der Ukraine.

(2) Die vom Präsidenten der Ukraine als dringlich bezeichneten Gesetzesentwürfe werden von der Verchovna Rada der Ukraine vorrangig behandelt.

Artikel 94 [Gesetzesveto des Präsidenten, Veröffentlichung des Gesetzes]

(1) Ein Gesetz unterzeichnet der Vorsitzende der Verchovna Rada der Ukraine und leitet es sofort an den Präsidenten der Ukraine weiter.

(2) Der Präsident der Ukraine unterzeichnet es innerhalb von fünfzehn Tagen nach Erhalt des Gesetzes, indem er es zur Ausführung annimmt, und verkündet es offiziell oder gibt es mit seinen begründeten und formulierten Vorschlägen zur erneuten Behandlung an die Verchovna Rada der Ukraine zurück.

(3) Im Falle, dass der Präsident der Ukraine ein Gesetz nicht innerhalb der festgelegten Frist zur erneuten Behandlung zurückgegeben hat, gilt das Gesetz als vom Präsidenten der Ukraine genehmigt und muss unterzeichnet und offiziell verkündet werden.

(4) Wird ein Gesetz nach erneuter Behandlung von der Verchovna Rada der Ukraine mit mindestens zwei Dritteln ihrer verfassungsmäßigen Zusammensetzung angenommen, ist der Präsident der Ukraine verpflichtet, es innerhalb von zehn Tagen zu unterzeichnen und offiziell zu verkünden. Falls der Präsident der Ukraine ein solches Gesetz nicht unterzeichnet hat, wird es unverzüglich vom Vorsitzenden der Verchovna Rada der Ukraine offiziell verkündet und mit seiner Unterschrift veröffentlicht.

(5) Das Gesetz tritt zehn Tage nach seiner offiziellen Verkündung in Kraft, sofern im Gesetz selbst nichts anderes bestimmt ist, jedoch nicht vor dem Tag seiner Veröffentlichung.

Artikel 95 [Grundsätze des Staatshaushalts]

(1) Das Haushaltssystem der Ukraine ist auf den Prinzipien der gerechten und unparteiischen Verteilung des gesellschaftlichen Reichtums unter den Bürgern und den territorialen Gemeinschaften aufgebaut.

(2) Ausschließlich durch das Gesetz über den Staatshaushalt der Ukraine werden jegliche Ausgaben des Staates für die gesellschaftlichen Bedürfnisse sowie die Höhe und die Zweckbestimmung dieser Ausgaben bestimmt.

(3) Der Staat strebt die Ausgeglichenheit des Haushalts der Ukraine an.

(4) Die regelmäßigen Berichte über Einnahmen und Ausgaben des Staatshaushalts der Ukraine müssen veröffentlicht werden.

Artikel 96 [Verabschiedung des Staatshaushalts]

(1) Der Staatshaushalt der Ukraine wird jährlich von der Verchovna Rada der Ukraine für den Zeitraum vom 1. Jänner bis 31. Dezember und unter besonderen Umständen für einen anderen Zeitraum bestätigt.

(2) Das Ministerkabinett der Ukraine legt der Verchovna Rada der Ukraine bis zum 15. September eines jeden Jahres einen Gesetzentwurf über den Staatshaushalt der Ukraine für das folgende Jahr vor. Zusammen mit dem Gesetzesentwurf wird ein Bericht über die Vollziehung des Staatshaushalts der Ukraine für das laufende Jahr vorgelegt.

Artikel 97 [Bericht über den Staatshaushalt]

(1) Das Ministerkabinett der Ukraine legt der Verchovna Rada der Ukraine in Übereinstimmung mit dem Gesetz einen Bericht über die Vollziehung des Staatshaushalts der Ukraine vor.

(2) Der vorgelegte Bericht ist zu veröffentlichen.

Artikel 98 [Rechnungshof]

(1) Im Namen der Verchovna Rada der Ukraine übt der Rechnungshof die Kontrolle über den Eingang der Mittel in den Staatshaushalt der Ukraine und deren Verwendung aus.

(2) Die Organisation, die Befugnisse und das Verfahren der Tätigkeit des Rechnungshofs werden durch das Gesetz festgelegt.

Artikel 99 [Währung, Zentralbank]

(1) Die Währungseinheit der Ukraine ist die Hrivna.

(2) Die Gewährleistung der Stabilität der Währungseinheit ist die Hauptfunktion der Zentralbank des Staates – der Nationalbank der Ukraine.

Artikel 100 [Rat der Nationalbank]

(1) Der Rat der Nationalbank der Ukraine erarbeitet die Hauptprinzipien der Geld- und Kreditpolitik und übt die Kontrolle über deren Umsetzung aus.

(2) Die Rechtsstellung des Rates der Nationalbank der Ukraine wird durch das Gesetz bestimmt.

Artikel 101 [Menschenrechtsbeauftragter]

Die parlamentarische Kontrolle über die Einhaltung der verfassungsmäßigen Rechte und Freiheiten des Menschen und Bürgers übt der Menschenrechtsbeauftragte der Verchovna Rada der Ukraine aus.

Abschnitt V
DER PRÄSIDENT DER UKRAINE

Artikel 102 [Garantenstellung]

(1) Der Präsident der Ukraine ist das Staatsoberhaupt und tritt im Namen des Staates auf.

(2) Der Präsident der Ukraine ist Garant der staatlichen Souveränität und territorialen Integrität der Ukraine sowie der Einhaltung der Verfassung der Ukraine und der Rechte und Freiheiten des Menschen und Bürgers.

(3) Der Präsident der Ukraine ist Garant für die Verwirklichung der strategischen Ausrichtung des Staates auf die Erlangung der Vollmitgliedschaft der Ukraine in der Europäischen Union und der Nordatlantikvertragsorganisation.

Artikel 103 [Wahl]

(1) Der Präsident der Ukraine wird von den Bürgern der Ukraine auf der Grundlage des allgemeinen, gleichen und unmittelbaren Wahlrechts in geheimer Stimmabgabe für eine Amtszeit von fünf Jahren gewählt.

(2) Als Präsident der Ukraine kann ein Bürger der Ukraine gewählt werden, der das fünfunddreißigste Lebensjahr vollendet hat, das Wahlrecht hat, in den letzten zehn Jahren vor dem Wahltag in der Ukraine gelebt hat und die Staatssprache beherrscht.

(3) Ein und dieselbe Person kann nicht mehr als zwei Amtszeiten hintereinander Präsident der Ukraine sein.

(4) Der Präsident der Ukraine darf kein anderes Vertretungsmandat haben, kein Amt in Organen der Staatsgewalt oder in Vereinigungen von Bürgern bekleiden und keine andere bezahlte oder unternehmerische Tätigkeit ausüben oder Mitglied des Leitungsorgans oder Aufsichtsrats eines Unternehmens sein, das auf Gewinnerzielung ausgerichtet ist.

(5) Die ordentliche Wahl des Präsidenten

der Ukraine findet am letzten Sonntag im März des fünften Jahres der Amtszeit des Präsidenten der Ukraine statt. Im Falle der vorzeitigen Beendigung der Befugnisse des Präsidenten der Ukraine werden innerhalb von neunzig Tagen ab dem Tag der Beendigung der Befugnisse Präsidentschaftswahlen abgehalten.

(6) Das Verfahren für die Durchführung der Wahl des Präsidenten der Ukraine wird durch das Gesetz festgelegt.

Artikel 104 [Eid]

(1) Der neu gewählte Präsident der Ukraine tritt sein Amt spätestens nach dreißig Tagen nach der offiziellen Bekanntgabe der Wahlergebnisse an, und zwar ab dem Zeitpunkt der Ablegung des Eids vor dem Volk in einer feierlichen Sitzung der Verchovna Rada der Ukraine.

(2) Die Vereidigung des Präsidenten der Ukraine nimmt der Vorsitzende des Verfassungsgerichts der Ukraine vor.

(3) Der Präsident der Ukraine leistet folgenden Eid:

„Ich, (Vor- und Nachname), durch den Willen des Volkes gewählter Präsident der Ukraine, übernehme dieses hohe Amt und schwöre der Ukraine feierlich die Treue. Ich verpflichte mich, mit allen meinen Handlungen die Souveränität und Unabhängigkeit der Ukraine zu verteidigen, für das Wohl des Vaterlandes und das Wohlergehen des ukrainischen Volkes zu sorgen, die Rechte und Freiheiten der Bürger zu schützen, die Verfassung der Ukraine und die Gesetze der Ukraine zu beachten, meine Pflichten im Interesse aller Mitbürger zu erfüllen und das Ansehen der Ukraine in der Welt zu erhöhen".

(4) Der in einer außerordentlichen Wahl gewählte Präsident der Ukraine leistet den Eid innerhalb von fünf Tagen nach der offiziellen Bekanntgabe der Wahlergebnisse.

Artikel 105 [Immunität]

(1) Der Präsident der Ukraine genießt während seiner Amtszeit das Recht auf Immunität.

(2) Für Angriffe auf die Ehre und Würde des Präsidenten der Ukraine werden die schuldigen Personen auf der Grundlage des Gesetzes zur Verantwortung gezogen.

(3) Der Titel des Präsidenten der Ukraine ist durch das Gesetz geschützt und wird ihm auf Lebenszeit verliehen, sofern er nicht durch das Verfahren der Amtsenthebung seines Amtes enthoben wurde.

Artikel 106 [Befugnisse]

(1) Der Präsident der Ukraine:

1) gewährleistet die staatliche Unabhängigkeit, die nationale Sicherheit und die Rechtsnachfolge des Staates;

2) wendet sich mit Botschaften an das Volk sowie mit jährlichen und außerordentlichen Botschaften an die Verchovna Rada der Ukraine über die innere und äußere Lage der Ukraine;

3) vertritt den Staat in den internationalen Beziehungen, nimmt die Leitung der außenpolitischen Tätigkeit des Staates wahr, führt die Verhandlungen und schließt die völkerrechtlichen Verträge der Ukraine ab;

4) trifft die Entscheidungen über die Anerkennung ausländischer Staaten;

5) ernennt und entlässt die Leiter der diplomatischen Vertretungen der Ukraine in anderen Staaten und bei internationalen Organisationen; nimmt Beglaubigungsschreiben und Abberufungsschreiben der diplomatischen Vertreter ausländischer Staaten entgegen;

6) beraumt eine gesamtukrainische Volksabstimmung über Änderungen der Verfassung der Ukraine in Übereinstimmung mit Artikel 156 dieser Verfassung an, verkündet eine gesamtukrainische Volksabstimmung auf eine Volksinitiative hin;

7) beraumt außerordentliche Wahlen zur Verchovna Rada der Ukraine innerhalb der durch diese Verfassung festgelegten Fristen an;

8) beendet die der Verchovna Rada der Ukraine in den Fällen, die durch diese Verfassung vorgesehen sind;

9) unterbreitet auf Vorschlag der Koalition der Abgeordnetenfraktionen in der Ver-

chovna Rada der Ukraine, die in Übereinstimmung mit Artikel 83 der Verfassung der Ukraine gebildet wurde, einen Vorschlag für die Ernennung des Premierministers der Ukraine durch die Verchovna Rada der Ukraine spätestens am fünfzehnten Tag nach Erhalt eines solchen Vorschlags;

10) unterbreitet der Verchovna Rada der Ukraine einen Vorschlag über die Ernennung des Verteidigungsministers der Ukraine und des Außenministers der Ukraine;

11) ernennt und entlässt den Generalstaatsanwalt der Ukraine mit der Zustimmung der Verchovna Rada der Ukraine;

12) ernennt und entlässt die Hälfte der Zusammensetzung des Rates der Nationalbank der Ukraine;

13) ernennt und entlässt die Hälfte der Zusammensetzung des Nationalen Rates der Ukraine für Fernsehen und Rundfunk;

14) unterbreitet der Verchovna Rada der Ukraine einen Vorschlag über die Ernennung und Entlassung des Leiters des Sicherheitsdienstes der Ukraine;

15) setzt Akte des Ministerkabinetts der Ukraine aus Gründen der Unvereinbarkeit mit dieser Verfassung mit gleichzeitiger Anrufung des Verfassungsgerichts der Ukraine bezüglich ihrer Verfassungsmäßigkeit aus;

16) hebt Akte des Ministerrats der Autonomen Republik Krim auf;

17) ist Oberbefehlshaber der Streitkräfte der Ukraine; ernennt und entlässt das Oberkommando der Streitkräfte der Ukraine und anderer militärischer Formationen; übt die Leitung in den Bereichen der nationalen Sicherheit und der Verteidigung des Staates aus;

18) leitet den Rat für nationale Sicherheit und Verteidigung der Ukraine;

19) unterbreitet der Verchovna Rada der Ukraine einen Vorschlag über die Erklärung des Kriegszustandes und trifft im Falle eines bewaffneten Angriffs auf die Ukraine eine Entscheidung über den Einsatz der Streitkräfte der Ukraine und anderer militärischer Formationen, die in Übereinstimmung mit den Gesetzen der Ukraine gebildet wurden;

20) trifft in Übereinstimmung mit dem Gesetz eine Entscheidung über die allgemeine oder teilweise Mobilmachung und die Einführung des Kriegszustandes in der Ukraine oder in einzelnen ihrer Gebietsschaften im Falle eines drohenden Angriffs oder einer Gefahr für die staatliche Unabhängigkeit der Ukraine;

21) trifft im Falle der Notwendigkeit die Entscheidung über die Einführung des Ausnahmezustands in der Ukraine oder in einzelnen ihrer Gebietsschaften und erklärt einzelne ihrer Gebietsschaften zu Zonen des ökologischen Ausnahmestands – mit anschließender Bestätigung dieser Entscheidungen durch die Verchovna Rada der Ukraine;

22) ernennt ein Drittel der Zusammensetzung des Verfassungsgerichts der Ukraine;

23) [aufgehoben]

24) verleiht die höchsten militärischen Ränge, die höchsten diplomatischen Ränge und andere höchste Sondertitel und Klassenränge;

25) verleiht staatliche Auszeichnungen; bestimmt und verleiht präsidiale Abzeichen;

26) trifft Entscheidungen über die Verleihung der Staatsbürgerschaft der Ukraine und über die Beendigung der Staatsbürgerschaft der Ukraine sowie über die Gewährung von Asyl in der Ukraine;

27) nimmt Begnadigungen vor;

28) schafft für die Ausübung seiner Befugnisse im Rahmen der im Staatshaushalt der Ukraine vorgesehenen Mittel konsultative, beratende und andere Hilfsorgane und -dienste;

29) unterzeichnet die von der Verchovna Rada der Ukraine angenommenen Gesetze;

30) hat das Recht, ein Veto gegen die von der Verchovna Rada der Ukraine angenommenen Gesetze einzulegen (mit Ausnahme der Gesetze über die Einfügung von Änderungen in die Verfassung der Ukraine) mit anschließender Rückgabe zu ihrer erneuten Behandlung durch die Verchovna Rada der Ukraine;

31) übt andere durch die Verfassung der Ukraine festgelegte Befugnisse aus.

(2) Der Präsident der Ukraine darf seine Befugnisse nicht auf andere Personen oder Organe übertragen.

(3) Der Präsident der Ukraine erlässt auf der Grundlage und in Übereinstimmung mit der Verfassung und den Gesetzen der Ukraine Dekrete und Verfügungen, die auf dem Territorium der Ukraine verbindlich zur Vollziehung sind.

(4) Akte des Präsidenten der Ukraine, die im Rahmen der in den Zahlen 5, 18, 21 und 23 dieses Artikels vorgesehenen Befugnisse erlassen werden, werden vom Premierminister der Ukraine und dem für den Akt und seine Ausführung zuständigen Minister gegengezeichnet.

Artikel 107 [Rat für nationale Sicherheit und Verteidigung]

(1) Der Rat für nationale Sicherheit und Verteidigung der Ukraine ist ein Koordinierungsorgan für Fragen der nationalen Sicherheit und Verteidigung beim Präsidenten der Ukraine.

(2) Der Rat für nationale Sicherheit und Verteidigung der Ukraine koordiniert und kontrolliert die Tätigkeit der Organe der vollziehenden Gewalt im Bereich der nationalen Sicherheit und Verteidigung.

(3) Der Vorsitzende des Rates für nationale Sicherheit und Verteidigung der Ukraine ist der Präsident der Ukraine.

(4) Die personelle Zusammensetzung des Rates für nationale Sicherheit und Verteidigung der Ukraine bestimmt der Präsident der Ukraine.

(5) Dem Rat für nationale Sicherheit und Verteidigung der Ukraine gehören von Amts wegen an der Premierminister der Ukraine, der Verteidigungsminister der Ukraine, der Vorsitzende des Sicherheitsdienstes der Ukraine, der Innenminister der Ukraine und der Außenminister der Ukraine.

(6) An den Sitzungen des Rates für nationale Sicherheit und Verteidigung der Ukraine kann der Vorsitzende der Verchovna Rada der Ukraine teilnehmen.

(7) Die Entscheidungen des Rates für nationale Sicherheit und Verteidigung der Ukraine werden durch Dekrete des Präsidenten der Ukraine in Kraft gesetzt.

(8) Die Kompetenzen und die Funktionen des Rates für nationale Sicherheit und Verteidigung der Ukraine werden durch das Gesetz bestimmt.

Artikel 108 [Amtsverlust]

(1) Der Präsident der Ukraine übt seine Befugnisse bis zum Amtsantritt des neu gewählten Präsidenten aus.

(2) Die Befugnisse des Präsidenten der Ukraine enden vorzeitig im Falle:

1) des Rücktritts;

2) der Unfähigkeit zur Ausübung seiner Befugnisse aus gesundheitlichen Gründen;

3) der Entfernung aus dem Amt im Wege des Amtsenthebungsverfahrens;

4) des Todes.

Artikel 109 [Rücktritt]

Der Rücktritt des Präsidenten der Ukraine tritt mit dem Zeitpunkt des Verlesens des Rücktrittsgesuches durch ihn persönlich auf einer Sitzung der Verchovna Rada der Ukraine in Kraft.

Artikel 110 [Amtsausübungsunfähigkeit]

Die Unfähigkeit des Präsidenten der Ukraine zur Ausübung seiner Befugnisse aus gesundheitlichen Gründen muss in einer Sitzung der Verchovna Rada der Ukraine festgestellt und durch eine Entscheidung bestätigt werden, die von der Mehrheit ihrer verfassungsmäßigen Zusammensetzung auf der Grundlage eines schriftlichen Antrages des Obersten Gerichts der Ukraine auf Ersuchen der Verchovna Rada der Ukraine und eines ärztlichen Gutachtens angenommen wird.

Artikel 111 [Amtsenthebung]

(1) Der Präsident der Ukraine kann im Falle der Begehung eines Staatsverrats oder einer anderen Straftat von der Verchovna Rada der Ukraine durch ein Amtsenthebungsverfahren abgesetzt werden.

(2) Die Frage über die Absetzung des Prä-

sidenten der Ukraine im Wege des Amtsenthebungsverfahrens wird von der Mehrheit der verfassungsmäßigen Zusammensetzung der Verchovna Rada der Ukraine initiiert.

(3) Zur Durchführung der Untersuchung gründet die Verchovna Rada der Ukraine eine nichtständige Sonderuntersuchungskommission, die einen Sonderstaatsanwalt und Sonderermittler umfasst.

(4) Die Schlussfolgerungen und Vorschläge der nichtständigen Untersuchungskommission werden in einer Sitzung der Verchovna Rada der Ukraine behandelt.

(5) Bei Vorliegen von Gründen trifft die Verchovna Rada der Ukraine mit mindestens zwei Dritteln ihrer verfassungsmäßigen Zusammensetzung eine Entscheidung über die Anklage des Präsidenten der Ukraine.

(6) Die Entscheidung über die Absetzung des Präsidenten der Ukraine im Wege des Amtsenthebungsverfahrens wird von der Verchovna Rada der Ukraine mit mindestens drei Vierteln ihrer verfassungsmäßigen Zusammensetzung nach der Prüfung der Sache durch das Verfassungsgericht der Ukraine und nach Erhalt seines Gutachtens bezüglich der Einhaltung des verfassungsmäßigen Verfahrens der Untersuchung und nach der Behandlung des Amtsenthebungsverfahrens und Erhalt des Gutachtens des Obersten Gerichts darüber, dass die Handlungen, deren der Präsident der Ukraine beschuldigt wird, den Tatbestand des Hochverrats oder einer anderen Straftat erfüllen, getroffen.

Artikel 112 [Einstweiliger Präsident]

Im Falle der vorzeitigen Beendigung der Befugnisse des Präsidenten der Ukraine gemäß Artikel 108, 109, 110 und 111 dieser Verfassung wird die Ausübung der Pflichten des Präsidenten der Ukraine für den Zeitraum bis zur Wahl und dem Amtsantritt des neuen Präsidenten der Ukraine auf den Vorsitzenden der Verchovna Rada der Ukraine übertragen. Der Vorsitzende der Verchovna Rada der Ukraine darf im Zeitraum der Ausübung der Pflichten des Präsidenten der Ukraine nicht die Befugnisse ausüben, die in den Zahlen 2, 6-8, 10-13, 22, 24, 25, 27 und

28 des Artikels 106 der Verfassung der Ukraine vorgesehen sind.

Abschnitt VI
DAS MINISTERKABINETT DER UKRAINE. ANDERE ORGANE DER VOLLZIEHENDEN GEWALT

Artikel 113 [Stellung]

(1) Das Ministerkabinett der Ukraine ist das höchste Organ im System der Organe der vollziehenden Gewalt.

(2) Das Ministerkabinett der Ukraine ist dem Präsidenten der Ukraine und der Verchovna Rada der Ukraine verantwortlich sowie innerhalb des von dieser Verfassung vorgesehenen Rahmens der Verchovna Rada der Ukraine kontrollunterworfen und rechenschaftspflichtig.

(3) Das Ministerkabinett der Ukraine richtet sich in seiner Tätigkeit nach dieser Verfassung und den Gesetzen der Ukraine sowie nach den Dekreten des Präsidenten der Ukraine und den Beschlüssen der Verchovna Rada der Ukraine, die in Übereinstimmung mit der Verfassung und den Gesetzen der Ukraine angenommen wurden.

Artikel 114 [Bestellung]

(1) Dem Ministerkabinett der Ukraine gehören an der Premierminister der Ukraine, der Erste Vize-Premierminister, die Vize-Premierminister und die Minister.

(2) Der Premierminister der Ukraine wird von der Verchovna Rada der Ukraine auf Vorschlag des Präsidenten der Ukraine ernannt.

(3) Die Kandidatur für das Amt des Premierministers der Ukraine unterbreitet der Präsident der Ukraine auf Vorschlag der Koalition der Abgeordnetenfraktionen in der Verchovna Rada der Ukraine, die gemäß Artikel 83 der Verfassung der Ukraine gebildet wurde, oder der Abgeordnetenfraktion, die die Mehrheit der Volksabgeordneten der Ukraine von der verfassungsmäßigen Zusammensetzung der Verchovna Rada der Ukraine umfasst.

(4) Der Verteidigungsminister der Ukraine

und der Außenminister der Ukraine werden von der Verchovna Rada der Ukraine auf Vorschlag des Präsidenten der Ukraine ernannt, die anderen Mitglieder des Ministerkabinetts der Ukraine werden von der Verchovna Rada der Ukraine auf Vorschlag des Premierministers der Ukraine ernannt.

(5) Der Premierminister der Ukraine leitet die Arbeit des Ministerkabinetts der Ukraine und richtet diese auf die Erfüllung des Tätigkeitsprogramms des Ministerkabinetts der Ukraine aus, das von der Verchovna Rada der Ukraine gebilligt wurde.

Artikel 115 [Amtsverlust]

(1) Das Ministerkabinett der Ukraine legt seine Befugnisse vor der neu gewählten Verchovna Rada der Ukraine nieder.

(2) Der Premierminister der Ukraine und die anderen Mitglieder des Ministerkabinetts der Ukraine haben das Recht, ihren Rücktritt bei der Verchovna Rada der Ukraine einzureichen.

(3) Der Rücktritt des Premierministers der Ukraine und die Annahme einer Misstrauensresolution gegenüber dem Ministerkabinett der Ukraine durch die Verchovna Rada der Ukraine haben den Rücktritt des gesamten Ministerkabinetts der Ukraine zur Folge. In diesen Fällen führt die Verchovna Rada der Ukraine die Bildung der neuen Zusammensetzung des Ministerkabinetts der Ukraine innerhalb der Fristen und dem Verfahren, die durch diese Verfassung festgelegt sind, durch.

(4) Das Ministerkabinett der Ukraine, das vor einer neu gewählten Verchovna Rada der Ukraine seine Befugnisse zurückgelegt hat oder dessen Rücktritt von der Verchovna Rada der Ukraine angenommen worden ist, übt seine Befugnisse bis zum Beginn der Arbeit des neu gebildeten Ministerkabinetts der Ukraine weiter aus.

Artikel 116 [Befugnisse]

Das Ministerkabinett der Ukraine:

1) gewährleistet die staatliche Souveränität und wirtschaftliche Selbstständigkeit der Ukraine, die Verwirklichung der Innen- und Außenpolitik des Staates sowie die Ausführung der Verfassung und der Gesetze der Ukraine und der Akte des Präsidenten der Ukraine;

1-1) gewährleistet die Verwirklichung der strategischen Ausrichtung des Staates auf die Erlangung der Vollmitgliedschaft der Ukraine in der Europäischen Union und der Nordatlantikvertragsorganisation;

2) ergreift Maßnahmen zur Gewährleistung der Rechte und Freiheiten des Menschen und Bürgers;

3) gewährleistet die Durchführung der Finanz-, Preis-, Investitions- und Steuerpolitik; der Politik in den Bereichen der Arbeit und Beschäftigung der Bevölkerung, des sozialen Schutzes, der Bildung, der Wissenschaft und der Kultur, des Naturschutzes, der ökologischen Sicherheit und der Naturbewirtschaftung;

4) entwickelt und verwirklicht allgemeinstaatliche Programme der wirtschaftlichen, wissenschaftlich-technischen, sozialen und kulturellen Entwicklung der Ukraine;

5) gewährleistet gleiche Bedingungen für die Entwicklung aller Eigentumsformen; führt die Leitung von Objekten des Staatseigentums in Übereinstimmung mit dem Gesetz durch;

6) entwickelt den Entwurf des Gesetzes über den Staatshaushalt der Ukraine und sorgt für die Ausführung des von der Verchovna Rada der Ukraine genehmigten Staatshaushalts der Ukraine, legt der Verchovna Rada der Ukraine den Bericht über seine Ausführung vor;

7) führt Maßnahmen zur Gewährleistung der Verteidigungsfähigkeit und der nationalen Sicherheit der Ukraine, der öffentlichen Ordnung und der Bekämpfung der Kriminalität durch;

8) organisiert und gewährleistet die Umsetzung der außenwirtschaftlichen Tätigkeit der Ukraine und des Zollwesens;

9) leitet und koordiniert die Arbeit der Ministerien und der anderen Organe der vollziehenden Gewalt;

9-1) bildet, reorganisiert und liquidiert Ministerien und andere zentrale Organe der

Exekutive in Übereinstimmung mit dem Gesetz, wobei es im Rahmen der für den Unterhalt der Organe der vollziehenden Gewalt vorgesehenen Mittel handelt;

9-2) ernennt und entlässt auf Vorschlag des Premierministers der Ukraine die Leiter der zentralen Organe der vollziehenden Gewalt, die nicht zum Bestand des Ministerkabinetts der Ukraine gehören;

10) übt andere Befugnisse aus, die durch die Verfassung und die Gesetze der Ukraine festgelegt sind.

Artikel 117 [Rechtsakte]

(1) Das Ministerkabinett der Ukraine erlässt im Rahmen seiner Kompetenz Verordnungen und Verfügungen, die verbindlich zur Ausführung sind.

(2) Die Akte des Ministerkabinetts der Ukraine unterzeichnet der Premierminister der Ukraine.

(3) Die normativ-rechtlichen Akte des Ministerkabinetts der Ukraine, der Ministerien und der anderen zentralen Organe der vollziehenden Gewalt unterliegen der Registrierung nach dem durch das Gesetz festgelegten Verfahren.

Artikel 118 [Aufbau der örtlichen Staatsverwaltung]

(1) Die vollziehende Gewalt in den Gebieten und Bezirken sowie in den Städten Kiev und Sevastopol üben die örtlichen Staatsverwaltungen aus.

(2) Die Besonderheiten der Ausübung der vollziehenden Gewalt in den Städten Kiev und Sevastopol werden durch einzelne Gesetze der Ukraine bestimmt.

(3) Die Zusammensetzung der örtlichen Staatsverwaltungen bilden die Vorsitzenden der örtlichen Staatsverwaltungen.

(4) Die Vorsitzenden der örtlichen Staatsverwaltungen werden vom Präsidenten der Ukraine auf Vorschlag des Ministerkabinetts der Ukraine ernannt und entlassen.

(5) Die Vorsitzenden der örtlichen Staatsverwaltungen sind bei der Ausübung ihrer Befugnisse gegenüber dem Präsidenten der Ukraine und dem Ministerkabinett der Ukra-ine verantwortlich und den übergeordneten Organen der vollziehenden Gewalt rechenschaftspflichtig und kontrollunterworfen.

(6) Die örtlichen Staatsverwaltungen sind in dem Teil ihrer Befugnisse, die ihnen durch die entsprechenden Bezirks- oder Gebietsräte übertragen worden sind, den Räten rechenschaftspflichtig und kontrollunterworfen.

(7) Die örtlichen Staatsverwaltungen sind den Organen der vollziehenden Gewalt der höheren Ebene rechenschaftspflichtig und kontrollunterworfen.

(8) Die Entscheidungen der Vorsitzenden der örtlichen Staatsverwaltungen, die gegen die Verfassung und die Gesetze der Ukraine oder andere Akte der Gesetzgebung der Ukraine verstoßen, können in Übereinstimmung mit dem Gesetz durch den Präsidenten der Ukraine oder durch den Vorsitzenden der örtlichen Staatsverwaltung der höheren Ebene aufgehoben werden.

(9) Ein Gebiets- oder Bezirksrat kann dem Vorsitzenden der entsprechenden örtlichen Staatsverwaltung das Misstrauen aussprechen, woraufhin der Präsident der Ukraine eine Entscheidung trifft und eine begründete Antwort gibt.

(10) Wenn zwei Drittel der Abgeordneten des entsprechenden Rates dem Vorsitzenden der Bezirks- oder Gebietsstaatsverwaltung das Misstrauen aussprechen, trifft der Präsident der Ukraine die Entscheidung über die Entlassung des Vorsitzenden der örtlichen Staatsverwaltung.

Artikel 119 [Kompetenzen der örtlichen Staatsverwaltung]

Die örtlichen Staatsverwaltungen gewährleisten auf dem entsprechenden Territorium:

1) die Erfüllung der Verfassung und der Gesetze der Ukraine, der Akte des Präsidenten der Ukraine, des Ministerkabinetts der Ukraine und anderer Organe der vollziehenden Gewalt;

2) die Gesetzmäßigkeit und die Rechtsordnung; die Einhaltung der Rechte und Freiheiten der Bürger;

3) die Ausführung der staatlichen und

regionalen Programme für die sozial-wirtschaftliche und kulturelle Entwicklung und der Umweltschutzprogramme sowie in den kompakten Siedlungsgebieten von eingeborenen Völkern und nationalen Minderheiten ebenso auch die Programme für ihre nationale-kulturelle Entwicklung;

4) die Vorbereitung und Ausführung der entsprechenden Gebiets- und Bezirkshaushalte;

5) die Berichterstattung über die Ausführung der entsprechenden Haushalte und Programme;

6) das Zusammenwirken mit den Organen der örtlichen Selbstverwaltung;

7) die Realisierung anderer vom Staat gewährter sowie von den entsprechenden Räten übertragener Befugnisse.

Artikel 120 [Unvereinbarkeit]

(1) Die Mitglieder des Ministerkabinetts der Ukraine und die Leiter der zentralen und örtlichen Organe der vollziehenden Gewalt haben nicht das Recht, ihre Amtstätigkeit mit einer anderen Tätigkeit zu vereinbaren (mit Ausnahme einer Lehr-, wissenschaftlichen und schöpferischen Tätigkeit außerhalb der Arbeitszeiten) oder Mitglied des Leitungsorgans oder Aufsichtsrats eines Unternehmens oder einer Organisation zu sein, die auf Gewinnerzielung ausgerichtet ist.

(2) Die Organisation, die Befugnisse und die Arbeitsweise des Ministerkabinetts der Ukraine und der anderen zentralen und örtlichen Organe der vollziehenden Gewalt werden durch die Verfassung und die Gesetze der Ukraine bestimmt.

Abschnitt VII
STAATSANWALTSCHAFT

[aufgehoben]

Abschnitt VIII
DIE RECHTSPRECHUNG

Artikel 124 [Ausübung der Rechtsprechung]

(1) Die Rechtsprechung in der Ukraine üben ausschließlich die Gerichte aus.

(2) Die Delegierung von Gerichtsfunktionen sowie die Aneignung dieser Funktionen durch andere Organe oder Amtspersonen ist nicht zulässig.

(3) Die Jurisdiktion der Gerichte erstreckt sich auf jeden Rechtsstreit und jede strafrechtliche Anklage. In den gesetzlich vorgesehenen Fällen behandeln die Gerichte auch andere Angelegenheiten.

(4) Durch ein Gesetz kann ein verpflichtendes vorgerichtliches Verfahren zur Beilegung eines Streits festgelegt werden.

(5) Das Volk nimmt durch Geschworene unmittelbar an der Rechtsprechung teil.

(6) Die Ukraine kann die Jurisdiktion des Internationalen Strafgerichtshofs unter den im Römischen Statut des Internationalen Strafgerichtshofs festgelegten Bedingungen anerkennen.

Artikel 125 [Gerichtsverfassung]

(1) Die Gerichtsverfassung in der Ukraine basiert auf den Prinzipien der Territorialität und der Spezialisierung und wird durch das Gesetz bestimmt.

(2) Ein Gericht wird durch ein Gesetz gebildet, reorganisiert und aufgelöst, dessen Entwurf der Präsident der Ukraine nach Konsultationen mit dem Hohen Rat der Rechtsprechung der Verchovna Rada der Ukraine vorlegt.

(3) Das Oberste Gericht ist das höchste Gericht im System der Gerichtsverfassung der Ukraine.

(4) In Übereinstimmung mit dem Gesetz können höchste spezialisierte Gerichte tätig werden.

(5) Zum Schutz der Rechte, Freiheiten und Interessen einer Person im Bereich der öffentlich-rechtlichen Beziehungen sind die Verwaltungsgerichte tätig.

(6) Die Errichtung von außerordentlichen und Sondergerichten ist nicht zulässig.

Artikel 126 [Richterliche Unabhängigkeit, Immunität, Amtsverlust]

(1) Die Unabhängigkeit und die Immunität der Richter werden durch die Verfassung und die Gesetze der Ukraine garantiert.

(2) Die Beeinflussung eines Richters auf welche Art immer ist untersagt.

(3) Ohne Zustimmung des Hohen Rates der Rechtsprechung darf ein Richter bis zum Erlass eines Strafgerichtsurteils weder festgenommen noch in Gewahrsam oder Haft genommen werden, mit Ausnahme der Festnahme eines Richters während oder unmittelbar nach der Begehung eines schweren oder besonders schweren Verbrechens.

(4) Ein Richter kann für eine von ihm getroffene gerichtliche Entscheidung nicht zur Verantwortung gezogen werden, mit Ausnahme der Begehung einer Straftat oder eines Disziplinarvergehens.

(5) Ein Richter übt das Amt unbefristet aus.

(6) Die Gründe für die Abberufung eines Richters sind:

1) die Unfähigkeit zur Amtsausübung aus gesundheitlichen Gründen;

2) die Verletzung der Anforderungen an die Unvereinbarkeit durch den Richter;

3) die Begehung eines erheblichen Disziplinarvergehens, die grobe oder systematische Vernachlässigung der Pflichten, die mit dem Status eines Richters unvereinbar ist oder seine Ungeeignetheit für das bekleidete Amt offenbart;

4) die Einreichung eines Antrags auf Rücktritt oder Abberufung aus dem Amt auf eigenen Wunsch;

5) die Nichtzustimmung zur Versetzung an ein anderes Gericht im Falle der Auflösung oder Reorganisation des Gerichts, an dem der Richter das Amt innehat;

6) die Verletzung der Pflicht, die Gesetzmäßigkeit der Herkunftsquelle des Vermögens zu bestätigen.

(7) Die Befugnisse eines Richters erlöschen im Falle:

1) der Vollendung des fünfundsechzigsten Lebensjahres durch den Richter;

2) des Verlustes der Staatsbürgerschaft der Ukraine oder des Erwerbs der Staatsbürgerschaft eines anderen Staates durch den Richter;

3) eines rechtskräftig gewordenen Beschlusses eines Gerichts über die Erklärung

des Richters als vermisst oder tot oder über die Erklärung seiner Geschäftsunfähigkeit oder eingeschränkten Geschäftsfähigkeit;

4) des Todes eines Richters;

5) einer rechtskräftig gewordenen Verurteilung des Richters wegen der Begehung einer Straftat.

(8) Der Staat sorgt für die persönliche Sicherheit des Richters und seiner Familienangehörigen.

Artikel 127 [Anforderungen an Richter]

(1) Die Rechtsprechung üben Richter aus. In den durch Gesetz bestimmten Fällen wird die Rechtsprechung unter Mitwirkung von Geschworenen ausgeübt.

(2) Ein Richter darf keiner politischen Partei oder Gewerkschaft angehören, sich an keiner politischen Tätigkeit beteiligen, kein Vertretungsmandat haben, keine anderen besoldeten Ämter innehaben und keine andere bezahlte Tätigkeit ausüben, außer einer wissenschaftlichen, Lehr- oder schöpferischen Tätigkeit.

(3) Zum Richter kann ein Bürger der Ukraine ernannt werden, der mindestens dreißig und nicht älter als fünfundsechzig Jahre alt ist, eine juristische Hochschulausbildung und eine mindestens fünfjährige Berufserfahrung auf dem Gebiet des Rechts hat, kompetent und tugendhaft ist und die Amtssprache beherrscht. Durch Gesetz können zusätzliche Anforderungen für die Ernennung zum Richter vorgesehen werden.

(4) Für Richter an spezialisierten Gerichten können in Übereinstimmung mit dem Gesetz andere Anforderungen an die Ausbildung und die Dauer der Berufstätigkeit vorgeschrieben werden.

Artikel 128 [Ernennung]

(1) Die Ernennung zum Richter erfolgt durch den Präsidenten der Ukraine auf Vorschlag des Hohen Rates der Rechtsprechung nach dem durch das Gesetz festgelegten Verfahren.

(2) Die Ernennung zum Richter erfolgt

durch ein Auswahlverfahren, außer in den durch das Gesetz bestimmten Fällen.

(3) Der Vorsitzende des Obersten Gerichts wird vom Plenum des Obersten Gerichts in geheimer Abstimmung nach dem durch das Gesetz festgelegten Verfahren gewählt und abberufen.

Artikel 129 [Prinzipien der Rechtsprechung]

(1) Der Richter ist bei der Ausübung der Rechtsprechung unabhängig und lässt sich von der Herrschaft des Rechts leiten.

(2) Die grundlegenden Prinzipien der Rechtsprechung sind:

1) die Gleichheit aller Teilnehmer am Gerichtsverfahren vor dem Gesetz und dem Gericht;

2) die Gewährleistung der Beweispflicht für die Schuld;

3) der kontradiktorische Charakter der Parteien und die Freiheit bei der Darlegung ihrer Beweise vor dem Gericht und des Nachweises ihrer Überzeugungskraft;

4) die Vertretung der staatlichen Anklage im Gericht durch den Staatsanwalt;

5) die Gewährleistung des Rechtes auf Verteidigung für den Angeklagten;

6) die Öffentlichkeit des Gerichtsverfahrens und seine vollständige Aufzeichnung durch technische Mittel;

7) angemessene Zeiten für die Prüfung der Sache durch das Gericht;

8) die Gewährleistung des Rechts auf Überprüfung der Sache im Appellationsweg und in den durch Gesetz festgelegten Fällen auf Kassationsbeschwerde gegen die Gerichtsentscheidung;

9) die Verbindlichkeit einer Gerichtsentscheidung.

(3) Durch ein Gesetz können auch andere Grundsätze der Rechtsprechung festgelegt werden.

(4) Die Rechtsprechung erfolgt durch einen Einzelrichter, ein Richterkollegium oder ein Geschworenengericht.

(5) Für die Missachtung eines Gerichts oder eines Richters werden schuldige Personen zur rechtlichen Verantwortung gezogen.

Artikel 129-1 [Gerichtsentscheidungen]

(1) Das Gericht fertigt eine Entscheidung im Namen der Ukraine aus. Die Gerichtsentscheidung ist zur Ausführung verbindlich.

(2) Der Staat gewährleistet die Ausführung der Gerichtsentscheidung nach dem durch das Gesetz bestimmten Verfahren.

(3) Das Gericht übt die Kontrolle über die Ausführung der Gerichtsentscheidung aus.

Artikel 130 [Finanzierung]

(1) Der Staat gewährleistet die Finanzierung und angemessene Bedingungen für das Funktionieren der Gerichte und die Tätigkeit der Richter. Im Staatshaushalt der Ukraine werden die Ausgaben für den Unterhalt der Gerichte unter Berücksichtigung der Vorschläge des Hohen Rates der Rechtsprechung gesondert festgelegt.

(2) Die Höhe der Richterbesoldung wird durch das Gesetz über die Gerichtsverfassung festgelegt.

Artikel 130-1 [Richterliche Selbstverwaltung]

Für den Schutz der beruflichen Interessen der Richter und die Entscheidung von Fragen der internen Tätigkeit der Gerichte besteht die richterliche Selbstverwaltung im Einklang mit dem Gesetz.

Artikel 131 [Hoher Rat der Rechtsprechung]

(1) In der Ukraine besteht ein Hoher Rat der Rechtsprechung, der:

1) Vorschläge für die Ernennung zum Richter einbringt;

2) Entscheidungen über die Verletzung der Anforderungen an die Unvereinbarkeit durch einen Richter oder Staatsanwalt trifft;

3) Beschwerden gegen Entscheidungen des entsprechenden Organs über die disziplinarrechtliche Verantwortung eines Richters oder Staatsanwalts behandelt;

4) Entscheidungen über die Abberufung eines Richters trifft;

5) die Zustimmung zur Festnahme eines Richters oder dessen Gewahrsamsnahme erteilt;

6) Entscheidungen über die vorübergehende Suspendierung eines Richters von der Ausübung der Rechtsprechung trifft;

7) Maßnahmen zur Gewährleistung der Unabhängigkeit der Richter ergreift;

8) Entscheidungen über die Versetzung eines Richters von einem Gericht zu einem anderen trifft;

9) andere Befugnisse ausübt, die durch diese Verfassung und die Gesetze der Ukraine bestimmt sind.

(2) Der Hohe Rat der Rechtsprechung besteht aus einundzwanzig Mitgliedern, von denen zehn der Richterkongress der Ukraine aus den Reihen der Richter oder der Richter im Ruhestand wählt, zwei der Präsident der Ukraine ernennt, zwei die Verchovna Rada der Ukraine, zwei der Kongress der Rechtsanwälte der Ukraine, zwei die Allukrainische Konferenz der Staatsanwälte und zwei der Kongress der Vertreter der juristischen Hochschulen und wissenschaftlichen Einrichtungen wählt.

(3) Das Verfahren für die Wahl (Ernennung) der Mitglieder des Hohen Rates der Rechtsprechung wird durch das Gesetz bestimmt.

(4) Der Vorsitzende des Obersten Gerichts gehört dem Hohen Rat der Rechtsprechung von Amts wegen an.

(5) Die Amtszeit der gewählten (ernannten) Mitglieder des Hohen Rates der Rechtsprechung beträgt vier Jahre. Ein und dieselbe Person darf das Amt eines Mitglieds des Hohen Rates der Rechtsprechung nicht zwei Amtszeiten hintereinander bekleiden.

(6) Ein Mitglied des Hohen Rates der Rechtsprechung darf keiner politischen Partei oder Gewerkschaft angehören, sich an keiner politischen Tätigkeit beteiligen, kein Vertretungsmandat haben, keine anderen besoldeten Ämter innehaben (mit Ausnahme des Amtes des Vorsitzenden des Obersten Gerichts) und keine andere bezahlte Tätigkeit ausüben, außer einer wissenschaftlichen, Lehr- oder schöpferischen Tätigkeit.

(7) Ein Mitglied des Hohen Rates der Rechtsprechung muss dem juristischen Berufsstand angehören und dem Kriterium der politischen Neutralität entsprechen.

(8) Durch ein Gesetz können zusätzliche Anforderungen an ein Mitglied des Hohen Rates der Rechtsprechung vorgesehen werden.

(9) Der Hohe Rat der Rechtsprechung erhält seine Befugnisse unter der Bedingung der Wahl (Ernennung) von mindestens fünfzehn seiner Mitglieder, von denen die Mehrheit Richter sind.

(10) In Übereinstimmung mit dem Gesetz werden im System der Gerichtsverfassung Organe und Einrichtungen gebildet zur Gewährleistung der Auswahl von Richtern und Staatsanwälten sowie ihrer fachlichen Ausbildung und Bewertung sowie der Prüfung von Fällen betreffend ihre disziplinarrechtliche Verantwortung und zur finanziellen und organisatorischen Absicherung der Gerichte.

Artikel 131-1 [Staatsanwaltschaft]

(1) In der Ukraine gibt es eine Staatsanwaltschaft, die Folgendes ausführt:

1) die Aufrechterhaltung der öffentlichen Anklage vor Gericht;

2) die Organisation und die Verfahrensführung der vorgerichtlichen Untersuchung, die Entscheidung anderer Fragen im Strafverfahren in Übereinstimmung mit dem Gesetz, die Kontrolle über verdeckte und andere Verfolgungs- und Ermittlungsmaßnahmen der Strafverfolgungsbehörden;

3) die Vertretung der Interessen des Staates vor Gericht in durch das Gesetz bestimmten Ausnahmefällen und Verfahren.

(2) Die Organisation und die Verfahrensweise der Staatsanwaltschaft werden durch das Gesetz bestimmt.

(3) An der Spitze der Staatsanwaltschaft in der Ukraine steht der Generalstaatsanwalt, den der Präsident der Ukraine mit Zustimmung der Verchovna Rada der Ukraine ernennt und entlässt.

(4) Die Amtszeit des Generalstaatsanwalts beträgt sechs Jahre. Ein und dieselbe Person darf das Amt des Generalstaatsanwalts nicht zwei Amtszeiten hintereinander innehaben.

(5) Die vorzeitige Entlassung des General-staatsanwalts erfolgt in den Fällen und aus den Gründen, die durch diese Verfassung und das Gesetz festgelegt sind.

Artikel 131-2 [Rechtsanwaltschaft]

(1) Für die Gewährung professionellen juristischen Beistands ist in der Ukraine die Rechtsanwaltschaft tätig.

(2) Die Unabhängigkeit der Rechtsanwalt-schaft wird garantiert.

(3) Die Grundsätze für die Organisation und Tätigkeit der Rechtsanwaltschaft und die Erbringung der rechtsanwaltlichen Tätig-keit in der Ukraine werden durch das Gesetz festgelegt.

(4) Ausschließlich ein Rechtsanwalt ver-tritt eine andere Person vor Gericht und ver-teidigt sie in einem Strafverfahren.

(5) Durch Gesetz können Ausnahmen in Bezug auf die Vertretung vor Gericht in arbeitsrechtlichen Streitigkeiten, in Streitig-keiten über den Schutz sozialer Rechte, in Bezug auf Wahlen und Volksabstimmungen, in Streitigkeiten von geringerer Bedeutung sowie in Bezug auf die Vertretung von min-derjährigen oder jugendlichen Personen und von Personen, die vom Gericht als geschäfts-unfähig erkannt worden sind oder deren Ge-schäftsfähigkeit eingeschränkt worden ist, festgelegt werden.

Abschnitt IX
DER TERRITORIALE AUFBAU DER UKRAINE

Artikel 132 [Grundsätze]

Der territoriale Aufbau der Ukraine basiert auf den Prinzipien der Einheit und Integrität des Staatsterritoriums, der Verbindung von Zentralisation und Dezentralisation bei der Ausübung der Staatsgewalt und des Aus-gleichs und der sozial-wirtschaftlichen Ent-wicklung der Regionen unter Berücksich-tigung ihrer historischen, wirtschaftlichen, ökologischen, geographischen und demo-graphischen Besonderheiten sowie ihrer eth-nischen und kulturellen Traditionen.

Artikel 133 [Territoriale Zusammenset-zung]

(1) Das System des verwaltungsterritoria-len Aufbaus der Ukraine bilden: die Autono-me Republik Krim, die Gebiete, die Bezirke, die Städte, die Stadtbezirke, die Siedlungen und die Dörfer.

(2) Bestandteil der Ukraine sind: die Auto-nome Republik Krim, die Gebiete Winniza, Wolhynien, Dnjepropetrovsk, Donezk, Schi-tomir, Transkarpatien, Saporischja, Ivano-Frankovsk, Kiev, Kirovgrad, Lugansk, Lem-berg, Nikolajev, Odessa, Poltava, Rovno, Sumi, Tarnopol, Charkov, Cherson, Chmel-nizkij, Tscherkasi, Tschernowitz, Tscherni-gow, und die Städte Kiev und Sevastopol.

(3) Die Städte Kiev und Sevastopol haben einen besonderen Status, der durch die Ge-setze der Ukraine festgelegt wird.

Abschnitt X
DIE AUTONOME REPUBLIK KRIM

Artikel 134 [Untrennbarer Teil der Uk-raine]

Die Autonome Republik Krim ist ein untrennbarer Bestandteil der Ukraine und entscheidet im Rahmen der durch die Ver-fassung der Ukraine festgelegten Befugnisse die Fragen, die in ihre Zuständigkeit fal-len.

Artikel 135 [Rechtssystem]

(1) Die Autonome Republik Krim hat die Verfassung der Autonomen Republik Krim, die die Verchovna Rada der Autonomen Re-publik Krim annimmt und die Verchovna Rada der Ukraine mit mindestens der Hälfte der verfassungsmäßigen Zusammensetzung der Verchovna Rada der Ukraine bestätigt.

(2) Die normativ-rechtlichen Akte der Verchovna Rada der Autonomen Republik Krim und die Entscheidungen des Minister-rates der Autonomen Republik Krim dürfen nicht der Verfassung und den Gesetzen der Ukraine widersprechen und werden in Über-einstimmung mit der Verfassung der Ukrai-ne, den Gesetzen der Ukraine, den Akten des Präsidenten der Ukraine und des Ministerka-

binetts der Ukraine und zu deren Ausführung angenommen.

Artikel 136 [Verchovna Rada und Ministerrat]

(1) Die Verchovna Rada der Autonomen Republik Krim ist das Vertretungsorgan der Autonomen Republik Krim, dessen Abgeordnete auf der Grundlage des allgemeinen, gleichen und unmittelbaren Wahlrechts in geheimer Abstimmung gewählt werden. Die Amtszeit der Verchovna Rada der Autonomen Republik Krim, deren Abgeordnete in ordentlichen Wahlen gewählt werden, beträgt fünf Jahre. Die Beendigung der Befugnisse der Verchovna Rada der Autonomen Republik Krim hat die Beendigung der Befugnisse ihrer Abgeordneten zur Folge.

(2) Die ordentlichen Wahlen zur Verchovna Rada der Autonomen Republik Krim finden am letzten Sonntag im Oktober des fünften Jahres der Amtszeit der in ordentlichen Wahlen gewählten Verchovna Rada der Autonomen Republik Krim statt.

(3) Die Verchovna Rada der Autonomen Republik Krim nimmt im Rahmen ihrer Befugnisse Entscheidungen und Beschlüsse an, die in der Autonomen Republik Krim zur Ausführung verbindlich sind.

(4) Die Regierung der Autonomen Republik Krim ist der Ministerrat der Autonomen Republik Krim. Der Vorsitzende des Ministerrats der Autonomen Republik Krim wird von der Verchovna Rada der Autonomen Republik Krim mit Zustimmung des Präsidenten der Ukraine ernannt und entlassen.

(5) Die Befugnisse und das Verfahren für die Bildung und die Tätigkeit der Verchovna Rada der Autonomen Republik Krim und des Ministerrates der Autonomen Republik Krim werden durch die Verfassung der Ukraine und die Gesetze der Ukraine sowie durch die normativ-rechtlichen Akte der Verchovna Rada der Autonomen Republik Krim in den Fragen, die in ihre Zuständigkeit fallen, festgelegt.

(6) Die Rechtsprechung in der Autonomen Republik Krim wird von den Gerichten der Ukraine ausgeübt.

Artikel 137 [Rechtsetzungsbefugnis]

(1) Die Autonome Republik Krim übt eine normative Regulierung aus in Fragen von:

1) Landwirtschaft und Wälder;

2) Bodenkultur und Steinbrüchen;

3) öffentlichen Arbeiten, Handwerk und Gewerbe; karitativen Tätigkeiten;

4) Städtebau und Wohnungswirtschaft;

5) Tourismus, Hotelwesen, Jahrmärkte;

6) Museen, Bibliotheken, Theater, anderen kulturellen Einrichtungen, historisch-kulturellen Naturschutzparks;

7) öffentlichem Verkehr, Autobahnen, Wasserleitungen;

8) Jagd, Fischerei;

9) Sanitär- und Kurwesen.

(2) Aus Gründen der Nichtübereinstimmung von normativ-rechtlichen Akten der Verchovna Rada der Autonomen Republik Krim mit der Verfassung der Ukraine und den Gesetzen der Ukraine kann der Präsident der Ukraine die Geltung dieser normativ-rechtlichen Akte der Verchovna Rada der Autonomen Republik Krim bei gleichzeitiger Anrufung des Verfassungsgerichts der Ukraine betreffend ihre Verfassungsmäßigkeit aussetzen.

Artikel 138 [Zuständigkeiten]

(1) In die Zuständigkeit der Autonomen Republik Krim fallen:

1) die Anberaumung der Wahlen der Abgeordneten der Verchovna Rada der Autonomen Republik Krim, die Genehmigung der Zusammensetzung der Wahlkommission der Autonomen Republik Krim;

2) die Organisation und Durchführung von örtlichen Volksabstimmungen;

3) die Verwaltung des Eigentums der Autonomen Republik Krim;

4) die Entwicklung, Bestätigung und Ausführung des Haushalts der Autonomen Republik Krim auf der Grundlage der einheitlichen Steuer- und Haushaltspolitik der Ukraine;

5) die Entwicklung, Genehmigung und Umsetzung der Programme der Autonomen Republik Krim zur sozial-wirtschaftlichen und kulturellen Entwicklung, rationellen

Nutzung der natürlichen Ressourcen und zum Umweltschutz in Übereinstimmung mit den gesamtstaatlichen Programmen;

6) die Anerkennung des Status von Gebietsschaften als Kurorte; die Festlegung von Zonen des sanitären Schutzes von Kurorten;

7) die Beteiligung an der Gewährleistung der Rechte und Freiheiten der Bürger, der nationalen Eintracht, der Mitwirkung am Schutz der Rechtsordnung und der öffentlichen Sicherheit;

8) die Gewährleistung des Funktionierens und der Entwicklung der staatlichen und nationalen Sprachen und Kulturen in der Autonomen Republik Krim; der Schutz und die Nutzung der historischen Denkmäler;

9) die Beteiligung an der Entwicklung und Umsetzung von Staatsprogrammen zur Rückkehr von deportierten Völkern;

10) die Initiierung der Einführung des Ausnahmezustands und die Festlegung von Zonen des ökologischen Ausnahmezustands in der Autonomen Republik Krim oder einzelner ihrer Gebietsschaften.

(2) Durch die Gesetze der Ukraine können auch andere Befugnisse auf die Autonome Republik Krim übertragen werden.

Artikel 139 [Vertretung des Präsidenten]
In der Autonomen Republik Krim gibt es eine Vertretung des Präsidenten der Ukraine, deren Status durch das Gesetz der Ukraine festgelegt wird.

Abschnitt XI
DIE ÖRTLICHE SELBSTVER-
WALTUNG

Artikel 140 [Aufbau]
(1) Die örtliche Selbstverwaltung ist das Recht einer territorialen Gemeinschaft – der Bewohner eines Dorfes oder einer freiwilligen Vereinigung von Bewohnern mehrerer Dörfer zu einer Dorfgemeinschaft, einer Siedlung und einer Stadt –, selbstständig Fragen von örtlicher Bedeutung im Rahmen der Verfassung und der Gesetze der Ukraine zu entscheiden.

(2) Die Besonderheiten der Ausübung der örtlichen Selbstverwaltung in den Städten Kiev und Sevastopol werden durch einzelne Gesetze der Ukraine bestimmt.

(3) Die örtliche Selbstverwaltung wird von einer territorialen Gemeinschaft gemäß dem durch das Gesetz festgelegten Verfahren sowohl unmittelbar als auch durch die Organe der örtlichen Selbstverwaltung ausgeübt: durch Dorf-, Siedlungs- und Stadträte und deren Exekutivorgane.

(4) Die Organe der örtlichen Selbstverwaltung, die die gemeinsamen Interessen der territorialen Gemeinschaften der Dörfer, Siedlungen und Städte vertreten, sind die Bezirks- und Gebietsräte.

(5) Die Frage der Organisation der Verwaltung der Bezirke in Städten fällt in die Zuständigkeit der Stadträte.

(6) Die Dorf-, Siedlungs- und Stadträte können auf Initiative der Bewohner die Bildung von Haus-, Straßen-, Wohnviertel- und anderen Organen der Selbstorganisation der Bevölkerung erlauben und sie mit einem Teil ihrer eigenen Kompetenzen, Finanzen und Vermögen ausstatten.

Artikel 141 [Organe]
(1) Einem Dorf-, Siedlungs-, Stadt-, Bezirks- oder Gebietsrat gehören Abgeordnete an, die von den Einwohnern eines Dorfes, einer Siedlung, einer Stadt, einem Bezirk oder einem Gebiet auf der Grundlage des allgemeinen, gleichen und unmittelbaren Wahlrechts in geheimer Abstimmung gewählt werden. Die Amtszeit eines Dorf-, Siedlungs-, Stadt-, Bezirks- und Gebietsrats, dessen Abgeordnete in ordentlichen Wahlen gewählt wurden, beträgt fünf Jahre. Die Beendigung der Befugnisse eines Dorf-, Siedlungs-, Stadt-, Bezirks- und Gebietsrats hat die Beendigung der Befugnisse der Abgeordneten des entsprechenden Rats zur Folge.

(2) Die territorialen Gemeinschaften wählen auf der Grundlage des allgemeinen, gleichen und unmittelbaren Wahlrechts in geheimer Abstimmung entsprechend einen Dorf-, Siedlungs- und Stadtvorsitzenden, der das Exekutivorgan des Rates leitet und

bei dessen Sitzungen den Vorsitz führt. Die Amtszeit des in ordentlichen Wahlen gewählten Dorf-, Siedlungs- und Stadtvorsitzenden beträgt fünf Jahre.

(3) Die ordentlichen Wahlen der Dorf-, Siedlungs-, Stadt-, Bezirks- und Gebietsräte sowie der Dorf-, Siedlungs- und Stadtvorsitzenden finden am letzten Sonntag im Oktober des fünften Jahres der Amtszeit des entsprechenden Rats oder des entsprechenden Vorsitzenden statt.

(4) Der Status der Vorsitzenden, der Abgeordneten und der Exekutivorgane des Rats und ihre Befugnisse und das Verfahren der Bildung, Reorganisation und Auflösung werden durch das Gesetz festgelegt.

(5) Der Vorsitzende des Bezirksrats und der Vorsitzende des Gebietsrats werden vom entsprechenden Rat gewählt und leiten den exekutiven Apparat des Rates.

Artikel 142 [Wirtschaft und Finanzen]

(1) Die materielle und finanzielle Grundlage der örtlichen Selbstverwaltung sind das bewegliche und unbewegliche Vermögen, die Einnahmen der örtlichen Haushalte, andere Geldmittel, Grund und Boden und natürliche Ressourcen, die sich im Eigentum der territorialen Gemeinschaften der Dörfer, Siedlungen, Städte und Stadtbezirke befinden, sowie die Objekte ihres gemeinsamen Eigentums, die sich in der Verwaltung der Bezirks- und Gebietsräte befinden.

(2) Die territorialen Gemeinschaften der Dörfer, Siedlungen und Städte können auf vertraglicher Grundlage Objekte des kommunalen Eigentums sowie Haushaltsmittel zur Durchführung gemeinsamer Projekte oder zur gemeinsamen Finanzierung (zum Unterhalt) von kommunalen Unternehmen, Organisationen und Einrichtungen vereinigen und dafür entsprechende Organe und Dienste schaffen.

(3) Der Staat ist an der Bildung der Einnahmen der Haushalte der örtlichen Selbstverwaltung beteiligt und unterstützt die örtliche Selbstverwaltung finanziell. Ausgaben der Organe der örtlichen Selbstverwaltung, die infolge von Entscheidungen der Organe der Staatsgewalt entstehen, werden vom Staat ersetzt.

Artikel 143 [Befugnisse]

(1) Die territorialen Gemeinschaften eines Dorfes, einer Siedlung und einer Stadt verwalten direkt oder durch die von ihnen gebildeten Organe der örtlichen Selbstverwaltung das Vermögen, das sich im kommunalen Eigentum befindet; sie genehmigen Programme der sozial-wirtschaftlichen und kulturellen Entwicklung und kontrollieren deren Umsetzung; sie bestätigen die Haushalte der entsprechenden verwaltungs-territorialen Einheiten und kontrollieren deren Umsetzung; sie legen örtliche Steuern und Abgaben in Übereinstimmung mit dem Gesetz fest; sie gewährleisten die Durchführung örtlicher Volksabstimmungen und die Umsetzung ihrer Ergebnisse; sie gründen, reorganisieren und lösen kommunale Unternehmen, Organisationen und Einrichtungen auf sowie üben die Kontrolle über deren Tätigkeit aus; sie behandeln andere Fragen von örtlicher Bedeutung, die durch ein Gesetz in ihre Zuständigkeit verwiesen wurden.

(2) Die Gebiets- und Bezirksräte bestätigen die Programme der sozial-wirtschaftlichen und kulturellen Entwicklung der entsprechenden Gebiete und Bezirke und kontrollieren ihre Umsetzung; sie bestätigen die Bezirks- und Gebietshaushalte, die aus den Mitteln des Staatshaushalts für ihre entsprechende Verteilung unter den territorialen Gemeinschaften oder für die Umsetzung gemeinsamer Projekte gebildet werden, sowie aus Mitteln, die auf vertraglicher Basis aus den örtlichen Haushalten für die Umsetzung gemeinsamer sozial-wirtschaftlicher und kultureller Programme gewonnen werden, und kontrollieren ihre Umsetzung; sie entscheiden andere Fragen, die durch ein Gesetz in ihre Zuständigkeit verwiesen wurden.

(3) Den Organen der örtlichen Selbstverwaltung können durch das Gesetz bestimmte Befugnisse der Organe der vollziehenden Gewalt übertragen werden. Der Staat finanziert die Ausübung dieser Befugnisse in vollem Umfang auf Kosten des Staatshaushalts

der Ukraine oder durch die Zuweisung nach dem durch das Gesetz festgelegten Verfahren bestimmter gesamtstaatlicher Steuern an den örtlichen Haushalt, und überträgt die entsprechenden Objekte des staatlichen Eigentums an die Organe der örtlichen Selbstverwaltung.

(4) Die Organe der örtlichen Selbstverwaltung unterliegen in Fragen der Ausübung der Befugnisse der Organe der vollziehenden Gewalt der Kontrolle durch die entsprechenden Organe der vollziehenden Gewalt.

Artikel 144 [Entscheidungen]

(1) Die Organe der örtlichen Selbstverwaltung treffen im Rahmen der durch das Gesetz festgelegten Befugnisse Entscheidungen, die für das entsprechende Territorium zur Ausführung verbindlich sind.

(2) Die Entscheidungen der Organe der örtlichen Selbstverwaltung werden aus Gründen der Nichtübereinstimmung mit der Verfassung oder den Gesetzen der Ukraine nach dem durch das Gesetz festgelegten Verfahren mit gleichzeitiger Anrufung des Gerichts aufgehoben.

Artikel 145 [Gerichtlicher Rechtsschutz]

Die Rechte der örtlichen Selbstverwaltung werden im gerichtlichen Verfahren geschützt.

Artikel 146 [Regelung durch Gesetz]

Andere Fragen der Organisation der örtlichen Selbstverwaltung, der Bildung, der Tätigkeit und der Verantwortlichkeit der Organe der örtlichen Selbstverwaltung werden durch das Gesetz bestimmt.

Abschnitt XII
DAS VERFASSUNGSGERICHT DER UKRAINE

Artikel 147 [Grundsätze]

(1) Das Verfassungsgericht der Ukraine entscheidet Fragen über die Übereinstimmung der Gesetze der Ukraine und in den von dieser Verfassung vorgesehenen Fällen

anderer Akte mit der Verfassung der Ukraine, übt die offizielle Auslegung der Verfassung der Ukraine sowie andere Befugnisse in Übereinstimmung mit dieser Verfassung aus.

(2) Die Tätigkeit des Verfassungsgerichts der Ukraine basiert auf den Grundsätzen der Herrschaft des Rechts, der Unabhängigkeit, des Kollegialprinzips, der Offenheit sowie der Begründetheit und Verbindlichkeit der von ihm getroffenen Entscheidungen und Schlussfolgerungen.

Artikel 148 [Bestellung der Richter]

(1) Das Verfassungsgericht der Ukraine besteht aus achtzehn Richtern des Verfassungsgerichts der Ukraine.

(2) Der Präsident der Ukraine, die Verchovna Rada der Ukraine und der Richterkongress der Ukraine ernennen jeweils sechs Richter des Verfassungsgerichts der Ukraine.

(3) Die Auswahl der Kandidaten für das Amt eines Richters des Verfassungsgerichts der Ukraine erfolgt auf Wettbewerbsbasis nach dem durch das Gesetz festgelegten Verfahren.

(4) Richter des Verfassungsgerichts der Ukraine kann ein Bürger der Ukraine sein, der die Staatssprache beherrscht, am Tag der Ernennung das vierzigste Lebensjahr vollendet hat, über eine juristische Hochschulausbildung und eine Berufserfahrung auf dem Gebiet des Rechts von mindestens fünfzehn Jahren verfügt, hohe moralische Qualitäten besitzt und ein Jurist von anerkanntem Kompetenzniveau ist.

(5) Ein Richter des Verfassungsgerichts der Ukraine darf keiner politischen Partei oder Gewerkschaft angehören, sich an keiner politischen Tätigkeit beteiligen, kein Vertretungsmandat ausüben, keine andere bezahlte Stellung innehaben und keine andere bezahlte Tätigkeit außer einer wissenschaftlichen, Lehr- oder schöpferischen Tätigkeit ausüben.

(6) Ein Richter des Verfassungsgerichts der Ukraine wird für neun Jahre ernannt, ohne das Recht, wiederernannt zu werden.

(7) Ein Richter des Verfassungsgerichts

der Ukraine erwirbt seine Befugnisse ab dem Datum der Eidesleistung in einer besonderen Plenarsitzung des Gerichts.

(8) Das Verfassungsgericht der Ukraine wählt in einer besonderen Plenarsitzung aus seinen Reihen in geheimer Abstimmung den Vorsitzenden für nur eine dreijährige Amtszeit.

Artikel 148-1 [Finanzierung]

(1) Der Staat gewährleistet die Finanzierung und entsprechende Bedingungen für die Tätigkeit des Verfassungsgerichts der Ukraine. Im Staatshaushalt der Ukraine werden gesondert die Ausgaben für die Tätigkeit des Gerichts unter Berücksichtigung der Vorschläge seines Vorsitzenden bestimmt.

(2) Die Höhe der Vergütung eines Richters des Verfassungsgerichts der Ukraine wird durch das Gesetz über das Verfassungsgericht der Ukraine bestimmt.

Artikel 149 [Unabhängigkeit und Immunität]

(1) Die Unabhängigkeit und die Immunität eines Richters des Verfassungsgerichts der Ukraine werden durch die Verfassung und die Gesetze der Ukraine garantiert.

(2) Die Beeinflussung eines Richters des Verfassungsgerichts der Ukraine auf welche Weise immer ist untersagt.

(3) Ohne Zustimmung des Verfassungsgerichts der Ukraine darf ein Richter des Verfassungsgerichts der Ukraine bis zum Erlass eines Strafgerichtsurteils weder festgenommen noch in Gewahrsam oder Haft genommen werden, mit Ausnahme der Festnahme eines Richters während oder unmittelbar nach der Begehung eines schweren oder besonders schweren Verbrechens.

(4) Ein Richter des Verfassungsgerichts der Ukraine kann nicht für die Stimmabgabe im Zusammenhang mit Gerichtsentscheidungen und der Abgabe von Stellungnahmen verantwortlich gemacht werden, mit Ausnahme der Begehung einer Straftat oder eines disziplinarischen Vergehens.

(5) Der Staat gewährleistet die persönliche Sicherheit eines Richters des Verfassungsgerichts der Ukraine und seiner Familienangehörigen.

Artikel 149-1 [Amtsverlust]

(1) Die Befugnisse eines Richters des Verfassungsgerichts der Ukraine enden. im Falle:

1) der Beendigung der Amtszeit;

2) der Vollendung des siebzigsten Lebensjahres;

3) des Verlustes der Staatsbürgerschaft der Ukraine oder des Erwerbs der Staatsbürgerschaft eines anderen Staates;

4) des Eintritts der Rechtskraft einer Gerichtsentscheidung über seine Erklärung als vermisst oder tot oder der Erklärung seiner Geschäftsunfähigkeit oder eingeschränkten Geschäftsfähigkeit;

5) des Eintritts der Rechtskraft einer Verurteilung wegen der Begehung einer Straftat;

6) des Todes eines Richters des Verfassungsgerichts der Ukraine.

(2) Die Gründe für die Abberufung eines Richters des Verfassungsgerichts der Ukraine sind:

1) die Unfähigkeit zur Ausübung seiner Befugnisse aus gesundheitlichen Gründen;

2) die Verletzung der Anforderungen an die Unvereinbarkeit;

3) die Begehung eines erheblichen Disziplinarvergehens, eine grobe oder systematische Vernachlässigung seiner Pflichten, die mit dem Status eines Richters unvereinbar ist oder seine Ungeeignetheit für das bekleidete Amt offenbart;

4) die Einreichung eines Antrags auf Rücktritt oder Abberufung aus dem Amt auf eigenen Wunsch.

(3) Die Entscheidung über die Abberufung eines Richters des Verfassungsgerichts der Ukraine trifft das Gericht mit mindestens zwei Dritteln seiner verfassungsmäßigen Zusammensetzung.

Artikel 150 [Befugnisse]

(1) Zu den Befugnissen des Verfassungsgerichts der Ukraine gehören:

1) die Entscheidung von Fragen über die

Übereinstimmung mit der Verfassung der Ukraine (die Verfassungsmäßigkeit) von:

Gesetzen und anderen Rechtsakten der Verchovna Rada der Ukraine;

Akten des Präsidenten der Ukraine;

Akten des Ministerkabinetts der Ukraine;

Rechtsakten der Verchovna Rada der Autonomen Republik Krim;

2) die offizielle Auslegung der Verfassung der Ukraine;

3) die Ausübung von anderen Befugnissen, die in der Verfassung der Ukraine vorgesehen sind.

(2) Die Fragen, die in den Zahlen 1 und 2 des ersten Absatzes dieses Artikels vorgesehen sind, werden auf den verfassungsmäßigen Antrag des Präsidenten der Ukraine, von mindestens fünfundvierzig Volksabgeordneten der Ukraine, des Obersten Gerichts, des Menschenrechtsbeauftragten der Verchovna Rada der Ukraine oder der Verchovna Rada der Autonomen Republik Krim behandelt.

Artikel 151 [Gutachten]

(1) Das Verfassungsgericht der Ukraine erstellt auf Ersuchen des Präsidenten der Ukraine oder von mindestens fünfundvierzig Volksabgeordneten der Ukraine oder des Ministerkabinetts der Ukraine Gutachten über die Übereinstimmung geltender völkerrechtlicher Verträge der Ukraine oder derjenigen völkerrechtlichen Verträge, die der Verchovna Rada der Ukraine zur Zustimmung zur Verbindlichkeit vorgelegt werden, mit der Verfassung der Ukraine.

(2) Das Verfassungsgericht der Ukraine erstellt auf Ersuchen des Präsidenten der Ukraine oder von mindestens fünfundvierzig Volksabgeordneten der Ukraine Gutachten über die Übereinstimmung der Fragen, die einer allukrainischen Volksabstimmung auf eine Volksinitiative hin unterbreitet werden sollen, mit der Verfassung der Ukraine (die Verfassungsmäßigkeit).

(3) Das Verfassungsgericht der Ukraine erstellt auf Ersuchen der Verchovna Rada der Ukraine ein Gutachten über die Einhaltung des verfassungsmäßigen Verfahrens der Untersuchung und Prüfung des Falles der Amtsenthebung des Präsidenten der Ukraine im Amtsenthebungsverfahren.

Artikel 151-1 [Verfassungsbeschwerde]

Das Verfassungsgericht der Ukraine entscheidet die Frage über die Übereinstimmung eines Gesetzes der Ukraine mit der Verfassung der Ukraine (die Verfassungsmäßigkeit) auf die Verfassungsbeschwerde einer Person, die behauptet, dass das in einer endgültigen Gerichtsentscheidung in ihrer Sache angewendete Gesetz der Ukraine der Verfassung der Ukraine widerspricht. Eine Verfassungsbeschwerde kann im Falle erhoben werden, wenn alle anderen nationalen Rechtsmittel ausgeschöpft worden sind.

Artikel 151-2 [Verbindlichkeit der Entscheidungen]

Die Entscheidungen und Gutachten, die vom Verfassungsgericht der Ukraine erlassen worden sind, sind verbindlich und endgültig und können nicht angefochten werden.

Artikel 152 [Rechtswirkungen der Entscheidungen]

(1) Gesetze und andere Akte werden durch Entscheidung des Verfassungsgerichts der Ukraine im Ganzen oder in einem einzelnen Teil als verfassungswidrig erkannt, wenn sie nicht mit der Verfassung der Ukraine übereinstimmen oder wenn das durch die Verfassung der Ukraine festgelegte Verfahren ihrer Behandlung, Annahme oder Inkraftsetzung verletzt wurde.

(2) Gesetze, andere Akte oder einzelne ihrer Bestimmungen, die als verfassungswidrig erkannt werden, verlieren ihre Kraft ab dem Tag, an dem das Verfassungsgericht der Ukraine die Entscheidung über ihre Verfassungswidrigkeit trifft, sofern in der Entscheidung selbst nichts anderes festgelegt ist, jedoch nicht vor dem Tag ihrer Annahme.

(3) Ein materieller oder moralischer Schaden, der natürlichen oder juristischen Personen durch die als verfassungswidrig erkannten Akte und Handlungen zugefügt worden ist, wird vom Staat nach dem durch das Gesetz festgelegten Verfahren ersetzt.

Artikel 153 [Regelung durch Gesetz]

Das Verfahren für die Organisation und die Tätigkeit des Verfassungsgerichts der Ukraine, der Status der Richter des Gerichts, die Gründe und das Verfahren für die Anrufung des Gerichts, das Verfahren für die Behandlung der Fälle und die Ausführung der Gerichtsentscheidungen werden durch die Verfassung der Ukraine und das Gesetz bestimmt.

Abschnitt XIII
DIE EINBRINGUNG VON ÄNDE-
RUNGEN IN DIE VERFASSUNG
DER UKRAINE

Artikel 154 [Verfassungsinitiative]

Ein Gesetzesentwurf über die Einbringung von Änderungen in die Verfassung der Ukraine kann der Verchovna Rada der Ukraine durch den Präsidenten der Ukraine oder mindestens ein Drittel der Volksabgeordneten der verfassungsmäßigen Zusammensetzung der Verchovna Rada der Ukraine vorgelegt werden.

Artikel 155 [Beschlussquoren]

Ein Gesetzesentwurf über die Einbringung von Änderungen in die Verfassung der Ukraine, mit Ausnahme von Abschnitt I „Allgemeine Bestimmungen", Abschnitt III „Wahlen. Volksabstimmung" und Abschnitt XIII „Einbringung von Änderungen in die Verfassung der Ukraine", der von der Mehrheit der verfassungsmäßigen Zusammensetzung der Verchovna Rada der Ukraine vorläufig gebilligt wurde, gilt als angenommen, wenn auf der nächsten ordentlichen Session der Verchovna Rada der Ukraine mindestens zwei Drittel der verfassungsmäßigen Zusammensetzung der Verchovna Rada der Ukraine für ihn gestimmt haben.

Artikel 156 [Volksabstimmung]

(1) Ein Gesetzesentwurf über die Einbringung von Änderungen in Abschnitt I „Allgemeine Bestimmungen", Abschnitt III „Wahlen. Volksabstimmung" und Abschnitt XIII „Einbringung von Änderungen in die

Verfassung der Ukraine" wird der Verchovna Rada der Ukraine durch den Präsidenten der Ukraine oder mindestens zwei Drittel der verfassungsmäßigen Zusammensetzung der Verchovna Rada der Ukraine vorgelegt und nach der Annahme durch mindestens zwei Drittel der verfassungsmäßigen Zusammensetzung der Verchovna Rada der Ukraine durch eine vom Präsidenten der Ukraine anberaumte gesamtukrainische Volksabstimmung bestätigt.

(2) Die wiederholte Einbringung eines Gesetzesentwurfs über die Einbringung von Änderungen in die Abschnitte I, III und XIII dieser Verfassung in ein und derselben Frage ist nur an die Verchovna Rada der Ukraine der nächsten Legislatur möglich.

Artikel 157 [Änderungsverbote]

(1) Die Verfassung der Ukraine darf nicht geändert werden, wenn die Änderungen die Abschaffung oder Einschränkung der Rechte und Freiheiten des Menschen und Bürgers vorsehen, oder wenn sie auf die Beseitigung der Unabhängigkeit oder die Verletzung der territorialen Integrität der Ukraine gerichtet sind.

(2) Die Verfassung der Ukraine darf nicht unter den Bedingungen des Kriegs- oder Ausnahmezustands geändert werden.

Artikel 158 [Änderungsmoratorium]

(1) Ein Gesetzesentwurf über die Einbringung von Änderungen in die Verfassung der Ukraine, der von der Verchovna Rada der Ukraine behandelt wurde, wobei das Gesetz nicht angenommen wurde, kann der Verchovna Rada der Ukraine nicht früher als ein Jahr ab dem Tag der Annahme der Entscheidung über diesen Gesetzesentwurf vorgelegt werden.

(2) Die Verchovna Rada der Ukraine darf dieselben Bestimmungen der Verfassung der Ukraine während ihrer Amtszeit nicht zweimal ändern.

Artikel 159 [Gutachten des Verfassungsgerichts]

Ein Gesetzesentwurf über die Einbringung

von Änderungen in die Verfassung der Ukraine wird von der Verchovna Rada der Ukraine nach Vorliegen eines Gutachtens des Verfassungsgerichts der Ukraine über die Übereinstimmung des Gesetzesentwurfs mit den Anforderungen der Artikel 157 und 158 dieser Verfassung behandelt.

Abschnitt XIV
SCHLUSSBESTIMMUNGEN

Artikel 160 [Inkrafttreten]
Die Verfassung der Ukraine tritt mit dem Tag ihrer Annahme in Kraft.

Artikel 161 [Tag der Verfassung]
Der Tag der Annahme der Verfassung der Ukraine ist ein Staatsfeiertag – der Tag der Verfassung der Ukraine.

Abschnitt XV
ÜBERGANGSBESTIMMUNGEN

1. Gesetze und andere Normativakte, die vor dem Inkrafttreten dieser Verfassung angenommen wurden, gelten in den Teilen, die der Verfassung der Ukraine nicht widersprechen, weiter.

[Die weiteren Bestimmungen sind wegen Zeitablaufs überholt]

Verfassung von Ungarn[*]

Vom 25. April 2011 (Magyar Közlöny 2011 Nr. 43 S. 10656), zuletzt geändert durch die neunte Änderung von Ungarns Grundgesetz am 22. Dezember 2020 (Magyar Közlöny 2020 Nr. 285 S. 10128)

Gott, segne den Ungarn!

NATIONALES GLAUBENSBEKENNTNIS

WIR, DIE MITGLIEDER DER UNGARISCHEN NATION, erklären am Anfang des neuen Jahrtausends in Verantwortung für jeden Ungarn das Folgende:

Wir sind stolz darauf, dass unser König István der Heilige vor tausend Jahren den ungarischen Staat auf feste Grundlagen gestellt hat und unser Vaterland zu einem Teil des christlichen Europa gemacht hat.

Wir sind stolz auf unsere Vorfahren, die für das Fortbestehen unseres Landes, seine Freiheit und seine Unabhängigkeit gekämpft haben.

Wir sind stolz auf die großartigen geistigen Schöpfungen der ungarischen Menschen.

Wir sind stolz darauf, dass unser Volk Jahrhunderte hindurch in Kämpfen Europa beschützt und mit seinem Talent und seinem Fleiß dessen gemeinsame Werte bereichert hat.

Wir erkennen die nationserhaltende Rolle des Christentums an. Wir schätzen die verschiedenen religiösen Traditionen unseres Landes.

Wir versprechen, dass wir die geistige und seelische Einheit unserer in den Stürmen des vergangenen Jahrhunderts in Teile zerbrochenen Nation bewahren. Wir erklären, dass die mit uns lebenden Nationalitäten Teile der ungarischen politischen Gemeinschaft und staatsbildende Faktoren sind.

Wir verpflichten uns, unser Erbe, unsere einmalige Sprache, die ungarische Kultur, die Sprachen und Kulturen der Nationalitäten in Ungarn, die naturgegebenen und menschengemachten Werte des Karpatenbeckens zu pflegen und zu wahren. Wir tragen Verantwortung für unsere Nachfahren, deshalb schützen wir durch sorgfältigen Gebrauch unserer materiellen, geistigen und natürlichen Ressourcen die Lebensbedingungen der nach uns kommenden Generationen.

Wir glauben, dass unsere nationale Kultur ein reicher Beitrag zur Vielfalt der europäischen Einheit ist.

Wir respektieren die Freiheit und die Kultur anderer Völker, wir streben die Zusammenarbeit mit allen Nationen der Welt an.

Wir bekennen, dass die Grundlage der menschlichen Existenz die Menschenwürde ist.

Wir bekennen, dass sich die individuelle Freiheit nur in Zusammenarbeit mit Anderen entfalten kann.

Wir bekennen, dass die wichtigsten Rahmen unseres Zusammenlebens die Familie und die Nation, die grundlegenden Werte unserer Zusammengehörigkeit die Treue, der Glaube und die Nächstenliebe sind.

Wir bekennen, dass die Grundlage der Stärke der Gemeinschaft und der Ehre eines jeden Menschen die Arbeit und die Leistung des menschlichen Geistes ist.

Wir bekennen uns zu der Pflicht, den Gestrauchelten und den Armen zu helfen.

Wir bekennen, dass das gemeinsame Ziel des Bürgers und des Staates die Entfaltung des guten Lebens, der Sicherheit, der Ordnung und der Wahrheit ist.

Wir bekennen, dass es eine Volksherrschaft nur dort gibt, wo der Staat seinen Bürgern dient und ihre Angelegenheit billig und ohne Missbrauch und Parteilichkeit erledigt.

---

[*] Übersetzt von *Herbert Küpper*, Institut für Ostrecht München/Regensburg.

Wir ehren die Errungenschaften unserer historischen Verfassung und die Heilige Krone, die Ungarns verfassungsmäßige staatliche Kontinuität und die Einheit der Nation verkörpert.

Wir bekennen, dass es die grundlegende Pflicht des Staates ist, unsere in unserer historischen Verfassung wurzelnde Identität zu beschützen.

Wir erkennen die wegen fremder Besatzungen erfolgte Aussetzung unserer historischen Verfassung nicht an. Wir verweigern den unmenschlichen Verbrechen, die während der Herrschaft der nationalsozialistischen und kommunistischen Diktatur gegen die ungarische Nation und ihre Bürger begangen wurden, die Verjährung.

Wir erkennen die kommunistische Verfassung des Jahres 1949 nicht an, weil sie die Grundlage einer tyrannischen Herrschaft war, deshalb erklären wir sie für ungültig.

Wir stimmen mit den Abgeordneten der ersten freien Landesversammlung überein, die in ihrem ersten Beschluss erklärten, dass unsere heutige Freiheit aus unserer Revolution von 1956 entsprungen ist.

Die Wiederherstellung der staatlichen Selbstbestimmung, die am neunzehnten März 1944 verlorengegangen ist, rechnen wir ab dem zweiten Mai 1990, der Konstituierung der ersten frei gewählten Volksvertretung. Diesen Tag betrachten wir als den Beginn der neuen Demokratie und Verfassungsordnung unseres Vaterlandes.

Wir bekennen, dass wir nach den Jahrzehnten des zwanzigsten Jahrhunderts, die zu einer moralischen Erschütterung geführt haben, unbedingt einer seelischen und geistigen Erneuerung bedürfen.

Wir vertrauen auf die gemeinsam gestaltete Zukunft und die Berufung der jungen Generationen. Wir glauben, dass unsere Kinder und Enkel mit ihrem Talent, ihrer Ausdauer und ihrer seelischen Stärke Ungarn wieder groß machen.

Unser Grundgesetz ist die Grundlage unserer Rechtsordnung, ein Bund zwischen den Ungarn der Vergangenheit, der Gegenwart und der Zukunft. Es ist ein lebender Rahmen, der den Willen der Nation und die Form, in der wir leben möchten, ausdrückt.

Wir, die Bürger Ungarns stehen bereit, die Ordnung unseres Landes auf die Zusammenarbeit der Nation zu gründen.

GRUNDLEGUNG

Artikel A [Vaterland]
UNSER VATERLAND heißt Ungarn.

Artikel B [Staatsform]
(1) Ungarn ist ein unabhängiger demokratischer Rechtsstaat.

(2) Ungarns Staatsform ist die Republik.

(3) Die Quelle der öffentlichen Gewalt ist das Volk.

(4) Das Volk übt seine Gewalt mittels seiner gewählten Vertreter, ausnahmsweise unmittelbar aus.

Artikel C [Teilung der Gewalten]
(1) Das Wirken des ungarischen Staates beruht auf dem Grundsatz der Teilung der Gewalt.

(2) Niemandes Tätigkeit kann auf gewaltsamen Erwerb oder Ausübung der Macht beziehungsweise auf ihren ausschließlichen Besitz gerichtet sein. Jeder ist berechtigt und verpflichtet, gegenüber solchen Bestrebungen auf gesetzlichem Wege einzuschreiten.

(3) Um das Grundgesetz und die Rechtsvorschriften durchzusetzen, ist zur Anwendung von Gewalt der Staat berechtigt.

Artikel D [Auslandsungarn]
Ungarn trägt unter Berücksichtigung des Zusammenhalts der einheitlichen ungarischen Nation Verantwortung für das Schicksal der jenseits seiner Grenzen lebenden Ungarn, fördert den Erhalt und die Entwicklung ihrer Gemeinschaften, unterstützt ihre auf Bewahrung ihrer ungarischen Identität gerichteten Bestrebungen, die Durchsetzung ihrer individuellen und gemeinschaftlichen Rechte, die Schaffung ihrer gemeinschaftlichen Selbstverwaltungen und ihr Wohlergehen in ihrer Heimat sowie fördert ihre Zusammenarbeit untereinander und mit Ungarn.

Artikel E [Europäische Einheit]

(1) Ungarn wirkt im Interesse der Entfaltung der Freiheit, der Wohlfahrt und der Sicherheit Ungarns und der europäischen Völker an der Schaffung der europäischen Einheit mit.

(2) Ungarn kann zur mitgliedstaatlichen Teilnahme an der Europäischen Union auf der Grundlage eines völkerrechtlichen Vertrags – in dem Maße, wie es zur Ausübung der aus den Gründungsverträgen fließenden Rechte und Erfüllung der Pflichten notwendig ist – einzelne seiner aus dem Grundgesetz fließenden Befugnisse gemeinsam mit den anderen Mitgliedstaaten im Wege der Institutionen der Europäischen Union ausüben. Die Wahrnehmung von Befugnissen gemäß diesem Absatz muss mit den im Grundgesetz niedergelegten grundlegenden Rechten und Freiheiten im Einklang stehen und kann weiterhin nicht Ungarns unveräußerliches Bestimmungsrecht in Bezug auf seine territoriale Einheit, seine Bevölkerung, seine Staatsform und seine staatliche Organisation beschränken.

(3) Das Recht der Europäischen Union kann – im Rahmen des Abs. 2 – allgemein verbindliche Verhaltensregeln festlegen.

(4) Zur Ermächtigung zur Anerkennung der verbindlichen Geltung des völkerrechtlichen Vertrags gemäß Abs. 2 sind die Stimmen von zwei Dritteln der Abgeordneten der Landesversammlung notwendig.

Artikel F [Hauptstadt]

(1) Die Hauptstadt Ungarns ist Budapest.

(2) Das Gebiet Ungarns gliedert sich in die Hauptstadt, Komitate, Städte und Gemeinden. In der Hauptstadt und den Städten können Bezirke gebildet werden.

Artikel G [Staatsbürgerschaft]

(1) Mit seiner Geburt ist das Kind eines ungarischen Staatsbürgers ungarischer Staatsbürger. Ein Kardinalgesetz kann auch andere Fälle der Entstehung oder des Erwerbs der ungarischen Staatsbürgerschaft festlegen.

(2) Ungarn beschützt seine Staatsbürger.

(3) Niemandem kann seine durch Geburt entstandene oder rechtmäßig erworbene ungarische Staatsbürgerschaft entzogen werden.

(4) Die detaillierten Regeln in Bezug auf die Staatsbürgerschaft bestimmt ein Kardinalgesetz.

Artikel H [Amtssprache]

(1) In Ungarn ist die Amtssprache das Ungarische.

(2) Ungarn schützt die ungarische Sprache.

(3) Ungarn schützt die ungarische Gebärdensprache als Teil der ungarischen Kultur.

Artikel I [Wappen und Fahne]

(1) Ungarns Wappen ist ein gespaltener Schild mit spitzem Untersatz. Sein erstes Feld ist in Rot und Silber siebenmal geschnitten. In seinem zweiten, roten Feld ist auf dem mittleren Teil eines grünen dreifachen Hügels, auf dem sich eine Goldkrone erhebt, ein silbernes Doppelkreuz. Auf dem Schild ruht die ungarische Heilige Krone. [farbige Darstellung des Wappens]

(2) Ungarns Fahne besteht aus drei gleich breiten, in der Reihenfolge von oben roten, weißen und grünen waagerechten Streifen, in denen die rote Farbe die Kraft, die weiße Farbe die Treue und die grüne Farbe die Hoffnung symbolisiert. [farbige Darstellung der Fahne]

(3) Ungarns Nationalhymne ist die Dichtung mit dem Titel „Hymnus" von Ferenc Kölcsey mit der Musik von Ferenc Erkel.

(4) Wappen und Fahne können auch gemäß anderen historisch entstandenen Formen gebraucht werden. Die detaillierten Regeln des Gebrauchs von Wappen und Fahne sowie die staatlichen Auszeichnungen bestimmt ein Kardinalgesetz.

Artikel J [Nationalfeiertage]

(1) Ungarns Nationalfeiertage sind:

a) der 15. März, zur Erinnerung an die Revolution und den Freiheitskampf der Jahre 1848-49;

b) der 20. August, zur Erinnerung an die

Staatsgründung und an den Staatsgründer König István den Heiligen;

c) der 23. Oktober, zur Erinnerung an die Revolution und den Freiheitskampf des Jahres 1956.

(2) Der amtliche staatliche Feiertag ist der 20. August.

Artikel K [Währung]

Die amtliche Währung Ungarns ist der Forint.

Artikel L [Ehe]

(1) Ungarn schützt die Institution der Ehe als einer zwischen Mann und Frau aufgrund freiwilliger Entschließung zu Stande gekommenen Lebensgemeinschaft sowie die Familie als die Grundlage des Fortbestehens der Nation. Die Grundlage der Familienbeziehung ist die Ehe beziehungsweise das Verhältnis Eltern – Kind. Die Mutter ist eine Frau, der Vater ein Mann.

(2) Ungarn unterstützt die Entscheidung für Kinder.

(3) Den Schutz der Familien regelt ein Kardinalgesetz.

Artikel M [Wirtschaft]

(1) Ungarns Wirtschaft beruht auf der wertschöpfenden Arbeit und der Freiheit der Unternehmung.

(2) Ungarn gewährleistet die Voraussetzungen eines lauteren wirtschaftlichen Wettbewerbs. Ungarn schreitet gegen den Missbrauch einer Machtstellung ein und schützt die Rechte der Verbraucher.

Artikel N [Haushaltswirtschaft]

(1) Ungarn verwirklicht den Grundsatz der ausgeglichenen, transparenten und nachhaltigen Haushaltswirtschaft.

(2) Für die Verwirklichung des Grundsatzes gemäß Abs. 1 sind in erster Linie die Landesversammlung und die Regierung verantwortlich.

(3) Das Verfassungsgericht, die Gerichte, die örtlichen Selbstverwaltungen und andere staatliche Organe sind verpflichtet, im Zuge der Erfüllung ihrer Aufgaben den Grundsatz gemäß Abs. 1 zu respektieren.

Artikel O [Beitrag zu gemeinschaftlichen Aufgaben]

Jeder ist für sich selbst verantwortlich und ist gemäß seinen Fähigkeiten und Möglichkeiten verpflichtet, zur Erfüllung der staatlichen und gemeinschaftlichen Aufgaben beizutragen.

Artikel P [Natürliche Ressourcen]

(1) Die natürlichen Ressourcen, insbesondere der Produktivboden, die Wälder und die Wasservorräte, die biologische Vielfalt, insbesondere die heimischen Pflanzen- und Tierarten, sowie die kulturellen Werte bilden das gemeinsame Erbe der Nation, dessen Schutz, Erhaltung und Bewahrung für die kommenden Generationen die Pflicht des Staates und eines Jeden ist.

(2) Die zum Erreichen der Ziele gemäß Abs. 1 notwendigen Einschränkungen und Voraussetzungen des Erwerbs sowie der Nutzung des Eigentumsrechts an Produktivboden und Wäldern sowie die Regeln in Bezug auf die integrierte landwirtschaftliche Produktionsorganisation und auf die Familienwirtschaften, weiterhin auf andere landwirtschaftliche Betriebe bestimmt ein Kardinalgesetz.

Artikel Q [Frieden und Sicherheit]

(1) Ungarn strebt im Interesse der Schaffung und Erhaltung von Frieden und Sicherheit sowie einer nachhaltigen Entwicklung der Menschheit die Zusammenarbeit mit sämtlichen Völkern und Ländern der Welt an.

(2) Ungarn gewährleistet im Interesse der Erfüllung seiner völkerrechtlichen Pflichten die Übereinstimmung von Völkerrecht und ungarischem Recht.

(3) Ungarn nimmt die allgemein anerkannten Regeln des Völkerrechts an. Die anderen Quellen des Völkerrechts werden durch ihre Verkündung in einer Rechtsvorschrift zu einem Teil der ungarischen Rechtsordnung.

Artikel R [Rechtsordnung]

(1) Das Grundgesetz ist die Grundlage der Rechtsordnung Ungarns.

(2) Das Grundgesetz und die Rechtsvorschriften sind für Jeden verbindlich.

(3) Die Bestimmungen des Grundgesetzes sind in Übereinstimmung mit dessen Zweck, mit dem darin enthaltenen Nationalen Glaubensbekenntnis und mit den Errungenschaften unserer historischen Verfassung auszulegen.

(4) Der Schutz von Ungarns verfassungsmäßiger Identität und christlicher Kultur ist die Pflicht eines jeden Staatsorgans.

Artikel S [Annahme und Änderung des Grundgesetzes]

(1) Einen Vorschlag zur Annahme eines Grundgesetzes oder zur Änderung des Grundgesetzes können der Präsident der Republik, die Regierung, ein Ausschuss der Landesversammlung oder ein Abgeordneter der Landesversammlung unterbreiten.

(2) Zur Annahme eines Grundgesetzes oder zur Änderung des Grundgesetzes sind die Stimmen von zwei Dritteln der Abgeordneten der Landesversammlung notwendig.

(3) Der Präsident der Landesversammlung unterzeichnet das angenommene Grundgesetz oder die angenommene Änderung des Grundgesetzes innerhalb von fünf Tagen und übersendet es dem Präsidenten der Republik. Der Präsident der Republik unterzeichnet das übersandte Grundgesetz oder die übersandte Änderung des Grundgesetzes innerhalb von fünf Tagen ab Erhalt und ordnet die Verkündung im Amtsblatt an. Falls der Präsident der Republik der Ansicht ist, dass die im Grundgesetz enthaltenen Verfahrensanforderungen in Bezug auf den Erlass des Grundgesetzes oder einer Änderung des Grundgesetzes nicht eingehalten wurden, beantragt er dessen Prüfung beim Verfassungsgericht. Falls das Verfassungsgericht im Zuge seiner Prüfung eine Verletzung dieser Anforderungen nicht feststellt, unterzeichnet der Präsident der Republik das Grundgesetz oder die Änderung des Grundgesetzes unverzüglich und ordnet die Verkündung im Amtsblatt an.

(4) Die Bezeichnung der Änderung des Grundgesetzes im Zuge der Verkündung umfasst den Titel, die laufende Nummer der Änderung und den Tag der Verkündung.

Artikel T [Allgemein verbindliche Verhaltensregeln]

(1) Eine allgemein verbindliche Verhaltensregel kann durch das Grundgesetz und durch eine Rechtsvorschrift begründet werden, welche durch das im Grundgesetz bezeichnete Organ, das über eine Kompetenz zur Rechtssetzung verfügt, erlassen und im Amtsblatt verkündet wurde. Ein Kardinalgesetz kann die Regeln der Verkündung von Verordnungen der Selbstverwaltung sowie der nach der Beantragung der Ausrufung des Kriegszustands oder des Notstands durch die Regierung und in einer Sonderrechtsordnung erlassenen Rechtsvorschriften auch abweichend festlegen.

(2) Rechtsvorschriften sind das Gesetz, die Regierungsverordnung, die Verordnung des Ministerpräsidenten, die Ministerverordnung, die Verordnung des Präsidenten der Ungarischen Nationalbank, die Verordnung des Leiters eines selbständigen Regelungsorgans und die Verordnung der Selbstverwaltung.

(3) Eine Rechtsvorschrift kann nicht im Widerspruch zum Grundgesetz stehen.

(4) Ein Kardinalgesetz ist ein Gesetz, zu dessen Annahme und Änderung die Stimmen von zwei Dritteln der anwesenden Abgeordneten der Landesversammlung notwendig sind.

Artikel U [Staatliche Ordnung]

(1) Die auf der Herrschaft des Rechts gründende staatliche Ordnung, die im Zuge der ersten freien Wahlen von 1990 aus dem Willen der Nation geschaffen wurde, und die vorherige kommunistische Diktatur sind unvereinbar. Die Ungarische Sozialistische Arbeiterpartei und ihre Rechtsvorgänger sowie die im Zeichen der kommunistischen Ideologie zu ihren Diensten geschaffenen sonstigen politischen Organisationen waren

kriminelle Organisationen, deren Leiter unverjährbar verantwortlich sind

a) für die Aufrechterhaltung und Lenkung des Unterdrückungssystems, für die begangenen Rechtsverletzungen und für den Verrat an der Nation;

b) für die mit sowjetischer militärischer Hilfe erfolgte Liquidierung des auf dem Mehrparteiensystem aufbauenden demokratischen Versuchs der Jahre nach dem zweiten Weltkrieg;

c) für den Ausbau einer auf ausschließlicher Machtausübung und auf Gesetzlosigkeit aufbauenden Rechtsordnung;

d) für die Liquidierung der auf der Freiheit des Eigentums gründenden Wirtschaft und für die Verschuldung des Landes;

e) für die Unterordnung von Ungarns Wirtschaft, seinem Militär, seiner Diplomatie und seinen menschlichen Ressourcen unter fremde Interessen;

f) für die systematische Vernichtung der traditionellen Werte der europäischen Zivilisation;

g) dafür, dass die Staatsbürger und einzelne ihrer Gruppen ihrer grundlegenden Menschenrechte beraubt wurden oder diese schwer eingeschränkt wurden, insbesondere für die Tötung von Menschen, für ihre Auslieferung an eine fremde Macht, für ihre ungesetzliche Gefängnishaft, Verschleppung in Zwangsarbeitslager, Folterung und unmenschliche Behandlung; dafür, dass die Bürger willkürlich ihres Vermögens beraubt wurden, für die Beschränkung ihrer Rechte am Eigentum; für die vollständige Wegnahme der Freiheitsrechte der Bürger, für die Unterstellung der politischen Meinungs- und Willensäußerung unter staatlichen Zwang; für die nachteilige Unterscheidung zwischen Menschen im Hinblick auf ihre Abstammung, Weltanschauung oder politische Überzeugung, für die Verhinderung, dass sie auf der Grundlage ihres Wissens, Fleißes und Talents vorankommen und sich durchsetzen konnten; für die Schaffung und den Betrieb einer Geheimpolizei, die nach der ungesetzlichen Beobachtung und Beeinflussung des Privatlebens der Menschen strebte;

h) dafür, dass die am 23. Oktober 1956 ausgebrochene Revolution und Freiheitskampf in Zusammenarbeit mit den sowjetischen Besatzern in Blut ertränkt wurden, für die darauf folgende Schreckensherrschaft und Vergeltung, für die zwangsweise Flucht von zweihunderttausend ungarischen Menschen aus ihrem Vaterland;

i) für alle die gewöhnlichen Straftaten, die aus politischen Gründen begangen wurden und die die Justiz aus politischen Gründen nicht verfolgte.

Die politischen Organisationen, die im Zuge des demokratischen Übergangs Anerkennung als Rechtsnachfolgerin der Ungarischen Sozialistischen Arbeiterpartei gewannen, teilen auch als Erben von deren ungesetzlich angehäuftem Vermögen die Verantwortlichkeit ihrer Vorgänger.

(2) Im Hinblick auf den Inhalt von Abs. 1 sind die wahrheitsgemäße Aufdeckung der Funktionsweise der kommunistischen Diktatur und das Gerechtigkeitsgefühl der Gesellschaft gemäß den Bestimmungen in Abs. 3-10 zu gewährleisten.

(3) Im Interesse der staatlichen Bewahrung der Erinnerung im Zusammenhang mit der kommunistischen Diktatur ist eine Kommission des Nationalen Erinnerns tätig. Die Kommission des Nationalen Erinnerns deckt die Machtfunktionen der kommunistischen Diktatur und die Rolle der Personen und Organisationen, die im Besitz der kommunistischen Macht waren, auf und veröffentlicht die Ergebnisse ihrer Tätigkeit in einem umfassenden Bericht sowie in weiteren Dokumenten.

(4) Die Machthaber der kommunistischen Diktatur sind verpflichtet, Tatsachenbehauptungen – mit Ausnahme von absichtlich abgegebenen, im Hinblick auf das Wesentliche unwahren Behauptungen – in Bezug auf ihre Rolle und ihre Handlungen im Zusammenhang mit dem Wirken der Diktatur zu dulden, und ihre persönlichen Daten im Zusammenhang mit dieser ihrer Rolle und diesen ihren Handlungen können veröffentlicht werden.

(5) Die durch den Staat auf der Grundlage von Rechtsvorschriften gewährleisteten

Renten oder andere Zuwendungen können für gesetzlich bestimmte Leiter der kommunistischen Diktatur in dem gesetzlich bestimmten Maß gesenkt werden; die Einnahmen hieraus sind gemäß den Bestimmungen in einem Gesetz zur Milderung der Schädigungen durch die kommunistische Diktatur und für die Pflege des Andenkens an die Opfer zu verwenden.

(6) Die Strafbarkeit derjenigen gesetzlich bestimmten, im Namen des Einparteienstaates, in seinem Interesse oder mit seinem Einverständnis in der kommunistischen Diktatur gegen Ungarn oder gegen Personen begangenen schweren Straftaten, die unter Außerachtlassung des bei der Begehung geltenden Strafgesetzes aus politischen Gründen nicht verfolgt wurden, gilt nicht als verjährt.

(7) Die Strafbarkeit der Straftaten gemäß Abs. 6 verjährt mit Ablauf des Zeitrahmens gemäß dem zum Zeitpunkt der Begehung geltenden Strafgesetz, gerechnet ab dem Tag des Inkrafttretens des Grundgesetzes, vorausgesetzt, dass gemäß dem zum Zeitpunkt der Begehung der Straftat geltenden Strafgesetz die Verjährung bis zum 1. Mai 1990 eingetreten wäre.

(8) Die Strafbarkeit der Straftaten gemäß Abs. 6 verjährt mit Ablauf des Zeitraums zwischen dem Zeitpunkt der Begehung und dem 1. Mai 1990, gerechnet ab dem Tag des Inkrafttretens des Grundgesetzes, vorausgesetzt, dass gemäß dem zum Zeitpunkt der Begehung der Straftat geltenden Strafgesetz die Verjährung zwischen dem 2. Mai 1990 und dem 31. Dezember 2011 eingetreten wäre und der Täter wegen der Straftat nicht verfolgt wurde.

(9) Für diejenigen, die vor dem 2. Mai 1990 ihres Lebens oder ihrer Freiheit aus politischen Gründen unrechtmäßig beraubt wurden und die im Zuge der durch den Staat in ihrem Eigentum ungerechterweise verursachten Schäden zu Schaden gekommen sind, kann ein neuer Entschädigungsrechtstitel, der eine Zuwendung in Geld oder anderen Vermögenswerten gewährt, in einer Rechtsvorschrift nicht festgelegt werden.

(10) Die in der kommunistischen Diktatur entstandenen Schriftstücke der kommunistischen Staatspartei, der mit ihrer Mitwirkung errichteten beziehungsweise unter ihrem unmittelbaren Einfluss stehenden gesellschaftlichen und Jugendorganisationen sowie der Gewerkschaften bilden das Eigentum des Staates, sie sind auf dieselbe Weise wie Schriftstücke, die zum Archivmaterial von öffentliche Aufgaben erfüllenden Organen gehören, in öffentlichen Archiven zu deponieren.

FREIHEIT UND VERANTWORTUNG

Artikel I [Unverletzliche unveräußerliche Rechte]

(1) DES MENSCHEN unverletzliche und unveräußerliche grundlegende Rechte sind zu respektieren. Ihr Schutz ist die erstrangige Pflicht des Staates.

(2) Ungarn erkennt die grundlegenden individuellen und gemeinschaftlichen Rechte des Menschen an.

(3) Die Regeln in Bezug auf grundlegende Rechte und Pflichten werden durch Gesetz festgelegt. Ein grundlegendes Recht kann im Interesse der Verwirklichung eines anderen grundlegenden Rechts oder des Schutzes irgendeines Verfassungswertes, in dem unbedingt notwendigen Maß, verhältnismäßig zu dem Ziel, das erreicht werden soll, unter Respektierung des wesentlichen Inhalts des grundlegenden Rechts beschränkt werden.

(4) Den aufgrund Gesetzes errichteten Rechtssubjekten sind diejenigen grundlegenden Rechte gewährleistet und sie unterliegen denjenigen Pflichten, die sich angesichts ihrer Natur nicht alleine auf den Menschen beziehen.

Artikel II [Menschenwürde]

Die Menschenwürde ist unverletzlich. Jeder Mensch hat das Recht auf Leben und auf Menschenwürde, dem Leben der Leibesfrucht gebührt ab der Empfängnis Schutz.

Artikel III [Folterverbot]

(1) Niemand darf der Folter, einer un-

menschlichen, erniedrigenden Behandlung oder Bestrafung unterworfen sowie in Sklaverei gehalten werden. Menschenhandel ist verboten.

(2) Es ist verboten, am Menschen medizinische oder wissenschaftliche Experimente ohne dessen informierte freiwillige Zustimmung durchzuführen.

(3) Verboten sind Praktiken, die auf die menschliche Rasseveredlung abzielen, die Verwendung des menschlichen Körpers und von Körperteilen zu Zwecken der Gewinnerzielung sowie das Kopieren von Menschen.

Artikel IV [Recht auf Freiheit und persönliche Sicherheit]

(1) Jeder hat ein Recht auf Freiheit und auf persönliche Sicherheit.

(2) Niemandem kann seine Freiheit anders als aus den im Gesetz bestimmten Gründen und aufgrund des im Gesetz bestimmten Verfahrens entzogen werden. Ein tatsächlich lebenslang dauernder Freiheitsentzug kann nur wegen der Begehung vorsätzlicher gewalttätiger Straftaten verhängt werden.

(3) Eine Person, die der Begehung einer Straftat verdächtigt und festgenommen wird, ist in der kürzest möglichen Zeit freizulassen oder vor Gericht zu stellen. Das Gericht ist verpflichtet, die ihm vorgeführte Person anzuhören und unverzüglich in einem mit einer schriftlichen Begründung versehenen Beschluss über ihre Freilassung oder Verhaftung zu entscheiden.

(4) Wessen Freiheit ohne Grund oder auf gesetzwidrige Weise beschränkt worden ist, ist zum Ersatz seines Schadens berechtigt.

Artikel V [Abwehr rechtswidriger Abgriffe]

Jeder hat gemäß den Bestimmungen in einem Gesetz das Recht auf die Abwehr rechtswidriger Angriffe, die gegen seine Person beziehungsweise sein Eigentum gerichtet sind oder diese unmittelbar bedrohen.

Artikel VI [Recht auf Privat- und Familienleben]

(1) Jeder hat das Recht, dass sein Privat- und Familienleben, sein Heim, seine Kontakte und sein guter Ruf respektiert werden. Die Ausübung der Freiheit der Meinungsäußerung und des Versammlungsrechts kann nicht mit der Beeinträchtigung des Privat- und Familienlebens sowie des Heims Anderer einhergehen.

(2) Der Staat gewährt der Ruhe des Heims rechtlichen Schutz.

(3) Jeder hat das Recht auf Schutz seiner persönlichen Daten sowie auf Kenntnisnahme und Verbreitung von Daten von öffentlichem Interesse.

(4) Die Durchsetzung des Rechts auf den Schutz der persönlichen Daten und auf Kenntnisnahme von Daten von öffentlichem Interesse wird durch eine unabhängige, durch ein Kardinalgesetz errichtete Behörde kontrolliert.

Artikel VII [Gedanken-, Gewissens- und Religionsfreiheit]

(1) Jeder hat das Recht auf Gedanken-, Gewissens- und Religionsfreiheit. Dieses Recht umfasst die freie Wahl oder Änderung der Religion oder anderen Überzeugung und die Freiheit, dass jeder seine Religion oder andere Überzeugung im Wege der Verrichtung religiöser Handlungen und Zeremonien oder auf sonstige Weise, sei es individuell, sei es gemeinsam mit Anderen, öffentlich oder im Privatleben kundtut oder nicht kundtut, ausübt oder lehrt.

(2) Diejenigen, die identische Glaubensgrundsätze befolgen, können zum Zweck der Ausübung ihrer Religion eine Religionsgemeinschaft, die in der in einem Kardinalgesetz bestimmten organisatorischen Form tätig ist, gründen.

(3) Der Staat und die Religionsgemeinschaften wirken voneinander getrennt. Die Religionsgemeinschaften sind selbstständig.

(4) Der Staat und die Religionsgemeinschaften können zum Erreichen gemeinschaftlicher Ziele zusammenarbeiten. Über die Zusammenarbeit entscheidet die Landesversammlung auf Antrag der Religionsgemeinschaft. Die an der Zusammenarbeit teilnehmenden Religionsgemeinschaften sind

als rezipierte Kirche tätig. Der Staat gewährt den rezipierten Kirchen im Hinblick auf ihre Teilnahme an Aufgaben, die dem Erreichen gemeinschaftlicher Ziele dienen, besondere Berechtigungen.

(5) Die gemeinsamen Regeln in Bezug auf die Religionsgemeinschaften sowie die Voraussetzungen der Zusammenarbeit, die rezipierten Kirchen und die detaillierten Regeln in Bezug auf sie bestimmt ein Kardinalgesetz.

Artikel VIII [Versammlungsfreiheit]

(1) Jeder hat das Recht auf friedliche Versammlung.

(2) Jeder hat das Recht, Organisationen zu gründen, und hat das Recht, Organisationen beizutreten.

(3) Parteien können auf der Grundlage des Vereinigungsrechts frei entstehen und tätig sein. Die Parteien wirken an der Formung und der Äußerung des Willens des Volkes mit. Die Parteien können unmittelbar keine öffentliche Gewalt ausüben.

(4) Die detaillierten Regeln der Tätigkeit und Wirtschaftsführung der Parteien bestimmt ein Kardinalgesetz.

(5) Gewerkschaften und andere Interessenvertretungsorganisationen können auf der Grundlage des Vereinigungsrechts frei entstehen und tätig sein.

Artikel IX [Freie Meinungsäußerung]

(1) Jeder hat das Recht auf die Freiheit der Meinungsäußerung.

(2) Ungarn anerkennt und schützt die Freiheit und Vielfalt der Presse, gewährleistet die Voraussetzungen der freien Unterrichtung, die zur Herausbildung der demokratischen öffentlichen Meinung notwendig ist.

(3) Im Interesse der Gewährleistung der zur Herausbildung einer demokratischen öffentlichen Meinung in der Zeit des Wahlkampfes notwendigen angemessenen Berichterstattung kann politische Werbung in Mediendienstleistungen ausschließlich ohne Gegenleistung, unter in einem Kardinalgesetz bestimmten Bedingungen, die die Chan-

cengleichheit gewährleisten, veröffentlicht werden.

(4) Die Ausübung der Freiheit der Meinungsäußerung kann sich nicht auf die Verletzung der Menschenwürde Anderer richten.

(5) Die Ausübung der Freiheit der Meinungsäußerung kann sich nicht auf die Verletzung der Würde der ungarischen Nation und nationaler, ethnischer, rassischer oder religiöser Gemeinschaften richten. Personen, die einer solchen Gemeinschaft zugehören, sind – gemäß den Bestimmungen in einem Gesetz – berechtigt, gegen eine gemeinschaftsverletzende Meinungsäußerung ihre Ansprüche wegen der Verletzung ihrer Menschenwürde vor Gericht geltend zu machen.

(6) Die detaillierten Regeln in Bezug auf die Pressefreiheit sowie auf das Organ, das die Aufsicht über die Mediendienste, die Presseerzeugnisse und den Fernmeldemarkt versieht, bestimmt ein Kardinalgesetz.

Artikel X [Wissenschaft und Kunst]

(1) Ungarn gewährleistet die Freiheit der wissenschaftlichen Forschung und der künstlerischen Schöpfung, weiterhin – im Interesse des Erwerbs von Wissen auf dem höchst möglichen Niveau – die Freiheit des Lernens sowie in dem in einem Gesetz bestimmten Rahmen des Lehrens.

(2) In der Frage wissenschaftlicher Wahrheit ist der Staat nicht berechtigt zu entscheiden, zur Bewertung wissenschaftlicher Forschungen sind alleine diejenigen berechtigt, die Wissenschaft betreiben.

(3) Ungarn schützt die wissenschaftliche und künstlerische Freiheit der Ungarischen Akademie der Wissenschaften und der Ungarischen Akademie der Künste. Die Hochschuleinrichtungen sind hinsichtlich des Inhalts und der Methoden von Forschung und Lehre selbstständig, ihre organisatorische Ordnung regelt ein Gesetz. Die Ordnung der Wirtschaftsführung staatlicher Hochschuleinrichtungen bestimmt die Regierung in dem gesetzlichen Rahmen, ihre Wirtschaftsführung wird von der Regierung beaufsichtigt.

Artikel XI [Recht auf Bildung]

(1) Jeder ungarische Staatsbürger hat das Recht auf Bildung.

(2) Ungarn gewährleistet dieses Recht, indem es die öffentliche Bildung ausweitet und allgemein zugänglich macht, durch einen kostenlosen und obligatorischen Volksschul-, einen kostenlosen und für jeden zugänglichen Oberschul- sowie einen für jeden aufgrund seiner Fähigkeiten zugänglichen Hochschulunterricht, weiterhin durch die materielle Unterstützung der Lernenden gemäß den Bestimmungen in einem Gesetz.

(3) Ein Gesetz kann die materielle Unterstützung der Teilnahme am Hochschulunterricht an die Teilnahme an einer Beschäftigung beziehungsweise an die Ausübung einer unternehmerischen Tätigkeit, wie sie durch das ungarische Recht geregelt werden, für eine bestimmte Zeit binden.

Artikel XII [Arbeit]

(1) Jeder hat das Recht auf die freie Wahl der Arbeit und der Beschäftigung sowie auf Unternehmung. Jeder ist verpflichtet, durch eine seinen Fähigkeiten und Möglichkeiten entsprechende Arbeitsverrichtung zum Wachstum der Gemeinschaft beizutragen.

(2) Ungarn ist bestrebt, die Voraussetzungen zu schaffen, dass jeder arbeitsfähige Mensch, der arbeiten will, arbeiten kann.

Artikel XIII [Eigentum und Erbschaft]

(1) Jeder hat das Recht auf Eigentum und Erbschaft. Das Eigentum ist mit gesellschaftlicher Verantwortung verbunden.

(2) Eigentum kann nur ausnahmsweise und aus öffentlichem Interesse, in den Fällen und auf die Weise wie in einem Gesetz bestimmt, gegen volle, unbedingte und sofortige Entschädigung enteignet werden.

Artikel XIV [Ansiedlung und Ausweisung]

(1) Eine fremde Völkerschaft kann nicht in Ungarn angesiedelt werden. Ein ausländischer Staatsbürger – mit Ausnahme der Personen, die über das Recht der Bewegungs- und Aufenthaltsfreiheit verfügen – können

auf dem Gebiet Ungarns auf der Grundlage eines durch die ungarischen Behörden individuell beurteilten Antrags leben. Die grundlegenden Regeln der Voraussetzungen der Einreichung und Beurteilung des Antrags bestimmt ein Kardinalgesetz.

(2) Ein ungarischer Staatbürger kann von dem Gebiet Ungarns nicht ausgewiesen werden und kann vom Ausland jederzeit heimkehren. Ein Ausländer, der sich auf dem Gebiet Ungarns aufhält, kann nur auf der Grundlage eines gesetzmäßigen Beschlusses ausgewiesen werden. Gruppenausweisungen sind verboten.

(3) Niemand kann in einen Staat ausgewiesen oder an einen Staat ausgeliefert werden, wo die Gefahr droht, dass er zum Tode verurteilt, gefoltert oder einer anderen unmenschlichen Behandlung oder Bestrafung unterzogen wird.

(4) Ungarn gewährleistet denjenigen nicht ungarischen Staatsbürgern – falls weder ihr Ursprungsland noch ein anderes Land Schutz gewähren – auf Antrag Asylrecht, die in ihrem Vaterland oder in dem Land ihres gewöhnlichen Aufenthaltsorts wegen ihrer rassischen oder nationalen Zugehörigkeit, ihrer Zugehörigkeit zu einer bestimmten gesellschaftlichen Gruppe, ihrer religiösen beziehungsweise politischen Überzeugung verfolgt werden oder deren Angst vor Verfolgung begründet ist. Kein Anrecht auf Asyl hat derjenige nicht ungarische Staatsbürger, der durch ein Land auf das Gebiet Ungarns gelangt ist, wo er einer Verfolgung oder der unmittelbaren Gefahr einer Verfolgung nicht ausgesetzt war.

(5) Die grundlegenden Regeln der Gewährung des Asylrechts bestimmt ein Kardinalgesetz.

Artikel XV [Gleichheit]

(1) Vor dem Gesetz ist jeder gleich. Jeder Mensch ist rechtsfähig.

(2) Ungarn gewährleistet jedem die grundlegenden Rechte ohne jeden Unterschied, insbesondere ohne Unterscheidung gemäß Rasse, Farbe, Geschlecht, Behinderung, Sprache, Religion, politischer oder anderer

Meinung, nationaler oder gesellschaftlicher Abkunft, Vermögens-, Geburts- oder sonstiger Lage.

(3) Frauen und Männer sind gleichberechtigt.

(4) Ungarn fördert die Verwirklichung der Chancengleichheit und des gesellschaftlichen Aufschließens durch besondere Maßnahmen.

(5) Ungarn schützt durch besondere Maßnahmen die Familien, die Kinder, die Frauen, die Alten und diejenigen, die mit einer Behinderung leben.

Artikel XVI [Entwicklung des Kindes]

(1) Jedes Kind hat das Recht auf den Schutz und die Fürsorge, die für seine angemessene körperliche, geistige und moralische Entwicklung notwendig sind. Ungarn schützt das Recht der Kinder auf eine ihrem Geburtsgeschlecht entsprechende Identität und gewährleistet die Erziehung gemäß der Werteordnung, die auf der Verfassungsidentität und der christlichen Kultur unseres Vaterlands gründet.

(2) Die Eltern haben das Recht, die Erziehung zu wählen, die ihren Kindern gewährt werden soll.

(3) Die Eltern sind verpflichtet, für ihre minderjährigen Kinder zu sorgen. Diese Pflicht umfasst, dass sie ihr Kind lernen lassen.

(4) Volljährige Kinder sind verpflichtet, für ihre bedürftigen Eltern zu sorgen.

Artikel XVII [Arbeitnehmer und Arbeitgeber]

(1) Arbeitnehmer und Arbeitgeber arbeiten – unter Berücksichtigung der Sicherung von Arbeitsplätzen, der Nachhaltigkeit der Volkswirtschaft und auch anderer gemeinschaftlicher Zwecke – zusammen.

(2) Die Arbeitnehmer, die Arbeitgeber sowie ihre Organisationen haben gemäß den Bestimmungen in einem Gesetz das Recht, miteinander zu verhandeln, auf dieser Grundlage Tarifverträge abzuschließen und zum Schutz ihrer Interessen gemeinsam

aufzutreten, was das Recht der Arbeitnehmer auf Arbeitseinstellung einschließt.

(3) Jeder Arbeitnehmer hat das Recht auf Arbeitsbedingungen, die seine Gesundheit, Sicherheit und Würde respektieren.

(4) Jeder Arbeitnehmer hat das Recht auf tägliche und wöchentliche Ruhezeiten sowie auf jährlichen bezahlten Urlaub.

Artikel XVIII [Arbeit von Kindern und Jugendlichen]

(1) Die Beschäftigung von Kindern ist – mit Ausnahme der in einem Gesetz bestimmten Fälle, die ihre körperliche, geistige und moralische Entwicklung nicht gefährden – verboten.

(2) Ungarn gewährleistet mit besonderen Maßnahmen den Schutz von Jugendlichen und Eltern am Arbeitsplatz.

Artikel XIX [Soziale Sicherheit]

(1) Ungarn ist bestrebt, jedem seiner Staatsbürger soziale Sicherheit zu gewähren. Jeder ungarische Staatsbürger ist im Falle von Mutterschaft, Krankheit, Invalidität, Behinderung, Verwitwung, Verwaisung und ohne eigene Schuld eingetretener Arbeitslosigkeit zu der in einem Gesetz bestimmten Unterstützung berechtigt.

(2) Ungarn verwirklicht die soziale Sicherheit im Falle der Abs. 1 gemäßen und anderer Bedürftiger durch ein System aus sozialen Instituten und Maßnahmen.

(3) Ein Gesetz kann die Art und den Umfang der sozialen Maßnahmen auch unter Orientierung an den für die Gemeinschaft nützlichen Tätigkeiten der Person, die die soziale Maßnahme in Anspruch nimmt, festlegen.

(4) Ungarn fördert die Gewährleistung des Lebensunterhalts im Alter durch die Unterhaltung eines auf gesellschaftlicher Solidarität gründenden einheitlichen staatlichen Rentensystems und durch die Ermöglichung der Tätigkeit freiwillig gegründeter gesellschaftlicher Institute. Ein Gesetz kann die Voraussetzungen der Berechtigung auf eine staatliche Rente auch unter Berücksichti-

gung der Anforderungen des gesteigerten Schutzes der Frauen festlegen.

Artikel XX [Körperliche und seelische Gesundheit]

(1) Jeder hat das Recht auf körperliche und seelische Gesundheit.

(2) Die Verwirklichung des Rechts gemäß Abs. 1 fördert Ungarn durch eine von genetisch veränderten Lebewesen freie Landwirtschaft, durch die Gewährleistung des Zugangs zu gesunden Lebensmitteln und zu Trinkwasser, durch die Organisation des Arbeitsschutzes und der Gesundheitsversorgung, durch die Unterstützung des Sports und der regelmäßigen körperlichen Ertüchtigung sowie durch die Gewährleistung des Schutzes der Umwelt.

Artikel XXI [Gesunde Umwelt]

(1) Ungarn erkennt das Recht eines jeden auf eine gesunde Umwelt an und verwirklicht es.

(2) Wer in der Umwelt Schaden verursacht, ist verpflichtet, diesen – gemäß den Bestimmungen in einem Gesetz – wiederherzustellen oder die Kosten der Wiederherstellung zu tragen.

(3) Es ist verboten, auf das Gebiet Ungarns verschmutzenden Müll zum Zweck der Ablagerung einzuführen.

Artikel XXII [Schutz des Heims]

(1) Der Staat gewährt dem Heim rechtlichen Schutz. Ungarn ist bestrebt, jedem die Voraussetzungen einer menschenwürdigen Unterkunft und den Zugang zu öffentlichen Dienstleistungen zu gewährleisten.

(2) Der Staat und die örtlichen Selbstverwaltungen unterstützen die Schaffung der Voraussetzungen einer menschenwürdigen Unterkunft, weiterhin den Schutz des Gebrauchs des öffentlichen Raums zu öffentlichen Zwecken auch dadurch, dass sie bestrebt sind, sämtlichen ohne Obdach lebenden Personen eine Unterbringung zu gewährleisten.

(3) Der Aufenthalt im öffentlichen Raum als Lebensmittelpunkt ist verboten.

Artikel XXIII [Wahlrecht]

(1) Jeder volljährige ungarische Staatsbürger hat das Recht, bei den Wahlen der Abgeordneten der Landesversammlung, der Abgeordneten der örtlichen Selbstverwaltungen und der Bürgermeister sowie der Abgeordneten des Europaparlaments zu wählen und wählbar zu sein.

(2) Jeder volljährige Staatsbürger eines anderen Mitgliedstaates der Europäischen Union mit einem Wohnsitz in Ungarn hat das Recht, bei den Wahlen der Abgeordneten der örtlichen Selbstverwaltungen und der Bürgermeister sowie der Abgeordneten des Europaparlaments zu wählen und wählbar zu sein.

(3) Jede volljährige Person, die in Ungarn als Flüchtling, Einwanderer oder Niedergelassener anerkannt ist, hat das Recht, bei den Wahlen der Abgeordneten der örtlichen Selbstverwaltungen und der Bürgermeister zu wählen.

(4) Ein Kardinalgesetz kann das Wahlrecht oder dessen vollen Umfang an einen Wohnsitz in Ungarn und die Wählbarkeit an weitere Voraussetzungen knüpfen.

(5) Bei den Wahlen der Abgeordneten der örtlichen Selbstverwaltungen und der Bürgermeister kann der Wahlbürger an seinem Wohnort oder gemeldeten Aufenthaltsort wählen. Der Wahlbürger kann das Recht der Stimmabgabe an seinem Wohnort oder gemeldeten Aufenthaltsort ausüben.

(6) Wem wegen der Begehung einer Straftat oder der Beschränktheit seiner Einsichtsfähigkeit durch ein Gericht das Wahlrecht entzogen wurde, verfügt nicht über das Wahlrecht. Ein Staatsbürger eines anderen Mitgliedstaates der Europäischen Union mit Wohnsitz in Ungarn ist nicht wählbar, falls er aufgrund einer Rechtsvorschrift, gerichtlichen oder behördlichen Entscheidung des Staates seiner Staatsbürgerschaft in seinem Vaterland von der Ausübung dieses Rechts ausgeschlossen ist.

(7) Jeder, der bei den Wahlen der Abgeordneten der Landesversammlung wählen kann, hat das Recht, an landesweiten Volksabstimmungen teilzunehmen. Jeder, der bei

den Wahlen der Abgeordneten der örtlichen Selbstverwaltungen und der Bürgermeister wählen kann, hat das Recht, an örtlichen Volksabstimmungen teilzunehmen.

(8) Jeder ungarische Staatsbürger hat das Recht, entsprechend seiner Eignung, seiner Bildung und seinem Fachwissen ein öffentliches Amt zu bekleiden. Ein Gesetz bestimmt diejenigen öffentlichen Ämter, die ein Mitglied oder ein Amtsträger einer Partei nicht innehaben kann.

Artikel XXIV [Rechtsschutz]

(1) Jeder hat das Recht, dass seine Angelegenheiten von den Behörden ohne Parteilichkeit, fair und innerhalb einer vernünftigen Frist erledigt werden. Die Behörden sind gemäß den Bestimmungen in einem Gesetz verpflichtet, ihre Entscheidungen zu begründen.

(2) Jeder hat gemäß den Bestimmungen in einem Gesetz das Recht auf Ersatz des Schadens, den ihm die Behörden im Zuge der Erfüllung ihrer Aufgaben rechtswidrig verursacht haben.

Artikel XXV [Anträge, Beschwerden und Vorschläge]

Jeder hat das Recht, sich alleine oder zusammen mit anderen schriftlich mit Anträgen, Beschwerden oder Vorschlägen an jedes Organ, das öffentliche Gewalt ausübt, zu wenden.

Artikel XXVI [Technische Lösungen]

Der Staat strebt – im Interesse der Steigerung der Effizienz seiner Tätigkeit und des Niveaus der öffentlichen Leistungen, einer besseren Transparenz der öffentlichen Angelegenheiten und der Förderung der Chancengleichheit – den Gebrauch neuer technischer Lösungen und der Ergebnisse der Wissenschaft an.

Artikel XXVII [Freizügigkeit]

(1) Jeder, der sich gesetzmäßig auf dem Gebiet Ungarns aufhält, hat das Recht auf freie Bewegung und auf die freie Wahl seines Aufenthaltsorts.

(2) Jeder ungarische Staatsbürger hat das Recht, während der Zeit seines Aufenthalts im Ausland den Schutz Ungarns zu genießen.

Artikel XXVIII [Garantien im Strafverfahren]

(1) Jeder hat das Recht, dass jedwede gegen ihn erhobene Anklage oder seine Rechte und Pflichten in irgendeinem Prozess von einem durch Gesetz errichteten, unabhängigen und unparteiischen Gericht in einer fairen und öffentlichen Verhandlung innerhalb einer vernünftigen Frist beurteilt werden.

(2) Niemand gilt als schuldig, bis seine strafrechtliche Verantwortlichkeit durch rechtskräftigen Beschluss eines Gerichts festgestellt wird.

(3) Eine Person, die einem Strafverfahren unterzogen wird, hat in jedem Abschnitt des Verfahrens das Recht auf Verteidigung. Der Verteidiger kann wegen der Meinung, die er zum Ausdruck bringt, während er die Verteidigung versieht, nicht zur Verantwortung gezogen werden.

(4) Niemand kann wegen einer Handlung für schuldig erklärt und mit einer Strafe belegt werden, die zum Zeitpunkt ihrer Begehung keine Straftat gemäß dem ungarischen Recht oder – in dem durch einen völkerrechtlichen Vertrag beziehungsweise einen Rechtsakt der Europäischen Union bestimmten Umfang – gemäß dem Recht eines anderen Staates war.

(5) Abs. 4 schließt nicht aus, dass irgendeine Person wegen einer Handlung einem Strafverfahren unterzogen und verurteilt wird, die zum Zeitpunkt ihrer Begehung gemäß den allgemein anerkannten Regeln des Völkerrechts eine Straftat war.

(6) Mit Ausnahme der in einem Gesetz bestimmten außerordentlichen Fälle von Rechtsbehelfen kann niemand wegen einer Handlung einem Strafverfahren unterzogen und verurteilt werden, derentwegen er in Ungarn oder – in dem durch einen völkerrechtlichen Vertrag beziehungsweise einen Rechtsakt der Europäischen Union bestimmten Umfang – in einem anderen Staat ent-

sprechend dem Gesetz bereits rechtskräftig freigesprochen oder verurteilt worden ist.

(7) Jeder hat das Recht, Rechtsbehelf gegen eine gerichtliche, behördliche oder andere Verwaltungsentscheidung einzulegen, die seine Rechte oder berechtigten Interessen verletzt.

Artikel XXIX [Schutz der Identität]

(1) Die in Ungarn lebenden Nationalitäten sind staatsbildende Faktoren. Jeder ungarische Staatsbürger, der irgendeiner Nationalität angehört, hat das Recht, seine Identität frei anzunehmen und zu bewahren. Die in Ungarn lebenden Nationalitäten haben das Recht auf den Gebrauch der Muttersprache, auf den Gebrauch individueller und gemeinschaftlicher Namen in ihrer eigenen Sprache, auf die Pflege ihrer eigenen Kultur und auf muttersprachlichen Unterricht.

(2) Die in Ungarn lebenden Nationalitäten können örtliche und landesweite Selbstverwaltungen errichten.

(3) Die detaillierten Regeln in Bezug auf die Rechte der in Ungarn lebenden Nationalitäten, die Nationalitäten und die Voraussetzungen der Anerkennung als Nationalität sowie die Regeln der Wahl der örtlichen und landesweiten Nationalitätenselbstverwaltungen bestimmt ein Kardinalgesetz. Ein Kardinalgesetz kann die Anerkennung als Nationalität an ein Heimischsein von einer bestimmten Zeitdauer und an die Initiative einer bestimmten Anzahl von Personen, die sich zur Zugehörigkeit zu der gegebenen Nationalität bekennen, binden.

Artikel XXX [Deckung gemeinsamer Bedürfnisse]

(1) Jeder trägt entsprechend seiner Leistungskraft beziehungsweise seiner Teilnahme an der Wirtschaft zur Deckung der gemeinsamen Bedürfnisse bei.

(2) Das Maß des Beitrags zur Deckung der gemeinsamen Bedürfnisse ist im Falle von Personen, die Kinder erziehen, unter Berücksichtigung der Ausgaben für die Kindererziehung festzulegen.

Artikel XXXI [Schutz des Vaterlandes]

(1) Jeder ungarische Staatsbürger ist zum Schutz des Vaterlands verpflichtet.

(2) Ungarn unterhält ein freiwilliges Verteidigungsreservesystem.

(3) In der Zeit des Kriegszustands leisten die volljährigen Männer ungarischer Staatsbürgerschaft mit Wohnsitz in Ungarn Militärdienst. Falls die Ableistung eines bewaffneten Dienstes mit der Gewissensüberzeugung des Wehrpflichtigen unvereinbar ist, leistet er einen unbewaffneten Dienst. Die Formen der Ableistung des Militärdienstes und seine detaillierten Regeln bestimmt ein Kardinalgesetz.

(4) Volljährigen ungarischen Staatsbürgern mit Wohnsitz in Ungarn kann für die Zeit des Kriegszustands – gemäß den Bestimmungen in einem Kardinalgesetz – eine Arbeitspflicht zur Landesverteidigung vorgeschrieben werden.

(5) Volljährigen ungarischen Staatsbürgern mit Wohnsitz in Ungarn kann zur Erfüllung von Verteidigungs- und Katastrophenschutzaufgaben – gemäß den Bestimmungen in einem Kardinalgesetz – eine Zivilschutzpflicht vorgeschrieben werden.

(6) Im Interesse der Erfüllung von Verteidigungs- und Katastrophenschutzaufgaben kann – gemäß den Bestimmungen in einem Kardinalgesetz – jeder zur Erbringung von wirtschaftlichen und materiellen Leistungen verpflichtet werden.

DER STAAT

Die Landesversammlung

Artikel 1 [Landesversammlung]

(1) UNGARNS oberstes Volksvertretungsorgan ist die Landesversammlung.

(2) Die Landesversammlung

a) erlässt und ändert Ungarns Grundgesetz;

b) erlässt Gesetze;

c) nimmt den zentralen Haushalt an und genehmigt dessen Durchführung;

d) erteilt die Ermächtigung zur Anerkennung der verbindlichen Wirkung von völkerrechtlichen Verträgen, die in ihren Aufgaben- und Zuständigkeitsbereich fallen;

e) wählt den Präsidenten der Republik, die Mitglieder und den Präsidenten des Verfassungsgerichts, den Präsidenten der Kurie, den Präsidenten des Landesgerichtsamtes, den Generalstaatsanwalt, den Beauftragten für die grundlegenden Rechte und seine Stellvertreter sowie den Präsidenten des Staatlichen Rechnungshofes;

f) wählt den Ministerpräsidenten, entscheidet über die Vertrauensfrage im Zusammenhang mit der Regierung;

g) löst eine grundgesetzwidrig tätige Abgeordnetenkörperschaft auf;

h) beschließt über die Ausrufung des Kriegszustands und über den Friedensschluss;

i) trifft Entscheidungen, die die Sonderrechtsordnung betreffen sowie mit der Teilnahme an militärischen Operationen im Zusammenhang stehen;

j) übt eine Generalamnestie aus;

k) übt weitere im Grundgesetz und im Gesetz bestimmte Aufgaben- und Zuständigkeitsbereiche aus.

Artikel 2 [Wahl der Abgeordneten]

(1) Die Abgeordneten der Landesversammlung werden von den Wahlbürgern auf der Grundlage des allgemeinen und gleichen Wahlrechts, mit einer unmittelbaren und geheimen Abstimmung, in einer Wahl, die den freien Ausdruck des Wählerwillens gewährleistet, auf die in einem Kardinalgesetz bestimmte Art gewählt.

(2) Die Teilnahme der in Ungarn lebenden Nationalitäten an der Arbeit der Landesversammlung regelt ein Kardinalgesetz.

(3) Die allgemeinen Wahlen der Abgeordneten der Landesversammlung sind – mit Ausnahme der Wahlen wegen der Selbstauflösung oder Auflösung der Landesversammlung – in den Monaten April oder Mai des vierten Jahres, das auf die Wahl der vorangehenden Landesversammlung folgt, abzuhalten.

Artikel 3 [Beginn und Auflösung]

(1) Das Mandat der Landesversammlung beginnt mit ihrer konstituierenden Sitzung und dauert bis zu der konstituierenden Sitzung der folgenden Landesversammlung. Die konstituierende Sitzung wird – auf einen Zeitpunkt innerhalb von dreißig Tagen nach der Wahl – von dem Präsidenten der Republik einberufen.

(2) Die Landesversammlung kann ihre Selbstauflösung aussprechen.

(3) Der Präsident der Republik kann die Landesversammlung unter gleichzeitiger Ausschreibung von Wahlen auflösen, falls

a) die Landesversammlung in dem Fall, dass das Mandat der Regierung endet, die von dem Präsidenten der Republik als Ministerpräsident vorgeschlagene Person nicht innerhalb von vierzig Tagen ab dem Tag der Abgabe des ersten Personalvorschlags wählt, oder

b) die Landesversammlung den zentralen Haushalt für das gegebene Jahr nicht bis zum 31. März annimmt.

(4) Vor der Auflösung der Landesversammlung ist der Präsident der Republik verpflichtet, die Meinung des Ministerpräsidenten, des Präsidenten der Landesversammlung und der Führer der Abgeordnetengruppen in der Landesversammlung einzuholen.

(5) Der Präsident der Republik kann sein Recht gemäß Abs. 3 lit. a so lange ausüben, bis die Landesversammlung den Ministerpräsidenten wählt. Der Präsident der Republik kann sein Recht gemäß Abs. 3 lit. b so lange ausüben, bis die Landesversammlung den zentralen Haushalt annimmt.

(6) Innerhalb von neunzig Tagen ab der Selbstauflösung oder Auflösung der Landesversammlung ist eine neue Landesversammlung zu wählen.

Artikel 4 [Freies Mandat]

(1) Die Rechte und Pflichten der Abgeordneten der Landesversammlung sind gleich, sie üben ihre Tätigkeit im Interesse der Allgemeinheit aus, in diesem Zusammenhang können sie nicht angewiesen werden.

(2) Dem Abgeordneten der Landesver-

sammlung stehen das Immunitätsrecht und eine seine Unabhängigkeit gewährleistende Vergütung zu. Ein Kardinalgesetz bestimmt diejenigen öffentlichen Ämter, die ein Abgeordneter der Landesversammlung nicht bekleiden kann, sowie kann auch andere Fälle der Unvereinbarkeit festlegen.

(3) Das Mandat des Abgeordneten der Landesversammlung endet

a) mit dem Ende des Mandats der Landesversammlung;

b) mit seinem Tod;

c) mit dem Ausspruch seiner Unvereinbarkeit;

d) mit seinem Rücktritt;

e) falls die zu seiner Wahl notwendigen Voraussetzungen nicht mehr bestehen;

f) falls er ein Jahr lang nicht an der Arbeit der Landesversammlung teilnimmt.

(4) Über die Feststellung, dass es an den zur Wahl eines Abgeordneten der Landesversammlung notwendigen Voraussetzungen fehlt, über den Ausspruch der Unvereinbarkeit sowie über die Feststellung, dass der Abgeordnete der Landesversammlung ein Jahr lang nicht an der Arbeit der Landesversammlung teilgenommen hat, beschließt die Landesversammlung mit den Stimmen von zwei Dritteln der anwesenden Abgeordneten der Landesversammlung.

(5) Die detaillierten Regeln in Bezug auf die Rechtsstellung und Vergütung der Abgeordneten der Landesversammlung bestimmt ein Kardinalgesetz.

Artikel 5 [Öffentlichkeit]

(1) Die Sitzungen der Landesversammlung sind öffentlich. Auf Antrag der Regierung oder irgendeines Abgeordneten der Landesversammlung kann die Landesversammlung mit den Stimmen von zwei Dritteln der Abgeordneten der Landesversammlung über die Abhaltung einer geschlossenen Sitzung beschließen.

(2) Die Landesversammlung wählt aus den Reihen ihrer Mitglieder einen Präsidenten, Vizepräsidenten und Schriftführer.

(3) Die Landesversammlung bildet ständige Ausschüsse, die aus Abgeordneten der Landesversammlung bestehen.

(4) Die Abgeordneten der Landesversammlung können zur Abstimmung ihrer Tätigkeit unter den in den Geschäftsordnungsbestimmungen bestimmten Voraussetzungen Abgeordnetengruppen in der Landesversammlung bilden.

(5) Die Landesversammlung ist beschlussfähig, falls bei der Sitzung mehr als die Hälfte der Abgeordneten der Landesversammlung anwesend sind.

(6) Falls das Grundgesetz nichts Abweichendes bestimmt, fasst die Landesversammlung ihre Beschlüsse mit den Stimmen von mehr als der Hälfte der anwesenden Abgeordneten der Landesversammlung. Die Geschäftsordnungsbestimmungen können das Fassen einzelner Entscheidungen an eine qualifizierte Mehrheit binden.

(7) Die Landesversammlung legt in den mit den Stimmen von zwei Dritteln der anwesenden Abgeordneten der Landesversammlung verabschiedeten Geschäftsordnungsbestimmungen die Regeln ihres Betriebs und ihre Beratungsordnung fest. Zur Gewährleistung des ungestörten Betriebs der Landesversammlung und zur Wahrung ihrer Würde übt der Präsident der Landesversammlung die in den Geschäftsordnungsbestimmungen bestimmten Ordnungs- und Disziplinarbefugnisse aus.

(8) Die Bestimmungen, die das regelmäßige Tagen der Landesversammlung gewährleisten, bestimmt ein Kardinalgesetz.

(9) Für die Sicherheit der Landesversammlung sorgt eine Landesversammlungswache. Die Tätigkeit der Landesversammlungswache wird durch den Präsidenten der Landesversammlung geleitet.

Artikel 6 [Initiativrecht]

(1) Ein Gesetz kann durch den Präsidenten der Republik, durch die Regierung, durch einen Ausschuss der Landesversammlung oder durch einen Abgeordneten der Landesversammlung initiiert werden.

(2) Die Landesversammlung kann das verabschiedete Gesetz – auf einen vor der Schlussabstimmung seitens des Initiators

des Gesetzes, der Regierung beziehungsweise des Präsidenten der Landesversammlung gestellten Antrag – zur Prüfung seiner Übereinstimmung mit dem Grundgesetz dem Verfassungsgericht übersenden. Die Landesversammlung beschließt über den Antrag nach der Schlussabstimmung. Falls der Antrag angenommen wird, übersendet der Präsident der Landesversammlung das verabschiedete Gesetz zur Prüfung seiner Übereinstimmung mit dem Grundgesetz unverzüglich dem Verfassungsgericht.

(3) Der Präsident der Landesversammlung unterzeichnet ein verabschiedetes Gesetz innerhalb von fünf Tagen und übersendet es dem Präsidenten der Republik. Der Präsident der Republik unterzeichnet das übersandte Gesetz innerhalb von fünf Tagen und ordnet seine Verkündung an. Falls die Landesversammlung das Gesetz gemäß Abs. 2 zur Prüfung seiner Übereinstimmung mit dem Grundgesetz dem Verfassungsgericht übersandt hat, kann es der Präsident der Landesversammlung nur unterzeichnen und dem Präsidenten der Republik übersenden, falls das Verfassungsgericht keine Grundgesetzwidrigkeit festgestellt hat.

(4) Falls der Präsident der Republik das Gesetz oder irgendeine seiner Bestimmungen für im Widerspruch zum Grundgesetz stehend hält – und eine Prüfung gemäß Abs. 2 nicht erfolgt ist –, übersendet er das Gesetz zur Prüfung seiner Übereinstimmung mit dem Grundgesetz dem Verfassungsgericht.

(5) Falls der Präsident der Republik mit dem Gesetz oder irgendeiner seiner Bestimmungen nicht einverstanden ist und von seinem Recht gemäß Abs. 4 keinen Gebrauch gemacht hat, kann er das Gesetz vor Unterzeichnung der Landesversammlung unter Mitteilung seiner Bedenken einmal zum Überdenken zurückschicken. Die Landesversammlung berät das Gesetz erneut und beschließt wieder über seine Verabschiedung. Der Präsident der Republik kann von diesem Recht auch Gebrauch machen, falls das Verfassungsgericht im Zuge einer aufgrund eines Beschlusses der Landesver-

sammlung durchgeführten Prüfung keine Grundgesetzwidrigkeit festgestellt hat.

(6) Das Verfassungsgericht beschließt über einen Antrag gemäß Abs. 2 und 4 vorrangig, aber spätestens innerhalb von dreißig Tagen. Falls das Verfassungsgericht eine Grundgesetzwidrigkeit feststellt, berät die Landesversammlung das Gesetz zur Beendigung der Grundgesetzwidrigkeit erneut.

(7) Falls das Verfassungsgericht im Zuge einer auf Initiative des Präsidenten der Republik durchgeführten Prüfung keine Grundgesetzwidrigkeit feststellt, unterzeichnet der Präsident der Republik das Gesetz unverzüglich und ordnet seine Verkündung an.

(8) Die Prüfung, ob ein durch die Landesversammlung gemäß Abs. 6 beratenes und verabschiedetes Gesetz mit dem Grundgesetz in Übereinstimmung steht, kann gemäß Abs. 2 und 4 wiederholt beim Verfassungsgericht beantragt werden. Das Verfassungsgericht entscheidet über den wiederholten Antrag vorrangig, aber spätestens innerhalb von zehn Tagen.

(9) Falls die Landesversammlung ein im Zuge des Nichteinverstandenseins des Präsidenten der Republik zurückgeschicktes Gesetz ändert, kann die Prüfung der Übereinstimmung mit dem Grundgesetz gemäß Abs. 2 beziehungsweise 4 ausschließlich im Hinblick auf die geänderten Bestimmungen beziehungsweise unter Berufung darauf beantragt werden, dass die in dem Grundgesetz enthaltenen Verfahrensvoraussetzungen in Bezug auf den Erlass des Gesetzes nicht erfüllt waren. Falls die Landesversammlung ein im Zuge des Nichteinverstandenseins des Präsidenten der Republik zurückgeschicktes Gesetz mit unverändertem Text verabschiedet, kann der Präsident der Republik die Prüfung der Übereinstimmung mit dem Grundgesetz im Hinblick auf die Nichterfüllung der in dem Grundgesetz enthaltenen Verfahrensvoraussetzungen in Bezug auf den Erlass des Gesetzes beantragen.

Artikel 7 [Interpellationen und Fragen]
(1) Der Abgeordnete der Landesversammlung kann an den Beauftragten für die

grundlegenden Rechte, an den Präsidenten des Staatlichen Rechnungshofs, an den Generalstaatsanwalt und an den Präsidenten der Ungarischen Nationalbank Fragen in jedweder Angelegenheit, die in deren Aufgabenbereich gehört, richten.

(2) Der Abgeordnete der Landesversammlung kann an die Regierung und an die Mitglieder der Regierung Interpellationen und Fragen in jedweder Angelegenheit, die in deren Aufgabenbereich gehört, richten.

(3) Die Untersuchungstätigkeit der Ausschüsse der Landesversammlung und die Pflicht zum Erscheinen vor den Ausschüssen regelt ein Kardinalgesetz.

Landesweite Volksabstimmung

Artikel 8 [Landesweite Volksabstimmung]

(1) Auf Antrag von mindestens zweihunderttausend Wahlbürgern ordnet die Landesversammlung eine landesweite Volksabstimmung an. Auf Antrag des Präsidenten der Republik, der Regierung oder von hunderttausend Wahlbürgern kann die Landesversammlung eine landesweite Volksabstimmung anordnen. Die in einer gültigen und erfolgreichen Volksabstimmung getroffene Entscheidung ist für die Landesversammlung verbindlich.

(2) Gegenstand einer landesweiten Volksinitiative kann eine in den Aufgaben- und Zuständigkeitsbereich der Landesversammlung gehörende Frage sein.

(3) Eine landesweite Volksabstimmung kann nicht

a) über Fragen, die auf die Änderung des Grundgesetzes gerichtet sind,

b) über den zentralen Haushalt, die Durchführung des zentralen Haushalts, die zentralen Steuerarten, Gebühren, Beiträge, Zölle sowie den Inhalt des Gesetzes über die zentralen Voraussetzungen der örtlichen Steuern;

c) über den Inhalt der Gesetze über die Wahl der Abgeordneten der Landesversammlung, der Abgeordneten der örtlichen Selbstverwaltungen und der Bürgermeister sowie der Abgeordneten des Europaparlaments;

d) über Pflichten aus völkerrechtlichen Verträgen;

e) über Personal- und Fragen der Bildung von Organisationen, die in den Zuständigkeitsbereich der Landesversammlung gehören;

f) über die Selbstauflösung der Landesversammlung;

g) über die Auflösung einer Abgeordnetenkörperschaft;

h) über die Ausrufung einer Kriegslage, über den Friedensschluss, über die Ausrufung und Beendigung des Kriegszustands sowie über die Ausrufung, Verlängerung und Beendigung des Notstands;

i) über Fragen im Zusammenhang mit der Teilnahme an militärischen Operationen;

j) über die Ausübung einer Generalamnestie

abgehalten werden.

(4) Die landesweite Volksabstimmung ist gültig, falls mehr als die Hälfte aller Wahlbürger gültig abgestimmt hat, und sie ist erfolgreich, falls mehr als die Hälfte der gültig abstimmenden Wahlbürger dieselbe Antwort auf die formulierte Frage gegeben hat.

Der Präsident der Republik

Artikel 9 [Präsident der Republik]

(1) Ungarns Staatsoberhaupt ist der Präsident der Republik, der die Einheit der Nation ausdrückt und über das demokratische Funktionieren der Staatsorganisation wacht.

(2) Der Präsident der Republik ist der Oberbefehlshaber der Ungarischen Streitkräfte.

(3) Der Präsident der Republik

a) repräsentiert Ungarn;

b) kann an den Sitzungen der Landesversammlung teilnehmen und dort das Wort ergreifen;

c) kann Gesetze initiieren;

d) kann eine landesweite Volksabstimmung beantragen;

e) schreibt die allgemeinen Wahlen der Abgeordneten der Landesversammlung, der Abgeordneten der örtlichen Selbstverwaltungen und der Bürgermeister sowie den

Zeitpunkt der Wahlen des Europaparlaments und der landesweiten Volksabstimmungen aus;

f) trifft Entscheidungen, die die Sonderrechtsordnung berühren;

g) beruft die konstituierende Sitzung der Landesversammlung ein;

h) kann die Landesversammlung auflösen;

i) kann das angenommene Grundgesetz und die angenommene Änderung des Grundgesetzes zur Prüfung ihrer Übereinstimmung mit den grundgesetzlichen Anforderungen an ihren Erlass dem Verfassungsgericht übersenden, kann ein angenommenes Gesetz zur Prüfung seiner Übereinstimmung mit dem Grundgesetz dem Verfassungsgericht übersenden oder es der Landesversammlung zum Überdenken zurückschicken;

j) macht Vorschläge für die Person des Ministerpräsidenten, des Präsidenten der Kurie, des Präsidenten des Landesgerichtsamtes, des Generalstaatsanwalts und des Beauftragten für die grundlegenden Rechte;

k) ernennt die Berufsrichter und den Präsidenten des Haushaltsrats;

l) bestätigt den Präsidenten der Ungarischen Akademie der Wissenschaften und den Präsidenten der Ungarischen Akademie der Künste in seinem Amt;

m) gestaltet die Organisation seines Amtes aus.

(4) Der Präsident der Republik

a) erkennt auf der Grundlage der Ermächtigung der Landesversammlung die verbindliche Geltung völkerrechtlicher Verträge an;

b) beglaubigt und empfängt die Botschafter und Gesandten;

c) ernennt die Minister, den Präsidenten und die Vizepräsidenten der Ungarischen Nationalbank, die Leiter der selbstständigen Regelungsorgane und die Universitätslehrer;

d) betraut die Rektoren der Universitäten;

e) ernennt und befördert die Generäle;

f) verleiht die in einem Gesetz bestimmten Auszeichnungen, Preise und Titel sowie genehmigt das Tragen von Auszeichnungen ausländischer Staaten;

g) übt das Recht der individuellen Begnadigung aus;

h) entscheidet in den Fragen der Raumordnung, die in seinen Aufgaben- und Zuständigkeitsbereich fallen;

i) entscheidet in Angelegenheiten im Zusammenhang mit dem Erwerb und dem Ende der Staatsbürgerschaft;

j) entscheidet in all den Angelegenheiten, die ein Gesetz in seinen Zuständigkeitsbereich verweist.

(5) Zu jeder der in Abs. 4 bestimmten Maßnahmen und Entscheidungen des Präsidenten der Republik ist die Gegenzeichnung eines Mitglieds der Regierung notwendig. Das Gesetz kann verfügen, dass zu einer durch Gesetz in den Zuständigkeitsbereich des Präsidenten der Republik verwiesenen Entscheidung eine Gegenzeichnung nicht notwendig ist.

(6) Der Präsident der Republik lehnt die Erfüllung von Abs. 4 lit. b–e ab, falls es an den Voraussetzungen in einer Rechtsvorschrift fehlt oder er aus fundiertem Grund zu dem Schluss kommt, dass dies eine schwere Störung des demokratischen Funktionierens der Staatsorganisation bewirken würde.

(7) Der Präsident der Republik lehnt die Erfüllung von Abs. 4 lit. f ab, falls dies die Werteordnung des Grundgesetzes verletzen würde.

Artikel 10 [Amtszeit und passives Wahlrecht]

(1) Den Präsidenten der Republik wählt die Landesversammlung auf fünf Jahre.

(2) Jeder ungarische Staatsbürger, der sein fünfunddreißigstes Lebensjahr vollendet hat, kann zum Präsidenten der Republik gewählt werden.

(3) Der Präsident der Republik kann in dieses Amt höchstens einmal wiedergewählt werden.

Artikel 11 [Wahl des Präsidenten]

(1) Der Präsident der Republik ist mindestens dreißig und höchstens sechzig Tage vor dem Ablauf des Mandats des früheren Präsidenten der Republik, falls hingegen das Mandat vor der Zeit geendet hat, innerhalb von dreißig Tagen ab dem Ende zu wäh-

len. Der Präsident der Landesversammlung beraumt die Wahl des Präsidenten der Republik an. Die Landesversammlung wählt den Präsidenten der Republik in geheimer Abstimmung.

(2) Der Wahl des Präsidenten der Republik geht eine Nominierung voraus. Zur Gültigkeit einer Nominierung sind schriftliche Empfehlungen von mindestens einem Fünftel der Abgeordneten der Landesversammlung notwendig. Die Nominierung ist bei dem Präsidenten der Landesversammlung vor der Anordnung der Abstimmung einzureichen. Jeder Abgeordnete der Landesversammlung kann einen Kandidaten empfehlen. Wer mehrere Kandidaten empfiehlt, dessen sämtliche Empfehlungen sind ungültig.

(3) Aufgrund der ersten Abstimmung gewählter Präsident der Republik ist, wer die Stimmen von zwei Dritteln der Abgeordneten der Landesversammlung erhalten hat.

(4) Falls die erste Abstimmung ergebnislos war, ist eine zweite Abstimmung abzuhalten. Im Zuge der zweiten Abstimmung kann für die zwei Kandidaten gestimmt werden, die die meisten Stimmen erhalten haben. Falls bei der ersten Abstimmung auf dem ersten Platz Stimmengleichheit herrscht, kann für die Kandidaten abgestimmt werden, die die höchste Anzahl an Stimmen bekommen haben. Falls bei der ersten Abstimmung nur auf dem zweiten Platz Stimmengleichheit entsteht, kann für die Kandidaten abgestimmt werden, die die zwei höchsten Anzahlen an Stimmen bekommen haben. Aufgrund der zweiten Abstimmung gewählter Präsident der Republik ist, wer – unabhängig von der Anzahl derer, die an der Abstimmung teilnehmen – die meisten gültigen Stimmen erhält. Falls auch die zweite Abstimmung ergebnislos ist, ist aufgrund einer wiederholten Nominierung eine neue Wahl abzuhalten.

(5) Das Abstimmungsverfahren ist während höchstens zweier aufeinander folgender Tage zu beenden.

(6) Der gewählte Präsident der Republik tritt sein Amt bei Ablauf des Mandats des früheren Präsidenten der Republik, im Fall eines vorzeitigen Endes des Mandats an dem achten Tag nach der Verkündung des Ergebnisses der Wahl an, vor seinem Amtsantritt legt er vor der Landesversammlung einen Eid ab.

Artikel 12 [Unverletzlichkeit, Unvereinbarkeit und Ende des Amtes]

(1) Die Person des Präsidenten der Republik ist unverletzlich.

(2) Das Amt des Präsidenten der Republik ist unvereinbar mit allen anderen staatlichen, gesellschaftlichen, wirtschaftlichen und politischen Ämtern oder Mandaten. Der Präsident der Republik kann keine andere bezahlte Berufstätigkeit ausüben, und für seine übrigen Tätigkeiten kann er – mit Ausnahme der Tätigkeiten, die dem Schutz des Urheberrechts unterfallen – keine Vergütung annehmen.

(3) Das Amt des Präsidenten der Republik endet

a) mit Ablauf seiner Mandatszeit;

b) mit seinem Tod;

c) falls er während eines Zeitraums von mehr als neunzig Tagen nicht in der Lage ist, seinen Aufgabenbereich wahrzunehmen;

d) falls die zu seiner Wahl notwendigen Voraussetzungen nicht mehr vorliegen;

e) mit Ausspruch der Unvereinbarkeit;

f) mit seinem Rücktritt;

g) mit der Enthebung aus dem Amt des Präsidenten der Republik.

(4) Über die Feststellung des Zustands, der die Versehung des Aufgabenbereichs des Präsidenten der Republik über neunzig Tage hinaus unmöglich macht, und des Fehlens der für seine Wahl notwendigen Voraussetzungen sowie über den Ausspruch der Unvereinbarkeit beschließt die Landesversammlung mit den Stimmen von zwei Dritteln der anwesenden Abgeordneten der Landesversammlung.

(5) Die detaillierten Regeln der Rechtsstellung des Präsidenten der Republik und des ehemaligen Präsidenten der Republik und ihre Vergütung bestimmt ein Kardinalgesetz.

Artikel 13 [Strafverfahren gegen den Präsidenten]

(1) Gegen den Präsidenten der Republik kann ein Strafverfahren nur nach dem Ende seines Mandats eingeleitet werden.

(2) Gegen den Präsidenten der Republik, der das Grundgesetz oder im Zusammenhang mit der Ausübung seines Amtes irgendein Gesetz vorsätzlich verletzt beziehungsweise eine vorsätzliche Straftat begeht, kann ein Fünftel der Abgeordneten der Landesversammlung die Amtsenthebung beantragen.

(3) Zur Einleitung des Enthebungsverfahrens sind die Stimmen von zwei Dritteln der Abgeordneten der Landesversammlung notwendig. Die Abstimmung ist geheim.

(4) Beginnend mit dem Erlass des Beschlusses der Landesversammlung bis zum Abschluss des Enthebungsverfahrens kann der Präsident der Republik seine Befugnisse nicht ausüben.

(5) Die Durchführung des Enthebungsverfahrens gehört in den Zuständigkeitsbereich des Verfassungsgerichts.

(6) Falls das Verfassungsgericht als Ergebnis des Verfahrens die öffentlich-rechtliche Verantwortlichkeit des Präsidenten der Republik feststellt, kann es den Präsidenten der Republik seines Amtes entheben.

Artikel 14 [Verhinderung]

(1) Den Aufgaben- und Zuständigkeitsbereich des Präsidenten der Republik nimmt der Präsident der Landesversammlung wahr, falls der Präsident der Republik vorübergehend verhindert ist bis zum Ende der Verhinderung, oder falls das Mandat des Präsidenten der Republik endet bis zum Amtsantritt des neuen Präsidenten der Republik.

(2) Die Tatsache, dass der Präsident der Republik vorübergehend verhindert ist, stellen der Präsident der Republik, die Regierung oder auf Antrag eines jeden Abgeordneten der Landesversammlung die Landesversammlung fest.

(3) In der Zeit, in der er den Präsidenten der Republik vertritt, kann der Präsident der Landesversammlung seine Rechte als Abgeordneter der Landesversammlung nicht ausüben, und an seiner Stelle nimmt ein von der Landesversammlung bestimmter Vizepräsident die Aufgaben des Präsidenten der Landesversammlung wahr.

Die Regierung

Artikel 15 [Regierung]

(1) Die Regierung ist das allgemeine Organ der ausführenden Gewalt, dessen Aufgaben- und Zuständigkeitsbereich sich auf alles erstreckt, was durch das Grundgesetz oder eine Rechtsvorschrift nicht ausdrücklich in den Aufgaben- und Zuständigkeitsbereich eines anderen Organs verwiesen wird. Die Regierung ist der Landesversammlung gegenüber verantwortlich.

(2) Die Regierung ist das oberste Organ der öffentlichen Verwaltung, sie kann gemäß den Bestimmungen in einem Gesetz Organe der Staatsverwaltung errichten.

(3) Im Rahmen ihres Aufgabenbereichs erlässt die Regierung in durch Gesetz nicht geregelten Gegenständen beziehungsweise aufgrund einer Ermächtigung in einem Gesetz Verordnungen.

(4) Die Verordnung der Regierung kann nicht im Widerspruch zu einem Gesetz stehen.

Artikel 16 [Mitglieder der Regierung]

(1) Mitglieder der Regierung sind der Ministerpräsident und die Minister.

(2) Der Ministerpräsident benennt in einer Verordnung aus den Reihen der Minister einen oder mehrere stellvertretende Ministerpräsidenten.

(3) Der Ministerpräsident wird auf Vorschlag des Präsidenten der Republik von der Landesversammlung gewählt.

(4) Zur Wahl des Ministerpräsidenten sind die Stimmen von mehr als der Hälfte der Abgeordneten der Landesversammlung notwendig. Der Ministerpräsident tritt sein Amt mit erfolgter Wahl an.

(5) Der Präsident der Republik macht seinen Vorschlag gemäß Abs. 3,

a) falls das Mandat des Ministerpräsidenten durch die Konstituierung der neu gewählten Landesversammlung geendet hat, auf der konstituierenden Sitzung der neuen Landesversammlung;

b) falls das Mandat des Ministerpräsidenten durch seinen Rücktritt, seinen Tod, den Ausspruch der Unvereinbarkeit, wegen des Fehlens der Voraussetzungen, die zu seiner Wahl notwendig sind, oder deshalb geendet hat, weil die Landesversammlung in einer Vertrauensabstimmung gegenüber dem Ministerpräsidenten ihr Misstrauen ausgedrückt hat, innerhalb von fünfzehn Tagen ab dem Ende des Mandats des Ministerpräsidenten.

(6) Falls die Landesversammlung die gemäß Abs. 5 zum Ministerpräsidenten vorgeschlagene Person nicht gewählt hat, unterbreitet der Präsident der Republik seinen neuen Vorschlag innerhalb von fünfzehn Tagen.

(7) Die Minister werden auf Vorschlag des Ministerpräsidenten durch den Präsidenten der Republik ernannt. Der Minister tritt sein Amt zu dem in der Ernennung bezeichneten Zeitpunkt an, fehlt es daran, mit seiner Ernennung.

(8) Die Regierung konstituiert sich mit der Ernennung der Minister.

(9) Das Regierungsmitglied legt vor der Landesversammlung einen Eid ab.

Artikel 17 [Ministerien]

(1) Über die Aufzählung der Ministerien trifft ein Gesetz Bestimmungen.

(2) Ein Minister ohne Geschäftsbereich kann zur Versehung eines Aufgabenbereichs, den die Regierung bestimmt, ernannt werden.

(3) Das regionale Staatsverwaltungsorgan der Regierung mit allgemeinem Zuständigkeitsbereich sind das hauptstädtische und die Komitatsregierungsämter.

(4) Die Bestimmungen eines Kardinalgesetzes in Bezug auf die Bezeichnung eines Ministeriums, eines Ministers oder eines Verwaltungsorgans können durch Gesetz geändert werden.

(5) Die Rechtsstellung der Regierungsbeamten regelt ein Gesetz.

Artikel 18 [Ministerpräsident]

(1) Der Ministerpräsident bestimmt die allgemeine Politik der Regierung.

(2) Der Minister leitet innerhalb des Rahmens der allgemeinen Politik der Regierung selbstständig die in seinen Aufgabenbereich gehörenden Zweige der Staatsverwaltung und die nachgeordneten Organe sowie versieht die durch die Regierung oder den Ministerpräsidenten bestimmten Aufgaben.

(3) Im Rahmen seines Aufgabenbereichs erlässt das Regierungsmitglied auf der Grundlage einer Ermächtigung in einem Gesetz oder einer Regierungsverordnung selbstständig oder mit dem Einverständnis eines anderen Ministers Verordnungen, die nicht im Widerspruch zu Gesetzen, Regierungsverordnungen und den Verordnungen des Präsidenten der Ungarischen Nationalbank stehen können.

(4) Das Regierungsmitglied ist für seine Tätigkeit der Landesversammlung sowie der Minister dem Ministerpräsidenten verantwortlich. Das Regierungsmitglied kann an den Sitzungen der Landesversammlung teilnehmen und dort das Wort ergreifen. Die Landesversammlung und ein Ausschuss der Landesversammlung können Regierungsmitglieder zum Erscheinen auf ihren Sitzungen verpflichten.

(5) Die detaillierten Regeln der Rechtsstellung der Regierungsmitglieder, ihrer Vergütung sowie die Ordnung der Vertretung der Minister bestimmt ein Gesetz.

Artikel 19 [Stellungnahme der Landesversammlung]

Die Landesversammlung kann von der Regierung Aufklärung über den Standpunkt verlangen, der in den Institutionen der Europäischen Union, die unter Teilnahme der Exekutive tätig sind, vertreten werden soll, und kann zu den in dem Verfahren auf der Tagesordnung stehenden Entwürfen Stellung nehmen. Die Regierung handelt im Zuge der Entscheidungsfindung der Europäischen Union unter Zugrundelegung der Stellungnahme der Landesversammlung.

Artikel 20 [Ende des Mandats]

(1) Mit dem Ende des Mandats des Ministerpräsidenten endet das Mandat der Regierung.

(2) Das Mandat des Ministerpräsidenten endet

a) mit der Konstituierung der neu gewählten Landesversammlung;

b) falls die Landesversammlung gegenüber dem Ministerpräsidenten ihr Misstrauen ausspricht und einen neuen Ministerpräsidenten wählt;

c) falls die Landesversammlung in einer durch den Ministerpräsidenten beantragten Vertrauensabstimmung dem Ministerpräsidenten ihr Misstrauen ausspricht;

d) mit seinem Rücktritt;

e) mit seinem Tod;

f) mit dem Ausspruch der Unvereinbarkeit;

g) falls die zu seiner Wahl notwendigen Voraussetzungen nicht mehr vorliegen.

(3) Das Mandat des Ministers endet

a) mit dem Ende des Mandats des Ministerpräsidenten;

b) mit dem Rücktritt des Ministers;

c) mit seiner Entlassung;

d) mit seinem Tod.

(4) Über die Feststellung, dass die zur Wahl des Ministerpräsidenten notwendigen Voraussetzungen fehlen, und über den Ausspruch der Unvereinbarkeit beschließt die Landesversammlung mit den Stimmen von zwei Dritteln der anwesenden Abgeordneten der Landesversammlung.

Artikel 21 [Misstrauensantrag]

(1) Ein Fünftel der Abgeordneten der Landesversammlung kann schriftlich – unter Bezeichnung der für das Amt des Ministerpräsidenten vorgeschlagenen Person – gegenüber dem Ministerpräsidenten einen Misstrauensantrag einreichen.

(2) Falls die Landesversammlung den Misstrauensantrag unterstützt, drückt sie damit ihr Misstrauen gegenüber dem Ministerpräsidenten aus und wählt zugleich die in dem Misstrauensantrag für das Amt des Ministerpräsidenten vorgeschlagene Person

zum Ministerpräsidenten. Zur Entscheidung der Landesversammlung sind die Stimmen von mehr als der Hälfte der Abgeordneten der Landesversammlung notwendig.

(3) Der Ministerpräsident kann eine Vertrauensabstimmung beantragen. Die Landesversammlung drückt gegenüber dem Ministerpräsidenten ihr Misstrauen aus, falls in der auf Vorschlag des Ministerpräsidenten abgehaltenen Vertrauensabstimmung mehr als die Hälfte der Abgeordneten der Landesversammlung den Ministerpräsidenten nicht unterstützt.

(4) Der Ministerpräsident kann beantragen, dass die Abstimmung über eine durch die Regierung eingereichte Vorlage zugleich eine Vertrauensabstimmung sein soll. Die Landesversammlung drückt gegenüber dem Ministerpräsidenten ihr Misstrauen aus, falls sie die durch die Regierung eingereichte Vorlage nicht unterstützt.

(5) Die Landesversammlung fasst ihre Entscheidung über die Vertrauensfrage nach drei Tagen ab der Unterbreitung des Misstrauensantrags oder des Antrags des Ministerpräsidenten gemäß Abs. 3 und 4, aber spätestens innerhalb von acht Tagen ab der Unterbreitung.

Artikel 22 [Amtszeit der Regierung]

(1) Die Regierung übt ihre Befugnisse ab dem Ende ihres Mandats bis zur Konstituierung der neuen Regierung als geschäftsführende Regierung aus, die verbindliche Geltung eines völkerrechtlichen Vertrags kann sie jedoch nicht anerkennen und Verordnungen nur aufgrund einer Ermächtigung eines Gesetzes in unaufschiebbaren Fällen erlassen.

(2) Falls das Mandat des Ministerpräsidenten durch dessen Rücktritt oder durch die Konstituierung der neu gewählten Landesversammlung endet, übt der Ministerpräsident bis zur Wahl des neuen Ministerpräsidenten seine Befugnisse als geschäftsführender Ministerpräsident aus, er kann allerdings keine Vorschläge zur Entlassung eines Ministers oder zur Ernennung eines neuen Ministers machen und Verordnungen nur auf der

Grundlage der Ermächtigung eines Gesetzes in unaufschiebbaren Fällen erlassen.

(3) Falls das Mandat des Ministerpräsidenten mit dessen Tod, mit dem Ausspruch der Unvereinbarkeit, wegen des Fehlens der zu seiner Wahl notwendigen Voraussetzungen oder deshalb geendet ist, weil die Landesversammlung in einer Vertrauensabstimmung dem Ministerpräsidenten ihr Misstrauen ausgesprochen hat, übt bis zur Wahl des neuen Ministerpräsidenten der stellvertretende Ministerpräsident oder – im Falle mehrerer stellvertretender Ministerpräsidenten – der an erster Stelle bezeichnete stellvertretende Ministerpräsident die Befugnisse des Ministerpräsidenten mit den in Abs. 2 bestimmten Beschränkungen aus.

(4) Der Minister übt ab dem Ende des Mandats des Ministerpräsidenten bis zur Ernennung des neuen Ministers oder bis zu der Betrauung eines anderen Mitglieds der Regierung mit der vorübergehenden Wahrnehmung der Aufgaben des Ministers seine Befugnisse als geschäftsführender Minister aus, kann aber Verordnungen nur in unaufschiebbaren Fällen erlassen.

Selbstständige Regelungsorgane

Artikel 23 [Selbstständige Regelungsorgane]

(1) Die Landesversammlung kann in einem Kardinalgesetz zur Erfüllung und Ausübung einzelner, in den Bereich der ausübenden Gewalt gehörender Aufgaben- und Zuständigkeitsbereiche selbstständige Regelungsorgane errichten.

(2) Der Leiter des selbstständigen Regelungsorgans wird von dem Ministerpräsidenten oder – auf Vorschlag des Ministerpräsidenten – von dem Präsidenten der Republik für die in dem Kardinalgesetz bestimmte Zeitdauer ernannt. Der Leiter des selbstständigen Regelungsorgans ernennt seinen Stellvertreter oder seine Stellvertreter.

(3) Der Leiter des selbstständigen Regelungsorgans legt der Landesversammlung jährlich über die Tätigkeit des selbstständigen Regelungsorgans Rechenschaft ab.

(4) Der Leiter des selbstständigen Regelungsorgans erlässt aufgrund der Ermächtigung in einem Gesetz in seinem in dem Kardinalgesetz bestimmten Aufgabenbereich Verordnungen, die nicht im Widerspruch zu Gesetzen, Regierungsverordnungen, Verordnungen des Ministerpräsidenten, Ministerverordnungen und den Verordnungen des Präsidenten der Ungarischen Nationalbank stehen können. Der Leiter des selbstständigen Regelungsorgans kann beim Erlass von Verordnungen durch den von ihm in einer Verordnung bezeichneten Stellvertreter vertreten werden.

Das Verfassungsgericht

Artikel 24 [Verfassungsgericht]

(1) Das Verfassungsgericht ist das oberste Organ des Schutzes des Grundgesetzes.

(2) Das Verfassungsgericht

a) prüft die verabschiedeten, aber noch nicht verkündeten Gesetze unter dem Gesichtspunkt der Übereinstimmung mit dem Grundgesetz;

b) überprüft auf richterlichen Antrag vorrangig, aber spätestens innerhalb von neunzig Tagen die Übereinstimmung einer in der individuellen Sache anzuwendenden Rechtsvorschrift mit dem Grundgesetz;

c) überprüft auf der Grundlage einer Verfassungsbeschwerde die Übereinstimmung einer in der individuellen Sache angewendeten Rechtsvorschrift mit dem Grundgesetz;

d) überprüft auf der Grundlage einer Verfassungsbeschwerde die Übereinstimmung einer richterlichen Entscheidung mit dem Grundgesetz;

e) überprüft auf Antrag der Regierung, eines Viertels der Abgeordneten der Landesversammlung, des Präsidenten der Kurie, des Generalstaatsanwalts oder des Beauftragten für die grundlegenden Rechte die Übereinstimmung von Rechtsvorschriften mit dem Grundgesetz;

f) prüft, ob Rechtsvorschriften gegen einen völkerrechtlichen Vertrag verstoßen;

g) übt die in dem Grundgesetz beziehungsweise einem Kardinalgesetz bestimm-

ten weiteren Aufgaben- und Zuständigkeitsbereiche aus.

(3) Das Verfassungsgericht

a) hebt in seinem Zuständigkeitsbereich
in Abs. 2 lit. b, c und e die Rechtsvorschrift
oder die Bestimmung in einer Rechtsvorschrift auf, die im Widerspruch zum Grundgesetz steht;

b) hebt in seinem Zuständigkeitsbereich
in Abs. 2 lit. d die richterliche Entscheidung
auf, die im Widerspruch zum Grundgesetz
steht;

c) kann in seinem Zuständigkeitsbereich
in Abs. 2 lit. f die Rechtsvorschrift oder
die Bestimmung in einer Rechtsvorschrift
aufheben, die im Widerspruch zu einem völkerrechtlichen Vertrag steht;

beziehungsweise legt die Rechtsfolgen
fest, die in einem Kardinalgesetz bestimmt
sind.

(4) Das Verfassungsgericht kann die Bestimmungen einer Rechtsvorschrift, deren
Überprüfung nicht beantragt wurde, nur
in dem Fall überprüfen beziehungsweise
aufheben, falls diese in engem inhaltlichen
Zusammenhang mit den Bestimmungen der
Rechtsvorschrift, deren Überprüfung beantragt wurde, stehen.

(5) Das Verfassungsgericht kann das
Grundgesetz und Änderungen des Grundgesetzes nur im Hinblick auf die grundgesetzlichen Verfahrensanforderungen in Bezug auf
deren Erlass und Verkündung überprüfen.
Diese Prüfung kann

a) im Hinblick auf das angenommene,
aber noch nicht verkündete Grundgesetz und
Grundgesetzänderungen durch den Präsidenten der Republik,

b) innerhalb von dreißig Tagen ab der Verkündung durch die Regierung, ein Viertel
der Abgeordneten der Landesversammlung,
den Präsidenten der Kurie, den Generalstaatsanwalt oder den Beauftragten für die
grundlegenden Rechte

beantragt werden.

(6) Das Verfassungsgericht beschließt
über den Antrag gemäß Abs. (5) vorrangig,
aber spätestens innerhalb von dreißig Tagen.
Falls das Verfassungsgericht feststellt, dass

das Grundgesetz oder die Änderung des
Grundgesetzes nicht den Verfahrensanforderungen in Abs. 5 entsprochen hat, wird das
Grundgesetz oder die Änderung des Grundgesetzes

a) im Fall des Abs. 5 lit. a von der Landesversammlung erneut beraten,

b) im Fall des Abs. 5 lit. b durch das Verfassungsgericht aufgehoben.

(7) Das Verfassungsgericht hört gemäß
den Bestimmungen in einem Kardinalgesetz das Erlassorgan einer Rechtsvorschrift,
denjenigen, der das Gesetz initiiert hat, oder
deren Vertreter an beziehungsweise zieht im
Laufe des Verfahrens ihre Meinung bei, falls
die Angelegenheit einen weiten Kreis von
Personen berührt. Dieser Abschnitt des Verfahrens ist öffentlich.

(8) Das Verfassungsgericht ist ein Gremium aus fünfzehn Mitgliedern, dessen Mitglieder von der Landesversammlung mit den
Stimmen von zwei Dritteln der Abgeordneten der Landesversammlung auf zwölf Jahre
gewählt werden. Die Landesversammlung
wählt mit den Stimmen von zwei Dritteln der
Abgeordneten der Landesversammlung aus
den Reihen der Mitglieder des Verfassungsgerichts einen Präsidenten, das Mandat des
Präsidenten endet mit Ablauf seiner Amtszeit als Verfassungsrichter. Die Mitglieder
des Verfassungsgerichts können nicht Mitglieder einer Partei sein und keine politische
Tätigkeit entfalten.

(9) Die detaillierten Regeln der Befugnisse, der Organisation und der Arbeit des
Verfassungsgerichts legt ein Kardinalgesetz
fest.

Das Gericht

Artikel 25 [Gerichte]

(1) Die Gerichte versehen rechtsprechende Tätigkeit. Das oberste Gerichtsorgan ist
die Kurie.

(2) Das Gericht entscheidet in Strafsachen, in privatrechtlichen Rechtsstreitigkeiten, über die Gesetzlichkeit von Verwal-
tungsbeschlüssen, über den Verstoß von
Selbstverwaltungsverordnungen gegen eine

andere Rechtsvorschrift und über deren Aufhebung, über die Feststellung, dass eine örtliche Selbstverwaltung ihre auf Gesetz beruhende Rechtsetzungsverpflichtung versäumt hat, und in den in einem Gesetz bestimmten übrigen Angelegenheiten.

(3) Neben den Bestimmungen in Abs. 2 gewährleistet die Kurie die Einheitlichkeit der Rechtsanwendung der Gerichte und erlässt für die Gerichte verbindliche Rechtseinheitlichkeitsbeschlüsse.

(4) Die Gerichtsorganisation besteht aus mehreren Ebenen.

(5) Die zentralen Aufgaben der Verwaltung der Gerichte versieht der Präsident des Landesgerichtsamtes. Der Landesrichterrat beaufsichtigt die zentrale Verwaltung der Gerichte. Der Landesrichterrat und andere richterliche Selbstverwaltungsorgane arbeiten an der Verwaltung der Gerichte mit.

(6) Der Präsident des Landesgerichtsamtes wird aus dem Kreise der Richter auf Vorschlag des Präsidenten der Republik durch die Landesversammlung auf neun Jahre gewählt. Zur Wahl des Präsidenten des Landesgerichtsamtes sind die Stimmen von zwei Dritteln der Abgeordneten der Landesversammlung notwendig. Ein Mitglied des Landesrichterrates ist der Präsident der Kurie, seine übrigen Mitglieder werden gemäß den Bestimmungen in einem Kardinalgesetz von den Richtern gewählt.

(7) Das Gesetz kann in einzelnen Rechtsstreitigkeiten auch das Verfahren anderer Organe ermöglichen.

(8) Die detaillierten Regeln der Organisation der Gerichte, ihrer Verwaltung und der Voraussetzungen ihrer zentralen Verwaltung und der Rechtsstellung der Richter sowie die Vergütung der Richter bestimmt ein Kardinalgesetz.

Artikel 26 [Richter]

(1) Die Richter sind unabhängig und sind nur dem Gesetz unterworfen, sie können in ihrer Urteilstätigkeit nicht angewiesen werden. Richter können nur aus den Gründen und im Rahmen eines Verfahrens wie in einem Kardinalgesetz bestimmt aus ihrem Amt entfernt werden. Richter können nicht Mitglieder einer Partei sein und keine politische Tätigkeit entfalten.

(2) Die Berufsrichter werden – gemäß den Bestimmungen in einem Kardinalgesetz – durch den Präsidenten der Republik ernannt. Zum Richter kann ernannt werden, wer sein dreißigstes Lebensjahr vollendet hat. Mit Ausnahme des Präsidenten der Kurie und des Präsidenten des Landesgerichtsamtes kann das Dienstverhältnis des Richters bis zum Erreichen des allgemeinen Altersrenteneintrittsalters bestehen.

(3) Der Präsident der Kurie wird aus den Reihen der Richter auf Vorschlag des Präsidenten der Republik durch die Landesversammlung auf neun Jahre gewählt. Zur Wahl des Präsidenten der Kurie sind die Stimmen von zwei Dritteln der Abgeordneten der Landesversammlung notwendig.

Artikel 27 [Kammern; Laienbeteiligung]

(1) Das Gericht urteilt – falls ein Gesetz nichts Abweichendes bestimmt – in Kammern.

(2) Auch nicht hauptamtliche Richter nehmen in Angelegenheiten und auf eine Art und Weise wie durch ein Gesetz bestimmt an der Urteilstätigkeit teil.

(3) Als Einzelrichter und als Kammervorsitzender können nur Berufsrichter fungieren. In durch Gesetz bestimmten Angelegenheiten können im Zuständigkeitsbereich des Einzelrichters auch Gerichtssekretäre tätig sein, auf die im Zuge dieser Tätigkeit Art. 26 Abs. 1 anzuwenden ist.

(4) [aufgehoben]

Artikel 28 [Auslegung der Gesetze]

Die Gerichte legen im Zuge der Rechtsanwendung den Text der Rechtsvorschriften in erster Linie in Übereinstimmung mit deren Zweck und dem Grundgesetz aus. Im Zuge der Feststellung des Zwecks einer Rechtsvorschrift sind in erster Linie die Präambel der Rechtsvorschrift beziehungsweise die Begründung der Vorlage, die auf den Erlass oder die Änderung der Rechtsvorschrift zielt, zu berücksichtigen. Bei der Auslegung des Grundgesetzes und der Rechtsvorschriften ist vorauszusetzen, dass sie dem gesunden Menschenverstand und dem öffentlichen Wohl entsprechenden, moralischen und wirtschaftlichen Zwecken dienen.

Die Staatsanwaltschaft

Artikel 29 [Staatsanwaltschaft]

(1) Der Generalstaatsanwalt und die Staatsanwaltschaft sind unabhängig, sie sind als Mitwirkende an der Rechtsprechung als öffentliche Ankläger das ausschließliche Organ zur Durchsetzung des Strafanspruchs des Staates. Die Staatsanwaltschaft verfolgt Straftaten, schreitet gegen andere rechtsverletzende Handlungen und Unterlassungen ein sowie fördert die Vorbeugung rechtswidriger Handlungen.

(2) Der Generalstaatsanwalt und die Staatsanwaltschaft

a) üben gemäß den Bestimmungen in einem Gesetz Rechte im Zusammenhang mit der Ermittlung aus;

b) vertreten die öffentliche Anklage in gerichtlichen Verfahren;

c) üben die Aufsicht über die Gesetzlichkeit der Strafvollstreckung aus;

d) üben als Beschützer des öffentlichen Interesses die durch das Grundgesetz oder Gesetz bestimmten weiteren Aufgaben- und Zuständigkeitsbereiche aus.

(3) Die staatsanwaltschaftliche Organisation wird durch den Generalstaatsanwalt geführt und geleitet, dieser ernennt die Staatsanwälte. Mit Ausnahme des Generalstaatsanwalts kann das Dienstverhältnis des Staatsanwalts bis zum Erreichen des allgemeinen Altersrenteneintrittsalters bestehen.

(4) Der Generalstaatsanwalt wird aus den Reihen der Staatsanwälte auf Vorschlag des Präsidenten der Republik durch die Landesversammlung auf neun Jahre gewählt. Zur Wahl des Generalstaatsanwalts sind die Stimmen von zwei Dritteln der Abgeordneten der Landesversammlung notwendig.

(5) Der Generalstaatsanwalt legt jährlich der Landesversammlung Rechenschaft über seine Tätigkeit ab.

(6) Die Staatsanwälte können nicht Mitglieder einer Partei sein und keine politische Tätigkeit entfalten.

(7) Die detaillierten Regeln der Organisation der Staatsanwaltschaft und ihrer Tätigkeit und der Rechtsstellung des Generalstaatsanwalts und der Staatsanwälte sowie ihre Vergütung bestimmt ein Kardinalgesetz.

Der Beauftragte für die grundlegenden Rechte

Artikel 30 [Beauftragte für die grundlegenden Rechte]

(1) Der Beauftragte für die grundlegenden Rechte versieht eine grundrechtsschützende Tätigkeit, sein Verfahren kann jeder initiieren.

(2) Der Beauftragte für die grundlegenden Rechte prüft die ihm zur Kenntnis gelangten Missstände im Zusammenhang mit den grundlegenden Rechten oder lässt sie prüfen, er initiiert im Interesse ihrer Heilung allgemeine oder individuelle Maßnahmen.

(3) Der Beauftragte für die grundlegenden Rechte und seine Stellvertreter werden von der Landesversammlung mit den Stimmen von zwei Dritteln der Abgeordneten der Landesversammlung auf sechs Jahre gewählt. Die Stellvertreter versehen den Schutz der Interessen der kommenden Generationen sowie der Rechte der in Ungarn lebenden Nationalitäten. Der Beauftragte für die grundlegenden Rechte und seine Stellvertreter können nicht Mitglieder einer Partei sein und keine politische Tätigkeit entfalten.

(4) Der Beauftragte für die grundlegenden Rechte legt jährlich der Landesversammlung Rechenschaft über seine Tätigkeit ab.

(5) Die detaillierten Regeln in Bezug auf den Beauftragten für die grundlegenden Rechte und seine Stellvertreter bestimmt ein Gesetz.

Die örtlichen Selbstverwaltungen

Artikel 31 [Örtliche Selbstverwaltung]

(1) In Ungarn sind im Interesse der Erledigung der örtlichen öffentlichen Angelegenheiten und der Ausübung der örtlichen öffentlichen Gewalt örtliche Selbstverwaltungen tätig.

(2) Über eine Angelegenheit, die in den Aufgaben- und Zuständigkeitsbereich der örtlichen Selbstverwaltung gehört, kann gemäß den Bestimmungen in einem Gesetz eine örtliche Volksabstimmung abgehalten werden.

(3) Die Regeln in Bezug auf die örtlichen Selbstverwaltungen bestimmt ein Kardinalgesetz.

Artikel 32 [Befugnisse der Selbstverwaltung]

(1) Die örtliche Selbstverwaltung, im Bereich der Erledigung der örtlichen öffentlichen Angelegenheiten, im Rahmen des Gesetzes,

a) erlässt Verordnungen;

b) fasst Beschlüsse;

c) verwaltet selbstständig;

d) bestimmt ihre Organisations- und Betriebsordnung;

e) übt im Hinblick auf das Selbstverwaltungseigentum die dem Eigentümer zustehenden Rechte aus;

f) bestimmt ihren Haushalt und wirtschaftet auf dessen Grundlage selbstständig;

g) kann mit ihren zu diesem Zweck verwendbaren Vermögen und Einnahmen und ohne Gefährdung der Erfüllung ihrer Pflichtaufgaben unternehmerisch tätig sein;

h) entscheidet über die Arten und die Sätze der örtlichen Steuern;

i) kann Selbstverwaltungssymbole schaffen und örtliche Auszeichnungen und Ehrentitel begründen;

j) kann bei dem Organ, das über den Aufgaben- und Zuständigkeitsbereich verfügt, Auskünfte verlangen, Entscheidungen initiieren und Meinungen äußern;

k) kann sich frei mit anderen örtlichen Selbstverwaltungen zusammentun, kann Interessenvertretungsverbände gründen, kann in ihrem Aufgaben- und Zuständigkeitsbereich mit den örtlichen Selbstverwaltungen anderer Länder zusammenarbeiten und Mitglied in internationalen Selbstverwaltungsorganisationen sein;

l) übt die in einem Gesetz bestimmten weiteren Aufgaben- und Zuständigkeitsbereiche aus.

(2) In Ausübung ihres Aufgabenbereichs erlässt die örtliche Selbstverwaltung zur Ordnung der durch Gesetz nicht geregelten örtlichen gesellschaftlichen Verhältnisse beziehungsweise aufgrund einer Ermächtigung in einem Gesetz Selbstverwaltungsverordnungen.

(3) Die Selbstverwaltungsverordnung kann nicht im Widerspruch zu anderen Rechtsvorschriften stehen.

(4) Die örtliche Selbstverwaltung übersendet die Selbstverwaltungsverordnung nach deren Verkündung unverzüglich dem hauptstädtischen oder Komitatsregierungsamt. Falls das hauptstädtische oder Komitatsregierungsamt der Ansicht ist, dass die Selbstverwaltungsverordnung oder irgendeine ihrer Bestimmungen eine Rechtsvorschrift verletzt, kann es bei Gericht die Überprüfung der Selbstverwaltungsverordnung beantragen.

(5) Das hauptstädtische oder Komitatsregierungsamt kann bei Gericht beantragen, dass es das Versäumnis einer auf Gesetz beruhenden Pflicht zum Erlass einer Verordnung oder zum Erlass eines Beschlusses der örtlichen Selbstverwaltung feststellt. Falls die örtliche Selbstverwaltung ihrer Pflicht zum Erlass einer Verordnung oder zum Erlass eines Beschlusses bis zu dem durch das Gericht in der Entscheidung, die das Versäumnis feststellt, bestimmten Zeitpunkt nicht genügt, ordnet das Gericht auf Antrag des hauptstädtischen oder Komitatsregierungsamtes an, dass die zur Heilung der Versäumnis notwendigen Selbstverwaltungsverordnungen oder Selbstverwaltungsbeschlüsse im Namen der örtlichen Selbstverwaltung durch den Leiter des hauptstädtischen oder Komitatsregierungsamtes erlassen werden.

(6) Das Eigentum der örtlichen Selbstverwaltungen ist öffentliches Eigentum, das der Erfüllung ihrer Aufgaben dient.

Artikel 33 [Aufgaben und Zuständigkeiten]

(1) Den Aufgaben- und Zuständigkeitsbereich der örtlichen Selbstverwaltung übt die Abgeordnetenkörperschaft aus.

(2) Die örtliche Abgeordnetenkörperschaft wird durch den Bürgermeister geleitet. Der Vorsitzende der Abgeordnetenkörperschaft des Komitats wird von der Abgeordnetenkörperschaft des Komitats aus ihren eigenen Reihen für die Dauer ihres Mandats gewählt.

(3) Die Abgeordnetenkörperschaft kann gemäß den Bestimmungen in einem Kardinalgesetz Ausschüsse wählen und ein Amt errichten.

Artikel 34 [Zusammenarbeit]

(1) Die örtliche Selbstverwaltung und die staatlichen Organe arbeiten zusammen, um gemeinschaftliche Zwecke zu verwirklichen. Ein Gesetz kann für die örtliche Selbstverwaltung verbindliche Aufgaben- und Zuständigkeitsbereiche festlegen. Die örtliche Selbstverwaltung hat zur Erfüllung ihrer verbindlichen Aufgaben- und Zuständigkeitsbereiche das Recht auf damit im Verhältnis stehende Haushalts- beziehungsweise andere vermögenswerte Unterstützungen.

(2) Ein Gesetz kann anordnen, dass örtliche Selbstverwaltungen Pflichtaufgaben im Zusammenschluss versehen.

(3) Ein Gesetz oder eine auf gesetzlicher Ermächtigung beruhende Regierungsverordnung können für den Bürgermeister, den Vorsitzenden der Abgeordnetenkörperschaft des Komitats sowie für den Leiter oder Sachbearbeiter des Amtes der Abgeordnetenkörperschaft ausnahmsweise auch Aufgaben- und Zuständigkeitsbereiche der Staatsverwaltung festlegen.

(4) Die Regierung gewährleistet im Wege des hauptstädtischen und der Komitatsregierungsämter die Gesetzlichkeitsaufsicht über die örtlichen Selbstverwaltungen.

(5) Ein Gesetz kann zur Wahrung des Haushaltsgleichgewichts Kreditaufnahmen der örtlichen Selbstverwaltung von einem im Gesetz bestimmten Ausmaß oder andere Verpflichtungsübernahmen an Bedingungen beziehungsweise an die Zustimmung der Regierung knüpfen.

Artikel 35 [Wahl von Abgeordneten und dem Bürgermeister]

(1) Die örtlichen Selbstverwaltungsabgeordneten und Bürgermeister werden von den Wahlbürgern auf der Grundlage des allgemeinen und gleichen Wahlrechts, mit einer unmittelbaren und geheimen Abstimmung, in einer Wahl, die den freien Ausdruck des Wählerwillens gewährleistet, auf die in einem Kardinalgesetz bestimmte Art gewählt.

(2) Die allgemeine Wahl der örtlichen Selbstverwaltungsabgeordneten und der Bürgermeister ist im Oktober des fünften Jahres, das auf die vorhergehende allgemeine Wahl der örtlichen Selbstverwaltungsabgeordneten und Bürgermeister folgt, abzuhalten.

(3) Das Mandat der Abgeordnetenkörperschaft dauert bis zum Tag der allgemeinen Wahl der örtlichen Selbstverwaltungsabgeordneten und Bürgermeister. Falls eine Wahl in Ermangelung von Kandidaten unterbleibt, verlängert sich das Mandat der Abgeordnetenkörperschaft bis zu dem Tag der Nachwahlen. Das Mandat des Bürgermeisters dauert bis zur Wahl des neuen Bürgermeisters.

(4) Die Abgeordnetenkörperschaft kann – gemäß den Bestimmungen in einem Kardinalgesetz – ihre Selbstauflösung aussprechen.

(5) Die Landesversammlung kann auf – nach Einholung der Stellungnahme des Verfassungsgerichts unterbreiteten – Antrag der Regierung eine Abgeordnetenkörperschaft auflösen, die grundgesetzwidrig tätig ist.

(6) Die Selbstauflösung und Auflösung beendet auch das Mandat des Bürgermeisters.

Öffentliche Finanzen

Artikel 36 [Öffentliche Finanzen]

(1) Die Landesversammlung erlässt in Bezug auf jedes Jahr ein Gesetz über den zentralen Haushalt und über die Durchführung des zentralen Haushalts. Die Entwürfe der Gesetze über den zentralen Haushalt und über die Durchführung des zentralen Haushalts unterbreitet die Regierung innerhalb der in einem Gesetz vorgeschriebenen Frist der Landesversammlung.

(2) Die Entwürfe der Gesetze über den zentralen Haushalt und über dessen Durchführung müssen die staatlichen Ausgaben und Einnahmen in identischer Gliederung, auf transparente Weise und mit vernünftiger Detailliertheit enthalten.

(3) Mit der Verabschiedung des Gesetzes über den zentralen Haushalt ermächtigt die Landesversammlung die Regierung, die darin vorgesehenen Einnahmen einzutreiben und Ausgaben zu leisten.

(4) Die Landesversammlung kann kein Gesetz über den zentralen Haushalt verabschieden, als dessen Folge die Staatsverschuldung die Hälfte des Bruttoinlandsprodukts übersteigen würde.

(5) Solange die Staatsverschuldung die Hälfte des Bruttoinlandsprodukts übersteigt, kann die Landesversammlung nur ein solches Gesetz über den zentralen Haushalt verabschieden, das die Verringerung der Staatsverschuldung im Verhältnis zum Bruttoinlandsprodukt enthält.

(6) Von den Bestimmungen in Abs. 4 und 5 kann nur in der Zeit einer Sonderrechtsordnung in dem zu der Milderung der Folgen, die von den Umständen hervorgerufen wurden, welche die Sonderrechtsordnung ausgelöst haben, notwendigen Maße, oder im Fall eines dauerhaften und bedeutenden Rückgangs der Volkswirtschaft in dem zur Wiederherstellung des volkswirtschaftlichen Gleichgewichts notwendigen Maße abgewichen werden.

(7) Falls die Landesversammlung das Gesetz über den zentralen Haushalt nicht bis zum Beginn des Kalenderjahres erlassen hat, ist die Regierung berechtigt, die Einnahmen gemäß den Rechtsvorschriften einzutreiben und im Rahmen der Ausgabenvoranschläge, die in dem Gesetz über den zentralen Haushalt für das vorangegangene Kalenderjahr bestimmt sind, Ausgaben zeitanteilsmäßig zu tätigen.

Artikel 37 [Gesetz- und zweckmäßiger Haushalt]

(1) Die Regierung ist verpflichtet, den zentralen Haushalt gesetzmäßig und zweckmäßig, unter effizienter Verwaltung der öffentlichen Finanzen und unter Gewährleistung der Transparenz durchzuführen.

(2) Im Zuge der Durchführung des zentralen Haushalts können – mit den in Art. 36 Abs. 6 bestimmten Ausnahmen – keine Darlehen aufgenommen und keine finanziellen Verpflichtungen eingegangen werden, die bewirken würden, dass die Staatsverschuldung die Hälfte des Bruttoinlandsprodukts überschreitet.

(3) Solange die Staatsverschuldung die Hälfte des Bruttoinlandsprodukts überschreitet, können – mit den in Art. 36 Abs. 6 bestimmten Ausnahmen – im Zuge der Durchführung des zentralen Haushalts keine Darlehen aufgenommen und keine finanziellen Verpflichtungen eingegangen werden, in deren Folge das Verhältnis der Staatsverschuldung zum Bruttoinlandsprodukt gegenüber dem, was in dem vorangehenden Jahr bestanden hat, zunehmen würde.

(4) Solange die Staatsverschuldung die Hälfte des Bruttoinlandsprodukts überschreitet, kann das Verfassungsgericht in seinen Zuständigkeiten in Art. 24 Abs. 2 lit. b-e die Übereinstimmung von Gesetzen über den zentralen Haushalt, über die Durchführung des zentralen Haushalts, über die zentralen Steuerarten, über Gebühren und Beiträge, über Zölle sowie über die zentralen Bedingungen der örtlichen Steuern mit dem Grundgesetz ausschließlich im Zusammenhang mit dem Recht auf Leben und auf Menschenwürde, mit dem Recht auf Schutz der persönlichen Daten, mit dem Recht auf Freiheit der Gedanken, des Gewissens und

der Religion oder mit den Rechten, die an die ungarische Staatsbürgerschaft anknüpfen, überprüfen und wegen deren Verletzung aufheben. Das Verfassungsgericht ist berechtigt, auch die in diesen Gegenstandsbereich gehörenden Gesetze ohne Beschränkung aufzuheben, falls die Verfahrensvoraussetzungen im Grundgesetz in Bezug auf den Erlass und die Verkündung des Gesetzes nicht erfüllt sind.

(5) Im Falle von gesetzlichen Bestimmungen, die innerhalb des Zeitraums in Kraft getreten sind, in dem die Staatsverschuldung die Hälfte des Bruttoinlandsproduktes überschritten hat, ist Abs. 4 im Hinblick auf diesen Zeitraum auch dann anzuwenden, falls die Staatsverschuldung die Hälfte des Bruttoinlandsproduktes nicht mehr überschreitet.

(6) Die Berechnungsart der Staatsverschuldung und des Bruttoinlandsprodukts sowie die Regeln in Bezug auf die Durchführung der Bestimmungen in Art. 36 und in Abs. 1 bis 3 bestimmt ein Gesetz.

(7) [aufgehoben]

Artikel 38 [Nationales Vermögen]

(1) Das Eigentum des Staates und der örtlichen Selbstverwaltungen ist nationales Vermögen. Zweck der Verwaltung und des Schutzes des nationalen Vermögens ist der Dienst am öffentlichen Interesse, die Erfüllung der gemeinschaftlichen Bedürfnisse und die Bewahrung der natürlichen Ressourcen sowie die Berücksichtigung der Bedürfnisse der kommenden Generationen. Die Anforderungen an die Bewahrung und den Schutz des nationalen Vermögens und an die verantwortliche Bewirtschaftung des nationalen Vermögens bestimmt ein Kardinalgesetz.

(2) Den Kreis des ausschließlichen Eigentums des Staates und seiner ausschließlichen wirtschaftlichen Tätigkeit sowie die Beschränkungen und Voraussetzungen der Veräußerung nationalen Vermögens von aus volkswirtschaftlicher Sicht gesteigerter Bedeutung bestimmt unter Berücksichtigung der Zwecke gemäß Abs. 1 ein Kardinalgesetz.

(3) Nationales Vermögen kann nur zu dem in einem Gesetz bestimmten Zweck übertragen werden, unter der Berücksichtigung des Erfordernisses der Wertverhältnismäßigkeit mit den im Gesetz bestimmten Ausnahmen.

(4) Ein Vertrag in Bezug auf die Übertragung oder Nutzung von nationalem Vermögen kann nur mit einer Organisation geschlossen werden, deren Eigentümerstruktur, Aufbau sowie Tätigkeit in Bezug auf die Verwaltung des übertragenen oder zur Nutzung überlassenen nationalen Vermögens transparent sind.

(5) Die Wirtschaftsorganisationen im Eigentum des Staates und der örtlichen Selbstverwaltungen wirtschaften auf die in einem Gesetz bestimmte Weise, selbstständig und verantwortlich gemäß den Erfordernissen der Gesetzmäßigkeit, Zweckmäßigkeit und Effizienz.

(6) Über die Errichtung, die Tätigkeit, die Beendigung einer gemeinnützigen Vermögensverwaltungsstiftung, die öffentliche Aufgaben wahrnimmt, sowie über die Wahrnehmung ihrer öffentlichen Aufgabe trifft ein Kardinalgesetz Bestimmungen.

Artikel 39 [Transparenz]

(1) Aus dem zentralen Haushalt können Unterstützungen oder auf einem Vertrag beruhende Auszahlungen nur solchen Organisationen gewährt oder geleistet werden, deren Eigentümerstruktur, Aufbau sowie Tätigkeit, die auf die Verwendung der Unterstützung gerichtet ist, transparent sind.

(2) Jede Organisation, die mit öffentlichen Finanzen wirtschaftet, ist verpflichtet, öffentlich über ihre Wirtschaftsführung in Bezug auf die öffentlichen Finanzen Rechenschaft abzulegen. Öffentliche Finanzen und das nationale Vermögen sind gemäß den Grundsätzen der Transparenz und der Sauberkeit des öffentlichen Lebens zu verwalten. Die Daten in Bezug auf öffentliche Finanzen und auf das nationale Vermögen sind Daten von öffentlichem Interesse.

(3) Öffentliche Finanzen sind die Einnahmen, Ausgaben und Forderungen des Staates.

Artikel 40 [Tragung öffentlicher Lasten und des Altersrentensystems]

Die grundlegenden Regeln der Tragung öffentlicher Lasten und des Altersrentensystems bestimmt im Interesse berechenbarer Beiträge zu der Befriedigung der gemeinschaftlichen Bedürfnisse und der Existenzsicherheit im Alter ein Kardinalgesetz.

Artikel 41 [Nationalbank]

(1) Die Ungarische Nationalbank ist Ungarns Zentralbank. Die Ungarische Nationalbank ist auf die in einem Kardinalgesetz bestimmte Weise für die Geldpolitik verantwortlich.

(2) Die Ungarische Nationalbank nimmt die Aufsicht über das Finanzvermittlungssystem wahr.

(3) Der Präsident der Ungarischen Nationalbank und ihre Vizepräsidenten werden durch den Präsidenten der Republik auf sechs Jahre ernannt.

(4) Der Präsident der Ungarischen Nationalbank legt jährlich der Landesversammlung Rechenschaft über die Tätigkeit der Ungarischen Nationalbank ab.

(5) Der Präsident der Ungarischen Nationalbank erlässt auf der Grundlage einer Ermächtigung in einem Gesetz in seinem in einem Kardinalgesetz bestimmten Aufgabenbereich Verordnungen, die nicht im Widerspruch zu Gesetzen stehen können. Der Präsident der Ungarischen Nationalbank kann bei dem Erlass von Verordnungen durch den Vizepräsidenten vertreten werden, welchen er in einer Verordnung bezeichnet hat.

(6) Die detaillierten Regeln der Organisation und der Tätigkeit der Ungarischen Nationalbank bestimmt ein Kardinalgesetz.

Artikel 42 [aufgehoben]

Artikel 43 [Rechnungshof]

(1) Der Staatliche Rechnungshof ist das Organ der Landesversammlung für die Finanz- und Wirtschaftlichkeitskontrolle. In seinem in einem Gesetz bestimmten Aufgabenbereich kontrolliert der Staatliche Rechnungshof die Durchführung des zentralen Haushalts, die Bewirtschaftung des Staatshaushalts, die Verwendung der Mittel aus dem Staatshaushalt und die Verwaltung des nationalen Vermögens. Der Staatliche Rechnungshof führt seine Kontrollen unter den Gesichtspunkten der Gesetzmäßigkeit, der Zweckmäßigkeit und der Effizienz durch.

(2) Der Präsident des Staatlichen Rechnungshofs wird von der Landesversammlung mit den Stimmen von zwei Dritteln der Abgeordneten der Landesversammlung auf zwölf Jahre gewählt.

(3) Der Präsident des Staatlichen Rechnungshofs legt der Landesversammlung jährlich Rechenschaft über die Tätigkeit des Staatlichen Rechnungshofes ab.

(4) Die detaillierten Regeln der Organisation und der Tätigkeit des Staatlichen Rechnungshofes bestimmt ein Kardinalgesetz.

Artikel 44 [Haushaltsrat]

(1) Der Haushaltsrat ist ein die gesetzgebende Tätigkeit der Landesversammlung unterstützendes Organ, welches die Fundiertheit des zentralen Haushalts prüft.

(2) Der Haushaltsrat wirkt auf die in einem Gesetz bestimmte Art und Weise an der Vorbereitung des Gesetzes über den zentralen Haushalt mit.

(3) Zur Annahme des Gesetzes über den zentralen Haushalt ist im Interesse der Einhaltung der Bestimmungen in Art. 36 Abs. 4 und 5 die vorherige Zustimmung des Haushaltsrates notwendig.

(4) Die Mitglieder des Haushaltsrates sind der Präsident des Haushaltsrates, der Präsident der Ungarischen Nationalbank und der Präsident des Staatlichen Rechnungshofes. Den Präsidenten des Haushaltsrates ernennt der Präsident der Republik auf sechs Jahre.

(5) Die detaillierten Regeln der Tätigkeit des Haushaltsrats bestimmt ein Kardinalgesetz.

Die Ungarischen Streitkräfte

Artikel 45 [Streitmacht]

(1) Ungarns Streitmacht sind die Ungarischen Streitkräfte. Die grundlegenden

Aufgaben der Ungarischen Streitkräfte sind der militärische Schutz von Ungarns Unabhängigkeit, territorialer Unversehrtheit und Grenzen, die Erfüllung gemeinschaftlicher Verteidigungs- und Friedenserhaltungsaufgaben aus völkerrechtlichen Verträgen sowie die Durchführung humanitärer Tätigkeit in Übereinstimmung mit den Regeln des Völkerrechts.

(2) Zur Leitung der Ungarischen Streitkräfte sind – falls ein völkerrechtlicher Vertrag nichts anderes bestimmt – in dem im Grundgesetz und in einem Kardinalgesetz bestimmten Rahmen die Landesversammlung, der Präsident der Republik, die Regierung sowie der über den Aufgaben- und Zuständigkeitsbereich verfügende Minister berechtigt.

(3) Die Tätigkeit der Ungarischen Streitkräfte wird von der Regierung geleitet.

(4) Die hauptamtlichen Mitglieder der Ungarischen Streitkräfte können nicht Mitglieder einer Partei sein und keine politische Tätigkeit entfalten.

(5) Die detaillierten Regeln in Bezug auf die Organisation, die Aufgaben, die Leitung und Führung und die Tätigkeit der Ungarischen Streitkräfte bestimmt ein Kardinalgesetz.

Die Polizei und die nationalen Sicherheitsdienste

Artikel 46 [Polizei und nationale Sicherheitsdienste]

(1) Die grundlegenden Aufgaben der Polizei sind die Verhinderung und Aufdeckung von Straftaten und der Schutz der öffentlichen Sicherheit, der öffentlichen Ordnung und der Ordnung der Staatsgrenze. Die Polizei wirkt an der Verhinderung rechtswidriger Einwanderung mit.

(2) Die Tätigkeit der Polizei wird durch die Regierung geleitet.

(3) Die grundlegenden Aufgaben der nationalen Sicherheitsdienste sind der Schutz von Ungarns Unabhängigkeit und gesetzlicher Ordnung und die Durchsetzung seiner nationalen Sicherheitsinteressen.

(4) Die Tätigkeit der nationalen Sicherheitsdienste wird durch die Regierung geleitet.

(5) Die hauptamtlichen Mitglieder der Polizei und der nationalen Sicherheitsdienste können nicht Mitglieder einer Partei sein und keine politische Tätigkeit entfalten.

(6) Die detaillierten Regeln in Bezug auf die Organisation und die Tätigkeit der Polizei und der nationalen Sicherheitsdienste, die Regeln der Anwendung geheimdienstlicher Mittel und Methoden sowie die Regeln im Zusammenhang mit der Tätigkeit der nationalen Sicherheit bestimmt ein Kardinalgesetz.

Entscheidung über die Teilnahme an militärischen Operationen

Artikel 47 [Entscheidung über militärische Operationen]

(1) Die Regierung entscheidet über Truppenbewegungen, die mit einem Grenzübertritt der Ungarischen Streitkräfte und ausländischer bewaffneter Kräfte einhergehen.

(2) Die Landesversammlung entscheidet – mit Ausnahme der in Abs. 3 bestimmten Fälle – mit den Stimmen von zwei Dritteln der anwesenden Abgeordneten der Landesversammlung über den Einsatz der Ungarischen Streitkräfte im Ausland oder in Ungarn, über ihre Stationierung im Ausland sowie über den Einsatz ausländischer bewaffneter Kräfte in Ungarn oder ausgehend vom Gebiet Ungarns und über deren Stationierung in Ungarn.

(3) Die Regierung entscheidet über den Einsatz der Ungarischen Streitkräfte und ausländischer bewaffneter Kräfte gemäß Abs. 2, die auf einer Entscheidung der Europäischen Union, der Nordatlantikpakt-Organisation oder einer durch die Landesversammlung in einem Gesetz bestätigten internationalen Organisation zur Zusammenheit bei Verteidigung und Sicherheit beruhen, sowie über andere Truppenbewegungen.

(4) Die Regierung berichtet – unter gleichzeitiger Unterrichtung des Präsidenten der Republik – der Landesversammlung unver-

züglich über die Entscheidungen, die sie auf der Grundlage von Abs. 3 sowie in der Frage der Genehmigung der Teilnahme der Ungarischen Streitkräfte an einer Friedenserhaltung oder ihrer humanitären Tätigkeit in ausländischem Kriegsgebiet getroffen hat.

Sonderrechtsordnung

Artikel 48 [Sonderrechtsordnung]

Sonderrechtsordnungen sind der Kriegszustand, der Notstand und die Gefahrenlage.

Der Kriegszustand

Artikel 49 [Kriegszustand]

(1) Die Landesversammlung kann im Fall

a) der Ausrufung einer Kriegslage oder einer Kriegsgefahr,

b) eines äußeren bewaffneten Angriffs, einer in ihrer Auswirkung mit einem äußeren bewaffneten Angriff gleichwertigen Handlung sowie deren unmittelbarer Gefahr oder

c) der Erfüllung einer Bundesverpflichtung, die auf die kollektive Verteidigung gerichtet ist,

den Kriegszustand verkünden.

(2) Zur Verkündung des Kriegszustands sind die Stimmen von zwei Dritteln der Abgeordneten der Landesversammlung notwendig.

(3) In der Zeit des Kriegszustands übt die Regierung die durch die Landesversammlung übertragenen Rechte aus sowie entscheidet über den Einsatz der Ungarischen Streitkräfte im Ausland oder in Ungarn, über ihre Teilnahme an der Friedensershaltung, über ihre humanitäre Tätigkeit auf dem Gebiet ausländischer Militäroperationen, über ihre Stationierung im Ausland sowie über den Einsatz ausländischer bewaffneter Kräfte in Ungarn oder ausgehend vom Gebiet Ungarns und über ihre Stationierung in Ungarn.

Der Notstand

Artikel 50 [Notstand]

(1) Die Landesversammlung kann im Falle

a) von Tätigkeiten, die auf den Sturz der Verfassungsordnung, einen Umsturz oder auf den ausschließlichen Erwerb der Macht gerichtet sind, oder

b) schweren und rechtswidrigen Tätigkeiten, die massenhaft die Sicherheit des Lebens und des Vermögens gefährden, den Notstand verkünden.

(2) Zur Verkündung des Notstands sind die Stimmen von zwei Dritteln der Abgeordneten der Landesversammlung notwendig.

(3) Der Notstand kann für 30 Tage verkündet werden. Die Landesversammlung kann den Notstand mit den Stimmen von zwei Dritteln der Abgeordneten der Landesversammlung um 30 Tage verlängern, falls die Umstände, die den Grund für die Verkündung des Notstands gegeben haben, weiterhin bestehen.

Die Gefahrenlage

Artikel 51 [Gefahrenlage]

(1) Die Regierung kann im Falle eines schweren Vorkommnisses, das die Sicherheit des Lebens oder des Vermögens gefährdet – insbesondere einer Naturkatastrophe oder eines Industrieunfalls – sowie zur Abwehr von deren Folgen die Gefahrenlage verkünden.

(2) Die Gefahrenlage kann für 30 Tage verkündet werden.

(3) Die Regierung kann die Gefahrenlage auf der Grundlage der Ermächtigung der Landesversammlung verlängern, falls die Umstände, die den Grund für die Verkündung der Gefahrenlage gegeben haben, weiterhin bestehen.

(4) Über die Ermächtigung gemäß Abs. 3 entscheidet die Landesversammlung mit den Stimmen von zwei Dritteln der anwesenden Abgeordneten der Landesversammlung.

Besondere Regeln in Bezug auf die Sonderrechtsordnung

Artikel 52 [Aussetzungsverbot]

(1) In der Sonderrechtsordnung kann die Anwendung des Grundgesetzes nicht ausgesetzt werden.

(2) In der Sonderrechtsordnung kann die Ausübung der grundlegenden Rechte – mit der Ausnahme der grundlegenden Rechte in Art. II und III sowie XXVIII Abs. 2-6 – ausgesetzt oder über das Maß gemäß Art. I Abs. 3 hinaus beschränkt werden.

(3) Die Regierung ist in der Zeit einer Sonderrechtsordnung verpflichtet, alle Maßnahmen zu ergreifen, die den fortlaufenden Betrieb der Landesversammlung garantieren.

(4) In der Zeit einer Sonderrechtsordnung kann die Tätigkeit des Verfassungsgerichts nicht eingeschränkt werden. Die Regierung ist in der Sonderrechtsordnung verpflichtet, alle Maßnahmen zu ergreifen, die den fortlaufenden Betrieb des Verfassungsgerichts garantieren.

(5) Die detaillierten Regeln, die in einer Sonderrechtsordnung anzuwenden sind, bestimmt ein Kardinalgesetz.

Artikel 53 [Verordnungen in der Sonderrechtsordnung]

(1) Die Regierung kann in der Sonderrechtsordnung Verordnungen erlassen, mit denen sie – gemäß den Bestimmungen in einem Kardinalgesetz – die Anwendung einzelner Gesetze aussetzen, von gesetzlichen Bestimmungen abweichen sowie sonstige außerordentliche Maßnahmen treffen kann.

(2) Die Regierung unterrichtet fortlaufend den Präsidenten der Republik, den Präsidenten der Landesversammlung und den über den Aufgaben- und Zuständigkeitsbereich für den Gegenstand verfügenden Ausschuss der Landesversammlung über die in der Zeit der Sonderrechtsordnung gemäß den Regeln über die Sonderrechtsordnung erlassenen Verordnungen.

(3) Die Landesversammlung kann die Verordnungen, die die Regierung in der Zeit der Sonderrechtsordnung gemäß den Regeln über die Sonderrechtsordnung erlassen hat, aufheben. Die Regierung kann die aufgehobene Verordnung nicht mit identischem Inhalt neu erlassen, außer wenn dies durch eine bedeutende Änderung der Umstände begründet ist. Die Regierung unterrichtet

unverzüglich den Präsidenten der Republik, den Präsidenten der Landesversammlung und den über den Aufgaben- und Zuständigkeitsbereich für den Gegenstand verfügenden Ausschuss der Landesversammlung über derart erlassene Verordnungen und über die Gründe ihres Erlasses.

(4) Die Sonderrechtsordnung kann durch das Organ beendet werden, das zur Verkündung der Sonderrechtsordnung berechtigt ist, falls die Voraussetzungen ihrer Verkündung nicht mehr bestehen.

(5) Die Verordnungen, die die Regierung in der Zeit der Sonderrechtsordnung gemäß den Regeln in Bezug auf die Sonderrechtsordnung erlassen hat, treten mit dem Ende der Sonderrechtsordnung außer Kraft.

Besondere Regeln in Bezug auf den Kriegszustand und den Notstand

Artikel 54 [Verordnungen in Kriegszustand und Notstand]

(1) Nach der Beantragung der Verkündung des Kriegszustands oder des Notstands durch die Regierung kann die Regierung Verordnungen erlassen, mit denen sie – gemäß den Bestimmungen in einem Kardinalgesetz – in dem Maße, das zu der sofortigen Handhabung der Umstände, die Grund zu der Verkündung geben, notwendig ist, die Anwendung einzelner Gesetze aussetzen, von gesetzlichen Bestimmungen abweichen sowie sonstige außerordentliche Maßnahmen treffen kann.

(2) Die Regierung unterrichtet fortlaufend den Präsidenten der Republik, den Präsidenten der Landesversammlung und den über den Aufgaben- und Zuständigkeitsbereich für den Gegenstand verfügenden Ausschuss der Landesversammlung über Verordnungen gemäß Abs. 1.

(3) Die Geltung einer Verordnung gemäß Abs. 1 dauert bis zu der Entscheidung in Bezug auf die Verkündung des Kriegszustands oder des Notstands, aber höchstens 60 Tage ab der Beantragung der Verkündung durch die Regierung, falls der Kriegszustand oder der Notstand verkündet wird, höchstens bis

zum Ende des Kriegszustands oder des Notstands.

(4) Falls der Kriegszustand oder der Notstand nicht verkündet wird, erlässt die Landesversammlung ein Gesetz über den Regelungsübergang im Zusammenhang mit den außerordentlichen Maßnahmen, die die Verordnungen gemäß Abs. 1 getroffen haben.

(5) Die Regierung ist nach der Beantragung der Verkündung des Kriegszustands oder des Notstands verpflichtet, alle Maßnahmen zu ergreifen, die den fortlaufenden Betrieb der Landesversammlung garantieren.

(6) Die Landesversammlung kann eine Verordnung gemäß Abs. 1 aufheben. Die Regierung kann die aufgehobene Verordnung nicht mit identischem Inhalt neu erlassen, außer wenn dies durch eine bedeutende Änderung der Umstände begründet ist. Die Regierung unterrichtet unverzüglich den Präsidenten der Republik, den Präsidenten der Landesversammlung und den über den Aufgaben- und Zuständigkeitsbereich für den Gegenstand verfügenden Ausschuss der Landesversammlung über derart erlassene Verordnungen und über die Gründe ihres Erlasses.

(7) Nach der Beantragung des Kriegszustands oder des Notstands durch die Regierung kann die Tätigkeit des Verfassungsgerichts nicht eingeschränkt werden. Die Regierung ist in der Sonderrechtsordnung verpflichtet, alle Maßnahmen zu ergreifen, die den fortlaufenden Betrieb des Verfassungsgerichts garantieren.

(8) Die detaillierten Regeln, die nach der Beantragung des Kriegszustands oder des Notstands durch die Regierung anzuwenden sind, bestimmt ein Kardinalgesetz.

Artikel 55 [Auflösung der Nationalversammlung in Kriegszustand und Notstand]

(1) In der Zeit des Kriegszustands oder Notstands kann die Landesversammlung nicht ihre Auflösung beschließen und kann nicht aufgelöst werden. Die allgemeinen Wahlen der Abgeordneten der Landesversammlung können in der Zeit des Kriegszustands und des Notstands nicht anberaumt und nicht abgehalten werden, in einem solchen Fall ist eine neue Landesversammlung innerhalb von 90 Tagen ab dem Ende des Kriegszustands oder des Notstands zu wählen. Falls die allgemeine Wahl der Abgeordneten der Landesversammlung bereits abgehalten wurden, aber die neue Landesversammlung sich noch nicht konstituiert hat, beruft der Präsident der Republik die konstitutierende Sitzung auf einen Zeitpunkt innerhalb von 30 Tagen ab dem Ende des Kriegszustands oder des Notstands ein.

(2) Der Präsident der Republik kann in der Zeit des Kriegszustands oder Notstands eine Landesversammlung, die sich aufgelöst hat oder aufgelöst wurde, einberufen.

Eigene Regeln der Sonderrechtslage in Bezug auf die Landesversammlung und den Präsidenten der Republik

Artikel 56 [Verkündung des Kriegszustandes]

(1) Der Präsident der Republik ist berechtigt, den Kriegszustand zu verkünden, den Notstand zu verkünden und zu verlängern sowie die Regierung zur Verlängerung der Gefahrenlange zu ermächtigen, falls die Landesversammlung an der Fassung dieser Entscheidungen gehindert ist.

(2) Der Präsident der Landesversammlung, der Präsident des Verfassungsgerichts und der Ministerpräsident stellen übereinstimmend die Tatsache fest, dass die Landesversammlung gehindert ist, falls die Landesversammlung nicht tagt und ihre Einberufung wegen der Kürze der Zeit, weiterhin wegen der Umstände, die den Grund für die Verkündung der Sonderrechtsordnung geben, auf unbeseitigbare Hindernisse stößt.

(3) Die Landesversammlung entscheidet auf ihrer ersten Sitzung nach dem Ende der Verhinderung gemäß den Regeln, die ohne ihre Verhinderung anzuwenden sind, über die Begründetheit und Rechtmäßigkeit der Entscheidungen des Präsidenten der Republik gemäß Abs. 1 sowie überprüft die außer-

ordentlichen Maßnahmen, die in der Sonderrechtsordnung ergriffen wurden.

SCHLUSS- UND VERMISCHTE BESTIMMUNGEN

1. Ungarns Grundgesetz tritt am 1. Januar 2012 in Kraft.

2. Dieses Grundgesetz verabschiedet die Landesversammlung auf der Grundlage von § 19 Abs. 3 lit. a und von § 24 Abs. 3 des Gesetzes 1949:XX.

3. Die Übergangsvorschriften im Zusammenhang mit dem Inkrafttreten des Grundgesetzes enthalten Nr. 8-26.

4. Die Regierung ist verpflichtet, der Landesversammlung die zur Durchführung des Grundgesetzes notwendigen Gesetzentwürfe zu unterbreiten.

5. Die vor dem Inkrafttreten des Grundgesetzes erlassenen Verfassungsgerichtsurteile verlieren ihre Geltung. Diese Bestimmung lässt die Rechtswirkungen, die diese Urteile entfalten, unberührt.

6. Der 25. April ist – zum Gedenken an die Verkündung des Grundgesetzes – der Tag des Grundgesetzes.

7. Die erste allgemeine Wahl der örtlichen Selbstverwaltungsabgeordneten und Bürgermeister nach dem Inkrafttreten des Grundgesetzes erfolgt im Oktober 2014.

8. Das Inkrafttreten des Grundgesetzes lässt die Geltung der vor seinem Inkrafttreten erlassenen Rechtsvorschriften, ausgegebenen öffentlich-rechtlichen Organisationsregelungsmittel und anderen rechtlichen Mitteln der staatlichen Lenkung, getroffenen Einzelfallentscheidungen sowie übernommenen völkerrechtlichen Verpflichtungen unberührt.

9. Der Rechtsnachfolger eines Organs, das seinen Aufgaben- und Zuständigkeitsbereich gemäß dem Gesetz 1949:XX über die Verfassung der Republik Ungarn ausübt, ist das Organ, das den Aufgaben- und Zuständigkeitsbereich auf der Grundlage des Grundgesetzes ausübt.

10. Als Bezugnahme auf Ungarn kann die Benennung „Republik Ungarn" gemäß den am 31. Dezember 2011 gültigen Bestimmungen in Rechtsvorschriften auch nach Inkrafttreten des Grundgesetzes so lange gebraucht werden, wie die Umstellung auf den Gebrauch der grundgesetzgemäßen Benennung gemäß den Grundsätzen der verantwortlichen Wirtschaftsführung nicht verwirklicht werden kann.

11. Das Inkrafttreten des Grundgesetzes lässt – mit den Ausnahmen gemäß den Bestimmungen in Nr. 12-18 – das Mandat der Landesversammlung, der Regierung und der Abgeordnetenkörperschaften der örtlichen Selbstverwaltungen sowie der vor Inkrafttreten des Grundgesetzes ernannten oder gewählten Personen unberührt.

12. Das Grundgesetz ist auch im Hinblick auf das Mandat

a) der amtierenden Landesversammlung und Abgeordneten der Landesversammlung mit Art. 3 und 4,

b) des amtierenden Präsidenten der Republik mit Art. 12 und 13,

c) der amtierenden Regierung und der amtierenden Mitglieder der Regierung mit Art. 20 und 21,

d) der amtierenden Gerichtssekretäre mit Art. 27 Abs. 3,

e) der amtierenden Vorsitzenden der Generalversammlungen der Komitate mit Art. 33 Abs. 2,

f) der amtierenden Abgeordnetenkörperschaften der örtlichen Selbstverwaltungen und Bürgermeister mit Art. 35 Abs. 3-6

anzuwenden.

13. Die Berechnung der Frist gemäß Art. 4 Abs. 3 lit. f Grundgesetz beginnt mit dem Inkrafttreten des Grundgesetzes.

14. (1) Rechtsnachfolger des Obersten Gerichts, des Landesjustizrats und seines Präsidenten sind im Hinblick auf die Rechtsprechungstätigkeit die Kurie, im Hinblick auf die Verwaltung der Gerichte – mit der in einem Kardinalgesetz bestimmten Ausnahme – der Präsident des Landesgerichtsamtes.

(2) Das Mandat des Präsidenten des Obersten Gerichts, des Präsidenten des Landesjustizrats und seiner Mitglieder endet mit dem Inkrafttreten des Grundgesetzes.

15. (1) Das Erfordernis des Mindestlebensalters in Art. 26 Abs. 2 Grundgesetz ist – mit der Ausnahme in Abs. 2 – auf die Richter anzuwenden, die aufgrund eines nach Inkrafttreten des Grundgesetzes ausgeschriebenen Bewerbungsverfahrens ernannt werden.

(2) Falls die Ernennung gemäß den Bestimmungen in einem Gesetz ohne Ausschreibung eines Bewerbungsverfahrens erfolgt, ist das Erfordernis des Mindestlebensalters auf die Richter anzuwenden, die nach dem Inkrafttreten des Grundgesetzes ernannt werden.

16. Die Bezeichnung des Amtes des parlamentarischen Beauftragten für die staatsbürgerlichen Rechte ist ab dem Inkrafttreten des Grundgesetzes Beauftragter für die grundlegenden Rechte. Rechtsnachfolger des parlamentarischen Beauftragten für die staatsbürgerlichen Rechte, des parlamentarischen Beauftragten für die nationalen und ethnischen Rechte und des parlamentarischen Beauftragten für die kommenden Generationen ist der Beauftragte für die grundlegenden Rechte. Der amtierende parlamentarische Beauftragte für die Rechte der nationalen und ethnischen Minderheiten ist ab Inkrafttreten des Grundgesetzes der Stellvertreter des Beauftragten für die grundlegenden Rechte, der den Schutz der Rechte der in Ungarn lebenden Nationalitäten versieht; der amtierende parlamentarische Beauftragte für die kommenden Generationen ist ab Inkrafttreten des Grundgesetzes der Stellvertreter des Beauftragten für die grundlegenden Rechte, der den Schutz der Interessen der kommenden Generationen versieht; ihr Mandat endet mit dem Ende des Mandats des Beauftragten für die grundlegenden Rechte.

17. Das Mandat des amtierenden Datenschutzbeauftragten endet mit dem Inkrafttreten des Grundgesetzes.

18. Die Benennung des Amtes des Vorsitzenden der Generalversammlung des Komitats ist bei Anwendung des Grundgesetzes ab dessen Inkrafttreten Vorsitzender der Abgeordnetenkörperschaft des Komitats. Die Abgeordnetenkörperschaft des Komitats gemäß dem Grundgesetz ist die Rechtsnachfolgerin der Generalversammlung des Komitats.

19. (1) Die Bestimmungen des Grundgesetzes sind – mit den Ausnahmen in Abs. 2-5 – auch in laufenden Angelegenheiten anzuwenden.

(2) Art. 6 Grundgesetz ist ab der ersten Sitzung der Landesversammlung, die nach dem Inkrafttreten des Grundgesetzes beginnt, anzuwenden.

(3) Ein Verfahren, das aufgrund eines Antrags eingeleitet wurde, den ein aufgrund des Grundgesetzes nicht mehr antragsberechtigter Antragsteller beim Verfassungsgericht vor Inkrafttreten des Grundgesetzes eingereicht hat, endet – falls das Verfahren ab dem Inkrafttreten des Grundgesetzes in die Zuständigkeit eines anderen Organs gehört, unter Überleitung des Antrags. Der Antragsteller kann den Antrag – gemäß den in einem Kardinalgesetz bestimmten Voraussetzungen – wiederholt einreichen.

(4) Auf die am 1. Januar 2012 bestehenden Verträge und Zuwendungsberechtigungen sowie auf die laufenden Verfahren, die auf einen Vertragsabschluss oder die Gewährung einer Zuwendung gerichtet sind, sind Art. 38 Abs. 4 und Art. 39 Abs. 1 Grundgesetz im Fall einer dahingehenden Bestimmung eines Gesetzes gemäß den gesetzlichen Bestimmungen anzuwenden.

(5) Der am 31. Dezember 2011 gültige § 70/E Abs. 3 Satz 3 Gesetz 1949:XX über die Verfassung der Republik Ungarn ist auf die Versorgungen, die gemäß den am 31. Dezember 2011 geltenden Regeln als Altersversorgung gelten, im Hinblick auf die Änderung von deren Voraussetzungen, Charakter und Summe, auf ihre Umformung in eine andere Versorgung oder ihre Beendigung bis zum 31. Dezember 2012 anzuwenden.

20. Die am 31. Dezember 2011 geltenden § 26 Abs. 6, § 28/D, § 28/E, § 31 Abs. 2 und 3 Gesetz 1949:XX über die Verfassung der Republik Ungarn sind auch nach Inkrafttreten des Grundgesetzes auf die bei Inkrafttreten des Grundgesetzes laufenden Verfahren anzuwenden.

21. Die Teilnahme der in Ungarn lebenden

Nationalitäten an der Arbeit der Landesversammlung gemäß Art. 2 Abs. 2 Grundgesetz ist erstmalig bei der Arbeit der sich nach der ersten allgemeinen Wahl der Abgeordneten der Landesversammlung nach dem Inkrafttreten des Grundgesetzes konstituierenden Landesversammlung zu gewährleisten.

22. Das Inkrafttreten des Grundgesetzes lässt die Entscheidungen, die die Landesversammlung oder die Regierung vor dessen Inkrafttreten – gemäß dem Gesetz 1949:XX über die Verfassung der Republik Ungarn – über die Verwendung der Ungarischen Streitkräfte innerhalb des Landes oder im Ausland, über die Verwendung ausländischer bewaffneter Kräfte in Ungarn oder ausgehend vom Gebiet des Landes sowie über die Stationierung der Ungarischen Streitkräfte im Ausland beziehungsweise ausländischer bewaffneter Kräfte in Ungarn getroffen haben, unberührt.

23. Auf einen ausgerufenen

a) Ausnahmezustand sind die Bestimmungen des Grundgesetzes über den Ausnahmezustand,

b) Notstand, falls dieser wegen bewaffneter Handlungen, die auf den Umsturz der verfassungsmäßigen Ordnung oder auf den ausschließlichen Erwerb der Macht gerichtet sind, beziehungsweise von schweren gewalttätigen Handlungen, die die Lebens- und Vermögenssicherheit in massenhaftem Ausmaß gefährden und mit Waffen oder unter Bewaffnung begangen werden, ausgerufen wurde, sind die Bestimmungen des Grundgesetzes über den Notstand,

c) Notstand, falls dieser wegen einer Naturkatastrophe oder eines Industrieunfalls, welche die Lebens- und Vermögenssicherheit in massenhaftem Ausmaß gefährden, ausgerufen wurde, sind die Bestimmungen des Grundgesetzes über die Gefahrenlage,

d) Spannungsfall sind die Bestimmungen des Grundgesetzes über den Spannungsfall,

e) Zustand gemäß § 19/E Gesetz 1949:XX über die Verfassung der Republik Ungarn sind die Bestimmungen des Grundgesetzes über den unerwarteten Angriff und

f) eine ausgerufene Gefahrenlage sind die Bestimmungen des Grundgesetzes über die Gefahrenlage

anzuwenden.

24. (1) Wer bei Inkrafttreten des Grundgesetzes aufgrund eines rechtskräftigen Urteils unter der Geltung eines Verbots steht, öffentliche Angelegenheiten auszuüben, verfügt während dessen Dauer nicht über das Wahlrecht.

(2) Wer bei Inkrafttreten des Grundgesetzes aufgrund eines rechtkräftigen Urteils einer Pflegschaft untersteht, die die Geschäftsfähigkeit beschränkt oder ausschließt, verfügt bis zur Aufhebung der Pflegschaft oder solange, wie das Gericht nicht das Bestehen des Wahlrechts feststellt, nicht über das Wahlrecht.

25. (1) Der am 31. Dezember 2011 gültige § 12 Abs. 2 Gesetz 1949:XX über die Verfassung der Republik Ungarn ist bis zum 31. Dezember 2013 auf die Übergabe örtlichen Selbstverwaltungseigentums an den Staat oder an andere örtliche Selbstverwaltungen anzuwenden.

(2) Der am 31. Dezember 2011 gültige § 44/B Abs. 4 Gesetz 1949:XX über die Verfassung der Republik Ungarn ist bis zum 31. Dezember 2012 anzuwenden. Nach dem 31. Dezember 2011 können ein Gesetz oder aufgrund einer gesetzlichen Ermächtigung eine Regierungsverordnung für den Notär Aufgaben- und Zuständigkeitsbereiche der Staatsverwaltung festlegen.

(3) Der am 31. Dezember 2011 gültige § 22 Abs. 1 und Abs. 3-5 Gesetz 1949:XX über die Verfassung der Republik Ungarn ist bis zum Inkrafttreten des Kardinalgesetzes gemäß Art. 5 Abs. 8 Grundgesetz anzuwenden. Das Kardinalgesetz gemäß Art. 5 Abs. 8 und Art. 7 Abs. 3 Grundgesetz erlässt die Landesversammlung bis zum 30. Juni 2012.

(4) Bis zum 31. Dezember 2012 kann ein Kardinalgesetz den Erlass einzelner Entscheidungen der Landesversammlung an eine qualifizierte Mehrheit knüpfen.

26. Außer Kraft treten

a) Gesetz 1949:XX über die Verfassung der Republik Ungarn,

b) Gesetz 1972:I über die Änderung des Gesetzes 1949:XX und über den einheitlichen Text der Verfassung der Volksrepublik Ungarn,

c) Gesetz 1989:XXXI über die Änderung der Verfassung,

d) Gesetz 1990:XVI über die Änderung der Verfassung der Republik Ungarn,

e) Gesetz 1990:XXIX über die Änderung der Verfassung der Republik Ungarn,

f) Gesetz 1990:XL über die Änderung der Verfassung der Republik Ungarn,

g) die Änderung der Verfassung vom 25. Mai 2010,

h) die Änderung der Verfassung vom 5. Juli 2010,

i) die Änderungen der Verfassung vom 6. Juli 2010,

j) die Änderungen der Verfassung vom 11. August 2010,

k) Gesetz 2010:CXIII über die Änderung des Gesetzes 1949:XX über die Verfassung der Republik Ungarn,

l) Gesetz 2010:CXIX über die Änderung des Gesetzes 1949:XX über die Verfassung der Republik Ungarn,

m) Gesetz 2010:CLXIII über die Änderung des Gesetzes 1949:XX über die Verfassung der Republik Ungarn,

n) Gesetz 2011:LXI über die Änderung des Gesetzes 1949:XX über die Verfassung der Republik Ungarn, die zum Erlass einiger Übergangsbestimmungen im Zusammenhang mit dem Grundgesetz notwendig ist,

o) Gesetz 2011:CXLVI über die Änderung des Gesetzes 1949:XX über die Verfassung der Republik Ungarn und

p) Gesetz 2011:CLIX über die Änderung des Gesetzes 1949:XX über die Verfassung der Republik Ungarn.

27. [aufgehoben]

28. [aufgehoben]

Wir, die Abgeordneten der am 25. April 2010 gewählten Landesversammlung, im Bewusstsein unserer Verantwortung vor Gott und dem Menschen, indem wir von unserer verfassunggebenden Gewalt Gebrauch machen, legen Ungarns erstes einheitliches Grundgesetz gemäß dem Obigen fest.

Mögen Friede, Freiheit und Übereinstimmung herrschen.

ÜBERGANGSBESTIMMUNGEN VON UNGARNS GRUNDGESETZ (31. DEZEMBER 2011)

[aufgehoben]